HISTORIA Y CRÍTICA
DE LA
LITERATURA ESPAÑOLA

IV
ILUSTRACIÓN Y NEOCLASICISMO

PÁGINAS
DE
FILOLOGÍA
Director: FRANCISCO RICO

FRANCISCO RICO
HISTORIA Y CRÍTICA DE LA LITERATURA ESPAÑOLA

1
ALAN DEYERMOND
EDAD MEDIA

2
FRANCISCO LÓPEZ ESTRADA
SIGLOS DE ORO: RENACIMIENTO

3
BRUCE W. WARDROPPER
SIGLOS DE ORO: BARROCO

4
JOSÉ MIGUEL CASO GONZÁLEZ
ILUSTRACIÓN Y NEOCLASICISMO

5
IRIS M. ZAVALA
ROMANTICISMO Y REALISMO

6
JOSÉ-CARLOS MAINER
MODERNISMO Y 98

7
VÍCTOR G. DE LA CONCHA
ÉPOCA CONTEMPORÁNEA: 1914-1939

8
DOMINGO YNDURÁIN
ÉPOCA CONTEMPORÁNEA: 1939-1980

HISTORIA Y CRÍTICA
DE LA LITERATURA ESPAÑOLA

AL CUIDADO DE
FRANCISCO RICO

IV

JOSÉ MIGUEL CASO GONZÁLEZ

ILUSTRACIÓN Y NEOCLASICISMO

EDITORIAL CRÍTICA
Grupo editorial Grijalbo
BARCELONA

Coordinación
de
MERCEDES QUÍLEZ

Traducciones
de
CARLOS PUJOL

Diseño de la cubierta:
ENRIC SATUÉ
© 1983 de la presente edición para España y América
Editorial Crítica, S. A., calle Pedró de la Creu, 58, Barcelona - 34
ISBN: 84-7423-212-0
Depósito legal: B. 30.837 - 1983
Impreso en España
1983. — HUROPE, S. A., Recaredo, 2, Barcelona-5

EL PRESENTE VOLUMEN
SE PUBLICA EN MEMORIA
DE
JOAQUÍN ARCE,
GREGORIO MARAÑÓN, ÁNGEL DEL RÍO,
JEAN SARRAILH Y PEDRO SALINAS

HISTORIA Y CRÍTICA DE LA LITERATURA ESPAÑOLA

INTRODUCCIÓN

I

Historia y crítica de la literatura española quisiera ser varios libros, pero sobre todo uno: una historia nueva de la literatura española, no compuesta de resúmenes, catálogos y ristras de datos, sino formada por las mejores páginas que la investigación y la crítica más sagaces, desde las perspectivas más originales y reveladoras, han dedicado a los aspectos fundamentales de cerca de mil años de expresión artística en castellano. Nuestro ideal, pues, sería dar una selección de ensayos, artículos, fragmentos de libros..., que proporcionara una imagen cabal y rigurosamente al día de las cimas y los grandes momentos en la historia de la literatura española, en un conjunto bien conexo (dentro de la pluralidad de enfoques), apto igual para una ágil lectura seguida que para la consulta sobre un determinado particular. Ese objetivo es aún inalcanzable, por obvias limitaciones de hecho y por la inexistencia en bastantes dominios de los materiales adecuados para tal construcción. Pero no renunciamos a irnos acercando a la meta: *Historia y crítica de la literatura española* sale con el compromiso explícito de remozarse cada pocos años, bien por suplementos sueltos, bien en ediciones enteramente rehechas.

Por ahora, en cualquier caso, la presente obra (*HCLE*), capítulo a capítulo, es un intento de ensamblar en la dirección dicha dos tipos de elementos:

1. Una selección de textos ordenados cronológica y temáticamente para dibujar la trayectoria histórica de la literatura española, en una visión centrada en los grandes géneros, autores y libros, en las

épocas y cuestiones principales, según las conclusiones de la crítica de mayor solvencia. Esos textos, además de organizarse en semejante secuencia histórica, constituyen de por sí una antología de los estudios más valiosos en torno a la literatura española realizados en los últimos años.

2. Cada uno de los capítulos en que se han distribuido tales textos se abre con una introducción y un estricto registro de bibliografía. La introducción pasa revista —más o menos detenida— a los escritores, obras o temas considerados; y, ya simultáneamente, ya a continuación (véase abajo, III, 4), ofrece un panorama del estado actual de los trabajos sobre el asunto en cuestión, señalando los problemas más debatidos y las respuestas que proponen los diversos estudiosos y escuelas, las aportaciones más destacadas, las tendencias y criterios en auge... Como norma general, la bibliografía —nunca exhaustiva, antes cuidadosamente elegida— no pretende tener entidad propia, sino que ha de manejarse con la guía de la introducción, que la clasifica, criba y evalúa.

II

La razón de ser de *HCLE* no radica tanto en ninguna teoría como en el público a quien se dirige. Antes de añadir otras precisiones, permítaseme, pues, indicar los servicios que en mi opinión es capaz de prestar a lectores de preparación e intereses distintos; y perdóneseme si al hacerlo me paso de entusiasta (e ingenuo): no tengo reparo en declarar que en el curso del quehacer me 'ha ido ganando la convicción de que, si algo vale la buena literatura, individual y socialmente, algo de valor en tales sentidos podía significar nuestra obra.

Pensemos, para empezar al hilo del *curriculum*, en el sufrido estudiante de Letras (y aun del actual Curso de Orientación Universitaria: pero mejor no detenerse en cosa tan esquiva y tornadiza). En los primeros años de facultad, junto a varias asignaturas más, va a seguir dos o tres cursos de literatura española, correspondientes a otros tantos períodos. A un alumno en sus circunstancias, es difícil (o inútil) pedirle que, sobre familiarizarse con un número no chico de textos primarios, se inicie en el empleo de la bibliografía básica; y es cruel y dañino confinarlo a un manual para los datos y las imprescindibles referencias a la erudición y la crítica (que tampoco pueden agobiar la clase). Ahora bien: equidistante del manual y de la bibliografía básica, copiosa en secciones destinadas a abordar directamente los textos primarios, HCLE se deja usar con ventaja, de modo gradual y discriminado, para satisfacer las exigencias de esa etapa universitaria. Tomemos a nuestro estudiante un par de años después.

Entonces, verosímilmente, ya no tendrá que matricularse en un curso tan amplio como «Literatura española del Siglo de Oro» —digamos—, sino en otros de objeto más reducido y atención más intensa: «La épica medieval», verbigracia, «Garcilaso», «El teatro neoclásico» o el inevitable (en buena hora), «Galdós». En tal caso, los respectivos capítulos de HCLE —con un nuevo equilibrio entre la selección de textos y la mise au point que la precede— le permitirán entrar decidida y fácilmente en la materia monográfica que le atañe; y el resto del volumen le brindará unas coordenadas o un contexto que, si no, quizá debería ganarse con más esfuerzo del requerido.

Sigamos. Dejemos volar la loca fantasía e imaginemos que el estudiante de antaño, ya licenciado, ha descubierto ¡y obtenido! un puesto de trabajo como profesor de lengua y literatura en la enseñanza media o en un estadio docente similar. (En España, quién sabe si ello todavía habrá ocurrido tras unas oposiciones a la manera tradicional: el pudor, sin embargo, me veda insinuar la utilidad de HCLE para el casticísimo opositor.) Probablemente le cumplirá ahora desempeñar su tarea en condiciones no óptimas: sin tanto sosiego para preparar las clases como todos quisiéramos, tal vez lejos de una biblioteca no ya buena sino mediana, dudando con frecuencia por dónde abordar una explicación o una lectura en la forma apropiada para bachilleres en cierne... Pienso, por supuesto, en el profesor novel, a quien HCLE se propone ofrecer una variada gama de incitaciones y subsidios para enseñar literatura por caminos más atractivos y pertinentes que los muchas veces trillados. Pero no olvido tampoco al profesor veterano, cuya experiencia se matizará refrescando ciertos temas o explorando nuevas directrices; y que, responsable de un pequeño seminario, con una asignación de fondos siempre demasiado corta, se verá obligado a calcular despacio la «política de compras» o —en plata— en qué libros y revistas se gasta el dinero de que dispone.

O supongamos que el licenciado de nuestra fábula ha querido y podido preparar una tesis doctoral, investigar, consagrarse a la docencia universitaria. También él hallará de qué beneficiarse en HCLE.

Es evidente que al especialista en un dominio nunca le sobrará enterarse de la situación en otros terrenos, más o menos próximos, pero al fin en continuidad (la *literatura* y hasta la *literaturnost* son en medida decisiva «historia de la literatura»).

No es sólo eso, con todo: las introducciones a cada capítulo se deben a estudiosos de probada competencia, cuyos juicios tienen valor específico y que entre los comentarios a la bibliografía ajena deslizan multitud de pistas y aportaciones propias, cuando no incorporan, en síntesis, los resultados de investigaciones inéditas. Hay aquí numerosos materiales que ni el erudito harto avezado puede descuidar tranquilamente.

No obstante, me atrevo a suponer que para el especialista *HCLE* será esencialmente una no desdeñable invitación a reflexionar sobre *the state of the art*, sobre la situación de las disciplinas que cultiva y que aquí se le aparecerán compendiosamente con sus logros y sus lagunas, con sus protagonistas individuales y colectivos, en un cuadro que a muchos propósitos no encontrará en otro lugar. En tal sentido, no sólo los balances contenidos en las introducciones, sino la misma antología de la crítica (o de los críticos) que es la selección de textos, esperan valer tanto por las cotas que muestran conquistadas cuanto por los horizontes que estimulan a alcanzar.

No descuido, por otra parte, la posibilidad (confesadamente optimista) de que *HCLE* llegue a lectores que estén fuera del *curriculum* que acabo de esbozar, pero que, presumiblemente con formación universitaria, compartan con quienes están dentro el interés por la literatura. Tras disfrutar con el *Cantar del Cid* o *La Regenta*, tras asistir a una representación de *El caballero de Olmedo* o *La comedia nueva*, es normal que una persona con gustos literarios se quede con ganas de saber más sobre la obra y contrastar su opinión con el dictamen de los expertos. Difícilmente le bastará entonces la información accesible en el manual o en la enciclopedia familiar: en cambio, entre los textos seleccionados en *HCLE* es probable que halle exactamente el tipo de alimento intelectual que le apetece.

A ese vario público busca *HCLE*. Casi como Juan Ruiz, y desde luego con «buen amor», a cada cual, «en la carrera que andudiere, querría este nuestro libro bien dezir: *Intellectum tibi dabo*».

III

Con parejos destinatarios en mente, sospecho que se comprenderán mejor los criterios que han presidido nuestro quehacer. 1. El núcleo de *HCLE* son las obras, autores, movimientos, tradiciones... verdaderamente de primera magnitud y mayor vigencia para el lector de hoy. En especial en el marco de las introducciones, no faltan, desde luego, referencias a escritores, libros o géneros relativamente menores; pero el énfasis se marca en los mayores, y a la línea que ellos trazan se fía la ambicionada organicidad del conjunto. No es una visión de la historia de la literatura sometida a la pura moda del día ni reducida a un desfile de «héroes»: es que sólo así los materiales críticos y eruditos disponibles se podían enhebrar en una serie trabada, dentro de la pluralidad de perspectivas inherente a la empresa. Ejercicio no siempre sencillo ha sido compaginar la importancia real de obras y autores con el volumen y altura de la bibliografía existente al respecto. Vale decir: no por haberse trabajado más sobre una figura de segunda fila había que otorgarle más espacio que a otra de superior categoría y, sin embargo, menos estudiada; pero sí era necesario dejar constancia, en las introducciones, de las anomalías por el estilo y procurar salvarlas con un cuidado particular en la selección de textos.

2. La materia se distribuye en volúmenes (y capítulos) *no* rotulados de acuerdo con un concepto único y sistemático de periodización. Epígrafes como *Siglos de Oro: barroco, Modernismo y 98* o *Época contemporánea: 1914-1939* ni son demasiado satisfactorios ni responden a iguales principios demarcadores; pero pocos sentirán ante ellos las dudas que tal vez les provocarían etiquetas del tipo de * *La edad conflictiva,* * *La crisis de fin de siglo* o * *Del novecentismo a las vanguardias,* y a bastantes quizá se les antojarán una pizca más locuaces que una mera indicación cronológica (que tampoco permite excesivas precisiones). Los problemas de «períodos», «edades», etcétera, se asedian en detalle en cada tomo que así lo exige: para los títulos me he contentado con identificar *grosso modo* el ámbito de que se trata.

3. Más comprometido era resolver en qué volumen insertar a ciertos autores o cómo reflejar la multiplicidad de sus obras. ¿Cervantes o el *Guzmán de Alfarache* entraban mejor en el tomo II o en

el III? ¿Convenía despiezar a Lope y Quevedo por géneros o reservar capítulos singulares al conjunto de su producción? Los dilemas de esa índole han sido numerosos, y el criterio predominante ha consistido, por un lado, en conceder capítulo exclusivo a las *opera omnia* de cada escritor de talla excepcional —aun si pertenecen a especies diferentes—, y, por otra parte, con más incertidumbre, situarlo en el volumen correspondiente a los años decisivos de su experiencia literaria y vital, a la etapa de sus libros más característicos o al momento en que se definen las líneas de fuerza del movimiento al que se asocia. Así, pongamos, Cervantes me parece que se encuadra con mayor nitidez en la época de su formación que de sus publicaciones («frutos tardíos», sí), mientras el *Guzmán de Alfarache* se aprecia más claramente puesto al lado de la picaresca y de la narrativa toda del Seiscientos, ininteligible sin él (por más que *Ozmín y Daraja* forme prieto bloque con el *Abencerraje*); Guillén o Aleixandre seguramente han escrito más versos, y más excelsos, después que antes de 1936, pero sería un despropósito perturbador dedicarles sección en tomos distintos del que acoge a Salinas y Lorca. Etc., etc. No ha habido inconveniente, sin embargo, en hacer excepciones y, por ejemplo, encabalgar a un mismo autor entre dos capítulos o, más raramente, volúmenes. Los índices de cada entrega y, especialmente, el tomo complementario (véase abajo, 9) paliarán esas perplejidades inevitables: pues, en resumidas cuentas, ni siquiera con el recurso a técnicas cortazarianas (*Rayuela*, 34) puede el lenguaje, lineal, captar la simultaneidad compleja de la historia.

4. Como se ha dicho, la introducción a cada capítulo intenta pasar revista a los escritores, obras o temas en cuestión, y compaginar ese repaso con un panorama del estado actual de los estudios sobre el asunto considerado. La combinación de ambos factores —historia e historiografía— se mueve entre dos extremos posibles. En unos casos, se echa mano de la simple yuxtaposición: en primer término, se bosquejan rápidamente los hechos históricos que interesan; después, se presentan y se enjuician las conclusiones de la historiografía y la crítica pertinentes. En otros casos, tales elementos se ofrecen más íntimamente unidos, de suerte que la exposición de los hechos se apoye paso a paso en el comentario de la bibliografía, y viceversa. Los autores de las introducciones respectivas han procedido aquí con plena libertad, pero, no obstante, tampoco ahora ha faltado una orientación general. En principio, pues, cuando una materia se

presumía más ardua y lejana al lector (según ocurre con todo el volumen sobre la Edad Media), se ha tendido a dar primero un apretado sumario histórico, inmediatamente después del cual el principiante —saltándose la *mise au point* bibliográfica— pudiera pasar a la selección de textos, y sólo en un tercer momento, de interesarle, consultar el panorama de la historiografía al respecto. En cambio, cuando el tema del capítulo se creía más llano, atractivo o conocido, corrientemente ha parecido preferible no establecer fronteras entre historia e historiografía (y la selección de textos, entonces, se muestra en mayor medida como una ilustración parcial de algunos puntos llamativos de entre los señalados en la introducción).

5. Los trabajos históricos y críticos examinados en las introducciones, registrados en las bibliografías y antologados en el cuerpo de cada capítulo no abarcan, desde luego, el curso entero, a través de los siglos, de los estudios en torno a la literatura española. Salvo en las necesarias referencias ocasionales, no se discutirán ni se incluirán aquí las opiniones de Herrera sobre Garcilaso, Luzán sobre Calderón, Clarín sobre Galdós..., ni siquiera de Menéndez Pelayo sobre casi todo. Para la mayoría de las cuestiones abordadas en los volúmenes I-V, hemos dado por supuesto que como medio siglo atrás existía una cierta versión *vulgata* de la historia literaria, y que en los tres, cuatro o cinco decenios pasados se ha producido un reajuste en nuestros conocimientos (y sentimientos) al propósito. Ese nuevo marco, dentro del cual se mueven la crítica y la investigación más responsables y prometedoras, es justamente el ámbito de la presente obra.

Unas veces, la raya divisoria entre lo actual y lo anticuado (o definitivamente caduco) la trazan los descubrimientos factuales, aun si no llegan a tener la extraordinaria importancia del hallazgo de las jarchas. Otras veces, el cambio brota de una distinta actitud estética, incluso cuando cristaliza de manera menos resonante que la exaltación de Góngora en 1927. Otras, todavía, es un libro magistral —por ejemplo, *Erasmo y España*— el que divide en dos épocas las exploraciones de un determinado dominio. Obviamente, no siempre cabe fijar límites precisos. Pero no por ello es menos cierto que en los últimos decenios —el arranque se sitúa habitualmente alrededor de las guerras *plus quam civilia*—, en debate con las viejas certezas, al arrimo de las vanguardias artísticas, en diálogo con los hechos recién averiguados y las ideas latentes, se han transformado los instrumentos de trabajo y los modos de comprensión en la historia y la crítica de la literatura española. Nuestra intención ha sido levantar acta de cómo se ha operado —cómo se está operando— esa transformación y recoger una parte de sus logros más firmes.

En los volúmenes que llegan hasta finales del siglo XIX, nos hemos concentrado, así, en ese período propiamente «moderno» de los estudios literarios. Para los tomos siguientes, claro está que los términos no eran iguales. Ciertamente, la valoración de Valle-Inclán, Cernuda o Celaya ha conocido vuelcos considerables en pocos años, pero de una entidad diversa a los que se han experimentado en la apreciación de autores más remotos. En los volúmenes VI, VII y VIII, por ende, se ha procurado sobre todo documentar el desarrollo —o el nacimiento— de una crítica honda y significativa sobre los temas contemplados, y, en la selección de textos, se han primado las contribuciones en tal sentido, por encima de los abundantes testimonios demasiado anecdóticos o impresionistas.

6. No me resisto a la tentación de ilustrar con alguna muestra dos tipos de problemas que hemos debido afrontar. Uno bien manifⁱsto planteaba la larga e ingente actividad de don Ramón Menéndez Pidal. No era el caso reproducir unas páginas del capital trabajo de 1898 en que don Ramón proponía dar el título de *Libro de buen amor* a la obra de Juan Ruiz y le negaba carácter didáctico: esa propuesta y esa negativa pasaron pronto a la *vulgata* de las opiniones sobre el Arcipreste, la *vulgata* a cuya discusión o refutación atiende HCLE. Pero sí había de estar representada aquí la espléndida ancianidad de Menéndez Pidal, cuando el maestro repensaba su interpretación de los cantares de gesta a la luz de las novísimas inquisiciones sobre la epopeya oral yugoslava o cuando, al refundir un tratado de 1924, polemizaba con E. R. Curtius en torno al papel de clérigos y juglares en los orígenes de las literaturas románicas.

De una punta a otra de HCLE, a nadie se le ocultará que en buena parte del volumen VIII (*Época contemporánea: 1939-1980*) la dificultad mayor no estaba ya en calibrar y elegir la bibliografía, sino lisa y llanamente en localizarla. Los materiales más decisivos ahí a menudo andan dispersos en las entregas fugaces de los periódicos —que apenas dejan rastro en los repertorios—, en las revistas de la provincia, la clandestinidad y el exilio, y únicamente era hacedero dar fe de una parte de ellos, quizá no siempre con una perspectiva lo bastante completa.

7. En las introducciones, al esbozar el estado actual de los trabajos sobre cada asunto, se ha procurado mantener el número de referencias bibliográficas dentro de los límites estrictamente imprescindibles. Había que citar a los principales estudiosos y tendencias, realzar los libros y artículos de mayor utilidad —por sí mismos o por las indicaciones que brindan para profundizar en el tema—, insistir en lo positivo. Pero convenía reducirse a cuarenta, sesenta o, cuando mucho, un centenar de entradas bibliográficas (y ese extremo sólo se ha alcanzado excepcionalmente), que debieran ser suficientes para apuntar las grandes sendas en la selva feracísima en que se han convertido los estudios sobre la literatura española. Si de pecado se trata, en tales circunstancias, hemos preferido pecar por parcos.

8. Nuestro ideal —según declaraba arriba— sería que la selección de textos formara un todo bien conexo (dentro de la pluralidad de enfoques), apto igual para la lectura seguida que para la consulta de un determinado particular. Capítulo a capítulo, hubiéramos querido conjugar visiones de conjunto, análisis de piezas singulares y ejemplos de la erudición más perspicaz. No siempre era factible: no sólo por nuestras limitaciones, por las lagunas de la bibliografía o por otros impedimentos de diversa especie, sino también, a menudo, porque trabajos de gran valor no se prestaban a ser despojados del fragmento con la relativa coherencia (a nuestro objeto, naturalmente) que permitiera tenerlos representados en la antología. Adviértase que los textos seleccionados habían de versar sobre cuestiones sustanciales, allanar el camino a la lectura de las fuentes primarias, no ser de tono excesivamente especializado para el común de los lectores... Por eso, y no únicamente por una convicción compartida por todos los colaboradores —y que en cierto sentido es la «novedad» esencial del período crítico revisado—, la selección de textos tiende a resaltar las contribuciones más sensibles a los factores propiamente literarios y más diestras en relacionarlos con la entera trama de la historia. Pero, por supuesto, ha sido el estado actual de la bibliografía sobre el dominio quien ha moldeado cada capítulo, y ninguna orientación provechosa ha quedado deliberadamente al margen.

9. Las ocho entregas de HCLE tendrán por complemento un volumen que contendrá un diccionario de la literatura española, junto a otros materiales (tablas cronológicas, prontuario de bibliografía, etcétera), coordinados todos con envíos al tomo y capítulo de la presente serie donde se traten más por extenso los asuntos ahí preser-

tados desde un punto de vista escuetamente informativo y factual. Ese volumen en preparación espera tener validez autónoma, pero ha sido concebido contando con la existencia de *HCLE*.

En el aludido diccionario figurarán las oportunas noticias biobibliográficas sobre los principales estudiosos de la literatura española, y en particular, claro es, de todos aquellos de quienes se recogen textos en nuestra antología.

10. Empezaba por confesar (I) que *HCLE*, primera aproximación a una meta sin duda ambiciosa, nace con el compromiso explícito de remozarse cada pocos años, bien por suplementos sueltos, bien —apenas las circunstancias lo aconsejen y permitan— en ediciones íntegramente rehechas. Todos los colaboradores estimaremos de veras la ayuda que para tal fin se nos preste en forma de comentarios, referencias, publicaciones...

IV

Pocas veces me ha sido tan necesaria y gustosa una expresión de gratitudes. Gratitud, primero, a los autores de los textos seleccionados que han accedido a su reproducción en las condiciones que imponía el carácter de la empresa (y aquí me importa consignar el inolvidable estímulo que en su día me dispensó don Dámaso Alonso). Gratitud, luego, a los colaboradores de los ocho volúmenes, por la calidad de su esfuerzo y por la paciencia con que han sobrellevado el diálogo conmigo. Gratitud, en fin, a Editorial Crítica, que ha puesto el mayor entusiasmo en el proyecto y ha hecho acrobacias inverosímiles para conseguir que *HCLE* resultara todo lo accesible económicamente y cuidada tipográficamente que cabía en los tiempos que corren.

FRANCISCO RICO

NOTAS PREVIAS

1. A lo largo de cada capítulo (y particularmente en la introducción, desde luego), cuando el nombre de un autor va asociado a un año entre paréntesis rectangulares [ ], debe entenderse que se trata del envío a una ficha de la bibliografía correspondiente, donde el trabajo así aludido figura bajo el nombre en cuestión y en la entrada de la cual forma parte el año indicado.* En la bibliografía, las publicaciones de cada autor se relacionan cronológicamente; si hay varias que llevan el mismo año, se las identifica, en el resto del capítulo, añadiendo a la mención de año una letra (a, b, c...) que las dispone en el mismo orden adoptado en la bibliografía. Igual valor de remisión a la bibliografía tienen los paréntesis rectangulares cuando encierran referencias como en prensa o análogas. El contexto aclara suficientemente algunas minúsculas excepciones o contravenciones a tal sistema de citas. Las abreviaturas o claves empleadas ocasionalmente se resuelven siempre en la bibliografía.

2. En muchas ocasiones, el título de los textos seleccionados se debe al responsable del capítulo; el título primitivo, en su caso, se halla en la ficha

---

* Normalmente ese año es el de la primera edición o versión original (regularmente identificadas, en cualquier caso, en la bibliografía, cuando el dato tiene alguna relevancia); pero a veces convenía remitir más bien a la reimpresión dentro de unas obras completas, a una edición revisada o más accesible, a una traducción notable, etc., y así se ha hecho sin otra advertencia.

que, a pie de la página inicial, consigna la procedencia del fragmento elegido.

3. En los textos seleccionados, los puntos suspensivos entre paréntesis rectangulares, [...], denotan que se ha prescindido de una parte del original. Corrientemente no ha parecido necesario, sin embargo, marcar así la omisión de llamadas internas o referencias cruzadas («según hemos visto», «como indicaremos abajo», etc.) que no afecten estrictamente al fragmento reproducido.

4. Entre paréntesis rectangulares van asimismo los cortos sumarios con que los responsables de *HCLE* han suplido a veces párrafos por lo demás omitidos. También de ese modo se indican pequeños complementos, explicaciones o cambios del editor (traducción de una cita o sustitución de ésta por sólo aquélla, glosa de una voz arcaica, aclaración sobre un personaje, etc.). Sin embargo, con frecuencia hemos creído que no hacía falta advertir el retoque, cuando consistía sencillamente en poner bien explícito un elemento indudable en el contexto primitivo (copiar entero un verso allí aducido parcialmente, completar un nombre o introducirlo para desplazar a un pronombre en función anafórica, etc.).

5. Con escasas excepciones, la regla ha sido eliminar las notas de los originales (y también las referencias bibliográficas intercaladas en el cuerpo del trabajo). Las notas añadidas por los responsables de la antología —a menudo para incluir algún pasaje procedente de otro lugar del mismo texto seleccionado— se insertan entre paréntesis rectangulares.

VOLUMEN IV

ILUSTRACIÓN Y NEOCLASICISMO

AL CUIDADO
DE
JOSÉ MIGUEL CASO GONZÁLEZ

PRÓLOGO AL VOLUMEN IV

En la Introducción a esta obra, al explicar los criterios generales que se han tenido en cuenta, Francisco Rico escribe: «El núcleo de HCLE son las obras, autores, movimientos, tradiciones... verdaderamente de primera magnitud y mayor vigencia para el lector de hoy. En especial en el marco de las introducciones, no faltan, desde luego, referencias a escritores, libros o géneros relativamente menores; pero el énfasis se marca en los mayores, y a la línea que ellos trazan se fía la ambicionada organicidad del conjunto. No es una visión de la historia de la literatura sometida a la pura moda del día ni reducida a un desfile de "héroes": es que sólo así los materiales críticos y eruditos disponibles se podían enhebrar en una serie trabada, dentro de la pluralidad de perspectivas inherente a la empresa. Ejercicio no siempre sencillo ha sido compaginar la importancia real de obras y autores con el volumen y altura de la bibliografía existente al respecto. Vale decir: no por haberse trabajado más sobre una figura de segunda fila había que otorgarle más espacio que a otra de superior categoría y, sin embargo, menos estudiada; pero sí era necesario dejar constancia, en las introducciones, de las anomalías por el estilo y procurar salvarlas con un cuidado particular en la selección de textos» (p. XIII).

No se trataba, por tanto, de hacer una historia completa de la literatura española del siglo XVIII, sino de presentar lo más significativo de ella. Como sucede con toda selección, puede ocurrir que algunos de los lectores no estén de acuerdo con la que yo he hecho; pero lógicamente asumo la responsabilidad de mi elección.

He procurado tocar, aunque sea indirectamente, los principales temas y problemas que hoy nos plantea una historia de la literatura dieciochesca. Hay que advertir que los criterios habituales para otras épocas apenas nos sirven para el siglo XVIII, y ello por dos razones.

En primer lugar, porque es un siglo de crisis, de grave crisis, porque no se trata sólo de pasar de un estilo a otro, sino de una cultura a otra. Por ello la crisis dura mucho tiempo, y a favor o en contra de lo viejo o de lo nuevo se manifiestan polémicamente unos y otros. La literatura del siglo XVIII no se puede estudiar si se la desliga de esta crisis cultural. Los problemas de estilo pueden ser hasta secundarios.

Esta crisis cultural, que intento explicar en las dos primeras secciones, no se limita a la contestación de la cultura barroca, sino que al mismo tiempo somete a un análisis crítico a toda la cultura clasicista, es decir, la cultura que dominaba en Europa aproximadamente desde mediados del siglo XIV, y que en el XVII había adquirido concretas características. En el segundo tercio del XIX la cultura vigente será ya otra, y ello fue posible gracias a los esfuerzos de los hombres más innovadores y avanzados del XVIII.

Al hablar de cultura no me refiero solamente al mundo de los intelectuales, ni sólo a los conocimientos humanísticos o científicos. Me refiero a la totalidad de las actitudes humanas ante todos los problemas humanos. Se pasa de una ciencia especulativa a una ciencia experimental, de una concepción de la sociedad a otra, y en consecuencia también de una manera de ver al individuo en el conjunto social a otra. Las consecuencias son importantísimas en todos los aspectos que dicen relación al hombre, desde los políticos hasta los religiosos. Es el concepto de hombre lo que cambia, de un hombre que se empieza a considerar como ser libre y por tanto capaz de pensar y decidir por sí mismo, pero al que hay que educar correctamente, para que disponga de los medios suficientes para el ejercicio de su libertad. Todo esto condiciona, lógicamente, la nueva literatura, y al mismo tiempo ofrece explicaciones para la literatura no innovadora, la que sigue aferrada a los viejos criterios. En consecuencia, la literatura del XVIII debe estudiarse sin perder de vista este norte.

La segunda razón de la necesidad de criterios distintos radica en que la del XVIII es una literatura indudablemente de transición, que agota formas anquilosadas y busca otras nuevas; pero es al mismo tiempo una literatura que tiene valor por sí misma. El atender al agotamiento de unas formas y al nacimiento de otras ha producido una serie de confusiones, al establecer los críticos relaciones con el pasado o con el futuro, cercenando de alguna manera la realidad histórico-literaria.

El frecuente criterio en historia literaria de hacer ésta partiendo del reconocimiento de unos hitos literarios, a los que se refiere todo lo demás, es un método poco convincente, porque nos incapacita para ver la auténtica realidad histórica. Estudiamos a Garcilaso y reducimos a él a otra serie de poetas, incluso los contrarios a las nuevas formas; Lope actuará como de frontera: el teatro anterior será prelopista, y autores como Tirso de Molina, Ruiz de Alarcón, etc., se nos presentarán como simples seguidores del maestro, como una mera, aunque ilustre, comparsa del gran Lope. Los ejemplos podrían multiplicarse. En el siglo XVIII esto es prácticamente imposible, salvando dos o tres importantes ejemplos. Lo más a que llegamos es a encontrar grupos de amigos, que se transmiten mutuamente sus experiencias, influyéndose entre sí. Creo que ni siquiera un Feijoo puede considerarse un hito al que referir otra serie de escritores, porque su obra, ampliamente difundida y leída, es más la bomba que al explotar provoca explosiones en cadena, que la obra señera que se imita (salvo las consecuencias de orden cultural).

De aquí que los críticos se hayan perdido con mucha frecuencia y hayan luchado a toda costa por encontrar puntos de referencia, y según éstos valorar positiva o negativamente al autor o a la obra analizada. ¡Cuántas veces han sido Garcilaso o fray Luis los que han permitido juicios elogiosos! ¡Cuántas veces se ha atendido casi exclusivamente a lo que podía relacionarse con el romanticismo posterior! Y tengo que añadir que el primer pecador he sido yo.

La literatura dieciochesca es, ciertamente, una literatura de transición; como toda literatura de transición agota lo que hereda y abre nuevos caminos, que serán después utilizados. Pero no pueden ser éstas las coordenadas que la crítica tenga en cuenta. Lo que hace falta es ponerse delante de los textos y valorarlos en sí mismos. Esto no quiere decir que se suprima toda referencia al pasado o al futuro; pero sí que esas relaciones se encajen en la obra en sí misma, si se quiere, como elementos que, unidos a otros, la conforman y le dan un valor; pero sin que ellos sean los criterios del juicio.

En este libro he tenido todo esto muy en cuenta, aunque adaptándome a las normas generales de la editorial. He renunciado a agrupar a los autores por géneros literarios, pero no a hacer algunas consideraciones generales al comienzo de algunos capítulos, y he tratado en cada uno toda la obra que merecía la pena estudiar de cada autor; pero he prescindido en general de lo que claramente no es *literatura, e incluso de obras menores de algunos autores. Está claro, por otra parte, que Mayans, Torrepalma, Porcel, Montiano, Flórez, Capmany, Forner, Trigueros, los autores de teatro tradicional, periódicos como El Pensador, El Censor y otros, y algunos autores más merecen sus páginas en una historia literaria del siglo XVIII un poco amplia.*

Eso no era posible aquí, pero, aunque no entren como protagonistas, me ha parecido conveniente recordar a algunos de ellos en el Epílogo y en la Guía bibliográfica complementaria, bien que prescindiendo de los textos críticos.

Frente a lo que ha ocurrido con otros tomos de la HCLE, éste es obra de un solo autor. La razón creo que está implícitamente explicada en las líneas anteriores: la adopción de unos criterios concretos forzaba a darle unidad expositiva. No sé si eso ha mejorado o empeorado la obra. En todo caso me pareció preferible que todos los capítulos se adaptaran al mismo criterio, cosa que hubiera sido muy difícil de haber pedido la colaboración de tres o cuatro ilustres especialistas. No queda por ello el lector indefenso críticamente por no disponer más que de una visión de los hechos, ya que los textos que se ofrecen han sido seleccionados teniendo también en cuenta las opiniones contradictorias.

Cada capítulo lo he redactado en virtud de dos criterios: exponer los temas o problemas fundamentales en torno a un autor o a una obra (sin prescindir por ello de mi personal manera de verlos), y ofrecer una información bibliográfica adecuada, pensando especialmente en el público universitario que tenga interés en informarse del estado de cada cuestión y al mismo tiempo que quiera profundizar algo en ella. Como no todos los autores se encuentran en la misma situación, en unos casos predominará la información bibliográfica, en otros el análisis personal. Aunque he preferido la bibliografía más actual, no era posible dejar de citar muchas veces bibliografía muy anterior, para subrayar su actualidad a pesar de los años, o para poner de relieve la trayectoria que han seguido criterios hoy no válidos.

He insistido mucho en lo que falta por hacer. En realidad he pensado en temas de investigación para el futuro. Nuestra literatura dieciochesca está necesitada de mucha investigación de base. Acaso esto ocurra todavía con otras épocas; pero el XVIII ha tenido tan mala prensa hasta tiempos recientes, e incluso la sigue teniendo fuera de los medios especializados, que urge disponer de informaciones válidas sobre multitud de aspectos, a veces todavía polémicos.

Si he conseguido un libro que abra el dieciochismo serio a quienes no se habían preocupado por él, habré conseguido la principal finalidad que me ha movido a aceptar el compromiso de escribirlo.

José Miguel Caso González

Universidad de Oviedo, septiembre de 1982.

Preliminar

TEMAS Y PROBLEMAS
DE LA LITERATURA DIECIOCHESCA

Este capítulo introductorio podría ser, como es habitual, la presentación de los condicionamientos políticos, sociales, religiosos y culturales de la literatura dieciochesca, con la correspondiente, y nada escasa, bibliografía (valgan como muestra los textos y referencias recogidos en las pp. 49-66, y, ahí, en particular, pp. 58-59, n.*); pero me ha parecido que al lector de este libro le pueden interesar más algunos problemas generales, que no suelen discutirse en las páginas preliminares de obras de conjunto. Con ello pretendo poner el acento en una serie de asuntos no resueltos y señalar algo de lo mucho que la investigación de los próximos años debería dilucidar o estudiar a fondo.

Lo que no he podido evitar, y de hacerlo acaso hubiera sido una burla al lector, es el ofrecer mis puntos de vista, ya que ellos constituyen la línea medular de la estructura de este libro y del enfoque crítico de cada uno de sus capítulos.

Los límites cronológicos del siglo XVIII. No es inútil plantearse en principio el problema de los límites cronológicos del siglo, porque la solución que se adopte, excluida, naturalmente, la de los puros números, que es siempre convencional, condicionará la actitud del historiador de la literatura.

Tengamos, primero, en cuenta algunos hechos históricos: la gran literatura barroca se agota entre 1660 y 1680. La muerte de Calderón (1681), autor que se sobrevive a sí mismo, puede ser un símbolo de que algo ha terminado. Lo que le sigue ha venido calificándose de «barroco degenerado» o «barroco decadente». Digamos de antemano que palabras como *degenerado, decadente, epígono* y otras parecidas son históricamente muy peligrosas, porque sólo podrían usarse si no hubiera en una etapa determinada más que autores segundones, puros seguidores o copiadores de maestros anteriores y sin una brizna de originalidad. Esta situación, para un conjunto histórico, se da rarísimas veces, y como veremos en capítulos sucesivos, no me parece que haya sido el caso de los últimos años del siglo XVII y primeros del XVIII.

Otro dato, que más adelante pondré de relieve, es el de que en 1726 se produce la entrada en escena de Feijoo, pero de forma aparentemente abrupta. Pues bien, la revolución feijoniana sería inexplicable sin la previa existencia de un ambiente propicio. Como esa revolución se dirige a lo cultural, es entonces la cultura lo que debemos tener en cuenta.

Efectivamente, el Barroco no es un estilo histórico, sino una cultura, que se ha expresado estilísticamente a través de tres formas: culteranismo, conceptismo y clasicismo barroco. Estos tres estilos no fueron sucesivos, sino simultáneos, apareciendo incluso en el mismo autor y hasta en una misma obra.

En consecuencia, el problema está en saber cuándo comienza realmente la crisis de la cultura barroca y cuáles son las novedades estilísticas que se empiezan a aportar. La pregunta es entonces muy simple: ¿son realmente Bances Candamo, Zamora, Hoz y Mota o Cañizares, que de todas formas no estrena por primera vez hasta 1708, continuadores de Calderón? La falta de estudios serios impide una respuesta adecuada. Pero ya Menéndez Pelayo [1886] señalaba que en estos autores hay mucha más novedad de lo que afirmaba la crítica al uso. Todas las transiciones son lentas, y la que ocurre entre 1680 y 1725 dura medio siglo. ¿Dónde incluir ese medio siglo? ¿Con el XVII, como epígono del barroco, o con el XVIII, como anuncio de cambios? Antes de dar una respuesta definitiva es imprescindible estudiar seriamente ese medio siglo; pero si vale algo la intuición de quien no puede decir que haya hecho todavía ese estudio en profundidad, pero sí que se ha acercado a los problemas, ese medio siglo, caracterizado por una gran incapacidad creadora, cuyas causas habrá también que analizar, es la puerta del siglo XVIII, por ser los años en que empieza la crisis de la cultura barroca, como han puesto de relieve Vicente Peset [1964], Ceñal [1945], Quiroz-Martínez [1949], López Piñero [1969], François López [1976] y otros.

Posiblemente diversos frenos evitaron que esa crisis, ya clara hacia 1680, acelerara su presentación en sociedad, y puede que sea significativo que quien rompe amarras y se lanza como un ciclón destructor sobre la cultura barroca sea un monje benedictino que tiene en 1726 cincuenta años, es decir, que ha vivido de lleno todo el período de transición.

En cuanto a la fecha final, para mí hay menos dudas: la guerra de los años 1808-1812, llamada por unos de la Independencia y por otros Revolución, significa el claro final de la época ilustrada. Si todavía en 1810 hombres como Jovellanos siguen pensando en soluciones parecidas a las de veinte años antes, el demonio de la violencia demostraría muy pronto que los nuevos intelectuales y políticos habían sobrepasado aquella etapa y estaban ya iniciando otra, que, como siempre ocurre, será consecuencia de la anterior, pero distinta. Importa poco que el período 1814-1820, y algunos años después de 1823, sean un tremendo frenazo a la nueva cosmovisión, porque la Constitución de 1812 había ya abierto nuevos caminos y esos caminos, en literatura, a pesar de la pervivencia de algunas formas, como la comedia clasicista moratiniana, tenían que terminar ante un paisaje totalmente distinto del de partida. Por lo tanto, y también con unos años de transición, que claramente parecen obedecer a causas políticas, a partir de la guerra contra los franceses, en lo cultural y en lo literario, se percibe claramente algo nuevo. Así pues, 1808-1810 puede ser el cierre histórico del siglo XVIII: el ciclo de crisis estaba cumplido, una nueva cultura nacía y en consecuencia también una nueva literatura.

Los condicionamientos críticos. Hacia la tercera década del siglo XIX se establecen unos criterios valorativos de la literatura de la centuria anterior, que van a perdurar, tanto es el imperio de la rutina, hasta tiempos muy recientes. Esos criterios valorativos obedecen a los siguientes condicionamientos: comparación con la literatura del Siglo de Oro, no aceptación de la norma universal y planteamiento polémico de la cultura dieciochista.

Al considerar la literatura de los siglos XVI y XVII no sólo como literatura de primera calidad, sino incluso como el arquetipo de la literatura nacional, en el siglo XVIII no encuentran los críticos más que un mal remedo de ella, como producto degenerado del barroco, o una imitación de la literatura francesa. La consecuencia será la condenación del siglo XVIII.[1] Palabras como *decadencia, degeneración* y otras semejantes se hacen moneda común. Toda la primera mitad del siglo se verá desde esta perspectiva, sin que se intente siquiera un acercamiento a esa literatura, explicada desde ella misma. Incluso cuando se trate de la segunda mitad del siglo se hablará de «restauración» del gusto antiguo, especialmente en poesía, y se valorará positivamente todo lo que pueda relacionarse con la literatura de los siglos XVI y XVII.

La actitud de rebeldía frente a la norma universal tuvo más importancia de lo que suele reflejarse en los manuales, porque no fue la típica

---

1. He aquí, como muestra, un párrafo de Cueto, entre otros muchos que podrían citarse: «La poesía castellana, en sus felices tiempos, tenía hechizo y galas cuando no tenía inspiración. Ahora ya había perdido inspiración y galas. Sin embargo, antes de pasar de esta época de absoluta degeneración a la época doctrinal, en la cual nuevas tendencias de carácter poco español iban a enseñorearse de las letras, algo del espíritu nacional se conservaba todavía en los romances de carácter popular». (*Bosquejo histórico-crítico de la poesía castellana en el siglo XVIII*, Biblioteca de Autores Españoles [en adelante BAE], LXI, p. XIII.)

protesta contra los predecesores inmediatos, cosa frecuente en la historia literaria, sino una transformación más honda. Desde mediados del siglo xv hasta comienzos del xix toda la cultura occidental fue fundamentalmente clásica, en cuanto que las fuentes más directas de esa cultura eran los autores griegos y latinos. El siglo xviii, sin que se suprima este clasicismo, se plantea la validez cultural de los valores tradicionales. El romanticismo, resultado de esa contestación, no es una simple rebeldía contra una estética, sino contra una cultura. Es una nueva forma de entender el mundo, y en este sentido nosotros somos todavía románticos, si se me acepta utilizar un término de valor histórico como categoría general y definitoria. En estas condiciones el «neoclasicismo» debía aparecer como un corsé que constreñía la libertad creadora del individuo. Y a partir de este juicio era muy fácil condenar todo aquello que se veía como sometido a normas universales, sin que la virulencia de la lucha dejara lugar para la matización y para la comprensión de la importante labor crítica de los hombres de la Ilustración.[2]

Pero peores consecuencias tuvo el tercer condicionamiento, ligado al anterior. El vuelco general de los valores políticos, económicos, sociales, religiosos y morales que significó la Revolución francesa y sus resultados inmediatos dio lugar a una división de las gentes en dos bandos fundamentales, que llamaremos conservadores y progresistas. Y la lucha entre ambos, con la lógica consecuencia de la extremosidad de posiciones, provocó por ambas partes el deseo, y hasta la ineludible necesidad, de buscar antecedentes en el xviii y de condenar lo que no concordara con su pensamiento. Hay autores, como Jovellanos, cuyas ideas se asesinan vilmente por unos y por otros, porque para conservadores y progresistas hay en sus obras abundantes textos válidos. Con olvidarse de los que no convienen, o con considerarlos como una debilidad del autor, estaba todo resuelto. Desde Isidoro María de Antillón (1813) hasta los escritos, de varias tendencias, motivados por la celebración del segundo centenario de su nacimiento (1944), pocos críticos se han salvado de esa tendencia. Y lo mismo ha ocurrido con otros autores del xviii, aunque menos dúctiles cada uno de ellos a servir para todos. La polémica trajo una consecuencia importante: apenas existió preocupación por la historia literaria como tal, atraídos unos y otros fundamentalmente por la apología o la condena de las ideas de los autores.

2. Otro tema, ahora marginal, sería el de determinar si el romanticismo contesta la cultura clásica en su conjunto, o sólo las reglas artísticas. En mi opinión el ataque a las reglas es consecuencia del ataque a la cultura clásica y se centra no en el hecho de ser reglas, sino en la condenación de su pretendido carácter universal y objetivo.

Unidos estos tres puntos de vista, no era verosímil que la crítica y la historia literarias sobre el siglo xviii llegaran a valoraciones objetivas y serias. Sólo en los últimos años, especialmente a partir de los treinta de este siglo, se inicia un estudio de aquella literatura al margen de comparaciones, de presupuestos románticos y de la polémica ideológica. Este movimiento de recuperación del siglo ilustrado no siempre ha quedado libre del lastre anterior, pero se ha avanzado lo suficiente como para considerar que estamos ahora en condiciones de entender mucho mejor la historia literaria. La crítica posterior habrá de encauzarse no sólo hacia el estudio en profundidad de las obras más conocidas, sino también de las de autores olvidados. En definitiva, puede decirse que ante todo deberán interesarnos los textos. Al mismo tiempo, no existe dificultad en que se vayan matizando todos los problemas de influencias, de fuentes y de relaciones; pero siempre que no caigamos en el viejo tópico de considerar extranjerizante, o afrancesada, una literatura que intenta una reforma, porque en ese caso habrá que ser coherente y poner el mismo acento en la poesía de Garcilaso o en las novelas del siglo xix.

El problema de la periodización. En los últimos años se ha planteado agudamente el problema de la periodización del siglo xviii o, lo que es lo mismo, se ha intentado definir sus etapas históricas. No se trata de un asunto baladí, puesto que pasar de conceptos amplios a conceptos más concretos permite conocer mejor la historia literaria y poder explicar más correctamente las actitudes y posiciones individuales. Si en la crítica literaria, hasta prácticamente los años posteriores a nuestra guerra civil, el siglo xviii sólo se conocía como siglo neoclásico, que comenzaba con la *Poética* (1737) de Luzán, precedido de una etapa calificada de barroco degenerado o decadente, empezaron a circular después términos como *barroquismo, rococó* o *prerromanticismo*, para terminar en los últimos años con un nuevo planteamiento de los períodos históricos del xviii.

Creo que fue Hatzfeld [1964 para la versión castellana] el primero en utilizar la palabra *barroquismo* para referirse a un manierismo barroco, como tercer estilo generacional de la época barroca. Según él el barroquismo italiano iría de 1600 a 1630, el español de 1630 a 1670 y el francés de 1680 a 1710. Aunque no pretende que estos límites cronológicos sean exactos, en cuanto a España habría que plantear algunos problemas. En primer lugar, si Calderón es, como pretende, el ejemplo típico de autor barroquista. En segundo lugar, que a otros autores (Moreto, Santos, Zabaleta) habría que verlos en relación con la evolución literaria francesa, y acaso entonces el concepto de barroquismo variaría. En tercer lugar, porque después de la solución de continuidad que significan los años que van de 1665 a 1685 aproximadamente, autores como Bances Candamo, Zamora, Cañizares, Gabriel Álvarez de Toledo y Eugenio Gerardo Lobo, nos obligan a reconsiderar el tópico «epígonos del Barroco». Estamos ante autores que no han sido todavía estudiados en profundidad. Ahora bien, si en los últimos quince años del siglo XVII y el primer cuarto del XVIII hay en parte una continuación estilística del barroquismo, al mismo tiempo aparecen diversas novedades, prenuncio de un cambio. Por ello, si el barroquismo (o manierismo barroco) se agota, como quiere Hatzfeld, antes de 1685, año en el que aparece Bances Candamo, lo que encontramos entre 1685 y 1725, pobrísimos en literatura, es una auténtica etapa de transición entre el barroquismo y el rococó posterior. A esta etapa de transición no me atrevo a darle ningún nombre concreto, pero menos todavía los de *Barroco degenerado* o *decadente*, o *epígonos del Barroco*.

Lo que desgraciadamente ocurre es que se trata de una etapa muy poco estudiada y muy mal conocida, tanto en cuanto a la crisis cultural como en cuanto a los cambios estilísticos que se van produciendo. De aquí que sea necesario pensar en un estudio que consistiría en analizar diacrónicamente las formas barrocas que perduran, las que siendo barrocas aparecen modificadas y las formas nuevas; haciendo después análisis sincrónicos se comprobaría la verdadera filiación literaria de esos autores. Acaso habría que ver también si en España era tal el peso de la cultura barroca y tales los frenos sociales, intelectuales y religiosos a cualquier cambio,[3] que hay que esperar al comienzo del segundo cuarto del siglo para comenzar a advertir síntomas de algo nuevo, o si, por el contrario, esos síntomas se detectan ya desde 1680, como he indicado antes.

El concepto de *rococó*, utilizado en arte desde la primera mitad del siglo XIX, ha tardado en pasar a la historia literaria. Dejando a un lado lo que haya ocurrido con otras literaturas, respecto de la española es en 1964 cuando se utiliza por primera vez. Un repaso a obras anteriores a esa fecha demuestra que se desconoce dicho concepto. Tal ocurre con la *Historia general de las literaturas hispánicas* [Díaz-Plaja, 1956-1957], o con el *Diccionario de literatura española* [1964³], que al menos hasta la tercera edición incluye los términos «neoclasicismo» y «prerromanticismo», pero no «rococó». Todavía un manual como el de Alborg [1972] se escribió con la idea de que toda la poesía no barroca del XVIII era neoclásica, aunque acepta con cierta timidez el término «prerromanticismo». Cuando debía de tener terminada ya la redacción del tomo, leyó el trabajo de Joaquín Arce que voy a analizar a continuación, y añadió en las páginas 392-393 un comentario en que sólo alude a que «tal interpretación puede ser muy fecunda en consecuencias», pero refiriéndose sólo al hecho de que el neoclasicismo es posterior al llamado prerromanticismo. Del rococó, nada. En otro buen manual, Nigel Glendinning [1972] no utiliza ni una

3. Véase Jean Sarrailh, *La España ilustrada de la segunda mitad del siglo XVIII*, I, V.

sola vez el término «rococó», igual que prescinde del término «prerromanticismo», pero utiliza, sin embargo, el de «neoclásico». En el «I Simposio sobre el P. Feijoo y su siglo», un sugerente, innovador y magnífico trabajo de Joaquín Arce [1966] abre nuevas perspectivas históricas. Arce analiza lo que pensaron sobre su propia época y la inmediatamente anterior Quintana y Alcalá Galiano, para contraponer las definiciones diferenciadoras de ellos a las unificadoras de la crítica posterior. Y después escribe: «Hoy por hoy no puede hablarse en la literatura española de una época ni siquiera de una tendencia bien delimitada de tipo rococó. Sin embargo, esa denominación parece insustituible para distinguir, precisamente por contraste, ese tono menor, elegante y frívolo de la poesía dieciochesca, siempre que vaya cargado del espíritu del siglo. Poesía que casi coincide cronológicamente con la típica de la Ilustración, en su forma discursiva de exaltación de asépticos ideales o en la forma clasicista de magnificencia mitológica, alcanzando en parte también la bifurcación neoclásico-prerromántica de fines de siglo» (p. 452).

Refiriéndose a Walter Binni afirma que no se puede hablar del rococó como de todo un estilo de época, pero que tampoco conviene reducirlo, como hace el crítico italiano, a un mero *componente di gusto*, ni llegar a las matizaciones excesivas que él atribuye a la poética del *Settecento*. Después de señalar las diferencias entre las dos literaturas, concluye: «Creo conveniente utilizarlo, por el momento, no sólo como simple elemento componente de poéticas más complejas, sino como el aspecto unificador de toda una serie de corrientes entrecruzadas —bucolismo, anacreontismo, sensualismo, etc.— en la medida en que todas ellas, aun sin ser originales, responden a actitudes peculiares de la vida y de la cultura dieciochescas» (p. 453).

Algunos trabajos posteriores, especialmente de Hatzfeld [1969], Caso González [1970] y Arce [1981], han permitido concretar más el concepto de rococó. Una magnífica síntesis, referida a la literatura francesa, pero aplicable igualmente a la española, puede verse en Brady [1973].

Mi opinión actual es la de que a partir de 1726 empieza a hacer agua (sin olvidar que el anuncio de la crisis es anterior) la cultura barroca, a la que va a seguir la cultura de la Ilustración, auténtica cultura puente entre dos orillas distintas, la clásica y la romántica. Dentro de esa cultura, como ocurrió con la barroca, caben diversos estilos, que obedecen en parte a la preponderancia de algunos de los elementos que constituyen el complejo cultural ilustrado (que está muy lejos de poder ser reducido a fórmulas simples), y en parte a la necesidad de expresar de forma estilísticamente nueva los nuevos elementos culturales. Desde esta perspectiva el racionalismo, el sensualismo, la sencillez, la naturalidad, la utilidad unida a lo deleitable, y al mismo tiempo cierto elitismo, por lo tanto opuesto a lo popular, y cierto afán innovador, podrían ser los ingredientes de la cultura ilustrada que configuran el gusto o estilo rococó. En todo caso, lo que literariamente encontramos de clasicismo no es lo que le define, sino lo que le unifica con otras etapas históricas o estilos generacionales. Además, lo importante del gusto rococó es que con él se explican el prosaísmo poético, el bucolismo, el anacreontismo y el sentimentalismo.

El rococó aparece como estilo diferenciado en el segundo cuarto del siglo, llega a su plenitud entre 1765 y 1780 y continúa hasta finales del setecientos, incluso en algunos rasgos hasta prácticamente la aparición del romanticismo, conviviendo con otros estilos. Si en la poesía anacreóntica, como afirma Arce, es donde el rococó «encuentra quizá su campo más propio en poesía», no debe olvidarse que Meléndez Valdés, el gran anacreóntico español, no sólo publica el primero y único tomo de la primera edición de sus *Poesías* en 1785, sino que la segunda edición es de 1797, con ampliación de las anacreónticas, aumentadas incluso en la edición de 1820.

Todo esto significa que el término rococó debe aceptarse para entender una poética concreta, que inaugura teóricamente Luzán y que llega en la práctica, sin grandes modificaciones, hasta el último decenio del siglo. Y que a esa etapa no podemos llamarla *neoclásica*, a menos que busquemos otra palabra para denominar una poética nueva a finales del XVIII, que se va a prolongar hasta mediados del XIX, o incluso en algunos casos arcaizantes hasta casi finales del XIX.

Pero antes de hablar de *neoclasicismo* es menester tratar de otro término, el de *prerromanticismo*, que comienza a utilizarse en Francia hacia los años treinta de este siglo, y que nace para indicar que entre 1780 y 1830 se encuentran acá o allá rasgos que serán después componentes esenciales del romanticismo. Éste fue el problema de la palabra, o su pecado original: que naciera para referir elementos de una etapa histórica a otra posterior. Indudablemente fue un gran error, porque la etapa a la que se calificaba de prerromántica tenía entidad por sí misma, y entonces el prefijo desvirtuaba su propio contenido, al relacionarla con una etapa posterior y distinta; o era sólo un precedente o comienzo de lo que después se llamará romanticismo. Como esto último fue casi unánimemente negado por los estudiosos del segundo dieciocho, el término resultó engañoso, por no decir equívoco.

Sin embargo, se extendió, aunque sólo para subrayar caracteres como el sentimentalismo, o temas como lo social, el impulso de libertad, lo nocturno, la soledad o lo sepulcral, por lo que fue difícil aclarar el panorama. Algunos de los que hemos utilizado habitualmente el término prerromanticismo, dentro y fuera de España, hemos intentado presentarlo como denominación de una etapa distinta del romanticismo posterior, y de la que no era el precedente inmediato. Pero, dada la ambigüedad a la que la palabra se presta, es preferible buscar otra solución, y no veo más que la de intentar definir de verdad la literatura que va de 1780 a 1808, o incluso hasta 1830, a través de sus verdaderos componentes, al margen de que alguno de ellos reaparezca o se continúe en el romanticismo.

Para Sebold [1968 y 1970] el tema se resuelve retrotrayendo todo el romanticismo. En ese artículo escribe: «Un alumno mío que había hecho un trabajo de seminario sobre las características de la literatura española en la época de Cadalso se decidió por fin a titularlo "El primer romanticismo español" y, en realidad, este término es preferible a *prerromanticismo*, porque parece poco exacto hablar de *pre* cuando ya están reunidos todos los rasgos esenciales de la cosa de que se trata» ([1970], p. 126). Cuando publica en español su *Cadalso: el primer romántico «europeo» de España* [1974], aparecido en inglés en 1971, en el nuevo prefacio sintetiza «que la tradición crítica popular y los escritores creadores, que desde hace siglo y medio vienen aludiendo, ya directa, ya indirectamente, al romanticismo de Cadalso y sus obras, están mucho más cerca de la verdad, que ese grupo de eruditos que sólo han querido ver en tales escritos posturas estoicas o intenciones didácticas y divulgadoras relacionadas con el patriotismo y la Ilustración» (p. 10). Y todo ello, como nos dice en el epílogo, e intentó probar a lo largo de su obra, porque si Meléndez se acerca más que Cadalso a los Esproncedas del siglo siguiente, Cadalso fue quien mostró el camino a Meléndez, y porque con las *Cartas marruecas* fue el precursor de los Larras y con las *Noches lúgubres* el antecesor de todos los otros escritores románticos. Y todo ello porque «Cadalso es romántico por una serie de razones. La más importante es que ... fue el primero de su país en escribir de acuerdo con la cosmología romántica, y lo que determina el romanticismo de una obra es la presencia en ella de tal cosmología, y no la de ningún tema, ningún rasgo episódico, ni ningún adorno estilístico concreto; pues estos últimos elementos varían de sentido conforme a la *Weltanschauung* de cada nueva época» (p. 268). Aquí está la clave de todo el pensamiento de Sebold: el romanticismo es en definitiva una cultura, no un estilo, y si en la época de Cadalso, según él, «están reunidos todos los rasgos esenciales de la cosa de que se trata», es decir, del romanticismo, existe ya una cultura romántica. De este modo pudo llegar a escribir en otro artículo [1973]: «No se trata en la década de 1770 ni de uno ni de dos ni de varios casos aislados de un romanticismo accidental o fortuito, sino del principio de una corriente importante que se había de prolongar con bastante unidad por tres decenios. Los experimentos de 1773-1774 representan, en una palabra, el arranque del *primer romanticismo español*» (p. 683). Y poco después establece la siguiente cronología: «Entre 1770 y 1800 aproximadamente, se da el primer romanticismo español; por unos treinta años se interrumpe en conjunto el progreso del romanticismo debido a las represiones antinapoleónicas de los últimos años del reinado de Carlos IV, debido al espíritu de partido que regía a todos durante el reinado de José I, y debido a las represiones casi continuas del reinado de Fernando VII ...; desde 1830 hasta 1860, más o menos, se extiende el segundo romanticismo» (p. 684). Sebold sólo ve diferencias accidentales entre los dos romanticismos y llama al segundo romanticismo manierista.

Ante este planteamiento habría que analizar especialmente si la cultura, la cosmología o la cosmovisión de los dos romanticismos es esencialmente la misma, y concretamente si un Cadalso y un Espronceda pertenecen a una cultura idéntica en el fondo. Creo que no resultaría difícil establecer diferencias fundamentales, hasta el punto de que las dos cosmovisiones se diferencian entre sí lo suficiente como para no confundirlas, y la tarea del investigador es precisamente la de descubrir las diferencias y matizaciones y no la de caer en generalizaciones.

Por otro lado se vuelve a incidir en un viejo problema: ¿diferenciamos las etapas históricas del arte y de la literatura sólo por la cultura vigente, o atendemos a los rasgos diferenciadores de estilo o de contenido más concretos? Si los temas de Meléndez Valdés están lejos de coincidir en su conjunto con los de un poeta romántico, ¿no será necesario establecer distinciones?

En consecuencia, la oposición cada vez más fuerte al término «prerromanticismo» está bien fundada, en cuanto que dicho término establece una referencia a una etapa cultural posterior y distinta, y porque incluso los problemas formales no son los mismos; pero tampoco parece conveniente anticipar la aparición del romanticismo a 1770, por las mismas razones, y porque deja sin explicación estética esa solución de continuidad que, según Sebold, va de 1800 a 1830.

Acaso el término apropiado nos lo den los propios contemporáneos: literatura *filosófica*. Así la llamaron ellos, unos para definirla y otros para criticarla. Claro está, el adjetivo *filosófica* debe ser entendido desde la perspectiva de la época, ya que se trata simplemente de poner la literatura al servicio de unos ideales, que van desde lo metafísico hasta lo económico; literatura comprometida, al fin. Pero junto a esto hay también una forma de expresión, que depende directamente de un concepto nuevo del hombre y de la sociedad en que vive. Esta literatura *filosófica*, por ser literatura y no obra científica, intentará mover al lector más que con argumentos racionales con estímulos sentimentales. Y esto se consigue a través de un lenguaje, en el que predominan los elementos capaces de conmover la sensibilidad del lector. Y ello, porque también la del autor se pone en juego, como fuente estética.

Pero no todos los autores aceptan ese recurso a la sensibilidad, porque les parece que con ello la poesía adopta formas oratorias y no poéticas. Estos autores, sin renunciar por ello a los nuevos ideales, desean una poesía que no se confunda con otros géneros. Estamos entonces ante una forma artística que valora más los aspectos formales, sin olvidar por ello los de contenido. No se trata de un fenómeno exclusivamente español, sino que coincide en el tiempo con lo que ocurre en Italia, en Francia, en Alemania y en Inglaterra. Como se trata fundamentalmente de formas, más que de contenidos, podemos utilizar, como para otras literaturas europeas, el término *neoclasicismo*.

Ahora bien, en la crítica española esta palabra se ha venido aplicando a toda, o a una gran parte, de la literatura reformista del siglo xviii, atendiendo exclusivamente a la presencia de las normas. Pero ya he dicho que lo unificador define grandes períodos, pero no estilos de época o generacionales, donde sólo cuenta lo diferenciador. Por lo tanto, tal término no puede aplicarse a toda la literatura del siglo xviii, ni siquiera a la reformista, porque una serie de principios clásicos rigen, con algún pecador que otro, para todos los que escriben entre mediados del siglo xv y el segundo cuarto del xix. Lo diferenciador es, sin embargo, la preocupación formal, pero en un intento de aproximarse a los clásicos griegos y latinos. En España había habido ilustres ejemplos, como Luis de León o Medrano o dramaturgos como Jerónimo Bermúdez o Mal-Lara. Otros autores del xviii, y algunos lo confiesan, imitan en lo formal a autores italianos o franceses, con lo que resulta un clasicismo de segunda mano. Pero cuando llegamos a finales del xviii hay quienes tratan de nuevo de imitar a los antiguos clásicos, y por ello merecen el calificativo de *neoclásicos*, sin que ello diga nada en relación con los contenidos.

La crítica sociológica y el siglo XVIII. Ya he dicho que durante mucho tiempo la literatura del siglo xviii interesó fundamentalmente por las ideas que expresaba: unos la utilizaban como recurso para la defensa de sus puntos de vista y otros la condenaban. La preocupación por el pensamiento de los hombres del xviii sigue en pie, y es lógico, porque el origen de la España contemporánea está allí, hasta el punto de que muchos problemas nuestros fueron ya planteados especialmente por los hombres de la segunda mitad de aquel siglo, y sus soluciones todavía hoy podrían tener validez. Sin embargo, en el aspecto literario las cosas son muy diferentes, y por ello el análisis de los contenidos hay que hacerlo en función de resultados estéticos. En este sentido la crítica sociológica bien entendida puede ser útil y en realidad ha dado ya buenos resultados en el estudio de la literatura dieciochesca.

La crítica sociológica debe, en mi opinión, preocuparse por explicar, a partir del contexto social correspondiente, el porqué de determinadas formas literarias o artísticas, en relación con los correspondientes contenidos, puesto que toda obra literaria es una unidad en la que ambos componentes tienen entre sí tan estrecha relación, que un determinado contenido, en un momento concreto y en unas condiciones sociales concretas, en realidad sólo puede expresarse de una forma, por muchas que puedan ser las variaciones, en el sentido musical, que esa forma adquiera al explicitarse.

Toda la historia de la literatura dramática del xviii, desde los autores barroquistas hasta Moratín o Quintana, puede encontrar en el análisis sociológico una importante base de explicación. El precioso libro de René Andioc [1976], aunque se preste a conclusiones que tienen poco que ver con la literatura, es un ejemplo de lo que en este campo puede hacerse, sobre todo si alguien completa la investigación con el estudio de la primera mitad del siglo y amplía los datos referidos a los años 1750-1770.

Pero hay otros muchos temas que esperan una aclaración desde esta perspectiva: el carácter de la labor reformadora del grupo valenciano (Mestre [1968, 1970]); el éxito de Feijoo y la polémica que engendró su obra; el porqué literario e ideológico del extraño Torres Villarroel; la razón de ser de la prensa; las condiciones elitistas y de buena sociedad de toda la literatura de gusto rococó; las causas del éxito tardío de algunos aspectos de ella, como la poesía anacreóntica; el sentido de toda la literatura popular o popularizante, su éxito y las razones de su condenación por los hombres ilustrados, y en algún caso (Jovellanos) su aceptación de tapadillo; las consecuencias sociales de la Ilustración en lo que a la literatura se refiere; cómo fue posible imponer desde arriba determinadas reformas en los gustos artísticos, y en su caso la no permanencia de esa imposición; la crisis de la cultura barroca; la influencia de los extranjeros residentes en España y de los españoles viajeros por Europa; las consecuencias de una creciente alfabetización de la población española; las razones reales del éxito de obras como la *Raquel* o *El delincuente honrado*; el verdadero peso de los gustos cortesanos, de los universitarios, de los académicos, de los hombres de iglesia; qué novelas se leían entonces; por qué fue escasa la producción novelística del xviii; por qué se tradujeron determinadas novelas y no otras; qué función social cumplió la fábula y si fue un producto estéticamente natural o debido a determinadas condiciones sociales; cuáles fueron las diferencias entre la literatura madrileña y la de provincias en virtud de los condicionantes sociales; por qué se reaccionó como se reaccionó frente a la Revolución francesa; cuál fue el papel social, culturalmente hablando, de la prensa, etc., son todos temas de gran importancia para entender de verdad la literatura del xviii, y sobre los cuales no tenemos con frecuencia más que ideas aproximadas y a veces muy poco exactas.

No es que crea que la crítica sociológica valga por sí misma; pero sí que es un gran auxiliar, ya que al permitirnos comprender el entorno en el que la obra nace y que en buena medida la condiciona y la estimula, disponemos de unos datos preciosos para explicarla históricamente.

Otras necesidades urgentes. Una cosa son las obras literarias vivas, es decir, aquellas que todavía pueden decir algo a un lector de hoy, y otra la historia literaria, en la cual deben entrar todas las obras que en su época tuvieron un cierto relieve. Así autores y obras que en la actualidad son simples piezas arqueológicas, pueden tener históricamente un valor, que el crítico historiador debe determinar.

Aceptado este principio, la historia literaria del siglo XVIII necesita todavía dos clases de estudios: primero, conocimiento lo más exacto posible de autores y obras calificados generalmente de segundo orden, y segundo, estudios bibliográficos sobre determinados temas. Merece la pena comentar estos dos puntos.

Hay una serie de autores de los que sabemos muy poco o nada: Gabriel Álvarez de Toledo, Antonio de Zamora, Eugenio Gerardo Lobo, Hoz y Mota, Cañizares, el marqués de San Juan, Montiano y Luyando, Añorbe y Corregel, Mañer, José Joaquín Benegasi, Francisco Benegasi y Luján, Flórez, Juan de Trigueros, José de Villarroel, Iglesias de la Casa, Sánchez Barbero, Cándido María Trigueros, Pedro de Estala, Comella, González del Castillo, Clavijo y Fajardo, Fernández de Rojas, Viera y Clavijo, Vargas Ponce, Nifo, Ponz, López de Ayala, Masdeu, por no citar otros muchos de los que se ignora casi todo. Son imprescindibles estudios serios sobre éstos y otros escritores, aunque sólo sea para trasladarlos definitivamente al cementerio literario, en el que sólo tendrán valor para los eruditos. De todas formas, muchos de estos autores, olvidados por la crítica, podrían ser revalorizados, al menos desde un punto de vista histórico. Junto a ellos, otros muchos que han constituido en definitiva el ambiente cultural y literario, que no sólo debe definirse por sus valores positivos, sino también por los negativos, porque lo que parece inaceptable es que esos valores negativos puedan establecerse sin un conocimiento directo de los textos, que es lo que más frecuentemente se ha hecho.

La historia de la literatura del siglo XVIII se ha organizado en torno a una docena de nombres, cuyas obras todos leen, aunque a veces se tiene la impresión de que ni siquiera la totalidad de la producción de los grandes autores es conocida por los críticos. Pero una historia seria exige que se lean y se estudien también los textos de los autores secundarios, con vistas a establecer una historia literaria auténtica. Y esto no se ha hecho hasta ahora. La síntesis sólo será posible cuando existan monografías abundantes sobre lo que en principio se considera como secundario.

En segundo lugar, estamos trabajando con una carencia grande de estudios bibliográficos. Nos faltan las bibliografías de muchos escritores, pero también las de algunos importantes temas. Pongo, como ejemplo, el de la novelística. Con decir que en el XVIII no ha habido una novelística de interés, muchos críticos creen haber cumplido. Y esto es inaceptable, si antes no se establece el catálogo completo de las reediciones de obras narrativas anteriores, de las que se publican por primera vez en el

siglo XVIII y de las traducciones del italiano, del francés y del inglés
(véase cap. 2). Hecho el catálogo podremos analizar lo que significa la
reedición de textos anteriores, y distinguir entre las reediciones eruditas
o de clásicos, de las destinadas al gran público; podremos estudiar las
deudas con el extranjero, que no han debido de ser pocas, aunque habría
que tener en cuenta si se trata de meras traducciones, mejor o peor hechas,
o más bien de adaptaciones, y en este último caso, las consecuencias literarias pueden ser importantes; finalmente, podríamos analizar la producción autóctona, que no se limita al *Fray Gerundio* y a las obras de Montengón o de Mor de Fuentes. No carecemos, sin embargo, totalmente de
información. Hay un libro de Brown [1953], que es una bibliografía
novelesca de 1700, en realidad de 1728, a 1850, al que añadió algunos
títulos más Becerra [1955]; también aportan muchos datos Paula Demerson [1976] y F. Montesinos [1955]; pero es todavía mucho lo que
falta por registrar, y desde luego por estudiar. Brown, por ejemplo, no
incluye ni reediciones de autores de los siglos XVI y XVII, ni traducciones
de autores extranjeros; tiene un concepto bastante estrecho de la novela
y se olvida por completo de la literatura de cordel. El catálogo de traducciones de Montesinos cita sólo algo del XVIII, porque no fue esta época,
sino la primera mitad del XIX, la que realmente pretendió estudiar.

Un género nuevo en el siglo XVIII, al que se ha prestado más atención
que al novelístico, es el de la prensa. Ahora contamos ya con el precioso
catálogo de Aguilar Piñal [1978], y con trabajos tan importantes como
el de Paul-Jean Guinard [1973], aparte abundantes bibliografías sobre
periódicos concretos, especialmente el *Diario de los Literatos* (Castañón
Díaz [1971], Ruiz Veintemilla [1976]), *El Duende Crítico* (Egido López
[1968]), *El Censor* (García Pandavenes [1972], Guinard [1975]), *El
Correo de los Ciegos* (Nieves Iglesias y Ana María Mañá [1968]), *Espíritu de los mejores diarios literarios que se publican en Europa* (Varela
Hervías [1966]), y algunos otros. Sin embargo, queda todavía mucho por
hacer. La prensa del XVIII, cuando no es una mera acumulación de noticias, representa el mismo papel que nuestras actuales revistas; la crítica
literaria, la inclusión de obras de creación (poemas abundantes, las *Noches
lúgubres* y las *Cartas marruecas* de Cadalso, etc.), los artículos costumbristas o muy cercanos al costumbrismo, los ensayos sobre múltiples
temas, constituyen una parte importante de la producción literaria del
siglo XVIII, que con frecuencia no pasó a volumen. De aquí la necesidad
de estudiar a fondo los periódicos. Incluso algunos, como el *Memorial
Literario* o la *Gaceta de Madrid*, son un cúmulo tal de noticias bibliográficas, que merece la pena hacer un vaciado total, tarea en la que
trabaja ahora el Centro de Estudios del Siglo XVIII.

Hay que señalar también la escasez de ediciones críticas. Si en los
últimos años algunos autores de primera fila han tenido suerte en este

sentido (Torres Villarroel, García de la Huerta, Jovellanos, Cadalso, Leandro Moratín, Meléndez Valdés, Cienfuegos, Quintana, Isla, etc.), otros muchos no han merecido ni los honores de la reedición. Incluso de esos mismos autores principales sólo algunas obras han sido objeto de edición crítica. Un enorme cúmulo de manuscritos, que todavía existen, no han sido aprovechados más que en una parte pequeña. Y además de los escritos inéditos, algunos de extraordinario valor, están otros muchos de obras impresas, que exigen un estudio comparativo y un aprovechamiento en ediciones críticas y fiables. El proyecto del Centro de Estudios del Siglo XVIII de publicar una «Colección de Autores Españoles del siglo XVIII» (CAES XVIII), podrá salvar, si los escollos no llegan a ser insuperables, el gran vacío, que tanto dificulta una investigación seria. Por lo pronto han aparecido el tomo I de las *Obras completas* de Feijoo y los dos tomos de las *Obras en verso* de Meléndez Valdés. En 1983 estaba previsto entregar a la imprenta los dos primeros tomos de las *Obras completas* de Jovellanos (el primero incluye toda la obra literaria y con el segundo se comienza la Correspondencia).

En cuanto a bibliografía del siglo XVIII ha editado Aguilar Piñal [1976] un apreciable manual y está trabajando en una obra exhaustiva, de la que ya han aparecido [1981 y 1983] los dos primeros volúmenes, que comprenden los autores cuyos apellidos empiezan por A-Ch. Lo novedoso de esta bibliografía es que incluye a todos los que han escrito algo, sea cual sea la materia. El *Boletín del Centro de Estudios del Siglo XVIII* publica habitualmente una «Bibliografía dieciochista», dividida en dos secciones, una sobre todos los aspectos generales, y otra específica de personas.

Los estudios de conjunto. No voy a dar aquí una lista de manuales que pueden ser consultados, sino una referencia a los que considero que deben tenerse en cuenta tanto por el especialista como por el simple interesado en la literatura dieciochesca.

Si el siglo XVIII es quien inaugura en realidad la historia de la literatura, fue también el primer beneficiario de ella, no sólo por la imprescindible *Biblioteca española de los mejores escritores del reinado de Carlos III* (1785-1799) de Sempere y Guarinos, o por el «Prólogo» o «Discurso preliminar» que Leandro Fernández de Moratín puso al frente de la edición parisiense de sus *Comedias*, que es más una amplia reseña de una revolución dramática que una historia literaria del género, sino porque muy pronto van a aparecer historias de conjunto, especialmente de la poesía, que fue el género mejor estudiado. El primer autor que debe citarse es Quintana [1807], cuya consulta es muy conveniente, porque aporta la visión personal de quien participó en la historia misma. En el siglo XIX encontramos otro de los grandes estudios sobre poesía del XVIII, el de Cueto [1869], todavía no superado en muchos aspectos históricos, dada la amplísima documentación inédita que manejó, aunque sus juicios y sus valoraciones se hayan quedado anticuados. No conviene olvidar el tomo dedicado al xviii por Menéndez Pelayo [1886] en su *Historia de las ideas estéticas en España*, que puede ser muy discutible a veces, pero que sigue aportando amplia documentación y muy interesantes sugerencias.

Durante más de medio siglo no volvió a escribirse ningún estudio de conjunto que merezca ser recordado. Es la magna obra dirigida por Díaz-Plaja [1956-1957] la que inicia un giro en la crítica dieciochista. Los ocho autores que tratan temas de literatura castellana, más los otros ocho que tratan de literatura hispanoamericana, gallega y catalana, han escrito trabajos muy dispares, alguno de los cuales es muy apreciable, especialmente por la fecha en que aparecen. Se publican después por catedráticos exiliados dos importantes libros, el de Ángel del Río [1963] y el de González López [1965], libros que en su momento, al menos para los españoles de dentro, fueron importantes. Eran los años en que la erudición española y foránea estaban consiguiendo romper la tradición crítica que venía de Menéndez Pelayo, y aun de antes. Surgían muchas ideas nuevas, muchos nuevos planteamientos, muchos problemas que se enfocaban con nuevas perspectivas. Los trabajos de conjunto tenían también que hacerse eco de todas estas novedades. Así Glendinning [1972] participa en *A literary history of Spain* con un tomo en el que, siguiendo la línea marcada por su director, R. O. Jones, se procura relacionar la literatura «con la sociedad en que fue escrita y a la que iba destinada, pero sin subordinar la crítica a una sociología de *amateur*». En el mismo año aparece el grueso volumen (casi mil páginas) de Alborg [1972]. Es un amplio manual, escrito por quien demuestra estar muy al día en la investigación y conocer bien los mismos textos dieciochescos. Se puede decir que se trata preferentemente de una exposición del estado de la cuestión, sin que falten abundantes aportaciones personales y también referencias a bibliografía muy reciente, que empieza ya a producirse con cierta rapidez. Por primera vez el siglo xviii recibía el tratamiento de un siglo importante en la historia literaria.

La crítica italiana nos dio otro interesante libro, el de Mario di Pinto [1974], preocupado también por aspectos sociales, pero dentro de un tipo de crítica en el que lo social trata de explicar el arte, y no al revés.

Díez Borque [1975] dirigió otra obra colectiva, en la que participaron para el siglo xviii, Elena Catena, Caso González, Joaquín Arce y René Andioc. A pesar de que no se impuso ninguna coordenada crítica previa, resultó un libro aceptable en conjunto.

Me parece imprescindible decir dos palabras de la *Historia social de la literatura española*, cuya parte del xviii (sólo 83 páginas) es obra de Iris M. Zavala. Dejo a un lado el enfoque marxista del libro, porque cada uno puede adoptar el criterio y la ideología que más le cuadren; lo que no puede silenciarse es que se ha falsificado la historia para someterla a las concretas directrices ideológicas y que además las escasas páginas dedicadas al siglo XVIII tienen muchos errores.

Una interesante y original visión de conjunto de la poesía dieciochesca, que tendré que citar varias veces, es la que nos ofrece Arce [1981].

Permítaseme terminar refiriéndome a dos capítulos míos (en prensa), que se publicarán en los tomos XXIX y XXXI-I de la *Historia de España* que edita Espasa-Calpe, y en los cuales pongo en práctica un nuevo método expositivo de la historia literaria.

BIBLIOGRAFÍA

Aguilar Piñal, Francisco, *Bibliografía fundamental de la literatura española. Siglo XVIII*, Sociedad General Española de Librería, Madrid, 1976.

—, *La prensa española en el siglo XVIII. Diarios, revistas y pronósticos*, CSIC, Madrid, 1978.

—, *Bibliografía de autores españoles del siglo XVIII*, I: *A-B*, CSIC, Madrid, 1981; II: *C-Ch*, CSIC, Madrid, 1983; en curso de publicación los restantes tomos.

Alborg, Juan Luis, *Historia de la literatura española. Siglo XVIII*, Gredos, Madrid, 1972.

Andioc, René, *Sur la quérelle du théâtre au temps de Leandro Fernández de Moratín*, Tarbes, 1970 [trad. cast.: *Teatro y sociedad en el Madrid del siglo XVIII*, Castalia, Madrid, 1976].

Anes, Gonzalo, *Las crisis agrarias en la España moderna*, Taurus, Madrid, 1970

Arce, Joaquín, «Rococó, neoclasicismo y prerromanticismo en la poesía española del siglo XVIII», en *El padre Feijoo y su siglo*, II, Cátedra Feijoo, Oviedo, 1966, pp. 447-477.

—, «Diversidad temática y lingüística en la lírica dieciochesca», en *Los conceptos de rococó, neoclasicismo y prerromanticismo en la literatura española del siglo XVIII*, Cátedra Feijoo, Oviedo, 1970, pp. 31-51.

—, *La poesía del siglo ilustrado*, Alhambra, Barcelona, 1981.

Becerra, B., «La novela española, 1700-1850», en *Boletín de la Asociación Cubana de Bibliotecarios*, VII (1955), pp. 3-10.

Brady, Patrick, «Rococo», en *Dizionario critico della letteratura francesa*, Turín, 1973, pp. 1.008-1.012.

Brown, Reginald F., *La novela española, 1700-1850*, Dirección General de Archivos y Bibliotecas, Madrid, 1953.

Caso González, José, «Rococó, prerromanticismo y neoclasicismo en el teatro español del siglo XVIII», en *Los conceptos de rococó, neoclasicismo y prerromanticismo en la literatura española del siglo XVIII*, Cátedra Feijoo, Oviedo, 1970, pp. 7-29.

Castañón Díaz, José, «Ideas eruditas en el *Diario de los Literatos*», en *Burgense*, n.° 31 (1971), pp. 193-264.

—, *La crítica literaria en la prensa española del siglo XVIII (1700-1750)*, Taurus, Madrid, 1973.

Ceñal, Ramón, «Cartesianismo en España. Notas para su historia (1650-1750)», en *Revista de la Universidad de Oviedo* (1945), pp. 5-97.

Cueto, Leopoldo Augusto de, *Bosquejo histórico-crítico de la poesía castellana en el siglo XVIII*, Rivadeneira (BAE, LXI), Madrid, 1869.

Demerson, Paula, *Esbozo de biblioteca de la juventud ilustrada (1704-1808)*, Cátedra Feijoo, Oviedo, 1976.

Díaz-Plaja, Guillermo, *Historia general de las literaturas hispánicas*, IV: Siglos XVIII y XIX, Barna, Barcelona, 1956-1957.

Diccionario de literatura española, Germán Bleibeng y Julián Marías, eds., Revista de Occidente, Madrid, 1964², corregida y aumentada.

Díez Borque, José María, ed., *Historia de la literatura española*, II, Guadiana, Madrid, 1975; III, Taurus, Madrid, 1980². [Vienen incluidos: Elena Catena, «Características generales del siglo XVIII»; José Caso González, «La prosa en el siglo XVIII»; Joaquín Arce, «La poesía en el siglo XVIII»; René Andioc, «El teatro en el siglo XVIII».]

Egido López, Teófanes, *Prensa clandestina española del siglo XVIII*: «*El Duen- de Crítico*», Universidad de Valladolid, Valladolid, 1968.

García Pandavenes, E., ed., *El Censor (1781-1787). Antología*, Labor, Barcelona, 1972; introducción de J. F. Montesinos.

Glendinning, Nigel, *El siglo XVIII*, vol. IV de R. O. Jones, ed., *Historia de la literatura española*, Ariel, Esplugues de Llobregat, 1974 [ed. inglesa: Dublín, 1972].

González López, Emilio, *Historia de la literatura española: La Edad Moderna (siglos XVIII y XIX)*, Las Américas Pub., Nueva York, 1965.

Guinard, Paul-Jean, *La presse espagnole de 1737 à 1791. Formation et signi- fication d'un genre*, Institut d'Études Hispaniques, París, 1973.

—, «Remarques sur une grande revue espagnole du XVIII° siècle: *El Censor* (1781-1787)», en *Les langues néo-latines*, n.° 212 (1975), pp. 90-105.

Hatzfeld, Helmut, *Estudios sobre el barroco*, Gredos, Madrid, 1964.

—, «Gibt es ein literarisches Rokoko in Spanien?», en *Ibero-Romania*, I (1969), pp. 59-72.

Iglesias, Nieves, y Ana María Mañá, *Correo de Madrid o de los Ciegos. Madrid, 1786-1791*, Hemeroteca Municipal de Madrid, Madrid, 1968.

Lopez, François, *Juan Pablo Forner et la crise de la conscience espagnole au XVIII° siècle*, Burdeos, 1976.

López Piñero, José María, *La introducción de la ciencia moderna en España*, Barcelona, 1969.

Menéndez Pelayo, Marcelino, *Historia de las ideas estéticas en España*, IV, Victoriano Suárez, Madrid, 1886.

Mestre, Antonio, *Ilustración y reforma de la Iglesia. Pensamiento político-reli- gioso de D. G. Mayans y Siscar*, Ayuntamiento, Oliva, 1968.

—, *Historia, fueros y actitudes políticas. Mayans y la historiografía del si-*

glo XVIII, Ayuntamiento, Oliva, 1970.

Montesinos, José F., *Introducción a una historia de la novela en España en el siglo XIX. Seguida del esbozo de una bibliografía española de traducciones de novelas*, Castalia, Valencia, 1955.

Orozco Díaz, Emilio, *Porcel y el barroquismo literario del siglo XVIII*, Cátedra Feijoo, Oviedo, 1968.

Peset, Vicente, «La Universidad de Valencia y la renovación científica española (1687-1727)», en *Asclepio*, XVI (1964).

Pinto, Mario di, *La letteratura spagnola dal settecento a oggi*, Sansoni-Accademia, Florencia-Milán, 1974.

Quintana, Manuel José, *Poesías selectas castellanas desde el tiempo de Juan de Mena hasta nuestros días*, Gómez Fuentenebro, Madrid, 1807.

Quiroz-Martínez, Olga Victoria, *La introducción de la filosofía moderna en España*, México, 1949.

Río, Ángel del, *Historia de la literatura española*, II: *Desde 1700 hasta nuestros días*, Holt Rinehart and Winston, Nueva York, 1963; ed. revisada.

Ruiz Veintemilla, Jesús M., «La fundación del *Diario de los Literatos* y sus protectores», en *Boletín de la Biblioteca de Menéndez Pelayo*, LII (1976), pp. 229-258.

Sarrailh, Jean, *La España ilustrada de la segunda mitad del siglo XVIII*, FCE, México, 1979² (ed. fr.: París, 1954).

Sebold, Russell P., «Contra los mitos antineoclásicos españoles», en *Papeles de Son Armadans*, n.º 103 (1964), pp. 83-114; reimpreso en *El rapto de la mente. Poética y poesía dieciochescas*, Prensa Española, Madrid, 1970, pp. 29-56.

—, «Sobre el nombre español del *dolor romántico*», en *Ínsula*, n.º 264 (1968); reimpreso en *El rapto de la mente*, Prensa Española, Madrid, 1970, pp. 123-137.

—, «El incesto, el suicidio y el primer romanticismo español», en *Hispanic Review*, XLI (1973), pp. 669-692.

—, *Cadalso: el primer romántico «europeo» de España*, Gredos, Madrid, 1974.

—, *Trayectoria del romanticismo español*, Crítica, Barcelona, 1983.

Varela Hervías, E., *Espíritu de los mejores diarios que se publican en Europa, Madrid, 1787-1791*, Hemeroteca Municipal de Madrid, Madrid, 1966.

Emilio Orozco Díaz

EL BARROCO DIECIOCHESCO

Si en general resulta convencional y artificiosa la división por siglos al establecer las líneas de periodización y evolución en la historia literaria, ello se hace más patente al referirnos al siglo xviii español. La noción de siglo, aunque con alguna aislada protesta —como con sentido general puntualizaba Deonna— se ha impuesto tradicionalmente en la historia de la literatura y en la historia del arte; en forma tal que al hacer el esquema de la historia de los estilos, espontánea e inconscientemente, tendemos a acomodarla dentro de ese rígido molde cronológico del siglo. Así se identifica el Renacimiento con el siglo xvi, el Barroco con el xvii, el neoclásico con el xviii, y hasta se tiende a ver lo decimonónico bajo un reflejo general de romanticismo.

Algunos acontecimientos histórico-políticos que se dan en la vida española de esos períodos han venido en parte a prestar un apoyo aparentemente sólido a esa estructuración por centurias en la evolución de nuestro arte y de nuestra literatura. Así, el reinado de los Reyes Católicos entre los siglos xv y xvi, la entrada de los Borbones en el arranque del xviii, la guerra de la Independencia en los comienzos del xix, y el desastre del 98 en su final, parecían poner límites indicadores de cambios entre las distintas centurias. Y en verdad que hay cosas que cambian, pero no siempre ni de manera decisiva atañe a las artes y a las letras.

Esa noción de siglo llegaba, así, a perfilarse como un período

Emilio Orozco Díaz, *Porcel y el barroquismo literario del siglo XVIII*, Cátedra Feijoo, Oviedo, 1968, pp. 11-17.

completo cuyas características se realizaban, en su plenitud, en su mitad, mientras que los comienzos representaban una iniciación o juventud y los finales una decadencia o vejez. El siglo XIX, más revuelto y violento y, sobre todo, más próximo, ha sido el que primeramente ha exigido establecer otras delimitaciones; pero muy lentamente se va dando paso a otra periodización que no sea la de la centuria. Y quizá dentro de ese esquema lo que especialmente se ha venido dando como entidad o período más plenamente delimitado por el límite de la centuria, haya sido este siglo XVIII, que se ha visto sobre todo en España como el siglo del neoclasicismo. Se nos olvida que en la historia del arte no es sólo el período del estilo rococó lo que hay que incluir junto a éste, sino también muchas de las manifestaciones que hay que llamar barrocas. Y en ellas cuentan algunas de las muestras culminantes del estilo; y precisamente en un arte como la arquitectura en el que con más fuerza y plenitud se patentizan y concretan los rasgos del Barroco. Así, como si hiciéramos una concesión, como si diéramos entrada a algo rezagado, ajeno al período, hablamos de una tradición barroca; como si se tratara de una simple supervivencia de un estilo mantenido por inercia de poetas o artistas rezagados, ignorantes de lo que acontecía fuera de España, y que así actuaban como ajenos al tiempo en que les tocó vivir. Es verdad que lo mismo que hay rasgos de avance o anticipación de un estilo, los hay también de supervivencia; pero no es éste el caso refiriéndonos a la primera mitad del siglo XVIII. Veríamos supervivencia en fechas posteriores —en las que en efecto se da— o en el neoclasicismo de un Quintana en pleno esplendor romántico, o en las anacreónticas a lo Meléndez, en la época de Bécquer; porque en ninguno de esos casos respondían esas creaciones al gusto o ambiente predominante. Pero no ocurre así con el arte y la literatura barroca del siglo XVIII.

No son supervivencias, sino vivas y a veces potentes manifestaciones de un gusto general de época y, en consecuencia, no sólo no se apartan de su tiempo como ajenas, sino que son expresión elocuente de unas formas de vida que se manifestaban con plena teatralidad barroca, según nos testimonian las fiestas civiles y religiosas, la vida pública y privada de todas las gentes, nobleza y pueblo, doctos e ignorantes. No caigamos en el error de suponer que los ignorantes y retrasados eran los que mantenían las viejas formas y que los que propugnaban la introducción de un nuevo estilo eran

los doctos y conocedores de la cultura francesa. Ello podrá darse
como verdad, y no completa, en el último tercio del siglo; pero no
antes. Precisamente el caso de Porcel podría darse como el mentís
rotundo a esa interpretación, pues pocos como él conocieron la literatura francesa en esos años y ninguno como él extremó, y tan
conscientemente, la postura barroca.

Lo que estuvo en desacuerdo con las formas de vida y gusto del
tiempo fue precisamente el arranque de lo neoclásico, en pensamiento, arte y literatura. Por ello su implantación fue obra de una minoría y hasta a veces con imposición oficial, porque contradecía
gustos generales que no siempre coincidían con la ignorancia, rutina
y mal gusto. Pero esto ocurre cuando casi han transcurrido totalmente dos tercios del siglo XVIII. Si más tarde se hace necesario
ordenar la supresión de los autos sacramentales y prohibir la construcción de retablos de madera dorados y policromados hay que
pensar que esas manifestaciones artísticas y literarias del ámbito
religioso no se mantenían sólo de un mimetismo rutinario. Estamos,
sí, en el momento de la supervivencia —en gran parte por el apego
del español a las formas tradicionales—, pero en parte también por
el apego del español a lo barroco. Por esto lo que era fiesta pública
y oficial se suprimió; pero los retablos, aunque algunos se hicieron
en mármoles o, más frecuentemente, imitándolos, otros muchos siguieron haciéndose deslumbrantes de oros, y retorcidos y exube-
rantes en su decoración.

Nuestro barroco y rococó del siglo XVIII no puede, en conclusión, considerarse como un mero sobrevivir por inercia de viejas
formas artísticas del siglo XVII. Incluso tiene formas y características
propias; especialmente en lo artístico. También el barroquismo de
Porcel no es sólo el eco de Góngora, sino que ofrece otras complicaciones acordes con el arte y el espíritu de su época. Lo que ocurre
es que las letras en general no ofrecen el brío y potencia que se
manifiestan en la arquitectura, y en parte en la escultura. Pero ello
no debe llevarnos, al trazar la historia de nuestras letras, a considerar este aspecto de lo literario como una intromisión forzada del
siglo anterior, sino como la general manifestación de una época.

Nadie —creo— se atrevería a llamar obras de decadencia o de simple
supervivencia y agotamiento de un estilo a creaciones como la fachada
del Obradoiro de la catedral de Santiago, el transparente de la de Toledo,

o la sacristía de la Cartuja de Granada. Por el contrario, el estilo no sólo habla con potente vida y sinceridad, sino, más aún, canta con resonante clamor; no son los rescoldos de la gran hoguera artística del Barroco, sino las últimas grandes llamaradas cuyos reflejos perdurarán aún muchos años después. No olvidemos, por otra parte, que nuestro neoclasicismo no tuvo muy larga vida ni se extendió aplastante por toda la península. Es más, incluso recogió y asimiló consciente o inconscientemente elementos de la tradición barroca. En el arte es ejemplo bien patente la arquitectura de don Ventura Rodríguez. Pero también, aunque con tono menor, puede decirse de lo literario. El hecho de que en la historia literaria de este período no se nos ofrezcan figuras en la etapa barroca que destaquen con fuerte personalidad no puede llevarnos a considerar en bloque el siglo XVIII como neoclásico. Considerado en su conjunto, más bien tendríamos que hablar como del siglo del último barroco y del rococó.

Aunque fuese sólo con un carácter provisional o metodológico, deberíamos adoptar inicialmente al considerar la historia literaria un punto de vista formalista intentando trazar la historia de los estilos en literatura, haciendo en parte —aunque sea como fondo previo— una historia de la literatura sin nombres como se trazó la historia del arte bajo los *conceptos fundamentales* de Wölfflin. Así llegaríamos a ver la periodización histórico-literaria sin sentirnos atados por esas estructuras impuestas por la medida cronológica del siglo, que nos arrastra a su vez a identificarlos con los estilos. Sobre ese fondo podríamos perfilar a los poetas viendo su coincidir o su ruptura con el gusto o tendencia general de su momento y en este caso sin olvidar los gustos y formas de las artes e incluso la psicología de la época.

Ese fondo artístico, cultural y psicológico destacaría elocuente en este caso de los escritores del siglo XVIII, pues muchas veces, por la razón dicha, aún admitiendo su barroquismo, los perfilamos sobre ideas y ambientes neoclásicos. Debemos procurar conseguir esa ambientación si queremos precisar debidamente la caracterización de su estilo. Así, por ejemplo, evitemos no identificar la postura de renovación intelectual que representa Feijoo con el fondo de una estética neoclásica. Aunque nos fuerce a razonar con poderoso sentido común, está proclamando el furor, la libertad y lo irracional como norma de la creación poética. Y esto no es exactamente prerromanticismo, sino actitud barroca. No sólo por anacronismo histórico no podríamos perfilar materialmente su figura teniendo como fondo la Puerta de

Alcalá; aún sería más violento el desacuerdo estético. En cambio, podríamos imaginarlo más en su ambiente teniendo tras de sí un retablo como el de San Martín Pinario.

Pero dentro de esa general prolongación del Barroco en España a través del siglo XVIII, hay focos en los que el fenómeno se da con mayor intensidad. Éste es el caso de Granada. En ella, si los aires renacentistas penetraron más temprano y con mayor pureza, también el brotar del Barroco se adelantó a otras regiones, acusando con ello rasgos que, podríamos decir, son definidores de lo granadino, especialmente en lo literario. Si junto a la rica fachada de la Chancillería —tan elogiada por Góngora— que descubre los primeros gestos barrocos de nuestra arquitectura se puede recordar un grupo de poetas que preludian la renovación gongorina también después será en Granada donde perdure con más vigor esa estética del autor de las *Soledades* y donde se creen, mediado el siglo, obras culminantes del arte barroco como la sacristía de la Cartuja. El arte y la poesía del siglo XVIII ofrecen exaltados los rasgos típicos de lo barroco —dinamismo, complicación, desborde ornamental y brillantez colorista—; pero siempre acusando un fondo antinaturalista seducido por la técnica preciosista y por lo selecto.

Además, si es característico de Granada ese temprano amanecer del Barroco, no lo es menos el retraso de su declinar. Tanto en arquitectura como en escultura y pintura, el florecer de sus escuelas se prolonga hasta fecha más tardía que en la sevillana y madrileña. En contacto con lo cordobés, la arquitectura barroca del siglo XVIII se ofrece con brío y novedades insospechadas. Cuando Porcel nace estaba construyéndose por Hurtado Izquierdo el sagrario de la Cartuja, obra en que se realiza plenamente la síntesis de las artes a que aspira la estética barroca y de la que decía su prior, con conciencia del esfuerzo y cuidado con que se realizaba, que no iba a tener igual en toda Europa. Y hacia las fechas en que el poeta alzaba su voz en la Academia del Buen Gusto, proclamando incomparable a don Luis de Góngora, se estaba construyendo la sacristía del mismo monasterio, donde, con una nueva savia, abandonando la exaltación colorista del sagrario por la conquista de la blancura, se alcanzaba en la más violenta actitud anticlásica de abstracción y geometrización de las formas, la apoteosis de los efectos de luz, que juega y se refleja cambiante en el más delirante efecto de movimiento y derroche ornamental.

JOAQUÍN ARCE

ROCOCÓ, ILUSTRACIÓN
Y PRERROMANTICISMO EN POESÍA

El problema inicial que se presenta al pretender abordar la complejidad de actitudes artísticas que caracterizan a un siglo que tuvo, a pesar de todo, una inconfundible fisonomía, es el de no romper la unidad del mismo atomizándolo en excesivas parcelas ni confundirlo todo en una uniformidad inexistente.

Dos premisas previas me parecen indispensables al abordar nuestro siglo XVIII desde el punto de vista poético: por una parte, considerar que la producción típica de ese siglo es en realidad la de su segunda mitad, llegando a abarcar incluso los primeros decenios del siguiente siglo; por otra, que el nombre de neoclasicismo, como ya he dicho en otras varias ocasiones, es completamente inadecuado, como caracterizador de época en sentido literario, por no atenerse al restringido valor que se le da en los estudios de arte. Tenemos, pues, que restaurar en su interior coherencia el carácter diferenciador de esa época, pero tenemos al mismo tiempo que aclarar y precisar las facetas que literariamente la componen. Precisamente es una de sus características no sólo la variedad entre personalidades distintas, sino la diversidad, los contrastes internos que se observan en un mismo autor.

Creo cada vez más en la conveniencia de utilizar un concepto como el de «poesía ilustrada» que sería el que mejor pudiera definir la nueva actitud intelectual y ética que forma el sustrato ideológico de la segunda mitad del siglo XVIII. Desgraciadamente, preocupaciones nacionalistas y pretensiones de buscar valores perennes en nuestra historia han contribuido a enturbiar la realidad de los hechos. Se tiende a creer en la impermeabilidad de conceptos y de nombres distintos; se piensa que neoclasicismo y prerromanticismo, por ejemplo, tengan que ser cosas entre sí contradictorias, olvidando su raíz

Joaquín Arce, «Diversidad temática y lingüística en la lírica dieciochesca», en *Los conceptos de rococó, neoclasicismo y prerromanticismo en la literatura española del siglo XVIII*, Cátedra Feijoo (Cuadernos de la Cátedra Feijoo, 22), Oviedo, 1970, pp. 31-32, 34-42.

común; cuesta trabajo admitir que poesía ilustrada —en mi opinión, al menos— no significa negar los elementos conscientemente tradicionales que hay en ella. Naturalmente que quien quiera poner su atención en la veta de poesía del Siglo de Oro que pervive en el xviii —llámese Garcilaso o Góngora, fray Luis o Herrera— encontrará abundantes frutos para establecer esa continuidad; quien, viceversa, pretenda aislar sólo lo que hay de intuición futura, de adivinación posterior, reunirá asimismo un denso material; e incluso podrá fácilmente reforzar su postura quien únicamente busque los rasgos que respondan rigurosamente a un ideal clásico. Todas esas posiciones legítimas, que aíslan corrientes indiscutibles, desenfocan la confluencia, el sustentáculo básico de la actitud personal y social del poeta que, aun enriqueciéndose con muy diversos elementos, se siente en un nuevo siglo y ante nuevos ídolos que adorar.

[Si no puede hablarse en rigor de una etapa o período rococó en poesía, sí es posible aislar unas composiciones, que, parejas en su gracia expresiva al gusto del rococó, se hacen eco de motivos que dan fisonomía al arte contemporáneo.] Aunque el género anacreóntico por sí mismo no es identificable con el rococó, éste encuentra quizá su campo más propio en poesía en las anacreónticas, que constituyen la composición más afortunada en el siglo, sea por sus antecedentes clásicos, por su cultivo por Villegas, como por su ligereza de formas y su carácter blandamente sensual. Piénsese que más de la tercera parte de la inmensa producción poética de Meléndez son odas anacreónticas. Responden, de todos modos, a muy diversas características, como todavía en 1792 declara Juan Pablo Forner, en la Introducción que puso a las suyas. Tras de caracterizar al poeta griego por su «estilo facilísimo, de amenidad incomparable, de gracia y lozanía maravillosa», advierte que no bastan los versos de siete sílabas ni nombrar *vino*, *copa*, *beodo* para lograr las anacreónticas, porque su «mérito está en el *modo* con que dice las cosas». Y así nos deja este importante testimonio junto con un neologismo de interés para la lingüística: «Es increíble lo que han delirado los copleros de Madrid con la furia de *anacreontizar* en estos años últimos».

Son, pues, muchos los registros que admite la anacreóntica en el siglo xviii. En muchos casos son casi calcos de la poesía de Villegas. Es Meléndez el que llega a una acentuación de los elementos sensuales, en sus minuciosas descripciones de efusión amorosa, en su conmoción temblorosa ante los besos o ante el cuerpo femenino, en ese penetrar hasta la intimidad del «gabinete» de la amada, para gozar con todos sus sentidos los objetos, perfumes y sedas con otros refinamientos al servicio de la coquetería, que pasan a primer plano como tema literario. Quede así asentado que, en mi opinión, el máximo poeta de la Ilustración española, Meléndez Valdés, representa también la cima del gusto rococó en algunas de sus personalísimas anacreónticas, que se sitúan en una fase cronológica sucesiva a la grácil aminoración de ciertos poemas posbarrocos.

Con todos los riesgos que ello supone y con la conciencia de la provisionalidad de estas afirmaciones, intentaré determinar esquemáticamente los componentes formales y temáticos que pueden caracterizar la poesía rococó. Lexicalmente, la lengua utilizada está en íntima conexión con los elementos que determinan unas modas cortesanas, un refinamiento de modales y una preferencia por determinados objetos con valor meramente decorativo, aunque esencial en ese ambiente; métricamente se aspira a un ritmo bien marcado a base de versos cortos y estrofas breves y cerradas; gramaticalmente se busca una disposición paratáctica, casi lineal, sin interrupciones, con tendencia a formas exclamativas que expresan el arrobamiento del poeta; y, como indicio morfológico bien evidente, el diminutivo, increíblemente extendido hasta para lo que ya no necesitaría aminoramiento expresivo; frecuentes asimismo los epítetos, pero huyendo de las notas estridentes o de lo intensamente cromático para tender hacia los tonos suaves o nacarados. El paisaje suele concentrarse en escenas movidas y recortadas, con flores y pájaros inocentes, con evocadoras grutas a las que se junta la presencia del agua, contorneada de espumas y siempre fluyente en forma de arroyuelos, de fuentes con estatuas, de surtidores. Y como temas dominantes, el amor y la belleza femenina, pero en su adecuado marco de fiestas, de rico vestuario, dominado por la coquetería y frivolidad. Frente a la virilidad intelectual que supondrán los ideales de la Ilustración, éste es un mundo afeminado, agraciado, con predominio de lo aparentemente ingenuo, incluso en la utilización de la mitología, reducida a meras dimensiones domésticas.[1] [Toda la lengua de la

---

1. [«Véase un rasgo curioso de suavización que nada tiene que ver con la grandiosidad neoclásica de fin de siglo: Uno de los poetas más melindrosos y almibarados de la poesía italiana, Giambattista Zappi, compuso un soneto, como contraste y muestra de inspiración grandiosa y terrible, sobre el tema bíblico de Judit. Luzán tradujo ese soneto de Zappi con escrupulosa fidelidad. Pero, mientras los detalles más gentiles se respetan literalmente (como el diminutivo *verginelle* vertido como "doncellitas" y la femenina nota del *tessuto inganno* bien reproducida en "tejido engaño"), los rasgos de tonos fuertes y espeluznantes se evitan cuidadosamente: así, frente al original, donde aparece

poesía barroca en su aspecto lexical sigue en vigor en el posbarroquismo dieciochesco y en el rococó. Lo que no se incorpora es la arquitectura del período, los retorcimientos hiperbáticos, las alusiones a una cultura desconocida. Es el mismo material, simplificado y aligerado, pero estructurado de manera más clara y perceptible.]

En la fase de transición a la poesía ilustrada, que Luzán representa, quizá no se ha tenido en debida cuenta una canción que probablemente inaugura en nuestra literatura una forma típica de la lírica de la Ilustración. En efecto, recién creada la Academia de Bellas Artes de San Fernando, de la que fue inmediatamente nombrado académico, leyó Luzán, en diciembre de 1753, una canción que es un elogio poético de famosos artistas y de las Bellas Artes. Su principio es bien significativo: mueren las estaciones del año, murió asimismo «la antigua gloria de Roma y de la Grecia» y «mueren también los reinos y ciudades»: sólo la virtud permanece sin mudanza. Ha hecho aquí su aparición una de las palabras clave de la literatura ilustrada: la virtud; y en la misma canción, refiriéndose a la iglesia madrileña de San Marcos, recién construida por Ventura Rodríguez, dice como síntesis de esa estética de tono menor de mediados de siglo, que el artífice redujo «lo hermoso y grande a limitado giro».

Es esta poesía encomiástica y conmemorativa, recitada públicamente en doctas corporaciones o en las sociedades económicas y patrióticas del país, muy abundante en el tercer cuarto de siglo, indicio de nueva moda. Tras Luzán, con representación mesurada de Moratín padre, será reiteradamente cultivada por García de la Huerta y Vaca de Guzmán. Poesía carente de inspiración, como consecuencia de circunstancias externas, constituyó una verdadera plaga, merecedora, como las producciones de exaltación patriótico-política, del soneto que a éstas dedicó Forner, titulado *Única infelicidad de España, en sus grandes felicidades*, que termina: «¡Oh, cuánto fuera de la patria el gusto, / si una turba maldita de copleros / tanta prosperidad no hubiera aguado!». Con todo, esta poesía de circunstancias

---

la heroína con el *teschio d'atro sangue intriso*, la traducción se limita a decir que Judit "volvió triunfante"; y Holofernes, llamado por el italiano *mostro ucciso*, se queda en "bárbaro arrogante". Luzán, que en el breve espacio del soneto respeta lo que es delicado, evita en cambio lo cruel y sangriento» (p. 37).]

merece más atención de la que se le ha dedicado, porque es la portadora de los nuevos ideales de la Ilustración, porque es evidente prueba de que se considera a la poesía como vehículo no exclusivo de belleza, o sea, vehículo de una belleza que no puede existir sin la verdad. La necesidad de elogiar las artes, las instituciones públicas, las virtudes de los alumnos y de los ciudadanos, obliga al uso de una lengua más precisa, ligada a realizaciones concretas o a abstractas ideas a que se aspira. De aquí a la poesía científica y filosófica no hay más que un paso; y cuando esto se logra, estamos de lleno en la cumbre de la poesía ilustrada, que cuenta con nutrida representación en lengua castellana.

[Más importancia que la poesía conmemorativa] tiene, sin duda alguna, la poesía ilustrada de tema filosófico, social e incluso científico. Cierto es que esta última, por su misma naturaleza, había de perder inmediatamente actualidad. Los descubrimientos de la física, de la química, de la botánica son cantados con entusiasmo. Y para la historia de la lengua literaria son de una gran importancia estas composiciones porque por primera vez entran en el organismo poético una serie de voces nuevas. Quizá la faceta más interesante dentro de la poesía científica la representa la poesía astral, la de los espacios infinitos. Y a ello no contribuye tan sólo el tema en sí, evocador de toda clase de fantasías, sino la misma tradición literaria. En una fusión increíble —no creo que adecuadamente puesta de relieve— los poetas de la Ilustración española interfieren los recuerdos y las imágenes de fray Luis de León, con los nombres y los descubrimientos de Newton, de Galileo, de Copérnico. Esa es la mayor novedad de nuestros poetas ilustrados: que no necesitan desvincularse de sus antiguos maestros, de sus lecturas preferidas para incorporar un nuevo mundo que quizá despertaba menos recelos cantado poéticamente que expuesto en los tratados en prosa venidos de allende las fronteras.

Mal se ha interpretado esta poesía al pretender motejarla de prosaica. Es una poesía que conscientemente se aproxima al habitual vehículo de la verdad, que es la prosa. Es una poesía que busca la claridad, la difusión de las luces, de lo actual (no «anticuario» sino «modernario», quería ser llamado Ponz), que no quiere obstaculizar la comprensión de verdades con metáforas que distraigan o esquemas rítmicos que adormezcan. Por eso la poesía ilustrada preferirá los endecasílabos sueltos o la forma de silvas, estructuras que permiten más libre expresión de ideas y de verdades. No es que no les preocupe la forma: es que esa forma sólo cumplirá sus fines adecuada al contenido, como portadora de verdad, como enseñanza de cosas y no de nombres, al revés, por tanto, de lo que decenios después dirá Alberto Lista de los malos maestros. Hay, pues, unos nuevos temas, un léxico también nuevo que se incorpora a la poesía, una sintaxis de largos períodos, pero comprensible, racionalizada, y una andadura rítmica de amplio respiro, no sometida a las morbideces y artificiosidades de la rima. Un muestrario de todo ello lo presenta el mayor poeta de entonces, el más complejo, el que concentra en sí las aspiraciones y las limitaciones de todo el siglo xviii: Juan Meléndez Valdés. Pero si Meléndez es la culminación, la confluencia de todas las tendencias, no puede olvidarse a Jovellanos, cuyo papel mediador, [entre la poesía de tema filosófico y social y la prerromántica, es de una importancia tal, que no puede resumirse en pocas palabras.]

El término «prerromanticismo» suscita todavía muchas réplicas y temores. Por un lado se le suele interpretar como «un romanticismo salido de madre», en gráfica expresión de Montesinos, que cree debiera abolirse ese «terminacho»; se piensa por otro lado que es absurdo que nadie se anticipe a su momento o que se ponga ya en acción lo que todavía no ha existido, equívoco en que caen todos los que consideran lo prerromántico en función del romanticismo y no en función de su momento histórico; se objeta también, por parte de cierta crítica marxista en Italia, que con esa denominación se han extraído arbitrariamente elementos de la cultura ilustrada, restándolos a ésta, para crear una fase meramente formal sin un respaldo histórico o cultural propio.

Tal como están las cosas, si en mis manos estuviera, preferiría sustituir ese término, con el riesgo de que eso fuera más arbitrario que mantenerlo, puesto que no creo que pueda prescindirse ya de él. Lo que sí es necesario es volverlo a su atmósfera propia, la ilustrada, para interpretarlo como una matización de la misma, como una acentuación de elementos que por responder a una problemática muy viva y muy actual llega a alterar la forma poética, renovando su sintaxis y su lenguaje, al empapar el esquema compositivo previo con la afectividad del autor.

Russell P. Sebold

CONTRA LOS MITOS ANTINEOCLÁSICOS ESPAÑOLES

Siempre que pienso en el llamado renacimiento de interés en la literatura setecentista española durante los últimos años, me asalta con persistencia una pregunta alarmante: ¿Podemos hablar ya de un renacimiento general de interés por la literatura española del siglo XVIII? Por más que quisiera contestar que sí, tengo que hacerlo negativamente. Y lo hago así porque en la reciente crítica dieciochesca observo algo que me parece grave.

Se han publicado estudios valiosos. Sin embargo, los que nos ocupamos del setecientos hemos seguido, por decirlo así, dando hachazos al tronco de este siglo, al mismo tiempo que nos esmerábamos en regarle las raíces y podarle las ramas. Hemos desatendido en gran parte lo neoclásico, es decir, la poesía y el teatro del XVIII propiamente dicho, dedicándonos a estudiar, ya sean obras dieciochescas en que se siguen de cerca modelos literarios del Siglo de Oro, ya otras, también del XVIII, pero que en cuanto a su plan y ejecución son precursoras directas de formas literarias del XIX, ya, finalmente, obras del mismo período que caen fuera de los cotos de los géneros neoclásicos. Ciertas obras setecentistas —la *Vida*, de Torres Villarroel, por ejemplo, o las *Noches lúgubres*, de Cadalso— pueden interpretarse de modo adecuado sólo en el contexto de sus antecedentes o consecuentes literarios. Mas no hay todavía ningún estudio detenido de una obra neoclásica española en el que se unan la sólida erudición histórica, la aceptación de las premisas literarias neoclásicas y la sensibilidad característica de los procedimientos críticos modernos. Creo que un requisito indispensable de cualquier trabajo crítico firme, siquiera como hipótesis inicial, es el de guardar respeto al concepto que el autor de la obra que se estudia tenía o podía tener de ella. [...] Una obra neoclásica tiene que leerse en el contexto histórico y artístico del neoclasicismo, y sólo en tal contexto ha de juzgarse, y juzgarse con sensibilidad. Sólo así sabremos algún día qué limitaciones para el proceso creativo y qué libertades —palabra quizá sorprendente

Russell P. Sebold, «Contra los mitos antineoclásicos españoles», en *El rapto de la mente. Poética y poesía dieciochescas*, Prensa Española, Madrid, 1970, pp. 29-56.

aquí— se siguen de la observación de las reglas neoclásicas en la composición poética y dramática. Sólo así sabremos el valor artístico que pueda alcanzar una obra neoclásica, y sólo así, con más motivo, si en tal obra puede lograrse esa especie de valor.

Desgraciadamente, al hablar de obras neoclásicas españolas todavía se acostumbra empezar por saltarse a la torera su armazón neoclásica, como si se tratara de un espantoso muro coronado de púas que había que salvar con garrocha: y luego se estudia meticulosamente algún pequeño arrabal prerromántico o realista de la obra. Por ejemplo: después de distingos bastante equívocos, el autor de un reciente artículo sobre ciertos rasgos realistas de unos cuantos poemas de Meléndez Valdés no puede dejar de hacer la significativa concesión de que «lo anacreóntico es en Meléndez una constante». La única conclusión a que puede llevar esto es sencilla, pero apremiante: no se puede avalorar debidamente ningún movimiento literario sin manifestar cierta simpatía provisional hacia aquello que es en él constante.

Mas primero hace falta destruir ciertos mitos antineoclásicos que hacen huir corriendo a lectores y críticos del jardín de Lesbia para buscar el abrigo de un peñasco romántico o abadía gótica. Quisiera examinar aquí la validez y origen de ciertos estribillos críticos tan anticuados como los términos *afrancesado* y *seudoclásico*, los cuales siguen impidiendo el estudio sereno del neoclasicismo español.

Creo que nadie podrá objetar a un movimiento literario las influencias extranjeras que sobre él hayan podido actuar. Desde el punto de vista más aceptado por la erudición tradicional, la historia de los movimientos literarios europeos casi no es más que la de un repetido intercambio de influencias. En nuestro caso, lo grave es que las obras de consulta no se limitan a presentar lo que haya de francés en el neoclasicismo español como influencia; al contrario, lo presentan como siniestra e ineluctable causa. Las etiquetas que los historiadores de la literatura ponen a lo neoclásico español no suelen apartarse mucho de fórmulas como «seudoclásico a la francesa», ejemplo sacado de uno de los ensayos de Juan Valera, que aún puede leerse en los manuales en variantes como «seudoclasicismo afrancesado». [...]

Mas se nos presenta una curiosa contradicción cuando los historiadores de la literatura llegan a identificar los modelos concretos de los neoclásicos españoles. En la poesía lírica, por ejemplo, los historiadores no nos señalan las obras de Malherbe, Boileau, Jean-Jacques Rousseau, Houdar de la Motte ni Voltaire, sino las de

Garcilaso, fray Luis de León, Rioja, Quevedo y Esteban Manuel de Villegas. Esta misma contradicción ha venido repitiéndose en diversas formas desde la publicación de la historia *De la littérature du midi de l'Europe*, de Simonde de Sismondi, en 1813. Sismondi ve en la *Poética*, de Luzán, un intento de «mettre à la place de la littérature nationale une littérature étrangère». Pero de poetas que siguieron los preceptos de Luzán, dice luego Sismondi que ellos «s'efforcèrent de réunir le génie de l'Espagne à l'élégance classique». [Incluso cuando acuden a modelos franceses, no por eso creen los neoclásicos amenazada la identidad de la literatura nacional. Al contrario, sienten robustecida la personalidad de las letras patrias y encuentran afirmada su propia conciencia de hispanidad al darse cuenta de que doscientos años antes España fue árbitro y fuente del gusto literario de toda Europa, señaladamente de Francia.] Al llegar aquí los que gritan *afrancesamiento* se acogerán al argumento de que la indumentaria de las obras neoclásicas era a menudo española, pero que su credo literario era francés. Alcalá Galiano fue uno de los primeros en recurrir a esta idea para justificar el uso del mote *afrancesado*; asevera que la escuela neoclásica no es sino «la francesa, vestida de la dicción y estilo de los antiguos y buenos escritores castellanos, pues su teórica es la de nuestros vecinos durante los siglos XVII y XVIII». Aquí quisiera hacer una pregunta sugerida por Moratín en *La comedia nueva*: ¿Inventaron la poética los franceses? No me explico que las reglas de la poesía puedan considerarse como algo extranjero en ningún país que comparta la herencia cultural grecolatina. Tampoco veo explicación al hecho de que ciertos personajes mitológicos o clásicos sean españoles cuando Góngora los menciona en sus poesías, y franceses, siendo los mismos personajes, al nombrarlos Luzán, Porcel o Meléndez Valdés en sus versos.

Queda un refugio más en el que intentarán guarecerse los que se empeñan en sostener el afrancesamiento de las letras dieciochescas españolas: *claro que las reglas no son de invención francesa* —dicen—, *pero durante el siglo XVIII el mundo literario español estaba invadido por un «aristotelismo afrancesado».* [...]

Ahora bien, como se sabe, Luzán era un erudito honrado que jamás tomaba prestada una idea sin indicar la fuente de ella; y en vista de esto quisiera introducir unos datos estadísticos bien extraños sobre sus citas de autoridades poéticas. Las cifras que se indican representan en conjunto las citas de todas las autoridades francesas; por lo que toca a autoridades no francesas, aquí sólo doy totales de las citas de autores representativos, difiriendo hasta el ensayo «Análisis estadístico de las ideas poéticas de Luzán: sus orígenes y su naturaleza» (Sebold [1970]) el recuento estadístico de las referencias a todas las autoridades poéticas que Luzán consulta. Luzán cita o parafrasea a Aristóteles ciento noventa y una veces; a Horacio, sesenta y ocho veces; a los españoles Cascales y González de Salas, diecisiete y trece veces, respectivamente, y a Boileau, sólo seis veces —lo repito—, a Boileau sólo seis veces. Paradójicamente, Boileau aparece mencionado siete veces en las cinco páginas que el autor de una de las más conocidas historias modernas de la literatura española dedica a la *Poética* de Luzán. En toda la *Poética* de Luzán sólo hay unas ochenta citas de autoridades francesas en total, lo cual quiere decir que sólo Aristóteles está citado con una frecuencia más de dos veces mayor que todos los teóricos franceses de la poética. Por otra parte, el número de citas correspondientes a Horacio exclusivamente llega casi a igualar la suma de referencias hechas a todas las autoridades francesas juntas. ¿Es éste un «aristotelismo afrancesado»? [...]

¿Cómo hemos llegado a tener ideas tan inexactas, pero tan persistentes sobre el neoclasicismo español? Cánovas del Castillo, que en su juventud frecuentaba círculos románticos, hace notar, en uno de sus ensayos, que *seudoclasicismo* es un término polémico forjado por la escuela romántica para «apellidar a su contendiente», la escuela neoclásica. También durante la polémica romántica la voz *afrancesado* dejó ya de servir únicamente para indicar las afiliaciones lingüísticas, sintácticas y políticas de los autores, para pasar a ser a la vez sinónimo despectivo de *clásico* (adjetivo con que entonces se designaba lo que nosotros llamamos neoclásico). Esto se ve quizá con mayor claridad en el juicio que hace Alcalá Galiano del neoclásico inglés Alexander Pope. Según Alcalá Galiano, Pope es «hombre de la escuela francesa»; avaloración que espantaría a siete generaciones de ingleses (entre ellos a Byron que prefería los versos de Pope a los de cualquier otro poeta), sobre todo cuando se recuerda que fue justamente del canto tercero del *Essay on man* de Pope, del que tomaron Rousseau y otros franceses del XVIII muchas de sus ideas «románticas» sobre el hombre y la soledad. Se sostiene tal sustitución de *clásico* por *afrancesado* en la tácita insinuación, convertida ya en artículo de fe, de que los franceses fueran los inventores de las reglas. Pope compuso una poética, y, lo que es más, la compuso en versos pareados (rima en realidad tan típica de la poesía inglesa como de la francesa): así, sin más ni más, vino a ser «hombre de la escuela francesa». Son incontables las confusiones que han resultado de textos polémicos en que los románticos usaron el vocablo *afran-*

cesado como mero sinónimo de *clásico* o *seudoclásico*, sin intención directa de subrayar afectaciones lingüísticas ni deslealtades políticas. [...]

En conclusión, *seudoclasicismo* es una palabra forjada al fuego de la polémica y debe rayarse en los manuales y estudios críticos. En la historia literaria española, el término *neoclásico* deberá interpretarse en su sentido más riguroso: «nuevo clasicismo español». Garcilaso fue recomendado como modelo de poetas lo mismo por Feijoo que por Luzán. Gerardo Lobo imitó a Garcilaso muchos años antes que el neoclasicismo fuera movimiento organizado. Se escogieron los versos de Garcilaso como una de las autoridades textuales del monumental *Diccionario de autoridades*, publicado por la Academia antes de 1740. En efecto: es posible que, a no haber sido por la labor creadora y crítica de los neoclásicos, ni conociéramos hoy la poesía de Garcilaso, la cual llevaba ciento siete años sin volver a imprimirse cuando se reeditó en 1765. Lo mismo la poesía de fray Luis, que llevaba ciento treinta años sin nueva edición al reeditarse en 1761. Lo mismo la poesía de otros clásicos españoles. El español orgulloso de su herencia literaria tiene una enorme deuda con *sus* neoclásicos.

Afrancesado es, la mayoría de las veces, mote político mal aplicado a la literatura: quizá deba aplicarse únicamente a ciertos abortos de la escuela plagiaria de Comella. Los neoclásicos son sencillamente nacionalistas modernos que han sabido vencer la perjudicial patriotería que Feijoo llamaba «pasión nacional». Por la aplicación tergiversada de normas críticas convencionales nos hemos privado del placer de leer las producciones de un movimiento literario muy *sophisticated* que sabía ser a un mismo tiempo nacionalista con desenfado, y cosmopolita. La confusión de Alcalá Galiano al tratar de sostener la tesis del afrancesamiento de las letras setecentistas españolas es un elocuente testimonio de la orientación española del cosmopolitismo de la escuela neoclásica: «... cuando se iba la literatura cada vez más afrancesando..., un tanto inglesando, y por la fama de Metastasio..., italianizando, *entonces mismo* ... [los españoles] *más que antes* miraban por la gloria y la conservación de los escritos de los antiguos ingenios españoles».

Nigel Glendinning

EL LIBRO, LA IMPRENTA Y LOS LECTORES

Desdichadamente carecemos de fuentes fidedignas que nos informen acerca del público que existía para los libros impresos en España durante el siglo xviii y los comienzos del xix. Sin embargo, las listas de suscriptores de los libros publicados por este sistema pueden darnos ciertas indicaciones al respecto. Los suscriptores no eran por fuerza lectores, desde luego, y Torres Villarroel, que se jactaba de que la edición de sus *Obras* —llevada a cabo en Salamanca en 1752— fuese la primera de las obras españolas publicadas por suscripción, alude a ellos como a «personas que por su piedad, su devoción o su curiosidad han concurrido a subscribirse en estas obras». A pesar de ello, en el período en cuestión, un análisis de diecisiete volúmenes publicados en España entre 1752 y 1817 refleja, al parecer, un declive en el número de suscriptores por lo que se refiere al estrato más elevado de la sociedad. Este hecho, sin embargo, no señala ningún cambio radical en la situación o capacidad de lectura de las clases elevadas, ni significa una disminución en la protección que dispensaban a la literatura por ellas. Trátase, en efecto, de un cambio gradual, minúsculo tal vez, en la categoría social de los lectores del siglo xviii, si bien no del todo insignificante. Cabe pensar que se trata de la emergente clase media, pero esta clase no existía como tal en el siglo xviii. Un soneto anónimo titulado «Definición de las clases», escrito en la segunda mitad del siglo, sólo se refiere a «pobres, ricos, vasallos [y] soberanos». Sin embargo, la lectura cundía entre los hidalgos que se dedicaban a los menesteres que en el siglo xix habían de considerarse como propios de la clase media: los negocios internacionales, el comercio al por mayor y la banca, así como las profesiones tradicionalmente reservadas a los «don», en el ejército, la Iglesia, la medicina, las universidades, las leyes y los ministerios (o bien las secretarías de los distintos consejos en el siglo xviii). Hacia 1820 Leandro Fernández de Moratín emplea ya

Nigel Glendinning, *El siglo XVIII*, vol. IV de R. O. Jones, ed., *Historia de la literatura española*, Ariel, Barcelona, 1974, pp. 31-39.

el término «clase media». Se alude a ella como el público al que los comediógrafos debían dirigirse y, significativamente, toma en sus propios dramas como personajes principales a los comerciantes y sus familias.

Si el contorno social de la literatura se modificaba, ¿qué puede decirse acerca de las publicaciones mismas? El cambio más notable en este sentido se verifica en la oferta y la demanda de las distintas categorías de obras. En su mayor parte, se halla aún por roturar este campo de investigación en el que todavía no disponemos de una obra análoga a la francesa, *Livre et société dans la France du XVIII⁰ siècle*, ed. Furet (2 vols., Mouton, París, 1970). Salta a la vista, con todo, y partiendo de las fuentes de que disponemos, que se elevó ligeramente el porcentaje de los libros científicos, médicos, de economía, que fueron publicados a comienzos del siglo XVIII, dejándose notar claramente el impacto causado por la Ilustración en este campo. Es obvio asimismo que la literatura de creación asume una proporción relativamente pequeña de publicaciones. En 1815, a juzgar por los anuncios de libros aparecidos en la *Gaceta de Madrid*, las obras de índole religiosa gozaban del más elevado porcentaje con un 22 por 100. Aun así, se trata de un nivel muy inferior al alcanzado ochenta años antes, en 1730, cuando subía a un 52 por 100. El número total de obras impresas se cuadruplicó en el mismo período. Un alza ligera se registró a su vez en las obras de índole educativa, en historia y geografía, al igual que en las publicaciones de carácter político. El porcentaje, por lo que a los periódicos se refiere, cae de un 13 a un 2 por 100 entre 1760 y 1815, y finalmente, las publicaciones de los clásicos latinos y griegos disminuyen de un 4 por 100 a un nivel inferior al 1 por 100.

Otro cambio relevante, verificado en el siglo XVIII, es el que se refiere a la calidad de impresión de los libros. En la segunda mitad de la centuria mejoran a la vez el papel y los tipos empleados. Los impresores, en efecto, aprendieron mucho de Francia y trataron de rivalizar con otros países europeos en este sentido; algunos —tal es el caso de Ibarra y Sancha— hicieron una labor magnífica que otros compatriotas suyos intentaron emular. En etapas anteriores de este mismo siglo, las publicaciones eran frecuentemente de calidad muy pobre y el estado de las cosas no podía mejorarse mucho, dada la tendencia de los autores a servirse de los impresores locales. Muchas obras que hoy se nos presentan como de importancia decisiva fueron, de hecho, impresas en provincias. La *Poética* de Luzán, por ejemplo, fue editada en un papel de calidad deplorable en Zaragoza en el

año 1737 —«villanamente impreso», al decir del padre Isla—; la
primera edición de los *Orígenes de la poesía castellana* de Luis José
Velázquez, marqués de Valdeflores, vio la luz con relativamente
buena presentación en la misma ciudad en que fuera escrito, en Málaga, en 1754; también Mayans y Siscar, que vivió en Oliva, próxima a Valencia, se valió a su vez de las imprentas de su propia
ciudad.

El problema que particularmente afectaba a los impresores locales era que éstos hacían poco por favorecer la circulación de las
obras, que dependía así de la iniciativa de los autores. El padre Isla,
por ejemplo, se valió, para divulgar sus propios libros, del procedimiento de enviar copias supletorias a amigos suyos que se encontraban en ciudades en donde una nueva edición de su obra podía venderse. Se creía que la venta de las obras podía fomentarse mediante
ese expediente. La divulgación, sin embargo, solamente pudo garan-
tizarse con frecuencia mediante la reimpresión, no siempre con el
permiso del propio autor.

Un indicio de la pésima distribución de los libros españoles en el
siglo XVIII lo da la edición hecha de las *Cartas marruecas* de Cadalso en
Barcelona por Piferrer en 1796, sólo tres años después de que Sancha
publicara la primera edición en forma de libro en Madrid. La edición de
Piferrer repite casi a plana y renglón la de Sancha. De haber estado el
comercio de libros bien organizado, a duras penas hubiera sido necesario
recurrir a este procedimiento. Las cartas del padre Isla se encuentran,
en efecto, plagadas de quejas contra la ineficacia de sus agentes. A finales de siglo, sin embargo, los impresores iniciaron nuevos recursos para
impulsar sus propias publicaciones, y ya por este tiempo es frecuente
encontrar listas de libros en venta al final de las obras por ellos publicadas. En 1786 Juan Sellent anunció doce obras que podían adquirirse
en la librería de la viuda de Piferrer; otra lista más extensa de 1790
incluía treinta obras distintas. Catálogos sueltos de los editores y libreros
constituyen otro de los rasgos característicos de este período. Un análisis
por períodos de cinco años de los catálogos fechados o al menos fecha-
bles que se encuentran en el estudio de Rodríguez-Moñino sobre los
catálogos de libreros, nos revela análoga tendencia hacia la publicidad
literaria hacia finales del siglo. Contamos con un total de 22 catálogos
en los cincuenta años que van desde 1725 a 1780 (con momentos cumbre
entre 1745-1750 y entre 1775-1780); 37 entre 1780 y 1805 (con una
elevación en 1790); 64 entre 1805 y 1830 (con un período de máxima
altura durante la etapa de 1820-1825) y, finalmente, 55 entre 1830 y

1850. El análisis llevado a cabo sobre reducidas muestras sugiere que el número de libros anunciados en cada catálogo se hallaba en desarrollo creciente durante el mismo período. Otro síntoma que nos revela una mayor eficacia en la promoción y venta de libros es el cambio de estilo en los anuncios insertados en la *Gaceta de Madrid*. Se anunciaban, principalmente en el siglo XVIII, las librerías de Madrid en donde podían adquirirse las obras nuevas, mientras que en el siglo XIX ya se tiende a incluir también a los libreros que distribuían las ediciones en provincias. Para adquirir, por ejemplo, la famosa colección de novelas publicadas por Cabrerizo en Valencia a partir de 1819, los señores clientes podían dirigirse a librerías en treinta y cinco pueblos y ciudades de España, e incluso alguna de La Habana y Puerto Rico.

De importancia igual para la circulación de libros, es la tirada de las ediciones. Los datos de que disponemos nos revelan que fue poco el progreso que se operó con respecto a las centurias anteriores durante la mayor parte del siglo XVIII. Una edición de tipo medio durante el siglo XVII alcanzaba, al parecer, una cifra de 1.500 a 1.750 ejemplares; tiradas de idéntica cuantía las tenemos asimismo durante el siglo XVIII. En 1777, Sancha imprimió una edición del *Quijote* de 1.500 ejemplares, obra que se hallaba en constante demanda. En 1775, Ibarra imprimió, a su vez, en idéntico número de copias, el enormemente popular *Catón cristiano* del padre Jerónimo Rosales, aunque se hacía suponer que se trataba de la primera tirada de una edición de 40.000 ejemplares en total. A pesar de que el padre Isla, por su parte, deseaba que se hiciese una tirada de 3.000 ejemplares de la primera parte de su *Fray Gerundio de Campazas* en 1758, su impresor tan sólo autorizó 1.500, y las sucesivas ediciones de otras obras de Isla no parece que superasen esta reducida cifra. Se imprimieron 3.000 ejemplares de los tomos 5 y 6 del *Teatro crítico universal* del padre Feijoo, pero parece que se trata de una excepción. En el libro póstumo de Antonio Rodríguez-Moñino sobre *La imprenta de don Antonio de Sancha (1771-1790)* (Madrid, 1971) se proporcionan datos sobre tiradas de algunas obras, y éstas ascienden en algunos casos a dos o tres mil ejemplares (sobre todo cuando se trata de libros religiosos). Rodríguez-Moñino cita seis libros de Sancha con tiradas de 1.500 ejemplares, tres con 2.000, cuatro con 3.000 y siete «cuadernos de rezo» que variaban entre un mínimo de 2.020 y un máximum de 2.766 ejemplares. Aun las obras de teatro, siempre populares, parecen haberse impreso en cantidades parecidas. En *La comedia nueva* de Moratín, cuando don Serapio sueña con el éxito de *El cerco de Viena* no piensa que se hayan vendido «más de ochocientos ejemplares», con lo que se nos sugiere de nuevo una tirada de mil o de dos mil en total.

Si una tirada de 1.500 ejemplares constituía probablemente una edición de tipo medio, poseemos datos que nos hacen suponer que se hacían ediciones todavía menores durante el siglo XVIII. ¿Pudieron, en efecto, imprimirse en 1772 1.500 ejemplares de *Los eruditos a la violeta* de Cadalso, cuando toda la edición (salvo 27 volúmenes) se hallaba vendida antes de que el anuncio de su publicación apareciese en la *Gaceta de Madrid*? ¿Precisarían, por otra parte, los 141 suscriptores de las *Obras sueltas* (Madrid, 1774) de Juan de Iriarte de diez ejemplares cada uno para repartirlos entre sus amigos? No más de 800 ejemplares, al parecer, se hicieron del poema didáctico *La música*, de Tomás de Iriarte, cuando fue impreso con una subvención del conde de Floridablanca en 1779. En 1780, sin embargo, una edición de 1.500 ejemplares ya parece reducida a ciertos impresores. El editor de una nueva edición de las *Obras* de Fernán Pérez de Oliva (Madrid, 1787) afirmaba que los volúmenes de la edición de 1585 escaseaban, «pues no se imprimieron más que mil y quinientos [ejemplares] que el largo tiempo de dos siglos es preciso haya consumido».

Naturalmente, el volumen de las ediciones ha de considerarse en relación con la amplitud del probable público lector. De acuerdo con el censo de 1758, España contaba con un número de habitantes comprendido entre los nueve millones y los diez millones; parece probable, con todo, que cerca del 70 por 100 del mentado número era incapaz de leer o de escribir. Tal era, en efecto, el nivel del analfabetismo a finales del siglo XIX y no hay, por otra parte, razón alguna para creer que el porcentaje fuera inferior durante la centuria anterior. Así pues, quizás el probable número de lectores en toda España a mediados del siglo XVIII se hallaba comprendido entre uno y dos millones. En una ciudad como Madrid, por ejemplo, que contaba con una población total de 167.607 habitantes en 1797 —no mucho mayor que la de Palma de Mallorca (159.080 habitantes) hoy y menor que la de La Coruña y Córdoba en nuestros días— debería de haber tan sólo unos 50.000 lectores en total. Consiguientemente, pues, a pesar de que una amplia difusión de las obras era impensable en la España del siglo XVIII, los que tenían interés en ello pronto podían alcanzar noticia de las nuevas publicaciones. Es curioso, por ejemplo, observar cuán bien conocidas llegaron a ser determinadas obras que circularon en copias manuscritas. Éste fue, en concreto, el caso de obras que difícilmente hubieran pasado la censura sin una seria deformación por razones de índole política o religiosa. *El arte de las putas* de Moratín, por ejemplo —obra justificada ingeniosamente por el autor desde el punto de vista filosófico, partiendo de la base de que es moralmente mejor escribir acerca del amor que de la guerra—, fue bien conocida en el círculo del propio autor y tan ampliamente leída que mereció la inclusión en el Índice de libros prohibidos por la Inquisición. La sátira sobre Pablo de Olavide y sobre el interés desmesurado por la cultura francesa en España, titulada *Vida de don Guindo Cerezo*, circuló libremente en manuscrito a finales de la década de los setenta. Sátiras políticas anónimas, como los artículos aparecidos en el *Duende de Madrid* durante el reinado de Felipe V y el *Testamento de España* en tiempos de Fernando VI, fueron ampliamente leídos en manuscrito; así sucedió, según parece, con la parodia del *Calendario manual* atribuida a Cadalso en 1768, que molestó mucho a los miembros de la aristocracia cuyos amores se señalaban bastante abiertamente en la obra, nombrándose más o menos a las claras a sus respectivos amantes.

Gonzalo Anes

COYUNTURA ECONÓMICA E ILUSTRACIÓN

El aumento de la población durante el siglo XVIII originó un aumento de la demanda que favoreció a los propietarios de tierra y a los perceptores de diezmos y derechos pagados en especie, debido al incremento de los precios de los productos agrícolas. Además, el aumento de la población rural provocó, a su vez, una mayor demanda de tierras, que originó un incremento de la renta. Durante el siglo XVIII se observan varios ciclos de auge de la agricultura, y algunos de ellos sumamente beneficiosos para los grandes propietarios y para los perceptores de diezmos, quienes, con frecuencia, poseían también grandes extensiones de tierra. En dichos ciclos, de ritmo ascendente de los precios de los productos agrícolas y de la renta de la tierra, es natural que los nobles y el clero y, en general, los grandes propietarios se interesasen por los problemas que afectaban a la

Gonzalo Anes, *Las crisis agrarias en la España moderna*, Taurus, Madrid, 1970, pp. 439-453.

fuente de dichos ingresos, comprendiesen que era posible aumentar éstos y pensasen en las formas de lograrlo. Tanto los nobles como el clero intentaron, sobre todo en la segunda mitad del siglo, crear las condiciones necesarias para un desarrollo de la agricultura, mediante la difusión de nuevas técnicas, instrucción de los labradores, y, en general, mejorar las formas de comercialización de los productos agrícolas, cuya circulación estaba frenada por múltiples trabas que era necesario eliminar para un mejor aprovechamiento de las posibilidades que ofrecían las coyunturas favorables. Así, se fueron consolidando las ideas sobre la conveniencia de suprimir los obstáculos que impedían el libre comercio. Obstaculizaban el tráfico mercantil no sólo los portazgos, pontazgos, barcajes y otros derechos sobre el tránsito, sino también la prohibición de comerciar con Indias por puertos que no fuesen los de Sevilla, o Cádiz después; los derechos que gravaban las ventas, como la Alcabala y Millones, las tasas y posturas. Sin embargo, a pesar de todos esos obstáculos, se produjo una notable intensificación de los intercambios, que, especialmente durante la segunda mitad del siglo, pudo forjar y sentar las bases de la formación del mercado nacional, fundamentado en buena parte en el crecimiento económico de la periferia.

Una burguesía organizada, con conciencia de sus intereses y con fuerza para luchar por el cambio de las estructuras del antiguo régimen, no existió, salvo en algunos núcleos urbanos de la periferia, durante el siglo XVIII. En Barcelona, Valencia, Sevilla, Málaga y Cádiz, con una vieja tradición comercial, se desarrollan durante el siglo XVIII y se consolidan, al igual que en otras ciudades menores de la España periférica favorecidas por la libertad de comercio con las Indias, núcleos burgueses dedicados al comercio. Ello no quiere decir que se diesen las condiciones de desarrollo de una burguesía, en el sentido que tiene hoy esta palabra. El paso de la sociedad estamental a la sociedad burguesa no podía realizarse sin cambiar las estructuras del régimen señorial aún vigente o, por lo menos, sin conseguir modificaciones esenciales. Era necesario, además, que se operasen cambios en las formas de asociación en el trabajo, que se suprimiese la organización gremial, que los campesinos se liberasen no sólo del pago de los derechos señoriales, sino, fundamentalmente, de los diezmos, y que se operase un cambio en las formas tradicionales de tributación, no sólo en la recaudación de los impuestos, sino también en el empleo de los ingresos de la Real Hacienda.

Se ha querido ver en las medidas liberalizadoras adoptadas por el gobierno en la segunda mitad del siglo XVIII, especialmente en la libertad del comercio de granos y en la abolición de la tasa en 1765, en la facultad concedida a diferentes puertos para comerciar con Indias en 1765 y en 1778, los primeros resultados de la lucha reivindicativa de la burguesía en su intento de cambiar las estructuras y abolir las trabas del antiguo régimen. Ocurre que dichas medidas, al no adoptarse encuadradas en un conjunto más amplio, no originaron cambios sustanciales. La libertad de comercio de granos y la abolición de la tasa favorecía esencialmente a los perceptores de cereales en concepto de rentas y diezmos. Estos perceptores, favorecidos por el incremento de precios que tiene lugar en la segunda mitad del siglo XVIII, estaban interesados en la libertad del comercio y en la abolición de la tasa. La tasa de granos significaba poco en los años de abundancia porque el precio de mercado solía estar por debajo de la tasa en esos años, y en los años de escasez, sujetarse a la tasa legal en la venta de los granos suponía perder las posibilidades de acumulación que permitían los altos precios de esos años. Las medidas liberalizadoras del comercio con Indias convenían, sin duda, a la burguesía de las ciudades de la periferia, pero suponían también nuevas posibilidades de exportación de las harinas castellanas y de los caldos y aceites andaluces y manchegos. Por ello, la nobleza y el clero vieron con buenos ojos esta liberalización y apoyaron a la burguesía en estas exigencias de libertad comercial.

La población española se incrementó durante el siglo XVIII en un 50 por 100, y este incremento, observado mediante la comparación de los censos existentes, tuvo que originar una mayor demanda de productos. Ello ocasionó un incremento de los precios, que se hizo especialmente sensible, como factor de larga duración, a finales del siglo XVIII y principios del siglo XIX. El aumento de la demanda, al no poder satisfacerse con un aumento de las cosechas por intensificación de los cultivos, debido a la no existencia de técnicas apropiadas para ello y por las exigencias de grandes gastos para poner en riego determinadas zonas, llevó a una extensión de los cultivos, la mayor parte de las veces en tierras marginales que vinculaban a la miseria al campesinado que vivía de ellas.

El aumento de la demanda de tierras determinó un incremento de la renta, y el aumento de la demanda de los productos agrícolas a precios crecientes hacía productivas, desde el punto de vista económico, las tierras cultivadas. Los propietarios, por otra parte, vieron aumentar sus gastos, debido al aumento general de los precios, y por ello hubieron de prestar pronto atención a los ingresos que la tierra les proporcionaba, y, así, no es de extrañar que intentasen adoptar medidas que hiciesen más productivas dichas tierras, con la finalidad de incrementar sus ingresos. El clero regular y secular, además de los ingresos que le proporcionaba la posesión de grandes propiedades territoriales, tenía otra gran fuente de acumulación en los diezmos eclesiásticos. Como perceptor de rentas en dinero o en especie, de derechos señoriales en determinados casos y, principalmente, de diezmos, el clero se interesó por los problemas de la tierra al ver que ésta producía más ingresos de año en año. Con excepciones, los nobles y, en general, los propietarios territoriales se interesaron por la tierra cuando ésta comenzó a producir más ingresos, y ese interés llegó al máximo en la segunda mitad del siglo xviii, período en que rentas y precios aumentaron a un ritmo mayor. Una buena parte del clero secundó a la nobleza en ese interés. Todos intentaron mejorar la agricultura, que se cultivasen mejor las tierras, que éstas produjesen cada vez más, ya que la producción obtenida podía venderse, cada año, con mayor facilidad. Pero el aumento de la producción agrícola no podía lograrse sin la aplicación de nuevas técnicas, sin seleccionar las semillas, sin abonar más.

La burguesía de las ciudades de la periferia y de algunos núcleos urbanos del interior, dedicada al comercio y a la producción manufacturera en pequeña escala, sin cohesión, tenía interés, por su parte, en el aumento de la producción agrícola, ya que dicho aumento suponía un mayor volumen de productos a intercambiar y favorecía con ello la acumulación de beneficios. Por estas razones, la burguesía urbana era partidaria también de la abolición de las trabas que se oponían al desarrollo de la producción y a la circulación de los productos.

El campesinado español, durante el siglo xviii y comienzos del siglo xix, no tenía un poder de compra suficiente que permitiese el desarrollo de la producción manufacturera, y por ello no existían las bases que exigía la constitución de un mercado nacional. La situación económica y la conducta de los campesinos era distinta según que éstos fuesen pequeños propietarios, arrendatarios, aparceros o braceros sin tierra propia o arrendada que cultivar. Es cierto que la propiedad comunal seguía siendo importante en el siglo xviii, a pesar de las ventas realizadas en los siglos xvi y xvii para hacer frente a las necesidades fiscales de la corona y a las ansias de propiedad territorial de la nobleza y de la burguesía enriquecida en el comercio; pero esta propiedad comunal no resolvía siempre el problema de la alimentación del campesinado. Además, la

Mesta aprovechaba, con frecuencia, los pastos de esas tierras, y por ello no era siempre posible su puesta en cultivo.

En cuanto al artesanado urbano, parece evidente que sólo la minoría beneficiada por la vigencia de las ordenanzas gremiales habría de oponerse a las medidas liberalizadoras que afectasen la estructura gremial. La mayor parte del artesanado urbano tenía que ver con buenos ojos la abolición de todas aquellas trabas que significaban un encarecimiento de los productos de consumo cotidiano. Es de suponer que los proyectos de la *Ilustración* relativos a la adopción de nuevas técnicas hubiesen de interesar al artesanado urbano.

A pesar de las indudables diferencias de mentalidad existentes entre los campesinos dedicados a la producción de cereales, o los dedicados, fundamentalmente, al cultivo de vides u olivos, no solamente entre ellos, sino respecto del artesanado urbano, puede sentarse la hipótesis de que, en principio, el campesinado y los artesanos de las ciudades coincidían con los grandes propietarios y con los miembros de la burguesía en el interés por el aumento de la producción y por la abolición de las trabas que frenaban la comercialización de los productos.

Era posible, pues, a corto plazo, la unión de todos para llevar a cabo la empresa común del aumento de la producción y de la lucha por la liberalización comercial. Sectores de la nobleza y del clero que podían oponerse a algunos de los intentos renovadores no lo hicieron organizadamente. Por otra parte, la burguesía secundó el movimiento renovador. Pronto se formaron los cauces para conseguir los objetivos propuestos: se fundaron algunas sociedades de agricultura y, sobre todo, Sociedades Económicas de Amigos del País. El *Discurso sobre el fomento de la industria popular*, redactado por Campomanes, constituye un programa de la *Ilustración* española, y su difusión desempeñó un importantísimo papel, ya que dicho programa, por afectar, en este caso, a la economía, necesitaba del concurso y del apoyo de las personas que podían contribuir a iniciar el desarrollo. El *Discurso* se distribuyó por toda España y se imprimieron 30.000 ejemplares del mismo.

El gobierno, impulsado por los *ilustrados*, favoreció la fundación de las sociedades económicas y se establecieron cerca de un centenar en todo el país, desde 1765 hasta 1808. En las sociedades se integraron gentes pertenecientes a todos los estamentos. Sin embargo, son los nobles, los eclesiásticos, los militares y los funcionarios locales, junto con algún comerciante, los que solicitan del gobierno la autorización para fundar sociedad económica. Predominan, entre los socios fundadores, los nobles y los eclesiásticos. En las sociedades, los socios emprendieron trabajos y estudios en todas las direcciones que exigía el desarrollo económico del país. Se organizaron, en cada sociedad, «clases», juntas o comisiones de Agricultura, de Industria, de Oficios, de Comercio, y en ellas los socios se ocuparon de los problemas que presentaban los respectivos sectores en el marco local, regional y, a veces, nacional. El gobierno procuró alentar los trabajos de las sociedades, por considerarlas organismos adecuados para la difusión de las *luces* y para promover el *fomento*. Los socios se ocuparon en ellas preferentemente de los problemas de la agricultura. Además, se dan cuenta, siguiendo a Campomanes, de que «la agricultura sin artes es lánguida», y por ello, se interesaron también por la producción manufacturera y por conseguir una más adecuada comercialización de los productos. El apoyo constante del gobierno estimuló, en sus orígenes, a las sociedades económicas, y éstas fueron consideradas insustituibles como organismos promotores del desarrollo. Sin embargo, para llevar a cabo el programa fijado, para conseguir la supresión de las trabas que limitaban la producción y frenaban la circulación, era necesario disponer de argumentos, forjar y esgrimir una ideología que permitiese convencer a los posibles oponentes, en los casos en que se debatiesen problemas sobre los que el acuerdo ya no pudiese ser total, puesto que los *ilustrados* más significados pensaban que las medidas reformadoras debían adoptarse sólo cuando «la opinión fuese general» (Jovellanos), ya que no todos tenían los mismos intereses en adoptar las medidas liberalizadoras hasta el final, con todas sus consecuencias.

La mayor demanda de productos agrícolas y el consiguiente aumento de precios y rentas, las mejoras introducidas en el laboreo de las tierras, la racionalización parcial del comercio de los productos agrícolas, hicieron que la tierra cobrase nuevo valor como factor de producción. Por ello, las trabas que impedían disponer libremente de la propiedad territorial se presentaban para muchos como un obstáculo cuya eliminación era imprescindible. Por tal motivo, se sistematizaron las críticas al régimen señorial, que permitía y exigía la vinculación de las tierras a determinadas familias y consolidaba los mayorazgos constituidos. Los argumentos en contra de la amortización eclesiástica cobraban nuevo valor al ser juzgados según los principios de la economía política liberal. La propiedad comunal, «los baldíos, las tierras concejiles, se presentaban inmediatamente ante el Tribunal de la razón»; se criticó también «el desamparo y abertura de las heredades privadas» y, en general, todo lo que hacía «la guerra al derecho de propiedad individual» (Jovellanos). Sin embargo, en lo referente a estos problemas ya no podía haber, en cuanto a soluciones, unanimidad. Intereses opuestos enfrentaban a los *ilustrados*, y los más conservadores procuran echar abajo las reformas, todo ello ante una burguesía inoperante y un campesinado no suficientemente vinculado al proceso reformador.

El gobierno alentó los proyectos y las realizaciones de las sociedades económicas hasta el momento en que le hicieron temer que el auge de las sociedades y las controversias que suscitaban los problemas debatidos en ellas podrían convertirlas en un instrumento peligroso. Cuando la nobleza y el clero retrocedieron ante el proceso de liberalización tímidamente iniciado, la burguesía de las ciudades de la periferia no había salido del estadio de embrión y de desconexión característicos de las situaciones de vigencia de las estructuras del antiguo régimen. Salvo en Cataluña y en el País Vasco, donde sí puede hablarse de la formación de un capital comercial, en el resto de España las mercancías que se intercambiaban entre las diferentes comarcas, casi autosuficientes, son, además de los productos manufacturados de lujo, los productos alimenticios, sobre todo los granos necesarios para el abastecimiento de las ciudades. Los Cinco Gremios Mayores de Madrid y el Banco de San Carlos, al aprovechar el favor gubernamental y dedicarse, en lo que a los productos agrícolas se refiere, a concertar contratas antes que luchar con las dificultades del mercado y procurar su transformación, no lograron modificar las formas de comercialización de los productos, sino que contribuyeron a agudizar el carácter oligopolista de los mercados de productos agrícolas.

La burguesía de las ciudades de la periferia, atomizada y sin conexión ni conciencia, no podía pensar siquiera en la posibilidad de romper el caparazón que le imponían las estructuras del antiguo régimen. Faltaba una demanda campesina de productos manufacturados que hiciese posible el desarrollo de la producción. Por otra parte, el comercio de las manufacturas de lujo no podía producir grandes ganancias. Los excedentes de los diezmos, de las rentas cobradas en especie y de los derechos señoriales eran vendidos directamente por sus perceptores a los consumidores locales en las propias comarcas, y las cantidades que se destinaban a lo que podríamos denominar comercio interior las absorbían los pósitos, los Cinco Gremios Mayores de Madrid, el Banco de San Carlos y algún pequeño comerciante independiente que arriesgaba su dinero en la compra de los excedentes agrícolas comarcales para transportar los productos comprados y venderlos en los centros de consumo. Esas operaciones no permitieron, en modo alguno, que se constituyese un núcleo de pequeños comerciantes especializados.

El autoconsumo y la comercialización de los excedentes agrícolas no permitían que se consolidasen las bases de un mercado nacional. El aumento de la producción manufacturera y, en definitiva, el comienzo del proceso de industrialización exigían una transformación de las estructuras agrarias que mejorase la capacidad de compra del campesinado. Además, la circulación monetaria no relacionó en la forma debida, en la España del antiguo régimen, a los diferentes sectores productivos. Los campesinos adquirían a préstamo, generalmente, los alimentos que necesitaban, y los propietarios prestamistas, nobles o eclesiásticos, se aprovechaban en los años de crisis de la situación del campesinado mediante la absorción de las pequeñas propiedades cuando los campesinos no podían pagar sus deudas. Así, se perpetúan los rasgos esenciales de una economía natural que logra coexistir con una circulación monetaria restringida a los grupos más poderosos, y ello aun en épocas designadas de «inflación de papel moneda», es decir, en el período de inflación de vales reales.

Las escasas posibilidades de acumulación que proporcionaba la dedicación al comercio o a la producción manufacturera y la típica deserción de la burguesía de la España interior, en los pocos casos en que algún comerciante logra alcanzar cierta prosperidad, incluso son proclamadas por el órgano más calificado de la embrionaria burguesía: *El Correo Mercantil de España y sus Indias*. En este periódico se señala, en 1808, que aquellas personas que logran acumular algunos millares de reales, pronto los disipan, «porque el espíritu caballeresco, que no se ha extinguido todavía entre nosotros, y el ver que hay otras carreras más honradas y lucrativas y sin tanto trabajo, hace apetecer a los padres que sus hijos sean caballeros y no artesanos».

La compra de tierras se presentaba como una de las inversiones más convenientes, aunque las posibilidades de adquirir tierras eran muy escasas, debido a la gran extensión de tierras vinculadas y de manos muertas. Esto explica que los impulsos al movimiento desamortizador se produjesen en los comienzos de los períodos de crisis comercial y de déficit de la Real Hacienda. Por ello, a finales del siglo XVIII, Miguel Cayetano Soler, ministro de Hacienda, puede pensar que la venta de tierras es una solución posible de la crisis: «el entorpecimiento del comercio me hizo ver que los capitalistas se hallaban sin giro en sus caudales; y me pareció que el modo de dárselo era el de facilitar todo lo posible las ventas de posesiones, procurando entregar las que hoy gozan propietarios indolentes a otros que con sus sudores e industria las mejorasen». Así, «lleno de estas ideas beneficiosas al público, y tratando de dar el golpe más favorable a la industria ...», propone al rey, en definitiva, un primer programa de desamortización: es decir, que se enajenasen todos los bienes pertenecientes a obras pías, memorias, capellanías, hospitales, hospicios y casas de misericordia, y así se hizo por real decreto de 19 de septiembre de 1798.

La desamortización que comienza en 1798 no logró, sin embargo, cambiar en forma esencial la distribución de la tierra —cosa que nadie intentaba— ya que, a comienzos del siglo XIX, más de las dos terceras partes de la propiedad territorial continuaba amortizada y vinculada. Los *ilustrados* conocían bien las implicaciones de este hecho. Así, en el *Informe sobre la Ley Agraria* de Jovellanos se describen los cauces que condujeron a la acumulación de la propiedad y se critica el hecho de que los conventos, colegios, hospitales, cofradías, patronatos, capellanías, memorias y aniversarios tuviesen en su poder grandes extensiones de tierra. La propiedad territorial amortizada y vinculada, fuera del comercio y de la circulación, encadenada a la «perpetua posesión de ciertos cuerpos y familias que excluyen para siempre a todos los demás individuos del derecho de aspirar a ella» frenaba el desarrollo de la agricultura, porque los grandes propietarios no podían cultivar sus tierras y, cuando lo hacían, establecían en ellas «una cultura inmensa, y por consiguiente imperfecta y débil», como sucedía, «en los cortijos y olivares cultivados por señores o monasterios de Andalucía».

A pesar de las críticas y de las corrientes renovadoras de la segunda mitad del siglo XVIII, la tónica general de la conducta de los grandes propietarios no se modificó esencialmente, ya que continuaron viviendo de la tierra en la forma tradicional y, a consecuencia de ello, «reducidos los propietarios a vivir holgadamente de sus rentas, toda su industria se cifró en aumentarlas», lo cual repercutió, durante el siglo XVIII, en el incremento de la renta de la tierra y en la adquisición de nuevas tierras para redondear las propiedades y aumentar la base de la acumulación. Los *ilustrados* eran conscientes de que, durante el siglo XVI, los nuevos mercados que se conquistan en las Indias, el aumento de la demanda y de la circulación monetaria dieron a Castilla «la abundancia y la prosperidad». Sin embargo, el desarrollo no fue equilibrado, pues, como el mismo Jovellanos expresa, «todo creció entonces sino la agricultura o, por lo menos, no creció proporcionalmente» y, debido a ello, «mientras la población y la opulencia de las ciudades subía como la espuma, la deserción de los campos y su débil cultivo descubrían el frágil y deleznable cimiento de tanta gloria». La estructura de la propiedad territorial, la amortización y el recrudecimiento del régimen señorial fueron la causa, como se ha analizado, de esa decadencia de la España interior y meridional, y, por ello, puede afirmar Jovellanos en el siglo XVIII que, en el siglo XVI, la gloria de Castilla pasó «como un relámpago».

Los *ilustrados* del siglo XVIII conocen, pues, las semejanzas que existen entre su época y el siglo XVI. Intuyen que, entonces, las estructuras agrarias frenaron el desarrollo iniciado y quieren modificar los obstáculos tradicionales para actuar de forma que no se vuelva a repetir el ciclo. Sin embargo, la coyuntura política del último decenio del siglo XVIII y de los primeros años del siglo XIX, impedirá que cristalicen las reformas propuestas y que la España interior salga del estancamiento en que viene sumida desde el siglo XVII, se acompase en su ritmo de desarrollo al de los países europeos que emplean el ahorro generado en el comercio en la financiación del proceso de industrialización. En España no se rompe el caparazón de las estructuras agrarias y, debido a ello, el ahorro generado mediante la venta de productos agrícolas, percibidos en concepto de rentas, derechos señoriales y diezmos, vuelve a ser invertido en la adquisición de propiedad territorial o es dedicado al consumo suntuario de productos casi siempre importados. Y, más tarde, a mediados del siglo XIX, cuando se repite el ciclo, el capital comercial formado vuelve de nuevo a ser empleado en la adquisición de las tierras que salen al mercado por la desamortización, perpetuándose así el círculo vicioso.*

* [La información fundamental sobre la situación económica, social y política en la España del siglo XVIII puede hallarse en varios trabajos que —aparte las referencias más especializadas que se dan en otros lugares del presente volumen— se citan aquí de una vez por todas:

Jean Sarrailh

LA FE EN LA CULTURA
Y LOS FRUTOS DE LA ILUSTRACIÓN

¿Qué virtudes ven en la cultura los españoles ilustrados del siglo XVIII para venerarla como a un nuevo ídolo? La cultura se les muestra, ante todo, como una fuente de felicidad, puesto que crea y desarrolla la felicidad del pueblo. Ya Felipe V, «conociendo que no puede hacerle feliz si no le instruye, funda academias, erige seminarios, establece bibliotecas, protege las letras y los literatos, y en un reinado de casi medio siglo le enseña a conocer lo que vale la ilustración» (Jovellanos). Fernando VI continúa esta política, y a Carlos III le es dado hacerla triunfar.

En 1773, el duque de Alba, hombre muy imbuido de espíritu filosófico, y que se cartea con algunos célebres escritores extranjeros, plantea el problema de las relaciones entre la cultura y la felicidad pública en una carta a monsieur Thomas, muy respetado entonces en París, y le pide que le consiga una obra sobre ese asunto. No poseemos la petición del duque, pero tenemos la respuesta de Thomas, fechada a 30 de enero de 1774: «Me he apresurado a cumplir su encargo relativo a la obra *De la*

Jean Sarrailh, *La España ilustrada de la segunda mitad del siglo XVIII*, FCE, México, 1979², pp. 167-173, 708-711.

Anes, Gonzalo, *Economía e Ilustración en la España del siglo XVIII*, Barcelona, 1969; *El Antiguo Régimen: los Borbones*, Madrid, 1975;

Artola, Miguel, *Los orígenes de la España contemporánea*, Madrid, 1959;

Carr, Raymond, *España 1808-1939*, Barcelona, 1969;

Domínguez Ortiz, Antonio, *Sociedad y Estado en el siglo XVIII español*, Barcelona, 1976;

Herr, Richard, *España y la revolución del siglo XVIII*, Madrid, 1964;

Nadal Oller, Jordi, *Historia de la población española, siglos XVI al XX*, Barcelona, 1971;

Sánchez Agesta, Luis, *El pensamiento político del despotismo ilustrado*, Madrid, 1953;

Sarrailh, Jean, *L'Espagne éclairée de la seconde moitié du XVIIIᵉ siècle*, París, 1954 (hay trad. cast., México, 1957);

Vilar, Pierre, *Cataluña en la España moderna*, Barcelona, 1978.]

félicité publique. El libro no se ha difundido en París como podría haberlo sido, porque contiene algunas verdades un tanto atrevidas, y a veces combate opiniones recibidas. Pero en él reina la sagacidad, la finura, y muchas veces una manera nueva y picante de considerar ciertos objetos de que se ha ̇hablado mucho, sin aclararlos mucho. El estimable autor de esta obra está convencido de que los progresos de las luces contribuyen mucho a la felicidad actual de los pueblos. Esta gran cuestión no se ha decidido aún del todo, y, en resumidas cuentas, bien podría ser que una nación que tuviera manufacturas, artes, filósofos y libros, no por ello estuviera mejor gobernada. Pero es de todos modos una idea consoladora, y hay que esperar por lo menos la felicidad cuando no se puede gozar de ella». Así se expresa el escéptico A.-L. Thomas, con palabras que seguramente decepcionaron al duque. Pero nuestros neófitos no eran hombres cuyas creencias vacilaran por tan poca cosa. «Todo el mundo está persuadido —dice Ibáñez de Rentería a la Sociedad Económica Vascongada— de la suma importancia de la educación, y de que es incontestablemente el fundamento de la felicidad pública.» Meléndez Valdés, que suele ser «filósofo» en sus obras y poeta en sus acusaciones fiscales, escribe: «Si el hombre no es miserable y débil sino por ignorante, aumentando sus luces y nociones se aumentaban a un tiempo su poder y la suma de su felicidad, y [se] aligeraban sus pesares». La misma afirmación hace en su discurso de inauguración de la Audiencia de Extremadura. Las luces no han penetrado aún en esta remota provincia, y eso explica que sea tan grande su miseria. Pero en cuanto Extremadura salga de las «sombras y tinieblas espesas», en cuanto el clero y la nobleza puedan «cultivar sus ricos y admirables talentos», la región entera se abrirá a la dicha. Rubín de Celis, gran amigo y admirador de Cadalso, cree igualmente que la cultura es la panacea de todos los males. «Pues nos hallamos —dice— en un tiempo en que nuestro Soberano se esmera en promover la aplicación, fundando escuelas de ciencias y artes y prodigando inmensos tesoros en útiles establecimientos, correspondamos a sus ideas, persuadámonos firmemente a que todas las felicidades vienen de comitiva con las ciencias.»

La pasión de Jovellanos por la cultura no es sino una forma más de su pasión por la felicidad de España, ya que la ilustración es el medio de conseguirla. Si celebra la memoria de Carlos III es porque este gran monarca ha comprendido que había que crear en su pueblo un «espíritu general de ilustración» y «dar entrada a la luz en sus dominios» con el fin de hacer feliz a España. Si en 1782 funda la Sociedad Económica de Oviedo, de la cual espera tanto, si multiplica sus esfuerzos para crear doce años después su Instituto de Gijón, es porque adora su provincia de Asturias, y porque sabe que «para hacer a los pueblos felices [es] preciso ilustrarlos». En 1797, cuando el Príncipe de la Paz lo consulta acerca de las reformas que deben introducirse en el país, anota en su *Diario*: «que la instruya [a la nación] y la hará feliz». Y es ése el sentido general de su respuesta al Príncipe. Finalmente, algunos años más tarde, durante su orgullosa cautividad en la célebre cartuja de Valldemosa, participa en un concurso organizado por la Sociedad Económica de Mallorca, que quiere fundar establecimientos escolares en la isla.

Véanse las afirmaciones con que se inicia su *Memoria sobre educación pública*: «¿Es la instrucción pública el primer origen de la prosperidad social? Sin duda. Ésta es una verdad no bien reconocida todavía, o por lo menos no bien apreciada; pero es una verdad. La razón y la experiencia hablan en su apoyo. Las fuentes de la prosperidad social son muchas, pero todas nacen de un mismo origen, y este origen es la instrucción pública ... Con la instrucción todo se mejora y florece; sin ella todo decae y se arruina en un estado». A esto sigue una demostración en la cual se establece que la cultura es la fuente de la felicidad personal y, consiguientemente, de la prosperidad pública, ya que ésta no es sino la suma de las felicidades individuales. Y concluye que, para llegar a la felicidad, «todo otro medio es dudoso, es ineficaz; éste solo es directo, seguro e infalible».

A Jovellanos no se le escapa la gran objeción de Rousseau contra los beneficios de la cultura, como se les escapó a algunos de sus compatriotas. La enuncia en algunas frases precisas y rápidas, pero la rebate inmediatamente, a fuerza de afirmaciones más intrépidas que concluyentes, distinguiendo la instrucción «buena y sólida» de la «mala y perversa», y diciendo que sólo la buena es capaz de crear un lujo razonable y moderado, mientras que la mala propaga los más funestos errores. La buena instrucción salvará tarde o temprano a los pueblos contaminados por la mala —que no es, en definitiva, otra cosa que la ignorancia—, «porque el dominio del error no puede ser estable ni duradero, pero el imperio de la verdad será eterno como ella».

Y no son éstas las únicas virtudes que posee la cultura. Por una especie de rebote, incita u obliga a los gobiernos que la difunden, a gobernar mejor a sus pueblos, que gracias a ella se han hecho más ávidos de justicia y honradez. Cabarrús, después de celebrar, en su segunda carta, la libre circulación de los pensamientos —tal como celebra en otro lugar la de los cereales— y los beneficios de la enseñanza pública, escribe: «Si se instruyese una generación entera, ¿no llegaría la época en que los que gobiernan serían justos y consecuentes porque serían ilustrados?». Y Jovellanos anota en su diario el 31 de diciembre de 1796, pensando en su querida Asturias: «Si no tiene buenas leyes las tendrá, porque éste debe ser un efecto infalible de la propagación de las luces. Cuando la opinión pública las dicte, la autoridad tendrá que establecerlas, quiera que no». La cultura es un talismán más precioso aún, puesto que es un instrumento de paz, [...] crea y fortifica el sentimiento de la fraternidad humana. Para este propósito le parece particularmente eficaz la geografía. En vez de acusarla de haber prostituido sus luces dirigiendo «tantas sangrientas guerras, tantas feroces conquistas», «¿no será más justo atribuir a sus luces estos pasos tan lentos, pero tan seguros, con que el género humano camina hacia la época que debe reunir todos sus individuos en paz y amistad santa?». Y el sueño se despliega: «Entonces [la ambición] ya no indagará de la geografía naciones que conquistar, pueblos que oprimir, regiones que cubrir de luto y orfandad, sino países ignorados y desiertos, pueblos condenados a oscuridad e infortunio, para volar a su consuelo, llevándoles, con las virtudes humanas, con las ciencias útiles y las artes pacíficas, todos los dones de la abundancia y de la paz». Hasta el dibujo puede contribuir, a su modo, a esta tarea de unir a los hombres. ¿Acaso no es un lenguaje que todos entienden? «Sus signos hablan con todos los pueblos y a todos los hombres, y expresan las producciones de todos los climas y todos los tiempos. Cultivadle, pues, y los rasgos de vuestra mano presentarán un día, así a los ojos del malabar y el samoyedo como al sabio inglés y al industrioso chino, las ricas producciones de este suelo.»

Pero, más que el dibujo o la geografía, las lenguas vivas pueden servir para fundar la concordia humana. Jovellanos es plenamente consciente del obstáculo terrible que constituye la multiplicidad de las lenguas para la unión de los hombres, «para la recíproca comunicación de sus bienes y sus luces». Sabe que su estudio es «el único medio de franquear la barrera» que divide a los pueblos, esperando —«dulce y piadosa ilusión»— el día en que pueda establecerse una lengua universal, tal como la desea Condorcet, de quien Jovellanos es fiel lector.

Pero no se detienen aquí los beneficios de la cultura. En este siglo que lleva a cabo el redescubrimiento del hombre, aparece ella como el único medio de hacerlo digno de la confianza que en él se pone y de devolverle el sentido de su grandeza. Sólo la cultura puede desarrollar la razón, que es la que lo distingue de los animales; sólo ella puede transformar al ignorante y al miserable en aquel que debe ser (porque puede serlo) el rey de la creación. Parafraseando a Pascal, Meléndez Valdés exclama: «¡Miseria tan extraña como inconcebible de nuestro humano ser, lleno por todas partes de contradicciones y misterios en que se pierde la razón!». «El hombre —declara— ... se envilece a veces y degrada, inferior a la bestia material y grosera; y, esclavo y víctima de su ceguedad y sus vicios, la honradez, las virtudes, el público decoro, la santa honestidad, las afecciones más gratas o sublimes le son en su letargo palabras sin sonido.» Pero el hombre también «se sabe elevar por su virtud y grandes hechos cuasi a las perfecciones del ángel». Y es la cultura la que le revelará la grandeza de su condición de hombre y el verdadero sentido de su destino, que es vencer, conquistar y dirigir la naturaleza.

Y Jovellanos le hace eco: «¿Hay por ventura espectáculo más triste que ver sujeto y esclavizado a la naturaleza el hombre que nació para enseñorearla?». «Sin duda que el hombre nació para estudiar la naturaleza. A él solo fue dado un espíritu capaz de comprender su inmensidad y penetrar sus leyes; y él solo puede reconocer su orden y sentir su belleza, él solo entre todas las criaturas.» Pero esta «soberanía» no se justifica sino por la cultura y las ciencias: «Ellas son el grande, el poderoso instrumento de la razón humana; son las precursoras de la verdad y sus inseparables compañeras... Con estas alas vuela seguro nuestro espíritu desde los principios más sencillos indicados por la naturaleza hasta las verdades más altas colocadas sobre sus inmensas regiones. Ningunas perfeccionan tanto nuestro ser, ningunas le ennoblecen más. ¿Hay por ventura un objeto más grande, más digno de nuestra contemplación que ver el débil espíritu del hombre levantado por esas ciencias a tanta altura, pesando las inmensas aguas del océano, averiguando el tamaño, la distancia y el movimiento de los planetas, midiendo su luz y sus espléndidos caminos, y sujetando a sus cálculos el infinito mismo?». Así la cultura ennoblece al hombre y lo hace digno del primer lugar en la escala de la creación. Desenvuelve y multiplica sus facultades intelectuales. «Su razón, sin ella, es una antorcha apagada; con ella, alumbra todos los reinos de la naturaleza y descubre sus más ocultos senos y la somete a su albedrío.» La instrucción permite al hombre emplear toda clase de medios, remover los obstáculos, producir verdaderos prodigios. «Ella le descubre, ella le facilita todos los medios de su bienestar; ella, en fin, es el primer origen de la felicidad individual.»

Fuente y principio de la dicha de la nación, como de la de cada individuo, esta cultura tan celebrada tendrá que preocuparse ante todo de reducir la miseria y de fomentar los recursos y, por consiguiente, las técnicas. Para que su eficacia sea inmediata, como lo desean apasionadamente los pensadores españoles, se propondrá tareas modestas y prácticas: será utilitaria en primerísimo lugar. Finalmente, para no engañarse en cuanto a sus fines, deberá ser dirigida por el poder central, que precisará su orientación y su desarrollo con vistas a la felicidad pública. [...]

Sería injusto negar que el siglo XVIII, sobre todo en su segunda mitad, quiso modelar una España nueva. En efecto, entonces reaparecen en ella, según la frase de Valéry, «todos los temas de la ilimitada curiosidad intelectual que el Renacimiento había tomado de la antigüedad o sacado de su propio magnífico delirio». Ya durante la primera mitad del siglo, Feijoo, en su incansable cruzada contra el error —y no obstante la asombrosa credulidad que a veces haya mostrado—, encarna esta sed ardiente. Enseña la observación, la desconfianza para con las conjeturas azarosas y las autoridades recibidas; primer maestro del método experimental, él es ya, como se ha dicho, un europeo.

Después de él, la disciplina cartesiana, que ha conquistado a Francia, se difunde en España. Poner orden en los pensamientos, metodizar las cuestiones, «habituar al espíritu a dudar cuando hace falta y a suspender el juicio hasta que el tiempo y la evidencia lo obliguen a creer», «amar la verdad por encima de todo, y tener siempre ante la vista la utilidad pública»: esto es lo que Nollet pedía de los franceses en 1753, y esto es lo que los reformadores españoles tratarán de obtener de sus compatriotas, al mismo tiempo que el olvido de sus impermeables egoísmos y la preocupación por un cristianismo verdadero.

Eran pocos. No formaban sino un intrépido puñado que no temía los golpes y que, cuando no podía trabar batalla a la luz del sol, sabía retroceder y burlar las emboscadas del enemigo. Si no contaba con verdaderas falanges más que en Madrid y en las primeras ciudades del reino, tenía tiradores esparcidos por todas partes; y su fuerza venía de esta dispersión. Pero ¡qué desalentador solía ser el combate de este núcleo escogido con la masa inerte o mal intencionada, que no se preocupaba de pensar bien ni de ayudar a los otros a vivir mejor! [Sería] tan seductor como inexacto dibujar una curva ascendente de los progresos realizados durante esta lucha, señalando con algunos puntos una serie de victorias deslumbrantes. Más ajustada a la realidad es la comprobación de una efervescencia cada vez más generalizada en los espíritus, de una difusión por la Península de ondas concéntricas, nacidas del poder central, y que permiten ganar cada día más terreno a costa de las administraciones fosilizadas y del poder religioso invasor.

A los múltiples problemas, científicos, económicos, sociales o religiosos que se les plantean, ¿darán una solución original los reformadores españoles? Pero ¿acaso puede ser original la solución? Antes que a ellos, estos problemas se le han planteado a Europa. Antes que ellos, Europa los ha debatido, entregándose, como nos dice Hazard, a «la crítica universal», «sometiendo a severo examen el cristianismo» y «reconstruyendo la ciudad de los hombres». España, pues, consultó a Francia y a Inglaterra, a Holanda o a Italia, y aprovechó ampliamente modelos extranjeros.

Pero, con un sentido segurísimo de los valores nacionales, buscó también en su pasado lecciones eternas y ejemplos siempre válidos. Y, para ello, ¡qué mina tenían los españoles en su siglo XVI, en ese Siglo de Oro cuya alma candente, cuyas audacias de pensamiento y cuya cordura forzada han estudiado Baruzi, Castro y Bataillon! Jovellanos y Meléndez Valdés exaltan a un Simón Abril, a un Arias Montano, a un Vives, reformadores de la enseñanza y organizadores de la beneficencia. Gregorio Mayans edita magníficamente las obras completas de Vives. De fray Luis de León, el ilustre preso de la Inquisición, el apóstol del catolicismo interior, se reeditan en Valencia el *Cantar de los cantares* y los *Nombres de Cristo*. Los «gigantes» del siglo XVIII quieren ser, no sólo imitadores o simples furrieles de Europa, sino también continuadores.

En el campo político, no es el régimen lo que atacan, sino la intromisión de Roma, que ha desposeído de su autoridad a la monarquía, a la cual quieren restablecer en sus derechos. Nadie le es infiel, mientras sus órdenes sean razonables, y a ella piden la ilustración y las reformas sociales que España necesita.

En el campo religioso, distinguen entre la fe y la Iglesia, entre la religión y sus ministros. El derecho de pensar libremente y de no sacar las opiniones sino de la razón, se detiene, para casi todos, en el reino de la fe. Convengo en que aquí se pueda hablar de prudencia; pero, aun dejado a un lado todo temor, ¿cuántos son los que igualan la razón humana con la razón grandiosa que creó el mundo? ¿Cuántos los que, como Aranda, reniegan en su corazón de Dios al mismo tiempo que de sus ministros? España expulsó a los jesuitas ultramontanos, y sus reformadores no vacilan en manifestar su desprecio por los prelados indignos de su elevada función; pero no por ello se puede hablar de ateísmo.

Lo que sí es indudable es que, gracias a la virtud de la ciencia y a la reforma de los espíritus y de los corazones, esta España del siglo XVIII creyó asegurar la vuelta a la edad de oro. Si no lo consiguió, ¿quién será capaz de echárselo en cara? Los excesos de la Revolución francesa alarmaron en tal medida a su gobierno y a los propios reformadores, que éstos parecen haber suspendido todo progreso. Sin embargo, la simiente está echada, y prosperará: prueba de ello son las Cortes de Cádiz. Así, el siglo XVIII tiene derecho a un sitio de honor en la historia de la España liberal. Fue este siglo el que lanzó las grandes ideas de libertad, de justicia social y de fraternidad, esas ideas que entonces congregaban místicamente a todos los hombres de buena voluntad, y que despertaron ecos en todo el país. Entre los gigantes del XVI y los del XX, hijos de la generación del 98, el siglo de Jovellanos es uno de esos períodos de fervor y de superación en que, sacudiendo yugos seculares, España se esfuerza por salir de su morosa soledad y por seguir el ritmo del mundo. Este siglo intentó la maravillosa empresa de dar a los españoles el pan y la libertad y de formarlos en una «convivencia» sin la cual no hay para ellos paz ni felicidad. Llegará el día —nosotros lo esperamos firmemente— en que su lección sea escuchada, en que la libertad de juicio no sea ya un crimen, y en que reine la tolerancia, enseñando en tierras de España, como decía el buen rey Enrique, que «nada ofrece mejor testimonio de que estamos hechos a semejanza de Dios que la clemencia y la benignidad».

1. FEIJOO

La estructura general de esta obra, a la que debo someterme, obliga a tratar sólo de lo más importante y significativo. De todas formas hay que decir que desde 1685 hasta 1725 no es mucha la literatura que parezca digna de recuerdo. Encontramos fundamentalmente las comedias de Bances Candamo, de Antonio de Zamora y de Cañizares, además de las de otros autores hoy casi totalmente olvidados, aunque alguno de ellos, como Juan Salvo, estrenen obras de prolongado éxito, como *El mágico de Salerno, Pedro Bayalarde* (1715), que perdurará en los teatros comerciales durante muchos años.

A esto podemos añadir los poemas de Gabriel Álvarez de Toledo y los comienzos poéticos de Eugenio Gerardo Lobo, que publica en 1717 su *Selva de las Musas*, libro que a partir de 1724 titulará *Obras poéticas*, y que con múltiples añadidos y cambios logrará bastantes ediciones hasta bien avanzado el siglo XVIII. En los últimos años del primer cuarto del siglo aparecen los primeros *Almanaques* de Torres Villarroel, autor del que me ocupo en otro capítulo.

Todos estos escritores pertenecen en más o en menos a esa tendencia barroquista de transición a la que me he referido antes, y coinciden con el manierismo barroco de los Churriguera, Pedro de Ribera y Narciso Tomé. Insisto en que no se les puede calificar ni de epígonos del Barroco ni de autores barrocos degenerados o decadentes. Cuando se les estudie de verdad quedarán de relieve no sólo los lazos que les unen a los autores barroquistas o barrocos anteriores, sino también aquellos elementos nuevos que prenuncian un cambio. Lo que desgraciadamente ocurre en esos años es que, por causas que todavía no se han analizado, no existen genios innovadores. Si la mayoría de estos autores son segundones, si carecían del arranque necesario para abrir nuevas vías literarias, hay también que poner de relieve que algo parecido está ocurriendo por esos mismos años en las literaturas francesa e italiana, aunque no sea tan visible la falta de auténticos creadores.

El problema, por otro lado, creo que es de orden cultural, y aquí más que en otras naciones de Europa. El peso de la cultura barroca, en la Iglesia y en la universidad, es tal que él solo anulaba cualquier pretensión de reforma. El secular aislamiento español, el predominio absoluto del principio de autoridad en lo científico, el no querer ver el mundo más que *sub specie religiosa*, la enorme cantidad de intereses creados (en las órdenes religiosas, en el clero secular, en los colegiales, en la misma nobleza), el imperio de la rutina, la casi total falta de investigación, todo conducía a que perdurara una cultura anquilosada, sin que nadie tuviera redaños suficientes para presentar cara al problema. Sin embargo, desde 1680 se puede detectar un afán de renovación, especialmente en el aspecto científico (véase cap. anterior, «Los límites cronológicos del siglo XVIII»). En Valencia, principalmente en torno a Gregorio Mayans y Siscar (1699-1781), se va a crear un movimiento reformador, cuya importancia no cabe disminuir ni olvidar y que ha sido apasionadamente estudiado por Antonio Mestre [1968, 1970] y los hermanos Peset [1966, 1975]. Y al mismo tiempo se desata el ciclón desde un monasterio benedictino, el Colegio de San Vicente de Oviedo. Conviene dejar las cosas en su sitio. Mayans se presenta al público en 1725, a sus 26 años, con la *Oración en alabanza de las obras de Saavedra Fajardo*, cuando Feijoo era ya un ilustre catedrático jubilado de la Universidad de Oviedo, acaso no conocido del gran público, pero que va a salir a la palestra ese mismo año con un escrito en defensa de la *Medicina sceptica* de Martín Martínez, que se incluye en la segunda edición de ese libro. Al año siguiente es cuando se desencadena el ciclón. Feijoo busca desde el principio un público amplio, mientras que la importante labor del grupo valenciano es fundamentalmente erudita y dirigida a intelectuales. Lo dirá muy bien el padre Burriel, cuando Mayans, en los momentos de su más intenso odio a Feijoo, está defendiendo a los valencianos como los auténticos artífices de la reforma. En carta del 17 de septiembre de 1745 le escribirá: «Que Feijoo y Martínez hayan servido mucho a la nación me parece cierto, porque han despertado en ella el buen gusto más que otro ninguno. Que sea más profundo Tosca en sus doctrinas, ¿qué importa? A Tosca le han leído ciento y a estotros un millón, y a Tosca le han buscado avizorados de estotros».[1]

Benito Jerónimo Feijoo y Montenegro (1676-1764) había nacido en Casdemiro (Orense), de familia hidalga, de la que él era el heredero del mayorazgo. Poco antes de cumplir los 14 años ingresó en el monasterio benedictino de San Julián de Samos, en el que profesó al terminar su

1. Gregorio Mayans y Siscar, *Epistolario*, II: Mayans y Burriel, Antonio Mestre, ed., Valencia, 1972, p. 192 (extractada en Feijoo, *Obras completas*, I, Centro de Estudios del Siglo XVIII, Oviedo, 1981, p. 139).

noviciado. Estudió en San Salvador de Lérez, en Salamanca y en San Pedro de Eslonza. En 1709 pasó al Colegio de San Vicente de Oviedo, en cuya universidad consigue el mismo año los grados de doctor y maestro, ganando después por oposición diversas cátedras de Teología y Sagrada Escritura. En Oviedo permaneció hasta su muerte en 1764, a punto de cumplir los 88 años, salvo algún esporádico viaje a Madrid. Fue tres veces abad del colegio y Fernando VI le nombró consejero real. Otros cargos que le ofrecieron, incluso el de obispo, los renunció, para dedicarse exclusivamente a su obra. Para la vida de Feijoo hay abundante bibliografía, pero basta citar el magnífico libro de Otero Pedrayo [1972], de estilo algo difícil, pero que es el mejor estudio de conjunto del que disponemos, y posterior a la buena síntesis de McClelland [1969].

La obra fundamental de Feijoo se inicia en 1726 con el tomo I del *Teatro crítico*, del que sigue publicando volúmenes en 1728, 1729, 1730, 1733, 1734, 1736 y 1739, a los que añade un suplemento en 1740. En 1742 cambia de forma, pero no de intención, y da a luz el tomo I de las *Cartas eruditas*, al que siguen otros cuatro en 1745, 1750, 1753 y 1760. Si a ellos se unen la *Ilustración apologética* (1729), contra Mañer, y la *Justa repulsa de inicuas acusaciones* (1749), contra Soto y Marne, los dieciséis tomos de Feijoo se reeditaron 90 veces antes de su muerte, cada tomo según las necesidades del mercado. En 1765 comienzan las ediciones conjuntas en catorce volúmenes, ocho del *Teatro crítico* (con el noveno repartido en sus lugares correspondientes), cinco de las *Cartas eruditas* y uno de escritos polémicos. Estas ediciones se repiten cada cuatro años hasta la edición de Pamplona de 1784-1787, que es la primera que se hace fuera de Madrid. Si sumamos estas reediciones a las anteriores, la cifra se eleva a 188 seguras, a las que hay que añadir otras 26 que citan los bibliógrafos, pero que no he podido constatar; tenemos, pues, en total, 214 ediciones, que a una tirada media de 1.500 ejemplares (sabemos que se llegó hasta los 2.250), da un total cercano a los 325.000 ejemplares, a los que habría que añadir los de las ediciones furtivas, los de pliegos sueltos y los de las traducciones. La conclusión es muy simple: ningún autor del siglo XVIII llegó a tanto. Si consideramos un rendimiento medio de tres lectores por ejemplar, alcanzamos la cifra del millón, que decía Burriel.

Ahora bien, después de las ediciones conjuntas de 1765, 1769, 1773, 1777, 1781 y 1784-1787, que prueban el indudable éxito editorial de Feijoo *post mortem*, de pronto se interrumpe bruscamente todo, y la obra de Feijoo ya no volverá a reeditarse nunca en conjunto, y hasta la primera selección de sus escritos deberá esperar a 1852. ¿Cómo ha sido posible que una colección de catorce volúmenes, que se está reeditando cada cuatro años, desaparezca del mercado? No encuentro más que una explicación: cuando, siguiendo el mismo ritmo, debía aparecer la séptima edición conjunta, ya había empezado la Revolución francesa; los acontecimientos del otro lado de los Pirineos obligaron al gobierno español a tomar ciertas precauciones, y una de ellas fue precisamente la supresión de todos los periódicos, salvo los oficiales, al mismo tiempo que la censura de libros se hacía más minuciosamente. La obra de Feijoo, que sepamos, no fue nunca prohibida; pero es indudable que un ministro dispone de medios coercitivos abundantes, por lo que no sería extraño que los hubiera utilizado contra el Padre Maestro. De esta forma, un tanto mágica, se aplacaba el ciclón feijoniano.

Sobre Feijoo se han escrito diversas bibliografías. La que hoy debe tenerse en cuenta, por más reciente y más amplia, es la de Caso González y Cerra Suárez [1981]. Sus 2.080 entradas reales ofrecen una bibliografía completa, y me eximen ahora de hacer demasiadas referencias. La puesta al día se puede seguir, igual que para todos los temas de este libro, por el *Boletín del Centro de Estudios del Siglo XVIII.*

En los ocho volúmenes del *Teatro crítico universal, o Discursos varios en todo género de materias para desengaño de errores comunes* se incluyen 118 discursos, y en los cinco de las *Cartas eruditas y curiosas,* concebidas como continuación del *Teatro,* otros 164 escritos. El título del *Teatro* pone suficientemente de relieve la finalidad perseguida por Feijoo: combatir toda serie de errores científicos o populares. La intención sigue siendo la misma en las *Cartas,* aunque cambia la forma externa. En los 280 escritos se tratan temas de filosofía, economía, política, astronomía, geografía, física, ciencias naturales, medicina, estética, literatura, filología, moral, ideas religiosas, supersticiones, enseñanza, historia y crítica histórica. Por algo utiliza el término *discurso,* que debe entenderse en su acepción latina de 'ir de una parte a otra'. Se puede hablar de una tarea enciclopédica; pero conviene matizar: Feijoo no pretende generalmente vulgarizar conocimientos minoritarios o de procedencia extranjera, sino combatir errores admitidos por la mayoría. Presentarlo como un vulgarizador de saberes es errar el tiro, porque su intención no es tanto la de enseñar ideas correctas sobre cada uno de los temas que trata, como la de desterrar los errores que circulan sobre cada uno de esos temas. De aquí que Feijoo no escriba para especialistas, sino para un amplio círculo de lectores, a los que supone aceptadores de cuanto combate. Naturalmente, el destierro de un error conduce a tener sobre el asunto ideas correctas.

Para conseguir esta finalidad utiliza un género literario que se ha calificado de precedente del ensayo; pero dice Bueno Martínez [1966] que Feijoo fue ya «nuestro primer ensayista», aunque habría que añadir que con ilustres precedentes en la literatura de los dos siglos anteriores. Sobre estos precedentes, especialmente la *Silva de varia lección* de Pero Mexía y las obras de Santos y Zabaleta, trata Varela [1966] (véase también Avalle-Arce [1956]), en un sugerente artículo que pone de manifiesto la deuda de Feijoo con la «literatura mixta» de los siglos XVI y XVII, descartando de paso la afirmación de Menéndez Pelayo y de Pardo Bazán de que la obra de Feijoo es la literatura de periódico de su tiempo. Sin embargo, Maravall [1981], y creo que acertadamente, vuelve a emparentar a Feijoo con el periodismo, en el sentido que hoy daríamos a los artículos de la *Revista de Occidente* o de la *Nouvelle Revue Française*, y yo añadiría que en el mismo sentido de revistas dieciochescas como *El Censor*, tan modernas como las citadas. Podría decirse también que el concepto de *ensayo* que formula Bueno no corresponde más que a una parte de la obra feijoniana. También se puede consultar sobre este tema a Giordano [1970].

Fray Benito, efectivamente, actúa muchas veces como quien tiene las mejores informaciones sobre un determinado tema, y al transmitirlas considera que está desterrando ideas anticuadas y erróneas; otras acude a su propia meditación o experiencia (con buena dosis de sentido común) para combatir creencias que se apoyaban simplemente en la rutina y en la autoridad de escritores que habían repetido lo dicho por otros, sin someterlo al juicio propio y a la experiencia. Ahora bien, como ocurre con tantos otros ilustrados, Feijoo no es un simple debelador de ideas anteriores, sino que conviene verlo inmerso en una tradición de la que quiere podar solamente lo inservible (Zavala [1969]). Maravall [1981] afirma que la apreciación de supervivencias, incluso medievales, en el pensamiento feijoniano no es obstáculo para su estimación como ilustrado: «Lo cierto es que, amalgamando —como siempre en las crisis históricas— factores nuevos y factores heredados, la Ilustración nos ofrece el cuadro de una nueva mentalidad» (p. 155).

La crítica feijoniana equivale a la negación del principio de autoridad, fundamental en toda la cultura anterior (Caso González [1976]). Sin embargo, atreverse a no jurar por Aristóteles o por Tomás de Aquino no era negar la necesidad de utilizar la bibliografía, sino sólo elegir la que consideraba más acertada, más digna de fe o mejor fundada, para cuya determinación Feijoo utilizaba unos criterios que no han sido todavía estudiados, y que merecería la pena analizar. Salvando las lógicas deficiencias o ignorancias del tiempo, tengo la impresión de que esos criterios son de una modernidad tal que no se encuentran en ningún otro autor de la época, ni siquiera en los del grupo valenciano. La diferencia entre éstos y Feijoo radica más en los diversos materiales de trabajo, en la distinta finalidad de sus escritos y en la lógica disparidad de métodos, pero no en la validez científica de los que utilizan unos y otros. La obra feijoniana no es obra de erudito, sino de un intelectual que se propone actuar como «desengañador de las Españas» (Marichal [1951]). No se dirige al pequeño grupo de gentes interesadas en conocer a fondo deter-

minadas verdades científicas o culturales, sino al «vulgo», esto es, a los
que aceptan sin crítica cuanto se les dice o cuanto leen, sin pararse a
discernir si se trata de tópicos inaceptables, de mentiras o de disparates.
El «vulgo» para Feijoo incluye también a gentes con muchos títulos
universitarios (Bahner [1970]).

Por todo esto, la obra feijoniana responde al planteamiento de Voltaire en su *Dictionnaire philosophique* (1764), art. «Liberté de pensée»:
«Osez penser par vous même!», y al planteamiento kantiano de la Ilustración. Para Kant la divisa de la Ilustración era la de *sapere aude*,
«atrévete a saber», esto es, a dejar de ser niño para pasar al estado en
el que el hombre se atreva a opinar por sí mismo, sin necesitar constantemente apoyarse en alguien que le diga lo que debe hacer o pensar.
Por eso Maravall [1981] ha escrito: «La Ilustración, en sus bases filosóficas, o más ampliamente ideológicas, no fue un cuerpo doctrinal que
se elaborase y se tratara de fijar sistemáticamente. No es, ni un sistema,
ni una serie de sistemas que se puedan exponer y proponer sucesivamente.
Al observarlo así, tiene razón Cassirer sosteniendo que no es una filosofía,
sino el uso que se hace de una filosofía —y ampliaremos esto hasta decir:
el uso que se hace del pensamiento, su papel en la construcción del
conjunto de los saberes y, fundamentalmente, la misión que se le asigna
de conformar la vida—. En tal sentido, concluye Cassirer, la Ilustración
es distinta de lo que han pensado sus pensadores; es la acción y el proceso en el que éstos han pensado» (p. 151). Esto es lo que ha motivado
que a Feijoo se le calificara de preilustrado, retrasando el comienzo de
la etapa propiamente ilustrada hasta el reinado de Carlos III. Para otros,
como Ceñal [1964], Feijoo sería ya plenamente un ilustrado. Lopez
[1975] quiere incluso adelantar el comienzo de la Ilustración a 1680,
con lo que Feijoo no sería iniciador de esa etapa cultural, sino ya una
consecuencia, como también lo sería la obra del grupo valenciano. Sobre
Feijoo y la Ilustración es también interesante el artículo de Rincón [1971].
El citado fundamental estudio de Maravall [1981] sitúa a Feijoo en lo
que se viene aceptando ya como «primer siglo xviii» o «primera Ilustración». Escribe: «Feijoo culmina la primera fase de nuestra Ilustración»
(p. 157).

La curiosidad enciclopédica y sin límites de Feijoo nos permite imaginárnoslo enfrascado en su celda en la lectura de sus propios libros, que
eran muchos y buenos, o entrando constantemente en la magnífica biblioteca de su monasterio. Ha estudiado ambas librerías en diversos artículos
Hevia Ballina [1976, 1981]. Acaso le sirviera menos la de la universidad,
que por entonces debía de ser muy pobre. Sus amigos le enviaban también las obras de algún interés que entraban de Francia, de Italia o de
Inglaterra. Leía mucho, tenía buena memoria y estaba al corriente de lo
fundamental. Debía de tomar pocas notas. No era hombre de meditación,

sino de diálogo; sus alumnos de la universidad, sus compañeros de claustro y los monjes de San Vicente tuvieron que ser los destinatarios constantes de su conversación, de una conversación en la que irían aflorando las últimas lecturas y los problemas que en cada momento le preocupaban, porque la misión de Feijoo consistió en sembrar constantemente ideas, abrir ventanas a la duda sobre las opiniones que se sostenían en los medios intelectuales españoles en aquella primera mitad del siglo XVIII. Lo entendió bien Gerardo Zaragoza al esculpir la estatua que se colocó en Oviedo frente a la celda del Padre Maestro: Feijoo acaba de leer algo, pero cierra el libro, dejando un dedo entre sus páginas, y se pone a pensar en lo leído, con la barbilla apoyada en la mano derecha. Duda, y antes de prestar su aquiescencia a lo leído, piensa. Ésta era la actitud ilustrada, según la divisa de Kant. Lo dice bien claro un texto del Padre Maestro: «Así yo, ciudadano libre de la república literaria, ni esclavo de Aristóteles ni aliado de sus enemigos, escucharé siempre, con preferencia a toda autoridad privada, lo que me dictaren la experiencia y la razón» («Lo que sobra y falta en la Física», *Teatro crítico*, VII, 13, § 53). Y en el prólogo al tomo VIII del *Teatro crítico* escribirá que en sus discursos, «en la mayor parte de ellos, y aun en casi todos, camino sin más luz que la del propio entendimiento».

La actitud filosófica de Feijoo es en parte antiaristotélica (lo es menos respecto de los libros de física o de ciencias de la naturaleza) y antiescolástica, y su gran ídolo filosófico es Bacon (véase entre otros trabajos Lapointe [1964]); su filosofía es un curioso eclecticismo, que no renuncia ni siquiera a admitir doctrinas de un escéptico como Bayle, cuando las considera aceptables. Este espíritu integrador le lleva a admitir todo lo que le parece aprovechable, y de aquí la tolerancia feijoniana, que tanto alaba Marañón [1934] y que tan incomprensible nos resulta respecto de la España de su tiempo. Han analizado la filosofía feijoniana Leirós Fernández [1935], Ardao [1962, 1963], Olaso [1976, 1977] y Maravall [1981]. El interesante tema del antilulismo del Padre Maestro ha sido estudiado por Carreras Artau [1930, 1966], Llinarés [1962] y Colombás Llull [1963]. Para las relaciones con otros filósofos puede verse: Delpy [1936], Staubach [1938, 1939], Ceñal [1945, 1965, 1966], Pérez [1948], Quiroz Martínez [1949], Batllori [1968], Capánaga [1976], McClelland [1976], Browning [1981] y Elizalde [1981]. Los aspectos culturales, no estrictamente filosóficos, han sido estudiados por Sánchez Agesta [1945], Micó Buchón [1953], Lázaro Carreter [1957], Eguiagaray Bohígas [1964], Navarro González [1966], Pageaux [1969] y Caso González [1976].

En el *Teatro crítico* una buena cantidad de páginas se dedican a temas científicos. A pesar del tiempo transcurrido, esta parte está muy lejos de haber perdido interés. Marañón [1934], que ha estudiado apasionadamente la labor científica de fray Benito, escribía: «Sus ideas médicas

y, en general, biológicas son lo más perdurable y significativo de su obra».
Tratan de diversos aspectos científicos Fraga Torrejón [1952], Sánchez
Granjel [1960], Junceda Avello [1964], Crusafont [1964], Rof Carballo
[1964], Glick [1965], Glendinning [1966], Pageaux [1969], Telenti
[1969], Ricard [1970], Browning [1971], García-Argüelles [1975],
Fabbri [1981] y Dubuis [1981]. Para la antropología de Feijoo véase
Cerra Suárez [1974, 1980].

Un tema importante en la obra de Feijoo es el que dice relación a la
reforma de estudios, en el que fray Benito es un precursor de las reformas
universitarias que se van a realizar en el siglo XVIII. Entre otros trabajos
merece la pena consultar los de Figueiredo Feal [1948], Sainz-Amor
[1950], Galino [1953], Loumagne [1954], Sánchez Cantón [1961] y Cabré Montserrat [1966]. De todas formas este tema pide todavía que, a la
vista de la mucha bibliografía de los últimos años sobre la historia de
la universidad y de otros centros de estudios en el siglo XVIII, se profun-
dice más el pensamiento feijoniano y en las consecuencias que tuvo.

La religiosidad de Feijoo no cedió ni un ápice, a pesar de los detractores que le surgieron, de que se pusiera en tela de juicio su ortodoxia
y de que hasta se le llegara a acusar a la Inquisición. El profundo cristianismo de fray Benito resulta hoy de una admirable modernidad, aunque
se manifieste en medio de circunstancias muy de época. Feijoo luchó para
«convertir una piedad de mera apariencia en una piedad sólida», y de
aquí su virulento ataque a los falsos milagros, ataque que, no debe olvidarse, se apoya en el hecho de que él cree en los milagros verdaderos,
por lo cual los inventados por la credulidad, la ignorancia o los intereses
humanos los considera como insultos a la divinidad. Feijoo no aceptaba
ese principio tan extendido todavía hoy de que no se debe luchar contra
la mentira, si la mentira es creída como artículo de fe, porque el espíritu
de Feijoo era el de un culto fervoroso e intransigente a la verdad. Y en
nombre de la verdad ataca los falsos milagros y los prodigios no compro-
bados. Sus esfuerzos para demostrar que las milagrosas flores de san Luis
del Monte, ni eran milagrosas, ni siquiera flores, sino unos minúsculos
racimos de gusanos, fueron tenaces y llevados con todo rigor, hasta des-
montar el tinglado de intereses económicos, de prejuicios y de falsedades
que venían condicionando el tema. Los que de buena o mala fe preten-
dieron seguir sosteniendo que tales flores aparecían sólo el día de la fiesta
y sólo en la ermita del obispo san Luis, cercana a Cangas del Narcea
(Asturias), recurrieron a todo, incluso al insulto personal y a la trampa;
pero Feijoo, o la verdad, acabaron triunfando. Esta lucha por la verdad,
contra creencias populares supersticiosas, encontró también un amplio
tema en la brujería, la adivinación, la astrología, los fantasmas, los duendes y otras fantasmagorías semejantes. Para el aspecto religioso de Feijoo
pueden verse Cerra Suárez [1980, 1982], López Fernández [1976] y di-

versos artículos de *Studium Ovetense* [1976]. Más bibliografía se puede señalar sobre Feijoo como debelador de supersticiones, hechicerías y falsos milagros. La principal es la siguiente: Caro Baroja[2] [1966, 1967], Lope [1976] y Maravall [1981].

El padre Feijoo escribía con rapidez y corregía muy poco, lo que se nota en su estilo. Su lengua literaria tiene, sin embargo, una viveza y una espontaneidad que entonces no era fácil encontrar en otros escritores. Acaso es por esto por lo que se lee todavía con gusto y quizá no sea el menor de sus méritos el de haber desterrado de la prosa castellana cierto estilo retumbante, retórico y excesivamente pulido que habitualmente se practicaba, por imitación de autores barrocos. Su ideal lingüístico se expresa bien en el siguiente párrafo: «En los españoles picados de cultura dio en reinar de algún tiempo a esta parte una afectación pueril de tropos retóricos, por la mayor parte vulgares, una multitud de epítetos sinónimos, una colocación violenta de voces pomposas que hacen el estilo, no gloriosamente majestuoso, sí asquerosamente entumecido. A que añaden muchos una temeraria introducción de voces, ya latinas, ya francesas, que debieran ser decomisadas como contrabando del idioma o idioma de contrabando en estos reinos. Ciertamente en España son pocos los que distinguen el estilo sublime del afectado y muchos los que confunden uno con otro» («Paralelo de las lenguas castellana y francesa», TC, I, § III). Su lenguaje se ha acusado de galicista, pero esta acusación es cierta sólo en parte, y además Feijoo buscaba siempre el término más exacto o más gráfico. Las cuestiones lingüísticas y estilísticas de Feijoo han sido tratadas, desde diversos puntos de vista, por Lázaro Carreter [1949], Risco [1956], Lapesa [1966], Samoná [1964], Fernández y González [1966], Álvarez Nazario [1966], Guillou [1966], Martínez Ruiz [1966], Ros García [1967-1968], Díaz Castañón [1981], Úzquiza González [1977] y Visedo Orden [1983]. Los aspectos literarios han sido analizados por Glasclock [1931], Montero Díaz [1932], Eiján [1942-1943] y Fernández y González [1964].

Es también muy interesante la actitud del Padre Maestro ante diversos problemas sociales: su repulsa de las clases, y concretamente de la noble, su preocupación por las menos favorecidas, y especialmente la campesina, sus principios igualatorios de todos los hombres. Han estudiado estos aspectos Eguiagaray [1962], Elorza [1968], González García [1976] y Maravall [1976].

2. *Una anécdota curiosa.* Caro Baroja, en una de las sesiones del «I Simposio sobre el padre Feijoo y su siglo» (1964), realizó, mientras escuchaba una ponencia, un precioso dibujo en la última hoja de uno de los ejemplares ciclostilados. Lo conserva el Centro de Estudios del Siglo XVIII y se ha reproducido en el artículo de 1966.

Otras muchas facetas de la compleja obra feijoniana han sido mejor o peor estudiadas en los últimos años, pero no me parece necesario especificarlas en un libro general como éste. Basta, creo, con remitir a Caso González y Cerra Suárez [1981], en cuya bibliografía puede el estudioso encontrar cuantos datos desee. Era lógico que el vendaval feijoniano levantase una fuerte polémica. Inmediatamente de publicado el primer tomo del *Teatro crítico* comenzaron a aparecer los folletos contra las opiniones de Feijoo en materia de medicina, de música, de astrología y hasta del descarado feminismo del Padre Maestro. Esta polémica es enormemente significativa. Fray Benito, en lenguaje futbolero, se había colado entre la defensa, había metido un gol y estaba dispuesto a repetir la jugada. Sus contrarios se lanzaron, no a cerrar la defensa, sino a las espinillas. Hasta hubo quien más o menos claro dijo que Feijoo defendía a las mujeres porque le gustaban más de lo que permitía su Regla. Todo pareció válido a sus opositores, que se veían puestos en ridículo. El Padre Maestro se desesperó más de una vez, y hubo que aconsejarle calma. Pero Feijoo se encontró con muchos defensores desde el primer instante. Quien quiera seguir el desarrollo de la polémica puede ver Caso González y Cerra Suárez [1981]. La parte del XVIII, obra del primero, se concibió como un acopio de materiales para un importante capítulo de la historia cultural española. Y es que, efectivamente, Feijoo es una pieza clave del ataque a la cultura barroca; pero no es una pieza aislada. Siguiendo con la imagen del ajedrez, cabe afirmar que mientras los *novatores* de finales del XVII y principios del XVIII, y Mayans y su grupo, son las piezas diagonales de apoyo, Feijoo protagonizó el ataque frontal. Salió a la calle, con su hábito de benedictino, para atacar la ciencia especulativa, el *status* social, las creencias ridículas, los periclitados métodos de estudios, las costumbres inaceptables, la rutina, la irracionalidad, los intereses particulares opuestos a los generales. Sin él los ilustrados de la época de Carlos III hubieran tenido que recorrer otros caminos, y muy posiblemente la nueva cultura se hubiera retrasado muchos años. Éste es el verdadero papel histórico del Padre Maestro, y me parece inútil intentar ignorarlo o disminuirlo, como me parecería injusto ignorar o disminuir la importancia de cuantos trabajaron con una idea semejante y coadyuvaron al desmantelamiento de la cultura barroca.

BIBLIOGRAFÍA

Álvarez Nazario, M., «El padre Feijoo y el problema de la lengua», en *Atenea*, Puerto Rico, III (1966), pp. 85-91.
Ardao, Arturo, *La filosofía polémica de Feijoo*, Losada, Buenos Aires, 1962.
—, «Feijoo, fundador de la filosofía en lengua española», en *Filosofía de lengua española. Ensayos*, Alfa, Montevideo, 1963.

Avalle-Arce, Juan Bautista, «Los "errores comunes": Pedro Mexía y el padre Feijoo», en *Nueva Revista de Filología Hispánica*, X (1956), pp. 400-403.

Bahner, Werner, «El vulgo y las luces en la obra de Feijoo», en *Actas del III Congreso de Hispanistas*, El Colegio de México, México, 1970, pp. 89-96.

Batllori, Miguel, «Las relaciones culturales hispanofrancesas en el siglo xviii», en *Cuadernos de Historia*, II (1968), pp. 205-249.

Browning, John, «F. B. J. F. and the sciences in 18th-century in Spain», en Peter Hugues y David Williams, eds., *The varied pattern: Studies in the 18th-century*, Hakkert, Toronto, 1971, pp. 353-371.

—, «*Yo hablo como neutoniano*: El padre Feijoo y el neutonismo», en *II Simposio sobre el padre Feijoo y su siglo*, I, Cátedra Feijoo, Oviedo, 1981, páginas 221-230.

Bueno Martínez, Gustavo, «Sobre el concepto de ensayo», en *El padre Feijoo y su siglo*, I, Cátedra Feijoo, Oviedo, 1966, pp. 89-112.

Cabré Montserrat, Dolores, «Problemas de la enseñanza en la época de Feijoo», en *El padre Feijoo y su siglo*, III, Cátedra Feijoo, Oviedo, 1966, pp. 487-498.

Capánaga, Victorino, «Feijoo y san Agustín», en *Studium Ovetense*, IV (1976), pp. 19-33.

Caro Baroja, Julio, «Feijoo en su medio cultural, o la crisis de la superstición», en *El padre Feijoo y su siglo*, I, Cátedra Feijoo, Oviedo, 1966, pp. 153-186.

—, «El padre Feijoo y la crisis de la magia y de la astrología en el siglo xviii», en *Vidas mágicas e Inquisición*, II, Taurus, Madrid, 1967, pp. 304-339.

Carreras Artau, Tomás y Joaquín, *Feijoo y las polémicas lulianas en el siglo XVIII*, Barcelona, 1930; reeditado en Santiago de Compostela, 1934, y en *Historia de la filosofía española*, II, Madrid, 1943, pp. 357-376.

Carreras Artau, Joaquín, «La postura antiluliana del padre Feijoo», en *El padre Feijoo y su siglo*, II, Cátedra Feijoo, Oviedo, 1966, pp. 277-284.

Caso González, José, «Feijoo, hoy», en *Cuadernos Hispanoamericanos*, n.° 318 (1976), pp. 723-735.

—, «Los benedictinos asturianos y la Ilustración», en *Semana de historia del monacato cántabro-astur-leonés*, Monasterio de San Pelayo, Oviedo, 1982, pp. 635-644.

— y Silverio Cerra Suárez, «Bibliografía», en Feijoo, *Obras completas*, I, Centro de Estudios del Siglo xviii, Oviedo, 1981.

Ceñal, Ramón, «Cartesianismo en España. Notas para su historia (1650-1750)», en *Revista de la Universidad de Oviedo* (1945), pp. 5-97.

—, «Feijoo, hombre de la Ilustración», en *Revista de Occidente*, n.° 21 (1964), pp. 313-334.

—, «Feijoo y la filosofía de su tiempo», en *Pensamiento*, n.° 21 (1965), pp. 251-272.

—, «Fuentes jesuíticas francesas en la erudición filosófica del padre Feijoo», en *El padre Feijoo y su siglo*, II, Cátedra Feijoo, Oviedo, 1966, pp. 285-314.

Cerra Suárez, Silverio, «Las ideas de Feijoo sobre la génesis del hombre», en *Studium Ovetense*, II (1974), pp. 109-142.

—, «Las ideas antropológicas de Feijoo en su contexto cultural: La génesis del hombre», tesis doctoral leída en Valencia en 1980; de próxima publicación por el Centro de Estudios del Siglo XVIII.

—, «Feijoo, monje, dentro del monacato de su época», en *Semana de historia del monacato cántabro-astur-leonés*, Monasterio de San Pelayo, Oviedo, 1982, pp. 645-657.

Colombás Llull, García M.ª, «Feijoo y el lulismo», en *Estudios lulianos*, VII (1963), pp. 113-130.

Crusafont Pairó, Miguel, «El enciclopedismo ortodoxo del padre Feijoo y las ciencias naturales», en *Boletín de la Biblioteca de Menéndez Pelayo*, XL (1964), pp. 65-97.

Delpy, Gaspar, *L'Espagne et l'esprit européen. L'œuvre de Feijoo (1725-1760)*, París, 1936.

—, *Bibliographie de sources françaises de Feijoo*, París, 1936.

Díaz Castañón, Carmen, «En torno al estilo del padre Feijoo», en *II Simposio sobre el padre Feijoo y su siglo*, I, Cátedra Feijoo, Oviedo, 1981, pp. 275-284.

Dubuis, Michael, «El erudito Juan Luis Roche, epígono y propagandista de Feijoo en Puerto de Santa María», en *II Simposio sobre el padre Feijoo y su siglo*, I, Cátedra Feijoo, Oviedo, 1981, pp. 285-320.

Eguiagaray Bohígas, Francisco, «Feijoo y el descuido de España», en *Revista de Estudios Políticos*, n.º 125 (1962), pp. 201-209.

—, *El padre Feijoo y la filosofía de la cultura de su época*, Instituto de Estudios Políticos, Madrid, 1964.

Eiján, Samuel, «Ideas literarias del padre Feijoo», en *Boletín de la Real Academia Gallega*, XXIII (1942-1943), pp. 269-277, 281-297; XXIV (1944-1945), pp. 35-50.

Elizalde Armendáriz, Ignacio, «Feijoo, representante del enciclopedismo español», en *II Simposio sobre el padre Feijoo y su siglo*, I, Cátedra Feijoo, Oviedo, 1981, pp. 321-345.

Elorza, Antonio, «La movilidad social en Feijoo», en *Anuario de historia económica y social*, I (1968), pp. 637-639.

Fabbri, Maurizio, «Feijoo y la nueva interpretación de la fisionomía», en *II Simposio del padre Feijoo y su siglo*, I, Cátedra Feijoo, Oviedo, 1981, pp. 347-354.

Fernández González, Ángel Raimundo, «Ideas estéticas y juicios críticos del padre Feijoo en torno a la problemática del teatro del siglo XVIII», en *Boletín de la Biblioteca de Menéndez Pelayo*, XL (1964), pp. 21-39.

—, *Personalidad y estilo de Feijoo*, Cátedra Feijoo, Oviedo, 1966.

Figueirido Feal, Manuel, *Contenido pedagógico de la obra del padre Feijoo*, La Coruña, 1948.

Fraga Torrejón, Eduardo de, «Feijoo y la cristalografía», en *Boletín del Instituto de Estudios Asturianos*, VI (1952), pp. 405-412.

Galino Carrillo, M.ª de los Ángeles, *Tres hombres y un problema. Feijoo, Sarmiento y Jovellanos ante la educación moderna*, CSIC, Madrid, 1953.

García Argüelles, R., «Feijoo y la medicina. Su personalidad a través de los autógrafos», en *Actas del IV Congreso Español de Historia de la Medicina*, IV, Granada, 1975, pp. 89-96.

Giordano, Jaime, «Feijoo y el género ensayístico», en *Grial*, n.° 30 (1970), pp. 409-417.

Glascock, C. C., «Feijoo on liberty art», en *Hispania*, Stanford, XIV (1931), pp. 265-278.

Glendinning, Nigel, «El padre Feijoo ante el terremoto de Lisboa», en *El padre Feijoo y su siglo*, II, Cátedra Feijoo, Oviedo, 1966, pp. 353-365.

Glick, Thomas F., «El escepticismo en la ideología científica del doctor Martín Martínez y del padre Feijoo», en *Asclepio*, XVIII (1965), pp. 255-259.

González García, Isaac, «Las ideas políticas y sociales de Feijoo», en *Studium Ovetense*, IV (1976), pp. 115-138.

Guillou, A., «Les idées linguistiques de Feijoo», memoria para la obtención del diploma de Estudios Superiores, París, 1966.

Hevia Ballina, Agustín, «Hacia una reconstrucción de la librería particular del padre Feijoo», en *Studium Ovetense*, IV (1976), pp. 139-186.

—, «Un nuevo acercamiento al padre Feijoo: el *Catálogo* de la librería del monasterio de San Vicente de Oviedo», en *Studium Ovetense*, VIII (1980), pp. 312-320.

—, «La biblioteca clásica del padre Feijoo», en *II Simposio sobre el padre Feijoo y su siglo*, I, Cátedra Feijoo, Oviedo, 1981, pp. 375-392.

Junceda Avello, Enrique, *El saber ginecológico del padre Feijoo*, Oviedo, 1964.

Lapesa, Rafael, «Sobre el estilo de Feijoo», en *Mélanges à la mémoire de Jean Sarrailh*, Institut d'Études Hispaniques, París, 1966, pp. 21-28.

Lapointe, Jacques, «Francisco Bacon en la obra del padre Feijoo», tesis doctoral en la Universidad de Madrid, 1964.

Lázaro Carreter, Fernando, *Las ideas lingüísticas en España durante el siglo XVIII*, CSIC, Madrid, 1949.

—, *Significación cultural de Feijoo*, Cátedra Feijoo, Oviedo, 1957.

Leirós Fernández, Sara, *El padre Feijoo. Sus ideas crítico-filosóficas*, Santiago de Compostela, 1935.

Lope, Hans-Joachin, «Feijoos *Uso de la mágica* und die Steganographia des Trithemius. Zur Auseinandersetzung um Magie und Hexenglauben im spanischen XVIII Jahrhundert», en *Romanische Forschungen*, LXXXVIII (1976), pp. 403-411.

Lopez, François, «La historia de las ideas en el siglo XVIII: concepciones antiguas y revisiones necesarias», en *Boletín del Centro de Estudios del Siglo XVIII*, n.° 3 (1975), pp. 3-18.

López Fernández, Enrique, «Feijoo y la Biblia o la gran paradoja», en *Studium Ovetense*, IV (1976), pp. 187-247.

Loumagne, B., «Contenu pédagogique de l'œuvre de Feijoo», memoria para la obtención del diploma de Estudios Superiores, París, 1954.

Llinarés, Armand, «Un aspect de l'antilullisme au XVIII° siècle: les *Cartas eruditas* de Feijoo (1675 [*sic*]-1764)», en *Bulletin Hispanique*, LXIV bis (1962), pp. 498-506.

Marañón y Posadillo, Gregorio, *Las ideas biológicas del padre Feijoo*, Espasa-Calpe, Madrid, 1934; hay diversas ediciones posteriores.

Maravall Casesnoves, José Antonio, «El espíritu de crítica y el pensamiento social de Feijoo», en *Cuadernos Hispanoamericanos*, CCCXVIII (1976), páginas 736-765.

—, «El primer siglo XVIII y la obra de Feijoo», en *II Simposio sobre el padre Feijoo y su siglo*, I, Cátedra Feijoo, Oviedo, 1981, pp. 151-195.

Marichal, Juan, «Feijoo y su papel de desengañador de las Españas», en *Nueva Revista de Filología Hispánica*, V (1951), pp. 313-323; reimpreso en *La voluntad de estilo. Teoría e historia del ensayismo hispánico*, Seix Barral, Barcelona, 1957.

Martínez Ruiz, Juan, «Tradición y evolución en las ideas filológicas del padre Feijoo», en *El padre Feijoo y su siglo*, III, Cátedra Feijoo, Oviedo, 1966, pp. 511-521.

McClelland, Ivy Lillian, *Benito Jerónimo Feijoo*, Twayne Publishers, Nueva York, 1969.

—, «The significance of Feijoo's regard for Francis Bacon», en *Studium Ovetense*, IV (1976), pp. 249-274.

Mestre, Antonio, *Ilustración y reforma de la Iglesia. Pensamiento político-religioso de D. G. Mayans y Siscar*, Valencia, 1968.

—, *Historia, fueros y actitudes políticas. Mayans y la historiografía del siglo XVIII*, Valencia, 1970.

Micó Buchón, J. L., «Feijoo y la función crítica. Apuntes para un bicentenario», en *Humanidades*, Comillas, V (1953), pp. 243-259.

Montero Díaz, Santiago, «Las ideas estéticas del padre Feijoo», en *Boletín de la Universidad de Santiago de Compostela*, IV (1932), pp. 3-96.

Navarro González, Alberto, «Actitud de Feijoo ante el saber», en *El padre Feijoo y su siglo*, II, Cátedra Feijoo, Oviedo, 1966, pp. 367-388.

Olaso, Ezequiel de, «Spinoza y nosotros», en *Homenaje a Baruch Spinoza*, Museo Judío, Buenos Aires, 1976, pp. 179-198.

—, «El "scepticismo filosófico" de Feijoo y la medicina. Nuevas indagaciones sobre la tipología del escepticismo moderno», en *Quirón*, La Plata, VIII (1977), pp. 73-82.

Otero Pedrayo, Ramón, *El padre Feijoo. Su vida, doctrina e influencias*, Orense, 1972.

Pageaux, Daniel-Henri, «Aspects culturels des relations franco-espagnoles au XVIII° siècle», en *Études littéraires*, II (1969), pp. 9-20.

Pérez, Narciso, *El padre Feijoo y las ciencias naturales. Un capítulo de historia de la ciencia española*, Madrid, 1948.

Peset, M., «Correspondencia de Gregorio Mayans y Siscar con Ignacio Jordán de Asso del Río y Miguel de Manuel Rodríguez», en *Anuario de Historia del Derecho Español*, XXXVI (1966), pp. 547-574.

— y J. L., *Gregorio Mayans y la reforma universitaria*, Valencia, 1975.

Peset, V., *Gregori Mayans i la cultura de la Il·lustració*, Valencia, 1975.

Quiroz Martínez, Olga Victoria, *La introducción de la filosofía moderna en España. El eclecticismo español de los siglos XVII y XVIII*, El Colegio de México, México, 1949.

Ricard, Robert, *Feijoo y el misterio de la naturaleza animal*, Cátedra Feijoo, Oviedo, 1970.

Rincón, Carlos, «Sobre la noción de Ilustración en el siglo XVIII español», en *Romanische Forschungen*, LXXXIII (1971), pp. 528-554.

Risco, Vicente, «El padre Feijoo», en *Historia general de las literaturas hispánicas*, IV, Barcelona, 1956, primera parte, pp. 205-234.

Rof Carballo, Juan, «Medicina crítica y medicina comprensiva en la obra del padre Feijoo», en *Boletín de la Biblioteca de Menéndez Pelayo*, XL (1964), pp. 37-64.

Ros García, Juan, «El superlativo en la obra de Feijoo», en *Anales de la Universidad de Murcia*, I (1967-1968), pp. 73-84.

Sainz-Amor y Alonso de Celada, Concepción, *Ideas pedagógicas del padre Feijoo*, CSIC, Madrid, 1950.

Samonà, Carmelo, «I concetti di "gusto" e di "no sé qué" nel P. Feijoo e la poetica del Muratori», en *Giornale Storico della Letteratura Italiana*, n.° 33 (1964), pp. 1-8.

Sánchez Agesta, Luis, «Feijoo y la crisis del pensamiento político español en el siglo XVIII», en *Revista de Estudios Políticos*, XII (1945), pp. 71-127.

—, «El *Cotejo de naciones* y la igualdad humana en Feijoo», en *El padre Feijoo y su siglo*, I, Cátedra Feijoo, Oviedo, 1966, pp. 205-208.

Sánchez Cantón, Francisco Javier, *Ideas de los padres Feijoo y Sarmiento sobre la organización de los estudios*, Cátedra Feijoo, Oviedo, 1961.

Sánchez Granjel, Luis, «Las opiniones médicas del padre Feijoo», en *Clínica y Laboratorio. Revista mensual española de ciencias médicas*, LXX (1960), pp. 285-394.

Sarrailh, Jean, *La España ilustrada de la segunda mitad del siglo XVIII*, FCE, México, 1979.

Staubach, Charles N., «Feijoo on Cartesianism», en *Papers of the Michigan Academy of Sciences, Arts and Letters*, XXIV (1938), pp. 79-87.

—, «The influence of Bayle on Feijoo», en *Hispania*, California, XXII (1939), pp. 79-92.

Studium Ovetense, IV (1976), dedicó sus 344 páginas a Feijoo. Algunos de los principales trabajos han sido ya reseñados.

Telenti, Amalio, *Aspectos médicos en la obra del maestro fray Benito Jerónimo Feijoo*, IDEA, Oviedo, 1969.

Úzquiza González, José Ignacio, «Aspectos del léxico de Feijoo», en *Boletín del Instituto de Estudios Asturianos*, XXXI (1977), pp. 139-151.

Varela Iglesias, José Luis, «La "literatura mixta" como antecedente del ensayo feijoniano», en *El padre Feijoo y su siglo*, I, Cátedra Feijoo, Oviedo, 1966, pp. 79-88.

—, «Feijoo y la ciencia», en *Homenaje a don Emilio Alarcos García*, II, Valladolid, 1966.

Visedo Orden, Isabel, «Aportación al estudio de la lengua poética en Feijoo», en *II Simponio sobre el padre Feijoo y su siglo*, II, Cátedra Feijoo, Oviedo, 1983 (en prensa).

Zavala, Iris M., «Tradition et réforme dans la pensée de Feijoo», en Michel M. Launay, ed., *Rousseau et son temps*, París, 1969.

GREGORIO MARAÑÓN

UN QUIJOTE DE LA CULTURA ILUSTRADA

No es exageración antipatriótica el hablar de la oscuridad de la ciencia en los tiempos feijonianos. Nunca es antipatriótica la verdad. Y en este caso, reconociéndola, se hace más patente, para auténtica gloria de España, la categoría insigne de la obra de Feijoo y de los que le acompañaron en su movimiento renovador, y también de los que le apoyaron con su favor y su fervor desde las alturas. ¿Cuáles eran las causas de tal miseria espiritual? Feijoo las estudia con minucia y su revisión tiene no sólo un interés histórico sino también eficacia directa sobre llagas aún abiertas o mal cicatrizadas del alma contemporánea. En primer lugar acusa «el corto alcance de algunos de nuestros profesores»; después, «la preocupación que reina en España contra toda novedad»; luego, «el errado concepto de que cuanto nos presentan los nuevos filósofos se reduce a curiosidades inútiles»; y «un celo, pío, sí, pero indiscreto y mal fundado» «de que las doctrinas nuevas traigan algún perjuicio a la religión»; y por último, «la envidia» nacional o personal, a la que certeramente califica de «ignorancia abrigada de hipocresías». [...]
Nos interesa detenernos brevemente en su acusación a las trabas que a las nuevas doctrinas ponía la censura de la Iglesia. Puede explicarse y disculparse el hecho; pero no se puede negar. La Inquisición española llevaba su celo por la pureza de la fe con tan escrupuloso rigor, que las ideas nuevas de la ciencia sufrían cuarentena peligrosa en su censura; y a veces encontraban en ella barrera cerrada

Gregorio Marañón, *Las ideas biológicas del padre Feijoo*, Espasa-Calpe, Madrid, 1934, pp. 36-38, 41-49 y 308-309.

e infranqueable. Es cierto, como muchos críticos modernos sostienen, en una doble reacción contra la leyenda negra de España, que no fue el Santo Oficio el único tribunal riguroso y cruel; que tuvo directores, a veces, de espíritu comprensivo y tolerante; y, sobre todo, que a la gente de Iglesia se debió la mayor aportación cultural en aquellos siglos de supremacía de la Inquisición. Pero es igualmente exacta la continua y dolorosa poda a que la Iglesia tuvo sometido al pensamiento español. No hay libro de ciencia un poco libre y audaz, o simplemente original, que no leamos hoy expurgado por las tachaduras del Santo Oficio; y en muchos casos hay que reconstituir el texto original a través de los rigores de la censura y de las claudicaciones del autor, ante el pánico del calabozo. Sería mejor intentar explicar el sentido recto y noble, elevado aunque equivocado, y hasta, por momentos, útil, de esta actitud, que pretender negarla. En el caso de Feijoo, puede demostrarse esta influencia . limitadora del miedo a la Inquisición, a pesar de que el gran benedictino vivía ya en un siglo y en un ambiente que anunciaban la muerte no lejana del fanatismo inquisitorial. Pi y Margall observa, con razón, que él, precisamente por ser fraile, pudo probablemente decir y escribir novedades que a los demás hubieran estado vedadas; pero así y todo, en varios de sus escritos se transparenta el miedo al rigor de la censura oficial. [...]

Para mí, en la preocupación patética de su España —de nuestra España— sumida en el error, está la grandeza de Feijoo. Me lo imagino torturado por el obsesionante pensamiento en las noches de su celda y en su vagar por el claustro o por los campos risueños de Asturias. «La mayor parte de mi vida —escribe una vez— he estado lidiando con estas sombras, porque muy temprano comencé a conocer que lo eran.» Y ¿qué podía hacer él, pobre fraile, para remediarlo? Ni su influencia alcanzaba a interesar eficazmente en el problema de la cultura a los poderes del estado, absorto todavía en el letargo de su borrachera épica y desangrado por guerras interminables; ni, sobre todo, la gran obra podía empezar por la reforma de la cultura oficial, la administrada desde arriba, aun cuando un milagro la hubiera puesto entre sus manos. Era faena más ruda y más ingrata la que había que iniciar: la de roturar brutalmente el campo inculto del alma española, monte bajo de óptima tierra, pero cubierto de malezas y setos y malas hierbas. Y así debió concebir este «caballero andante del buen sentido» su gran empresa generosa de com-

poner el *Teatro crítico universal para desengaño de errores comunes.*
El primer tomo apareció al cumplir su autor los cincuenta años, la
edad de don Quijote cuando salió también a deshacer entuertos por
los mismos campos de España.

Esta gestación dolorosa y este ademán resuelto resumen todo el
valor histórico de nuestro monje. Por eso no alcanzo a explicarme
cómo Menéndez Pelayo pudo criticar el que a veces arremetiese
contra errores que en realidad no existían en la preocupación española; y menos comprendo aún que los críticos de un siglo después
dieran por inactual la obra feijoniana porque se refería en su casi
totalidad a creencias y supersticiones ya desaparecidas. Nada sería
más fácil que probar la persistencia, en pleno siglo xx, de raíces aún
no extirpadas de la mayor parte de las quimeras que atacó el ani-
moso polígrafo. Pero, aunque así no fuese, al héroe no se le ha de
juzgar por el blanco a que apunta, sino por su condición de héroe.
Feijoo no luchó contra las brujas, contra los endemoniados, contra
los astrólogos y contra los médicos dogmáticos de su tiempo; luchó
«contra el error», que es eterno y que unas veces se viste de trasgo
o de nigromante y otras de apóstol o de hombre de laboratorio, como
el viejo Proteo de la fábula o como el demonio que tentaba a los
anacoretas. Él mismo, que era también parte de su España, creyó
en muchos errores, y creyó, en cambio, que eran tales errores verdades que hoy nos parecen indiscutibles. Pero ¿qué dirán mañana
nuestros nietos de lo que hoy enfáticamente consideramos verdadero
o mentiroso? La verdad absoluta está siempre lejos de nosotros, y
para servirla, lo esencial no es conocerla, sino desearla. En este sentido de «querer» la verdad para su patria, de querer sustituir aquella
ignorancia y aquella pesadumbre escolástica, que más que filosofía
era orejera para el entendimiento, cuando no venda cegadora; en este
sentido de magna y fecunda rebeldía espiritual, creo que puede considerarse al padre Feijoo como el más egregio promotor de la ciencia
española. Y los que dos siglos después sentimos entrañablemente la
misma aspiración para España, tenemos el deber de reconocerlo y de
colmar de gratitud su memoria.

Algunos le han achacado que no realizó ningún descubrimiento.[1]

1. [«Sus estudios microscópicos fracasaron. Pero la profundidad del criterio experimental no nace, como creen algunos, de la complicación de las
técnicas, sino de la disposición rigurosa de la mente. Un discurso construido
sobre la observación estricta de los hechos y sobre su interpretación racional

Es verdad. Fue sólo el apóstol de toda una cultura, ni siquiera de una cultura particular, y por eso como él mismo reconocía, tenía a veces que pasar a la ligera sobre los conocimientos sin descender hasta su entraña. No creo, como don Miguel de Unamuno, que el divulgador sea más importante que el descubridor mismo. Pero sí digo que, salvo excepciones, el descubridor nace del ambiente, y que por ello el que, como Feijoo, crea el ambiente de la sabiduría, está sembrando, para mañana o para cuando sea, los descubrimientos futuros. Somos muchos los esperanzados en que España vuelva a ser en nuestros tiempos un nuevo foco de civilización: acaso la misión más alta que a fin de tantos vaivenes de la fortuna nos reserva el porvenir. Y yo me pregunto si hay en toda nuestra historia un antecedente que pueda compararse al de Feijoo en la magnitud del esfuerzo cultural y en la eficacia renovadora de la ignorancia común. Es cierto que la batalla contra los errores comunes y el afán de someter la vida entera, la de la especulación espiritual y la vida práctica, a un criterio de racionalismo experimental no fue original ni privativa de Feijoo. Formar la razón a los hombres era la preocupación de todo su siglo, era el alma del siglo XVIII, de la que fue el fraile gallego su representante más genuino en España; aunque no, es cierto, el único representante.

Mas lo importante de Feijoo no es su prioridad ni su misma superioridad dentro de una categoría de hombres universales, sino el españolismo de su sentido universal, si la frase se me permite. Por

---

puede tener más eficacia experimental que cientos de ensayos realizados sin sentido con los más modernos y complicados aparatos. Problema es éste delicado de tocar en España, donde las gentes propenden a sacárselo todo de la cabeza, sin "perder el tiempo" en la ejecución paciente de las técnicas. Pero con estas reservas nacionales, hay que insistir muy claramente en que las técnicas son sólo medios y no fines; y en que los descubrimientos más objetivos son siempre secuelas del proceso de racionalización de lo absurdo que ejecutan previamente las mentes dotadas de precisión experimental. Así era la inteligencia de Feijoo y, por eso, su eficacia contra el error fue inmensa entre la multitud de gentes que por entonces tuvieron sus mismas preocupaciones. Si únicamente triunfó del error ambiente el padre Feijoo fue porque, con microscopio o sin él, su espíritu, por nativo y providencial designio, estaba en guardia permanente contra el error, el grande o el diminuto; singularmente este de las supersticiones populares que como nube invisible paralizaba el libre examen de la conciencia en los españoles de su siglo. Sin esto, no podemos entender la grandeza de la obra de Feijoo» (p. 62).]

eso no se le puede equiparar a los enciclopedistas. Si convenimos en
identificar el espíritu del siglo XVIII con la *Enciclopedia*, es claro que
hemos de consignar a Feijoo como el primer enciclopedista español;
y así le llaman muchos de sus comentaristas. Pero el siglo XVIII fue,
en su sentido cultural, mucho más que aquel empuje admirable, pero
limitado, apasionado y sectario, de la obra de Diderot y sus colaboradores. El siglo XVIII era afán de claridad humana, de contemplación y profundización serena y entrañable de las cosas; en cierto
sentido, reacción antiteológica, pero no atea. Y fue por ello un fenómeno universal de la inteligencia; y no sólo la secta de los enciclopedistas franceses, aunque éstos pusieran el rasgo más firme y, sobre
todo, más llamativo sobre el general levantamiento del alma de los
hombres. De aquí el que en cada raza, tuviera su acento particular,
no siempre afrancesado. En España es indudable que este espíritu
analizador del siglo XVIII penetró en los hombres eminentes y en las
minorías aristocráticas con el advenimiento de los Borbones. Antes
de éstos se podían encontrar ya sus primeros antecedentes; pero
hasta en esas manifestaciones iniciales en nuestro país del que Ortega
y Gasset ha llamado «el siglo educado», había una raíz definida de
imitación gala y también inglesa: las academias eran copia de las de
Francia e Inglaterra; los ministros de Felipe V aprendían en la corte
de Francia su lección; y las primeras apologías de la experimentación
estaban traducidas de Bacon y de sus continuadores. Mas en Feijoo,
en contra de lo que se ha dicho, se descubren difícilmente estas raíces
y nos da la impresión —y en esto estriba su mayor interés— de
que su gesto revolucionario surgió por espontáneo impulso, hijo del
«clima histórico», por ese contagio que se opera en los momentos
trascendentales de la civilización, de unas almas a otras lejanas, llevado por subterráneas corrientes cuya pista es imposible de seguir.
Muy universal, sí, pero espontáneo y españolísimo. Y, sin duda,
estas individualidades aisladas, y no de secta, son las más representativas y ejemplares.

Todo en Feijoo, en efecto, estaba escrito desde su iniciación intelectual. Faltan noticias, salvo los datos referentes a su actividad religiosa
y a algunos ensayos poéticos, de lo que fue su vida interna antes de decidirse a dar a luz sus primeros discursos. Pero es evidente que su propósito renovador era muy antiguo y netamente original. Como los médicos
tenemos el hábito de inferir conclusiones grandes de pequeños sucesos
y síntomas, yo doy importancia fundamental a una nimia aventura que

aparece al azar en uno de sus ensayos. «*Siendo yo muchacho* —escribe— todos decían que era peligrosísimo tomar otro cualquier alimento poco después del chocolate. Mi entendimiento, *por cierta razón que yo entonces acaso no podía explicar muy bien*, me disuadía tan fuertemente de esta vulgar aprensión, que *me resolví a hacer la experiencia*, en que supongo tuvo la golosina pueril tanta o mayor parte que la curiosidad. Inmediatamente después del chocolate comí una buena porción de torreznos y me hallé lindamente, así aquel día como mucho tiempo después; conque me reía a mi salvo de los que estaban ocupados de aquel miedo. Asimismo, reinaba la persuasión de que uno que se purgaba ponía a riesgo notorio, unos decían la vida, otros el juicio, si se entregase al sueño antes de empezar a obrar la purga.» «Yo me dejé dormir lindamente en ocasión que había tomado una purga, sin padecer por ello la menor inmutación.» He aquí, en este suceso insignificante, el germen entero de su actitud futura.

Todo ser humano, grande o pequeño, nace con una misión terrenal, que después unos cumplen y otros no, según la potencia de su genio y según que el aire de la vida sople en dirección favorable o adversa. Pero aquellos que aciertan a llevarla a término es lo común que empiecen a ensayarla y desarrollarla desde sus primeros pasos en la vida, y, sin darse cuenta ni ellos ni los demás, buena parte de sus acciones, desde la edad en que la propia iniciativa nos gobierna, no es sino el preludio y la preparación de la gran obra que realizaremos mucho tiempo después, a veces, ya en el declinar de la existencia. Es muy fácil comprobar esto en las biografías de muchos hombres célebres. Y en el caso de Feijoo pecará de ligero quien lea lo que acabamos de copiar como si fuera una anécdota infantil sin trascendencia y no vea en ello el núcleo de todo su esfuerzo de la madurez y el esquema de los catorce tomos de su obra. El chocolate del niño se transformará más tarde en hechiceros, en horóscopos, en milagros idolátricos. Frente a ellos, Feijoo será sólo lo que ya era de niño: la razón frente al prejuicio, y la decisión de dar a cada fantasma, pequeño o grande, la batalla de la experiencia; en suma, siglo XVIII. [...]

Caso típico de la influencia creadora del clima histórico, Feijoo fue el más genuino representante de la crítica enciclopedista del siglo XVIII; pero hay que decirlo firme y claramente: con completa independencia de la trayectoria del enciclopedismo francés; enciclopédico, pues, no de Francia ni de ninguna otra parte, sino *de la época*; por espontánea generación y con todas las características ibéricas, entre ellas la ortodoxia más estricta. Los que ligeramente le comparan con Diderot y discuten su catolicismo, desvirtúan su verdadera significación. Feijoo no tuvo nunca que «palparse el catolicismo», como Torres Villarroel en sus momentos de duda, porque nunca dudó; ni nadie pudo dudar fundadamente de él. Si alguna vez ha despertado sospechas su actitud filosófica, ha sido mucho tiempo después de su muerte, por el pueril afán de los liberales del siglo XIX de incorporar al benedictino a las gentes de su bandería; o bien, por los propios católicos: estos católicos nuestros fieles a su instintiva precaución contra todo lo que significa inteligencia viva y libre. Hombre universal y, a la vez, español por los cuatro costados, Feijoo se sentía incorporado al ansia renovadora de su siglo sin que se rompiese una sola de las raíces de su tradición nacional, incluso aquella que se hunde, allá en lo hondo, en los estratos oscuros de la superstición, contra la que tanto luchó, pero que a veces enviaba a su grande y abierto espíritu oleadas de savia confusa y pueril.

Ortega y Gasset dice que en la historia de la cultura, el siglo XVIII, tan fecundo en otros países, ha sido escamoteado en el nuestro. Es posible que sea así, porque si hubo —que sí lo hubo— entre nosotros y en el orden cultural, un auténtico siglo XVIII —el que se condensó en los años que median entre Fernando VI y el Príncipe de la Paz—, es lo cierto que no descendía apenas desde las esferas oficiales y aristocráticas, para difundirse e infiltrarse en la gran masa de los españoles. España, tal vez, no se incorporó como nación al movimiento enciclopedista; que acaso fue en todas partes actitud de minorías selectas. Pero tuvo, como siempre, entre sus hombres, los grandes titanes aislados encargados de que no se rompiese la línea de continuidad de la civilización.

Ha sido nuestra patria eterno teatro de las individualidades geniales que soportan sobre sus espaldas la faena gigantesca de toda una generación. Entonces, como antes y como ahora, en los momentos graves, unos hombres erectos sobre la muchedumbre se encargan, no de dirigirla, sino de aliviarla por completo del esfuerzo y de la responsabilidad. Por eso, entre nosotros, el héroe lo es siempre a costa de ser mártir. Y así fue Feijoo. Como un grande, dulce y socarrón san Cristóbal, supo pasar en alto, sobre el vacío de unos decenios de ignorancia, el tesoro de nuestro genio y de nuestra cultura; mientras los gozquecillos sempiternos le ladraban desde una y otra orilla.

José Luis Varela

LITERATURA MIXTA Y ENSAYO

Desde el momento mismo de su aparición, se han venido denunciando en el estilo de Feijoo infinidad de pecas: latinismos, galicismos, gallegismos. No nos interesa ahora este inventario. Feijoo no fue purista más que en materia religiosa, como veremos; no amaba, por otra parte, el «melindre» en materia literaria ni física. Sobre su estilo nos deja una curiosa declaración —que es, *mutatis mutandis*, la de Pablo Picasso sobre su arte dos siglos después: «yo no busco, encuentro»—. «Ni he tenido estudio, ni seguido algunas reglas para formar el estilo. Más digo: ni le he formado ni pensado en formarle. Tal cual es, bueno o malo, de esta especie o de aquella, no le busqué yo; él se me vino.» (*Cartas*, I, VI, 1.)

¿Es esto cierto? ¿Son las formas para Feijoo mero vehículo de objetivos intelectuales? ¿Surgen sobre la marcha, en el camino mismo de la verdad, como mero instrumento expositivo, sin muestra de afeite y cultivo, sin contaminación retórica? Evidentemente, no. Y lo contrario —esto es, las formas como fin en sí mismas— sería mentira. Hay primores de estilo que exigen nuestra detención en su contexto, con olvido de su función auxiliar y subordinada; hay contaminaciones retóricas que remiten a la oratoria del púlpito barroco; hay deliciosas, tornasoladas muestras de humor —del chiste directo a la ironía más fina— que revelan hasta qué punto sabía gozar de los remansos o del envés de las cosas (o dicho de otro modo, hasta qué punto se sabía centro de un auditorio a quien gustar). Trataré de apoyarme en unas cuantas muestras formales que evidencian la conciencia de ese diálogo con su público —sin el cual no serían posibles fama ni eficacia— y el carácter de su obra.

Un son mortuorio, con sabor a ceniza —a *omnia fuit* barroco— imprime Feijoo a su prosa desde un púlpito imaginario cuando escribe sobre la vanidad de algunos eclesiásticos.

José Luis Varela, «Feijoo y la ciencia», en *Homenaje a don Emilio Alarcos García*, II, Valladolid, 1966, pp. 496-502 y 509-512.

«¡Qué diría hoy el Santo si viese eclesiásticos muy inferiores al orden episcopal, ostentar en sus lechos ricas colchas, preciosas colgaduras, mucho encaje en la almohada, mucha sutil holanda en sábanas y camisas, y a proporción todo lo demás, sin que se avergüencen de ello, antes haciendo vanidad! ¿No es cosa insufrible ver a un párroco o a otro eclesiástico, también muy inferior al orden episcopal, sacar jactanciosamente la caja de oro en un corrillo para dar tabaco y la muestra de oro para ver qué hora es? ¡Oh, cuánto celebraría yo que en tales casos se hallara presente un varón de celo eclesiástico para representar al desvanecido eclesiástico, que en el tabaco contemplase que había de ser polvo, como él, algún día, y por el reloj se acordase de aquella hora en que le harían cargo de haber expendido en aquellas preciosidades lo que debiera emplear en socorrer a los pobres!» (Cartas, IV, XIX, 29).

La descripción de una «preciosa aldeanita» ilustra con belleza la esencia del «no sé qué», capaz de encantar la voluntad y confundir el entendimiento. Los melindres de viejos, maníacos y melisendras; las quejas universales de dolor de cabeza («que tanto suenan ya en las bocas de los gañanes como en las de los catedráticos»); los lutos que presagia el hambre («pero faltando el pan, ¡ay Dios!, ¡qué triste, qué funesto, qué horrible teatro es todo un reino!»); todos estos y otros mil pasajes denuncian una pluma graciosa, varia, sabia. Valga todavía una muestra de garbo en la inserción de una anécdota mundana:

«El estilo de Alano Chartier, secretario del rey Carlos VII de Francia, fue encanto de su siglo; en tal punto que la princesa Margarita de Escocia, esposa del Delfín, hallándole una vez dormido en la antesala de palacio, en honor de su rara facundia, a vista de mucha corte, estampó un ósculo en sus labios. Digo en honor de su rara facundia y sin intervención de alguna pasión bastarda, por ser Alano extremadamente feo: y así, reconvenida sobre este capítulo por los asistentes, respondió que había besado no aquella feísima cara, sino aquella hermosísima boca» (Teatro, I, XV, 4).

Hablando de duendes, y en particular de un íncubo que visitaba a una dama hasta el día en que mudó su cama de cuarto, sentencia, sin descomponerse: «Yo creo firmemente que el conjuro de una buena tranca sería el más eficaz para aquel íncubo» (Teatro, III, IV, 15). A un público conocedor de su desdén por prebendas y cargos eclesiásticos, asegura, para confirmar su horror a los precipicios, que «no andaría ni aun a gatas por una cornisa de media vara de ancho aunque me pusieran en ella la tiara» (Teatro, VII, XVI). Burla burlando, se anticipa al hallazgo expresivo de la «greguería»: «Es el cometa una fanfarronada del cielo». Feijoo intuye, en fin, un recurso humorístico —analizado por Bergson y utilizado en la escena innúmeras veces por Charlie Chaplin— consistente en la traducción a un cuerpo humano y vivo de movimientos mecánicos, es decir, en la automación de lo orgánico; y así, aplica una fórmula física, muy conocida de su público culto, a la sociedad cortesana que pretende ironizar:

«... Habiendo tantos millares de habitadores en las cortes, son muy pocos los vivientes que hay en ellas, porque son pocos los que se mueven... por la atracción del Príncipe, y esos mismos atraen a otros que son pretendientes respecto a ellos, y de este modo va bajando la atracción y el movimiento hasta los ínfimos. De modo que en las cortes se ve una representación del sistema neutoniano del universo, en que con la virtud atractiva los cuerpos mayores ponen en movimiento a los menores, y tanto más, cuando es mayor el exceso y menor la distancia» (*Cartas*, III, XXV, 7).

Es evidente, pues, que Feijoo se siente seguro ante su público; seguro de su utilidad, de su oportunidad, de su gracia, y seguro, por tanto, de las pasiones que mueven los anónimos, delaciones y amenazas que acompañan los primeros pasos de su obra. [...] La *prima facies* feijoniana es la de un luchador; la de un formidable polemista y contradictor, que provoca y replica, que no da su brazo a torcer, que está y estará en sus trece, que obstinadamente sigue su camino, atendiendo a la obra emprendida y al mismo tiempo a los que salen con piedras a su paso. ¿Que del gusto no se puede dar razón? *Yo estoy en la contraria* —exclama impertérrito—. ¿Que se alegan citas de autores disidentes con lo afirmado? *Nada nos embarazará* —declara— *la copia de autoridades que nos alegan en contrario.* Su seguridad le permite nadar a contracorriente.

Bien mirado, ya el título de su obra monumental —*Teatro crítico universal*— nos habla de la razón y sentido de su actitud. Pero a los títulos no suele atenderse, una vez que se ha esfumado su novedad y se ha sustituido con un valor convenido por la crítica, la fama o la controversia. Y, sin embargo, cuántas formulaciones acertadas (*Pérdida del Centro*, *La rebelión de las masas*, *La decadencia de Occidente*, *París era una fiesta*) que son más que anticipo del contenido: son diagnóstico, fórmula de la ambición o sensibilidad del autor. Y cuántas interpretaciones críticas llegaron laboriosamente a descubrirnos lo que ya había sido formulado en el título o subtítulo. Si Feijoo nos ofrece un *Teatro*, sabemos, pues, que tomamos asiento ante un retablo ameno, no científico, con presentaciones y representaciones de temas y problemas de la ciencia contemporánea. Al denominarlo *universal*, tenemos derecho a suponerlo variado, no monográfico-monolítico. Y si el autor lo quiere, además, *crítico*, hemos de esperar, a pesar de su amenidad, que no se proponga el mero entretenimiento, sino la verdad o sus contrarios, mentira y error.

Feijoo entiende por error «una opinión que tengo por falsa, prescindiendo de si la juzgo o no probable» (Prólogo, I). Este error arraiga preferentemente en el vulgo, al que, con típico y casi olímpico desdén neoclásico, llama «estúpido vulgo», «plebe supersticiosa», «indiscreto vulgo», «necio vulgo». A este vulgo demuestra la inexistencia del basilisco, del unicornio, del canto del cisne a la hora de su muerte, de profecías y milagros supuestos, de duendes y de espíritus familiares, de combustibles inextinguibles, de endemoniados; a este vulgo enseña su vano temor a eclipses y cometas, a la décima ola del mar, a dormirse sin que haya obrado la purga, a comer algo después de tomar chocolate; al vulgo muestra cómo el heliotropo no siempre se orienta hacia el sol. Ahora bien, Feijoo se cuida mucho de hacer dos distinciones capitales y complementarias, muy útiles para juzgar de la ortodoxia de su tarea intelectual: una, que en la esfera del entendimiento hay sólo dos puntos fijos, la revelación y la demostración; otra, que sólo en la teología ha de preferirse el criterio de autoridad sobre el de razón. Veámoslo en las palabras mismas de Feijoo, que son, por lo demás, cartesianismo recogido en Malebranche:

«Sólo de un modo se puede acertar: errar, de infinitos. Aun en el cielo no hay más que dos puntos fijos para dirigir los navegantes. Todo lo demás es voluble. Otros dos puntos fijos hay en la esfera del entendimiento: la revelación y la demostración. Todo el resto está lleno de opiniones ...» (Teatro, I, I, 2).

«Como advirtió bien el ilustre Cano, en la ciencia teológica se debe preferir la autoridad a la razón; en todas las demás facultades y materias se debe preferir la razón a la autoridad» (Teatro, VII, XV, 7).

Pero he aquí que Feijoo quiere residir en el campo de la «rigurosa Física», como gustaba de decir, o sea, en el «hemisferio de la naturaleza», no en el de la gracia; luego prevalecerá en su obra razón sobre autoridad. Entre muchos ejemplos posibles, acéptese esta minúscula representación:

«Yo no hago ahora el papel de teólogo, sino el de filósofo... y me ceñiré precisamente al examen de los remedios naturales» (Teatro, VII, XVI, 2).

«(Procuraré) no introducirme jamás a juez en aquellas cuestiones que se ventilan entre varias escuelas, especialmente en materias teológicas; porque, ¿qué puedo yo adelantar en asuntos que con tanta reflexión meditan tantos hombres insignes? ¿O quién soy yo para presumir capaces mis fuerzas de aquellas lides, donde batallan tantos gigantes? En las materias de rigurosa física no debe detenerme este reparo ...» (Prólogo, I).

Y de aquí su repulsa a los que, introduciendo la mentira en materias sagradas, arruinan el prestigio de la autoridad.

«La mentira, que siempre es torpe, introducida en materias sagradas es torpísima porque profana el templo y desdora la hermosísima pureza de la religión. ¡Qué delirio pensar que la falsedad pueda ser obsequio de la Majestad soberana, que es verdad por esencia! Antes es ofensa suya, y tal que tocando en objetos sagrados se reviste cierta especie de sacrilegio. Así, son dignos de severo castigo todos los que publican milagros falsos, reliquias falsas y cualesquiera narraciones eclesiásticas fabulosas. El perjuicio que estas ficciones ocasiona a la religión es notorio. El infiel, averiguada la mentira, se obstina contra la verdad. Cuando se le oponen las tradiciones apostólicas o eclesiásticas, se escudan con la falsedad de varias tradiciones populares. No hay duda que es impertinente el efugio, pero bastante para alucinar a los que no distinguen el oro del oropel» (*Teatro*, V, XVI, 5).

Y con ello topamos la explicación —parcial, pero suficiente— de muchas de las envidias denunciadas por el benedictino en 1729: Feijoo, al proclamarse algo así como campeón de la verdad, aparece como el enemigo principal, visible y público de la rutina, del lugar común y del engaño lucrativo. Su actividad reconoce dos campos: Iglesia y Pueblo. Ante la Iglesia su actitud es integradora y depuradora; ante las tradiciones populares, simplemente depuradora. Un punto de convergencia de ambos campos tropezaba siempre con su hostilidad más enconada: la identificación, o la enmarañada promiscuidad intencionada, de Iglesia y oscurantismo, de oro con oropel. Lo reconocen unos versillos tan mediocres como expresivos: «Yo en ningún tiempo creeré / [que la ceguera es piedad / y el error es religión»].

Todos los rasgos de la literatura cultivada por Feijoo coinciden con los que suelen asignarse al género ensayístico. No es ya posible emparentar su obra, en virtud de algunas coincidencias ocasionales, con el periodismo, pese a la gigantesca autoridad o prestigio de quienes lo sustentaron en otro tiempo. Feijoo es padre de ensayistas, y en particular del 98.

Pero este género no surge en España sin raíces. Por el contrario, existe y se ramifica por todo el Siglo de Oro un género misceláneo en el que cabe buscar su inmediato antecedente. Es la que el propio benedictino llamaría «literatura mixta». Esta literatura nos permite reconocer, precisamente, el carácter «espontáneo» de su enciclopedismo —quiere decirse su engranaje en un proceso nacional— y a ella aplica, obediente a necesidades nuevas, una actitud crítica. En este cruce —vieja literatura miscelánea sobre temas y problemas curiosos, con crítica moderna como explicación verosímil donde la ciencia no llega— radica precisamente su carácter ensayístico. La inserción de la obra feijoniana en esta corriente vieja nos permite descubrir la estructura dialéctica de sus «discursos» o ensayos.

Más de una vez se ha señalado que la voz discurso designaba al género ensayístico cuando éste carecía todavía de forma específica y reconocimiento genérico. El primer traductor español de Montaigne, fray Diego de Cisneros, titula su obra *Experiencias y varios discursos de Miguel, señor de Montaña*. Quevedo dice *Essais* o *Discursos* cuando habla del mismo autor y su obra, y se reserva la misma voz para su *Discurso de todos los diablos*. Los discípulos de Quevedo, los costumbristas Santos y Zabaleta —entroncados en la misma corriente literaria— incurren en idéntica palabra para designar ramificaciones postreras de la picaresca barroca, que son, de un lado, costumbrismo prerromántico, y de otro prefiguras del ensayo feijoniano. Así, *Día y noche de Madrid, Discursos de lo más notable que en él pasa*, de Santos; o el discurso que sigue a los *Errores celebrados*, publicado por Zabaleta en 1653, no reproducido en las *Obras en prosa* de 1667. (Por cierto que un anónimo aguafiestas, contemporáneo del autor, apostilla de su puño y letra, en el ejemplar de la Biblioteca Nacional: «Adviértase que los errores son los discursos».)

Cuando Feijoo la recoge, la voz «discurso» arrastra una significación un tanto varia e híbrida, entre literaria y científica, subjetiva, curiosa, amena; alude directamente a la que llama literatura mixta. Pero dejemos que el propio Padre Maestro nos justifique y califique la índole de su propia obra:

Yo tuve, algunos años ha, el pensamiento de escribir la Historia de la Teología, pero, habiéndolo comunicado a algunas personas cuyo juicio me era y es más responsable, me disuadieron de él, representándome que en España había mucha mayor necesidad de literatura mixta, cuyo rumbo había yo tomado, destinada a desengañar de varias opiniones erradas que reinan en nuestra región, y aun en otras, que de la Historia Teológica. (*Cartas*, IV, 10.)

El ensayo de Feijoo es, pues, literatura mixta; es, como el libro de Pero Mexía —reeditado continuamente hasta mediados del siglo xvii—, una *Silva de varia lección*. Con unidad de propósito, Feijoo nos brinda variedad de temas y problemas: eclipses y cometas, artes adivinatorias, métodos curativos, propiedades de minerales y plantas, anécdotas históricas o mitológicas, historias de energúmenos y de endemoniados, experiencias físicas, problemas de psicología o de fisiología, de lengua, de sociología, de política, de enseñanza. Todo cabe en este ameno y crítico *totum revolutum*, en este teatro mixto cuyo fin se adivina beneficioso a la fe y a las costumbres. No se precisa orden, o al menos otro orden que el mental. Mexía, el gran predecesor, declara igualmente no estar obligado a «guardar propósito ni orden en esta Silva, y por esto le puse este nombre, antes escribo las cosas acaso como se me ofrecen o a mí me parece» y discurre amenamente sobre arte militar, sobre la muerte, tritones y nereidas, propiedades de animales, yerbas o piedras, sobre el parecido físico, sobre la concordia conyugal, sobre la estatura ideal del hombre, sobre la historia de los turcos, sobre historia antigua, sobre el Anticristo, sobre la campana y sus conjuros, sobre la necesidad y excelencia del agua, sobre los días caniculares, sobre las amazonas, sobre la inteligencia de las hormigas, sobre las siete maravillas del mundo, sobre la música como terapéutica, sobre el instinto meteorológico de los animales, o nos explica, en fin, por qué ven los borrachos todo doble. Es el mismo *totum revolutum*, aunque con un destino disímil, que ya refleja el título: *Silva de varia lección ... en la cual se tratan muchas cosas agradables y curiosas.* Feijoo busca lo curioso, pero conoce, por las muchas «oposiciones» que sufre desde el principio de su obra, la antipatía con que se acoge una empresa cuya meta no es lo agradable, sino desterrar el error común, la práctica supersticiosa, el engaño lucrativo; o sea, restablecer la verdad.

Es sorprendente, sin embargo, encontrar rasgos familiares de la obra de ambos [Feijoo y Mexía] más abajo de la disposición de materias o del parentesco de las materias mismas; quiero decir que este parentesco se extiende a la estructura dialéctica de los *Discursos* del benedictino y de los capítulos del *Siete bonetes* sevillano. En ambos hay tres miembros explícitos —y, a veces, alguno de ellos sumergido, pero fácilmente recognoscible— que son el esqueleto argumental que garantiza de la seriedad o verdad de lo que se arguye. Estos tres miembros son: *experiencia, razón* y *autoridad*.

Luis Sánchez Agesta

FEIJOO Y EL EXPERIMENTALISMO

No es fácil hoy entender el valor histórico de la obra de Feijoo, en el doble sentido del significado que sus ideas tuvieron para sus contemporáneos y del sentido en que debemos comprenderlas. La principal dificultad está en Feijoo mismo; y es inútil ponderar ningún tema feijoniano, sin comprender previamente este hecho. Dicho en pocas palabras: la principal gracia de Feijoo no está tanto en sus temas como en su nueva forma de tratarlos o comprenderlos. Tal fue la razón de su éxito popular entre sus contemporáneos. Una cuestión tópica era presentada de repente con una sugestiva originalidad; un tema gastado adquiría nuevo brillo; un problema manido parecía que se escuchaba por primera vez. Y este efecto no era una incidencia o un acaso, sino un propósito deliberadamente querido y anunciado en el «Prólogo al lector», que precedió al primer volumen de su *Teatro crítico*.

Pese a que nos hallamos ante un designio expreso, tengo para mí que el propio Feijoo no tuvo conciencia desde el primer momento de la trascendencia de su propia obra. Este valor no estribaba tanto en deshacer errores comunes, como en la forma poco común con que los persuadía de error. Feijoo sabía, sin duda, que había en él una actitud mental contrapuesta a la que estaba en uso en las aulas y en las disputas académicas, pero quizá no tuvo conciencia, al publicar su primer libro, de que era éste el mensaje que estaba llamado a ofrecer a los hombres de su tiempo. Me fundo, para hacer esta afirmación, en las disputas que mantuvo con sus críticos y que versan sobre puntos varios de erudición, valor de fuentes o certeza de hechos, pero no sobre el modo mismo en que se articula y desenvuelve su pensamiento.

[La novedad de los planteamientos de Feijoo estriba fundamentalmente en que somete a la prueba de la observación y de la expe-

Luis Sánchez Agesta, «El *Cotejo de naciones* y la igualdad humana en Feijoo», en *El padre Feijoo y su siglo*, I, Cátedra Feijoo, Oviedo, 1966, pp. 205-208.

riencia los viejos temas polémicos sobre los que hay sentados errores comunes, bien en el juicio crédulo del pueblo, bien en el saber del vulgo de los doctores. Ésta fue la estrategia secreta de las guerras intelectuales del benedictino.]

Feijoo no recata su admiración por los nuevos métodos científicos de la ciencia experimental británica del siglo XVII, e incluso por la nación inglesa, aventajada en este uso de la experiencia, y es a su manera un aprendiz de esa observación perspicaz y sincera que culmina en el experimento como prueba que puede indefinidamente ser renovada y observada por otros. Desde sus primeros escritos, la observación de hechos para contradecir los juicios comunes es una técnica espontánea y habitual en la pluma de Feijoo. El error de concepto es rebatido y confundido con el testimonio de la naturaleza y la prueba de la experiencia. Una experiencia «perspicaz» y «sincera», porque su razonamiento muchas veces va encaminado a deshacer la falsa o superficial observación de una apariencia que podría dar una equivocada indicación del valor de los hechos. Por eso, sus más curiosos y populares escritos de los primeros tomos del *Teatro crítico* fueron aquellos en que, aduciendo hechos con un nuevo sentido, o explicándolos, combatía la astrología judiciaria, la medicina dogmática o las artes adivinatorias. Las predicciones meteorológicas, por ejemplo, sólo están bien fundadas cuando se apoyan en aquellas señales naturales que comúnmente preceden a determinados efectos con probada reiteración. La experiencia, nos advierte Feijoo, por lo común es madre del acierto, pero es muchas veces causa del error. El examen de los hechos puede deshacer las preocupaciones más arraigadas en el común juicio del vulgo o de los doctos, cuando es esa experiencia «perspicaz y sincera» que penetra las apariencias. Y así Feijoo puede darse el gusto de deshacer en un campo propicio, el de la historia natural, múltiples testimonios fabulosos. Son hechos contra hechos, que deshacen conclusiones apresuradas o mal fundadas; y a veces el propio Feijoo se adelanta a un primer plano para alegar su propia experiencia, que contradice las virtudes o cualidades maravillosas de un animal o planta a cuyo favor se alega algún testimonio vago y legendario. Las pruebas tienen en su pluma una simpática gracia: la culebra no tiene antipatía con el fresno, y Feijoo aduce testigo fidedigno, que por sí propio hizo la experiencia y la vio abrigarse y esconderse en las ramas de este árbol al acosarla con un fuego; los animales ponzoñosos en la mordedura no lo son tomados en comida, y Feijoo aduce el testimonio de un boticario amigo, cuyo perro devoró los escorpiones que aquél guardaba en un perol de aceite, y le hicieron muy buen provecho; no es cierto que el cisne canta cuando va a morir, porque un sujeto fidedigno le aseguró que en el Real Sitio de San Ildefonso se había hecho con los cisnes moribundos esta observación, y nadie les oyó despegar el pico; no es cierto que el oro no ocupe lugar en el agua, y Feijoo aclara que lo experimentó por sí mismo y da consejos a quienes quieran repetir la experiencia.

Que aplicara a las ciencias naturales y a los fenómenos de la naturaleza este nuevo enfoque de los problemas, nos parece hoy lógico. Incluso comprendemos que más tarde asumiera la tarea ingrata y delicada de desvelar el carácter natural de muchos fenómenos que el vulgo consideraba como milagrosos: aunque fuera misión esforzada, no era, en fin de cuentas, sino un deslinde del ámbito de lo natural y lo que quedaba fuera de la naturaleza. Lo que nos sorprende, en cambio, es que proyectara el mismo estilo de pensamiento para deslindar verdades en el campo del conocimiento del hombre y de la vida social.

Entendámonos. No es que Feijoo siga la línea —en cierta manera, tradicional— de deducir normas de conducta de la experiencia histórica. Precisamente, Feijoo condena la literatura política del siglo XVII que dirigía consejos al príncipe, como enseñanza de la historia misma, o de una selección de casos históricos acomodados a diversas circunstancias y eventos. Para Feijoo, estas circunstancias son tan variables, que apenas aprovechará esa experiencia en ningún caso. Los libros que enseñan la política por conclusiones, empresas o aforismos —dice Feijoo— sólo contienen unas reglas generales que cualquier hombre de buen entendimiento alcanza sin verlas en el libro, o admiten tantas limitaciones en los casos particulares, que vienen a ser absolutamente inútiles.

AGUSTÍN HEVIA BALLINA

FEIJOO Y SUS LIBROS

La biblioteca personal de cualquier estudioso sirve por sí misma, en primera instancia, para delinear el perfil intelectual de su dueño. En repetidas ocasiones, me he ocupado de la librería particular del

Agustín Hevia Ballina, «Un nuevo acercamiento al padre Feijoo: el *Catálogo* de la librería del monasterio de San Vicente de Oviedo», en *Studium Ovetense*, VIII (1980), pp. 312-320.

padre Feijoo, el benedictino galaico-ovetense que más libros acumuló y seguramente leyó en el Oviedo del siglo XVIII. [Su biblioteca contenía] desde obras donadas por reyes hasta humildes libros obsequiados por quienes se sometían de grado a la censura del Padre Maestro, como hiciera el propio Gregorio Mayans, enviándole sus producciones desde Valencia, pasando por los libros de controversia, en que se replicaba o atacaba aquel *Teatro* que tan variados temas hacía desfilar por su escena, hasta los que en Madrid le acaparaba el padre Martín Sarmiento, su compañero de hábito, en continuas rebuscas por las librerías que recibían las últimas novedades de Flandes, de Italia, de Francia, de Portugal, de Alemania o de Inglaterra.

Cuantiosa biblioteca llegó así a rodear la monacal celda del benedictino Feijoo, pero las inquietudes intelectuales del Padre Maestro no podían quedarse plenamente satisfechas con el arsenal que le proporcionaba su librería particular, sino que muchas horas del día, e incluso de la noche, hubo de templar armas para sus duras polémicas, revolviendo en afanosa búsqueda viejos ejemplares que abarrotaban los anaqueles de la librería conventual. [...] No podía hallar allí libros tan ricos de noticias para su ávida curiosidad como, por ejemplo, las *Memorias de Trévoux*, porque las apetencias de saber de los restantes monjes de San Vicente no se habían dirigido hacia campos tan inexplorados en las lecturas de las celdas como los que empezaba a airear el Padre Maestro desde su *Teatro*, pero sí, en cambio, le ofrecían todavía no escasa fuente de noticias los libros que la paciencia benedictina había ido acumulando a lo largo de siglos en el recinto monástico.

En la librería conventual, en efecto, encontraba el padre Feijoo, según podemos deducir del *Catálogo* de la biblioteca monástica, confeccionado hacia el año 1831, los libros de teología y de las restantes ciencias eclesiásticas de que carecía su propia biblioteca. No le tentaron demasiado a nuestro benedictino los temas teológicos o de la Escritura. Con todo, sobre la base de los expositores de la teología tradicional, resolvió él muchas de las cuestiones fronterizas con que hubo de enfrentarse para disipar el «error común». En la librería monacal tenía acceso a los más renombrados teólogos que habían elaborado síntesis teológicas orientadas al clero. Autores, como Alain, Becano, el cardenal Belarmino, Gersón, Eck, Cano, Petavio, Polo, Vitoria, Valsechio, Walsende, Posevino y Tomasino, entre muchos otros de menor nombradía, abastaban con su ciencia y con el predicamento de su prestigio la librería monacal. También estaban a disposición del benedictino no pocos comentarios escolásticos, como los de Aguirre, Alvelda, Berti, Cienfuegos, Durando, Estio, Gonet, Lessio, Lombardo, Lugo, Mastrio, Medina, Molina, Salas, los Salmanticenses, Sfrondati, Soto, Suárez, Juan de Santo Tomás, Vázquez y Vega, entre una pléyade de casi setenta expositores escolásticos.

El derecho canónico, aparte del *Corpus iuris*, le ofrecía las exposiciones de Barbosa, Cabalasio, Engel, Lastra, Maschat, Pignatelli, Piring, junto con las de Democharre, Fagnano, Luca, y otros acerca de las *Decretales*. Para las decisiones de los concilios podía acceder a las colecciones de Bail, Baptistelio, Harduin, Cabasuccio, Loaisa y Carranza y la hispana del cardenal Aguirre. En teología moral, tenía a disposición a san Antonino, Echarri, Suárez, Concha, Castropalao, Gobat, Diana, Vázquez, Bonacina, Lacroix, con algunos otros. Y para la Sagrada Escritura, podía consultar los comentarios y exégesis de El Tostado, el famoso obispo abulense, Cornelio a Lápide, Calmet, cardenal Hugo, Lyra, Arias Montano, Maldonado, Cayetano, Cantalapiedra, Castro, Cerdá, Jansenio, Lorin, Melo, Oleastro, Salazar, Silveira, Titelman y Toledo, con tantos otros.

No menor acopio le ofrecía la librería monástica en punto a historia de la Iglesia, así como para la civil. Por las abundantes citas que encontramos en sus obras, es dado deducir que no pocas veces hubieron de serle de utilidad al Padre Maestro. Observación que se puede hacer extensible a los cuantiosos tratados filosóficos, en que abundaba la biblioteca de San Vicente.

En el aspecto científico, bien es verdad que la celda monacal de Feijoo dispuso de un buen caudal de libros, pero, aun así, todavía le eran asequibles algunos tratados sobre variados puntos de la ciencia en los escritos monásticos. Así, para la medicina, se le ofrecían las exposiciones de Boerhave y del doctor Martín Martínez; para las ciencias naturales, podía consultar a Gesnerio, Plinio y al abate Pluche. En astronomía, se hallaban a disposición de los monjes los tratados de Dati, Eck y Iunctino.

Para consulta general se encontraban a mano diccionarios ricos en todo género de noticias interesantes y curiosas de carácter geográfico, histórico y científico, como podían ser los de Moreri, Baiset, Montpalau, junto con el Léxicon de Suidas. Por el de Ambrosio Calepino y por el Du-Cange, podía hallar Feijoo explicaciones etimológicas y significados de términos latinos y en la *Biblioteca* de Nicolás Antonio encontraba abundantes datos y noticias sobre las obras y los escritores españoles.

Aun cuando en la propia celda se albergara una no despreciable colección de libros del mayor interés para las lecturas del benedictino, la seguridad que le ofrecía la librería monástica en punto a esporádicas consultas y verificaciones, que excedían de los alcances de sus propios libros, constituía para el Padre Maestro un apreciable complemento. Su espíritu curioso nunca dejaba sin verificar una cita o un dato curioso que se le ofreciera en sus lecturas. Cualquier cabo que dejara suelto podría ser exhibido por sus enemigos como punto de partida para los más virulentos ataques. En aquellos casos, en que ni aun la librería del monasterio o los recursos, menguados por cierto, que podía suministrarle aquel Oviedo del siglo XVIII, no alcanzaban a sacarlo del apuro, encontraba Feijoo el precioso apoyo, que podía ofrecerle desde Madrid la inagotable erudición de su amigo, el padre Martín Sarmiento. En la celda de su monasterio de San Martín de Madrid, había éste allegado tan copiosa librería, amén de las facilidades que le ofrecían la Biblioteca Real y otras de nombradía en la villa y corte, que raro resultaba que pasara ninguna de sus citas sin la debida comprobación.

No pocos servicios de la librería de San Vicente se dejan traslucir en la obra del padre Feijoo, [...] son los rastros que han quedado de unas lecturas y un asiduo frecuentar aquel acervo de libros, que constituían auténtica muestra de las inquietudes intelectuales que vivía el Oviedo del siglo XVIII. En un país de no muchos libros y de no grande número de lectores, los monjes benedictinos encontraban acopio crecido con que abastar sus ansias de saber. Iglesia y cultura nunca estuvieron reñidas, antes al contrario siempre han caminado íntimamente hermanadas. La figura del padre Feijoo constituye hito señero de tan concorde peregrinar. Un hombre de lectura insaciable, de curiosidad sin límites, inmerso entre libros, se nos ofrece desde una faceta pequeña de sus lecturas. Con ellas alcanzamos a conocerlo un poco más. El *Catálogo* de la librería monacal de San Vicente contribuye a acercarnos, aunque en menguada proporción, a lo que fue vivencia íntima de su amor a los libros; nos ofrece posibilidades de conocer una parcela del mundo cultural ovetense dieciochesco.

Juan Marichal

EL DESENGAÑADOR DE LAS ESPAÑAS

Según cuenta su contemporáneo Lanz de Casafonda era Feijoo «venerado por un Oráculo en toda España y en las Indias». El padre Sarmiento habla, refiriéndose al *Teatro crítico*, de «la universal aceptación que tiene esta excelente obra». El número mismo de las ediciones del *Teatro* y de las *Cartas eruditas* atestiguan el extraordinario éxito de los escritos del benedictino. Aun más significativo a este respecto, como ejemplo concreto de la difusión de sus ideas, es el que se hiciera un índice general de su obra, y que luego fuera éste ampliado y transformado en diccionario. En efecto, en 1774, en Madrid, publica José Santos un *Índice general alfabético de las cosas más notables que contienen las obras de Feijoo*. Y en 1802, también en Madrid, Antonio Marqués y Espejo publicará el *Diccionario feijoniano*. Y dato todavía más curioso: en tiempo de Carlos III se publicó en Madrid una revista titulada *Feyjoo crítico moral y reflexivo de su Teatro, sobre Errores Comunes*. No hay pues que situar a Feijoo como espléndida figura solitaria que se yergue rebelde en medio de la ignorancia y la indiferencia de sus contemporáneos. Su fama inmediata, el número infinito de sus lectores prueban que tuvo su obra una resonancia sin igual. [Él mismo dirá:] «Quince años ha que estoy continuamente declamando contra la fatua credulidad que reyna en el mundo; y pienso que el mundo, a la reserva de pocos individuos, en quanto a esta parte, se está como se estaba. Todos oyen mis voces y casi todos parece que están sordos a ellas».

Estas palabras nos ponen de manifiesto el móvil grandioso de su empresa literaria y los efectos de su acción espiritual. «*Todos oyen mis voces*», nos dice, consciente del éxito alcanzado, mas con un tono quejumbroso motivado por su creencia en el poder de la palabra. ¿A qué más puede aspirar un escritor sino a que se le oiga? Y Feijoo fue, efectivamente, oído por todos. No nos dejemos enga-

Juan Marichal, «Feijoo y su papel de desengañador de las Españas», en *La voluntad de estilo*, Seix Barral, Barcelona, 1957, pp. 165-184 (165-175, 177-178).

ñar por su postura altanera en lo que respecta al estado cultural de España. La avidez con que se le leyó prueba que se le esperaba, y, pese a su sentimiento de fracaso, produjo su obra un cambio indudable en el clima espiritual del mundo hispánico. Pensemos en la influencia ejercida por Ortega y Gasset en nuestros días y se nos aclarará la supuesta pretensión de Feijoo de haber predicado en el desierto. La postura suya de combatir al *vulgo* tiene, además, significación literaria en sí misma. Aparte de los efectos prácticos de sus prédicas, lo que Feijoo logra es inventarse a sí mismo. Como Guevara, como Montaigne, como Azorín, Feijoo crea un personaje literario único, se crea a sí mismo, fray Benito, el «desengañador de las Españas». Feijoo hablará de cómo hacer historia, de cómo se debe filosofar, de que se debe cultivar la ciencia experimental, pero no será historiador, ni filósofo, ni hombre de ciencia. Y es que lo esencial en él, literariamente, es el impulso personalizante. No podía limitarse, como hicieron los grandes eruditos españoles de su época, a aspectos parciales del saber humano, puesto que su intento literario le hacía forzoso abarcar el ámbito total de la cultura.

La grandiosidad de su impulso es muy semejante, en magnitud ambiciosa, a la de un conquistador de nuevas tierras. Él mismo se equipara a los conquistadores hispánicos, y nos da la clave de su móvil literario en la dedicatoria del cuarto tomo de las *Cartas eruditas y curiosas*, dedicado a la reina de España, doña María de Portugal. Al referirse al éxito que han tenido sus obras en Portugal, escribe:

Bien comprehendo, Señora, que en esta benevolencia que debo a la Nación Portuguesa, no debo contar por mérito mío lo que es generosidad suya. Acaso algunos la imaginaran pasión nacional; porque habiendo yo nacido en los últimos confines de Galicia, hacia Portugal, es fácil equivocar la qualidad de vecino con la de paysano. Mas como *nadie es capaz de poner prisiones a la imaginación* no pude atajar el *arrojado vuelo* que tomó la mía a buscar otra causa; que, a ser bien verificada, altamente lisonjearía mi amor propio. Acaso (¿qué sé yo?) me ganó el afecto de aquella animosa Nación haber reconocido en mi *rumbo literario* cierta imitación de genio: de aquel genio, digo, cuyo elástico impulso naturalmente *rompe* hacia empresas altas y peligrosas; de aquel *orgullo arrogante*, que, no cabiendo dentro de todo el mundo conocido, se *ensanchó* por millares de leguas al Oriente, y al Poniente, a una y otra India: de aquel *noble aliento*, que dió a una Provincia la conquista de tantas Provincias por medio de tantos Héroes, que divididos, pudieran ilustrar muchos Reynos, quales fueron los Gamas, los Almeydas, los Alburquerques, los Castros, los Pachecos, los Sylveiras, los Magallanes, y otros, cuya fama durará cuanto dure el mundo.

Acaso (vuelvo a decir) me captó la benevolencia de los señores Portugueses contemplar en alguna manera *imitada* en mi proyecto de impugnar errores comunes la *magnanimidad de aquellos ilustres Conquistadores*; pues no podían mirar *mi empresa* sino como extremadamente ardua, *extraordinaria, peligrosa*. Combatir errores envejecidos, es lidiar con unos tan raros monstruos, que, en vez de debilitarlos la senectud, les aumenta el vigor. La qualidad de comunes desde luego hacía ver que había de *armar contra mí* una multitud inmensa de enemigos, como, de hecho, desde los principios se vieron cubiertas de ellos las *campañas*, que apenas me quedaron, o como favorables, o como indiferentes, la décima parte de los mortales. Y aun este número *se me acortó* mucho más, luego que me vieron en el *empeño* de establecer la igualdad intelectual de los dos sexos; vindicando el amable y débil de la injuria, que generalmente se le hacía en negarle esta igualdad. O, quántos sarcasmos me atraxo esta *noble empresa!* (*Cartas*, IV, pp. VI-VIII.)

Estas líneas de Feijoo, aunque no sean de las más típicas suyas, revelan muy claramente los rasgos característicos de su intento literario, y son ellas mismas la expresión estilística de su impulso individualizador. Nadie es capaz de poner prisiones a la imaginación, nos dice, poniendo así de relieve no un hecho general discutible, sino una característica suya. Su imaginación, en efecto, toma un arrojado vuelo al buscar la causa de su éxito en Portugal. No es en su caso una frase retórica. Feijoo aspira a dar ritmo de acción a su estilo, ya que él se ve a sí mismo en permanente actividad conquistadora, en perpetua lucha con el mundo en torno. «Rumbo literario», la expresión que emplea para compararse a los portugueses, nos sugiere viajes y resuelto encaminamiento, pero algo también de rumboso, de gesto nobiliario. Al continuar la comparación, dice «rompe hacia», expresión activa clave, de impulso más que de realización. Y otro término muy significativo: «ensanchar». Feijoo quiere ensanchar el ámbito cultural de España, así como él mismo ha querido abarcar todos los conocimientos de su tiempo. Vemos además que «orgullo arrogante» forma pareja con «noble aliento». Esto, aparentemente, es retórica, ya que se dirige a la reina de España, que es portuguesa. Pero Feijoo se identifica inmediatamente con los grandes héroes portugueses, y nos parece como si se incluyera en la expresión «y otros» con que termina la enumeración de éstos. En el segundo párrafo habla ya concretamente de sí mismo. Si Feijoo se complace en escoger como término de comparación a los conquistadores portugueses se debe no sólo al paisanaje sino también quizás a ciertos rasgos de los exploradores y aventureros lusitanos. El primero que cita es Gama, el último Magallanes, navegantes los dos, hombres que abren el camino de zonas tenebrosas. Y lo que antes era descrito como rumbo literario es ahora *empresa* ardua y peligrosa. Empresa, tal como usaba la palabra en la primera parte del texto citado, significaba *objetivo*. Ahora es la acción misma, el combatir errores comunes. Éstos son como monstruos, raros monstruos, quizá semejantes a los imaginarios monstruos marinos que no arredraron a los navegantes portugueses. Y la conciencia de esta amenaza produce en la prosa de Feijoo toda una serie de términos militares: armar, enemigos, campañas. Feijoo se ve a sí mismo en guerra de conquista espiritual contra el numeroso ejército del vulgo, y además, desde que salió el primer tomo del *Teatro*, se cubrieron efectivamente de enemigos muchas tierras hispánicas. Pero el saberse atacado le anima a seguir la lucha, le confirma sobre todo en su idea de que sus escritos son una fuerza liberadora. «Yo no puedo con honor abandonar tantos ignorantes», dice en otra ocasión, «entre quienes miro muchos como *conquista mía*, a que sobre ellos vengan a *hacer correrías* los partidarios de los Errores Comunes» (*Cartas*, II, p. xxxi). De nuevo expresiones y términos militares: conquista, hacer correrías. Y fraternal ademán quijotesco: no puede dejar desamparados a los ignorantes. Muy al principio de su actividad literaria dirá de sí mismo que sale al campo «sin más armas que el raciocinio y la experiencia». Es, por lo tanto, una empresa literaria con aire militar. Feijoo espera, quiere que sus enemigos sean numerosos, y poderosos. Sus partidarios, en cambio, muy escasos, una décima parte de los mortales. Y pronto, nos dice en el texto citado, «este corto número se me acortó». El uso del dativo de interés expresa directamente la actitud de Feijoo respecto a sus lectores y a sus seguidores. De la misma manera que había hablado de ellos como conquista suya, ahora dirá que se *le* acortó el número de sus partidarios. La relación posesiva que él establece con su público es una manifestación más del impulso personalizante y del gesto señorial que le caracterizan. Frente a los genios del mal, frente a los Errores Comunes, agigantados por las mayúsculas, alza quijotescamente su personalidad dominadora de Desengañador.

Lo fundamental en él, lo que le ha creado literariamente, es el afán individualizante, la aspiración a relacionar, dinámica y combativamente, la realidad circundante con su persona. El móvil literario real de Feijoo no es tanto desengañar a los españoles como explayar su personalidad por el vasto campo de los Errores Comunes. Su obra, más que un repertorio de ideas dieciochescas, es su propia *novela*, como lo sugirió Emilia Pardo Bazán en su magnífico ensayo sobre

Feijoo. Percibió la escritora gallega que lo esencial en la obra del benedictino no es el racionalismo sino la forma en que él lo vive. Y es que en definitiva las supercherías y supersticiones combatidas por Feijoo juegan, en su vida y en su obra, el mismo papel que las «soñadas invenciones» en la imaginación de don Quijote. Su fantasía quizá, pero más aún su afán por realzar su personalidad, se recreaba con todas las creencias absurdas que él atribuía al pueblo español, pero que muchas veces sólo existían en los libros. Feijoo vio quijotescamente muchos gigantes donde no los había para poder proyectar sobre el fondo de sus sombras amenazadoras la grandiosidad señorial de su figura de «desengañador de las Españas».

El impulso personalista de Feijoo, móvil real de su empresa *desengañadora*, se expresa claramente también en su afán por crearse un estilo propio que le haga sobresalir entre los escritores de su tiempo. «Todos han conocido que mi estilo siempre es mío, siempre tiene un carácter que le distingue de los demás estilos», afirma Feijoo con la misma altivez con que se quejaba de la sordera espiritual de sus contemporáneos. Estas palabras suyas, como muchas de las citadas anteriormente, nos revelan sus aspiraciones personalistas. Feijoo siente, muy justamente, que el estilo es algo emanado de la persona y no de algo externo a ella. En esta actitud literaria Feijoo está completamente en la línea de escritores declaradamente antirretóricos como Montaigne, por ejemplo. «Ni he tenido estudio, ni seguido algunas reglas para formar el estilo. Más digo, ni le he formado ni he pensado en reformarle. Tal qual es, bueno o malo, de esta especie, u de aquella, no lo busqué yo; *él se me vino*; y si es bueno, como V. md. afirma, es preciso que haya sido así, como voy a probar», le escribe a uno de los supuestos corresponsales de las *Cartas eruditas* (*Cartas*, II, VI, 1). No hay estilo, para Feijoo, sin naturalidad. El estilo para ser *natural* ha de ser personal, no imitado de nadie. Ha de ser la expresión literaria del carácter de la persona, y él advierte que «cada hombre tiene su carácter que le distingue, y hace distinguir por los que son dotados de algún conocimiento» (*ibid.*, 8). No hay en esto, por parte de Feijoo, originalidad absoluta, pero, como en el caso de Séneca, uno de los antecedentes suyos en este aspecto, el calor con que es expuesta la idea de la relación entre hombre y estilo es más importante que la idea en sí. Refleja en ellos su clara voluntad de estilo, su impulso hacia la propia expresión. La actitud de Feijoo le sitúa dentro de lo que llamamos *senequismo lite-*

rario hispánico que, inaugurado por Alonso de Cartagena y Hernán
Pérez de Guzmán, representa una tradición permanente en nuestra
literatura, y que consiste tanto en una reiteración secular de las
mismas ideas como en una semejante actitud literaria, ligada a una
voluntad de filiación. Actitud que Gracián define cuando habla de
que «en España siempre hubo libertad de ingenio ... sus dos primeros
ingenios, Séneca en lo juicioso y Marcial en lo agudo, fundaron esta
opinión, acreditaron este gusto» (*Agudeza y arte de ingenio*, discurso LI). Y añade: «Quedó vinculado este gusto ... en esta ingeniosa
provincia ... y nunca más válido que en este feraz siglo, en que han
florecido sus ingenios ... discurriendo todos a lo libre». El discurrir
a lo libre, he aquí uno de los rasgos formales del *senequismo literario
hispánico* que se encuentran en Feijoo. Pero, si en él desemboca esta
tradición de afán por personalizar la expresión literaria, esta actitud
cobra un sesgo más radical en la fundamentación suya. En efecto, su
oposición a la retórica va de par con su antiescolasticismo. Intentar
escribir bien siguiendo las reglas de la preceptiva es lo mismo que
tratar de razonar bien ateniéndose a las reglas sumulísticas. Para escribir bien, dice Feijoo, se necesita tener lo que él denomina *tino
mental*, expresión que nos parece como clave de su actitud espiritual
y literaria. La elección del término *tino* pone de manifiesto su orientación filosófica, muy dieciochesca. Toda su teoría respecto a la belleza, su admiración por los sabios ingleses, particularmente por
Bacon y Boyle, su antiescolasticismo, su anticartesianismo también,
todo parece estar simbolizado y representado en esa expresión. Y de
ahí que Feijoo no estime útil tampoco la práctica del escribir, el
ejercicio literario, como conducente a forjarse un estilo propio. «Mi
experiencia me hace desconfiar de este medio» (*ibid.*, 22). Esta frase
también nos da sucintamente la imagen espiritual del benedictino
gallego, confiando ante todo en su experiencia personal. El adjetivo
posesivo que inicia la frase revela esa seguridad en sí mismo, esa
desconfianza en todo lo abstracto que son sus dos características
espirituales más acusadas. [...]

El estilo de Feijoo es como su conversación. Es el estilo de un
hombre afable de tertulia conventual, de un catedrático retirado que
ya no tiene ocasión de dar animadas conferencias. Hay aún momentos profesorales, pero en general el tono es *familiar*, puesto que ya
no es menester alzar la voz. Lo que predomina es la naturalidad, la
personalidad de Feijoo. Al leer sus obras le sentimos presente en

cada página, pero su estilo no es el de un artista del lenguaje. Al
apuntar Feijoo a su público inmediato, más que al público de siempre, crea lo que Ortega y Gasset ha llamado *obra operante*, sin gran
valor artístico. Su obra tiene aire periodístico, fisonomía de revista
unipersonal. Sin embargo, dentro del ensayismo hispánico tienen los
escritos de Feijoo una gran significación. La importancia de su influencia literaria, mayor que su arte, confiere a Feijoo un lugar especial en el desarrollo del ensayo español.

RAFAEL LAPESA

EL ESTILO DE FEIJOO

Repetidamente aboga Feijoo por la naturalidad del estilo, ya
desde el punto de vista doctrinal, ya refiriéndose a su propia manera de escribir. Como teoría recuérdese, entre otras, la rotunda
declaración que hace en 1745:

Sólo por dos medios se puede pretender la formación de estilo, el de
la imitación y el de la práctica de las reglas de la Rethórica [*sic*] y el
Exercicio. Asseguro, pues, que por ninguno de estos medios se logrará
un estilo bueno. No por el de la *Imitación*, porque no podrá ser perfectamente natural, y sin la naturalidad no hay estilo, no sólo excelente, pero
ni aún medianamente bueno. ¿Qué digo, ni aún medianamente bueno?
Ni aún tolerable.

Respecto a su propio estilo más de una vez asevera nuestro
benedictino que ha surgido espontáneamente. Ya en 1728, en el
segundo tomo del *Teatro crítico*, anunciaba:

El estilo también es el mismo (del tomo I). Si hasta aquí te agradó,
no puede ahora desagradarte. Digo el mismo respectivamente a las materias; pues ya sabrás la distribución que el recto juicio hace de los tres

Rafael Lapesa, «Sobre el estilo de Feijoo», en *Mélanges à la mémoire de
Jean Sarrailh*, Institut d'Études Hispaniques, París, 1966, pp. 21-28 (incluido
en *De la Edad Media a nuestros días*, Gredos, Madrid, 1967, pp. 290-299).

géneros de estilos, consignando a la moción de afectos el sublime, a la instrucción el mediano y a la chanza el humilde. Yo a la verdad no pongo algún estudio en distribuirlos de esta manera ni de otra. Todo me dexo a la naturalidad... En punto de estilo tanto me aparta mi genio del extremo de la afectación, que declino al de la negligencia. [...]

Esta actitud de Feijoo responde a su fe radical en la naturaleza, fe a la que obedece también cuando rechaza la medicina o la cosmología apartadas de la observación. Asimismo se enlaza con otra idea directriz del autor, la de la gracia o don innato: «El que no tiene genio, nunca es Eloquente, por más que haya estudiado las reglas de la Rethórica, y lo es el que lo tiene, aunque no haya puesto los ojos ni los oídos en los preceptos de este Arte»; consecuentemente «en lo que mira a hablar o escribir con exornación, gala y agudeza, basta el genio y sobra el estudio». Juan Marichal ha puesto de relieve con gran acierto que en el pensamiento y en el sentir del «desengañador de las Españas» estilo natural y estilo personal son una misma cosa. Gracias a la existencia de específicas dotes personales la naturalidad no supone entrega al abandono, aunque está mal avenida con la retórica y la imitación, y aunque es inútil intentar perfeccionarla mediante el ejercicio: «El acierto en esto, como en otras muchas cosas, depende puramente de una facultad anímastica que yo llamo *Tino mental*. El que tiene esta insigne prenda, sin ninguna reflexión a las reglas, acierta; y quanto con mayor perfección la posee, tanto con más seguridad se pone en el punto debido. El que carece de ella, por más que ponga los ojos en las reglas, desbarra». Este sentido intuitivo, dádiva gratuita de Dios, funciona en sus elegidos —entre los que Feijoo se incluye— con natural espontaneidad: «A un espíritu que Dios hizo para ello, naturalmente se le presenta el orden y distribución que se debe dar a la materia sobre que quiere escribir; la encadenación más oportuna de las cláusulas, la cadencia más ayrosa de los períodos, las voces más propias, las expresiones más vivas, las figuras más bellas. Es una especie de Instinto lo que en esto dirige el Entendimiento». Ahora bien: el reducir el acto creador al funcionamiento de las dotes intuitivas no lo despoja por completo de elaboración: en el célebre pasaje que contrapone la prosa clásica francesa y la del barroco español Feijoo dice que los escritos del país vecino son «como jardines donde las flores espontáneamente nacen, no como lienços donde estudiadamente se pintan». No los compara con montes ni praderas ricos en flora silvestre, sino con jardines, cuyo cultivo y disposición limitan forzosamente la espontaneidad encomiada.

Como ejemplo de naturalidad hija de infusas dotes creadoras transcribe Feijoo una página que sobre un tema dado «produxo por diversión un sugeto de alguna habilidad, pero que jamás había estudiado ni una hoja de Rethórica». Ese autor anónimo —probablemente el mismo Feijoo— distribuye los miembros de frases y períodos en constante juego de paralelismos y contraposiciones, con muy sabia técnica amplificatoria: «Es la Nobleza semilla de la virtud. *Siémbrase en el cuerpo, y fructifica en el alma.* Quien *comunica la sangre, comunica los espíritus.* Aun a largas distancias conserva su purpúreo raudal la dirección que le dio la excelsa fuente de donde se deriva. De *el fervor que la inflama,* se levanta *la llama que la ilustra.* Sirve la gloria heredada de estímulo contra las perezas del corazón... Ofrécele aquel objeto al Noble *un original, de quien* ha de sacar en sí mismo *la copia; un* espejo *donde vea,* no *lo que es,* sino *lo que debe ser, una* escuela mental *en quien sus Progenitores* son *sus Maestros ...»*

Aceptemos, puesto que fray Benito Jerónimo dice creerlo así, que el autor de estas líneas ignoraba definiciones y nombres de los primores retóricos; no obstante, su pretendida espontaneidad se moldeaba en cauces formales abiertos por larga tradición literaria. Su prosa recortada y simétrica se parece notablemente a la que usan los moralistas del siglo XVII, que entroncaba, añadiéndole nervio y densidad, con la de Guevara en el XVI, dispuesta en miembros contrapesados, ya paralelos, ya antitéticos. [...] En el *Teatro crítico* son muchas las muestras de prosa paralelística o antitética, tantas que llegan a ser resabio caracterizador; véanse algunas:

«El valor de las opiniones se ha de computar *por el peso,* no *por el número* de las Almas. Los ignorantes, por ser muchos, no dexan de ser ignorantes. ¿Qué acierto, pues, se puede esperar de sus resoluciones? Antes es de creer que la multitud *añadirá estorvos a la verdad, creciendo los sufragios al error.* Si fue superstición extravagante de los Molosos, Pueblo antiguo de Epyro, *constituir el tronco de una encina* por órgano de Apolo, no lo sería menos *conceder* esta prerrogativa *a toda la selva Dodonea.* Y si de *vna piedra,* sin que el Artífice la pula, no puede resultar la imagen de Minerva, la misma impossibilidad quedará en pie aunque se junten *todos los peñascos de la montaña.* Siempre alcançará mas *vn discreto solo que vna gran turba de necios,* como verá mejor al sol *vna Águila sola* que *vn exército de Lechuzas.»* (*Voz del pueblo,* § 1, *Teatro,* I, 1.) [...]

«Paréceme a mí que los que de *la consideración de las facciones* quieren inferir *el conocimiento de las almas* invierten el orden de la naturaleza, porque fían *a los ojos* un oficio que toca principalmente *a los oídos.* Hizo la naturaleza *los ojos para registrar los cuerpos, los oídos para examinar las almas.* A quien quisiere conocer el interior de otro lo que más importa *no es verle, sino oírle.* Verdad es que también este medio es falible, porque no siempre corresponden las palabras a los conceptos; mas una atenta observación por la mayor parte descubrirá el dolo, siendo el trato algo frecuente. Y al fin, *padecerán muchas veces ilusión los oídos; mas nunca*, siguiendo las Reglas Physionómicas comunes, *alcanzarán la verdad los ojos*.» (*Physionomía*, § 1, 3, *Teatro*, V, II.) [...]

«Si yo desde que me di a los estudios, pudiesse haver prevenido que mis tareas literarias havían de conseguir algún día el supremo honor con que las corona la Carta que V.E. se ha servido dirigirme, huviera *antes* puesto *más cuidado de merecerle*, y por consiguiente padeciera *ahora menos sonrojo al recibirle*; pues aunque ningún esfuerzo mío *bastaría al fin a proporcionarme a tan elevado favor, bastaría al fin a darme la satisfacción de no desmerecerle* por mi negligencia.» (*Sobre los systhemas philosóficos*, § 1, *Cartas*, II, XXIII.)

Podrían multiplicarse los ejemplos, que representan diversos tipos de sintagmas no progresivos y diversos modos de estructurar conjuntos semejantes. Unos entran en la categoría general del desarrollo amplificatorio por adición; otros, en la del paralelismo antitético, en que la similitud de formas realza el contraste de contenidos. No intentaré aquí analizarlos ni clasificarlos. En cambio querría hacer notar que, si bien aparecen desde los primeros volúmenes del *Teatro crítico* hasta los últimos de las *Cartas eruditas*, no se dan con igual profusión en todos los discursos. La índole de los asuntos tratados es propicia unas veces, y otras refractaria, a la disposición simétrica de las frases: en *Voz del pueblo* hay páginas enteras estructuradas así, y en *Guerras philosóficas* pululan las frases paralelísticas sueltas; pero en *Medicina* escasean, y apenas hay alguna en *Paradoxas physicas*, sin salir de los dos primeros tomos del *Teatro*. Evidentemente el «tino mental» del autor acomodaba los primores de estilo a las conveniencias de la exposición. Por otra parte, si los paralelismos abundan en algunos de los discursos más antiguos, son raros o excepcionales en las *Cartas*.[1] Acaso influya la

1. [«He tratado de ver [...] si, como Lapesa [1966] señalaba, el "tino mental" de Feijoo acomodaba los primores de estilo a las conveniencias de la exposición. Por eso he buscado en las *Cartas*, especialmente en aquellas más o menos directamente preocupadas por el estilo, el paralelismo y los diferentes modos de estructurar conjuntos semejantes. Sabemos que Feijoo es un radical creyente en la naturaleza, un apasionado defensor de la gracia o don innato. En su argumentación sobre «El estudio no da entendimiento» (V, carta 6. Cito por la edición de 1781), dispone así las lamentaciones del pobre tío de aquel sobrino a quien el estudio no conseguía agudizar la inteligencia: "... pues ni ve que en los asuntos que se ofrecen a la conversación discierna mejor los objetos, ni forme más acerados dictámenes, ni perciba con más claridad lo que oye, o pruebe mejor lo que piensa, o responda mejor a lo que se le opone".

diferencia de género literario, ya que la carta pide ordinariamente más llaneza; acaso Feijoo, a lo largo de su carrera literaria, fuese perdiendo el gusto por la distribución artificiosa del período, herencia de siglos anteriores. En cualquier caso estas impresiones de lector necesitarían corroborarse con estadísticas de frecuencia.

En el estilo de Feijoo sobresale también la abundancia de imágenes. Él mismo reconoce que, sin buscarlo, usa a veces del estilo sublime, «o porque la calidad de la materia naturalmente me arrebata a locuciones figuradas, que son más eficaces cuando se trata de

La estructura paralelística va concatenando las cláusulas con *ni* que alternan con el nexo disyuntivo/copulativo o en un desarrollo amplificador por adición que se intensifica progresivamente desde *ve, forme, perciba/pruebe, responda*, culminando así con la respuesta tras la prueba, tarea que el benedictino ovetense consideraba oficio de cada día. A veces la reiteración es de elementos parcialmente sinónimos, agentes de una morosidad que busca y consigue un clímax de intensificación: "... afilan, sutilizan, o adelgazan los Entendimientos; de modo que parece que adquieren un nuevo ser. No, señor mío. El estudio, los libros, los Maestros, no hacen ingenioso al que no lo era". Tres sintagmas verbales y tres sintagmas nominales, estos últimos articulados, individualizando así los significados conceptuales, en una expresión opuesta quizás a la que la lengua de hoy esperaría. Discurre Feijoo que "no es menester suponer desigualdad intrínseca en las Almas, sí sólo diversidad en la organización o temperie de los cuerpos". Y en perfecto paralelismo nos da la prueba mostradora de que "siempre sería vanísima la pretendida Ciencia de los Physonomistas": "El que ayer se hallaba torpe para discurrir, hoy discurre con expedición. El que ayer encontraba los objetos circundados de nieblas, hoy los tiene patentes a sus ojos». Abandona Feijoo sus disquisiciones para volver al tema de la carta, y con toda su ironía de ilustrado consuela al atribulado pariente: "Supongo que nunca puso la mira a lograr en él un sujeto distinguido en la República Literaria; sí sólo a que él logre alguna razonable conveniencia por el camino del Estado Eclesiástico, y para eso no ha menester mucha ciencia. Sin ella podrá ser Cura, podrá ser Prebendado, podrá ser Obispo. Más digo, sin ella podrá ser un buen Cura, un muy estimable Eclesiástico, y un excelente Obispo. Todo esto podrá ser un medianito Canonista, o Theólogo Moral, adornado de buenas costumbres, intención recta, prudente conducta". Creo que este texto es un perfecto alarde de utilización consciente de todos los recursos de la lengua, de esa conciencia lingüística originaria, ese idioma nacional característico del ensayo. En principio tres sintagmas de idéntica andadura sintáctica, de fuerte efecto reiterativo, girando alrededor del futuro *podrá*. Pero en la cláusula siguiente, *Cura, Prebendado, Obispo*, abandonan su valor esencializante para singularizarse por medio de *un*, y cada uno de ellos se hace acompañar de un adjetivo que en perfecta gradación va desde *buen* a una expresión analítica *muy estimable* para culminar en la síntesis *excelente*. Toda una exhi-

mover algún afecto, o porque tal vez la imaginación, por estar más caliente, me socorre de expressiones más enérgicas. Y ni yo cuido de templarla quando está ardiente, ni de esforzarla quando está lánguida». No es que las imágenes empleadas destaquen siempre por su originalidad: a menudo son triviales, como al pintar a «la Virtud *metida entre espinas*, el Vicio *reposando en lecho de flores*»; al decir que el poderoso envejecido «en las fuerças que va perdiendo, en las dolencias que va cobrando, tiene un continuo aviso de que poco a poco se le va *desmoronando* con el *domicilio de la vida* el *templo de la fortuna*»; o al hablar de «*el Teatro* de la disputa», «las *lides del entendimiento*», etc. A veces personificaciones y metáforas constituyen una larga serie alegórica, como cuando trata de las contradicciones entre las teorías de los médicos:

Desde su concepción va siguiendo a la medicina esta desdicha: pues *señalan o fingen por primer padre suyo al Centauro Chirón*, Maestro de Esculapio, en quien el encuentro de dos naturalezas puede considerarse como *constelación que influyó en la Medicina, al nacer*, tanta oposición de doctrinas. *Fue criada después como niña expósita*, porque no avía otra regla, para curar los enfermos, que exponerlos en las Plazas y calles públicas para que los que transitaban les prescriviessen remedios, en que precissamente avría diversidad de pareceres; hasta que Hypócrates *la*

bición de construcción lingüística. Pero como si la sustancia del contenido quisiera ser negada por la forma de ese mismo contenido, todo eso nos lleva a un diminutivo *medianito*, muy raro en nuestra lengua, por ello más significativo, que nuevamente se abre en una triple estructuración: *buenas costumbres, intención recta, prudente conducta*. Y termina Feijoo con su receta para, a pesar de esa medianía, ser un hombre público, receta intencionada o malintencionada, rezumando una acre modernidad, modernidad que siempre nos asombra en Feijoo: "Lo primero una feliz memoria, en que se puedan almacenar muchas noticias literarias. Lo segundo, una constante aplicación a recoger multitud de éstas. Lo tercero, una abundante verbosidad. Y finalmente, una buena dosis de audacia, o satisfacción de sí mismo: de modo que suceda lo que sucediere no se corte, ni acobarde jamás, que sea en Actos públicos, ni en conversaciones privadas". Otra vez el paralelismo es el vehículo expresivo escogido por Feijoo. [...] Creemos cierto que los paralelismos van disminuyendo desde sus primeros *Discursos* a sus *Cartas*, pero dentro de ellas creemos encontrar una profusión de dicho recurso lingüístico en las cartas más relacionadas con problemas de estilo.» (Carmen Díaz Castañón, «En torno al estilo del padre Feijoo», en *II Simposio sobre el padre Feijoo y su siglo*, I, Cátedra Feijoo, Oviedo, 1981, pp. 275-278, 283-284.)]

tomó por su quenta para darla leche en la pequeña Isla de Coo, donde el perpetuo embate de las Aguas pudo ser nuevo presagio de la interminable lucha de opiniones. (*Medicina*, § III, 14, *Teatro*, I, 116.)

Tampoco hay en esta alegoría nada que no ·pueda encontrarse en el siglo XVII; pensemos en desarrollos parecidos tan del gusto de Saavedra o de Gracián. Pero en muchos casos las imágenes del benedictino representan una renovación; ya lo advirtió G. Delpy, quien hizo notar cómo reflejan a veces la influencia de los libros de viajes y de los conocimientos científicos. Muy frecuentemente aparecen metáforas certeras, novedosas y llenas de intención: «los más de los Heresiarcas ... fueron reputados en varios Pueblos como *Archivos venerables de los Mysterios Divinos*» (*Teatro*, I, 1727, 8); «los Estoycos en *la oficina de la virtud* pretendían *transformar los hombres en mármoles*» (*ibid.*, 34); «Ballivio, intentando poner en harmonía tres vozes, la de Hypócrates, la de su systema y la de la observación, quiso *establecer en este triunvirato el govierno absoluto de la práctica médica*» (*ibid.*, 120); «Nadie hasta ahora fixó ni pudo fixar columnas con la inscripción "Non plus ultra" a las ciencias naturales. Éste es *privilegio municipal* de la doctrina revelada» (II, 1728, 12); los profesores ancianos son grandes enemigos de novedades filosóficas «o por el amor que con el largo trato cogieron a la escuela que siguen, o porque consideran *matrimonio indissoluble el que hicieron con la doctrina estudiada*» (*ibid.*, 26). Feijoo tenía sentido muy agudo y clara conciencia de la fuerza expresiva que encerraba en sus imágenes; uno de sus primeros discursos comenzaba así: «Es el Cometa una fanfarronada de el Cielo contra los Poderosos de el Mundo» (I, 223); años después, comentando alabanzas recibidas con motivo de esta frase, dice que si en ella hay algún mérito, «todo consiste en el oportuno uso de la voz *Fanfarronada*, la qual por sí es de la clase de aquellas que pertenecen al estilo baxo; con todo, tendría mucho menos gracia y energía si dixesse: *Es el cometa una vana amenaza de el Cielo*, etc...; siendo assí que la significación es la misma y la locución *vana amenaza* nada tiene de humilde o plebeya». El «genio» de Feijoo le lleva a gustar de la expresión atrevida y condensada. A· pesar de sus condenas a la hinchazón culterana, alaba sin reservas la traducción de Lucano por Jáuregui, «donde aquella arrogante valentía, que aun oy asusta a los más apassionados de Virgilio, se halla con tanta integridad trasladada a nuestro idioma, que puede dudarse en quien brilla más espíritu, si en la copia, si en el original».

Arrogante valentía, brillo del espíritu: condiciones que echaba de menos en la poesía francesa, que le parecía lánguida y sin brío:

Los Franceses notan las poesías Italiana y Española de muy hyperbólicas. Dicen que las dos Naciones dan demasiado al Enthusiasmo y por excitar la admiración se alexan de la verisimilitud. Pero yo digo que quien quiere que los Poetas sean muy cuerdos, quiere que no aya Poetas. El furor es el alma de la poesía. El rapto de la mente es el buelo de la pluma.

Feijoo continúa de una parte el gusto barroco por la bizarría expresiva, pero por otro anuncia la exaltación sentimental del prerromanticismo, que había de ponderar los placeres y virtudes del entusiasmo. Ahora bien, al enriquecer su prosa didáctica con imágenes propias del «estilo sublime» o cargadas de expresividad, Feijoo no obedecía sólo a impulsos estéticos: recordemos que según sus propias palabras las locuciones figuradas «son más eficaces cuando se trata de mover algún afecto»; y esta eficacia es, sin duda, otra razón que le impulsa a emplearlas, no para conmover a sus lectores, pero sí para captar su atención y estimular su pensamiento. Las galas del estilo eran instrumento de atracción. Como Ortega y Gasset, Feijoo se dio cuenta de que «en España, para persuadir es menester antes seducir». Aunque sus imágenes no puedan entrar en parangón con las de Ortega, unas y otras obedecen a la misma necesidad. Y no es éste el único rasgo común al iniciador de la Ilustración bajo los primeros Borbones y al maestro de filósofos de nuestro siglo: uno y otro pugnaron por abrir a las mentes españolas los horizontes de la cultura europea; uno y otro se valieron del ensayo como género de más alcance para la acción divulgadora y más adecuado para la manifestación de sus propias y potentes individualidades.

2. TORRES VILLARROEL

El género literario del siglo XVIII peor conocido y menos estudiado es el novelístico. Frases como las siguientes pueden encontrarse por todas partes: «El género narrativo en prosa apenas fue cultivado en el siglo XVIII» (García López, *Historia de la literatura española*, 8.ª ed., p. 365); refiriéndose a la novela dice Montesinos [1955]: «Estos comienzos del siglo XVIII español son de una aridez aterradora. Para encontrar un poco de curiosidad y fervor literarios hay que venir a los tiempos de Carlos III y parar mientes en las tareas de aquellos escritores que constituyen el grupo llamado salmantino» (p. 16).

Ahora bien, hay aquí dos aspectos de un mismo problema: primero, si hubo o no literatura narrativa autóctona en la primera mitad del siglo XVIII, y segundo, si se publicaba o no literatura narrativa.

El primer tema parece sentenciado a la vista de la bibliografía existente, ya que todo lo más que se recuerda es a Torres Villarroel, del que a veces sólo se cita como obra novelesca su *Vida* (1743). Sin embargo, esto no hace más que remitirnos al mismo problema que plantea la poesía o el teatro, es decir, a la ausencia de creadores auténticos, pero no exactamente a la carencia de novelizadores, poetas o dramaturgos. Entonces, y se enlaza con el segundo tema, el problema exige un análisis sociológico. Tan imposible parece que dejaran de representarse obras dramáticas nuevas o antiguas, como que dejaran de leerse narraciones en prosa nuevas o antiguas. En consecuencia, lo que hace falta es confeccionar un catálogo detallado de las obras de carácter novelesco editadas en el primer dieciocho. En ese catálogo, que nos urge, entrarían las obras nuevas, las reediciones de los autores de los siglos XVI y XVII, las traducciones y los pliegos de cordel de carácter novelesco.

Lo que hasta ahora se ha hecho es muy poco y muy deficiente. En cuanto a obras nuevas contamos con el conocido libro de Brown [1953], que, aunque por el título parezca una bibliografía novelesca desde 1700 hasta 1850, sólo recoge escasas cosas nuevas a partir de 1728, y de Torres sólo la *Vida*. Montesinos ha estudiado [1955] las traducciones, pero la más antigua que cita, en el «Esbozo de una bibliografía española de traducciones de novelas», es la de fray Miguel de Sequeiros de *Los mil y un cuartos de hora*, de Thomas Simon Gueullette, fechada en 1742, y otra de 1745 de la *Historia de la vida, hechos y astucias sutilísimas del rústico Bertoldo*, de Giulio Cesare della Croce. La siguiente en fecha, 1769, es ya posterior al *Fray Gerundio* de Isla, y se trata de los *Viajes de Enrique Wanton a las tierras incógnitas australes y al país de las monas*, del conde Zaccharia Serinam. A partir de 1774 hay ya varias traducciones, aunque no demasiadas. Bien es verdad que Montesinos dice (p. 186) que se propuso empezar en 1800, aunque «hemos excedido con alguna frecuencia» esa fecha, «ya que en la segunda mitad del siglo XVIII, y en ocasiones antes (hemos visto que las ocasiones son dos nada más), llegaron a nosotros libros que suponían un gran cobro». Lo que, en definitiva y en castellano derecho, significa que no estudió a fondo la bibliografía de las traducciones dieciochescas, y por lo mismo que esa bibliografía hay que hacerla.

En cuanto a las ediciones de textos novelescos anteriores no existe ningún catálogo ni estudio; pero es indudable que las hubo, y abundantes, a lo largo de la primera mitad del siglo XVIII.

De aquí la pregunta clave: ¿qué narraciones leían u oían leer los españoles del primer dieciocho? Es posible que fundamentalmente novelas de los siglos anteriores, y acaso más en pliegos de cordel y en periódicos que en libros de cierta envergadura. De la literatura de cordel se ha ocupado Caro Baroja [1969], en un precioso libro, en el que, desgraciadamente, la literatura narrativa en prosa ocupa menos páginas de las que desearíamos. A pesar de eso queda suficientemente de relieve el gran número de novelas de caballerías que circulaban, generalmente modernizadas y en extracto; la abundante cantidad de vidas de santos, más o menos novelizadas, continuando incluso tradiciones literarias medievales, y la frecuencia de narraciones legendarias o semihistóricas sobre personajes españoles. Caro Baroja llega a escribir: «En épocas más modernas, en el mismo siglo XIX, del folletín salió la gran novela: en él está la raíz de todo Balzac. Y sobre esto resulta que entre los libros de cordel, en la literatura más popular y aun populachera que cabe imaginar aquí, en España, se publican insistente, reiteradamente, las *novelas de Cervantes*, y otros textos clásicos más, no abreviados o adulterados, sino en su integridad» (p. 341). Dice esto Caro Baroja a propósito del problema literatura de masas-literatura de minorías, sobre el que expone atinadísimas ideas, en las que ahora no cabe entrar.

Aunque no pertenezca a la primera mitad del XVIII, no puedo dejar de citar una curiosa revista que se publicó entre 1775 y 1777: *Tertulia de la aldea y miscelánea curiosa de sucesos notables, aventuras divertidas y chistes graciosos*. Bajo el artificio de una tertulia nocturna en un pueblo cercano a Madrid, en la que los contertulios narran todas las noches historias, aventuras y chistes, los 24 *pasatiempos* incluyen un resumen del *Quijote*, de diversas *Novelas ejemplares* y de otras obras del siglo XVII, con chistes procedentes de Florestas españolas y libros extranjeros. Si el artificio asemeja esta obra al *Deleitar aprovechando* de Tirso de Molina, por otro lado, al publicarse periódicamente, se acerca a los pliegos de cordel. Prohibidos por el Consejo de Castilla los pliegos que seguían repitiendo los viejos temas de los libros de caballerías, estos nuevos pliegos, que en parte podríamos considerar como un antecedente de la novela por entregas, caen dentro de la literatura popular. El autor había publicado previamente otros cuarenta pliegos de cordel, cada uno de los cuales incluía una historia (episodios bíblicos, vidas de santos y temas épicos, el Cid, los infantes de Lara, pérdida y restauración de España, Bernardo del Carpio y Fernán González).

Pero, ¿sólo leían esto nuestros compatriotas del siglo XVIII? No lo sabremos con exactitud mientras no se haga el catálogo de toda la literatura narrativa publicada en esos años. Montesinos [1955] pudo escribir: «¡Qué mal conocemos los finales del siglo XVIII, tan fascinadores! ¡Cuántas sugestiones podría insinuarnos, cuántos lugares comunes invalidar, cuántas preocupaciones desvanecer *una buena bibliografía de aquellos tiempos*!» (p. 186). Con todo lo cual estoy de acuerdo, pero adelantando la investigación bibliográfica hasta 1680, aunque no sean años tan fascinadores. Otro texto del mismo Montesinos demuestra su preocupación: «Urge inventariar la cultura española, espontánea o refleja, del siglo XVIII, sobre todo en su declinar, cuando tan rico de promesas aparece, promesas, por desgracia, frustradas luego. Las bibliografías que se han hecho no alcanzan fecha tan tardía o no recogen datos tan tempranos, y es absolutamente imposible ser, no ya completo, pero ni siquiera ofrecer una información aproximada» (p. 18). Dejo a un lado la posible discusión sobre las promesas frustradas, para manifestarme de nuevo de acuerdo con Montesinos, pero ampliando el campo hasta 1680, porque desde entonces hasta 1750 ocurren en el campo de la cultura, y concretamente en el de la narración en prosa, cosas interesantes, que un buen catálogo bibliográfico y un detallado análisis sociológico pondrían de relieve, y que me parecen fundamentales para entender lo que sucede en el segundo dieciocho y en su consecuencia directa, que es la primera mitad del XIX. Por suerte en estos momentos se está elaborando en Oviedo una tesis doctoral, que va a arrancar precisamente de un catálogo lo más completo posible de todas las novelas editadas en el siglo XVIII.

Al tratar del género novelesco el primer problema del historiador de la literatura es el de delimitar lo que es y no es novela. Se trataba ciertamente de un género que quedaba fuera de todos los tratados, ligado, como mucho, a la poesía épica, y por lo mismo juzgado a partir de las normas de la épica. En el siglo XVIII, y no sólo en España, los críticos andan despistados, sin tino, sin tener una sola palabra de Aristóteles o de Horacio que aplicar a tales producciones literarias. Añádase, en lo que a España se refiere, la frecuente acusación contra las novelas de ser causantes de inmoralidad (Montesinos [1955], pp. 38-47). Este ambiente confuso incide a su vez sobre los mismos escritores. Y de aquí el problema actual para delimitar el campo. Sería muy conveniente estudiar con detenimiento las ideas vigentes en el siglo XVIII, desarrollando las páginas de Montesinos que acabo de citar, y esto acaso como paso previo al establecimiento del catálogo bibliográfico que tanto nos urge.

Precisamente todos estos problemas inciden sobre la obra de creación de Diego de Torres Villarroel (1693-1770), uno de los más interesantes y complejos autores del primer dieciocho. En pocos casos de toda la literatura española biografía y obra están tan íntimamente ensambladas como en Torres, y no sólo por haber publicado su *Vida, ascendencia, nacimiento, crianza y aventuras del doctor don Diego de Torres Villarroel* (1743; V trozo, 1750; trozo Vb, 1752; VI trozo, 1758), sino porque fue un autor que se regodeó en hablar de sí mismo en muchas de sus obras. Mercadier [1978] ha puesto de relieve el «incesante deseo de escribir sobre sí mismo, fenómeno éste sin precedentes en la historia de la literatura española», y ha podido reunir 81 textos autobiográficos, extraídos de 57 obras, desde 1718 hasta 1765, contando los seis trozos de la *Vida*.

Ya Valera había calificado esta obra de «novela picaresca», y este término ha venido aplicándose por unos y por otros, hasta el punto de ser editada como tal; por ejemplo por Valbuena Prat [1943], que la califica de «nuestra última novela picaresca» (véase también Mesa [1962]). Es indudable que tal calificativo no puede aplicársele a la *Vida*, pero menos a la auténtica biografía de Torres. Marichal [1965] califica la *Vida* como el arquetipo de una autobiografía burguesa, rechazando, desde luego, el concepto peyorativo del adjetivo «burgués»; lo sería porque trata de narrar el ascenso social y económico de un hombre originariamente oscuro. Para el burgués-escritor sus libros son objeto de comercio, y en este sentido dice Marichal: «Dudo que en todo el siglo XVIII haya un escritor que haya sabido vender su tiempo y escribir libros como objetos vendibles mejor que Torres Villarroel». Alborg [1972, *cit.* en «Preliminar»] niega el carácter picaresco de la vida real de Torres, porque «fue la de un acomodado burgués, profesional de las letras, catedrático de universidad durante casi un cuarto de siglo, gozador satisfecho de la vida que apenas le negó satisfacciones, amigo de altos personajes, protegido y estimado por los nobles, conocedor de la más alta popularidad que ningún otro escritor de su siglo hubiera conquistado». La *Vida* no tiene ninguna intención picaresca. «En realidad, *Torres escribió su autobiografía para vindicación y justificación polémica de su persona y obra literaria*» (p. 308; el subrayado es del autor). Alborg resume su estudio así: la nueva interpretación de la *Vida* y de la existencia real de Torres puede concretarse en dos puntos, «el carácter no picaresco, en absoluto, de su obra y persona, y el tono esencialmente mundano de su existencia y producción, mundanidad que desmiente la supuesta imagen de un Torres atormentado por angustias de índole religiosa y escindido en contradicciones ascéticoterrenales» (véase también Suárez-Galbán [1975]).

Este último punto hace referencia a la interpretación de Sebold en su Introducción [1966] a su edición de las *Visiones y visitas de Torres*. Sebold señala el carácter bifronte de la vida y la obra de nuestro autor; insiste en lo complejo de la personalidad de Torres, y recuerda el propio retrato que el autor hace en la dedicatoria de la segunda parte: «centauro mixto de pata galana y religioso, ya moral, ya desenfadado, ya místico, ya burlón». Sebold subraya las contradicciones y la ambivalencia de la obra torresiana. Para el profesor norteamericano Torres, a la hora de escribir su autobiografía, sólo disponía de dos modelos, las falsas biografías de los pícaros y las biografías o autobiografías de santos, frailes y monjas; Torres tenía que buscar algo entre las dos formas, sin abandonar ninguna de ellas. De ahí que su *Vida* sea una mezcla de la biografía del fraile y de la del ahorcado. En estas mismas ideas, pero profundizando más en el análisis de lo novelesco en la *Vida*, insiste en un precioso libro [1975] en el que pone de relieve los ingredientes literarios y técnicos de la obra de Torres.

Berenguer Carisomo [1965], analizando los sucesos de la biografía real de Torres y las palabras del propio escritor, niega también el carácter picaresco de la una y de las otras, considerando a Torres como un burgués dieciochesco.

Mercadier [1972] pone de relieve el carácter autobiográfico de las obras de Torres, hasta en las más ajenas al género autobiográfico, como las hagiografías, los opúsculos de teología moral o de divulgación científica. Por eso no le extraña que Torres haya querido hacer de su propia existencia el asunto único de un libro. Mercadier advierte la obsesión del autor por el problema que le planteaba «el sayo de su alcurnia» plebeya. Se pregunta Mercadier: «¿Por qué hablaba de sí? ¿Por qué se metía en corro y se exhibía tan fácilmente? ¿Para ganar dinero? Sin duda», contesta; pero hay motivaciones más profundas. «El prólogo al lector y la introducción de la *Vida* nos muestran a un autor que se sitúa de entrada en postura de agredido. Una manía persecutoria implacable se manifiesta en la serie de interrogantes que presta a un supuesto lector» (p. 27). Mercadier ve a Torres como una víctima de la incomprensión de los otros, que se dirige a ellos para informarles, rectificar su error, disipar los mitos que él mismo contribuyó a forjar. Torres es un hombre de teatro, capaz de metamorfosis constantes. En esta perspectiva «el *picaris-*

mo de Torres podría, en varias ocasiones, reducirse a un traje simbólico, sacado de lo que el tiempo había convertido en mera guardarropía literaria» (p. 29).

Esta interpretación de Mercadier, que me parece exacta, plantea la oposición entre el yo-sujeto y el yo-objeto (de la que vuelve a tratar Sebold [1975]), es decir, el carácter de fabulación de la realidad no excluye la presencia de muchos elementos autobiográficos, lo que permite considerar la *Vida* como una autobiografía novelesca, pero no como una autobiografía picaresca.

Entre 1727 y 1728 publica las *Visiones y visitas de Torres con don Francisco de Quevedo por la corte*, acaso la obra más importante de don Diego. Quevedo se aparece en sueños a Torres y, juntos, visitan las calles de Madrid haciendo ambos comentarios sobre los diversos personajes que encuentran. La galería de tipos que desfilan por estas páginas es grande, y la sátira mordaz, menos contenida que la de Quevedo, a quien Torres pretende en parte imitar en el estilo, aunque no renuncie al propio. Dice Alborg [1972, *cit.* en «Preliminar»] a este propósito: «La asimilación quevedesca es de tal índole y contiene a su vez tal porción de originalidad que no hubiera podido lograrse sin un persistente esfuerzo y, sobre todo, sin un estudio heroico de las posibilidades expresivas del idioma» (p. 333). El expresionismo de las *Visiones* se manifiesta en el léxico y en los juegos conceptistas, que se unen a un lenguaje coloquial y hasta vulgar y a bastantes innovaciones lingüísticas. Lo ha estudiado muy bien Martínez Mata [1977] en un trabajo inédito del que reproduzco después unas páginas.

Para Sebold [1966], las *Visiones* están ideadas al estilo de las visiones imaginarias intelectuales de los místicos, en tanto que la figura de Quevedo sólo se concede a los ojos de Torres y que «la figura percibida, aunque puro efecto de la fantasía, parece para la persona favorecida con la visión tan real como si fuera vista y oída con los sentidos exteriores». En un análisis bastante detallado y convincente, Sebold encuentra que la técnica torresiana se relaciona directamente con cuadros de El Bosco, que Torres pudo ver en El Escorial en 1726 (pp. LX ss.). Frente a esta interpretación está la de Paul Ilie [1968], que no acepta la de Sebold y que subraya el carácter deshumanizador de Torres y el predominio de los valores estéticos sobre los morales.

En 1743 publica don Diego *La barca de Aqueronte*, obra escrita en 1731. La sátira abarca a médicos, gentes de justicia, mujeres y diversos; pero en un manuscrito que ha editado Guy Mercadier [1969] hay otros capítulos dedicados a la universidad y a la nobleza, acaso los más interesantes, aunque no ofrezcan grandes novedades respecto de escritores anteriores y contemporáneos e incluso en relación con otras obras del propio Torres.

En la producción literaria de don Diego hay otras obras que podrían igualmente incluirse en una historia de la novela. Así las *Introducciones* a sus *Almanaques*, que son pequeños cuadros costumbristas y que todavía no han sido seriamente estudiados, cuando merecería la pena establecer el lazo que los une con Santos y Zabaleta de un lado y con los artículos costumbristas de periódicos como *El Pensador, El Diario de las Musas* y *El Censor* por el otro. Y fueron tantos los almanaques publicados (casi todos los años desde 1718 hasta 1766), que una antología de tipo costumbrista constituiría un magnífico y agradable libro.

A la obra dramática de Torres me refiero en el capítulo 5. Algo hay que decir de su poesía, aunque sólo sea para subrayar que no ha sido estudiada con detenimiento, a pesar de ser tan amplia la producción poética de Torres. Me atrevo a afirmar que, a pesar de sus contactos con el culteranismo y con el conceptismo, merece más atención de la que se le ha dedicado. Puede verse Navarro González [1971], López Molina [1971] y Mercadier [1974]. No está de más recordar lo que ya decía Cueto [1869]: «Es de notar que Torres habla siempre de sus poesías con marcado desdén, llamándolas generalmente *coplas*, y considerándolas como desahogos juveniles y devaneos sin alcance y sin valor. ... Sus versos, por la espontaneidad, por el donaire, y a veces por la naturalidad y el ingenio, merecen un recuerdo de la posteridad. ... Aunque no poeta de numen elevado, Torres era poeta» (p. xxvii).

Aunque nos dice en *El ermitaño y Torres* que los más de sus papeles los ha parido «sobre el arcón de la cebada de los mesones», hoy nadie cree en la improvisación estilística de nuestro autor; otros testimonios demuestran que cuidaba mucho su estilo, que corregía y que buscaba siempre «las fórmulas más pintorescas y más agresivas», como dice Mercadier, que eran las que mejor cuadraban a los fines que se proponía. Segura Covarsí [1950], que reconoce el esfuerzo estilístico de Torres, habla de dos variantes, que corresponden a dos etapas: la primera, afectada, un poco retórica, caracterizada por el empleo de una sintaxis complicada y vocabulario abundante; la otra, más sencilla y natural. El propio Torres dice en una ocasión que su «cuidado ha sido sólo hacer patente su pensamiento con las más claras expresiones, huyendo de hablar el castellano en latín o en griego, peste que se ha derramado por casi todo el orbe de los escritores de España». A pesar de esta declaración, Torres abusa de los juegos de palabras y de los ingeniosos conceptos. Su patente voluntad de estilo le hace, sin embargo, apartarse del conceptismo y del culteranismo todavía reinantes entonces en ciertos ambientes literarios.

Para terminar quiero transcribir un interesante texto de Alborg [1972, ya citado]: «Como escritor no tiene igual en todo el siglo xviii, y si atendemos a la riqueza de su lenguaje y a su asombrosa capacidad expresiva, tampoco es fácil encontrarle rival en el mismo Siglo de Oro;

es cómodo decir que imitó a los clásicos y que es un mero epígono o remedador de ellos, pero es éste un tópico en el que no deseamos caer. Torres es una incomparable fuente del idioma, afirmación que arriesgamos después de habernos chapuzado sin prisa en la torrentera —parece un juego de palabras— de sus quince volúmenes de *Obras*. Hay en éstas innumerables aspectos que merecen, y aguardan todavía, detenidos análisis; a Torres se le viene despachando sin leerlo, porque ni siquiera sus libros están muy a la mano, con cuatro frases hechas, siempre injustas. Pensamos en los estudios a que hubiera dado lugar si perteneciera a cualquiera otra literatura. Algunos trabajos recientes denuncian un creciente interés por la obra del salmantino, que parece anunciar su reivindicación, pocas veces tan merecida; pero con ellos no se ha pasado aún de poner la primera piedra del edificio crítico que se le debe erigir. No para elogiar todos sus escritos, con "crítica rosa", ni para inventarle excelencias o profundidades inexistentes, pero sí para subrayar los muchos aspectos de su singularidad» (p. 360).

BIBLIOGRAFÍA

Berenguer Carisomo, A., *El doctor Diego de Torres Villarroel o el pícaro universitario*, Buenos Aires, 1965.

Brown, Reginald F., *La novela española, 1700-1850*, Dirección General de Archivos y Bibliotecas, Madrid, 1953.

Caro Baroja, Julio, *Ensayo sobre la literatura de cordel*, Revista de Occidente, Madrid, 1969.

Cueto, Leopoldo Augusto, *Bosquejo histórico-crítico de la poesía castellana en el siglo XVIII*, Rivadeneira, BAE, LXI, Madrid, 1869.

Ilie, Paul, «Grotesque portraits in Torres Villarroel», en *Bulletin of Hispanic Studies*, XLV (1968), pp. 16-37.

López Molina, Luis, «Torres Villarroel, poeta gongorino», en *Revista de Filología Española*, LIV (1971), pp. 123-134.

Marichal, Juan, «Torres Villarroel: autobiografía burguesa al hispánico modo», en *Papeles de Son Armadans*, XXXVI (1965), pp. 297-306.

Martínez Mata, Emilio, «El expresionismo en la prosa satírico-visionaria de Diego de Torres Villarroel»; tesina de Licenciatura inédita leída en 1977 en la Universidad de Oviedo.

Mercadier, Guy, ed., Torres Villarroel, *La barca de Aqueronte (1731)*, CRIEH, París, 1969.

—, ed., «Prólogo» a Torres Villarroel, *Vida*, Castalia, Madrid, 1972.

—, «Diego de Torres Villarroel, animateur d'une joute poétique», en *Hommage à André Joucla-Ruau*, Aix-en-Provence, 1974, pp. 139-145.

—, *Torres Villarroel. Textos autobiográficos. Repertorio bibliográfico*, Cátedra Feijoo, Oviedo, 1978.

—, *Diego de Torres Villarroel. Masques et miroirs*, Éditions Hispaniques, París, 1981.

Mesa, C. E., «Torres Villarroel, vértice de la picaresca», en *Abside*, México, XXXII (1962), pp. 211-217.

Montesinos, José F., *Introducción a una historia de la novela en España, en el siglo XIX*, Castalia, Madrid, 1955.

Navarro González, Alberto, «Don Diego de Torres Villarroel, poeta catedrático de la Universidad de Salamanca», en *Una figura salmantina. Don Diego de Torres y Villarroel*, Salamanca, 1971, pp. 15-28.

Sebold, Russell P., ed., «Introducción» a Torres Villarroel, *Visiones y visitas de Torres con don Francisco de Quevedo por la corte*, Espasa-Calpe (Clásicos Castellanos, 161), Madrid, 1966.

—, *Novela y autobiografía en la «Vida» de Torres Villarroel*, Ariel, Barcelona, 1975.

Segura Covarsí, Enrique, «Ensayo crítico de la obra de Torres Villarroel», en *Cuadernos de Literatura*, VIII (1950), pp. 125-164.

Suárez-Galbán, Eugenio, *La «Vida» de Torres Villarroel: literatura antipicaresca, autobiografía burguesa*, Estudios de Hispanófila, University of North Carolina, 1975.

Valbuena Prat, Ángel, *La novela picaresca española*, Aguilar, Madrid, 1943.

JUAN MARICHAL

TORRES VILLARROEL: AUTOBIOGRAFÍA BURGUESA
AL HISPÁNICO MODO

Los historiadores de la literatura española que se han ocupado
de Torres Villarroel han repetido la imagen convencional de un
picarón trasnochado, de un fósil del siglo XVII. En una muy estimable historia de la literatura española se dice todavía hoy que
Torres Villarroel «se llama a sí mismo un nuevo Lazarillo, Guzmán
o Gregorio Guadaña». Y se concluye: «(Torres Villarroel) es una
realización efectiva de la novela picaresca». El autor parece olvidar
que Torres Villarroel dice justamente que no es ninguno de los personajes aludidos: «ni soy éste ni aquél ni el otro; y por vida mía
que se ha de saber quién soy». Un historiador de la cultura española tan meticuloso como el doctor Marañón tampoco es muy justo
con Villarroel: diríase que lo engloba en su conocida antipatía a la
novela picaresca y lo llama «famosísimo tunante», «embaucador»,
«escritor sinvergüenza». Lo considera, por supuesto, como un español casi contrario a su propio tiempo, al siglo XVIII de su admirado
Feijoo. Se podrían citar aquí muchas más opiniones semejantes. Casi
la única excepción es la de Gerald Brenan en su personalísima historia de la literatura española: Torres Villarroel es, según Brenan,
«in every way a man of his age». Esta misma tesis someto ahora a
la consideración del lector.

Un comodín pedagógico del cual ningún profesor de literatura
ha escapado es el contraste entre el impersonalismo del siglo XVIII

Juan Marichal, «Torres Villarroel: autobiografía burguesa al hispánico
modo», en *Papeles de Son Armadans*, XXXVI (1965), pp. 297-306.

y el subjetivismo romántico, entre la faz casi anónima del caballero racional y el yoísmo desenfrenado de los llamados «hijos del siglo». Sin duda ese comodín, como tantos otros, desempeña una función indispensable en las tareas docentes; pero es también, como diría nuestro padre Feijoo, un patente error común. Porque el siglo de las luces es una de las grandes épocas de la autobiografía en el mundo euroamericano. [...]

El ascenso social y económico de un hombre originariamente «oscuro»: he aquí el tema de muchas autobiografías, diríamos también que de muchas vidas reales del siglo XVIII. El móvil de la autobiografía, del relato de ese ascenso, es forzosamente diferente al de las autobiografías anteriores: no hay en el siglo XVIII el tono autobiográfico que podríamos llamar *penitencial*. Todos recordamos que Ortega y Gasset decía que en España no había memorias porque los españoles concebían la vida como un permanente dolor de muelas: y señalaba que en otros países abundaban las memorias y los textos autobiográficos porque los autores recordaban con placer la vida pasada. Podríamos decir que esto es muy propio del siglo XVIII: y es lo que corresponde en la historia social al ascenso de la burguesía. Tengamos presente que con mucha frecuencia en la historia humana una clase social «rompe a hablar» autobiográficamente: se ha interpretado así, la novela picaresca, con algo de acierto histórico, como «la autobiografía del pobre». Señalemos también que todos los autorretratistas que hemos mencionado eran hombres de letras, escritores profesionales: y el siglo XVIII representa también el ascenso social y económico de los escritores. A la complacencia del burgués se suma la del escritor, en cuanto profesional que también ha triunfado social y económicamente. [...]

Al hablar así de la autobiografía burguesa de Torres Villarroel trato ante todo de situar al escritor salmantino en su propia hora de Europa. Esto implica, evidentemente, una definición relativamente «manejable» (en este breve espacio) de *burgués*. Propongo la siguiente, resumiendo observaciones de muy variada procedencia: el burgués es el hombre que no tiene más que su tiempo y que en consecuencia trata de venderlo. *Time is money*: y, claro está, para el burgués el dinero es una finalidad esencial. La mentalidad burguesa se caracteriza también por su actitud ante los objetos: al burgués sólo le interesan los objetos vendibles o comprables. La mentalidad burguesa se opone así al cuidado del artesano —recor-

demos al admirable y morosísimo carpintero sevillano mencionado
por Pedro Salinas: «a los muebles hay que darles lo suyo»— o del
artista (Flaubert, supremo artista, despreciaba todo lo que él consideraba prisa burguesa). Y así el burgués-escritor considera, lógicamente, sus libros como objetos vendibles o al menos mercables. Esta
actitud ante el libro, ante el propio objeto-libro, aparece en muchísimos escritores del siglo XVIII, pero quizás en ninguno tan claramente como en Torres Villarroel: como sucede con harta frecuencia
en la historia española, un rasgo general euroamericano aparece en
España en una forma más elemental y más clara, históricamente hablando. Porque dudo que en todo el siglo XVIII haya un escritor que
haya sabido vender su tiempo y escribir libros como objetos vendibles mejor que Torres Villarroel.

El primer móvil de su misma autobiografía es económico. En su prólogo al lector escribe: «Tú dirás que Torres ha hecho negocio en burlarse
de sí mismo y yo diré que tienes razón como soy cristiano». De nuevo:
«Dirás últimamente que porque no se me olvide ganar dinero he salido
con la intención de venderme la vida y yo diré que me haga buen provecho». Torres Villarroel insiste además en que su pobreza originaria explica las características de sus obras: «si mi pobreza no hubiera sido tan
porfiada y revoltosa serían mis papeles más limpios, más doctrinales,
más ingeniosos y apetecibles». Añade que sus obras siempre salieron
«atropelladas» desde su bufete a la imprenta. En suma, como él mismo
dice, «cada pobre puede hacer de su vida un sayo y más cuando la diligencia puede acabar en hacer un sayo para su vida». Diligencia que en
Torres Villarroel alcanza tan alto grado de eficacia económica como en los
más avisados escritores de otros países en su siglo. Recordemos de nuevo
que el siglo XVIII representa un crecimiento enorme del público lector,
y que muchos escritores pueden vivir de su pluma; en particular gracias
al nuevo sistema de las suscripciones. En la historia española carecemos
todavía de estudios sobre las condiciones económicas concretas de la vida
intelectual, pero entre unos datos y otros se puede inferir que las suscripciones desempeñaron un papel muy importante en el siglo XVIII. El escritor se siente más libre, más respetado. Torres Villarroel estaba muy
orgulloso de que sus obras fueran las primeras, según él, «que han salido
al público con el beneficio de la suscripción». Esto no había tenido sólo
evidentes ventajas económicas para él: había sido también beneficioso
para todos. Así escribe al final del «trozo» quinto de su autobiografía:
«Tengan fin venturoso mis papeles, repitiendo gracias a las comunidades
y personas que han honrado mi humildad y han concurrido a este bien
apreciable del público». Porque Torres Villarroel considera que no sólo

los escritores sino también los lectores salen beneficiados del nuevo sistema: «entre todos hemos abierto en España una puerta por donde los aplicados a los libros y los autores de ellos entren sin tanta pérdida de sus intereses y del tiempo a recoger el gusto y el premio de sus tareas y trabajos». O sea: aquí de nuevo vemos a Villarroel un poco como Franklin en consonancia complaciente con su época, con el progreso profesional y económico que representan las suscripciones; pero en cuanto a la autobiografía misma, en cuanto a su expansión personal, esas listas de suscriptores representan para Torres Villarroel algo más que dinero: son un respaldo social, y esto apunta también a otra característica, quizá de las más importantes, de la autobiografía de Torres.

Su casi único biógrafo contemporáneo, García Boiza, señalaba la contradicción palpable entre el relato de Torres Villarroel y los datos biográficos auténticos. Y se preguntaba: «¿Por qué don Diego afeaba su propia vida, sus obras y su reputación?». García Boiza mostró apoyado en diversos documentos que Torres Villarroel era administrador de propiedades aristocráticas y que tenía ingresos considerables —el equivalente de 12.000 pesetas de 1918— que llevaba meticulosamente sus cuentas, que se ocupaba de sus numerosos sobrinos y que practicaba muy generosamente la caridad. En una palabra, un hombre nada picarón, la imagen misma del burgués. García Boiza publicó también documentos universitarios que revelan a un Torres Villarroel bastante próximo a algunos de los intelectuales reformadores de su tiempo: por el tono y el contenido de sus intervenciones en el claustro universitario de Salamanca o ante el Consejo de Castilla sería imposible reconocer al autor de los textos autobiográficos. ¿A qué móvil respondió, pues, finalmente la autobiografía de Villarroel?

Aquí aparece el otro móvil, más complejo y profundo, del autobiografismo de Torres Villarroel. Berenson ha observado que en todo tiempo las individualidades fuertes tienen que expresarse en forma bufonesca. Berenson no hizo más que esbozar esta observación: y es posible que pensara en el caso frecuente del hombre social y económicamente oprimido o al menos «limitado» que encuentra en la expansión bufonesca la forma de expresar su individualidad, su yo, y de imponerse a la sociedad de su tiempo: han abundado los bufones entre los cristianos nuevos en España y los «cómicos» entre los judíos en los Estados Unidos. No podemos entrar, por supuesto, en este tema, pero es evidente que en Torres Villarroel la expansión autobiográfica equivale a esa vía de acceso bufonesca. [...] Diríamos, en suma, que Torres Villarroel afirma su independencia moral y económica con la creación de una personalidad literaria bufonesca. ¿Pero sólo por motivos económicos y sociales? ¿A qué respondía finalmente ese deseo de exhibición de sus inventadas aventuras picarescas? Porque yo casi me atrevería a afirmar que Torres Villarroel apenas tuvo aventura alguna en su vida.

Podría encontrarse de inmediato una respuesta en la teoría histórica sobre España de mi maestro Américo Castro: y, sin duda, Torres Villarroel es el típico español cuyo yo personal se niega a quedar oculto en segundo plano. Pero, por otra parte, el español justamente no suele confesarse tan públicamente como lo hace Torres Villarroel: hasta podría decirse que el español en cuanto dominado por los valores aristocráticos se opone congénitamente a la exhibición bufonesca.

En la bufonada está sin embargo la clave del hispánico modo del autobiografismo burgués de Torres Villarroel. [...] Torres ha hecho un sayo con su vida originaria de pobre y ha sabido vender su tiempo —su *vitalidad* como él dice— y ha alcanzado un alto nivel social y económico, pero en Torres opera fuertemente el sentimiento de dependencia respecto a un creador, opera fuertemente el sentimiento de que todo está en las manos del más allá. María Zambrano ha dicho (*La confesión: género literario y método*, Cuadernos de Luminar, México, 1943) que la queja a lo Job no es propiamente una confesión: «Es la pura queja porque no cree que él tenga que hacer nada, porque su desesperación y su esperanza son inmediatas». Añade: «Job no ha descubierto todavía la interioridad porque se siente una nada dependiente de la divinidad, no cree en su propio ser». Esto puede aplicarse totalmente a la autobiografía al hispánico modo de Torres Villarroel: porque, finalmente, sus bufonadas ocultan y revelan a la vez esa terrible presencia del sentimiento de la nada que a veces exalta y que siempre atenaza al hombre de los países de lengua castellana. No sigamos, pues, a los historiadores que mencionaba al principio: Torres Villarroel es un complacido burgués del siglo XVIII español, pero en su aire risueño, en sus cómicas bufonadas se oculta y se revela el sentimiento trágico de la vida. El catedrático de Salamanca del siglo XVIII y el del siglo XX no están tan lejos como pudiera parecer.

Guy Mercadier y Russell P. Sebold

LAS *VISIONES Y VISITAS*

i. No deja de ser extraño que las *Visiones*, que son indiscutiblemente una de las mejores obras de Torres, ni siquiera se mencionen en la autobiografía de 1743. Una vez más, García Boiza lo acepta incondicionalmente y tampoco cita esta obra capital, que sin embargo le hubiese sido útil para sus fines biográficos.

Sin entrar en un análisis pormenorizado de ella, quisiera empezar hablando del momento en que un opúsculo de 46 páginas, titulado *Visiones y visitas de Torres con don Francisco de Quevedo por la corte* (no se habla para nada de primera parte) sale de las prensas de Antonio Marín. El 4 de octubre de 1727, el impresor, agradeciendo una visita que hizo a su taller el infante Carlos de Borbón, le dedica el sueño imaginado por el «floridísimo ingenio de don Diego de Torres», quien, sin ningún género de dudas, es el verdadero autor de la dedicatoria. No es posible dudar de ello tras comparar esta carta con el soneto también dedicado por Diego al infante durante su estancia en El Escorial. Las imágenes náuticas son las mismas, hasta el punto de que el texto de octubre de 1727 parece a veces un simple traslado en prosa del poema. Escapando por un instante a su identidad, Diego puede desde el exterior dedicarse unos cuantos elogios, y hasta escribir que «los más graves sujetos de la corte, todos a una voz dicen que excede en cultura, moralidad y gracia al hasta hoy inimitable don Francisco de Quevedo, gloria y honra de nuestra nación». Como vemos, quienes hoy en día redactan las gacetillas publicitarias han innovado poco. El autor estaba necesitado de gloria, pero también de protección: al apuntar tan alto, «va defendido de los enemigos que han procurado enterrar [su] fama».

¿Qué nos dice este opúsculo acerca de la estancia madrileña de

---

i. Guy Mercadier, *Diego de Torres Villarroel. Masques et miroirs*, Éditions Hispaniques, París, 1981, pp. 81-84, 84-87, 195-198, 207-209 y 297-301.

ii. Russell P. Sebold, «Introducción» a Torres Villarroel, *Visiones y visitos de Torres con don Francisco de Quevedo por la corte*, Espasa-Calpe (Clásicos Castellanos, 161), Madrid, 1966, pp. lx-lxxi.

Diego, qué puede revelarnos la elección de tal o cual blanco de su sátira? Algunas páginas de ese álbum costumbrista no tienen mucho interés, la primera, por ejemplo, que se ensaña con inofensivos barberos. En otras, por el contrario, intuimos que el autor ha puesto más de sí mismo. Desde su remota provincia, sin dejar de despotricar contra los excesos de la mesa o las citas galantes, saborea visiblemente de nuevo el cosquilleo interior que acompañaba a las veladas agradables. La undécima visita nos conduce hasta los bastidores de un mundo que Torres solía frecuentar: siendo él mismo hombre de teatro (su única comedia, *El hospital en que cura amor de amor la locura*, ya se había impreso), ve desde dentro la vida agobiante que llevan los actores, e intenta explicar a un Quevedo escéptico que las cómicas no están más inclinadas al vicio que las demás mujeres; más bien al contrario, puesto que el manejo de los textos clásicos les hace expertas en el conocimiento del corazón humano y les evita muchos deslices. No hay ni una onza de burla en esta calurosa defensa, cuya argumentación se anticipa en algunos pasajes a la de la *Paradoja sobre el comediante* y a la de algún que otro escritor moderno.

Nuestro visionario arrastra también a su amigo hasta otro dominio que le es familiar: la medicina. Aquí la crítica no apunta a una corporación de manera vaga y casi abstracta, sino que demuestra un sólido conocimiento teórico y práctico; en el Real Hospicio de San Fernando (cuya construcción se inició en 1722), pudo ya dedicarse a aliviar la miseria, como lo hará más tarde en Salamanca.

Finalmente, quisiera subrayar un último rasgo de autobiografía «implícita» disfrazada en la ficción: en la visión VI, dedicada a los letrados, compara su destino al de Quevedo, y comenta con melancolía: «yo no tengo más paradero que un presidio o una portería. Mañana se me antojará escribir estas visitas que vamos haciendo los dos; y si no las parlo con mucho disimulo y acertado respeto, cuando mejor libre, será perder el tiempo y el trabajo». Clara alusión a las desventuras del año anterior y a las órdenes expresas del obispo de Sigüenza. Y cuando, en el capítulo siguiente, Diego se niega a seguir a Quevedo hasta el Palacio, sus palabras, esta vez más discretas, delatan la desazón que evoca un recuerdo desagradable.

Apenas publicada, llueven sobre la obra comentarios sarcásticos, por lo común de escasa altura. Se limitan a un puntilloso repaso de las *Visiones*, capítulo por capítulo; el único que da pie a unos y a otros a una reflexión seria es el de los comadrones. No obstante, por chillonas y mezquinas que sean, tales sátiras —sería enojoso citarlas todas— proyectan a veces una fugitiva luz sobre el personaje que aquí intentamos entrever. [...]

Espoleado de ese modo, Torres publica una segunda parte de las *Visiones*, y le da un aire netamente polémico, puesto que dedica nada menos que cinco capítulos (del cuarto al octavo) al contraataque. Ha contado, según dice, treinta y dos libelos dirigidos contra él: semejante contabilidad —exacta o no— demuestra cierta sombría delectación. De todas formas, esa actitud defensiva está ligada a la autojustificación, e, inevitablemente, a la autobiografía. [...]

La segunda parte de las *Visiones*, por el alcance de algunos capítulos (el tercero y el undécimo, dedicados a la miseria en el campo y a la decadencia de la universidad), es muy superior a la primera. También sería fácil encontrar aquí rastros de la autobiografía implícita. Diego a veces teme decir demasiado. Sobre todo en la visita efectuada al Seminario de Nobles de la Compañía de Jesús, el estudiante de antaño y el profesor de ahora dejan que se desborde el rencor acumulado desde hacía tantos años. Esta vez, no sólo corre el riesgo de contrariar a fútiles censores o de provocar muecas de disgusto en los más delicados: encontrándose de guarnición en una ciudadela, se niega a seguir la corriente, quiere minarla y hacerla estallar desde dentro. ¡Cuál no debió de ser la exasperación de sus colegas al leer un pasaje como el siguiente!:

... te aseguro que tienen peor condición y más indisculpables costumbres los viejos doctorados que los mancebos manteístas, porque el ansia a la cátedra, la agonía del grado, la furia a la prebenda, a la plaza y al obispado los hace blasfemar unos de otros, tratándose (sin temor de Dios, ni de su condenación) con crueldad en los informes, añadiéndose los unos a los otros pecados indignos a fin de contentar la vanidad de sus deseos. Cada uno es ceñudo fiscal del otro e incansable atalaya de su vida y costumbres, y todos se quieren matar y heredar los unos a los otros, siendo contrarios de sí mismos y de todo el linaje escolástico. Aquellas losas respiran ambición, rencor, vanidad y sabiduría loca.

El soñador no ignora las reacciones que va a provocar: «Bien sé yo que si me oyeran los demás catedráticos, me reñirían la soltura con que te estoy informando. Pero como tengo a mi favor la verdad, y por testigos a ellos mismos y al concurso de los estudiantes, me burlaría de su ceño». No olvidemos estas declaraciones, como tampoco otras que Diego haya podido hacer antes o después; es inevitable que todo eso haga borrascosas las relaciones que mantendrá con alguno de sus colegas mejor situado que él en la jerarquía, o incluso con el claustro entero. [No obstante,] contrastando con una implacable crítica, el homenaje que rinde a la enseñanza de los jesuitas madrileños adquiere un extraordinario relieve. Torres demuestra así que es capaz de distinguir doctrina y pedagogía cuando habla de una orden a la que pertenecían sus enemigos más temibles.

La tercera y última parte de las *Visiones*, publicada en octubre de 1728, debió de redactarse inmediatamente después de la segunda. Está dedicada a don Manuel Pellicer de Velasco, de quien Torres ha tenido el honor de leer unos escritos inéditos. Este homenaje puede relacionarse con el elogio de la Academia y de la empresa lexicográfica que está realizando. Hombre apasionado por el lenguaje, ve en él la salvación de la lengua española amenazada por las influencias extranjeras. Piensa también en voz alta sobre el clero, sobre el Monte de Piedad, con una sorprendente precisión en las cifras que menciona; ¿acaso, como sugiere E. Arnaud, había intervenido en la gestión del establecimiento, o, más sencillamente, se había limitado a hacer averiguaciones como un buen periodista?

Poco a poco, la vena burlesca se hace más juiciosa. La tercera parte es muy distinta de la primera. Condensada en sólo cinco capítulos, dedica más espacio al comentario que a las imágenes fantásticas. Pero en esta parte, igual que en las anteriores, seguimos advirtiendo la presencia de Diego, a veces bajo un disfraz; así en las páginas de la ambigua crítica de los abates cortesanos, ofreciendo entre líneas una modalidad muy original de la escenificación del yo. [...]

A menudo la identidad del héroe-narrador se hace patente, no por la indicación que proporciona el patronímico o el nombre, sino por una actividad única: ya sea para incensarlo, ya para desacreditarlo, reconocemos al astrólogo, aquél que se hizo célebre con el apelativo de «Gran Piscator de Salamanca». Diego hace innumerables alusiones a sus almanaques, y los considera como la parte esencial de su vida literaria. Sus contemporáneos también eran de la misma opinión: para ellos era por encima de todo el autor del almanaque más célebre de su tiempo, el hombre que había anunciado —o que se jactaba de haber anunciado— la muerte de Luis I y la caída de Esquilache.

Es extraño que la crítica haya prestado tan escasa atención a este aspecto de su obra; apenas se menciona su originalidad, para pasar en seguida a otros temas más dignos, según parecen creer los críticos, de su interés. Subliteratura, creemos oírles decir desdeñosamente. Pero todo el mundo no tenía la oportunidad de poder leer y comprender el *Teatro crítico universal*... Los almanaques circulaban en todos los ambientes, eran voceados por los ciegos «berreones» por las esquinas de las calles de Madrid, o vendidos por buhoneros hasta en las aldeas más lejanas e incluso en el Nuevo Mundo. Algún día, los historiadores de la literatura tendrán que explorar seriamente un género tan desconocido como éste, y sin embargo tan rico en elementos de todas clases, uno de los últimos refugios de la cultura popular, y por ello mismo revelador de la verdadera mentalidad de la gran mayoría de la población. [...]

En cierto modo, leer la obra de Torres equivale a recorrer una inagotable galería de máscaras. Antes de señalar cuáles son sus rasgos predominantes, indiquemos que nuestro personaje, si hemos de dar crédito a las confidencias del autor de la *Vida*, adora ocultarse y metamorfosearse. Quién no recuerda la evocación de los juegos de la adolescencia: «Disfrazábame treinta veces en una noche, ya de vieja, de borracho, de amolador francés, de sastre, de sacristán, de sopón, y me revolvía en los primeros trapos que encontraba que tuviesen alguna similitud a estas figuras ...». Un pasaje prodigioso que culmina con una palabra clave: *truhán*, punto de convergencia de un cúmulo de actividades, de incesantes avatares. Lo que aquí nos llama la atención es la agilidad del ritmo, la rapidez en el paso de una figura a otra. He aquí una magnífica ilustración de lo que Jeannine Jallat comenta acerca de un ensayo de Starobinski: «La máscara manifiesta modalidades del vivir: el *desembarazo* (libertad, ligereza, surgimiento) y más generalmente el *movimiento*, de ahí el interés del tema de la metamorfosis en el que se muestran aspectos esenciales de la actividad enmascarada: la *repetición*, la *aceleración* ... La metamorfosis manifiesta que querer enmascararse es recomenzar incesantemente la operación: máscara equivale a desfile de máscaras».

Diego se entrega a un juego comparable durante su primera estancia en Portugal: «ensartándome en las conversaciones, persuadí en ellas que yo era químico, y mi primer ejercicio el de maestro de danzar en Castilla. Contaba mil felicidades de mis aplicaciones en una y otra facultad. Mentía a borbollones ...» (*Vida*). Luego, ya de regreso, cuando abandona el uniforme del soldado es para vestir el traje del torero y el del estudiante. Cuando viste de soldado finge llamarse Gabriel Gilberto. La elección de este nombre no es casual: es el de uno de sus compadres del colegio del Quendo. El seudónimo reactiva un pasado lúdico del que Diego es el único en tener la clave.

El martes de Carnaval de 1732 se organiza una mascarada por las calles de Salamanca para celebrar el grado de doctor que iba a tomar Torres, en realidad para parodiar las tradicionales ceremonias universitarias: «Díjose entonces que yo iba también entre los de la mojiganga, disfrazado con mascarilla y con una ridícula borla y muceta azul; pero dejémoslo en duda, que el descubrimiento de esta picardigüela no ha de hacer desmedrada la historia» (*Vida*). Sus palabras añaden una segunda máscara sobre aquella que el público creía ya haber identificado...

Pero sobre todo los fragmentos de la huida a Francia y del destierro en Portugal son los que más luz arrojan sobre sus aficiones al disfraz y a la mixtificación. Después de la breve estancia en el Esquileo de Sonsoto y en La Granja, los dos fugitivos siguen el camino del norte, don Juan de Salazar bajo el nombre de Bernardo de Bogarín, Diego haciéndose llamar Manuel de Villena. En las paradas del camino se mezclan con «astucia y curiosidad» en las conversaciones, para informarse, y también por juego: la palabra aparece con todas sus letras en el relato («Divertía mucha parte de nuestros sustos y desvelos este juguete ...»). Hablan mal de sí mismos para tender un anzuelo a los curiosos; unos, fiándose de sus palabras, toman a nuestros amigos por monjes exclaustrados que se han disfrazado de pícaros, otros les creen contrabandistas.

Así se cumple una de las funciones de la conducta enmascarada: por «una alteración voluntaria de las relaciones humanas», por la ruptura, mantenerse a distancia de sí mismo, «ponerse en la situación del que ve sin ser visto». Desdoblándose en su personalidad, el mixtificador dirige a su propia persona una mirada que de otro modo sería impensable, conoce la experiencia de la fabulación, de la jactancia, de la relatividad de lo que dicen de él. Sobre todo accede a esa parte de verdad que no altera la pantalla de las convenciones sociales. [...]

Con la pluma en la mano, Diego no pierde este gusto por la mixtificación. Es muy probable que su primera actividad literaria fuese la parodia, y se piensa inmediatamente en su modelo predilecto, Quevedo. Ya en 1726, en *El ermitaño y Torres*, confesaba la verdad y reconocía ser el autor de textos publicados con el nombre de don Francisco.

La cuestión de los textos apócrifos de Quevedo es muy difícil de aclarar. Incluso en los casos en que nos inclinamos a atribuir la autoría al salmantino, como en *La aguja de marear de los franceses*, un examen minucioso no nos lleva a ninguna conclusión decisiva. Como máximo se puede observar, en el primer tercio del siglo XVIII, un sensible aumento del número de manuscritos de obras de (o atribuidas a) Quevedo, sin que podamos precisar en qué medida este fenómeno está relacionado con la moda de Torres; pero es sumamente probable que tal relación exista.

[En *Anatomía de todo lo visible e invisible* Diego revela que ha escrito] para amigos que estaban en apuros casi tantas páginas como las que ha firmado con su nombre. Sin ningún género de dudas, esto es exagerado. Admitamos que esta afirmación —que está en contradicción flagrante con otras suyas— tenga escaso fundamento o tal vez ninguno; no por ello deja de ser cierto que Torres afirma haberse enmascarado muchas veces en literatura, que es lo esencial. Y como sólo se presta a los ricos, muchos opúsculos supuestamente escritos contra Torres no tardaron en atribuírsele. A menudo pondrá el grito en el cielo tratando de detener el alud de imitaciones o protestando contra un ataque anónimo, pero él no se queda atrás, y cuando puede se comporta como sus adversarios, «arrebujados en el capirote de lo anónimo, o engullidos en la carantoña de Pedro Fernández» (*Vida*). Al fin y al cabo, ¿acaso no es la vida misma una inmensa mascarada? Este *topos* reaparece a menudo en su obra, y advertimos perfectamente que el autor dista de echar mano de él de una manera maquinal.

II. Con la primera palabra del título de las *Visiones y visitas de Torres con don Francisco de Quevedo por la corte*, ya está sugerido casi cuanto hay que decir sobre la forma de la obra maestra de Torres. Mas el hecho de que se suele aludir a ésta con lo que no es ni aun una parte de su título en tanto obra individual, sino sólo el título colectivo (*Sueños morales*) de la amplia clasificación general de obras torresianas a la que pertenece, es indicativo ya de lo poco exactos que son la mayoría de los datos y juicios que se dan sobre esta obra en los manuales y otros lugares, y de lo poco que se ha meditado sobre la verdadera relación entre los *Sueños* de Quevedo y esta *imitación* de ellos. En todo caso, las *Visiones* no son de ningún modo los «sueños de un Quevedillo», según se dijo una vez y según parece se quiere insinuar, aplicándoles el referido título genérico.

Ello es que la especial relación que existe entre Torres y Quevedo lleva en las *Visiones* a la creación de una obra muy original, partiendo de una nueva interpretación de ciertos elementos seudomísticos que caracterizan el estilo de todos los *Sueños morales* torresianos. Para describir cierto aspecto muy típico de la crítica literaria de Azorín, Ortega, en su ensayo *Primores de lo vulgar*, toma de

Goethe el término *sinfronismo*, que a diferencia de *sincronismo* no significa una coincidencia en lo temporal, sino una coincidencia en lo espiritual, en el módulo o en el estilo. En sus pequeños ensayos críticos Azorín recrea las personalidades de escritores del pasado, uniéndose espiritualmente con ellos a través de la contemplación de sus obras, o sea, recreando en parte su propio espíritu a la imagen del escritor de quien habla en cada caso. Tal relación, a pesar de no darse entre contemporáneos, se caracteriza por un sentimiento análogo a esa concordia platónica que se asocia a la perfecta amistad entre hombres de almas allegadas:

Un amigo es así una especie de paradoja en la naturaleza. Yo que me encuentro solo, yo que no veo en la naturaleza nada cuya existencia pueda afirmar con igual certeza que la mía, contemplo ahora la imagen de mi propio ser, en toda su profundidad, variedad y curiosidad, reiterada en forma ajena; de modo que el amigo bien puede ser considerado como la obra maestra de la naturaleza.

Amistad de esta especie, pero a través de los siglos a lo Dante y Virgilio, es lo que los escritos de Quevedo principalmente le ofrecen a Torres, quien no se siente desazonado sino sólo cuando se encuentra «sin hombres en que leer, sin libros con quien hablar».

Todo el libro de las *Visiones* está infundido de esa cordialísima especie de lealtad humanística que sentían los eruditos medievales y renacentistas al compararse a pigmeos a hombros de los gigantes de la antigüedad grecolatina. Torres no sólo renuncia a la sociedad de los «renacuajos de este siglo» («siglo irracional» llega a llamar al más glorioso de todos para la razón humana), sino que jura a Quevedo que «por la tuya sola despreciaré la compañía de todos los hombres, a sus bienes y a sus enseñanzas». La unión de sensibilidades e ideas se hace completa, «con la consideración de que me está escuchando quien me penetra lo más oculto de mis aprehensiones y discursos». Tal cual vez Torres aun se siente regido por un mismo destino que Quevedo, por ejemplo, al ser difamado por sus detractores, «como te sucedió a ti, al Góngora, Candamo, Cervantes, Salazar y a las mejores plumas del orbe. Y éste es, martirio más o menos, el fin y el premio de los más floridos y excelentes ingenios de la España». La relación entre Quevedo y Torres se parece, no a esas amistades del buen viento, sino a esas otras acrisoladas con ciertas diferencias entre las opiniones y los gustos: véanse, por ejemplo, las ásperas réplicas en boca, ya del muerto, ya de su guía, al hablar éstos de la moralidad o inmoralidad de las actrices, y de la Orden de Santiago, que Quevedo naturalmente recuerda con cariño, pero que a Torres le causa mucho menos entusiasmo. En fin de cuentas, Torres siente entre sí y su imagen idealizada de Quevedo como «prudente despreciador del mundo» tan estrecha unidad espiritual, que acaba «persuadiéndome a que su contacto sólo podía formarme discreto, docto y desengañado». Luchando por ascender al nivel de su mentor, como se le ve hacer aquí, Torres llega a la vez a descubrir una técnica para traducir a los términos de la arquitectura literaria la forma de la experiencia psíquica de su admiración por Quevedo, y así dota al antiguo género de los sueños de una de sus obras más originales.

«Los sueños, señor, dice Homero que son de Júpiter —escribe Quevedo con cautela, al principio de *El sueño del Juicio Final*— y que él los invía; y en otro lugar, que se han de creer.» Pero Torres ya empieza a hacer algo original al introducir en sus varios *Sueños morales* un concepto cristiano del sueño. Me refiero a cierta distinción de origen escolástico, según la cual —dice Vives— el sueño es «unas veces celestial y hostil [diabólico] otras veces». El ejemplo más concreto de esto en la obra de Torres se halla en *La barca de Aqueronte*; porque «sean, pues, naturales, divinos, animales o diabólicos estos sueños», Torres decide, no obstante, relatar el que queda mencionado. Si no fuera por el hecho de que esta idea está implícita en todos los sueños torresianos, no tendrían motivo ni explicación ciertos elementos estilísticos que se hallan en dichas obras. En el período con que comienza el sueño de la *Anatomía*, según el texto de la primera edición de ésta, se hallan las palabras siguientes: «los ojos acostados, y todo yo a escuras, buscando al tiento mis potencias, salí (sin saber que salía) de mis tablas»; evidente imitación de ciertos versos muy conocidos de san Juan de la Cruz, en la *Noche obscura*: «En una noche obscura / ... / ... / salí sin ser notada, / estando ya mi casa sosegada. / A escuras y segura». El patrón para el título del *Correo del otro mundo* es una trillada metáfora mística, que Torres emplea también en su biografía de la poetisa mística sor Gregoria Francisca de Santa Teresa, quien «fue avisada del día de su muerte por algún *correo divino*». Un ropavejero que aparece en las *Visiones*, es «un hombre magro, cecial y seco como raíz de árbol»; lo cual indudablemente está modelado sobre la descripción que santa Teresa hace de fray Pedro de Alcántara: «tan extrema su flaqueza, que no parecía sino hecho de raíces de árboles». Una imitación menos directa de este mismo trozo de la *Vida* de santa Teresa se halla en la descripción de otro personaje de las *Visio-*

nes, que tenía manos que «no eran manos, sino dos manojos de vides». En el momento en que se le va a conceder a Torres la primera visión de Quevedo, se reúnen en forma muy sugestiva, en un solo período, ciertas palabras muy típicas de la mística, *gozar*, *éxtasis*, *quietud* y *dichoso*: «Yo gozaba en el éxtasis tirano del sueño todas las quietudes que pueden hacer dichoso a un dormido».

El hecho de que el período que se acaba de citar es enteramente nuevo con la segunda edición de las *Visiones*, de 1743, es significativo. Quiere decirse que Torres va concibiendo la forma de su obra cada vez más concretamente como símbolo de la experiencia «iluminativa» producida por la unión platónica entre su espíritu y el de Quevedo. Ahora bien, la posibilidad de usar la forma seudomística como símbolo de esto, se le sugiere a Torres en parte por la parecida psicología de los sueños y ciertos fenómenos místicos, especialmente las llamadas visiones imaginarias, que en teoría pueden asociarse a cualquier grado de éxtasis. Tanto estas visiones como los sueños son regidos por la fantasía, según dice ya san Juan al advertir al lector contra el peligro de ciertas manifestaciones espirituales semejantes a los ya mencionados sueños *hostiles*: aunque es una puerta abierta para Dios, también el «sentido de la imaginación y fantasía es donde ordinariamente acude el demonio con sus ardides». Santa Teresa era menos cautelosa que san Juan por lo que respecta a la fantasía, pero ella también había notado esta semejanza entre los sueños y las visiones místicas, preguntándose a veces «si era sueño o si pasaba en verdad la gloria que había sentido». Mas donde se advierte con mayor claridad la estrecha relación entre sueños y visiones místicas que resultó tan sugestiva para el arte de Torres es en la explicación, según la filosofía escolástica, de las causas psicofisiológicas de los dos fenómenos. [Los cinco sentidos quedan embargados, y las tres facultades o potencias del alma (entendimiento, memoria y voluntad), aunque no enteramente dormidas, pierden en gran parte su capacidad de discernimiento en beneficio de la fantasía. La memoria hace de servidor de la fantasía, suministrando a ésta los materiales que necesita para el espectáculo que va a poner.]

No es nada nueva la idea de que la creación poética «a los que en ella se ejercitan, les enciende un divino furor, de suerte que sus obras son más divinas que humanas». Existe por lo menos desde los tiempos de Platón, que distinguía cuatro grados de furor divino: el profético, el amoroso, el báquico y el poético. En las descripciones del furor divino de los poetas incluso se hallan tal cual vez ciertas voces como *arrebatamiento, elevarse, enajenarse* y otras circunstancias que recuerdan la mística. Mas es poco frecuente antes del pleno desarrollo de la estética dieciochesca la idea de que el experimentar ese goce que produce la literatura en el lector es, en las mejores condiciones, una *recreación*, una manera tan legítima de situarse ante lo inefable como lo son la unión mística o el mismo *crear* artístico. Y así es genial en Torres el haberse dado cuenta, ya en los primeros años del setecientos, de que la auténtica apreciación de la obra literaria es, en realidad, otra forma de ese «no entender entendiendo» que experimentan los místicos; pero es todavía más genial en él el haber logrado dar expresión de valor artístico a dicha noción aun antes que ella fuera detenidamente examinada por la crítica moderna. En todo caso, para el Torres lector de Quevedo, Góngora, Gracián, Cervantes y otros autores del Siglo de Oro, como para el Paul Valéry crítico literario, la lectura de un escrito de cierto mérito artístico

nous offre dans chacune de ses parties, à la fois *l'aliment*, et *l'excitant*. Elle éveille continuellement en nous une soif et une source. En récompense de ce que nous lui cédons de notre liberté, elle nous donne l'amour de la captivité qu'elle nous impose et le sentiment d'une sorte délicieuse de connaissance immédiate..., nous nous sentons possesseurs pour être magnifiquement possédés.

La admiración de Torres por su modelo literario fue como un trampolín; la profundidad de esa admiración y la lucha por hallar una forma adecuada para expresarla fueron el impulso que le llevó a la originalidad.

Russell P. Sebold

LA REALIDAD, LA FICCIÓN
Y LA «MANERA» NOVELÍSTICA DE TORRES EN SU *VIDA*

No basta la ejemplaridad universalista al nivel del hombre ordinario, para que una autobiografía pase a ser plenamente novelística en su concepto y técnica. La posibilidad de «identificarnos» con otro ser humano nos la ofrecen muchas autobiografías dieciochescas. Mas en la «novela certificada», como en las demás novelas realistas, la realidad va a casarse en cierto modo con la ficción; y esto es precisamente lo que significa el término forjado por Torres: lo *certificado*, esto es, lo hecho cierto por haber ya sucedido, es el elemento de la realidad histórica contenido en la *Vida*, en tanto que *novela* representa el elemento ficticio *innovado* por Torres, pues *novela* pertenece a la misma familia léxica que *nueva, nuevas, novedad, novelero, novel* y otras voces que sugieren sucesos, ideas, intentos, actitudes, etc., recién producidas y muchas veces por eso mismo no probadas, o mal conocidas a través de noticias incompletas, inexactas, o incluso inventadas. (En su *Tesoro de la lengua castellana*, Covarrubias todavía registra la siguiente acepción de *novela*: «nueva que viene de alguna parte, que comúnmente llamamos nuevas». También, como se ve por el *Diccionario de autoridades* y la *Enciclopedia del idioma* de Martín Alonso, *novela* significaba desde el siglo xv «ficción o mentira en cualquier materia».) Ahora bien, ¿hasta qué punto ha *innovado* —o *novelado*— Torres en su autobiografía? ¿Qué clase de elementos introducidos en la *Vida* impresa de Diego no formarían, sin embargo, parte de su existencia en este mundo?

Para contestar estas preguntas claramente, hace falta saber cómo se distinguen los elementos ficticios de la novela realista certificada de los de la novela realista fingida, o mejor dicho, si es de hecho cierto que se distingan de un modo esencial. (Digo *novela realista fingida*, porque por «novela fingida» Torres no ha entendido nada de novelas fantásticas o libros de caballerías, según se desprende de

Russell P. Sebold, *Novela y autobiografía en la «Vida» de Torres Villarroel*, Ariel, Barcelona, 1975, pp. 59-66.

la definición principal de *novela* dada en el tomo IV del *Diccionario de autoridades*, impreso nueve años antes de la aparición de la primera edición de la *Vida*: «Historia fingida y tejida de los casos que comúnmente suceden».) Al hablar de lo ficticio de cualquier clase de novela, cabe distinguir entre la *materia* y la *manera*. En la novela histórica la materia o el asunto suele ser esencialmente verdad, mas la manera, esto es, el diálogo, el análisis psicológico y la descripción de los personajes suelen ser un conjunto de suposiciones y falsedades. Pero, bien mirado, también en la novela fingida el asunto o la materia, es decir, los personajes, son siempre el elemento menos ficticio.

Según Miguel Delibes, [la diferencia principal entre el novelista (entiéndase autor de «novelas fingidas») y el hombre ordinario es que éste cruza el umbral de la existencia con una sola posibilidad de vida, mientras que aquél —el creador de personajes novelísticos— es lanzado a la vida con cien posibles autobiografías.] El novelista realiza una de sus cien posibles autobiografías en su vivir diario, y las otras noventa y nueve las vive entre las tapas de sus novelas. Por tanto, los personajes «fingidos» de las novelas realistas, lo mismo que los personajes obviamente autobiográficos que también a las veces encontramos en tales novelas, son proyecciones de las personalidades de sus creadores; y así, aun en la «novela fingida», lo ficticio radica más en la manera que en la materia; por lo cual no deberíamos hablar tanto de la diferencia entre la novela «imaginaria» y la «non-fiction novel», como del grado de semejanza que exista entre ellas. [En el caso de la *Vida*,] no por ser «novela certificada» deja este libro de acercarse también a la «fingida» por el lado de la materia, o sea que también tiene algunos de esos personajes basados, no en la autobiografía histórica del autor, sino en sus autobiografías potenciales. (Machaco tanto estas semejanzas para que el lector no dude en ningún momento que un escritor como Torres haya podido hacer valiosas innovaciones novelísticas mientras componía una relación verdadera.)

Los elementos temáticos y estilísticos que Torres toma de la novela picaresca y las autobiografías de santos y frailes, los rasgos más pintorescos del autorretrato de nuestro autobiografiado, al principio del trozo tercero de la *Vida*, y ciertos detalles narrativos, creo que todos ellos pueden considerarse tan ficticios como las infinitas conversaciones que los novelistas, dramaturgos y guionistas han supuesto entre Antonio y Cleopatra, u otras falsedades por el estilo que tanto abundan en las novelas, los dramas y las películas «históricas». (El que lo frailesco no sea muchas veces sino un elemento ficticio, de función estética, en la estructura de la *Vida*, cuando ésta se mira como novela, no quiere decir que sea insincera la conmovedora angustia religiosa que Torres expresa en varias ocasiones; pues también se dan casos en que el más hondo y sincero pesar de ciertos autores se traduce por elementos casi exclusivamente ficticios, como pasa en las *Noches lúgubres* de Cadalso.) El mismo Torres alude a la distinción entre la materia (histórica) y la manera de su relación, pues al referirse en el trozo quinto de la *Vida* al éxito económico de los cuatro primeros trozos, impresos nueve años antes, los llama «los papeles impresos de mi alcurnia, mi vida y mis quijotadas». Es decir, que no son lo mismo *mi vida* (lo real, lo histórico) por un lado, y *mis quijotadas* (lo ficticio, lo literario) por otro. Resulta claro que a *quijotada*, palabra derivada del nombre de un personaje novelístico, Torres le atribuye, no sólo la acepción corriente de «acción ridículamente seria», registrada en el tomo V (1737) del *Diccionario de autoridades*, sino también la más literaria de «acción o suceso ficticio»; pues en la Introducción a la *Vida*, la misma voz aparece relacionada con otras novelas: «en los estrados y las cocinas ... me ingieren una ridícula *quijotada* y me pegan un par de aventuras descomunales; y ... paso ... por un Guzmán de Alfarache, un Gregorio Guadaña y un Lázaro de Tormes». En fin, la distinción torresiana entre «vida» y «quijotadas» parece presagiar otra de Cadalso relativa a las ya mencionadas *Noches lúgubres*, en las que, al escribir a Batilo, Dalmiro diferenciaba «lo que significaban la parte verdadera, la de adorno y la de ficción».

Pero veamos ya un ejemplo de los elementos ficticios que caracterizan a la manera torresiana. En 1736, acompañado de don Agustín de Herrera, Torres fue en peregrinación a pie a visitar el templo del apóstol Santiago, en cumplimiento de cierto voto; y «divertíamos poderosamente las fatigas del viaje —nos dice— en las casas de los fidalgos, en los conventos de monjas y en otros lugares, donde sólo se trataba de oír músicas, disponer danzas y amontonar toda casta de juegos, diversiones y alegrías». A la vista de tales líneas, hace falta preguntar cómo podrá diferir el trasunto literario de su original. Apenas hace falta comentar el toque satírico costumbrista de escribir *fidalgo* en lugar de *hidalgo*, utilizado con el evidente fin de sugerir una mayor ranciedad de costumbres y ambiente en esas casas de *fijos d'algo* de escudo sobre la puerta. Lo más interesante de este pasaje es la imagen que se nos brinda de Torres bailando en conventos de monjas, detalle de tradición novelística que recuerda el cortejo de una monja por Pablos de Segovia y parece anunciar otros episodios semejantes como el de «una jotita honesta o un fandanguillo religioso» que fray Blas y otros frailes bailan con unas monjas en el *Fray Gerundio*, o el de la hermosa novicia que baila en su convento en *La hermana San Sulpicio*, de Palacio Valdés.

Mas ¿de hecho bailó en un convento de monjas el doctor don Diego de Torres Villarroel, que no obstante su carácter bifronte picaresco-devoto, fue siempre muy respetador del recogimiento y santos ejercicios de las monjas? (No hay que olvidar que durante la misma peregrinación a Santiago de Compostela, Diego terminó de escribir su grave y admiradora biografía de la poetisa mística sor Gregoria Francisca de Santa Teresa.) En Villarroel todo es posible, pero creo que en este caso se trata de un ingenioso engaño estilístico de quien se va revelando como consumado artista literario en la «novela certificada» de su vida. Tan agudo engaño estriba en la duda que se le presenta al lector atento respecto de si el sentido de la oración relativa «donde sólo se trataba ...» se ha de entender como extensivo a los tres posibles antecedentes, 1) *casas de los fidalgos*, 2) *conventos de monjas* y 3) *otros lugares*, o sólo a este último. El truco torresiano se aprecia mejor en las ediciones dieciochescas, en donde, debido a la norma de esa época, de escribir una coma después de cada oración, cada frase, cada miembro de las enumeraciones, incluso ante la conjunción *y*, se lee: «... en las casas de los fidalgos, en los conventos de monjas, y en otros lugares, donde sólo se trataba de oír músicas, disponer danzas, y amontonar toda casta de juegos, diversiones, y alegrías» (cito aquí por mi ejemplar de la edición de la imprenta de Jerónimo Conejos, Valencia, 1743). Y así, de acuerdo con la puntuación setecentista, habría habido que puntuar este período, ya fuese su sentido el que parece ser por el texto según lo transcribí la primera vez de la edición de Onís, en Clásicos Castellanos (Mercadier, en Clásicos Castalia, puntúa este pasaje igual que Onís), o ya fuese el otro que sigue: «... en las casas de los fidalgos, en los conventos de monjas, y en otros lugares donde sólo se trataba de oír músicas, disponer danzas», etc., refiriéndose así la oración relativa (especificativa) exclusivamente al antecedente *en otros lugares*.

Si pudiéramos consultar todo esto con el mismo Torres, quizá nos dijera que en conformidad con la puntuación moderna habría que conservar la coma detrás de *monjas* y borrar la que precede a la oración relativa —o por lo menos borrar ésta— si quisiéramos representar fielmente la verdad histórica. Pero lo cierto es que Torres recordaría los ya dichos amores de Pablos de Segovia con su monja, y así le atraería la ambigüedad de la construcción gramatical por la espléndida oportunidad que le ofrecía de «engañar con la verdad», según frase de Lope de Vega. En todo caso, con la puntuación dieciochesca quedaba salvaguardada la verdad sin que se perdiera tampoco la ventaja artística de la ambigüedad; y he aquí un típico ejemplo de la sutilidad con que Torres ha introducido muchos elementos ficticios en la manera narrativa de su *Vida*, así como una ilustración muy clara de los dilemas que acechan al que se propone preparar una edición modernizada de un texto clásico, porque a veces con la puntuación u ortografía moderna se hace inevitable la pérdida de un doble sentido o retruécano que importa mucho para el arte de un pasaje determinado.

EMILIO MARTÍNEZ MATA

EL ESTILO EXPRESIONISTA DE TORRES VILLARROEL

La descripción de la «figura», que protagonizará cada episodio, es el elemento más importante y característico de las *Visitas*, puesto que es en las descripciones donde se ponen de manifiesto las características expresionistas del arte del genial escritor salmantino.

Torres no trata de reflejar una realidad exterior, sino que esa realidad exterior que tiene ante los ojos (el personaje objeto de su atención) la describe «empleando elementos del mundo interior». Es decir, en la descripción de esa realidad exterior se van a ver reflejadas sus opiniones sobre ella, su personal impresión. Va a tratar, por tanto, de provocar en el lector una nueva visión. Diferente del objeto o individuo que sirve de referencia, puesto que en esa nueva visión, la distorsión de esa realidad va a estar provocada por los sentimientos de Torres hacia la realidad, hacia el tipo o personaje

Emilio Martínez Mata, «El expresionismo en la prosa satírico-visionaria de Diego de Torres Villarroel», tesina de Licenciatura inédita leída en 1977 en la Universidad de Oviedo, pp. 27-37.

objeto en ese momento de su atención. Con la intención, por supuesto, de hacer compartir esos sentimientos al lector.

La aparición de un personajillo vestido con ropa militar da ocasión a Torres de satirizar una costumbre de su época (el «cortar la pobreza a la moda»). Pero donde se manifiestan verdaderamente sus sentimientos acerca de dicho tipo o costumbre social, no es tanto en los juicios reprobatorios que pone en boca suya y en la de Quevedo sino, gracias a la técnica expresionista, en la descripción del aspecto exterior de este «perillán vitela».[1]

La frase explicatoria de la descripción: «Todo era indicio de estómago en pena, de tripas en vacante y de hambreón descomunal» nos sirve también de eje o línea divisoria entre dos partes bien diferenciadas. Lo que hay desde el comienzo hasta ella se refiere al aspecto físico del personaje, la segunda al aspecto externo de su vestimenta.

1. [«Un perillán vitela, limado de carnes, el pellejo vestido a raíz de la osatura, caudaloso de zancos, con una carrera de pescuezo, alma de callejón, espíritu de garrocha, pasante de cordel y aprendiz de línea; echaba por piernas dos listones de hueso más seguidos que el Alcorán; cara buida y amolada en necesidad; más angosto que el camino de la virtud, más hambriento que un noviciado. Era el buen fantasma un ayuno con sombrero, una dieta con pies, un desmayo con barbas y una carencia con calzones. Unas veces parecía el cuello bajón y otras calabaza; tan hundido de ojos, que juzgué que miraba por bucina; cada respiración traía a las ancas dos bostezos. Todo era indicio de estómago en pena, de tripas en vacante y de hambreón descomunal. Pisaba con dos vainas de cuchillo de monte en vez de zapatos, con sus roturas y enrejados, como que traía los pies en jaula. Amortajábanle las piernas unas mediecillas de solfa, salpicadas de puntos; unas veces, con los bujeros sobre las canillas, me parecían flautas; otras, se me representaban por cada una un gigote de pierna; todas eran saltos, carreras y galopes; por otras partes se miraba tan raro su tejido, que llegué a entender que había vidrieras de lana. Traía en torno de los muslos unos talegos indiciados de calzones, llenos de grietas, repulgos, chirlos, descalabraduras y cicatrices; por las entrepiernas se desmoronaban en hilachos, rapacejos, remiendos dislocados y otras campanillas; y entre todas se descolgaba un chisquete de camisón en ademán de ojeador de pastelero, jaspeado de cámara de pulgas. Era de ver la casaquilla negra a saltos y parda a salpicones; un bosque de andrajos por forro, la tela entretenida de parches y reparada de emplastos; tan grasienta, que por cada pelo destilaba lechones y moqueaba enjundias. Veníanse ahorcando de ella, en la parte que corresponde al pecho, seis o siete botones medio desollados, cuyos ojales iban corriendo la posta de un rasgón hasta la espalda; su poco espadín montado a la grupa; una tortilla de sombrero medio ahogada en el sobaco, y una peluca de barbas de zalea, rizada a pellizcos y compuesta a bofetones» (p. 28).]

La parte primera es una constante reiteración de la idea de la delgadez extrema del personaje. Pero Diego no se conforma con mostrarnos insistentemente los aspectos de dicha flaqueza sino que lo hace de una forma totalmente hiperbólica: este personaje no sólo es que no tiene abundancia de carnes, sino que se la han limado, con lo que indica que la poca que podría tener pegada al hueso ha desaparecido, puesto que con la lima sólo se rebajan pequeñas aristas, de esta forma la piel sirve de única vestimenta del esqueleto; sus piernas (designadas con un nombre con el que se designan las extremidades de ciertas aves) son tan largas que se las puede comparar con un río, atribuyéndole un adjetivo propio de éste; su tronco es tan fino que su cabeza se encuentra en la punta de un palo largo («espíritu en garrocha»), la escualidez es tal, que se le pueden aplicar dos metáforas geométricas relacionadas con la posesión de una sola cualidad: largo pero no ancho, «pasante [es decir, acompañante] de cordel» y «aprendiz de línea»; utiliza también un procedimiento muy frecuente en la técnica expresiva de Torres: la comparación, «más angosto que el camino de la virtud, más hambriento que un noviciado», en la que se echa mano a dos tópicos: la estrechez y dificultad del camino del bien y la escasa comida del noviciado; la descripción hiperbólica continúa con unas metáforas impuras en las que «el buen fantasma» es la imagen del ayuno, de la dieta, del desmayo y de la carencia; las cuencas de los ojos tan marcadas que parece como si hubieran puesto dos bocinas delante de sus ojos. Toda esta repetición de hipérboles no es más que la insistencia en la idea que se expresa al final: la ausencia de alimentación. «Todo era indicio de estómago en pena, de tripas en vacante y de hambreón descomunal.» [...]

La descripción de su vestimenta es igualmente hiperbólica: sus zapatos estaban tan rotos y agujereados que «Pisaba con dos vainas de cuchillo de monte (hay que suponer que dichas vainas tendrían múltiples aberturas) en vez de zapatos, con sus roturas y enrejados», de forma que los zapatos más que cubrir los pies, de tantas aberturas «como que traía los pies en jaula»; las medias que envuelven sus piernas son descritas con un juego de palabras «mediecillas de solfa, salpicadas de puntos» (que se aclara si tenemos en cuenta dos acepciones de la palabra *punto* en el *Diccionario de la Academia*: «rotura pequeña que se hace en las medias» y «en los instrumentos músicos, tono determinado de consonancia para que estén acordes»); siguiendo con la metáfora musical «con los bujeros sobre las canillas, me parecían flautas»; un poco más adelante la hipérbole llega a límites extremos «por otras partes se miraba tan raro su tejido, que llegué a entender que había vidrieras de lana». La descripción continúa hasta el final en este mismo tono de comparaciones y metáforas desmesuradas.

Si Torres hubiera tenido, al hacer esta descripción, intenciones únicamente humorísticas, le hubiera bastado con unas pocas imágenes para que el lector se apercibiese de lo ridículo de la figura. Pero su intencionalidad va más allá y por este motivo trata de ahogarnos, de asfixiarnos en un aluvión de imágenes deformadas. Esta desmesura del lenguaje es un reflejo, en el ejemplo que hemos visto, de la repulsa que le produce una costumbre de su sociedad y que se manifiesta no sólo en los comentarios que hace más tarde («es la necia locura de los cortesanos») sino en el arte deformador con que hace su descripción. En este sentido es, creo, en el que hay que reinterpretar ese írsele el lenguaje de las manos de que hablan algunos críticos («diarrea de los sesos» dice Paul Ilie [1968]).

La desmesura de su estilo, la agobiante repetición de imágenes no es, pienso, una inconveniencia o un rasgo temperamental, sino una característica expresionista más. La distorsión torresiana es, pues, una deformación y una estilización que llevan a lo que podríamos llamar una caricaturización sobrecargada motivada por su intención, no de reproducir la realidad exterior, sino de alterar esa realidad, de mostrar esa realidad modificada por su sentimiento o actitud hacia ella. [...]

La animalización [frecuente en las descripciones] es un recurso típicamente expresionista. En las *Visiones y visitas* y, sobre todo, en *La barca de Aqueronte*, como en las pinturas de El Bosco, el pecador está representado por un animal, exteriorización del pecado. De este modo dice de un soplón

un hombrecillo entre persona y títere, *mona* con golilla, *ratón* con capa y *renacuajo* con bigotes; figura en que se dejaba ver la humanidad como en un mapa, *escarabajo* de nuestra especie; *animal* de retoño, como melón; hombre de falda, como *perro*; personilla de faltriquera, como pistola; tan tímido de estatura, que cualquiera le metería en un puño y, en fin, tan corto, tan breve y tan diminuto como pie de dama en pluma de poeta.

Encontramos también una comparación vegetal: «animal de retoño, como *melón*». Comparación vegetal que se repetirá en otras ocasiones. Ejemplo:

... vimos a un hombre magro, cecial y seco como *raíz de árbol*, con la cara tan sucia, que parecía el suelo de un queso; la cabeza oprimida entre dos carcovas mayores que dos escriños de vendimiar, su coleto almidonado de melaza, sombrerillo de clérigo tunante con sus asomos de tafetán, copa a lo ministro de cuello cuadrado, y una vara torcida que le estaba dando la teta.

La deshumanización es ya total, la delgadez y sequedad de un personaje son comparadas con las de la raíz de un árbol, la suciedad de la cara con el suelo del queso, la cabeza oprimida entre dos carcovas mayores que dos cestos de la vendimia.

En estos ejemplos vemos que se produce una pérdida de los límites entre lo humano, lo animal y lo vegetal. Las separaciones tan claras e incontestables que establece la naturaleza son transgredidas por Torres Villarroel al otorgar atribuciones animales o vegetales a alguno de los «figurones» descritos. Este recurso expresionista, tan frecuentemente utilizado en la historia del arte, no lo emplea Diego con una finalidad puramente grotesca, con la intención de suscitar sorpresa o risa en el lector, o con una finalidad puramente formal. Las transgresiones e interrelaciones entre lo humano, lo animal y lo vegetal van a ser provocadas, entonces, por el sentimiento, por la actitud de Torres hacia el personaje objeto de la sátira.

La deshumanización a la que somete a los personajes no es, como afirma Paul Ilie, una transformación de tal modo que sean objeto de risa y escarnio, que sean contemplados más por su valor de fenómenos que reclutados por el ejemplo moral de que puedan servir. La brutal deshumanización que sufren los personajes no se constituye como fin en sí misma, sino que está determinada por el grado de corrupción e inmoralidad. Es, en conclusión, la forma artística que impone Torres Villarroel a esa realidad que le asquea. [...]

En sus descripciones burlescas no le interesa reproducir fielmente los elementos de la realidad, sino representar una interpretación de ese objeto que le sirve de referencia. Tratando, por tanto, de provocar una nueva visión. Esta característica expresionista de sus descripciones se puede observar en la comparación entre el autorretrato que aparece en la *Vida* y la descripción burlesca que hace de sí mismo [en las *Visiones*.]

Si en la *Vida* dice simplemente «soy ... un hombrón alto», «los marcadores de estatura dicen que soy largo con demasía», en las *Visiones y visitas* califica su estatura de «horrible» y la somete a dos comparaciones totalmente desproporcionadas y sin que haya la más mínima relación verosímil con lo comparado: «más largo que el viaje de Indias y más grande que yerro de entendido». La relación lógica entre los dos términos de comparación se ha destruido. El lector no puede reconocer la supuesta relación cuantitativa entre la longitud de Torres Villarroel y la distancia geográfica a la que se encuentran las Indias.

El débil y arriesgado nexo de unión entre los dos términos tiene como consecuencia el que la distorsión de la realidad llegue a límites extremos. En este caso la comparación entre los dos autorretratos, nos permite observar la separación entre la realidad y lo evocado en la distorsión producida por la técnica expresionista de Diego de Torres Villarroel. Por una parte [*Vida*] «la piel del rostro está llena ..., no hay en el colorido enfadoso, pecas ni otros manchones desmayados», por otra [*Visiones*] «su fisonomía era lánguida y sobada como pergamino de entremés, tan magro y descolorido de semblante, que a lo lejos parecía tarjeta sin dorar». Mientras que [en el autorretrato] «los miembros que la abultaban (a su persona) tienen una simetría sin reprehensión» y «el pie, la pierna y la mano son correspondientes a la magnitud de mi cuerpo», en su visión deformada «los brazos eran dos tornillos de lagar, y por las bocamangas del vestido se le venían derritiendo dos muestras de guantero en lugar de manos ..., dos guadañas por piernas, dos tumbas por zapatos». El carácter fúnebre de las dos últimas metáforas contribuye a dar un matiz desagradable y amedrantador a la espeluznante figura. La comparación entre los dos autorretratos hace resaltar los rasgos distorsionadores o deformadores presentes en las descripciones de las *Visiones y visitas*.

En definitiva, es en estas descripciones donde el escritor salmantino manifiesta más acusadamente su búsqueda de un estilo personal que le sirva como instrumento característico de su intencionalidad satírica y que le separa radicalmente de su punto de partida: los *Sueños* de Quevedo. Las descripciones de personajes son, por tanto, el testimonio de la vocación de estilo de Diego de Torres Villarroel. Singularidad que él mismo se encarga de resaltar: «Han caído ustedes en el error de alabarme a mí diciendo que ... me parezco al inimitable español don Francisco de Quevedo. Yo no me parezco al más pintado y ni ustedes pueden dar parecer en eso, ni Dios permita que yo me parezca a ningún escribano, escribiente, ni escritor».

Luis López Molina

TORRES VILLARROEL, POETA GONGORINO

Nos proponemos llamar la atención de los estudiosos sobre un poema de Torres Villarroel prácticamente desconocido: la *Conquista del reino de Nápoles*. Se trata de una obra épica relativamente extensa (231 octavas) que, a nuestro juicio, merece ser rescatada del olvido. Lo merece por tres razones: por sus valores intrínsecos (apreciables, aunque no de primer orden), por ser una muestra única del talento de su autor para el género épico y por constituir un ejemplo destacado de la supervivencia del gongorismo en la primera mitad del siglo XVIII. Siendo, en cuanto a su motivación, una obra de circunstancias, no está, sin embargo, escrita con desgana, al menos no lo está en su mayor parte. Parece como si, al componerla, Torres Villarroel se hubiera ido encariñando con su, para él, inusitado tema épico, acaso por sentirse satisfecho del resultado obtenido. Esta satisfacción se justificaría si se piensa en el resto de su obra poética, abundante en desmaños y caídas en lo prosaico. Por otro lado, al ser la *Conquista* una obra ceñida a hechos históricos, le cupo en ella soslayar el recurso a la pura invención, en la que habría naufragado fácilmente. A ello hay que añadir que, si bien el retorcimiento gongorino y la elevación de tono que el autor se impone son a menudo causa de imprecisiones de sentido y de pasajes desangelados, logra salvar cualidades positivas que, en los mejores momentos, se condensan en estrofas o versos apreciables. En todo caso, la dignidad media del poema queda asegurada. Torres Villarroel respeta aquí, además, escrupulosamente el carácter encumbrado del tema, sin punta de ironía o comicidad, y sin incurrir en ninguno de los desplantes o desacatos que suele diseminar con prodigalidad, incluso en sus escritos graves. A lo dicho se suma el carácter culto y elaborado de la *Conquista*. La abundancia de alusiones (históricas, mitológicas) es prueba adicional de una actitud morosa, erudita, excepcional en un autor que había redactado precipitadamente buena parte de sus libros. [...]

Luis López Molina, «Torres Villarroel, poeta gongorino», en *Revista de Filología Española*, LIV (1971), pp. 123-134 (123-124 y 128-134).

El prólogo al lector que pone Torres Villarroel al frente de su poema constituye, a pesar de ser muy breve, una vía de acceso para conocer las ideas de su autor acerca de qué cosa sea la poesía épica. De ahí que quepa calificarlo, en sentido amplio, de *doctrinal*. Hay que decir, ante todo, que, a diferencia de otros escritores del siglo xviii, Torres sabía advertir el desacuerdo entre las ideas rígidas de los teorizadores (propensos por naturaleza al perfeccionismo abstractizante) y la aplicación concreta de éstas a sus propias obras: «dan los cánones fieles para la expresión de los poemas y ellos mismos las quebrantaron muchas veces en los suyos» dice, refiriéndose a Tasso y Castelvetro. Sin embargo, y aun a conciencia de esto, acata las normas, por así decirlo, «vigentes» del género y reconoce que la modernidad de los hechos que se dispone a cantar representa una irregularidad de primer orden, dado que «lo nuevo de la historia estrecha la invención y los episodios, que son toda la hermosura y ser de los poemas». Pero, a continuación, se acoge al precedente ilustre del príncipe de Esquilache, que, en su *Nápoles recuperada*, cantó también una acción cronológicamente cercana, aunque no tanto, al momento en que escribía. No encontramos, pues, hasta ahora nada especialmente innovador; lo dicho se atiene a una tradición antigua no trastornada en su esencia. En realidad, lo que se hace en este prólogo es mezclar hábilmente la exposición de puntos de vista doctrinales con la justificación de las limitaciones o deficiencias de la obra, limitaciones o deficiencias éstas que vendrían dadas por el escaso tiempo disponible, por el ningún ejercicio en el género épico, por la intranquilidad del ánimo y por la merma de facultades atribuible a la edad. Torres sale también al paso de posibles impugnaciones de inexactitud histórica alegando que, cuando tenían lugar los hechos que ensalza, él carecía, por hallarse en el destierro, de todo medio adecuado de información, teniendo luego que recurrir a lo que le contaron sus amigos y a «tal cual relación de esta conquista». Por todas estas razones —proximidad cronológica de los hechos, falta de invención personal y de agregaciones imaginativas, deficiencias de las fuentes de información, dificultades personales— a las que seguramente habría que unir aún la brevedad, aunque no se aluda a ella, Torres Villarroel se considera ya suficientemente justificado en cuanto a la naturaleza de su obra y en cuanto a las posibles deficiencias de la misma y se declara dispuesto a empezarla «huyendo de todo lo que pueda parecer poema».

En la segunda mitad del prólogo, Torres caracteriza su estilo diciendo que «siempre fue humilde y aun abatido» y que, aunque pudiera con su esfuerzo darle alguna altura, no es de la opinión de «que sean útiles para la elevación de lo heroico las voces ásperas y ruidosas porque ellas son espanto de necios y burla de entendidos».

Y agrega que «con ellas se avinagra la dulzura y el numen y, mezcladas con la oscuridad, hacen intolerable la locución y desconocida la sentencia». Todo esto parece corresponder a un ideal de sencillez y claridad. Pero no hay que olvidar, sin embargo, la considerable dimensión de falsa modestia que encierran tales afirmaciones. Ello unido a que, aun cuando admitiésemos la sinceridad de tales juicios, la lectura de la *Conquista* se encargaría de desmentirlos en gran parte, haciéndonos ver cuánto tributo pagó su autor a la vilipendiada oscuridad. [...]

Casi todos los que se han ocupado de la obra de Torres Villarroel coinciden en señalar su carácter de escritor vertido miméticamente hacia los clásicos del siglo XVII y, en primer lugar, hacia Quevedo. En el caso concreto de la *Conquista del reino de Nápoles* esta característica, que, por·supuesto, ha de ser analizada y precisada, recibe confirmación, pero ahora es más bien Góngora quien influye sobre Torres y lo condiciona. El gongorismo de la *Conquista* es apreciable en una serie de rasgos. Ante todo, en el léxico. El cotejo de éste con las listas de palabras incluidas por Dámaso Alonso en *La lengua poética de Góngora* —estas listas incluyen los cultismos de la *Soledad primera*, los anteriores a ésta y una relación de términos censurados por los anticulteranos de la época (220 de los cuales fueron usados por Góngora)— y cuyo total se eleva a 842, arroja 257 coincidencias, lo que constituye una proporción apreciable, dadas las dimensiones reducidas de la obra de Torres. Pero, de todos modos, y considerando que éste escribe en un momento en el que las innovaciones culterano-gongorinas habían experimentado ya un largo proceso de adaptación y aclimatamiento, parece excesivo aducir las coincidencias léxicas como prueba principal del gongorismo. Gongorinos son también en la *Conquista* otros rasgos que se reiteran hasta el punto de constituir constantes caracterizadoras. Así, la colocación de la palabra más bella, inusitada o sugerente en la cumbre rítmica del verso, las antítesis, el hiperbolismo, las referencias a la mitología y la historia grecolatinas, los versos simétricos, la reiteración de fórmulas sintácticas, la intensidad con que se expresan las sensaciones visuales y sonoras. Aun cuando todo esto no sea exclusivo de Góngora, sino que éste represente la culminación de toda una corriente anterior, según hizo ver Dámaso Alonso, la manera especial de manipularlo Torres revela el influjo directo del gran cordobés. El gongorismo es, sobre todo, apreciable en la primera mitad del poema, cuando se describe la travesía del infante Carlos hasta Italia y su recorrido triunfal por aquel país, parte ésta en la que la tenuidad del acontecimiento narrado permite entregarse casi sin trabas a la pura elaboración estética. En todo caso —y como era de esperar y de temer— Torres se mantiene muy por debajo de la altura media de su modelo. Ni llega a alcanzar su dificultad conceptual, ni su complicación sintáctica ni su tersura formal. Tampoco debió, por otra parte, de proponérselo. Los pasajes que necesitan «traducción» son pocos y, cuando hay alguno, la dificultad se debe en buena parte a impericia del autor, que fuerza unas veces y difumina otras el sentido de las palabras, o hace erosiones al rigor de la construcción sintáctica. Pero, en cualquier caso, y aun con las salvedades que anotamos, Torres acierta a menudo y consigue en su poema una calidad media más que suficiente para que se lo incluya, con toda justicia, entre los gongoristas destacados de la primera mitad del siglo xviii.

En contra de lo que cabría esperar, dada su extensión más bien reducida, la *Conquista* da cabida a dos acciones distintas: la presencia triunfal del infante Carlos en Italia y el asalto y conquista de Bitonto. De la primera es héroe, naturalmente, el infante mismo, futuro Carlos III; de la segunda, el conde de Montemar, «Marte andaluz». La primera, exenta de la violencia de lo bélico, es mucho más apta para el colorismo y pomposidad, para lo decorativo y suntuario, y a ella corresponden los momentos de mayor inspiración artística. La segunda, centrada en lo guerrero, se atiene, en cambio, casi al pie de la letra, a la historia, deja menos lugar para el embellecimiento y la transformación estética y adolece de caídas y de desmayos, perceptibles sobre todo en la extensa enumeración de aristócratas participantes en la empresa de Nápoles, pasaje éste en el que cierta reiteración y desgana resultaban difíciles de evitar.

En virtud de la duplicidad citada y del carácter más propiamente épico del episodio de Bitonto, existía el riesgo de que la figura del monarca resultase oscurecida por la del conde de Montemar, héroe y caudillo del acontecimiento guerrero que sirve de motivo principal, por no decir único, de la obra. Pero Torres, hábilmente, ha tenido buen cuidado de insistir en la grandeza de Carlos, en su magnanimidad, en su prestancia, en su energía, en el encanto irresistible de su persona, haciéndolo así artífice, al modo de un dios que anonada con su solo esplendor, de una gloriosa victoria moral. Y, cuando describe la caída de Bitonto, sin regatear las alabanzas al conde de Montemar, se cuida muy bien de realzar el indomable ánimo de los españoles, de todos y cada uno de ellos, lo cual hace que la victoria tenga más de apoteosis patriótica (y, por tanto, colectiva) que de ensalzamiento de la persona del caudillo. Una vez más, el catedrático salmantino se mantiene con los pies bien asentados en la tierra.

Esta duplicidad es, por otra parte, consecuencia del carácter de obra de circunstancias que la *Conquista* tiene en un principio. Los primeros sucesos ensalzados en ella (desembarco de Carlos en Parma, por ejemplo) tuvieron lugar en 1732 y, desde entonces hasta 1734, Torres permanece insensible. Es su liberación por obra de la bondad real la que lo mueve, en ese año, a la empresa poética y, necesitando entonces de un pretexto exterior, de un suceso glorificable, la conquista de Bitonto (acción de no mucha importancia en sí misma) va a proporcionárselo, pero sin que se olvide por ello de que es a la realeza a la que deben dirigirse ante todo sus alabanzas.

3. LUZÁN

En un plano exclusivamente literario, Ignacio de Luzán (1702-1754) representó un papel parecido, y al mismo tiempo muy distinto, al de Feijoo. Aunque en la historia literaria hay casos en los que la teoría precede a la práctica, lo normal es que suceda al revés, o al menos que existan unas condiciones ambientales que propicien planteamientos teóricos de cambio como para que la teoría no caiga en el vacío. Pues bien, la *Poética* (1737) de Luzán en realidad se anticipó a su tiempo, señaló nuevos caminos, y no sólo por medio de una crítica negativa de la literatura anterior, sino por la formulación de un ideario poético. Lo difícil es que un libro de esta clase pueda realmente incidir sobre las obras de los creadores, que sea libro de cabecera de los literatos. Sin embargo, cuando años después pueden detectarse los efectos de su doctrina, tenemos que aceptar que la semilla germinó y dio fruto, al menos entre un reducido grupo de escritores, que acabaron por imponerse. Es decir, si Luzán no fue el ciclón feijoniano, sí consiguió desterrar una poética que vivía de simples imitaciones trasnochadas. Como en el caso de Feijoo, tampoco fue un luchador aislado, pero sí el que sintetizó los afanes de reforma.

Para la biografía de Luzán puede verse McClelland [1973], Gabriela Makoviecka [1973], que ha utilizado por primera vez mucho material inédito, y Sebold [1977], que analiza muy bien la formación cultural de Luzán. Lo único que interesa subrayar ahora es que, cuando vuelve de Italia en 1733, trae unos *Ragionamenti sopra la poesia*, que aquí desarrollará hasta transformarlos en la *Poética, o reglas de la poesía en general y de sus principales especies* (1737), y que consecuencia de su estancia en París (1747-1750) fueron las *Memorias literarias de París* (1751), nunca reeditadas y poco estudiadas, y la traducción de *Le préjugé à la mode* de Nivelle de la Chaussée, con el título de *La razón contra la moda* (1751), que no se representó nunca en teatros comerciales.

En cuanto a la *Poética*, si atendemos al contexto cultural y literario del momento, puede decirse que es un libro extraño al ambiente reinante, porque éste no era el más propicio. Fuera de algunos intelectuales, los demás españoles difícilmente podían entender lo que allí se decía.[1] Su posible incidencia sobre la poesía y el teatro podían suponerse nulas. Hasta incluso concretas circunstancias personales se prestaban al fracaso de su autor: educado en Italia, con títulos universitarios italianos, casi recién vuelto a su patria, era fácil que apareciera como el fanático extranjerizante que viene a decirnos que somos unos bárbaros, porque no juramos por la autoridad de italianos o franceses. Y, en definitiva, en un ambiente cultural en el que Feijoo llevaba once años diciendo *no* al principio de autoridad, Luzán quiere imponer sus doctrinas en virtud de la autoridad de Aristóteles, de Horacio y de una serie de autores extranjeros.

Lo que sabemos de la repercusión de la *Poética* no desmiente estas suposiciones. En el *Diario de los Literatos* Salafranca y Juan de Iriarte le hacen críticas muy estimables, aunque no están conformes enteramente con el autor, y hasta 1789, fecha de la segunda edición, Luzán no es casi más que un nombre. No invalidan esta afirmación los testimonios que cita Sebold [1977], porque no se trata de que la *Poética* fuera un libro ignorado de todos, sino de que sólo, y como es lógico con un libro teórico, lo conocían, lo estudiaban y lo citaban unos pocos eruditos.

A partir de la segunda edición las cosas cambian; pero es que el contexto cultural es muy distinto, y además las correcciones del texto son en ocasiones bastante graves. ¿Correcciones de Luzán, o de su hijo y Llaguno y Amírola? Este último fue quien facilitó el ejemplar de la primera edición con las enmiendas del autor, y el que impulsó y cuidó la edición de Sancha (1789). Menéndez Pelayo [1886] es el primero, creo, en sospechar que no todo era de Luzán: «¿Es que Luzán cambió de parecer con los años, y dejó de admirar a Calderón, o es que Llaguno tuvo la osadía de alterar el texto en apoyo de sus opiniones, más radicalmente neoclásicas que las de Luzán? ... La última conjetura nos parece más probable» (p. 337). Gabriela Makoviecka [1973] ha demostrado satisfactoriamente la gran colaboración de Llaguno en esas correcciones; pero Sebold [1977] vuelve a insistir en que todo lo fundamental ha sido obra de Luzán. No es fácil pronunciarse sobre el tema. El caso es que un Luzán que parecía haberse liberalizado con el paso de los años, se presenta en 1789 bastante más intransigente que en 1737, pero en un texto que, por haberse corregido sólo en parte, aparece con indudables incongruencias conceptuales, lo que no recuerdo que haya estudiado nadie.

1. Escribe Menéndez Pelayo: «Los tiempos no estaban maduros aún para los innovadores, y Luzán, que descendía a la arena el primero, tenía que recibir en su escudo los primeros golpes» (*Historia de las ideas estéticas en España*, III-1, CEC, Madrid, 1886, p. 338).

En realidad son dos *Poéticas* semejantes, pero distintas. La de 1737 la han considerado todos los críticos como la iniciadora de la literatura neoclásica, cuando toda la anterior se consideraba un simple epígono del barroco. Sin embargo, si se acepta una etapa rococó, seguida de otra en parte filosófica y en parte neoclásica, es necesario afirmar que la *Poética* de 1737 inicia la estética y el gusto rococós, mientras que la de 1789 se manifiesta más neoclásica.

Es obvio que en 1737 Luzán está dentro de la línea clasicista que viene desde el Renacimiento italiano y llega hasta el romanticismo. Sus fuentes fundamentales, su definición de la poesía, su concepción de la belleza, su teoría de la imitación, pertenecen al mundo clasicista, y en este sentido Luzán no hace más que repetir ideas bien conocidas. Pero en medio de todo ello apuntan doctrinas que matizan el clasicismo genérico y lo transforman en clasicismo rococó.

Luzán cree en las reglas universales, fundadas en la razón y en la autoridad de Aristóteles y de Horacio. Estas leyes son universales y válidas para todos los autores de todos los tiempos y de todas las naciones, aunque reconoce diferencias debidas a circunstancias accidentales: el clima, las costumbres, los estudios y los genios producen diferencias entre las naciones e incluso entre los autores de una nación.

Pero junto a estas afirmaciones del más puro clasicismo hay que colocar otras que matizan o modifican tales principios. En el párrafo final del capítulo XIV, libro II, la fantasía es ya lo primero, aunque la guíe el juicio y la asista el arte y la prudencia. Los frenos de la fantasía no son solamente las reglas, y el papel de éstas empieza a ser, acaso a pesar del propio Luzán, secundario, porque están dictadas por la razón y la prudencia del individuo, del poeta creador.

Comentando a Muratori, Luzán explaya su teoría sobre la misión del ingenio: «Cuando el ingenio se ocupa en considerar un objeto, vuela velozmente por todos los entes y objetos criados y posibles del universo, y escoge aquellos en quienes descubre alguna semejanza, u de figura u de movimiento, u de afectos y circunstancias, respecto del sujeto que contempla; observa todas las relaciones y analogías de objetos, al parecer muy remotos y diversos, pero que tienen con él alguna conexión; y, finalmente, penetrando con su agudeza en lo interno del objeto, halla razones de su esencia, nuevas, impensadas y maravillosas, ya sean verdaderas, ya solamente verisímiles, supuesto que la poesía admite, indiferentemente, unas y otras. De la diversa habilidad y aptitud de los ingenios para tales vuelos, nace su distinción; porque el ingenio que sabe hallar la semejanza y relación que tienen diversos objetos, se llama, con propiedad, grande y comprehensivo; y el que, internándose en su objeto, descubre nuevas razones y causas ocultas, llámase agudo y penetrante. Finalmente, estos vuelos son reflexiones y observaciones que el entendimiento hace sobre un sujeto, que por ser más proprias del ingenio las llamaremos, con el citado autor, reflexiones ingeniosas o imágenes intelectuales, a diferencia de las otras que, por ser más proprias de la fantasía, hemos llamado fantásticas» (*Poética*, II, XVI, 1). Está claro que el ingenio, cosa distinta de la fantasía, pero ligado a ella, se presenta a Luzán también como sometido al juicio; pero quiero subrayar que Luzán no se refiere para nada a las reglas universales, sino al juicio, que no puede ser más que individual.

De todo esto cabe deducir que la doctrina de Luzán es en cierta manera incongruente. Arranca de un principio absoluto, la norma universal, pero acepta después la fantasía, el ingenio y el juicio como creadores de la poesía y como freno de los posibles excesos. Lo que equivale a decir que introduce en la norma universal una grave cuña que la destruye: la regla del individuo creador, aunque sobre la base de que el juicio ha de ser un juicio educado en las reglas. Tampoco conviene exagerar.

La regla de oro de la verosimilitud tiene también en Luzán matices importantes. Dice: «Paréceme, pues, que la verosimilitud no es otra cosa sino una imitación, una pintura, una copia bien sacada de las cosas, según son en nuestra opinión, de la cual pende la verosimilitud; de manera que todo lo que es conforme a nuestras opiniones, sean éstas erradas o verdaderas, es para nosotros verisímil, y todo lo que repugna a las opiniones que de las cosas hemos concebido es inverisímil. Será, pues, verisímil todo lo que es creíble, siendo creíble todo lo que es conforme a nuestras opiniones» (*Poética*, II, IX, 1). No se puede ser más explícito, ni más subjetivista. Cuando la verosimilitud es una de las normas centrales de todo arte, resulta que Luzán la hace depender de las opiniones de cada uno, aclarando además que no importa que esas opiniones sean erradas o verdaderas. Me parece una grave fisura de los principios clasicistas, ya que éstos insistían más en una verosimilitud general, no individual. Pero, para Luzán, si existen opiniones generales, que difícilmente se pueden olvidar, al mismo tiempo el poeta queda libre para montar toda la urdimbre de su obra sobre lo que él considera verosímil. Será entonces su fantasía y su ingenio los que quedan en libertad para elaborar una trama verosímil, pero según su propia opinión. Más adelante Luzán, siguiendo a Muratori, discierne dos clases de verosimilitud, una popular y otra noble; la primera es la propia del vulgo ignorante y la segunda de la gente docta. Supongo que Luzán era consciente de que con esta clasificación estaba concediendo validez a prácticamente todas las formas de arte que no sean esencialmente disparatadas. Los libros de caballerías, Ariosto o Berni tienen la verosimilitud popular, con lo cual se abre camino para canonizar incluso obras condenadas por los críticos dieciochistas posteriores, como los autos sacramentales. En el fondo pudiera ser que Luzán fuera un preceptista que está luchando entre la doctrina

de los maestros y una tendencia a la libertad artística, reglada ciertamente, pero libertad al fin y al cabo. Y esto me parece un signo de estética
rococó. Sería fácil citar otros muchos párrafos de la *Poética* que no se
pueden considerar neoclásicos, sino, y esto es importante, consecuencia
de una interpretación barroquista italianizante de la *Poética* de Aristóteles, y un anuncio del gusto rococó, matización nueva de la gran tendencia clasicista.

Los rasgos aquí analizados se siguen manteniendo en la edición de
1789; pero en ésta hay un tono general y una serie de correcciones,
de supresiones y de adiciones, especialmente en el libro III, el que trata de la poesía dramática, que la hacen mucho más cercana al neoclasicismo, sin perder totalmente, sobre todo en los libros I y II, el carácter de
un clasicismo más libre que el de los preceptistas franceses y de sus seguidores.

La doctrina de la *Poética* ha sido expuesta y analizada en diversas
ocasiones. Resulta útil la lectura de Makoviecka [1973], Cid de Sirgado
[1974] y Sebold [1977]. Se puede consultar también Menéndez Pelayo
[1886], Arco [1948], Cano [1928] y Jurado [1969]. En cuanto a las
fuentes de la *Poética*, aparte las abundantes noticias que se dan en la
bibliografía citada y en Robertson [1923], Filippo [1956], Cerreta [1957]
y Puppo [1962], deben consultarse los estudios, que parecen definitivos
en las líneas generales, de Sebold [1970 y 1977]. Parece claro que las
doctrinas de Luzán se fundamentan ante todo en los autores clásicos y
secundariamente en autores italianos, españoles y franceses.

Si la publicación de la *Poética* se viene considerando un hito de la
evolución literaria, no deberían olvidarse las ya citadas *Memorias literarias de París* (1751), nunca reeditadas, muy poco leídas, y que están llenas
de interesantes noticias, y no sólo de literatura. Luzán, en definitiva, está
culturalmente en el comienzo de la Ilustración. Sobre estas *Memorias*
puede verse Menéndez Pelayo [1886], Makoviecka [1973] y Sebold
[1977]; pero los estudios de Froldi [1981] y de Demerson [1981]
centran muy bien el contenido de las *Memorias* y, sin pretenderlo, ponen
de relieve la evolución de Luzán hacia actitudes críticas menos rígidas.

Todavía falta un estudio serio de la traducción de Nivelle de la
Chaussée, sólo puesta en escena en los salones de la marquesa de Sarria,
donde se reunían los componentes de la Academia del Buen Gusto.

De la poesía de Luzán ha escrito Arce [1981] que la crítica, desviada
por la importancia concedida a la *Poética*, «ha dejado por completo en
la penumbra un quehacer poético cuya importancia histórica creo que
supera la de su tratado de teoría o preceptiva literaria» (p. 223). Arce se
refiere en particular a los poemas *Juicio de París*, escrito para conmemorar la entrada de Fernando VI en Madrid en 1746, y a la *Canción*
leída en la Academia de San Fernando en 1753, a los que les asigna el

papel de iniciadores de la lírica ilustrada. Creo, sin embargo, que el papel histórico del Luzán poeta es más amplio y puede centrarse en la Academia del Buen Gusto (1749-1751), que reunía en su casa madrileña la marquesa de Sarria. Esta academia ha sido estudiada por Caso González [1981] (véase el capítulo 4).

La importancia no radica tanto en el valor literario de las obras poéticas leídas allí por él, como en lo que pudieron significar en la evolución histórica. La corriente clasicista de la academia, representada por Montiano y Luyando, autor de églogas de influencia virgiliana y garcilasista y traductor de Horacio, se apoya también en Luzán, traductor igualmente de Horacio. Sin embargo, Luzán nos ofrece otra perspectiva, acaso más interesante para comprender la evolución de la poesía española de los años siguientes. Ya en 1737 había incluido en la *Poética* una traducción de la oda II de Anacreonte; en la academia lee otra traducción, la de la oda III, que editará años más tarde Sedano en su *Parnaso español*, una traducción de Safo y un idilio anacreóntico titulado *Hero y Leandro* (editado también por Sedano). El idilio, adaptación de Museo, me parece muy importante, no sólo porque es un poema digno de alabanza en sí mismo, sino porque utiliza ya el heptasílabo y refleja bastante bien en algunos momentos el estilo de Villegas, poeta que será decisivo en la década de los sesenta para las innovaciones de Moratín y de Cadalso. Las traducciones, sin embargo, no imitan a Villegas.

Luzán presenta también a la academia la traducción de un soneto de Giambattista Zappi, poeta italiano muerto en 1719; pero lo curioso es que Zappi fue el poeta que hizo triunfar en el ambiente arcádico italiano una de las dos corrientes de Chiabrera, la anacreóntica, y un Luzán al que hemos visto inclinado al anacreontismo lo que traduce de Zappi es el soneto a Judit, que está en la otra corriente, la pindárica. La traducción ha sido muy finamente analizada por Arce [1981], que concluye: «Luzán, que en el breve espacio del soneto respeta lo que es delicado, evita en cambio lo cruel y truculento» (p. 196). En definitiva, Luzán, en los últimos años de su vida, continúa la corriente italianizante que había cultivado desde el principio.

BIBLIOGRAFÍA

Arce, Joaquín, *La poesía del siglo ilustrado*, Alhambra, Madrid, 1981.

Arco, Ricardo del, «La estética poética de Ignacio de Luzán y los poetas líricos castellanos», en *Revista de Ideas Estéticas*, VI (1948), pp. 27-57.

Cano, Juan, *La «Poética» de Luzán*, University Press, Toronto, 1928.

Caso González, José Miguel, «La Academia del Buen Gusto y la poesía de la época», en *La época de Fernando VI*, Cátedra Feijoo, Oviedo, 1981, páginas 383-418.

Cerreta, F. V., «An Italian source of Luzán's theory of tragedy», en *Modern Language Notes*, LXXII (1957), pp. 518-523.

Cid de Sirgado, I. M., *Ignacio de Luzán. La poética o reglas de la poesía en general y de sus principales especies*, Cátedra, Madrid, 1974.

Demerson, Jorge, «Un aspecto de las relaciones hispano-francesas en tiempo de Fernando VI: Las *Memorias literarias de París* de Ignacio Luzán (1751)», en *La época de Fernando VI*, Cátedra Feijoo, Oviedo, 1981, pp. 241-273.

Filippo, Luigi de, «Las fuentes italianas de la *Poética* de Ignacio de Luzán», en *Universidad*, Zaragoza, XXXIII (1956), pp. 207-239.

Froldi, Rinaldo, «El "último" Luzán», en *La época de Fernando VI*, Cátedra Feijoo, Oviedo, 1981, pp. 353-366.

Jurado, José, «La imitación en la *Poética* de Luzán», en *La Torre*, XVII (1969), pp. 113-124.

Makoviecka, Gabriela, *Luzán y su «Poética»*, Planeta, Barcelona, 1973.

McClelland, I. L., *Ignacio de Luzán*, Twayne Publishers, Nueva York, 1973.

Menéndez Pelayo, Marcelino, *Historia de las ideas estéticas en España*, III-1, CEC, Madrid, 1886.

Puppo, Mario, «Fonti italiane settecentesche della *Poética* di Luzán», en *Lettere Italiane*, Florencia, XIV (1962), pp. 249-268.

Robertson, J. G., «Italian influence in Spain: Ignacio de Luzán», en *Studies in the genesis of romantic theory in the eighteenth century*, Cambridge, 1923.

Sebold, Russell P., «Análisis estadístico de las ideas poéticas de Luzán: sus orígenes y su naturaleza», en *El rapto de la mente*, Prensa Española, Madrid, 1970.

—, ed., Ignacio de Luzán, *La poética o reglas de la poesía en general y de sus principales especies*, Labor (Textos Hispánicos Modernos, 34), Barcelona, 1977.

ISABEL M. CID DE SIRGADO Y GABRIELA MAKOVIECKA

LA *POÉTICA*: DOCTRINA E INFLUENCIA

I. Aun cuando la *Poética* la escribe Luzán a su regreso a Aragón, su génesis es italiana. Entre 1727 y 1728, encontrándose don Ignacio en Palermo y asistiendo a las tertulias en la casa de don Agustín de Pantó, escribe y lee seis discursos que presenta a la Academia del Buen Gusto bajo el título de *Ragionamenti sopra la poesia*. Estos discursos, base posterior de su extenso tratado, estaban inspirados en el *Tratado de la perfecta poesía* del preceptista italiano Muratori.

La obra en sí se podría dividir en tres partes: una doctrinal, otra crítica y la tercera legislativa; y bajo la premisa del reconocimiento explícito de una decadencia de la literatura española, divide su obra en cuatro libros: «Libro de el origen, progressos y essencia de la poesía», «Libro segundo de la utilidad y de el deleite de la poesía», «Libro tercero de la tragedia, y comedia, y otras poesías dramáticas» y «Libro quarto del poema épico». La justificación que nuestro autor ofrece para escribir su obra es, precisamente, la preocupación que siente por ver que la obra de Aristóteles se ha mutilado, cambiado y tergiversado. Aun cuando en Italia y en Francia varios eruditos han aclarado muchos puntos, Luzán se ve en la necesidad de emprender esta labor en España, pues la escasez de estos trabajos ha

I. Isabel M. Cid de Sirgado, «Introducción» a *Ignacio de Luzán. La poética o reglas de la poesía en general y de sus principales especies*, Cátedra, Madrid, 1974, pp. 18-20.

II. Gabriela Makoviecka, *Luzán y su «Poética»*, Planeta, Barcelona, 1973, pp. 97-110 (97-99 y 101-109).

sido la causa de la corrupción literaria de «los últimos años» en la Península.

Después de hablar sobre la poesía en general, ya en el tercer libro empieza a discutir la tragedia. Se refiere primeramente a la definición aristotélica, y al reconocer que esta explicación no es suficientemente clara, añade una propia que, según el mismo Luzán, es más consecuente «con el drama moderno» y nos dirá que la tragedia es una representación dramática donde ocurre un gran cambio de fortuna en personajes de alta clase social, cuyas muertes o infortunios incitan al terror y la compasión en los corazones de los espectadores, curándolos y purgándolos (a la vez) de estas y otras pasiones, sirviendo de ejemplo a todos y especialmente a reyes y otros miembros de la nobleza.

Con respecto al argumento o trama de la obra, Luzán se inspira en Le Bossu, pues piensa que éste se ha basado directamente en Aristóteles, y así nos dice: que lo primero que le tiene que preocupar al autor es el tratar de ocultar la instrucción moral que quiere enseñar en la alegoría de la trama. Después de conseguido este primer paso inicial, hay que reducir el argumento a una acción que sea general e imitada de un hecho real sucedido entre hombres y que, repetimos, encierre el mensaje alegórico, que será en el fondo la verdadera razón de ser de la obra. Es preciso recordar, para aclarar la definición de Luzán, que Le Bossu consideraba que si la trama de una obra llevaba nombres supuestos o trataba de familias privadas, sin ningún relieve histórico, estos argumentos no eran propios para la tragedia, sino para la comedia. Siguiendo el pensamiento aristotélico, Luzán pide que el argumento tenga un principio, un enlace y un desenlace o final, y así nos citará la comedia de Moreto *El desdén, con el desdén* como perfecto ejemplo de esta concepción. Lo más importante al respecto, añade Luzán, es saber cuándo se empieza o termina la acción. La trama, además, debe combinar lo maravilloso con lo probable, y como comprende que es muy difícil combinar ambos elementos, Luzán interpreta que Aristóteles prefería lo maravilloso para la épica y lo probable para la tragedia.

Sobre si los temas deben ser históricos o inventados, aun cuando acepta los dos, se mostrará seguidor de las ideas de Benio y Muratori, que preferían los de tipo histórico. Con respecto a la unidad de acción, el aragonés la considera indispensable, no solamente ésta, sino las de tiempo y lugar, convirtiéndose en inflexible seguidor de los principios de Castelvetro. Es más, con respecto a la unidad de tiempo, no admitirá ni siquiera las consabidas veinticuatro horas y pedirá que ésta tenga la misma extensión que el tiempo que se tome representar la obra en escena.

A través de toda la etapa neoclásica se insiste, obviamente, en el fin didáctico o moral del teatro. Luzán, bajo esta premisa, considera la tragedia como la forma más elevada y perfecta para instruir y formar una perfecta conciencia de la sociedad. Cuando llega el difícil problema de la muerte en escena (a la cual Minturno, junto a Ricobono, Maggio y Victorio, entre otros, se habían opuesto), Luzán dice interpretar claramente a Aristóteles, pues considera que es necesario presentar la muerte en escena, ya que el uso de la narración a través de otro personaje no ejercería el mismo efecto en el espectador. Con respecto a la consistencia del personaje, Luzán señala que ésta no quiere decir que se presente una personalidad obstinada con un solo razonamiento, pues el cambio de pensamiento subsecuente o lógico dentro de la psicología del personaje no le quita consistencia al mismo.

Refiriéndose a las comedias, las divide en tres clases: las malas, las buenas y las que no siendo del todo buenas ni del todo malas tienen más virtudes que defectos. Las malas serán aquellas donde el vicio es premiado y la virtud no se menciona (implicando, añade, enseñanzas o máximas en contra de la religión). Las buenas serán aquellas que tratan de corregir defectos o vicios. Y las que no caen en ninguna de las dos primeras categorías serán aquellas en que el amor, los duelos, las virtudes son tratados con moderación y, aun cuando se mezclen con defectos, serán premiadas al final, junto al castigo de vicios moderados. En general, Luzán sigue el principio horaciano de que no deben hablar en escena más de tres personas a la vez y estima además que más de ocho o diez personajes causarían confusión en la escena.

II.   Por causas ocultas o quizá por el deseo imperioso de acabar con los males de la literatura, Luzán dirigió la punta de acero contra las más admirables y admiradas glorias nacionales: Lope de Vega y Góngora. ¿Por qué lo hizo?

En el caso de Lope de Vega, le eligió quizá por dos razones: la primera podría ser la celebridad misma del Fénix y la admiración general y absoluta del público que aplaudía sus obras. Atacándolas pensaba Luzán llamar poderosamente la atención por el carácter paradójico de su crítica y de este modo alcanzar su segunda finalidad, o sea imponer a todos la superioridad de las comedias escritas con las reglas del arte. No tuvo mucha suerte en su empresa: no llegó a persuadir a nadie, o a muy pocos, y se ganó, por el contrario, la fama de un preceptista frío, antinacional e incapaz de comprender la belleza contenida en las obras de Lope. Sin embargo, al leer detenidamente su obra, no me parece del todo válida esta acusación. A lo largo de la *Poética* Luzán no regatea alabanzas a Lope de Vega, y varias veces subraya su gran talento poético. [Por ejemplo: «Lope de Vega ... a quien nadie puede con razón negar las alabanzas debidas a las prendas con que le adornó la naturaleza, a su feliz y vasto ingenio, a su natural facilidad y a otras muchas circunstancias que se admiran en sus poesías y se admirarían aún más si hubiera querido arreglarlas a los preceptos del Arte ...».]

Pero otras veces, y a pesar de estos elogios dirigidos al Fénix, Luzán le critica severamente como autor dramático, especialmente por haber inventado «no sé qué nuevo sistema o arte de comedias contra las reglas de los mejores maestros» —dice—. En esta parte de su crítica es Luzán implacable. No le perdona a Lope su manera de componer comedias, la excesiva libertad en llevar el argumento sin restricciones, los osados caracteres de los personajes, la diversidad de acción, lugar y tiempo. Hay que decir en su disculpa que comprendió bastante pronto su error, y en el *Discurso apologético* escrito en defensa de la *Poética*, publicado en 1741, trató de amenizar su severo juicio y justificar sus acusaciones: «No digo nada de Lope de Vega —declaró, ocultándose bajo el nombre de Íñigo de Lanuza— porque es muy poco lo que Luzán ha dicho contra su estilo y creo que es mucho más lo que alaba en esta parte: toda su crítica contra este autor se reduce al Arte de escribir Comedias y a las que el mismo escribió no sin perjuicio de las costumbres de España».

Le parece pues a Luzán que siendo preceptista no puede admitir la violación de las reglas y que en nombre de la moralidad tiene que protestar contra cierta ligereza de costumbres que encontraba en las comedias de Lope. «Sólo diré —seguía— que no me parece loable en un hombre de las prendas y calidades de Lope el haberse dejado llevar de la corriente vulgar y haber querido apoyar una, que él mismo llama quimera, y finalmente haber pretendido dorar el error del vulgo, cuando era más propio de un hombre docto y sabio el desdorarle.» Es curioso observar la incapacidad de Luzán para salir de sí mismo y para comprender a Lope. Se figura que éste ha sido tan «docto y sabio», tan desapasionado y tan enamorado de «la doctrina», como los hombres del siglo XVIII. Sin embargo, en un momento de modestia, bastante frecuente en él, añade: «No obstante todo lo dicho, creo que don Ignacio no tendrá dificultad de confesar que no ha penetrado bien el intento y método de Lope en su Arte Nuevo ...».

Se deduce de esto que pasados unos años deseaba justificarse Luzán de sus primeras opiniones sobre Lope y hasta quizás había cambiado de parecer. Pensar que al pasar el tiempo se haría más exigente y más neoclásico me parece atrevido. Los años traen la tolerancia, y Luzán, que admiraba en París la comedia del arte y la comedia llorosa, no pudo haberse hecho más intransigente.

[Luzán escribía poemas más bien por moda, por razones materiales, por conocimiento perfecto del mecanismo de hacer versos, que por una necesidad de expresión íntima. Tampoco le gustaba la música y era no sólo insensible a este arte, sino que sentía cierta irritación o desasosiego ante el mundo de los sonidos.] Vivió en el alba del racionalismo y esta circunstancia explica también su posición. El racionalismo no es fecundo aunque no es estéril tampoco. Suele conducir a cierto «despojamiento» en el arte, quita todo adorno inútil, analiza el porqué de cada cosa. El racionalista considera todas las artes y especialmente la música como inferiores a la literatura.

Luzán, en cambio, sabe apreciar perfectamente la belleza poética que se encierra en las obras de los escritores criticados por él. Muy a pesar suyo, encontraba en Lope cualidades inmejorables. No vacilaba tampoco en alabar a Calderón, por quien sentía mucha admiración:

En Calderón admiro la nobleza de su locución, que sin ser jamás obscura ni afectada, es siempre elegante; y especialmente me parece digna de muchos encomios la manera y traza ingeniosa con que este autor, teniendo dulcemente suspenso a su auditorio, ha sabido enredar los lances de sus comedias y particularmente de las que llamamos de capa y espada, entre las cuales hay algunas donde hallarán los críticos muy poco o nada que reprender y mucho que admirar y elogiar ...

[Pero el poeta español de su máxima admiración fue Garcilaso de la Vega, que reunía para Luzán los máximos valores poéticos: la belleza y la dulzura, sometidas a reglas generales:

Garcilaso de la Vega —dice—, que se remontó más que todos y mereció ser llamado príncipe de la lírica española, así su arrebatada muerte no hubiera cortado a lo mejor las justas esperanzas que de tan elevado y feliz ingenio se habían concebido, hoy día tendría España su poeta y él solo compensaría abundantemente las faltas de otros muchos.]

A lo largo de la *Poética* se repetirán un sinnúmero de veces el nombre y las poesías de Garcilaso de la Vega como ejemplos de una gran perfección. A su lado aparecerán otros poetas preferidos de Luzán, como Luis de Ulloa, los hermanos Argensola, fray Luis de León, Luis Barahona de Soto y otros. Juzgando por estos nombres, no parece Luzán tener mal gusto en la poesía, pero su error consistía en aferrarse a un tipo de ésta, con desprecio o crítica de todos los demás géneros.

[Si criticaba a Lope de Vega con injusticia y severidad, su ataque a Góngora es de una vehemencia extraordinaria: «Góngora, dotado de ingenio y de fantasía muy viva pero desarreglada y ambicioso de gloria, pretendió conseguirla con la novedad de estilo que en todas sus obras (excepto los romances y alguna que otra composición que no sé cómo se preservaron de la afectación de las otras) es sumamente hinchado, hueco y lleno de metáforas extravagantes, de equívocos, de antítesis y de una locución a mi parecer del todo nueva y extraña para nuestro idioma …».]
Luzán, como su siglo, quiere comprenderlo todo. Adorador de las formas de expresión de los antiguos, no encontraba en ellos rareza alguna. Pero a Góngora le ataca por todos los motivos, escandalizado por el célebre soneto en honor del doctor Babia, que dice de la gloria: «Ella a sus nombres puertas inmortales / abre, no de caduca, no, memoria / que sombras sella en túmulos de espuma». Esta estrofa saca de quicio a Luzán, le parece mala y monstruosa, especialmente las últimas palabras: «Pero el último verso sobre todo es un espantajo raro y tan ruidoso y resonante que parece que quiere significar algo. Y confieso que al principio no lo entendía; pero me reí muchísimo, cuando con algo de trabajo llegué a desentrañarle el sentido y apuré que "sellar sombras" quiere decir escribir o imprimir, y los túmulos de espuma son de papel, en que se escribe o imprime. Qué relación o qué semejanza razonable justa tengan entre sí las letras y el sellar sombras, el papel y los túmulos de espuma, yo por mí no lo alcanzo».
De veras, no lo alcanza y ataca lo que nos parece más bello e inesperado en esta poesía de Góngora. Aun sin comprender nos encanta «sellar sombras en túmulos de espuma». Es raro que un hombre culto y joven, como lo era Luzán en el momento de publicar su libro de preceptiva, el

mismo Luzán que discurrirá en los sillones de la Academia del Buen
Gusto con el nombre de «Peregrino», sea incapaz de sentir la ola de
peregrina poesía que se escapa de estos versos que él cita con tanta mofa.
El espíritu utilitario del siglo no permite a Luzán admitir la poesía por
el puro placer de disfrutarla. Ésta ha de ser lógica y didáctica según sus
principios, como si la poesía pudiera existir sin pasión e imaginación y
seguir al pie de la letra las reglas de los doctos y desapasionados realistas. [...]

Llegó henchido de ideas nuevas, con el deseo de acabar con los
desórdenes en la poesía española, de enseñar cómo y de qué manera
se debe escribir para alcanzar la perfección y el buen gusto. Inmediatamente le llaman la atención todos los defectos de las letras de
su patria que había idealizado en el extranjero. No le gusta lo que
agrada a sus compatriotas, quiere modificar las opiniones, imponer
las suyas que le parecen las únicas verdaderas. Es orgulloso y seguro
de sí, se siente respaldado por toda la autoridad clásica. Cree que
bastan sus palabras y algunos buenos ejemplos para que la poesía
española pueda lucir su «nativa hermosura y el adorno propio de
sus ricas galas». Porque Luzán, a pesar de sus críticas y ataques, se
siente español y «España le duele», podríamos decir. A través de la
Poética, como en toda su obra y su vida, se vislumbra la preocupación constante por su país natal y por su gloria entre las naciones.

Luzán sufría de los ataques dirigidos contra España a finales del
siglo XVII y en el XVIII, y buscaba sus causas en la literatura decadente como otros las buscaban en la política. Cuando censuraba
ciertas comedias de Lope de Vega lo hacía no sólo como crítico
literario sino también como español, preocupado por los asuntos
interiores del país.

¿Qué concepto podemos creer que habrá formado de la perfección
de un príncipe el pueblo español, cuando habrá asistido a la comedia del
Príncipe perfecto de Lope de Vega Carpio? No me parece que se pueda
imaginar idea de príncipe más baja ni más indigna de la que se propone
a la persona del príncipe don Juan, que da principio a sus perfecciones
y hazañas por un homicidio que comete, rondando de noche afuer de
matón más plebeyo y haciendo de vil tercero y cómplice en los amores
de un criado suyo ...

Creía Luzán también que el teatro, y especialmente la tragedia,
podían servir para moderar las pasiones y crear una escuela de moral

social, logrando «este tan provechoso retiro del alma en sí misma» por el cual «se templa la excesiva alegría, se amortiguan los espíritus altivos y se modera la vanidad de aéreas esperanzas y de inútiles deseos». [...] También se duele de la manera de representar a la mujer española y de la exageración inverosímil de varias comedias: las damas demasiado imprudentes que

han de olvidarse de todo su recato y arrojarse sin reparo alguno a todos aquellos lances de papeles, de rejas, de jardines, yendo tapadas a ver a sus galanes o escondiéndoles en sus mismos aposentos, para burlar la vigilancia de un padre o de un hermano.

El mismo reparo lo opone a Calderón de la Barca, ya que las comedias de éste «no contienen otros asuntos sino amores y desafíos».

Se dedica a la defensa del idioma castellano. Lucha contra el estilo macarrónico y los arcaísmos inútiles...:

y ya que la ocasión lo trae, no puedo dejar de decir que si nuestra habla parece alguna vez pobre y menos copiosa que otras, es culpa de los que por demasiada delicadeza desusaron algunos vocablos. Por nuestra ignorancia (decía el docto Fernando de Herrera) hemos estrechado los términos extendidos de nuestra lengua, de suerte que ninguna es más corta y menesterosa que ella; siendo la más abundante y rica de todas las que viven ahora, porque la rudeza y poco entendimiento de muchos la han reducido a extrema pobreza. [...]

En defensa del castellano emprende Luzán también una lucha contra la ampulosidad y la vacuidad de estilo en muchísimos escritores y predicadores, a los que iba a dar una estocada definitiva el padre Isla. Estos dos hombres, aunque bien distintos, se dan la mano. Luzán inicia la lucha por lo alto, critica y ataca a los poetas y autores dramáticos que forman el gusto en el país, pero se dirige a los «doctos y desapasionados», según su expresión. Sus lectores están en la capa superior de la sociedad y de allí no pasa su influencia. El padre Isla hace lo mismo, pero apunta hacia abajo. Sin esforzarse en probar sus razones, hace una sátira tremenda de la ampulosidad y de la exageración de los predicadores populares, sin cultura ni preparación alguna. Todos comprendieron su crítica, y el libro tuvo un éxito y una influencia reformadora que hubiera deseado para sí el grave Luzán.

A Luzán le ocurrió una cosa extraña: escribió la *Poética* para dar preceptos y reglas del buen estilo, de la dulzura y de la belleza en la poesía. De paso tocó a algunas celebridades nacionales criticando lo que, según su opinión, se podía censurar en ellas. Hoy día ya no existen reglas ni definiciones de la poesía y si alguien habla de Luzán es porque éste se atrevió a criticar a los poetas que hoy se aprecian. Un capítulo de su libro, escrito en un momento de irritación contra las faltas que él quería corregir y quizá carente de importancia para el autor, le dio fama hasta después de su muerte. Luzán no ha desaparecido por completo en el polvo de las bibliotecas porque ha escrito con pasión sobre Lope y Góngora. Si no hubiera atacado a los poetas nacionales más admirados, su obra hubiera quedado en el olvido y sólo algunos especialistas se acordarían todavía de ella. Pero al atacarlos, ha suscitado discusiones y contraataques, ha hecho pensar y reflexionar, ha sido «productivo» y no tan «desapasionado» como se lo imaginaba él mismo.

RUSSELL P. SEBOLD

LOS ORÍGENES COSMOPOLITAS DE LA *POÉTICA*

No voy a repetir aquí sino lo más esencial de lo dicho en mi trabajo *Análisis estadístico de las ideas poéticas de Luzán: Sus orígenes y su naturaleza* [*El rapto de la mente*, 1970, pp. 57-97.] En esas páginas creo haber demostrado muy claramente la absoluta falsedad de la noción de que Luzán se desnaturalizara estudiando artes poéticas extranjeras y así, con su *Poética*, acabase dando una dirección antinacional, en particular «afrancesada», a la poesía dieciochesca española. Ante todo quería determinar en la forma más exacta posible en qué medida la doctrina poética expuesta por Luzán hubiese

Russell P. Sebold, «Prólogo» a Ignacio de Luzán, *La Poética o reglas de la poesía en general y de sus principales especies*. Primera edición completa de ambos textos dieciochescos (1737 y 1789), Labor (Textos Hispánicos Modernos, 34), Barcelona, 1977, pp. 46-64.

derivado de los tratados de poética de los siguientes grupos de autoridades y críticos: los clásicos grecolatinos, los italianos, los franceses y los españoles, aunque también tomé en cuenta el influjo de todos los tratadistas modernos de otras nacionalidades (son pocos) a quienes se cita en la *Poética*.

En unas extensas tablas estadísticas paralelas analizo allí las 579 citas de 88 autoridades poéticas contenidas en la edición de 1737 y las 694 citas de 105 críticos incluidas en la edición de 1789, dando para cada preceptista su nacionalidad y el número de veces que se le cita en cada edición. Desde el principio era evidente que no importaba tanto el número de críticos que representara un grupo nacional como el número de ideas que Luzán hubiese tomado de cada grupo. Mas era igualmente evidente la imposibilidad de hacer el recuento de las ideas tomadas de cada autoridad y cada grupo, dada la enorme semejanza de las ideas de los diferentes críticos sobre la poética, el número casi ilimitado de combinaciones que pueden hacerse con esas ideas, la dificultad de distinguir entre una idea adoptada de un crítico y las ideas nuevas que luego se sugieren por ella y, por fin, las muchas variedades de influencia tanto directa como indirecta. La mejor manera de aproximarse a tal recuento de ideas resultó que era hacer el inventario del número de veces que Luzán cita, parafrasea o menciona a cada autoridad por su nombre, ya que en la mayoría de los casos se muestra muy escrupuloso en identificar sus fuentes al usar ideas ajenas.

Del estudio indicado copiaré aquí sólo las conclusiones sugeridas por las estadísticas paralelas para las dos ediciones dieciochescas: «... el número de críticos que representen una determinada cultura extranjera sólo está relacionado de modo muy insignificante con el grado de influencia que esa cultura haya ejercido sobre la doctrina de Luzán. El número de las autoridades italianas es mayor que el número de las clásicas y, sin embargo, podemos ahora afirmar de modo muy positivo que la doctrina de la *Poética* es más de dos veces —casi dos veces y media— más clásica que italiana (es decir, que Luzán cita a una autoridad clásica 2,5 veces para cada vez que cita a una autoridad italiana). El número de las fuentes clásicas es sólo el doble del número de las fuentes francesas —lo cual es en sí asombroso en vista de las nociones corrientes acerca del predominio de las fuentes francesas—, pero la doctrina de la *Poética* es aproximadamente cuatro veces más clásica que francesa (quiere decirse que Luzán cita a una autoridad clásica 4 veces para cada vez que cita a una autoridad francesa). Más aún, la doctrina es una vez y media más clásica que italiana y francesa juntas (esto es, que Luzán se refiere a una fuente clásica 1,5 veces para cada vez que se refiere a una fuente italiana o francesa). También es posible afirmar ahora de modo definitivo que la influencia francesa ejercida en la *Poética* de Luzán es una influencia completamente secundaria. A este respecto importa observar que las tablas ... casi no acusan ningún incremento de influencia francesa de la primera edición a la segunda, a medida que hay un aumento apreciable en el número de citas de fuentes clásicas, italianas y españolas». [...]

«La refutación de las nociones corrientes acerca de la supuesta influencia primaria de las autoridades francesas importa tan sólo en la medida en que es una indicación especialmente clara del hecho de que habría sido imposible la preponderancia de cualquier influencia europea moderna en vista del concepto que Luzán tenía de la poética. Sólo las fuentes clásicas —particularmente Aristóteles— podían predominar, dados los orígenes y la naturaleza de la disciplina de la poética. En el fondo, importa muy poco cuál de los grupos nacionales de autoridades modernas sea el más citado, porque un Le Bossu o un Beni es, ante todo, continuador de Aristóteles y la dilatada y secular herencia poética de Occidente, y sólo en segundo lugar es francés o italiano. Por ende, el efecto de las referencias de Luzán a fuentes francesas e italianas no fue el de desnaturalizar una obra escrita por un español, sino única y exclusivamente el de subrayar con mayor claridad su básico aristotelismo. Decir, por ejemplo, que la doctrina de la *Poética* de Luzán es cuatro veces más clásica que francesa, es en realidad lo mismo que decir que es cuatro veces más clásica por préstamos directos que por préstamos indirectos a través de los comentarios franceses ... y las ideas de Aristóteles (o de Platón, Horacio, Quintiliano, etc.) no pueden ser consideradas como elemento extranjero en ningún país que tenga antecedentes grecorromanos ... En la comunidad de Occidente, la literatura es internacional a la par que nacional, y la literatura de cualquier país individual suele hacerse mala, no buena, de resultas del aislamiento y el provincianismo ... Debido a la orientación clásica de la *Poética* de Luzán, la actividad literaria de éste fue cosmopolita en un sentido tanto vertical como horizontal, y por lo mismo no fue ni más ni menos patriótica que la de cualquier otro preceptista *occidental* de su época.»

Tal comprensión de la poética no obstaba en modo alguno para que Metastasio fuese poeta *italiano*, o Saint-Lambert poeta *francés*, a la vez que ciudadano de la república literaria occidental, y tampoco impedía que Luzán fuese crítico *español*, o fuesen poetas *españoles* los neoclásicos que le habían de seguir. ¿En qué consiste entonces lo italiano, lo francés o lo español de estos poetas? Luzán diría que no radica en la ideología poética que tales literatos hayan abrazado, sino en su *modo* de abrazarla.

El clima, las costumbres, los estudios, los genios —explica Luzán en uno de los capítulos nuevos de la segunda edición de la *Poética*— influyen de ordinario hasta en los escritos y diversifican las obras y el estilo de una nación respecto de los de otra ... pero es una diferencia que sólo hiere en el modo con que cada nación o cada autor pone en práctica los preceptos ... que en todas partes son ... unos mismos.

Luzán reitera más abajo la misma teoría del *modo*, o sea el *estilo*, en un pasaje que aparece en ambas ediciones setecentistas: «No sólo un autor se distingue de otro por su estilo; pero una nación suele tenerle diverso de otra por la diversidad, según yo creo, de las costumbres, del clima y de la educación».

De ahí la importancia de los textos ilustrativos de los poetas que se hallan citados en la *Poética*. El que Luzán haya consultado las obras preceptivas de Cascales, González de Salas y otros españoles (comentarios de Aristóteles, Horacio, etc.) no contribuye, más que sus conocimientos de los tratados franceses e italianos, a la formación de un *modo* neoclásico español. En cambio, lo que sí había de servir para instruir a los lectores de la *Poética* en las características del *modo* clásico español era la cantidad de ejemplos que Luzán citara de los poetas nacionales, especialmente de «aquel buen siglo», según él llama al quinientos. [...] Entre los ejemplos de buena poesía citados en la *Poética* predominan los versos de poetas españoles sobre los de los poetas latinos, italianos, portugueses y franceses que Luzán, sin embargo, también considera por ser crítico de gran cultura universal.

Luzán se basa con frecuencia en la práctica de los poetas renacentistas, porque en esa centuria vivieron «los padres de nuestra versificación moderna, Boscán y Garcilaso»; y porque algunos años después, en el mismo primer siglo áureo, vino a ennoblecer la poesía española «el célebre y excelente poeta fray Luis de León». El juicio entusiasta de Luzán sobre Boscán, Garcilaso y fray Luis se extendería en bloque a toda la poesía española (e italiana) del siglo XVI en un interesante pasaje de las *Memorias literarias de París*, que resume sucintamente la opinión que se refleja a lo largo de la *Poética*: «la poesía vulgar no hizo tantos progresos en Francia como en otras partes. Baïf, Magny, Du Bellay y otros que florecieron en el siglo XVI no creo que se pueden comparar con los que produjo Italia y España en el mismo siglo». Mas el gusto personal de Luzán por la poesía nacional del quinientos no es el único motivo que tiene al tomar de ella tantos ejemplos. Acude a ese rico tesoro en busca de ilustraciones estilísticas, porque las grandes figuras de la poesía renacentista son a un mismo tiempo poetas españoles y poetas de orientación clásica grecolatina por lo que respecta a muchos de los géneros, temas y técnicas que manejaron (orientación debida a la influencia directa de los antiguos y la indirecta de los italianos). Es decir, que consultando unos mismos modelos los poetas de la nueva era podían instruirse en los rasgos de eso que Luzán llama el *modo hispánico*, así como en los refinamientos de la secular práctica de la tradición poética occidental; pues el neoclasicismo dieciochesco va a ser un movimiento híbrido de filiación nacional a la vez que grecorromana, de igual modo que lo había sido antes el clasicismo (o primer neoclasicismo) español del siglo XVI; pero el prefijo *neo-* convendría doblemente a la escuela setecentista de la que se trata aquí porque, además de representar un nuevo clasicismo respecto de la literatura de la antigüedad grecolatina, tal escuela constituye a la par un nuevo clasicismo respecto de la poesía española del Renacimiento por haber escogido ésta como su patrón inmediato.

El neoclasicismo español del XVIII será, en una palabra, un «nuevo clasicismo español»; y quisiera insistir en el hecho de que su identidad como tal empieza a cuajarse ya en las páginas de Luzán, por lo cual la influencia de éste sobre los poetas neoclásicos fue decisiva, y no insignificante, como muy erradamente se viene afirmando. La idea de Luzán de que los poetas quinientistas son eximios modelos y fuentes de la más exigente preceptiva occidental llevada a la práctica, así como de la distinción y brillantez nacionales, se refleja ya en las primeras páginas de la *Poética*, en un pasaje en el que se explica por qué en España se hubiese compuesto un número más reducido de tratados teóricos de poética que en los otros países importantes de Europa.

Querer atribuir esta falta a la de ingenio y erudición sería desvarío —aserta Luzán—; pues, dejando aparte otras muchas razones, ¿quién duda que tantos excelentes poetas españoles, que escribieron con singular acierto en la práctica no ignoraban la teórica? Por ventura, si Garcilaso o Camões o Lupercio o Bartolomé Leonardo o Herrera o algún otro de los muchos que han adquirido fama inmortal con sus versos, hubieran dado a la enseñanza y explicación de las reglas una parte de las fatigas que les costaba su ejecución, ¿no tendríamos ahora un número copioso de tratados parfectos con que arreglar nuestras poesías?

Quiere decirse que cuando se ha de recurrir a esas técnicas literarias que enlazan el mundo antiguo con el moderno, un modo muy seguro de volver a ellas es indirectamente por vía de los paralelos que pueda haber entre los espíritus de la antigüedad y los españoles modernos.

[Quizá la más importante de varias obras de la década de 1750 que sirvieron para difundir la idea luzanesca del «nuevo clasicismo español», fuese la titulada *Orígenes de la poesía castellana* (Málaga, 1754), de Luis José Velázquez, marqués de Valdeflores, que sirve para ilustrar cómo se llegó a divulgar dicha idea, no sólo a través de la lectura directa de las páginas de Luzán, sino también mediante las paráfrasis, es decir, cómo llegó esa idea a «estar en el aire». Importa subrayar que tan destacado miembro de la Academia del Buen Gusto (el primero de los principales cenáculos neoclásicos) considera a Luzán como inaugurador del nuevo movimiento. «Dio principio a esta gran reforma D. Ignacio Luzán publicando su *Poética* en el año 1737» —escribe Velázquez.] De no haber sido por la nueva apreciación de lo clásico nacional iniciada por Luzán y promovida por los neoclásicos de todas las generaciones, es incluso muy probable que no conociéramos hoy a algunas de las principales figuras de la poesía quinientista castellana. En todo caso, [...] no existe escisión ninguna entre la época de Luzán y la de Tomás de Iriarte, Cadalso, Meléndez, Jovellanos, Quintana, etc., en el sentido de que durante esta última se recrudeciera tanto el supuesto afrancesamiento de las letras dieciochescas, que el espíritu auténticamente clásico de la *Poética* de Luzán no pudiera ya influir en ellas, como se viene afirmando (al mismo tiempo, naturalmente —contradicción típica de los estudios «científicos» pertenecientes a nuestra disciplina—, que se ha querido considerar las fuentes francesas de la *Poética* como las primarias).

¿Cuándo acabaremos de enterrar el espectro del afrancesamiento? Creo poder decir sin inmodestia que he profundizado un poco todos estos temas, y salvo algún poeta dramático mercenario como Comella, no he encontrado ningún neoclásico *español* que no buscara sus modelos primero en la literatura patria. Diré por la enésima vez que el término político *afrancesado* empezó a aplicarse a la literatura setecentista por equivocación y luego por mala voluntad durante las polémicas de la época romántica, y así puede descartarse. Lo que sí hay en pleno neoclasicismo, según también he insistido muchas veces, es un admirable cosmopolitismo, de orientación hispánica, y conocimiento de todas las literaturas principales de Europa, junto con los más importantes sistemas filosóficos antiguos y modernos; y por lo ya dicho aquí queda claro que tampoco en este aspecto pudo el neoclasicismo o «nuevo clasicismo español» tener otro heraldo más idóneo que Ignacio de Luzán.

[En cuanto a la influencia de Luzán sobre los neoclásicos, Moratín y Quintana reconocen la solidez y gran valor de la *Poética* en sí, pero cada uno niega que el tratado luzanesco haya influido en forma general sobre el conjunto del movimiento. En su biografía de su padre, Moratín escribe: «En vano el benemérito don Ignacio de Luzán quiso estimular a sus conciudadanos con la doctrina y el ejemplo. Su *Poética*, impresa en el año 1737, no se leía en el de 1760» (BAE, II, VIII). Quintana, en su ensayo *Sobre la poesía castellana del siglo XVIII*, encuentra sólo un defecto grave a la *Poética*, su estilo, que él considera como seco, y por consecuencia, razona, no es de extrañar que «fuese poco leída entonces, y que por de pronto su influjo en los progresos y mejora del arte fuese corto, o más bien nulo» (BAE, XIX, 147 a). Tales aseveraciones en boca de tan respetados neoclásicos, junto con los prejuicios de los románticos, inauguraron el siglo y medio de abandono casi total en que se tuvo la *Poética* de Luzán hasta la aparición de la edición de Filippo en 1956. Pero la huella de Luzán está clara en las páginas de Nasarre, Montiano, Velázquez, Clavijo, Nipho, Isla, Moratín padre, Tomás de Iriarte, Sebastián y Latre, Sempere y Guarinos, el *Memorial Literario*, el *Diario de Madrid*, Urquijo, Jovellanos, Martínez de la Rosa y otros. Por lo que respecta a la difusión de la doctrina luzanesca en escala más amplia a futuros escritores y lectores, lo más interesante y significativo es la aparición en 1757 de un libro de texto basado principalmente en la *Poética* de Luzán: *Compendio del arte poético sacado de los autores más clásicos para el uso e instrucción de los caballeros seminaristas del Real Seminario de Nobles de Madrid, por el padre Antonio Burriel, de la Compañía de Jesús*, obra rarísima que yo hallo mencionada en una sola bibliografía.

Aunque en el *Compendio* de Burriel se consideran diversas autoridades, la influencia de Luzán es mayor que la de otras; pues, además de citarse sus opiniones por su nombre diecinueve veces, su doctrina sobre todos los géneros se refleja en las explicaciones de Burriel. El mismo plan general de la *Poética* de Luzán resumido en su subtítulo, se refleja en el del *Compendio*.]

Pues bien, ¿cuál es precisamente el sentido del *Compendio* de Burriel para la evaluación del influjo de Luzán? El Real Seminario de Nobles de Madrid era la mejor y más moderna escuela secundaria de toda España en esa época y a ella venían a estudiar los hijos de familias distinguidas y pudientes de todo el país. Como si esto fuera poco, la importancia concreta de todo ello salta a los ojos cuando se toma en cuenta que uno de los ilustres hijos de provincias que iniciaron sus estudios en el seminario jesuítico de Madrid cuando se acababa de instituir el uso del *Compendio* de Burriel como libro de texto fue nada menos que José Cadalso, que estudió allí entre 1758 y 1760. Es archisabido que Cadalso guió los pasos de Meléndez Valdés, Iglesias y otros poetas de esa misma generación de la llamada Escuela de Salamanca, y que su principal discípulo, Meléndez, fue a su vez el mentor de la próxima promoción de poetas pertenecientes a esa escuela, entre ellos Cienfuegos y Quintana. [...] Parece muy probable que Cadalso, quien realizó extensas lecturas de poesía y crítica en la década de 1760, fuera animado a leer la *Poética* de Luzán por las frecuentes alusiones a ésta contenidas en el *Compendio* de Burriel. En todo caso, las ideas de Luzán, comunicadas directamente por su misma obra a la vez que indirectamente por el libro de texto del seminario, parecen haber pasado a través de Cadalso a los más estimados poetas neoclásicos.

Con la obra de Burriel se explica también cómo Leandro Moratín haya podido formarse la impresión de que no se leyera mucho hacia 1760 la *Poética* de Luzán, cuyo papel él por otra parte no quería en modo alguno disminuir por admirar mucho su contenido. Con una obra de divulgación como la debida a Burriel, se posibilitó que muchos poetas y aficionados a la poesía fueran influidos por la *Poética* de Luzán sin haberle visto nunca ni aun el forro. Y el *Compendio* del jesuita no es la única obra que contribuyó a que los dos decenios de 1760 a 1780 fuesen al parecer un período, no de influjo reducido de las ideas poéticas de Luzán, sino de lectura menos frecuente del mismo texto de la *Poética*. Al final de esas dos décadas de divulgación indirecta se produciría un renacimiento de interés en la *Poética* misma, el cual antecedería en unos diez años a la publicación de la segunda edición. [...]

Hablaría del influjo de Luzán sobre el entusiasta y constante cultivo de la anacreóntica en la segunda mitad del setecientos, sobre la visión histórica y la versificación de las odas de Quintana, sobre el uso casi exclusivo de asuntos españoles en la tragedia neoclásica, sobre el nacimiento de la moderna comedia de costumbres y sobre otros muchos aspectos del neoclasicismo español; pero tendré que dejar este estudio para otra ocasión. Menciono estos temas aquí para que el lector comprenda que desde los puntos de vista más diferentes la meditación detenida sobre este problema induce a creer que no hubo ningún neoclásico importante que desconociera la influencia luzanesca. [También muchos neoclásicos de segunda y tercera fila, muchos alumnos en las aulas de poética y muchos meros aficionados a la poesía se familiarizaron con las ideas poéticas de Luzán,] ya fuera por haber leído la misma *Poética*, ya por haber manejado una de las obras en que se vulgarizaba la doctrina de ésta, o ya por haberse informado del pensamiento de Luzán tan sólo de oídas en una de las muchas «academias» o tertulias literarias que se reunían entonces en las casas particulares. Se trata de un fenómeno todavía común en el mundo actual. En nuestras universidades, en nuestras tertulias y en libros y revistas se alude a menudo y con aparente conocimiento directo a la obra de críticos influyentes de hace cincuenta años, de cuyos escritos no existe ya, sin embargo, un solo ejemplar para cada quinientos especialistas que por lo visto dominan su contenido. Y sin embargo, en cierto modo sí lo dominan: es un conocimiento válido, pero menos directo de lo que parece. La doctrina de un libro decisivo suele reiterarse en todos los estudios sobre el mismo tema hasta la segunda o tercera generación. Adquirimos las noticias más detalladas sobre su contenido a través de las alusiones reiterativas contenidas en todos esos libros relacionados y más recientes, muchas veces sin siquiera proponérnoslo y sin haber visto el texto original. En los años cincuenta y sesenta de nuestro siglo los hispanistas seguían hablando en todas partes de *El pensamiento de Cervantes* de Américo Castro; pero no había habido ninguna edición desde la primera de 1925; los ejemplares de ésta habían desaparecido de muchas bibliotecas universitarias y públicas; y eran contadísimos los ejemplares que existían en colecciones particulares. Después de cuarenta y seis años la nueva edición de 1971 puso las ideas clásicas de Castro sobre Cervantes otra vez a la disposición de los estudiosos en su mismo texto. Después de un intervalo de cincuenta y dos años la nueva edición de 1789 de la *Poética* [hecha por el impresor Antonio de Sancha] volvió a poner las ideas de Luzán al alcance de los lectores. Los conocimientos que se tenía de la *Poética* de Luzán en los años sesenta y setenta del siglo xvIII eran análogos a los que se tenía de *El pensamiento de Cervantes* de Castro en los años cincuenta y sesenta de nuestro siglo. No siempre pudieron leerse directamente, mas en ninguno de los dos casos dejó libro tan singular de ejercer una influencia decisiva sobre su disciplina.

GEORGES DEMERSON

LAS *MEMORIAS LITERARIAS DE PARÍS*

A su llegada primero, y durante los años de su residencia en París, Luzán confiesa que quedó deslumbrado por la cultura y la brillantez que pudo observar en la vida parisina. «No creo adular a una nación —dice— ni agraviar a las demás, si digo que París es el centro de las Ciencias y Artes, de las Bellas Letras, de la erudición, de la delicadeza y del buen gusto.» Y sigue así durante toda una página.

Partiendo del postulado de que las mismas causas producen siempre los mismos efectos, movido por el deseo de ser útil a su patria, estudió detalladamente todas las instituciones que habían propiciado la aparición y desarrollo de tan activa vida intelectual y artística. Aprovechó, pues, para ello los ratos de ocio de que disfrutaba y que fueron en aumento, pues sus ocupaciones [de secretario de embajada] se hicieron, según confesión propia, cada vez más ligeras. Esta circunstancia le permitió visitar los principales centros docentes, las diferentes academias civiles y militares; asistir al teatro, frecuentar las bibliotecas y librerías, leer las gacetas y los libros que entonces estaban de moda. Luzán realizó una encuesta completísima y metódica sobre las condiciones en que se desarrollaba la vida cultural en Francia. La verdad es que no perdonó el zaragozano esfuerzos ni gestiones para allegar informaciones. Su propósito, puntualiza, era exponer a las personas que no viajan y a las que no entienden las lenguas extranjeras

Georges Demerson, «Un aspecto de las relaciones hispano-francesas en tiempo de Fernando VI: Las *Memorias literarias de París* de Ignacio Luzán (1751)», en *La época de Fernando VI*, Cátedra Feijoo, Oviedo, 1981, pp. 250-253, 257-262, 268-273.

el estado que tenían a la sazón las Ciencias y Artes en París, el método que se seguía en los estudios, las varias maneras de enseñar, los estatutos y los reglamentos de sus Academias, los ejercicios de sus escuelas públicas y privadas, las nuevas obras de sus literatos, alguna crisis —juicio— imparcial de éstas, con las reflexiones y noticias que pueden contribuir más eficazmente al logro del fin que me he propuesto.

Que se haya movido Luzán constantemente, que haya visto muchas cosas con sus propios ojos, es indudable: asistió por ejemplo a la escuela de Física Experimental del abate Nollet en la galería del Louvre. «Su curso dura de cinco a seis semanas a tres días cada semana. En mi tiempo, añade, concurrimos diez y ocho, la mayor parte ingleses, cuatro o cinco franceses, algunos alemanes y dos españoles.» Es un observador atento, preciso, amigo de las cifras y estadísticas: «El teatro de la Comedia Francesa está bien iluminado: hay catorce arañas de cristal, con doce velas cada una, además de las tres docenas que se ponen en el tablado, al borde de él, hacia el patio». Examina por sí mismo las cartillas y métodos de enseñanza de la lectura y la escritura, y compara sus métodos y sus resultados. Su testimonio es fidedigno: refiere lo que ha visto, palpado, oído. Su obra no es de segunda mano: es la de un testigo presencial. Las observaciones e informaciones que recogió fueron editadas en Madrid, con el título de *Memorias literarias de París* por Gabriel Ramírez en abril de 1751. Pero estaban concluidas antes del mes de diciembre de 1750, pues la primera aprobación que firmó Montiano y Luyando es del 4 de aquel mes. Los demás dictámenes y licencias son posteriores. [Consta el libro de treinta capítulos y una introducción. El examen del contenido del volumen revela que el título de la obra resulta hoy día inexacto. Disciplinas como la física, las matemáticas, la medicina, la cirugía, la anatomía, la botánica, la química, las leyes, la arquitectura o incluso la enseñanza militar no se consideran, *stricto sensu*, como literarias. Pero hace dos siglos y medio el concepto de «letras» era más amplio y correspondía a lo que hoy llamamos «cultura».]

Los capítulos dedicados a la vida literaria de París *stricto sensu* o a la literatura son pocos. De los treinta que componen el libro, sólo cuatro, del VIII al XI, ambos inclusive, abordan materias que se relacionan con las cuestiones tratadas por Luzán en su *Poética*.

En catorce páginas, el capítulo VIII, «De la poesía francesa y de su estado actual en París» señala el papel iniciador de «la Francia y particularmente la Provenza que fueron las primeras en inventar y cultivar la poesía vulgar». Después de un juicio poco benévolo acerca de la poesía renacentista francesa, el autor resalta el decisivo papel incitativo de Luis XIV y sus ministros, espléndidos mecenas, y el florecimiento de las letras durante el reinado del Rey Sol. Dedica cinco páginas a elogiar el talento polifacético de Voltaire, cuyas tragedias le llevan a hablar del teatro: tragedia, comedia y pequeñas piezas. Todo el capítulo es descriptivo, histórico, sin el menor aspecto normativo o preceptivo.

En cambio, el capítulo IX, titulado «Algunas reflexiones sobre las tragedias y comedias francesas» es más teórico. «Generalmente he visto bien observadas las principales reglas del teatro, así en las tragedias como en las comedias: las tres unidades de acción, de tiempo y de lugar, los caracteres, el encadenamiento de las escenas hasta el fin de cada acto.» No impide este *satisfecit* general las críticas, a veces severas, del estilo y de los asuntos: «El estilo en muchas tragedias de las modernas ... por quererle hacer muy sentencioso y muy trágico, le hacen afectado e hinchado ... El estilo de las comedias generalmente está libre de este defecto».

En cuanto a los temas, los poetas franceses, queriendo emular y aun superar la fama de los trágicos griegos, escogieron los mismos asuntos. No se dieron cuenta de que estos asuntos «son ahora totalmente inverosímiles en París y en todas partes». Los autores no consiguen crear la ilusión dramática y las tragedias «caen» como *Orestes* de Voltaire. En cambio *Phedra*, que obliga a todo el auditorio a derramar lágrimas, le parece «una especie de prodigio del ingenio». Hostil al sistema español de intercalar entremeses burlescos entre dos jornadas de una tragedia, el aragonés alaba la organización francesa de las funciones de teatro que consiste en representar seguida toda la tragedia o comedia, y a continuación la «pequeña pieza», reducida a uno, dos o tres actos.

En el capítulo X, «De los teatros de París», Luzán hace un breve historial de estos establecimientos desde el año 1398, describe su disposición interior, las entradas y hasta el orden de los coches que traen los espectadores. Analiza los estatutos de los comediantes del teatro francés y de los del teatro italiano, así como las obras que representan éstos. Habla de la ópera, de la música de Lulli, «que es la que se usaba hace noventa o cien años en Italia», de la de Mondonville y Rameau. Evoca los pantomimos y la ópera cómica, género popular que desprecia: «No es asunto que merezca mayor detención», dictamina.

Con el capítulo XI, «De el aparato de la representación y otras particularidades relativas a la Comedia Francesa», volvemos a pisar un terreno muy parecido a aquel en que se edificó la *Poética*. El autor examina las condiciones materiales de las representaciones. Para respetar la unidad de lugar, «aunque la escena es fija, la perspectiva representa varios lugares contiguos que tienen salida a una misma sala, o atrio común, donde suceden todas las acciones». Aquí encontramos unas reflexiones que, si bien no son dogmáticas, recuerdan directamente la doctrina de la *Poética*: «El ser estable y fija la escena es más propio, más verosímil y más conforme a la unidad de lugar, tomada en todo su rigor. El mudar las escenas y ver que se desaparece lo que era salón, y se descubre como por encanto en su lugar una campaña abierta, o una prisión, no deja de ser cosa muy violenta para la imaginación del auditorio y que desvanece el engaño o ilusión teatral, haciendo reparar que lo que se está viendo es una ficción y no una realidad, a la cual repugnan semejantes mutaciones».

Encomia después la excelente iluminación de la Comedia Francesa (las catorce arañas que hemos mencionado ya), los vestidos que son propios y de buen gusto y ricos («a la heroica» en las tragedias, mientras que «en las comedias se usa el vestido común del siglo»), la composición de la compañía: diecisiete hombres y once mujeres, la calidad de su trabajo, el conocimiento inmejorable que tienen de sus papeles, la flexibilidad de su talento, su pronunciación «clara, distinta y exacta», algo afectada y declamatoria en la tragedia, aunque ya desde el tiempo de Molière se inició una reacción en el sentido de la naturalidad y la propiedad. Sin embargo, nota la ausencia de preceptos sobre el arte de representar, hasta la publicación en 1749 de un tomo en octavo, *El comediante*, de Rémond de Sainte Albine, que decepciona al crítico español: «No hallé en él el método ni la claridad que yo deseaba». Afortunadamente, a los pocos meses, salía un librito, *El arte del teatro*, de Francisco Riccoboni, cómico de la compañía italiana, hombre culto y estudioso, apasionado por las ciencias y la física. «Esta obra, aunque pequeña, encierra en sí todo lo que se puede desear en el asunto.» Y, movido por el entusiasmo, Luzán traduce en tres páginas un trozo relativo al arte de mover airosamente los brazos, movimiento que no se consigue sino con mucho estudio. Todo el busilis estriba en que «la parte superior, la que empieza desde el hombro hasta el codo, se desprenda del cuerpo la primera ...». Esa preocupación por mejorar el trabajo y la calidad profesional de los comediantes españoles no fue pasajera en él y a su regreso a España trató de plasmar en un tratado las ideas y observaciones que había traído del otro lado del Pirineo. [...]

Es sabido que la obra magna de Luzán sólo tuvo en vida de su autor una edición, la de Francisco Revilla, Zaragoza, 1737, en folio, siendo la segunda muy posterior, pues se publicó 52 años después de la primera y treinta y cinco años después de la muerte del autor: es la de Sancha, Madrid, 1789, en dos volúenes en octavo, «corregida y aumentada por su mismo autor» según reza la portada. A pesar de este aserto tranquilizador, los críticos enterados de las vicisitudes póstumas de los papeles de Luzán se han preguntado si no intervino otra mano y sobre todo otra mente en las adiciones de la segunda edición. En efecto, los párrafos, a veces muy extensos, puesto que en ocasiones llegan a ser capítulos completos, que se insertan en el texto primitivo, y las correcciones locales de éste, parecen traducir una óptica diferente: una orientación claramente neoclásica, que difiere sensiblemente de la primitiva, de inspiración más barroca en opinión de varios comentaristas. [Sin detenernos a estudiar este problema vidrioso, podemos preguntarnos si la permanencia de más de tres años en tierras francesas del autor de la *Poética* no llegó a influir sobre sus concepciones, sin embargo, la lectura de las *Memorias de París*, no nos permite rastrear de modo claro esa influencia.]

Así a bulto se podría decir que la *Poética* de 1737 expone una teoría general universal de la poesía, válida para todos los países y todos los idiomas, mientras que la edición de 1789 imprime a la obra un sello voluntariamente mucho más nacional. Relacionando este hecho con lo que Luzán repite hasta la saciedad en las *Memorias*, a saber que quiere ser útil a su patria y a sus compatriotas, dando a conocer a los españoles, para que se inspiren en ello, lo que ha visto en el extranjero, parece lógico y verosímil que el preceptista haya proyectado estos capítulos y empezado a componerlos. Pero le sobrevino la muerte y quedó interrumpida la rectificación. Mucho tiempo después, siguiendo el plan trazado y aprovechando los apuntes que había dejado, el responsable de la segunda edición, sin duda Llaguno, ordenó y completó estos apuntes, dejando, como es lógico e inevitable, en los nuevos capítulos la impronta de su fuerte personalidad y de sus gustos neoclásicos. Así, no había engaño en la portada de la segunda edición, que fue en efecto «aumentada y corregida por su mismo autor». [...] Pero le faltó tiempo. Así se explica que los críticos hayan reconocido en las adiciones de 1789 otra mano y otra orientación que en la edición príncipe.

¿Cuál es, finalmente, el balance de esa estancia de Luzán en París? Para establecer este balance, sólo disponemos de dos fuentes: las *Memorias de París* y la biografía de su padre escrita con el título de *Memorias de la vida de don Ignacio de Luzán*, por Juan Ignacio de Luzán. [...] Gracias a estos documentos poseemos algunas precisiones sobre la actividad propiamente literaria del aragonés en París y también sobre las obras que escribió o esbozó a su regreso a España.

En París, compuso obras de circunstancias, pero también escritos de erudición histórica y geográfica y finalmente otros estudios relacionados con su vocación de preceptista y con la *Poética*. Entre las obras literarias, hay que clasificar varias poesías en francés, italiano, español y latín, especialmente unos dísticos latinos sobre el palacio de la marquesa de Pompadour en Fontainebleau y una epístola macarrónica escrita hacia abril de 1748, dirigida a su amigo Juan de Iriarte en la que «con chiste le da cuenta de varias cosas que había visto en aquella corte, especialmente de la Real Biblioteca y del carácter del bibliotecario». Asimismo, compuso una crítica del *Catilina*, célebre tragedia de Crebillon.

Además, aprovechando las fuentes diplomáticas que manejaba y las negociaciones en que tomaba parte, empezó a escribir unas memorias históricas de los sucesos principales de aquel tiempo y de sus causas. Su propósito era doble: conservar una relación precisa de los acontecimientos que había vivido, sin que se borrasen de su memoria; e instruir a los jóvenes que pensasen dedicarse a la política. Empresa ésta destinada *ab ovo* al más completo fracaso si damos fe al juicio del duque de Huéscar, que denegaba a Luzán la menor parcela de espíritu político y le consideraba incluso incapaz de «hacer una relación de las negociaciones que han pasado por él». Paralelamente, por encargo de la Academia de la Historia, extendió un informe para la geografía de España. Más afín a su carácter de preceptista y de gramático es otro trabajo suyo: un estudio de los sinónimos de la lengua española que emprendió poco antes de salir de París a imitación de la obra del abate Girard.

La lista tendría que ser más larga; pero, amparándose detrás de un misterioso deber de secreto, Juan Ignacio se niega a revelarnos otros títulos. Sólo nos informa que su padre escribió en Francia otras obras «de más entidad y mérito», pero «la calidad de los asuntos que en ellas trata prohíbe dar aquí noticia individual de ellas». Al regresar a España, no se entregó Luzán al descanso ni al ocio: «volvió al instante a tomar la pluma para concluir las obras que tenía ideadas o emprendidas, y para formar el plan de otras que sus luces, celo y continua aplicación le sugerían». Menos la *Gatomiomaquia*, *El gacetero quejoso de su fortuna* y un proyecto para precaver las carestías de trigo que revela en Luzán un auténtico proyectista, mantienen todas estas obras una relación más o menos directa con la estancia de su autor más allá del Pirineo. Es evidente para las *Memorias de París* y la traducción de una obra de teatro francesa. Pero es indiscutible también en el caso del plan de una academia general y del tratado del perfecto comediante. [...]

Para nosotros, *hic et nunc*, el mérito de las *Memorias de París* no es despreciable. Esta obra constituye un documento único, un verdadero «reportaje» global y metódico, sin ejemplo en las letras hispanas de la época, sobre la vida intelectual de la capital francesa al mediar el siglo. Desde el punto de vista galo, incrementa el interés de ese reportaje el que lo haya hecho un extranjero. Mucho mejor que la *Poética*, nos informa además sobre la personalidad, los gustos, la idiosincrasia, la manera de ser de Luzán, pues hallamos en ella un retrato, no sólo en pie, sino «en acción» del autor. Y sobre todo nos permite captar cuál fue el ideal y el ideario del aragonés y cómo ese teórico del neoclasicismo, a quien el duque de Huéscar no había conseguido en el campo de la diplomacia «pegar su malicia práctica», fue en realidad un hombre muy práctico y en contacto permanente con la realidad de su tiempo.

El interés de las *Memorias* rebasa, pues, y con mucho, la descripción de París que contiene. Nos permite intuir el enorme impacto que tuvieron en Luzán las ideas nuevas que circulaban por Europa y de las que Francia fue en esa época para el resto del mundo el mejor intérprete y pregonero. Luzán se adhirió entusiasmado a este nuevo ideario, el de la Ilustración. Y esta constatación no deja de tener consecuencias importantes: esa «conversión» a la Ilustración que sufrió en el decenio de los años cuarenta explica por qué el autor, movido por el patriotismo y el anhelo de utilidad, empezó a preparar una segunda edición de la *Poética*, y por qué las adiciones de esa segunda edición iban a tener un marcado carácter nacional.

La verdad nos obliga empero a reconocer que ese Luzán ilustrado no llevó hasta sus últimas consecuencias su adhesión a esos ideales «filosóficos» que había abrazado. El postrer capítulo de las *Memorias* nos agua la fiesta. Luzán parece volver sobre las concesiones que antes había hecho a la Ilustración. Había alabado la opulencia de París, había dejado entender que le agradaba la libertad que en esa capital se disfrutaba; pero convirtiéndose de pronto en moralista, empieza a vituperar la licencia que en ella reina. Al lado de las plantas salutíferas, explica, y de los animales útiles al hombre, quiere «hacer mención de las plantas nocivas y venenosas y ... de los caymanes y áspides» que amenazan al incauto en las orillas del Sena. Hay obras publicadas en París, continúa, que «por el escándalo que causan, se pueden mirar como las producciones venenosas de este país». Apuntando el autor a las novelas «que en tanto número se escriben, con mucha gracia en cuanto al estilo, pero con mucha libertad y aun indecencia en cuanto a las costumbres», condena sin apelación títulos como *El Sopha, El portero de la cartuja, Theresa la philósopha* y demás historias secretas y galantes. No nos sorprende por cierto esa condena de la literatura licenciosa, hija espúrea del espíritu filosófico francés. Pero sí nos deja asombrados el siguiente aserto en que, al encausar al mismo Cervantes, el preceptista señala claramente los límites extraordinariamente estrechos de su ilustración en este campo. No quiero condenar todas las novelas, afirma, «y miro como una especie de perjuicio el destierro general de los libros de Caballería que logró Cervantes con las burlas de Don Quijote».

¿Sería esta afirmación alguna precaución contra la censura o el Santo Oficio? No es imposible; pero creo más bien que Luzán, como muchos de sus coetáneos y compatriotas, experimentaba ese sentimiento que ha sido descrito no hace mucho, en un libro que originó bastante revuelo: *El miedo a la libertad*. [Erich Fromm.]

RINALDO FROLDI

EL ÚLTIMO LUZÁN

Desde la oscura Monzón, donde estableció Luzán su residencia, cuando su obra había comenzado a darle una cierta fama, se desplazaba de vez en cuando a la capital «a correr los ordinarios trámites de pretendiente», por usar las mismas palabras del biógrafo, su propio hijo Juan Ignacio. Los primeros reconocimientos y honores no se hacen esperar. Luzán llega a ser miembro de la Academia de la Lengua en 1741 y de la Academia de la Historia en 1745. Desde este momento, en que entra en el circuito de la cultura oficial y aspira a cargos públicos, su empeño no es ya del estudioso aislado que confía ideas propias y fama sólo a la publicación de un libro, sino que se concretiza en una elección bien precisa. Se trata de una parti-

Rinaldo Froldi, «El "último" Luzán», en *La época de Fernando VI*, Cátedra Feijoo, Oviedo, 1981, pp. 353-361, 364-366.

cipación directa en apoyo a la política reformadora de los ministros de Fernando VI, la cual, en el campo cultural, se caracterizó sobre todo como esfuerzo de constitución, en torno a la corona, de una *élite* que acercara la corte de España a la de las otras naciones europeas. Es precisamente éste, el Luzán que llega a ser uno de los mayores exponentes de la política cultural oficial y que se afana en nuevas empresas, entregándose por completo a ellas durante los últimos diez años de su vida, el que nos proponemos estudiar aquí, sobre todo en relación con la cultura de su tiempo.

La estima y la amistad de uno de los ministros de Fernando VI, don José de Carvajal y Lancáster, le procura el encargo de secretario de embajada en París que desempeña por dos años. Sucesivamente, se le nombra encargado de Negocios por otro más; tres años, por lo tanto, de permanencia en la capital francesa, desde abril de 1747 hasta mayo de 1750. Luzán llegaba a París después de los largos años de su formación italiana, sobre todo literaria, aunque no exenta de intereses más ampliamente filosóficos (conocía a Cartesio y lo apreciaba) y después de los catorce años transcurridos en el ambiente cultural español, todavía notablemente cerrado. Es natural que París se le presentara como «el centro de las Ciencias y Artes, de las Bellas Letras, de la erudición, de la delicadeza y del buen gusto». Convencido sostenedor de la necesidad del rescate de su patria, fijó sus observaciones en apuntes y, una vez de regreso en España, dio a la imprenta (1751) esas *Memorias literarias de París* que constituyen un texto precioso para la comprensión de su mundo cultural. Está convencido —como escribe en la introducción a su obra— de que «una vez establecidos en una Nación los principios de una cultura, y cimentadas las causas de la erudición», con toda seguridad se obtendrán «los efectos de la cultura y de la erudición de toda la Nación».

Dedica Luzán las *Memorias literarias de París* al padre Rávago, jesuita, confesor de Fernando VI, consciente de que pueden formar parte del programa de política cultural del monarca. Reconoció por otra parte el mérito patriótico de Luzán don Agustín de Montiano y Luyando que, dictando la «Aprobación» de la obra, en su calidad de miembro del Consejo de su Majestad, sostuvo que la «curiosidad ingeniosa (de Luzán) lo aplicó a las más útiles observaciones para traher en que aprendiesse su Patria o renovase la memoria de lo que ya supo y ha olvidado». Para Montiano y Luyando, la obra,

compuesta de acuerdo con tan nobles intenciones «no contiene ...
punto el más ligero en que peligren las Regalías de S.M. y las buenas
costumbres, sino que antes bien pueden adelantarse unas y otras con
los preciosos avisos que se esconden en ella».

Nombrado, a su regreso de París, consejero de Hacienda y de
la Junta de Comercio, superintendente de la Real Casa de Moneda
de Madrid y tesorero de la Real Biblioteca, Luzán tomó domicilio
estable en Madrid y comenzó a frecuentar la alta sociedad de la capital. Su aristocratismo era el del intelectual, avalado por el éxito
de su *Poética* —que había movido las aguas de la república literaria
española—, por su vasta cultura y por la confianza que en él había
puesto el círculo del poder. Por medio de las Actas de la Academia
del Buen Gusto —:nuy acertadamente analizadas por la investiga-
dora escocesa McClelland— aparece con toda claridad su destacada
posición, a veces objeto de la sátira sin malicia de los colegas de la
academia, anclados en posiciones menos avanzadas. En el salón de
la marquesa de Sarria, lugar de encuentro de diversas exigencias críticas y creativas, donde los académicos del Buen Gusto se daban cita,
Luzán leyó también su traducción de la comedia de Nivelle de la
Chaussée: *Le préjugé à la mode*, con el título castellano de *La razón
contra la moda*. En el año 1751, dio a la imprenta esta traducción
suya que dedicó a la marquesa de Sarria; la precedía una carta-prólogo firmada «El Peregrino», nombre adoptado por él en la academia.

Esta carta-prólogo, en general, no ha sido objeto de mucha consideración por parte de los estudiosos, a pesar de contener interesantes sugerencias, innovadoras incluso, con respecto al concepto de comedia enun-
ciado en la *Poética*. El carácter educativo de las representaciones cómicas,
en el ámbito de un rígido respeto de la moral desde el punto de vista
cristiano, se afirma con una energía particular, en armonía con una finalidad que es ética y, a la vez, política. Luzán es un convencido sostenedor
de las «utilidades que trae a una Nación el comunicarla las riquezas literarias de otros países». Y contra quienes pudieran asombrarse del uso del
término *utilidad*, añade: «No parezca extraño, que yo mencione utilidad,
quando hablo de una Comedia: las buenas deben aprovechar deleytando:
y si sus Autores se contentan con el solo deleyte, desde luego deben
tenerse por malas en una República bien ordenada y por pésimas, si
mezclando al deleyte algún género de veneno, volviesen en estrago de las
costumbres lo que se inventó y se destinó para su corrección. Por manera
que es abusar de la razón humana y delirar manifiestamente el decir que
la comedia como mera diversión es enteramente libre, que no está sujeta

a leyes, ni a reglas, y que sólo pende del arbitrio y del capricho». Más adelante: «La utilidad, excelentísima Señora, y la buena Moral de una Comedia es su más estimable circunstancia, a lo menos entre Christianos». Y más aún: «Lo que más importa en las Comedias es, que la virtud se represente amable y premiada y el vicio feo, ridículo y castigado, porque de ahí resulta el aprovechamiento del público como de lo contrario resulta infaliblemente el estrago de las costumbres, la perversión del entendimiento y la corrupción de la voluntad».

Junto a este rigor moral, el rigor formal: Luzán apoya la necesidad del respeto a las reglas que no dejarán de complacer a «los hombres que hagan buen uso de la razón» y que permiten la realización de esa verosimilitud que arrastra al espectador fuera de sí mismo y le hace pleno partícipe de la ficción escénica. Aparece aquí el término *ilusión*, no usado jamás en la *Poética*: «la ilusión theatral, que es una especie de encanto ó enagenación que suspende por aquel rato los sentidos y las reflexiones y hace que lo fingido produzca efectos de verdadero». Esa «poderosa ilusión del Theatro», como en otro lugar la llama, se presenta como la *summa*, el resultado último de las dotes, de los artificios del poeta cómico y los actores: «es preciso que el Poeta y los Representantes contribuyan cada uno por su parte á no deshacer la *ilusión*, antes bien á conservarla, y fomentarla en toda la representación». La mencionada capacidad de sugestión y de conmoción del público es ingrediente fundamental para el alcance de la programada finalidad didascálica; a nosotros se nos presenta como un primer inicio, y cauto, tal vez no del todo consciente, de una interpretación de tipo psicológico del fenómeno artístico. [...]

La *Canción*, leída en diciembre de 1753 en la Academia de San Fernando, en la que Luzán ingresó el año anterior, y quizá su última obra significativa (moría cinco meses más tarde), se nos presenta a modo de una síntesis de los ideales de su vida: el culto humanista de las bellas letras, el respeto por las reglas formales según los principios de elegancia y buen gusto, la exaltación de la virtud en su acepción tradicional de valor moral, inmutable, hija de Dios, guía de la poesía misma y de las tres artes, celebradas en loas, y de las que se ensalzan sus manifestaciones contemporáneas, para —en fin— llegar al homenaje al soberano: «Y tú, que pío, humano, / el imperio español en paz estable / riges, Sexto Fernando, admite afable / agradecidos votos que te ofrecen / las artes decoradas; / a ti las ciencias, que a tu influjo crecen; / a ti invocan las musas, y alentadas / con tu piedad, de flores de Helicona / van tejiendo a tu frente otra corona». El súbdito devoto, Ignacio de Luzán, aguardaba un mayor reconocimiento de sus méritos y su capacidad, si es cierto que —de acuerdo con el testimonio de su hijo— el rey había dado ya disposiciones para elevarlo a «uno de los primeros puestos del Estado», pero la muerte le acogió en su seno antes de que tal esperanza se hiciese realidad oficial.

Hubiera sido un premio justo para el hombre que en los diez últimos años de su vida se había entregado en cuerpo y alma a la causa de una España mejor, de acuerdo con la propia formación cultural, anclada con firmeza en un humanismo que había procurado encontrar su linfa vital en las fuentes más claras del siglo xvi, en armónicas nupcias con los fermentos de renovación propios del pensamiento racionalista europeo de finales del siglo xvii e inicios del xviii.

Su humanismo adquiría tintes académicos, al unísono con el ideal de esa nobleza, la más abierta e instruida que, en torno a Fernando VI, favoreció a una cultura tradicionalista aunque no pedante; católica sin ser rígidamente clerical, teniendo como fin una utilidad pública que estimaban factible sólo por medio de la estricta dependencia del soberano y de la autoridad. Es cierto que Luzán tiende más a un mundo cultural constituido y abstractamente canónico que no al que deriva de la observación directa de la realidad, y se preocupa de una educación y felicidad humanas que corresponden con preferencia al buen orden civil y político, y no a una reforma sociocultural del hombre y de las modalidades de su convivencia, guiada por el concepto de la libertad. Por estos motivos, no puede confundirse su «perbenismo» y su sagaz y moderado racionalismo con las posiciones morales e ideológicas que serán —en la segunda mitad del siglo— de los ilustrados. Mas esto no significa que se le dé o que se le resten méritos; significa reconocer exactamente sólo lo que él fue.

4. NICOLÁS FERNÁNDEZ DE MORATÍN

Si se analiza detalladamente lo que ocurre en poesía en torno a 1750, se observan claros atisbos de cambio. La Academia del Buen Gusto (3 de enero de 1749 a 15 de setiembre de 1751), cuya actividad ha sido analizada últimamente por Caso González [1981], puede servir muy bien para sintetizar la situación poética.

A esa academia pertenecían, del lado tradicionalista, Alonso Verdugo y Castilla, conde de Torrepalma (1706-1767), José Antonio Porcel (1715-1794), Alonso de Solís Folch de Cardona, conde de Saldueña, y José Villarroel, y del lado innovador Agustín de Montiano y Luyando (1697-1764), Blas Antonio Nasarre (1689-1751), Ignacio Luzán y Luis José Velázquez (1722-1772), entre otros.

Torrepalma lee una *Oración* el primero de octubre de 1750, publicada y analizada por Nicolás Marín [1967], en la que sostiene que la poesía es puramente obra del genio creador y que los preceptos son reglas de plomo que doblegan la forma natural del genio; «es verdad que en el arte, si algunas cultísimas naciones nos disputan la igualdad, no podemos a ninguna reconocer preferencia», pero a los españoles nos perjudica cierta indocilidad que hace inútil el arte mismo «y hace parecer bárbaros los genios por la indómita libertad con que menosprecian las leyes y los preceptos». El ideal que Torrepalma quisiera conseguir lo resume así: «Que los nuevos Góngoras se ilustren con la claridad de Lope, se ciñan con la exactitud de los Argensolas; y que los nuevos Lopes, los segundos Argensolas se levanten y se divinicen con la arcanidad laboriosa de Góngora. Los nuevos Quevedos no carecerán ya de la circunspección de los Villegas y los Herreras; los nuevos Herreras no serán menos divinos por ser menos metafísicos». Me parece la formulación más exacta del gusto rococó que se está iniciando. La misma obra poética de Torrepalma es una evolución desde el gongorista poema *Deucalión* hasta el poema *Las ruinas, pensamientos tristes*, en el que, si está presente una tradición gongorista, también lo está la garcilasista, y cuyo tono general, por muy en la tradición que esté el vocabulario (Arce [1981]), anuncia algo nuevo, que enlaza incluso con la *Epístola del Paular* de Jovellanos.

Porcel lee en la academia el importante *Juicio lunático*, que sigue inédito y que ha estudiado Orozco Díaz [1969]. Es un testimonio de libertad poética, de defensa del gongorismo y en consecuencia del manierismo barroco; por lo tanto, está mirando hacia atrás; no es un anticipo romántico, sino un signo de la pervivencia de la libertad creadora frente al encorsetamiento a que otros teóricos querían someterla; un testimonio de cierta rebeldía por parte de quien conocía además muy bien la literatura francesa, y que en realidad adoptaba conscientemente una actitud poética de tradicionalismo moderado, lo que puede enlazar con el rococó, pero negándose a aceptar las rigideces del clasicismo que se trataba de imponer.

En su obra poética Porcel evolucionó, igual que Torrepalma, desde el *Adonis* (1741) hasta el poema *A la hermosura, pudor, susto y libertad de Andrómeda* (1750). El primero es plenamente barroco o barroquizante, mientras que en el segundo la mayor parte de los versos están en una línea que hasta podríamos calificar de luzanesca: no hay metáforas rebuscadas ni lenguaje oscuro. Porcel, además, se ciñe estrechamente al tema, sin entremeter episodios ni descripciones ajenos a él, como había hecho en el *Adonis*. Incluso la aparición final de Perseo sobre Pegaso es tan contenida, que, cuando para un poeta barroco la liberación de Andrómeda hubiera sido una excelente ocasión de lucimiento, Porcel la reduce a sólo los diez versos finales. El mismo tema está concebido como un pequeño cuadro, por lo que me parece un claro ejemplo de estructura rococó.

Ninguno de los poetas innovadores de la academia alcanzaba la altura poética de Torrepalma y Porcel. Sin embargo, la importancia de Luzán y de Montiano es grande. Del primero he tratado ya en el capítulo anterior. Montiano representa dentro de la academia una actitud clasicista, en la poesía lírica, que se acerca a Horacio y a Virgilio, éste visto también a través de Garcilaso y de otros poetas pastoriles del siglo XVI, y al mismo tiempo, en cuanto autor dramático, le ven sus compañeros como el modelo digno de imitación.

Precisamente Montiano puede considerarse como el lazo de unión entre la Academia del Buen Gusto y la tertulia de la fonda de San Sebastián, a través de Nicolás Fernández de Moratín, como ha analizado Caso González [1980].

Si el cambio empezó teóricamente con la *Poética* de Luzán, fueron los miembros de la academia de la condesa de Lemos, después marquesa de Sarria, los que dieron «fuerza y autoridad a la reforma doctrinal», como dice Cueto. Ellos mismos se consideraron restauradores de la poesía castellana, una restauración que consistió fundamentalmente en una moderación muy notable en el uso de los recursos estilísticos barrocos y en apuntar una nueva sensibilidad. El gusto rococó se imponía.

No es fácil en la historia literaria encontrarse con un grupo de doce escritores, cuya actividad poética puede ser analizada en un plazo tan breve como el de dos años y medio y en un momento de cambio tan importante como el que está ocurriendo a mediados del siglo XVIII. Tampoco es corriente que un grupo así sea pluralista en cuanto a sus ideas estéticas y literarias y en cuanto a su actitud ante el importante problema de la creación artística.

El pluralismo de la Academia del Buen Gusto es mucho más representativo de lo que podría parecer a simple vista, porque significó una influencia mutua de los poetas de las diversas tendencias. La *Oración* del conde de Torrepalma al cesar como vicepresidente es una especie de palinodia de la poesía gongorizante que había practicado en el *Deucalión*, y creo que por eso los primeros efectos se advierten en su propia obra, especialmente en el poema *Las ruinas*. El ambiente clasicista, italianizante y garcilasiano que aportan Montiano y Luzán va a tener importantes consecuencias en los años próximos, al mismo tiempo que incide sobre Porcel y Velázquez. La semilla de la anacreóntica futura está en el salón de la marquesa de Sarria, y hasta con Nasarre se anuncia el prosaísmo. Los gritos de libertad de Porcel, en su *Juicio lunático*, de Torrepalma en su *Oración* y de José Villarroel en su *Vejamen* es muy posible que hayan servido para dulcificar las rigideces clasicistas de Montiano y de Luzán. Y todo ello engendra algo nuevo, que es el nacimiento de la literatura de gusto rococó.

En la academia se soporta la *Fábula de Júpiter y Europa* del conde de Saldueña, don Alonso Solís Folch de Cardona, pero se la ataca inmisericordemente por todos lados. Porcel mismo, que critica a Torrepalma cosas importantes de su estilo, tampoco anda flojo al analizar su propio *Adonis*. Todo esto significa que esa poesía de tradición culterana, sin necesidad de condenar a Góngora, está en sus epígonos, aunque brillantes. Ahora bien, las frialdades francesas o el sometimiento total del genio a las reglas también son condenados. Y la fórmula de Torrepalma, de equilibrado planteamiento entre genio y reglas, que no renuncia a Góngora, pero suavizado con Lope, ni a Lope, pero enriquecido con Góngora, era una fórmula ideal, un sincretismo muy rococó.

En definitiva, la temática filosófica o ilustrada que sugiere Velázquez, el clasicismo de varios de los autores del grupo, el gusto anacreóntico que se advierte en algunos, el peso de lo italiano y de lo hispánico del siglo XVI, la evolución clara de los autores más ligados a la tradición gongorina, la suavización del clasicismo por la preponderancia del genio y de la fantasía, son todas circunstancias que se conjugan en torno a esta docena de autores, que provocarán una serie de cambios que tendrán su granado fruto en los años siguientes. La Academia del Buen Gusto fue, pues, algo más que un frívolo salón cortesano: fue el arranque de una nueva poética, de la que no estaban ausentes atisbos de la futura poesía filosófica.

El triunfo definitivo del nuevo estilo puede ligarse a la tertulia de la fonda de San Sebastián, que se reunía veinte años después que la Academia del Buen Gusto, y de la que formaron parte principalmente Nicolás Moratín, López de Ayala, autor de la tragedia *Numancia destruida* (1775), Juan Bautista Muñoz (1745-1799), entonces cosmógrafo mayor de Indias y después autor de una *Historia de América*, el bibliófilo y erudito Francisco Cerdá y Rico (1739-1800), el botánico Casimiro Gómez Ortega, Vicente de los Ríos, autor de una biografía de Cervantes, Mariano Pizzi, que pasaba entonces por arabista, Cadalso, Tomás de Iriarte, y eruditos italianos como Conti, Napoli Signorelli, autor de una interesante *Historia crítica de los teatros*, e Ignacio Bernascone, el prologuista de la *Hormesinda* de Moratín (lo poco que se sabe de esa tertulia se encuentra en Leandro Moratín [1821], Cueto [1869], Menéndez Pelayo [1886] y Cotarelo [1897], sintetizado por Caso González [1980]).

Para unos predominaría en la tertulia un espíritu latino-itálico, especialmente en la poesía (Menéndez Pelayo, Cotarelo); para otros (Cueto) ejerció poderosa influencia «en dar asiento y madurez a las doctrinas de imitación y compostura de los maestros seudoclásicos franceses e italianos»; Pellissier [1918] se limita a decir que lo importante de la tertulia fue la difusión de los principios neoclásicos, sin que importe demasiado bajo qué membrete eran conocidos, aunque para los contemporáneos estaban ligados a la literatura francesa.

En mi opinión, sin disminuir la importancia de las dos corrientes italiana y francesa, la decisiva fue la española. En 1761 se reeditan las poesías de fray Luis de León, y en 1765 las de Garcilaso. Moratín, desde 1764, en que publica *El Poeta*, enlazaba con la línea anacreóntica de la Academia del Buen Gusto, aunque acaso más a través de alguna de las traducciones latinas de Anacreonte que de la de Villegas. Si poco después se va a leer en la tertulia poesía italiana, principalmente la de tipo arcádico, o acaso mejor chiabreresco, también se va a leer y comentar mucha poesía castellana de los siglos XVI y XVII, dando lugar a las traducciones de Conti al italiano. Naturalmente, la literatura francesa se conoce, se lee y se comenta; pero es posible que no suponga tanto como se ha dicho, porque sobre la *Hormesinda* (1770) de Nicolás Moratín, el *Sancho García* (1771) de Cadalso y la *Numancia destruida* (1775) de López de Ayala, todas obras de miembros de la tertulia, pesan, como sobre otras obras parecidas de los mismos años, escritas por no tertulianos, tendencias diversas que después analizaré.

La tertulia de la fonda de San Sebastián es además algo así como el núcleo en el que se centran los esfuerzos anteriores y que de alguna manera sirve de irradiación de las nuevas tendencias. Observemos las edades de los principales creadores en 1770. Por lo pronto han muerto Feijoo, Luzán, Torrepalma, Montiano y Luyando, Eugenio Gerardo Lobo, Torres Villarroel, Cañizares, Zamora y Añorbe Corregel. Están por encima de los 50 años, y, aunque algunos sigan publicando, son autores que representan tendencias ya viejas: Mayans y Siscar, 71 años; el padre Isla, 67; José Joaquín Benegasi, 63 (con toda su obra terminada); Porcel, 55, y Nifo, 51. Viene después un complejo grupo de escritores, en plena actividad literaria o cultural, pero que, en clara situación de transición, lo mismo hay que referirlos a la Ilustración de la época de Carlos III que a tendencias más bien arcaizantes: Campomanes, con 47 años; Olavide, con 45; José Clavijo y Fajardo, con 40 (y publicado ya *El Pensador*); López de Sedano, con 40 (había empezado en 1768 su *Parnaso español*, obra decisiva); Ramón de la Cruz, con 39; fray Diego González, con 37 (pero del que hay que tener en cuenta que es un poeta tardío), y García de la Huerta, con 36. Y a continuación, precisamente el grupo de la tertulia, con algunos otros autores que todavía no eran conocidos: Nicolás Moratín, 33 años; Cerdá y Rico, 31; Cadalso, 29; Muñoz, 25; Tomás de Iriarte, 20, y fuera de la tertulia, Trigueros, 34; Capmany, 28; Jovellanos, 26; José M.ª Vaca de Guzmán, 26; Montengón, 25; Samaniego, 25; Esteban de Arteaga, 23, e Iglesias de la Casa, 22. Precisamente los autores más activos y más innovadores son los tertulianos de la fonda de San Sebastián. Detrás de ellos, y con ellos relacionados, están: Fernández de Rojas, 20 años; Meléndez Valdés, 16, y Forner, 14.

Sólo con esto queda clara la importancia de la tertulia, que yo sintetizaría en dos aspectos: restauración del influjo de la poesía ítalo-hispánica (desde Garcilaso hasta Chiabrera), por lo que el resultado, como he explicado en «Preliminar», es una poética rococó y no una poética neoclásica; y más en concreto, como forma paradigmáticamente rococó, el desarrollo de la anacreóntica. Contra lo que se ha dicho, en la literatura dramática no parece que la tertulia haya tenido ningún influjo específico.

El fundador y el alma de la tertulia de la fonda de San Sebastián fue Nicolás Fernández de Moratín (1737-1780). Hijo del guardajoyas de la reina Isabel Farnesio, vuelve a Madrid en 1759, como ayudante de guardajoyas. En el término de unos años Moratín se pone en relación con escritores italianos y franceses, se dice que por protección de la reina y del marqués de Ossun, embajador de Francia. Hasta le reciben en la Academia de los Arcades de Roma, con el nombre de Flumisbo Thermodonciaco. Pero de todo este período sólo sabemos lo que nos cuenta el hijo en la *Vida* que escribió para preceder a las *Obras póstumas* (1821) de Nicolás, y salvo algunos detalles (Pérez de Guzmán [1900] y Simón Díaz [1944]) nadie se ha preocupado por investigar la vida de nuestro autor, a pesar de los documentos que deben existir. El caso es que la segunda parte de su vida, que fue breve, ni deja entrever que Moratín tuviera algún ascendiente en palacio, ni tampoco que, por alguna razón desconocida, fuera malquisto, lo que implica mayores dudas sobre su juventud y tantas relaciones cortesanas.

Ya en Madrid, la primera ocasión que se le presentó para intervenir públicamente en asuntos literarios fue la polémica sobre el teatro del siglo XVII, y especialmente sobre los autos sacramentales. Aparte antecedentes, desde la *Disertación sobre las comedias de España* (1749) de Nasarre, el primero en atacar fue Clavijo y Fajardo, en su revista *El Pensador* (Pensamientos XL y XLIII, 1763; pero el ataque al teatro barroco está en los Pensamientos III, IX, XXII, XXVI y XXVII, como si para llegar a los autos sacramentales hubiera orquestado muy bien la campaña). A Clavijo le respondieron Romea y Tapia, en su periódico *El Escritor sin título*, y Francisco Mariano Nifo con su folleto *La nación española defendida de los insultos del «Pensador» y sus sequaces en defensa de las comedias* (1764). En apoyo de Clavijo salió Nicolás Moratín con sus tres *Desengaños al teatro español* (1762-1763). El 9 de junio de 1765 el gobierno publicaba la real cédula por la que se prohibía en todo el reino la representación de los autos sacramentales.

Esta batalla, que debió ser impulsada, o al menos alentada, por el gobierno (téngase en cuenta la protección oficial de que gozaba *El Pensador*), se dirigía también contra las comedias de santos y de alguna manera contra el sistema dramático calderoniano. Menéndez Pelayo [1886], como era natural, cuenta la historia empezando por subrayar que «las ideas galicanas habían andado mucho camino», y siguiendo por calificar a Clavijo de «espíritu enciclopedista harto pronunciado» y de «afrancesado y volteriano periodista». Con esto, y con decir que los atacantes fueron unos necios y hasta casi antiespañoles, despacha el tema, creo que sin haber entendido nada de sus razones profundas. Y como lo dijo don Marcelino, más o menos ha venido repitiéndose el mismo juicio (véase Cotarelo [1905]), hasta que Andioc [1970] pone de relieve que el auto sacramental no es sólo un texto literario, sino fundamentalmente un espectáculo, que además no gozaba, como se había dicho, del fervor popular; señala el parecido, en tanto que espectáculo, con las comedias de magia, y en cuanto obras religiosas con los sermones que critica el padre Isla. Andioc finalmente sostiene que la oposición a los autos es «clara expresión de una conciencia de clase con implicaciones y miras político-sociales», lo que le lleva a sostener que lo que los detractores de los autos desean «es una religión concebida *para* el pueblo, pero por lo mismo *sin* el pueblo, despopularizada», para que sea «un auxiliar del poder omnímodo, capaz de preparar mejor a los fieles a su papel de súbditos».

En mi opinión, ni Menéndez Pelayo ni Andioc. El uno no ha querido ver el tema más que desde una determinada posición *ortodoxa*. El otro, desde una base agnóstica, saca unas conclusiones sociopolíticas, que no están, a mi ver, en los textos que se manejan. Como éste no es el lugar oportuno para largas discusiones, me limito a exponer posibles temas de futuras investigaciones: el auto sacramental había pasado a ser un simple espectáculo teatral, en vez de ser, como había sido, un acto paralitúrgico; al mismo tiempo se había producido un importante viraje en la concepción del catolicismo, en dos direcciones: en el rechazo de cuanto no fuera auténtica verdad y en la repulsa de una religiosidad externa y pomposa; el auto como espectáculo teatral degradaba la nueva religiosidad, porque mantenía la preponderancia de lo externo, del puro espectáculo, con mezcla de lo sagrado y lo profano, y todo lo más hacía el efecto de lo que mucho después Valle-Inclán llamará «divinas palabras», ininteligibles y misteriosas, que dominan irracionalmente al hombre. Si una investigación honda y seria en estas direcciones resultara positiva, habría que renunciar a parte de la explicación de Andioc, habría que considerar insuficiente la de Alborg ([1972], *cit.* en «Preliminar») y habría que descartar como no válida la de Menéndez Pelayo y sus seguidores. Puede que entonces, muy matizado, resultara razonable lo que sostiene Hernández [1980], que es el último que ha estudiado la polémica de los autos sacramentales, y que acaso pone demasiado el acento en la política oficial de reforma del teatro en cuanto a lo formal, aunque también en cuanto a la finalidad docente.

Nicolás Moratín quiso ser el reformador del teatro, sin conseguirlo. Sus comedias y sus tragedias o no se estrenaron o apenas tuvieron éxito. Hasta su propio hijo Leandro, en medio de expresiones debidas al amor filial, reconoce el escaso valor de estas obras. *La petimetra* (1762), *Lucrecia* (1763), *Hormesinda* (1770) y *Guzmán el Bueno* (1777), han sido intentos de un nuevo teatro, pero sin llegar a conseguir arrastrar al público. El único trabajo de conjunto que conozco sobre el teatro de Moratín es el capítulo IV del libro de Gies [1979], al que se podría añadir la tesis doctoral, todavía inédita, de Mario Hernández [1974], aparte de las referencias en libros generales. Para la *Hormesinda*, véase también Caso González [1970].

Una cuestión importante es la de que nos falta la edición crítica y fiable de toda la obra de Moratín. Hay que advertir que lo que leemos, fundamentalmente en la edición de la BAE, que procede de las *Obras póstumas* (1821), ha sido manipulado por su hijo Leandro, hasta el punto de poderse hablar de un claro fraude literario, ya que suprimió textos publicados y modificó otros hasta transformar lo que eran obras claramente de gusto rococó en obras de estilo neoclásico (véase Caso González [1980]). Lo han puesto de relieve Lázaro Carreter [1953] para el

NICOLÁS FERNÁNDEZ DE MORATÍN 199

poema *Fiesta de toros en Madrid* y Dowling [1977] para el poema épico *Las naves de Cortés destruidas*. No era mucha la bibliografía específica de algún interés, pero el segundo centenario de la muerte de Nicolás ha propiciado un congreso organizado por el CSIC, cuyas comunicaciones se han publicado en la *Revista de Literatura* [1980]. Allí se encuentran trabajos de Palacios Fernández, Fernández Nieto, Fabbri, Arce, Deacon, Visedo Orden y Caso González, cuyo conjunto constituye un buen estudio de la poesía moratiniana.

La crítica ha puesto el acento en las quintillas de *La fiesta de toros en Madrid*, acaso para que quedara clara la actitud tradicionalista de Moratín. No ha sido más que una forma de reducir al mínimo otras actitudes menos tradicionales. No cabe negar el valor del poema ni su inserción en un tipo de poesía que enlaza con el romancero, y especialmente el romancero nuevo, que en buena parte vuelve a los personajes y a los temas épicos medievales. El poema, en la versión generalmente conocida, que es la arreglada por Leandro, tiene, sin embargo, muy poco de épico. Un Cid alanceador de toros, una fiesta que recuerda las del siglo XVII, el toro como protagonista, pero que se enfrenta a otro protagonista, Rodrigo Díaz, enamoramientos y celos, colorido y vistosidad, han podido permitir frases como esta de Aribau: en su género «nada se ha producido que pueda compararse con este bellísimo y animado cuadro, lleno de imaginación, de sentimiento y de verdadera poesía» (BAE, II, p. 14 n). Aparte el citado artículo de Lázaro Carreter, pueden verse los de Fernández Guerra [1882], Cossío [1926], Alonso Cortés [1932] y Dowling [1962].

A Nicolás corresponde la iniciación del subgénero lírico de la anacreóntica, que tan importante será en los años siguientes. La prehistoria de este subgénero está en la Academia del Buen Gusto, pero el que acierta con una forma concreta es Nicolás Moratín. Villegas, en las *Eróticas* (1618) había publicado una traducción de la colección de anacreónticas dada a luz en 1554 por Henry Estienne como poesías de Anacreonte, lo que la crítica del siglo XIX demostró no ser cierto. En *El Poeta* Moratín publicó 18 anacreónticas, que no están todavía en relación directa con Villegas; pero en la tertulia de la fonda de San Sebastián, poco después, Villegas se hace presente, y los contertulios serán medios irradiadores de este tipo de poesía. En la tertulia se leía y comentaba, entre otros poetas italianos, a Chiabrera, tanto en la forma pindárica como en la anacreóntica, y se leían y comentaban también poetas de la Arcadia italiana, y esto es lo que hará que el género anacreóntico cobre cuerpo, para expandirse por medio de Cadalso hacia Salamanca, donde estudia y escribe versos el gran anacreóntico español del siglo XVIII español, Meléndez Valdés.

Esta poesía ligera, convencional, que ni permite la libre expresión de los sentimientos ni se presta para exponer ideas profundas, me parece el prototipo de la poesía rococó. El amor, el vino y la amistad son sus temas preferidos; pero hay una inclinación a utilizar imágenes de una naturaleza idílica y primaveral. Es una poesía que no necesita expresar experiencias personales del poeta, aunque éstas lógicamente están, por qué no, detrás de la decoración campestre y artificial. Es una poesía sensualista, y en cierta manera Locke podría ser el filósofo que nos explicara las ideas clave del género (bien entendido que la anacreóntica no necesita ningún apoyo filosófico).

La anacreóntica era para todos ejemplo de poesía sencilla y natural. Luzán dice: Las musas dieron a la poesía de Anacreonte «una belleza y gracia natural, una facilidad singular y una expresión dulce y sencilla, prendas que equivalen a los conceptos más agudos y a los adornos más artificiosos» (*Poética*, Zaragoza, 1737, p. 223). *Natural* y *sencilla* son dos palabras fundamentales en la historia literaria de hacia 1770, porque la reacción contra la poesía barroquista forzaba precisamente a buscar formas poéticas que se alejaran lo más posible de las metáforas hinchadas, de los hipérbatos violentos y de las alusiones pedantescas.

Al año siguiente de publicar *El Poeta* da a luz Moratín *La Diana o arte de la caza*, poema al que no se ha prestado atención hasta el estudio que le ha dedicado Arce [1980], el cual, refiriéndose a esa ignorancia generalizada, escribe: «Podría ello no tener nada de extraño, si no nos encontráramos ante el poema de mayor alcance y amplitud —con mucho— de Moratín, uno de los más extensos poemas de todo el siglo XVIII, y el de más pretensiones de toda la historia de la literatura española, según creo, en la forma métrica elegida, lo que le convierte en una muestra de auténtica excepción. Me atrevería a decir más: es el único de los grandes poemas de Moratín padre que nos ha quedado impreso bajo su cuidado y, por tanto, en su versión genuina» (p. 77).

Lo primero que subraya Arce es la novedad de la forma métrica. Se trata de un poema de 438 sextinas narrativas, o sextinas reales, o sextas rimas, o sextetos, «estrofa sobre la que los manuales de métrica tienen muy poco que decir». Ninguno de los pocos ejemplos del siglo XVII o los poquísimos del XVIII llegan a un poema de tal extensión. Aunque los manuales se refieren a su origen italiano, Arce no encuentra en la poesía italiana ningún poema extenso en esa forma. «Originalidad moratiniana tan manifiesta en el plano formal —dice Arce— nunca ha sido puesta de relieve, es más, ni siquiera señalada.»

El poema se divide en seis cantos, en los que trata del origen y antigüedad de la caza, de los peligros y pertrechos que le son necesarios, de los caballos, peces y conocimientos astrológicos, de la caza de las aves, de la caza mayor, y todo culmina en la *Batida general*. «Y en esta batida general no sólo el hombre triunfa sobre los animales, sino sobre los propios impulsos y pasiones, y es entonces cuando hacen su aparición los subtemas de la amistad y de la ciencia, exaltados en dos nombres españoles, para Moratín emblemáticos, su amigo Montiano y su venerado Feijoo. Y junto a ellos, la familia real, que es su cobijo, arropado en la cual puede proclamar su pretensión de inmortalidad como poeta» (p. 83).

Arce sintetiza así su análisis: «La variedad de temas y motivos, la radical novedad de la forma métrica para las dimensiones del poema, su misma extensión, ciertas innovaciones terminológicas, la amplitud de un vocabulario específico, y los recuerdos de ambientes y personajes de época, no parecen compatibles con el olvido casi sistemático de La caza por parte de la crítica, ya desde Valmar y Menéndez Pelayo. Es además la única composición poética moratiniana, entre las de más alcance, que puede estudiarse en la versión auténtica del creador, tal como la entregó a la imprenta. Cierto es que no debemos caer en el extremo opuesto, e intentar ahora reivindicar una obra que, siendo altamente significativa en la producción del autor, no constituye por sí misma un compacto e inspirado organismo poético. Hay que insistir, sin embargo, en que a las creaciones del XVIII hay que enfocarlas con otro ánimo y disposición: es inútil y desviante intentar recuperar en ellas sólo puros valores líricos. Es poesía indicativa de un momento trascendental en el desarrollo de nuestra cultura, y ésta debe ser fundamentalmente la perspectiva que se adopte para apreciarla y valorarla. ... Señalo en síntesis conclusiva los motivos que dan circularidad a la estructura poemática, es decir, que apuntan en el primer canto y reaparecen en el final, sin perjuicio de brotes esporádicos en algún otro: entre las menciones o indirectas referencias a poetas, destacan Virgilio y Garcilaso; como lugares, el aire fresco de los Reales Sitios y el de las construcciones y bibliotecas de la corte; de temas, la preocupación científica, que, en forma de preguntas en el canto primero, da lugar en el último a la nómina de sabios; entre los personajes reales, es el infante don Luis, obviamente, el que se menciona en forma reiterada, como destinatario más directo, seguido en los cantos inicial y final por su hermano, el gran rey ilustrado Carlos III. Dorisa aparece, equilibradamente, en los cantos II y IV. La historia patria o evoca los héroes medievales o recuerda las grandes figuras de los Borbones. Los mitos preferidos son los grecolatinos, a veces nacionalizados, o los típicamente hispánicos» (pp. 95-98).

Más atención ha merecido el curioso poema El arte de las putas, posterior a 1769, y que debió circular bastante en manuscrito, puesto que la Inquisición lo prohíbe en 1777. Se editó en 1898, por un manuscrito bastante defectuoso, y fue reeditado al pie de la letra por Fernández Nieto [1977], edición que se reprodujo al año siguiente en México y al mismo tiempo en Madrid, en edición de bibliófilo con diez aguafuertes de Antonio Guijarro. Aparte las inteligentes páginas que le dedica Gies

[1979], son interesantes los dos trabajos de Fernández Nieto [1980] y Deacon [1980]. El primero sitúa *El arte de las putas* en su contexto social y literario. El segundo analiza en profundidad el carácter didáctico-burlesco del poema en relación con el rechazo de la moral sexual tradicional, con la defensa de la moral utilitaria de la época y con la pretensión de legalizar la prostitución y regular los prostíbulos, ya que si el mal es necesario es preferible hacer bien el mal.

En 1778 presenta Moratín al concurso abierto por la Academia Española su poema épico *Las naves de Cortés destruidas*. Esperaba, sin duda, que entre los 50 concursantes, fuera él el premiado, puesto que era poeta de fama. Sin embargo, se lo llevó un poeta joven y desconocido, José María Vaca de Guzmán. Moratín no consiguió ni el accésit. Inédito a su muerte (1780), su hijo Leandro y Juan Antonio Loche publican en 1785 una versión de 104 octavas reales, precedidas de un prólogo y de unas «Reflexiones críticas», que se han atribuido a Leandro, a Loche y a ambos. Dowling [1977] analiza las diversas opiniones, sin llegar a una conclusión definitiva. En 1821 Leandro Moratín, en las *Obras póstumas* del padre, publica otra versión de 65 octavas. El texto primitivo fue encontrado y publicado por Dowling [1977], y consta de 122 octavas. Estamos, pues, ante un caso más de manipulación de las obras de Nicolás (véase Caso González [1980], pp. 8-10). ¿Quién fue el corrector? Dowling analiza este problema, y concluye: «En resumen, cuatro personas pudieron hacer los cambios que apreciamos entre el manuscrito de la Academia y la edición de 1785: el mismo don Nicolás, su amigo Ignacio Bernascone, Juan Antonio Loche o el hijo Leandro. La lógica insinúa que no fue ni don Nicolás ni Bernascone. Entre Loche y Leandro no podemos hacer una afirmación definitiva ... mientras que Leandro parece la persona lógicamente indicada, especialmente como corrector de la versión de 1821» (p. 445). El caso es que con estas correcciones se ha pasado de un poema rococó, en el que se advierten rasgos barrocos, como en otras obras de Nicolás, a un poema neoclásico. Analiza Fabbri [1980] los «esquemas y estilemas barrocos que pueden parecer más propios, estos últimos, de un poema épico del Siglo de Oro que de un poeta correspondiente al Siglo de las Luces» (la metáfora y la hipérbole, «se complace en construir imágenes elaboradas y elegantes, ricas de elementos decorativos, colores, piedras preciosas, oro, marfil y vestidos suntuosos, resaltados a través de un decidido uso de una adjetivación apropiada a exaltar el efecto de brillo y oropel»). Para Fabbri a lo largo del canto resultan evidentes los rasgos característicos de Balbuena, Góngora, Lope, e incluso de un poeta del siglo XVIII, poco conocido, Francisco Ruiz de León, autor de la *Hernandía* (véase Fabbri [1981]).

Ha preocupado a la crítica la razón por la que no se dio el premio a Moratín. La primera explicación la ofreció Leandro en la *Vida* (1821) de su padre. Nos dice que Llaguno le instaba a que solicitase un puesto en la academia, pero Moratín se negó a ello, haciendo una dura crítica de la institución. Leandro supone, por ello, que la academia se vengó dejándole sin premio y sin accésit. Se ha supuesto también que Vaca de Guzmán gozaba, gracias a sus relaciones universitarias, de especial estima entre los académicos; pero Fabbri [1980] encuentra otra razón: «A mi parecer puede haber resultado perjudicial para don Nicolás —ésta en concreto es mi hipótesis— no haber comprendido —o haberlo pretendidamente desatendido— el significado ideológico y propagandístico implícito en la elección de un personaje y un tema —Cortés y la conquista de América— que se habían convertido en aquellos años en objeto de violentas polémicas y que estaban sometidos a una revisión crítica a menudo no desinteresada» (p. 60). Lo conseguirá, sin embargo, Vaca de Guzmán, con un poema de 60 octavas, que es un himno apasionado a España, rico en imágenes paradigmáticas y en señales políticas y fácilmente descifrables. España es «feliz patria», «dichoso suelo», generadora de «héroes invencibles» y «sabia madre de las ciencias», ejemplo para todos de civilización y buen gobierno, que es todo lo que no acertó a decir Moratín, porque éste da una imagen del héroe «calcada de los más repetidos estereotipos de la iconografía cortesiana, que muestran al conquistador únicamente bajo el aspecto militar, vencedor de bárbaras naciones, capitán triunfante», que era una imagen difícilmente utilizable en función didáctica y rehabilitadora.

Acaso, por otra parte, contara también el que Moratín, como se reconoce ya en las «Reflexiones críticas» de 1785, mezcló elementos históricos con otros de pura invención: «En este canto se propuso el autor seguir el rumbo de los mejores épicos antiguos y modernos, *sin ceñirse rigurosamente a la historia*, ni alterar o confundir los hechos principales de ella». De aquí que, cuando Gies [1979] escribe: «Moratín era un poeta, no un historiador, y permitió a su imaginación poética un grado de desviación que autores más prudentes habrían evitado» (p. 108), está, sin pretenderlo, juzgando el poema desde la misma perspectiva de Fabbri, que era la que no convenía a los propósitos políticos de la academia.

Termino este capítulo repitiendo lo que ya he dicho: ante todo y sobre todo, urge la edición crítica de las obras de Moratín, a fin de que podamos leer con seguridad lo que él escribió.

BIBLIOGRAFÍA

Aguilar Piñal, Francisco y Philip Deacon, «Bibliografía de Nicolás Fernández de Moratín», en *Revista de Literatura*, XLII (1980), pp. 273-300.

Alonso Cortés, Narciso, «Sobre *La fiesta de toros en Madrid*», en *Revista de la Biblioteca, Archivo y Museo del Ayuntamiento de Madrid*, IX (1932), pp. 323-327.

Andioc, René, *Sur la quérelle du théâtre au temps de Leandro Fernández de Moratín*, Tarbes, 1970 [trad. cast.: *Teatro y sociedad en el Madrid del siglo XVIII*, Castalia, Madrid, 1976].

Arce, Joaquín, «El poema *La Diana o arte de la caza*, de Nicolás de Moratín», en *Revista de Literatura*, XLII (1980), pp. 75-98.

—, *La poesía del siglo ilustrado*, Alhambra, Madrid, 1981.

Caso González, José, «Rococó, prerromanticismo y neoclasicismo en el teatro español del siglo XVIII», en *Los conceptos de rococó, neoclasicismo y prerromanticismo en la literatura española del siglo XVIII*, Cátedra Feijoo, Oviedo, 1970, pp. 7-29.

—, «De la Academia del Buen Gusto a Nicolás Fernández de Moratín», en *Revista de Literatura*, XLII (1980), pp. 5-18.

—, «La Academia del Buen Gusto y la poesía de la época», en *La época de Fernando VI*, Cátedra Feijoo, Oviedo, 1981, pp. 383-418.

Cossío, José M.ª de, «Don Nicolás Fernández de Moratín. La fiesta de toros en Madrid. Oda a Pedro Romero», en *Boletín de la Biblioteca de Menéndez Pelayo*, VIII (1926), pp. 234-242.

Cotarelo y Mori, Emilio, *Iriarte y su época*, Madrid, 1897.

—, *Bibliografía sobre las controversias de la licitud del teatro en España*, Madrid, 1905.

Cueto, Leopoldo Augusto de, *Bosquejo histórico-crítico de la poesía castellana en el siglo XVIII*, BAE, LXI, Madrid, 1869.

Deacon, Philip, «Nicolás Fernández de Moratín: tradición e innovación», en *Revista de Literatura*, XLII (1980), pp. 99-120.

Dowling, John, «The taurine works of Nicolás Fernández de Moratín», en *The South Central Bulletin*, Tulsa, XXII (1962), pp. 31-34.

—, «El texto primitivo de *Las naves de Cortés destruidas* de Nicolás Fernández de Moratín», en *Boletín de la Real Academia Española*, LVII (1977), pp. 431-450.

Fabbri, Maurizio, «*Las naves de Cortés destruidas* en la épica española del siglo XVIII», en *Revista de Literatura*, XLII (1980), pp. 53-74.

—, «*La Hernandía* de Ruiz de León (1755) en la época del siglo XVIII», en *La época de Fernando VI*, Cátedra Feijoo, Oviedo, 1981, pp. 367-381.

Fernández-Guerra y Orbe, Aureliano, «Lección poética. Primer bosquejo y posterior refundición de las celebérrimas quintillas de don Nicolás Fernández de Moratín», en *Revista Hispanoamericana*, VIII (1982), pp. 523-553.

Fernández de Moratín, Leandro, «Vida de don Nicolás Fernández de Moratín», en *Obras póstumas*, Barcelona, 1821 (reproducida en BAE, II).

Fernández Nieto, Manuel, ed., Moratín, *Arte de las putas*, Ediciones Siro, Madrid, 1977.

—, «Entre popularismo y erudición: la poesía erótica de Moratín», en *Revista de Literatura*, XLII (1980), pp. 37-52.

Gies, David Thatcher, *Nicolás Fernández de Moratín*, Twayne Publishers, Boston, 1979.

Helman, Edith, «Don Nicolás Fernández de Moratín y Goya sobre *Ars amatoria*», en *Jovellanos y Goya*, Madrid, 1970, pp. 219-235.

Hernández, Mario, «La obra dramática de Nicolás Fernández de Moratín», tesis doctoral inédita, Valladolid, 1974.

—, «La polémica de los autos sacramentales en el siglo XVIII», en *Revista de Literatura*, XLII (1980), pp. 185-220.

Lázaro Carreter, Fernando, «La transmisión textual del poema de Moratín *Fiesta de toros en Madrid*», en *Clavileño*, n.° 21 (1953), pp. 33-39.

Marín, Nicolás, «La defensa de la libertad y la tradición literarias en un texto de 1750», en *Revista de Ideas Estéticas*, XXV (1967), pp. 169-180.

Menéndez Pelayo, Marcelino, *Historia de las ideas estéticas en España*, III-1, CEC, Madrid, 1886.

Orozco Díaz, Emilio, *Porcel y el barroquismo literario del siglo XVIII*, Cátedra Feijoo, Oviedo, 1969.

Pellissier, R. E., *The neo-classic movement in Spain during the XVIII century*, Stanford University, California, 1918.

Pérez de Guzmán, J., «El padre de Moratín», en *La España Moderna*, n.° 138 (1900), pp. 16-33.

Pinto, Mario di, «L'osceno borghese (note sulla letteratura erotica spagnola nel Settecento)», en *I codici della trasgressività in area ispanica*, Actas del Congreso de Verona, 12-14 de junio de 1980, pp. 177-192.

Revista de Literatura, XLII (1980). Número monográfico dedicado a Nicolás Fernández de Moratín.

Sebold, Russell P., «Autobiografía y realismo en *El sí de las niñas*», en *Coloquio internacional sobre Leandro Fernández de Moratín, Bolonia, 1978*, Piovan Editore, Abano Terme, 1980 [1981], pp. 213-227. (Publicado también en la revista de la Fundación Universitaria Española, Madrid, 1982.)

Simón Díaz, José, «Don Nicolás Fernández de Moratín, opositor a cátedras», en *Revista de Filología Española*, XXVIII (1944), pp. 154-176.

JOSÉ MIGUEL CASO GONZÁLEZ

DE LA ACADEMIA DEL BUEN GUSTO
A NICOLÁS FERNÁNDEZ DE MORATÍN

Moratín vuelve a Madrid en 1759, cuando por muerte de Fernando VI la reina madre ocupa el cargo de reina gobernadora. Tiene entonces Nicolás 22 años. Según su hijo, pronto llegó a ser amigo de diversos artistas y escritores, y concretamente de Montiano y Luyando y de Luis José Velázquez. Su actividad literaria en los cinco años siguientes es intensa. Publica *La petimetra* (1762), la *Canción a Carlos III por el perdón concedido a los reos* (1762), los tres *Desengaños al teatro español* (noviembre de 1762 y septiembre y octubre de 1763), *Lucrecia* (1763), la *Égloga a Velasco y González* (1763) y *El Poeta* (1764-1766). Cuando edita esta revista poética, la primera de la historia literaria española, tiene sólo 27 años. Éste va a ser el límite cronológico [de estas páginas], por dos razones: la primera, porque con *La Diana* (1765) me parece que Moratín inicia una evolución poética, y la segunda, porque muchos de los textos que podrían servir para una comparación son [al menos dudosos en cuanto a su paternidad.]

Antes de continuar conviene aclarar una cuestión referida a los textos. En 1821, en la imprenta de la Viuda de Roca, en Barcelona, se publican las *Obras póstumas* de Nicolás Moratín. El editor, aunque allí no se diga nada, fue su hijo Leandro, como queda claro en diversas cartas de 1816 a 1821. Dice en una nota previa que ha cumplido religiosamente la voluntad del autor, imprimiendo la colección «según él mismo la entregó

José Miguel Caso González, «De la Academia del Buen Gusto a Nicolás Fernández de Moratín», en *Revista de Literatura*, XLII (1980), pp. 5-17.

corregida y firmada, pocos meses antes de morir, a don Ignacio Bernascone su íntimo amigo». Confieso que estas palabras me resultan increíbles. ¿Es posible que Nicolás Moratín hubiera preparado una versión definitiva de sus obras poéticas, tomándose el cuidado de firmar incluso el manuscrito, en el cual han desaparecido nada menos que 44 de las 53 composiciones que había publicado en *El Poeta*? ¿Es posible que 8 de las 9 restantes tengan tal cantidad de variantes que a veces son irreconocibles, hasta el punto de que el propio Aribau dudó en una ocasión si se trataba de una sola anacreóntica o de dos? ¿No habrá sido todo una superchería de Leandro? ¿No habrá sido éste el que seleccionó lo que le pareció más conveniente y corrigió a fondo lo que publicó de su padre, adjudicándole la paternidad de tales correcciones? Al menos, es lo que se ha demostrado ya respecto de las famosas quintillas y de *Las naves de Cortés destruidas*. En tanto no aparezca el hipotético manuscrito creo que es esto último lo que cabe pensar. Pero entonces, ¿por qué razón Leandro Moratín ha hecho eso? Lázaro Carreter ha escrito: «En la severa mente neoclásica de don Leandro no debió surgir el escrúpulo de que alterar los textos paternos era falsearlos. Poseedor de una, a sus ojos, evidente verdad, debía aplicarla a remediar las caídas poéticas de don Nicolás, con el fin de procurarle un más seguro lugar en el Parnaso y sin titubeos, desafiando con su inhábil comportamiento en el caso de *Las naves de Cortés* la sospecha de las gentes, pasó su lima por todos los lugares que, en su opinión, la precisaban».

Como hipótesis de trabajo debemos pensar que Leandro pretendió ofrecernos una antología de su padre con la intención de acercar la poética de éste a la suya. Naturalmente, el resultado ha sido una verdadera falsificación. Por suerte, se nos conservan los textos originales de *Fiesta de toros en Madrid* y *Las naves de Cortés destruidas*. Para conocer la auténtica obra de Nicolás disponemos también de todos los poemas publicados por él mismo, fueran o no incluidos en las *Obras póstumas*, además de los inéditos que dio a luz Foulché-Delbosc. Quiero advertir finalmente que las correcciones abarcan incluso a los fragmentos recogidos en las *Obras póstumas*. Decía Leandro en la nota previa: «La única libertad que ha parecido disculpable ha sido la de incluir algunos fragmentos muy escogidos del poema didáctico intitulado *La Diana*, y de las tragedias *Lucrecia, Hormesinda* y *Guzmán*, suprimiendo en ellos uno u otro verso, cuya conservación no era del todo necesaria». Si aquí confiesa su intervención, también miente, porque ha hecho bastante más que suprimir algún verso.

En la Academia del Buen Gusto se sintetizan las tres tendencias poéticas que existen en torno a 1750: la tradicional que yo no llamaría gongorina, sino granadino-antequerana, la tradicional conceptista y la innovadora de espíritu clasicista. La pacífica convivencia de las tres tendencias en la academia de la marquesa de Sarria no impedía un claro enfrentamiento del bando tradicional y el innovador respecto del tema de las normas poéticas, como está bien claro en el *Juicio lunático* de Porcel, aunque, conviene aclararlo, todos reconocen que el poeta nace, no se hace. La corriente innovadora de la academia se caracteriza por una vuelta a la poesía española del siglo XVI y un acercamiento a la poesía italiana, especialmente a Petrarca y a autores de última hora; por una nueva valoración de los modelos latinos clásicos y además de Anacreonte, o de lo que entonces se consideraba como auténtica obra de Anacreonte, leído probablemente en traducción latina; por una clara repulsa del lenguaje cultista y de la metáfora rebuscada, intentando una expresión simple y directa, pero sin renunciar a la erudición.

Aunque lo fundamental en la academia era la poesía, en ella también hubo ecos de alguna actividad dramática, concretamente de la publicación de la *Virginia* de Montiano y Luyando, de la traducción de *Le préjugé à la mode* de Nivelle de la Chaussée por Luzán (*La razón contra la moda*), además de la representación en el salón de la marquesa de Sarria de la comedia *Castigando premia amor* de Zamora, en la que la propia marquesa actuó en el papel de protagonista. La primera trataba de imitar la tragedia clásica francesa, mientras la tercera curiosamente pertenece al tipo de comedia que los innovadores criticaban. La segunda, estrenada en París en 1735, es uno de los típicos ejemplos de drama urbano, y me parece significativo que Luzán fuera el pionero de la introducción de este género en la literatura española.

Todos estos datos son los que nos permiten ver al primer Moratín como un autor que entre 1760 y 1764 enlaza con las mismas aspiraciones literarias del grupo innovador de la Academia del Buen Gusto y que, al publicar sus obras, promueve el desarrollo de las nuevas tendencias literarias. El puente que une al grupo innovador de la academia con Moratín lo constituyen Montiano y Luyando y Luis José Velázquez, autores a los que trata en Madrid el joven poeta. El puente se completa con Nasarre y con Luzán, ya muertos, pero presentes para el joven poeta a través de sus obras. Al iniciar el canto VI de *La Diana* escribe Moratín:

Si la dulzura de Luzán cantara,
los montes con su metro humillaría,
a quien sólo Montiano le igualara.
¡Oh antigua fe! ¡Oh piedad! ¡Oh muerte fría!
¡Oh Montiano! ¡Oh pesar! ¡Oh desvarío!
¡Oh malogrado y dulce amigo mío!
¿Qué dolor me transporta arrebatado?
¿Dónde estás que no me oyes cual solías?
¿Cómo te has de mis ojos ausentado?
¿Por qué regiones nuevas y sombrías
vagas ahora? ¿Acuérdate, Montiano,
cuando hablabas conmigo mano a mano?

. . . .
¿Eres tú aquel con quien ¡oh muerte fiera!
mis obras consultaba y mutuamente
las doctas tuyas? ¿Quién me lo dijera?
¡Cuánto te holgaras viendo la presente
obra rústica, al fin de poca estima,
como cosa que sale sin tu lima!

. . . .
Tú al teatro español restableciste
el honor, a quien yo seguí inmediato,
aunque inferior; mas no vencer pudiste
de nuestra dura patria al pueblo ingrato,
y hoy debo, los malévolos aparte,
sin lisonjas ni envidias celebrarte.

Este desmesurado elogio del maestro que acaba de morir el primero de noviembre de 1764, junto con la referencia a Luzán y otros párrafos moratinianos en los que se cita con encomio a Luzán y a Nasarre, ponen muy bien de relieve lo que antes he afirmado respecto de la relación de Moratín con el grupo innovador de la academia.

Ni *La petimetra* ni *Lucrecia* se entenderían fuera de este contexto. En otros estudios [1970] he insistido en una concepción de una etapa rococó de nuestra literatura dieciochista que empezaría precisamente con la *Poética* de Luzán y que se impone en torno a 1760. Al analizar los ingredientes culturales y literarios de esa etapa, de auténtica transición, pero con peso específico propio, encuentro como fundamentales los siguientes: crisis de la cultura barroca; aceptación de las nuevas culturas francesa e italiana y en parte la inglesa; rechazo de las grandes estructuras barrocas, propugnando estructuras más simples y racionales; influjo de la literatura francesa, pero al mismo tiempo de la italiana, desde Chiabrera hasta Goldoni, sin olvidar a Petrarca, Tasso y Ariosto; especial gusto por el detalle, que a veces se libera del conjunto para ser en sí mismo una estructura completa; naturalidad y sencillez a toda costa, como propugna Luzán. Creo que todos los fenómenos literarios que podamos analizar dentro de esta etapa responden a estas líneas maestras, desde la crítica del teatro barroco español hasta la anacreóntica o el prosaísmo.

En la Academia del Buen Gusto se dieron cita autores más bien arcaizantes, aunque muy valiosos, como Porcel y Torrepalma, con otros innovadores, como Montiano y Luzán. En cierta forma esta convivencia pudo simbolizar el rococó naciente, porque también él es una etapa híbrida, que incorpora a elementos que le vienen de lejos otros nuevos. Atendiendo a ello había definido yo *La petimetra* en 1970 como comedia rococó:

A estos elementos barrocos suavizados se añaden otros de importación francesa, como el estricto respeto de las unidades. Con todo ello resulta *La petimetra* una obra barroca moderada, en la que entran elementos característicos del barroquismo francés, más cercano que el español al ideal clásico. Y esta mezcla es lo que caracteriza al rococó literario, al igual que en los retablos rococós desaparece el dinamismo y el amontonamiento de superficies y líneas curvas, en un intento de conseguir una perspectiva plana, dentro de la cual entran todavía en mayor o menor cantidad elementos típicamente barrocos, a los que no se les puede llamar ornamentales, puesto que tienen una clara función estructural dentro del conjunto.

Lucrecia se relaciona con *Virginia* de Montiano por muchas partes: un asunto de historia; un mismo tema: defensa de la libertad contra el poder despótico, explícito en el prólogo de Montiano, aunque no en el de Moratín; la creencia en una Roma símbolo de la «libertad heredada»; y además, todos los aspectos formales, desde la estructura hasta, claro, las unidades. [Sin embargo, Moratín introduce el motivo del honor como parte importante de la fábula dramática, hasta el punto de que acaba siendo el detonante de la catástrofe. Es decir, estamos, como después en *Hormesinda*, ante ideas típicas del siglo XVII, que forman parte importante de la estructura de la obra.]

Los juicios negativos sobre *Lucrecia* son generales. Voy a romper una lanza en favor de esta tragedia. Parto de una base fundamental: una obra dramática no es sólo un texto literario, sino al mismo tiempo un espectáculo. Pues bien, teniendo esto en cuenta, creo que Moratín ha conseguido no sólo escenas aisladas dramáticamente magníficas, sino un conjunto trágico muy aceptable. ¿Por qué, entonces, no pudo representarla? Se me ocurre que más que por ser una tragedia a la francesa, lo que no le hubiera impedido acceder a los teatros de los Reales Sitios poco después, acaso porque sus ideas molestaban al poder constituido. No olvidemos la fecha: 1763. Estamos en las vísperas del motín de Esquilache. El ambiente político oficial no era propicio a tolerar que se pudieran hacer críticas como las que se insinúan en *Lucrecia*. [...]

Los 10 números de *El Poeta* merecerían un estudio particular, empezando por la curiosa pista que nos da Leandro al no incluir en las *Obras póstumas* más que 9 de las 53 composiciones de que consta. Indudablemente *El Poeta* no respondía al ideal de Leandro.

En la Academia del Buen Gusto se habían presentado varias traducciones: dos de Horacio, una con seguridad obra de Montiano; Luzán leyó traducciones de Safo, Anacreonte y Juan Bautista Zappi; también se leyeron varias traducciones de Metastasio, concretamente de la famosa oda *La libertà*. Indudablemente estas traducciones (obsérvese que no hay ninguna del francés) subrayan las tendencias clasicistas e italianizantes del grupo innovador. Pues bien, en *El Poeta* hay traducciones de Horacio, Marcial y Goldoni, aparte una imitación directa de Anacreonte. Hay además otra serie de sonetos, elegías, sátiras, canciones, con un valor específico. [...] En todo caso, merece la pena subrayar que Moratín tiene una acusada personalidad poética, que se manifiesta en aspectos que no se relacionan directamente con la poesía de la Academia del Buen Gusto.

Ahora bien, 19 de las 53 composiciones las titula su autor «anacreónticas». Dejo a un lado la vieja discusión sobre quién fue el primer autor dieciochista que inaugura el género. La cronología está clara, y a favor de Moratín. Además, quien inicia, aunque muy tímidamente, la corriente anacreóntica, es Luzán, con la traducción de la oda II, incluida en la *Poética*, con la de la oda III, vertida en redondillas, leída en la Academia del Buen Gusto, y con el idilio anacreóntico *Hero y Leandro*, en romance heptasilábico, como la traducción de la oda II, leído también en la academia. Que Anacreonte, especialmente después de la entrada de Luzán en la academia (16 de julio de 1750), era poeta que agradaba al grupo de la marquesa de Sarria, lo demuestra un detalle: con motivo de algún suceso interno del que no queda constancia, Nasarre lee un soneto titulado *Disculpa que presta al fiscal Anacreonte*. Nasarre se sirve del tema anacreóntico de la abeja que pica en un dedo a Cupido. Recuérdese que para Luzán este tipo de poesía era precisamente ejemplo de naturalidad y sencillez.

Las 19 anacreónticas incluidas en *El Poeta* están todas escritas en heptasílabos y 17 de ellas en romance. Las otras dos, la XV y la XIX, están en silvas heptasilábicas, con predominio de los pareados de rima consonante. Es curioso que ambas sean las únicas a las que antepone la palabra «monóstrofe», es decir, una sola estrofa o estancia. El mismo tipo de silva, aunque en endecasílabos, la había utilizado en la tragedia *Lucrecia* y en la oda pindárica I. En las anacreónticas de *El Poeta* todavía no recurre a los pentasílabos ni a los hexasílabos, ni a estrofas como la octavilla italiana.

Merece la pena subrayar que de los tres típicos temas del anacreontismo, el amor, la amistad y el vino, sólo se trata el primero en las anacreónticas VI y XVI y el tercero en las IV y X. Las restantes se apartan de esta temática: Las anacreónticas I, II, III, V y XVII se refieren a un tema marginal en la colección griega, la referencia a la propia obra; la VIII trata un tema de la naturaleza, pero de forma que puede considerarse una fábula en la que el protagonista es un arroyuelo, fábula que lleva su moraleja correspondiente; las anacreónticas XI y XIV son en realidad epigramas; por el tema podrían ser también epigramas la VII y la XIII; la XVIII está en la línea del *carpe diem*; sin embargo, la IX, «A Dorisa exhortándola al estudio de la poesía», va en sentido contrario, y, finalmente, la XII es un elogio de Montiano, que acababa de morir. Indudablemente se trata de un conjunto de anacreónticas bastante extraño, como de poeta que no ha captado todavía muy bien de qué se trata. A todo esto cabe añadir que la influencia de Villegas, que tanto va a pesar en el anacreontismo posterior, no es todavía visible aquí. La presencia de Anacreonte, acaso un Anacreonte leído en traducción latina y no en castellana, se encuentra también en el soneto II, que es imitación de la oda XIV.

John Dowling y Maurizio Fabbri

LO ÉPICO: *LAS NAVES DE CORTÉS DESTRUIDAS*

1. [Del canto épico *Las naves de Cortés destruidas* se han hecho dos ediciones, una suelta y póstuma en 1785 y otra la que incluyó —tras pulirla y podarla, presumiblemente— Leandro Fernández de Moratín en las *Obras póstumas* de su padre, Barcelona, 1821. Hay aún otra versión que ha quedado manuscrita en la biblioteca de la Real Academia Española. Es la más larga de las tres, ya que tiene 122 estrofas. El manuscrito es ológrafo y representa el texto tal y como salió de las manos del autor algo más de dos años antes de su muerte.]
A Juan Antonio Loche (d. 1749-1793) y —creo yo— a Leandro Fernández de Moratín debemos la primera versión impresa —la segunda en número de estrofas— del canto *Las naves de Cortés destruidas* de Nicolás Fernández de Moratín.

Este amigo de Leandro Fernández de Moratín, igual que Juan Pablo Forner, otro amigo de Moratín hijo, se había inmiscuido en el furor que en España producía el artículo sobre España de Nicolás Masson de Morvilliers publicado en la nueva *Encyclopédie méthodique* (1782). Con arrogancia gálica había preguntado Morvilliers: «Pero ¿qué se debe a España? Y en dos siglos, en cuatro, en diez, ¿qué es lo que ha hecho por Europa?». La misma Real Academia Española anunció en la *Gaceta* del 30 de noviembre de 1784 como tema de un concurso una «Apología o defensa de la Nación, ciñéndose solamente a sus progresos en las ciencias y las artes». No llegó la academia a adjudicar premio alguno. Tampoco Loche consiguió permiso de la censura para publicar la apología que sin duda destinaba al concurso; y la de Forner quedó inédita hasta que más tarde el conde de Floridablanca apoyó su publicación. Loche tuvo más suerte con otro trabajo a que se dedicaba durante estos mismos meses: el poema de don Nicolás con un prólogo y unas «Reflexiones críticas»,

---

i. John Dowling, «El texto primitivo de *Las naves de Cortés destruidas* de Nicolás Fernández de Moratín», en *Boletín de la Real Academia Española,* LVII (1977), pp. 431-450 (431-433, 438-446 y 449-450).
ii. Maurizio Fabbri, «*Las naves de Cortés destruidas* en la épica española del siglo XVIII», en *Revista de Literatura,* XLII (1980), pp. 55-62.

al parecer de su propia cosecha. En papel sellado de 1785 el procurador Martín de Villanueva se dirige al consejo de gobierno diciendo que su parte Juan Antonio Loche, «vecino de esta corte, ... ha añadido barias reflexiones criticas, al Canto Epico de las Naves de Cortés destruidas Obra Postuma que escrivio d.ª Nicolas Fernández Moratin, y no llego el caso de darla a luz antes de su fallecimiento. ...». Al consejo pide «se sirva conceder a mi parte licencia para su ympresion y benta».

[Hasta que el hispanista francés René Andioc encontró en el Archivo Histórico Nacional el documento en que solicitaba Juan Antonio Loche licencia para imprimir el canto de Moratín padre con las «Reflexiones críticas», se solía creer que el hijo Leandro era el editor a que se refiere la portada de la edición de 1785 y, por eso, autor del prólogo y de las «Reflexiones». Frente a la evidencia del documento del AHN, ¿cabe todavía dudar que fuera Juan Antonio Loche el editor de la edición de 1785 y autor de las «Reflexiones críticas»?] Es de advertir, además, que en el documento Loche no dice que ha *escrito* esas «Reflexiones críticas», sino que las ha *añadido*, o sea que él no afirma más que haber juntado el canto épico de don Nicolás con unas «Reflexiones críticas» que el lector del documento *supone* que son de él. Por esto, quizá represente el pequeño tomo una colaboración de los dos amigos sin que podamos precisar la parte de cada uno. El 9 de diciembre de 1794, después de la muerte de Loche, escribió Moratín desde Bolonia a su amigo Juan Antonio Melón: «Creo que te encargué ya que recogieras los papeles impresos que tenía Loche, y que dieras a Castillo (el librero) una porción de exemplares de la *Comedia Nueva* ...». ¿No serán aquellos impresos los ejemplares que quedaban de *Las naves*? Y el hecho de que Loche los tenía y Moratín ejercía un derecho sobre ellos ¿no indicará alguna colaboración de los dos amigos? Por ahora, no es posible resolver las dudas.

Tampoco nos sirve un análisis de las ideas expresadas en las «Reflexiones críticas». Loche y Moratín pertenecían al mismo círculo de escritores y a lo sumo la diferencia de edad no llegaba a diez años. Las ideas de las «Reflexiones críticas» son las que encontramos sobre la épica en la *Poética* de Ignacio de Luzán o en la misma *Lección poética* de Leandro.

Al cotejar el manuscrito ológrafo de la Real Academia Española con la versión impresa de 1785, resulta que han desaparecido 18 estrofas de las 122 de la versión original. Además, de las 104 estrofas que quedan (832 versos), 38 estrofas (74 versos) han sufrido alguna modificación. La versión de 1821 ha sido castigada más severamente. Han desaparecido 39 estrofas más, dejando sólo 65 (520 versos). Todas estas 65 estrofas han sufrido algún cambio en 264 de sus versos.

[Al estudiar las tres versiones, la primera nos parece] encajar dentro del catálogo de las obras de Nicolás Fernández de Moratín que representan un puente entre el último barroco y los albores del neoclasicismo. Las correcciones de la versión de 1785, por otra parte, obedecen a los preceptos de la *Lección poética* (1782) de Leandro; mientras que la severamente castigada de 1821 parece conforme con el triunfo del modo neoclásico tal y como lo vemos expuesto en el *Arte de hablar en prosa y verso* (1826) de José Mamerto Gómez Hermosilla, gran admirador, por cierto, del verso de Leandro, cuyas obras de madurez conocía.

Mi conclusión es que, aunque Leandro y Juan Antonio Loche pudieron colaborar en la edición de 1785 —y no es posible distinguir la intervención de cada uno—, el severo castigo de la edición de Barcelona de 1821 se debe exclusivamente a Leandro [además, Loche había muerto bastantes años antes de 1821]. Estoy de acuerdo con Manuel José Quintana, quien, ignorante del texto primitivo, prefirió para su antología el de 1785, relativamente poco corregido, sobre el de 1821:

... si las alteraciones que se han hecho han podido mejorar algún tanto la elegancia de estilo y la estructura de los versos, quizá han perjudicado a las proporciones de la composición, disminuido a veces su grandeza, su raudal, su robustez, y por consiguiente, alterado frecuentemente su carácter. ... Sea de ello lo que se quiera, lo que no tiene duda es que las correcciones de la edición de Barcelona no son, ni pueden ser, trabajo del poeta que escribió el canto. [...]

Los cantos de Vaca de Guzmán y de Moratín padre ofrecen interés en primer lugar por ser el uno el premiado y el otro entre los desestimados en el primer concurso poético patrocinado por la academia [en 1777]. Sin entrar en detalles, podemos observar que el poema de Vaca de Guzmán parece ser una obra más disciplinada que el de Moratín, y por eso más conforme con la estética que deseaban apoyar los académicos de entonces. Los esfuerzos de Moratín hijo (o su amigo Loche) al castigar el poema de don Nicolás ratifican este concepto.

Los dos temas propuestos por la academia merecen comentario. El de la elocuencia invitaba a un elogio del primero de los reyes Borbones de España, Felipe V, fundador de la academia y de otras muchas instituciones de la España moderna. El otro tema llamaba la atención a las glorias de los Austrias y a un suceso famoso entre las hazañas más notables de toda la exploración y conquista de América. La fecha del concurso es interesante. Dieciocho años después de comenzar el reinado de Carlos III, España está en una época de regeneración. Posee todavía su imperio de América, que está en el xviii en pleno desarrollo. Ha reconstruido su marina, aprovechando los esfuerzos de hombres como el cosmógrafo y astrónomo Jorge Juan (1713-1773), quien, con Antonio Ulloa y los delegados franceses, había medido en la América meridional un arco terrestre, contando Juan al hacerlo menos de treinta años. En 1778 España tiene suficiente poder naval para aliarse con los Borbones de Francia y desafiar en el mar al antiguo enemigo, Inglaterra, ofreciendo ayuda a los rebeldes colonos de Norteamérica. La elección del tema por la academia y el tono de estos dos poemas obedecen al optimismo que caracteriza estos años del reinado de Carlos III.

El poema de don Nicolás es, como he querido probar en otra parte, responsable de la difusión de la leyenda, aceptada por muchos como un hecho histórico, según la cual Cortés no sólo echó a pique las naves de su flota, sino que las quemó. El incendio de las naves por Cortés es una creación de la fantasía de don Nicolás que con el tiempo llegó a confundir a los historiadores.

Por fin, el conocimiento de este poema es fundamental para entender la obra literaria de un escritor cuyos rasgos son, como ha señalado José María Cossío [1926], confusos y contradictorios si ignoramos los textos primitivos. Nicolás Fernández de Moratín es el «hombre de letras» más destacado de los cuatro lustros de 1760-1780, que comprenden los primeros años del reinado de Carlos III, y por eso sus escritos merecen conocerse en la redacción que él les dio.

II. De la calidad del verso del canto moratiniano, poco hay que añadir tras los numerosos juicios expresados por los críticos en distintas épocas, a partir de Leandro Fernández de Moratín y Quintana. Será conveniente recordar que ya en 1787 José María Vaca de Guzmán en las *Advertencias*, con que se apresuró a defender los méritos de su poemita, se había detenido puntillosamente en los defectos y carencias que en su opinión afeaban la composición de su rival. Estoy de acuerdo con Dowling [1977] en que cuando don Leandro procedió a revisar el canto para la edición de 1821, acepta de buena gana la mayor parte de las observaciones hechas por Vaca de Guzmán, si bien de este modo, realizó una auténtica adaptación del canto al gusto clasicista eliminando gran parte de los rasgos barrocos que se podían advertir en las octavas reales del canto original.

En efecto, don Nicolás revela en la composición del canto a Cortés una formación cultural inspirada en los modelos clásicos (especialmente de Virgilio) e influida considerablemente además por esquemas y estilemas barrocos que pueden parecer más propios, estos últimos, de un poeta épico del Siglo de Oro que de un poeta correspondiente al «Siglo de las Luces». [Moratín recurre con frecuencia a la metáfora y a la hipérbole; se complace en construir imágenes elaboradas y elegantes, ricas de elementos decorativos, colores, piedras preciosas, oro, marfil, y vestidos suntuosos, resaltados a través de un decidido uso de una adjetivación apropiada a exaltar el efecto de brillo y oropel. Un compañero de Cortés, Saucedo por ejemplo, va adornado con: «Una casaca verde acuchillada / de trasflor y sutiles caniguíes, / mostrando rica tela nacarada / con broches y alhamares de rubíes ...».]

Resultan evidentes a lo largo del canto los rasgos estilísticos característicos de un Balbuena, Góngora, e incluso Lope. Es igualmente documentable el influjo ejercido por otro poeta, mucho menos conocido que los precedentes, pero que nos ha dejado uno de los poemas épicos más interesantes de todo el siglo XVIII. Me estoy refiriendo a Francisco Ruiz de León, autor de la *Hernandía*, y novohispano, fiel poeta de los sucesos narrados por Antonio de Solís en su conocida *Historia de la conquista de Méjico*, gongorino, publicó su poema en Madrid y en 1755, con ensalzadoras presentaciones por parte de poetas conocidos en la época, y en especial la de José Joaquín Benegasi y Luján, «muy acreditado en su tiempo», tal como afirma Leopoldo Augusto de Cueto [1869]. Don Nicolás parece tenerlo en cuenta al componer su canto épico así como parece tener presente los poemas de Luis Zapata de Chaves y Antonio Saavedra Guzmán, de quienes probablemente toma el gusto por «las genealogías, blasones y costumbres caballerescas», que tan molesto resultaba a Quintana. [...]

Ruiz de León parece ser el inspirador de otra invención poética que Moratín desarrolla y amplía con sugestivos efectos: me estoy refiriendo al incendio de las naves ordenado por Cortés. Todavía recientemente se ha atribuido a don Nicolás la primacía poética sobre este asunto, e incluso el mérito de la difusión de la leyenda aun en el ámbito histórico. Ahora bien, a pesar de que numerosos antecedentes de incendios de naves, rigurosamente históricos, aparecen en la antigüedad, como nos cuentan Polieno el Macedonio, Diodoro y Amiano Marcelino, en época moderna varios cronistas, a partir de 1566, hablan del incendio de la armada cortesiana. Podemos señalar a Juan Martínez, Juan Suárez de Peralta o Pedro Fernández del Pulgar. Además, una referencia explícita se encuentra en la octava 109 del canto II de la *Hernandía*, en la que Ruiz de León —a semejanza de lo que hace Antonio de Solís en su *Historia*— compara a Cortés con los «Caudillos atrevidos, / que por vencer quemaron sus Baxeles», es decir con los antiguos héroes como Agatocles, Timarco, Quinto Fabio Máximo, Juliano el Apóstata.

[En cuanto a las motivaciones que pudieron haber inducido a los académicos encargados de juzgar los poemas presentados, a preferir el canto de Vaca de Guzmán en lugar del de Moratín], a mi parecer puede haber resultado perjudicial para don Nicolás —ésta en concreto es mi hipótesis— no haber comprendido —o haberlo pretendidamente desatendido— el significado ideológico y propagandístico implícito en la elección de un personaje y un tema —Cortés y la conquista de América— que se habían convertido en aquellos años en objeto de violentas polémicas y que estaban sometidos a una revisión crítica a menudo no desinteresada.

En mi opinión, no podemos pensar que la Real Academia pretendiera únicamente promover, tal como dice el anuncio que apareció el 7 de octubre de 1777 en la *Gaceta de Madrid*, el «estudio de la poesía», y no me parecen suficientes las argumentaciones presentadas por Dowling [1977] quien habla del deseo de homenajear a la casa de Austria y de la correspondencia con el «general optimismo» de los primeros veinte años del reinado de Carlos III. Tampoco es suficiente la afirmación de Frank Pierce para quien: «... la elección del tema del concurso indicaba claramente el deseo de volver a las glorias del pasado». Quizás estas aseveraciones sirvan para la *Hernandía* de Ruiz de León quien escribió, por iniciativa propia, en un momento histórico pleno de esperanzas, cuando el reinado de Fernando VI parecía haber restituido a la nación la fuerza y el prestigio que le habían dado renombre.

Coincidiendo con la subida al trono de Carlos III la situación política internacional se había ido progresivamente deteriorando y, en torno al final de los años setenta, el prestigio político, militar y cultural de España aparecía gravemente comprometido. La figura de Hernán Cortés podía representar una aportación fundamental a la obra de restauración de la imagen de España tan deteriorada por tantas incisivas críticas, válida tanto para los extranjeros menos prevenidos cuanto para los españoles mismos quienes además habían manifestado desde siempre una especial admiración por el héroe extremeño. Lo importante era saber utilizar el tema con el tono adecuado. De este modo tenemos la elección de un argumento como el de la destrucción de las naves que es, en definitiva, de tipo secundario y marginal en relación a la magnitud y variedad de la empresa de Cortés, pero que por el contrario tenía la ventaja de no prestarse a polémicas y que consentía poner de relieve junto a las virtudes militares el talento político y las cualidades, humanas y civiles, de Cortés, además de los aspectos positivos y benéficos de la conquista. Esto es lo que conseguirá Vaca de Guzmán mediante una composición contenida y compacta, respetuosa de las características del canto épico [...] y que, es conveniente recordarlo, fue casi inmediatamente traducido y reseñado al francés. Vaca de Guzmán compuso un canto en 60 estrofas (Moratín hijo en la versión de 1821 reducirá a 65 las estrofas del canto) utilizando aún la octava real y el endecasílabo tal como lo exigía el bando de la Real Academia y como lo aconsejaba la preceptística luzaniana ya que, según la *Poética*, la «narración dramática» requiere el

verso heroico, porque por verso heroico se entiende entre Griegos y Latinos, el hexámetro que ... es el que la experiencia misma ha hecho conocer por más propio para los asuntos épicos, por ser el más grave, más sonoro y más armonioso de todos. En las lenguas vulgares al verso hexámetro responde el endecasílabo, y más propiamente las octavas.

Como en el canto moratiniano, no faltan reminiscencias barrocas que se manifiestan mediante el uso de alegorías, metáforas, recurso a las entidades abstractas, a hechos sobrenaturales, a la mitología pagana y mexicana. Además el canto mismo se nos propone en forma de aparición. Pero Vaca de Guzmán en las 60 octavas de su canto consiguió lo que Moratín no había conseguido en doble número de estrofas: llegó a demostrar cómo Cortés no era únicamente el «español Aquiles», hombre de armas audaz e inflexible, sino que era también un «prevenido en los riesgos y prudente», un colonizador capaz de «levantar eternas poblaciones», un propagador integérrimo de la fe, un guía paterno y sabio, leal y generoso, un instrumento en definitiva dócil a la voluntad divina que se había servido de él para llevar al Nuevo Mundo la «justicia, la paz y la abundancia». El canto se transforma en un himno apasionado a España, rico en imágenes paradigmáticas y en señales políticas y fácilmente descifrables. España es «Feliz patria», «Dichoso suelo», generadora de «héroes invencibles» y «sabia madre de las ciencias», ejemplo para todos de civilización y buen gobierno. [La referencia, segura y evidente, a la problemática política y social del tiempo y a las violentas críticas de que era objeto España, la encontramos confirmada, por ejemplo, en la exhortación dirigida con patriótica firmeza a la juventud española, en las últimas estrofas del canto, para que no olvide y desprecie cuanto había hecho la patria y sobre todo para que defienda la memoria de los antepasados. En la octava 57, Vaca de Guzmán propone a Cortés y a la empresa americana como ejemplos de conducta militar y civil, dignos de ser emulados.]

Moratín, por su parte, compuso un canto demasiado largo, sin duda, y que acababa por reproducir a escala reducida la estructura de un auténtico poema épico. La organización interna, por lo que a la proporción de las partes se refiere, no aparece consonante con los criterios de armonioso equilibrio que el redactor mismo —quien fuera— de las «Reflexiones críticas» alegadas a la primera y ya reducida versión del canto, consideraba esenciales para el éxito del mismo, ya que: «... siendo la obra de corta duración, debía guardar en todas sus partes la proporción correspondiente, para que ninguna de ellas fuese monstruosa por su demasiada grandeza».

JOAQUÍN ARCE

LA DIANA O ARTE DE LA CAZA

[El poema de *La Diana* está escrito en sextinas narrativas, o sextinas reales, o sextas rimas, o sextetos, estrofa sobre la que los manuales de métrica tienen muy poco que decir. Es rarísima en la historia de la poesía castellana, y los ejemplos que de ella se dan

Joaquín Arce, «El poema *La Diana o arte de la caza*, de Nicolás de Moratín», en *Revista de Literatura*, XLII (1980), pp. 76-83 y 95-98.

entre el Renacimiento y Barroco no explican la elección de Moratín. En el siglo XVIII, con el sorprendente ejemplo de Nicolás, sólo Iriarte parece haberla utilizado en la fábula 64, *La rana y la gallina*, de tan sólo dos «sextinas o sextas rimas», como las denomina el propio fabulista en el índice de las formas métricas empleadas. La única muestra convincente en la edad barroca de estas sextinas narrativas —distintas de las sextinas líricas o provenzales— se encuentra en Quevedo, que las empleó en cuatro ocasiones; sin embargo, su poema más largo en esta forma estrófica es la traducción del *Cantar de los cantares*, que comprende 30 estrofas, casi una quinceava parte de las que componen el poema de Moratín (438 estrofas). Naturalmente los manuales de métrica salen del paso refiriéndose a su origen italiano —lo que es verdad—. Pero tampoco los manuales italianos de métrica en las pocas líneas que dedican a esta estrofa saben aportar testimonios convincentes, y sólo señalan, con raras muestras iniciales en el siglo XIV, la innovación que supuso en el siglo XVIII la adopción de la sextina, en vez de la octava, en un poema extenso, por parte de un poeta famoso por entonces, incluso en la misma España, Giambattista Casti. En efecto, su poema *Gli animali parlanti* está en sextas rimas, idénticas a las de Moratín. Pero, atención: el poema de Casti se publica ya entrado el siglo XIX, en 1802, es decir, treinta y siete años después que el de Nicolás. De haber, pues, alguna relación entre tal elección de estrofa —no improbable—, fue Casti el que pudo tomarlo del autor de *La caza* y no al revés.]

Se le suele llamar poema didáctico, y su mismo hijo así lo define. No consta, sin embargo, el calificativo en la portada de su edición, donde se le menciona meramente *Poema*. [...] En fin de cuentas quizá no pretendió hacer su autor un poema didáctico en sentido riguroso: no hay una sistemática expositiva con pretensiones de sustituir a un tratado en prosa, o sea «la verdad hermoseada con los colores poéticos». Cierto es que se dan consejos sobre la caza, los animales, los pertrechos utilizados, las épocas más oportunas o los lugares más idóneos, pero predomina el elemento ornamental, el fantástico-mitológico o histórico, y hasta —lo que hoy representa su mayor mérito— los recuerdos personales o evocaciones de convivencia en relación con lugares o ambientes frecuentados. En la poesía del XVIII, frente a la del Siglo de Oro, ya se percibe el aire real en que se mueve el poeta. Y se vislumbra el mundo de sus afectos cotidianos. Éstos están en *La caza*. Poema más bien descriptivo, a ratos encomiástico, caracterizado por una actitud de clara orientación ilustrada en la que radica su verdadero significado; no sólo con él se continúa la veta de poesía científica, introducida en la literatura española por Luzán, sino que le incorpora un elemento lingüístico-estilístico radicalmente nuevo, la mención de los nombres de científicos extranjeros contemporáneos, como material léxico poético.

Naturalmente que Nicolás está en la línea de la poesía clasicista del tercer cuarto del siglo XVIII, pero no puede ni debe llamársele en rigor neoclásico, porque la estética neoclásica de la que es auténtico representante Moratín el Joven, no estaba aún formulada. Frente a éste, poeta contenido, medido, controlado, el padre fue un poeta fácil, desbordante, incontenible. Por eso Leandro quiso revisar, limar y recortar las obras de Nicolás que está en los antípodas del puro ideal neoclásico representado por el hijo. Es —creo— el único caso en nuestra historia literaria de dos escritores inmediatos, ligados por tan estrecho vínculo de parentesco y, sin embargo, tan dispares, tan opuestos. La capacidad de improvisación de Nicolás es conocida [...] y es ese despilfarro verbal incontenible el que explica ciertas caídas y tropiezos, ciertas incoherencias en su afán por decirlo todo, por nombrarlo todo, por demostrar su erudición lingüístico-cultural. De ahí esa predilección por el vocablo ajustado al tema, por la denominación de objetos, acciones y costumbres de otras épocas, por referencias a acotadas y especializadas zonas del saber.

De los peligros de este género mixto era bien consciente Moratín, por lo que intenta justificarse en su prólogo a la primera edición de *La caza*, importante para el conocimiento de su teoría literaria. Censura a los críticos que prescriben reglas «arbitrarias e impertinentes», ya que no hay obra alguna que las observe, hasta el punto que la misma *Eneida* queda «degradada del honroso título de poema». Aunque al suyo no le llame «didáctico», mezcla exposición y creación, y se defiende afirmando que no es nuevo «tratar las ciencias en verso», con la dificultad de que «los pocos informados» querrían «que se tratase la materia seguidamente sin episodios», no sabiendo que «estos adornos son precisos»; e incluso «la abundancia y felicidad de esta invención es la que ha dado la ventaja a Virgilio ...». Lo que no es fijo, pues depende del «arbitrio de los hombres», es determinar «el número, cualidad, ocasión y grandeza de los episodios».

Considera además que «la locución poética es otro requisito no menos esencial» para no caer en «prosa medida y aconsonantada», que es lo que distingue al poeta del «versificador o coplista». Idea esta en la que ya había insistido Nicolás en sus obras anteriores, tanto en 1762, en la *Disertación* que precede a *La petimetra* («los verdaderos poetas» no son los «versificantes y coplistas»), como en 1764 en *El Poeta*, donde ataca a los «versificantes y copleros que han inundado a España», reiterando la diferencia entre «versistas» y «poetas».

Admite y se envanece por otra parte de lo que imita («ni es cosa de menos valer el imitar»), sin aclararlo («no pongo las citas de las imitaciones»), porque sobran para los ignorantes y «para los doctos no hacen falta». Así hace distinción entre la oscuridad que nace de la «mala colocación, elección y extravagancia de las palabras y cláusulas», y la que con «lenguaje puro» y «pensamientos sólidos» obedece a «cosas alusivas a fábula o a historia o a otra erudición semejante». En fin de cuentas, piensa que como la poesía no se hizo para ignorantes, «se alegra el que ve insinuada una cosa sin explicarla», agradeciendo al autor que haya hecho «aprecio de su erudición». No es que Moratín se caracterice por su parquedad expositiva, pero resulta bien evidente que no pretende dar abrumadora información al lector, sino sólo apuntarle las nociones culturales que despierten su curiosidad y saber. [...]

La variedad de temas y motivos, la radical novedad de la forma métrica para las dimensiones del poema, su misma extensión, ciertas innovaciones terminológicas, la amplitud de un vocabulario específico, y los recuerdos de ambientes y personajes de época, no parecen compatibles con el olvido casi sistemático de *La caza* por parte de la crítica, ya desde Valmar y Menéndez Pelayo. Es además la única composición poética moratiniana, entre las de más alcance, que puede estudiarse en la versión auténtica del creador, tal como la entregó a la imprenta. Cierto es que no debemos caer en el extremo opuesto, e intentar ahora reivindicar una obra que, siendo altamente significativa en la producción del autor, no constituye por sí misma un compacto e inspirado organismo poético. Hay que insistir, sin embargo, en que a las creaciones del XVIII hay que enfocarlas con otro ánimo y disposición: es inútil y desviante intentar recuperar en ellas sólo puros valores líricos. Es poesía indicativa de un momento trascendental en el desarrollo de nuestra cultura, y ésta debe ser fundamentalmente la perspectiva que se adopte para apreciarla y valorarla.

En este poema hay caídas, frecuentes caídas rítmicas, expresivas y de trabazón interna. Nicolás se desmandaba fácilmente, y resbala hacia lo accesorio y ripioso. No extrañan los recortes del hijo ante el desbordamiento verbal del progenitor. Y puede verse una prueba de esta labor de cirugía estética en esta misma obra, en los tres fragmentos elegidos por Leandro al publicar las *Obras póstumas* del padre: de las 34 estrofas que abarca el trozo seleccionado del canto I, las referentes al *Origen de la caza y variedad de fieras*, elimina Leandro 19, las que suponen digresiones del tema, aunque sólo hace aquí un par de correcciones: sustituye «o en praderas» por «y laderas», y cambia el artículo femenino, sin razón, por el masculino, en «las cerastas». Del canto II recoge el hijo el episodio de la *Muerte de Favila*, con sólo nueve estrofas, pero prescinde de las dos en que hay detalles suplementarios o intervención del poeta en lo narrado. Corrige a su vez «cayó» con «le vió»; «ya envasado» con «atravesado»; el verso «dura, aunque desigual, dudosa lucha» con «dudosa, desigual, áspera lucha»; y «forcejeando» con «forcejando». El tercer fragmento elegido por el editor es del canto IV, la descripción del Alcázar de Segovia, que abarca 22 sextinas, de las que suprime cinco, más las tres que faltan para rematar el canto. Entre las no seleccionadas por Leandro están las que son mero catálogo de objetos, o reflexiones propias y marginales que distraen la atención. Además sustituye «Mas nada impide, o hispanas ...» por «Nada os impide hispanas ...», y un «lo» y un «le» por «la»; elimina la conjunción copulativa tras «allí», y cambia «y no» por «que no»; «con las manos» por «ambas manos»; «estando a su despecho» por «en su feroz despecho»; «con» por «y en»; y «con blando freno» por «en justo imperio».

Como consideración de conjunto, en el nivel métrico-retórico y lingüístico-gramatical, el poema está dentro de los cánones de la poesía narrativa del Siglo de Oro, salvo la incorporación de los signos léxicos propios de la literatura ilustrada. Resultan hasta demasiado frecuentes en el verso tanto las sinéresis como las más justificadas diéresis. Recuérdense, de las primeras, las palabras reducidas métricamente a una sílaba menos, como *campeón, real, reales, caos, contramangueando, forcejeando* (sinéresis eliminada, como hemos visto, por Leandro), dándose hasta dos violentas contracciones en el mismo verso:

cAEs a los pies de Luis revolotEAndo.

La diéresis se percibe en *Dïana*, como en Garcilaso, y asimismo en *Gabrïel, infieles, Escorïal, Mantüano, rïada, varïado*. No evita tampoco el desplazamiento de acento para lograr el ritmo del verso: *hipopotàmo, hipomànes, Anìbàles, oceàno*. Ni es rara, en rima, la asimilación arcaica y poética de la *-r* de los infinitivos ante el pronombre enclítico: *alanceallo* / *caballo*; *contallos* / *vasallos*; *encontralle* / *valle*; y *sujetallo*, *preguntallo*, *dejallo*, etc.

El hipérbaton es muy raro, pero no ausente: «los célebres tomó desfiladeros ...». [...] El acento rítmico se resiente a veces: hay inarmónicos endecasílabos con acento en 4.ª y 9.ª, como también en el *Arte de las putas*. Así, «y el gran valor con que fatigó a Roma». Inarmónicos asimismo los que llevan acentos tónicos en sílabas seguidas, sean la 5.ª y 6.ª, o la 6.ª y 7.ª: «Mucho el cazador tiene de soldado»; «al numen santo, el gran Dios que yo adoro». [Aparece también en el poema la conjunción *u* ante palabra que no empieza por *o*, pero tras la que termina con esta vocal: «espeso u negro»; «pálido u rojo»; «tránsito u origen». (También en la sátira III dice «destino u norte».)]

Lo más nuevo reside, por último, en el reconocimiento de la sextina como estrofa que, a lo largo de seis cantos, da forma a un poema extenso, en un apartamiento consciente de la octava, para lograr una más contenida e íntima dimensión poética. Y todo ello como sustentáculo unitario de un pluritematismo que alterna hechos y sentimientos, y funde lo moderno con lo tradicional: poetas clásicos con científicos extranjeros recientes; el paisaje serrano en leves menciones, y el urbano de «la gran Madrid»; el tema ilustrado de la amistad y discipulaje, y el recuerdo autobiográfico amoroso; la leyenda o el mito, y la historia.

MARIO HERNÁNDEZ

LA POLÉMICA DE LOS AUTOS SACRAMENTALES

El intento explícito de combatir la barbarie por parte de los ilustrados encierra un significado cultural que no se puede adscribir de modo exclusivo al mundo literario. La sujeción a las reglas dramáticas en el teatro y el repetido ataque contra lo que se denominó

Mario Hernández, «La polémica de los autos sacramentales en el siglo XVIII: la Ilustración frente al Barroco», en *Revista de Literatura*, XLII (1980), pp. 188-191, 199-203 y 211-220.

como «pundonor» y «quijotismo» suponen, como advierte René Andioc [1970], algo más que problemas de carpintería teatral o de crítica del pasado. Estamos ante unos nuevos conceptos éticos, como se puede colegir de la sorprendente virulencia exhibida por los polemistas teatrales, quienes no discuten tan sólo la pervivencia de Calderón o lo extensivo de la unidad de tiempo a tres horas o a cuatrocientas. Se trata, en suma, de reformar el país acercándolo a Europa o, por mejor decir, a Francia e Italia, si nos atenemos a los modelos literarios, facilitado el acceso a los de estas dos naciones por reyes como Felipe V y Carlos III. [...]

El convencimiento de ser el teatro una escuela de costumbres es compartido por todos los tratadistas del siglo, pues, como afirma el padre Estala, «no con discursos, como hace el filósofo y el orador, sino con exemplos vivos se convence al pueblo, el qual jamás ha sido filósofo, pero sí sensible». De ahí que los reformistas del teatro se apropiaran los argumentos esgrimidos desde hacía más de un siglo por los censores de su licitud.

El problema se retrae a las ideas caballerescas, que, al sentir de los ilustrados, el viejo teatro representaba. Los lances de las antiguas comedias correspondían, además de a unas costumbres que habían cambiado de signo, a una moral opuesta a la reforma de sentido utilitario que el despotismo ilustrado preconiza. De ahí que, como se verá a lo largo de estas páginas, la polémica desatada en torno a los autos sacramentales conlleva —y exige previamente— el ataque cerrado a la comedia barroca, opuesta a las nuevas estética e ideología del poder. Hay que insistir, por tanto, en que el debate desbordó los aspectos puramente estéticos. [Los dramaturgos ilustrados, acordes con el sentir de la época, condenaron el teatro barroco por razón de estilo y moral. No sólo se combate el estilo «crespo y enigmático» de los continuadores de Calderón, sino los «amores indecentes», el «escalar ventanas», el atropello de la justicia a cuchilladas por cuestiones consideradas de falso pundonor. El intento de implantar la nueva tragedia a partir de 1770, con el estreno de *Hormesinda*, supone un intento más de la reconstrucción moral del país a que la Ilustración se dedicó. Por encima de las diferencias estéticas, el criterio moral, presente en casi todos los textos teóricos de la época, exigía realizaciones dramáticas de otro tipo. Pero es que, además, lo moral se interrelaciona necesariamente con lo estilístico: a diversa mentalidad corresponde un modo diverso de expresión.]

René Andioc [1970] ha probado, con minucioso análisis documental, cómo la prohibición de los autos sacramentales por cédula real de 1765 venía a coincidir en gran medida, según reconoce el mismo Cotarelo [1905], con su certificado de muerte natural. Los autos, asimilados a las «comedias de teatro» (cuyo lujo de vestuario y decorados elevaba el precio de taquilla), no lograban llenar el teatro, siendo más impopulares que las aplaudidas comedias de magia, según muestra el cotejo de las ganancias de varias compañías en años anteriores a 1765. Por este motivo los autos adoptan, en sus representaciones dieciochescas, procedimientos de captación popular ajenos en principio a su carácter de teatro eucarístico. El uso de bailes y tonadillas en los intermedios, más la continua variación en el vestuario de actrices y actores, suponen, entre otras, algunas de las concesiones al gusto que el público impone. Lo maravilloso y la magia contaminan por idénticas razones la representación de los autos. A los ojos de algún eclesiástico y del grupo de reformistas, la ejemplaridad y el decoro religioso se ofrecen pervertidos. El pueblo, desentendido de alegorías complicadas y metáforas sutiles, se solaza en los aspectos exteriores de la representación, como denuncian una y otra vez los mismos defensores de la dramaturgia barroca. La mezcla de lo sagrado y lo profano, atacada por alguno de los mismos teóricos de la Iglesia, presta en estas circunstancias terreno abonado para la crítica ilustrada. Dentro de las coordenadas de fondo político-social en que esta crítica se mueve, se debe evitar la familiarización del vulgo «ignorante» con las más elevadas verdades de la religión. Ésta, en fin, debía alimentar al pueblo, pero sin que éste pudiera participar en el control o juicio de lo religioso, aun de una manera puramente especulativa. El paralelismo con el contenido político del poder absolutista es el sustrato, pues, bajo el que hay que entender muchas de las afirmaciones de los reformistas. [...]

En 1763 el ardor de la polémica teatral llega a su punto culminante, ya centrada en la valoración de los autos sacramentales. Las famosas representaciones del día del Corpus habían supuesto en el XVII una armonización total de lo festivo y lo religioso, de la que no estaba descartado el sensacionalismo y brillante fastuosidad en decorados, vestuario y compleja puesta en escena. Lo alegórico se fundía, por otra parte, con la exaltación del misterio de la Eucaristía. El nuevo espíritu del XVIII, más el disfavor consecuente que el público presta entonces a los autos, provoca en los escritos teóricos de los ilustrados un ataque cerrado y falto de comprensión. Hemos de reconocer que los defensores del viejo género no exhibieron una mayor brillantez; tal vez, entre otras razones, porque veían la batalla perdida de antemano. Sin embargo, Luzán había definido los autos con un criterio que de algún modo les dejaba a salvo del consabido sometimiento a las reglas y virtual condenación: «Los autos sacramentales son otra especie de poesía dramática, conocida sólo en España, y su artificio se reduce a formar una alegórica representación en obsequio del sacrosanto misterio de la Eucaristía, que por ser pura alegoría está libre de la mayor parte de las reglas de la tragedia». [Clavijo (reformista de cuño francés y de criterio laico), en cambio, argüirá desde la profanidad de su postura la separación entre los misterios religiosos y su representación dramática. Los argumentos de *El Pensador* pueden resumirse en los siguientes:]

1. Los autos son una mezcla de lo sagrado y lo profano, por lo que suponen una ofensa al catolicismo y a la razón.
2. Han llegado a convertirse en un halago de los sentidos, pero no en un incentivo de la piedad. (Los espectadores, asegura, sólo asisten a los entremeses y sainetes, saliendo del teatro al comenzar el auto.)
3. Su representación es impropia e indigna, ya que actores y actrices, cuya vida deshonesta es conocida del público, despiertan en éste la chanza y el regocijo.
4. Se oponen a la religión, que nos prohíbe penetrar con la inteligencia las verdades de la fe, confundiendo a los ignorantes.
5. No pertenecen a especie conocida de poesía, pues ni la profana ni la sagrada admiten la alegoría o la personalización de entes metafísicos y sustancias abstractas. Tampoco son teatro, sino «diálogos alegóricos puestos en metro».
6. El soberano debería prohibirlos como nocivos para la religión cristiana.

Estos seis argumentos, de los que el último no es más que una consecuencia, son un resumen sucinto de los Pensamientos XL y XLIII, ambos de 1763. Es fácil observar cómo Clavijo se fija de modo destacado en la oposición supuesta de los autos a la moral pública. [...] Para ello no duda en utilizar argumentos supuestamente teológicos, como el cuarto, ni en reducir este tipo de teatro a simples «diálogos alegóricos» sobre los que se acumulan las impropiedades.

[La respuesta no se hizo esperar. Romea y Tapia fue el más insistente e importante contradictor; su estilo discursivo bien puede calificarse de gerundesco, con plena adecuación a las formas más viciosas de la oratoria sagrada que el padre Isla había ridiculizado. En la década de los sesenta, casticistas como Romea llevaban las de perder, a pesar de tener su público. Tampoco debía ser éste excesivo, pues sólo aparecieron once números de *El Escritor sin título*, frente a los ochenta y seis de *El Pensador*.] Las cifras indicadas acaso demuestren la diversa acogida dispensada a sendas publicaciones. La novedad del uno frente al tradicionalismo del otro son datos suficientes para poder conjeturar una respuesta diferente por parte de un público adorador de las modas. Existe, además, un testimonio coetáneo que confirma esta hipótesis. El autor de *El Belianís literario*, al reseñar el periódico de Romea, señala que éste se alistó «en las Centurias de los Partidarios del systema de corrupción de nuestros Theatros», al notar el desinterés del público tras los dos primeros «Discursos». Esta observación demuestra un hecho de sumo interés: el tema teatral servía de acicate al éxito de un periódico, lo que también se deduce de la insistencia en el tema por parte de tales publicaciones.

La defensa de Calderón emprendida por Romea, en contra de Clavijo, se centra en el discurso IV y en el quinto de *El Escritor sin título*. La reivindicación del dramaturgo barroco coincide en algún punto con la llevada a cabo por Erauso, [también en la tradición posbarroca] quien defendía a Calderón como héroe nacional intocable. Así, Romea asegura que fue cristiano viejo, caballero del hábito de Santiago, sacerdote y hombre religioso. Henos, pues, nuevamente ante argumentos de casta y ortodoxia que señalan la divergencia de los diversos puntos de partida.

En cuanto a los autos, afirma que son poesía sagrada por su mismo tema; trata de demostrar que éste admite la alegoría, de la que hicieron uso Moisés, Job y David, además de Prudencio y Juvenco (elegidos, se supone, como poetas hispanolatinos); en las mismas Sagradas Escrituras descubre las personalizaciones de «entes metafísicos» por medio de la prosopopeya; dudoso ante su adscripción a un género u otro, los incluye entre las tragicomedias, añadiendo como colofón probatorio de su valor la estimación que los reyes les han concedido.

Sin entrar en los pormenores de su demostración, podemos colegir de los argumentos resumidos la ambigüedad de su defensa, a caballo entre unas pruebas religiosas, en las que se busca un prestigio *irrebatible*, y la inconsistente definición literaria, tan ajena a las fuentes esgrimidas. Esta adscripción de los autos a la tragicomedia muestra, indirectamente, el sostenido carácter posbarroco del pensa-

miento de Romea. Por otra parte, el tipo de alegoría que él cree
encontrar en libros sagrados como el *Cantar de los cantares*, al que
se referirá en el discurso VI, nada tiene que ver con las alegorías
calderonianas, atadas a necesidades expresivas obviamente diferentes
y al margen de que descontemos la presencia indudable de determinados influjos bíblicos.

La decadencia de los autos fue, no obstante, asumida por el propio polemista, al admitir que el público no asistiría a su representación si faltaran los sainetes o tonadillas, único motivo que le atraía
y retenía en el teatro. Admitir esta circunstancia (notada también
por Clavijo) suponía una prueba indirecta de que la defensa de los
autos era causa perdida, a lo que Romea no quiso asentir por su
patriotismo, contrario al de los reformadores, y por su especial entendimiento de los valores religiosos. Se trataba de dos mundos en
pugna. De un lado, una visión teocéntrica y casticista, en la que lo
religioso y lo político aparecen indisolublemente unidos; del otro,
una reivindicación de la profanidad del poder, que recaba para sí
un derecho y deber pedagógico al margen de la Iglesia, aun admitiendo sus verdades.

Con la entrada en liza de Nicolás Moratín, el ataque a los autos
y a Romea gana nuevos partidarios. El segundo y tercer *Desengaños*
están ya dedicados expresamente al tema de los autos, suscitando la
respuesta de Romea —ahora con dos contendientes— en su discurso VI. No sale éste muy bien parado de las observaciones sobre su
estilo que le hace Moratín, caricaturesco y mordaz: «Ya verá Vmd.
qué encadenamiento de agudezas sin solidez, qué chorrera de dichi-
cos sin jugo, qué frasses, qué equivoquillos y refranes de bode-
gón». [Admitida la verosimilitud como regla primera en la que
todas las demás se fundan, Moratín] difícilmente podría estar de
acuerdo con la mezcla de géneros, uso de alegorías o personalización
de ideas abstractas. En su deducción lógica funde argumentos literarios con razones de moral pública, en seguimiento de Clavijo:

1. Las cosas sagradas no deben representarse en el teatro en virtud
de las siguientes razones: *a)* por ser los autos ridículos, ya que prueban
verdades infalibles con sofismas; *b)* por falta de ejemplaridad en los actores; *c)* por la mala interpretación de las verdades de la fe a que dan
lugar los autos, constituyéndose en «fuente de herejías»; *d)* por su mezcla
de personajes humanos y divinos; y *e)* por la impropiedad de las bufonadas del gracioso «ante Jesucristo».

2. La alegoría es encubridora de disparates, pues los entes imaginarios no hablan. Lo contrario atenta contra la verosimilitud.

3. Los autos no son un género teatral, pues refieren los hechos en pasado y no en presente, como es propio del drama, rompiendo de este modo la ilusión o «engaño» del espectador.

4. Calderón incurre en anacronismos y errores históricos y geográficos; usa metáforas extravagantes, equívocos y «juguetillos del vocablo», aparte de carecer de ejemplaridad moral.

Como añadirá en su sátira I, Calderón es no sólo corruptor del teatro, sino también de la juventud por su exaltación del vicio en las comedias. En las tres «Sátiras», que no pueden ser anteriores a 1763, Moratín recoge los argumentos de los *Desengaños* y se defiende frente a los críticos de *La petimetra* y *Lucrecia*. En los *Desengaños* elabora una teoría cuya falta de flexibilidad destaca frente a la mayor agudeza de Clavijo. Moratín, incurso todavía en una tradición barroca (a pesar de sus citas del renovador Montiano, de Nasarre y Luzán), ataca en estos escritos con el ardor de un catecúmeno, confundiendo en su extremosidad la vieja distinción aristotélica entre poesía e historia, o entre verosimilitud y verdad, como le reprochará Romea. Hay que advertir, sin embargo, que, dentro de su clasicismo teórico, Moratín admite el elemento maravilloso para la lírica y la épica, aunque no para el teatro, que debe mantener, por encima de todo, la ilusión engañosa (y convincente) del espectador. Su teoría, en suma, se adscribe plenamente al pensamiento ilustrado, que exige una clara separación en la actividad didáctica del poder civil y del eclesiástico. [En última instancia, la guerra contra los autos, según admite Menéndez Pelayo, coincidió con la pérdida de las antiguas costumbres y «el enfriamiento de la fe en estos reinos», como atestigua Nipho. Aunque, más que del nostálgico mirar al pasado, debemos fiarnos, para entender la polémica, de las nuevas y ya aludidas concepciones político-religiosas.]

La respuesta a Moratín por parte de Romea y Tapia se encierra en su discurso VI, referido al segundo de los *Desengaños*. Califica a éstos como «Coplas de Ciego» y defiende con nuevos testimonios (Virgilio, Lucano, Homero, Hesiodo, Hisopo [*sic*] y Tito Livio) la permisibilidad de la alegoría. [...] Observemos tan sólo la concesión de Romea al pensamiento de los clasicistas sobre el estilo calderoniano: «Es constante que don Pedro Calderón se remontó algunas veces fuera de su esfera, pero este es un defecto fondo en primor, y tal vez natural a su fértil ingenio». Esta afirmación, aun restrictiva, nos pone en la pista de la presión que indudablemente eran capaces de ejercer los reformistas, dándonos a entender un estado de opinión al que sucumbe en parte el mismo Romea. Resta, por fin, recoger las opiniones de Nipho, quien, por la ambigüedad de su postura, forma un partido intermedio entre los contendientes. Por más que Menéndez Pelayo [1886] le defina como «enemigo jurado de la impiedad y de los enciclopedistas», sus mismos contemporáneos notaron las contradicciones en que incurrió, mostrando un criterio tornadizo sobre Calderón, lo que no parece que advirtiera el polígrafo santanderino. En el *Diario Extrangero*, de 1763, escribió Nipho: «En España el Teatro como se halla en el día no sólo debe ser reformado, sino enteramente abolido», mostrando de paso que *El Escritor sin título* «no podría mostrar una sola Comedia buena de Calderón, de Rojas, o de todos los Poetas de España».

La inconsecuencia, tras estas tajantes palabras, surge en *La nación española defendida de los insultos del «Pensador» y sus sequaces*, publicado en 1764. Como nota *El Belianís literario*, Nipho defiende ahora las comedias españolas mostrando «con testimonios franceses, que además de originales, son las mejores de Europa, y que los famosos Poetas Españoles deben ser celebrados, pero no reprendidos». La defensa del teatro barroco se centra, más que nada, en torno a argumentos nacionalistas, temiendo ser definido por Clavijo como «el Protobárbaro». Señala Nipho que cada pueblo tiene un teatro adecuado a sus costumbres, pero se muestra, al igual que Clavijo, influido por la filosofía del corazón, en virtud de la cual manifiesta un concepto comprensivo de las reglas dramáticas, ya que «el corazón no es esclavo de las reglas que el ingenio ha inventado, y a él no le cuesta nada producir todas las ilusiones necesarias para su placer». Nipho, por tanto, defiende contrarios criterios, tenidos por sus contemporáneos como irreconciliables. Si por un lado le vemos acercarse a *El Pensador*, por otro sostiene las opiniones más opuestas. La definitiva blandura con que ataca a Moratín a propósito de la aparición de *La petimetra* indica implícitamente la debilidad de sus planteamientos.

Pero será el mismo Ramón de la Cruz, tan renuente a las novedades que querían introducir los ilustrados (véase, por ejemplo, su sainete satírico *La civilización*), quien también se burle del lenguaje calderoniano. En su sainete *La crítica, la señora, la primorosa, la linda*, de 1762, presenta y somete a desengaño crítico a los cuatro tipos de mujeres nombrados. Nos interesa el primero, que da título a otra versión del mismo sainete. En la figura femenina de la Crítica, definida como «oculto Calepino», satiriza el autor el hablar abstruso de las latiniparlas dieciochescas. Pues bien, este estilo del infierno, que así se le llama en el sainete, tiene más que nada como referencia próxima el lenguaje del último gran dramaturgo barroco. Así, la habladora en culto es presentada como «tan intrincada en su parlar sucinto / que no es conversación, es laberinto». [...]

La cédula real del 9 de junio de 1765 cerró de momento una guerra literaria cuyos ecos todavía resonarán en el romanticismo. El xviii hubo de asistir, desde este capital suceso, al triunfo creciente de las nuevas ideas clasicistas. Cabe, de todos modos, matizar: la lucha por un nuevo teatro se asienta ahora en la garantía que le presta el respaldo real, por más que el público necesite aún ser reeducado, pues, como afirmará Forner en sus *Exequias de la lengua castellana*, «el vulgo, adherido *por costumbre* a lo extravagante y extraordinariamente portentoso, ve con ceño las obras de los que saben retratar la simplicidad de la naturaleza». El refrendo público de la solicitada reforma tratará de obtenerse mediante el estreno de las nuevas tragedias españolas de la década de los setenta, tras las innovaciones introducidas por el conde de Aranda en 1768.

DAVID THATCHER GIES

ENTRE LO BARROCO Y LO NEOCLÁSICO: *LA PETIMETRA, LUCRECIA, HORMESINDA*

«Carece de fuerza cómica»; «no tiene interés, gracia ni estilo»; «carece de interés»; «una fría tragedia francesa» [*sic*]; «una simple imitación del francés»; «lamentable». Así han reaccionado los críticos ante la primera obra teatral de Moratín [*La petimetra*], escrita

David Thather Gies, *Nicolás Fernández de Moratín*, Twayne Publishers (a division of G. K. Hall and Co.), Boston, 1979, pp. 125-151.

en 1762 «a petición de Montiano». En muchos aspectos los críticos tienen razón; en esta obra es mucho lo censurable. Pero hay también no pocos materiales interesantes, escenas bien construidas y personajes divertidos que, de la mano de un buen director, y contando con una compañía que se tomase su trabajo en serio, hubiese podido conseguir un moderado éxito en sus representaciones. Pero no se representó jamás.

La influencia de Lope, Calderón, Moreto y Tirso sobre esta comedia es tan evidente que, excepto por su fidelidad a las tres unidades clásicas, su corte didáctico y la presencia de ese fenómeno tan característico del siglo XVIII que es la petimetra, la obra hubiera podido escribirse en la España del siglo anterior. El argumento, lleno de engaños, galanes ocultos, amores a primera vista, quejas de enamorados, conatos de duelos y demás, es en rigor un residuo de los esfuerzos de los dramaturgos del siglo XVII. Los criados viven una intriga amorosa paralela a la de sus amos. Hay apartes, identidades equivocadas, apuradas huidas, secretos mal guardados y confusiones que tienen que aclararse al final. Los criados rebosan astucia. Riñen cómicamente. Las ejecutorias de nobleza son importantes. El verdadero amor es recompensado y tres bodas lo solucionan todo cuando ya la obra toca a su fin. Se trata, en resumen, de una comedia cómica de honor, supuestamente modernizada para que encajase en las nuevas preocupaciones estéticas de los neoclásicos.

Moratín era consciente de las sombras de Lope y de Calderón que se cernían sobre él. No intentó alejarse de su influencia, sino simplemente escribir una obra que evitase los excesos dramáticos que tanto le contrariaban. En su argumentación final sobre cuál de las jóvenes será la que se case con él, el personaje principal, Félix, dice a su amigo Damián: «¿Por ventura os acordáis, / que de ella me hicisteis hoy / una arenga tan famosa, / que pareció relación / de don Pedro Calderón, / alabándola de hermosa?».

[La trama es un cambiante y divertido rectángulo de enamorados: Damián ama a Jerónima, la boba petimetra, cuya juiciosa prima, María, ama al noble Félix; Félix al principio ama a Jerónima, pero pronto advierte su superficialidad y se inclina por María... pero para entonces Damián ya sabe que hay una dote de diecisiete mil ducados que no será para Jerónima, sino para María, que se convierte súbitamente en el objeto de su amor eterno. Félix y Damián son conocidos o amigos, según la situación en que se encuentren sus rivalidades amorosas, y ambos evitan constantemente las artimañas protectoras del tío de las jóvenes, Rodrigo, quien tiembla mientras lee sus libros de leyes. Un trío complementario de simpáticos criados acaba de formar el reparto de ocho personajes. Las caracterizaciones son interesantes, aunque no siempre muy verosímiles en sus rápidos cambios emocionales.] Jerónima es un personaje divertido. Lo único que hace en el curso de toda la comedia es vestirse (lo cual le lleva dos actos enteros), dar un paseo para ir a misa y regresar a su casa para volver a cambiarse de vestidos. Es una persona completamente inútil, exigente, mentirosa y periódicamente lunática. Ni siquiera es muy hermosa, aunque ella se considera como la imagen misma de la elegancia y confirma este juicio haciendo frecuentes consultas a su inseparable espejo. Acepta el epíteto desfavorable de petimetra, que todo el mundo le da a espaldas suyas, como un gran cumplido y un reconocimiento de su distinción. Lo único que le preocupa es qué vestido (en realidad, qué habilidosa manera de disfrazar el mismo par de vestidos con cintas y adornos, porque es pobre) y qué clase de peinado usará aquel día. Es fácil sentirnos superiores a ella, porque sus defectos son evidentes; en realidad, ella misma los manifiesta, habla de ellos, y por si aún no hubiese quedado suficientemente claro, Moratín alude a ellos una y otra vez por medio de los demás personajes. En todo momento vemos que Moratín domina la presentación de Jerónima y es consciente de su caracterización.

[La comedia es como un puente entre el absoluto desorden (según opinión de Moratín) de la dramaturgia del Siglo de Oro y el ideal neoclásico cuidadosamente dominado que más tarde perfeccionaría el hijo de Nicolás, Leandro. Incluso el tema anuncia *El sí de las niñas* de Leandro, cuando Nicolás demuestra la necedad que representa la falta de una educación adecuada y una seria orientación de la propia vida dentro de la sociedad.] Éste es el «término medio» al que aspira Moratín, y no le gustan las matanzas, la exageración, los «excesos». Su sátira de los excesos de Jerónima hace pensar en la manera como su hijo tratará el caricaturesco personaje de doña Irene —hija espiritual de Jerónima—, cuya frivolidad y cuyas tendencias volublemente mercenarias tanto nos hacen reír en la obra maestra de Leandro.

Algunos elementos autobiográficos menores aparecen en la pintura que hace Moratín de Félix, quien, al igual que el autor, estudió en Valladolid, y vive en Madrid desde hace relativamente poco tiempo, aunque no es del todo un forastero. La escena nos recuerda un diálogo semejante que encontramos en la *Égloga a Velasco y Gon-*

zález. Rodrigo, el tío, es abogado, que era la segunda profesión del propio Moratín. Y el modo que tiene Moratín de describir a las mujeres propende a una cierta misoginia; las mujeres dominan la situación, pero sólo gracias a la habilidad y el engaño, y ellas lo saben. Cuando María se lamenta de que los hombres «dicen lo que quieren / y al fin cuanto quieren hacen», se le replica ordenándole fríamente que se calle, porque, como le dice glacialmente tío Rodrigo, las cuestiones filosóficas no son para ellas. *La petimetra* no es una mala comedia. Es agradable de leer y podría ser moderadamente divertida si se pusiese en escena de un modo adecuado. Tiene interés dramático, aunque no nos reserve grandes sorpresas. Los personajes son superficiales, pero divertidos. El mensaje moral es claro, y las exageraciones perdonables en una comedia. La comedia en sí es tosca, a menudo forzada, pero a menudo también sugestiva. Escenas como aquella en la que Damián se dedica a adular a Jerónima, mientras ella, sin prestar la menor atención a sus excesos verbales, se indigna con el peluquero porque le da tirones del pelo con las tenacillas (acto I, escena 2) son excelentes. La parodia que hace Moratín de los discursos del Siglo de Oro estilo ser o no ser (III, 9) es a veces tan divertida como la brillante sátira que hace Leandro en *La comedia nueva* de una dramaturgia disparatada.

Sin embargo, los defectos de la obra son suficientemente numerosos como para explicar su fracaso. Algunos de sus parlamentos son demasiado largos: la quinta intervención de Félix consta de más de cien versos, y María suele mostrarse también de una irrestañable locuacidad. Un autor más hábil hubiese podido dramatizar estos discursos, pero desde el punto de vista de Moratín eran un capital dramático, ya que contribuían a evitar huecos en las unidades. Varias de las entradas y salidas son francamente torpes, meros pretextos para que cambien los personajes que hay en escena. El uso exclusivo del verso octosílabo, en redondillas y romances (algunos también demasiado largos) resta variedad a la obra. De vez en cuando las rimas son imperfectas o forzadas, aunque maneja muy bien las rimas: por ejemplo, el largo romance en a-o del acto I usa solamente cuarenta y ocho palabras repetidas en los 598 versos; pero en el acto III empiezan a repetirse demasiadas rimas. [...]

La segunda obra de Moratín tiene también por protagonista a una mujer, pero de un carácter muy diferente. Lucrecia, el personaje cuyo nombre da título a esta tragedia, escrita a principios de 1763, no está destinada al ridículo, sino a la compasión. El tema de la fidelidad conyugal aparece ya en la tirada inicial de Tarquino sobre la conducta pecadora y lasciva de las esposas romanas, que son escandalosamente infieles mientras sus maridos están en la guerra. Lucrecia es honesta y prudente, pero también hermosa, y mujer al fin y al cabo; la confianza que tiene en ella su esposo, Colatino, no se ve empañada por las sospechas de Tarquino, aunque será su ciega inocencia lo que va a contribuir a la tragedia final, como la lujuria que Lucrecia inspira a Tarquino precipita el desenlace trágico. Cuando Tarquino, como futuro emperador, reclama sus derechos sobre toda Roma y fuerza a Lucrecia, ésta juzga que el único camino que le queda es el suicidio, y ni las súplicas de su esposo y de su padre, ni el «perdón» que le otorgan por su honor mancillado consiguen disuadirla. Su suicidio por apuñalamiento convierte al resto de los personajes en un grupo expectante que saca el puñal ensangrentado del cadáver de Lucrecia y lo hunde una y otra vez, como hicieron los senadores con otro romano, Julio César, en el cuerpo del vil Tarquino. El desenlace está destinado a nuestro «escarmiento». ¿Dónde está la razón? ¿Dónde la racionalidad? ¿Dónde el debate? ¿Dónde se manifiesta el respeto por la ley? En el fondo la tragedia es que Lucrecia no estaba obligada a darse muerte. Nos parece más estúpida que prisionera de una inexorable red de circunstancias trágicas. Además, Tarquino había comunicado a su criado Mevio sus lascivas intenciones; Mevio se lo había dicho a Fluvia, la amante secreta de Tarquino; Fluvia se lo había contado a Claudia, amiga de Lucrecia y de Fluvia; Claudia se lo había dicho a su amante Valerio... y no obstante nadie había dicho nada ni a Lucrecia ni a Colatino. Seis de los diez personajes formaban parte de una conspiración que Moratín ve también simbólicamente como la violación de Roma. ¿Tenemos que creer todo eso? ¿Merecen estos personajes nuestra ansiedad y nuestra inquietud?

Desde el comienzo sabemos cuál será el desenlace de esta tragedia en cinco actos, y en consecuencia prestamos más atención a los méritos de la obra en sí desentendiéndonos de su trama argumental. Dado que el final es conocido, el autor ha de captar nuestro interés con discursos conmovedores, personajes atractivos o situaciones intrigantes que nos permitan justificar la compasión que inspiran los personajes y sentir una emocionada elevación moral. La situación de Lucrecia como una esposa

fiel que es vilmente atropellada por el perverso Tarquino debería produ-
círnos esas emociones, pero no es así. Moratín nunca consigue que los diez
personajes de su obra sean algo más que muñecos unidimensionales cuyos
actos no sólo son previsibles, sino que además son tediosos. No nos inte-
resamos por lo que les sucede y por lo tanto la tragedia se desmorona
desde dentro. La propia Lucrecia puede servir de ejemplo. Se lamenta,
se queja, sufre y se angustia tanto que su constante actitud lastimera
acaba por fastidiarnos. Se queja de que su amado Colatino no esté junto
a ella, pero cuando aparece intercambia tres frases con él y dice: «Yo me
retiro a que los santos dioses / miren mi gratitud». En el acto segundo
se lamenta de que su marido permanezca tan poco tiempo a su lado.
Pero ¿por qué no va a buscarle en vez de limitarse a lloriquear? Cuando
Lucrecia está en escena, lo cual ocurre en raras ocasiones, no hace más
que lamentarse. No tiene una buena escena hasta la segunda del acto
cuarto, cuando se defiende del acoso de Tarquino. Esta escena, en la que
Tarquino le declara su amor, es a un tiempo divertida y dramáticamente
tensa; pero su inocencia es tan grande que ella no comprende lo que le
están diciendo, y le lleva tanto tiempo comprenderlo que empezamos a
sospechar que es más obtusa que cándida, con lo cual nuestro interés
por el personaje se debilita sustancialmente.

Desde el punto de vista estructural existen similitudes con *La petimetra*, aunque Moratín haya conseguido aquí aumentar su dominio sobre
los elementos dramáticos y extirpar muchas de las infracciones más visibles a sus nuevos preceptos neoclásicos. Muchas de las cuestiones susci-
tadas por el análisis de aquella comedia podrían repetirse aquí. Se siguen
conservando unos cuantos elementos del teatro del Siglo de Oro. Moratín
es fiel al código del honor del Siglo de Oro: «El vil Tarquino / al furor
morirá de Colatino, / y yo lavaré tu mancha con su sangre». E incluso
parafrasea la famosa afirmación de Segismundo: «Nada me parece justo /
en siendo contra mi gusto», cuando uno de los hombres de Tarquino le
dice: «Al príncipe, señor, lícito es todo / cuanto gustase». Recordemos
que Francisco de Rojas escribió una obra basada en el tema de *Lucrecia
y Tarquino*, y que el propio Calderón aludió al tema en *La dama duende*.

En *La petimetra* y en *Lucrecia* Moratín nos presenta a dos hombres
que vuelven a la ciudad después de haber estado ausentes. Uno es necio
o perverso (Damián/Tarquino), mientras que el otro es noble y bueno
(Félix/Colatino). Aparecen en la antecámara de una dama; hablan de
amores; y se ocultan. Un anciano (Rodrigo/Tripciano, padre de Lucrecia)
custodia y aconseja a las mujeres. Sus criados sirven de confidentes y de
mensajeros. Surgen los equívocos, pero desde luego en *Lucrecia* el desenlace no consiste en la cómica cascada de bodas que hay en *La petimetra*.
Las entradas y salidas siguen disponiéndose de un modo chapucero, y la
obra se resiente por falta de coherencia. Produce cierto malestar el

que sea por una parte rígidamente académica e intelectual, y por otra
exageradamente declamatoria, lastrada con actitudes impropias e inverosímiles, incluso en la «reprimida» España del siglo XVIII. Y al igual que
la primera obra, nunca llegó a representarse. Leandro, al llamarla «tragedia estimable por su regularidad» [respeto a las reglas], trataba de
sugerir que si no llegó a representarse fue debido a que «el teatro, tira-
nizado entonces por estúpidos copleros, administrado por cómicos del
más depravado gusto, y sostenido por una plebe insolente y necia, sólo
se alimentaba de disparates». Esta justificación no es cierta. La obra
fracasó porque era mala.

El modelo más claro que tenía presente Moratín en este intento
era el ejemplo de su amigo y mentor Montiano, cuyas dos tragedias
de la década anterior, *Virginia* y *Ataúlfo*, se convertirían en los modelos máximos de la tragedia neoclásica española. Moratín se inspiró
en un hecho real, documentado en varias fuentes y tratado por numerosos autores (un asunto popular entre los poetas y artistas del
Renacimiento italiano, y aún más entre los autores españoles del Renacimiento y del Siglo de Oro), y se propuso desarrollar un tema de
altura en una forma que consideraba elegante y digna. Evitó las
formas poéticas más ligeras y populares, como los romances y redondillas que había utilizado en su comedia, eligiendo majestuosos endecasílabos blancos entre los que se intercalan pareados, metros que
según la opinión general eran más adecuados para asuntos graves.
Pero la línea divisoria entre lo majestuoso y lo farragoso es difícil
de fijar, y con demasiada frecuencia Moratín incurrió en la pesadez
grandilocuente. [...]

Hacia 1770 Moratín dominaba mejor su oficio. También creía
pisar un terreno más firme, ya que las campañas neoclásicas en favor
de una reforma del teatro parecían estar dando sus frutos. En las
residencias reales se representaban más traducciones; se reescribían
más obras antiguas; y unos cuantos autores estaban ejercitándose en
componer dramas originales y regulares. En los años siguientes se
darían a conocer el *Sancho García* de Cadalso, la *Numancia destruida* de Ayala y la *Raquel* de García de la Huerta. No perjudicaba a
su causa el hecho de que disfrutase del patronazgo y de la protección
oficiales gracias al ministro Aranda. Así, el año de 1770 y la tragedia
Hormesinda según un parecer unánime señalan un renacimiento del
teatro español en el siglo XVIII.

Hormesinda es desde luego un logro mayor que *La petimetra* o *Lucrecia*, aunque no necesariamente el resultado de un esfuerzo más consciente o de más esmero. Bernascone nos revela que Moratín escribió los últimos tres actos (más de la mitad de la obra) en sólo cuatro días, «interrumpido a menudo por mi conversación y por la de otros amigos». Con toda justicia ha sido la obra de Moratín que ha merecido mayor atención por parte de los críticos. En esta tragedia Moratín consiguió ser menos esotérico, menos abstracto de lo que lo había sido en *Lucrecia*. Eligió un tema que era familiar al público y que era capaz de suscitar su apasionamiento y su interés. En el decenio anterior, el tema de don Pelayo ya había sido tratado en una epopeya por Alonso de Solís, y Moratín lo hizo suyo vistiéndolo con ropajes neoclásicos. Se prestaba a que saliera más gente a escena, tropas cántabras y astures, «acompañamiento de moros», más colorido y agitación, en resumen, un movimiento más atractivo que respaldara las palabras de los personajes centrales. Para esta nueva tragedia, recurría al pasado dramático de su propio país y del mundo.

Volvía a utilizar elementos de su primera tragedia: el tirano (Tarquino/Munuza) que viola o amenaza a la heroína inocente (Lucrecia/Hormesinda), a quien custodia un prudente anciano (Triciptino/Trasamundo) y que es defendida por un noble héroe (Colatino/su hermano Pelayo). De la antigua historia de España toma el marco argumental, que mezcla hábilmente con los sentimientos patrióticos que los esfuerzos de Pelayo para reconquistar España a los moros no pueden dejar de suscitar. Tal como había hecho anteriormente, del pasado literario nacional toma retazos de emoción o de imágenes que proceden de obras del Siglo de Oro: la afirmación de Munuza, «Nuevo asombro he de ser de las Españas» recuerda el juramento de Aureliano en *La gran Cenobia* de Calderón: «Viva, para ser azote / sangriento y mortal asombro / de la tierra», y la última escena de *Hormesinda*, en la que aparece la cabeza de Munuza ensartada en una lanza, recuerda inevitablemente el sangriento final de *Fuenteovejuna* de Lope. Nos sorprende un poco esta concesión a la truculencia, a la que Moratín decía ser tan opuesto.

De la literatura universal hay ecos de Shakespeare, sobre todo en lo que viene a ser un *Otelo* hispanizado. En la obra figura un intruso negro (Munuza/Otelo), la dama inocente (Hormesinda/Desdémona), el consejero traidor (Tulga/Yago), el crimen proyectado e incluso los documentos falsos que sugieren una infidelidad. Los desenlaces son muy distintos, naturalmente; el de Shakespeare responde a una verdadera tragedia. Desdémona muere siendo inocente, a consecuencia de una serie de intrigas oscuras y perversas, mientras que en la obra de Moratín al final todo se aclara: la verdad de la fidelidad y honestidad de Hormesinda queda patente, y el malvado Munuza recibe el castigo que merece. En el último instante el ejército cristiano aparece por doquier para dar muerte a los moros invasores, y Hormesinda se salva. La prevista muerte de Hormesinda es el fruto de la estupidez, la arrogancia y el falso sentido de la lealtad de Pelayo, pero la tragedia se conjura cuando el obtuso Pelayo se entera finalmente de algo que todo el mundo sabe ya: que Hormesinda es inocente, que los papeles son falsos, que Munuza no es un amigo y que todo era una perversa conjura para sojuzgar a Pelayo. Tal vez la indicación del actor Espejo de que Moratín añadiese un par de graciosos, en resumidas cuentas quizá no fuese una mala idea.

Técnicamente, Moratín consigue una mayor coherencia que en las obras anteriores, aunque también aquí las limitaciones de tiempo, espacio y acción siguen perjudicándole. La mayoría de las veces las entradas y salidas se producen de un modo más plausible. Los endecasílabos forman dísticos, cuartetos y cuartetas más convincentes que en su intento anterior. Los personajes tienen matices coloristas. Munuza, el mejor ejemplo, no es un fantoche, sino un hombre cegado por la pasión que le empuja a obrar de un modo indigno. No es completamente malo y en consecuencia tedioso, sino que de vez en cuando en su personalidad aparecen indicios de que es un antihéroe con contrastes, y desde luego con inteligencia. En cambio, Pelayo resulta insulso y necio, dejándose convencer con excesiva facilidad por las engañosas muestras de amistad de Munuza, demasiado dispuesto a creer las acusaciones nunca probadas de infidelidad que se hacen a Hormesinda. No pone en duda los móviles de Munuza hasta la escena tercera del acto tercero, cuando ya es demasiado tarde. Pelayo nunca escucha a Hormesinda ni dialoga con ella, y aunque la joven se lamenta elocuentemente de la trampa que le han tendido, él se niega a oírla, obcecado por su furor. Su única intervención en el conflicto es injuriarla y desear su muerte. Está, pues, muy lejos de ser el hermano, el príncipe, el futuro caudillo ideal de su pueblo; sólo gracias a que la tragedia se evita y el bien triunfa clamorosamente sobre el mal, podemos llegar a perdonar, o mejor a olvidar, su ridículo proceder. Sus rápidos cambios de temple son inquietantemente abruptos; se nos muestra inestable y desde luego muy poco adecuado para regir a los suyos con buen criterio. Si Moratín pretendía que *Hormesinda* fuese una exaltación y una justificación de los beneficios del despotismo ilustrado, hubiese tenido que prestar más atención a los defectos que evidencia el personaje de Pelayo, a quien presenta como el noble defensor de la familia, del estado y de la religión.

MARIO DI PINTO

LO OBSCENO BURGUÉS

Descargando su cólera contra todo el Siglo de las Luces, Menéndez Pelayo lo tachó tajantemente de época de decadencia, afirmando que una «literatura obscena y soez manchó y afrentó aquel siglo». Y no deja de ser cierto que la literatura erótico-obscena del siglo XVIII resulta curiosamente abundante (a pesar de que los textos publicados no son más que una pequeña parte de una zona todavía por descubrir) y que parece organizarse en un sector autónomo coherente y bien articulado. Pero ello no basta para justificar tales reacciones. Sobre todo si tenemos en cuenta que, a nivel de lengua literaria, en rigor ni siquiera se puede hablar de transgresión, ya que, al insertarse como hacia dentro de un ámbito muy concreto, que poseía desde siglos atrás un verdadero estatuto literario propio, lo obsceno representaba un código perfectamente individualizado, aunque de carácter alternativo respecto a la norma lingüística y a lo que solía entenderse por literatura. Además, tenía una difusión secreta y manuscrita que necesariamente debía limitar la temida ejemplaridad. [Pero mientras la poesía erótica tradicional, especialmente la barroca, a menudo firmada y por nombres ilustres, hablaba la lengua de una sociedad que aún no se había fijado en cánones ejemplares y represivos, y que no podía por tanto transgredir unas reglas inexistentes, en el siglo XVIII, por vez primera esta poesía agredía de un modo directo los códigos lingüísticos y de comportamiento de la

Mario di Pinto, «L'osceno borghese (note sulla letteratura erotica spagnola nel Settecento)», en *I codici della trasgressività in area ispanica*, Actas del Congreso de Verona, 12-14 junio 1980, pp. 177-179 y 182-192.

burguesía. Se diría que sólo ahora se podría hablar verdaderamente de transgresión, ya que una clase intermedia, que había nacido hacía poco, al establecer una norma de comportamiento (digamos unas conveniencias) creaba la justificación y el espacio para que hubiese transgresión.

Por ejemplo, en el *Arte de las putas* de Moratín padre, en las «fábulas verdes» del *Jardín de Venus* de Samaniego o en las *Fábulas futrosóficas*, que parece convincente, aunque no esté documentado, atribuir a Leandro Fernández de Moratín, la fábula (cuya estructura se respeta) crea en el destinatario una espera que debe rematarse con una enseñanza moral: invertir esta moral constituye la verdadera transgresión. Pero es una transgresión de orden social más que lingüístico.]

En este tipo de literatura se advierte un eco no desdeñable del cambio radical de las costumbres morales y cívicas, consecuencia, como es sabido, de una renovación ideológica que acababa por subvertir violentamente el orden tradicional. Lo importante no era, pues, la superficie, la expresión obscena que, a fin de cuentas, casi siempre se inspiraba en textos tradicionales, sino el sustrato filosófico, la actitud «libertina» del fondo. En este sentido, creo que fueron más perspicaces Menéndez Pelayo y los detractores ochocentistas (aunque no compartamos su óptica) que algunos estudiosos de hoy en día, que se esfuerzan por atribuir un sentido católico a aquel siglo. El XVIII, bajo la máscara de una doble verdad impuesta por la represión inquisitorial y por los comportamientos burgueses, esconde a su propio irreductible y convicto escepticismo, las raíces de una cultura sustancialmente laica y atea. Y ello comporta diversas consecuencias, como la de un sensible cambio en las relaciones de la pareja: la mujer deja de verse, o ya no se ve tan sólo, como un instrumento, se convierte también en una protagonista del placer, activa y partícipe en primera persona. El feminismo (ay, episódico) característico de la época hacía que alguna que otra escritora cultivase el género con «epigramas obscenos e impíos», como aquella condesa de Montijo, del círculo de Godoy, que un siglo más tarde todavía escandalizaba al pobre don Marcelino. Algo parecido, aunque sólo en parte, había ocurrido en Italia en tiempos de Boccaccio, ya que entonces empezaba a documentarse la presencia de una burguesía que en España apenas empieza a tomar cuerpo en el siglo XVIII. [...]

Pero el ejemplo más característico es el *Arte de las putas*, de Nicolás F. de Moratín. Y es comprensible la condenación por parte del sistema (y de Menéndez Pelayo) debido a la transgresión de carácter laico y antirreligioso; ya el *Edicto manuscrito de la Inquisición de Corte* del 20 de junio de 1797 censuraba y prohibía la obra, más que por su obscenidad, por las impiedades que contenía: «Se prohíbe enteramente, aun para los que tengan licencia de leer libros prohibidos, por estar lleno de proposiciones falsas, escandalosas, provocativas a cosas torpes, injuriosas a todos estados del Christianismo, blasfemas, heréticas y con sabor de Ateísmo y Politeísmo». La lectura del lector contemporáneo es por lo tanto bastante distinta de la actual, e indica una disposición diferente del autor, más interesado por criticar y satirizar un sistema hipócrita y reaccionario, que por hacer una concesión al gusto popular. Se puede decir, pues, con el anónimo editor de 1898 (quizá Cotarelo, según Caso, Andioc y Demerson), que «no muchos ni muy extensos son los pasajes de franca obscenidad, ni ésta se presenta con carácter atractivo o simpático». A menudo se alude a las cosas lascivas por metáfora, al menos para hablar del sexo, como en los versos 10-13 del canto III, donde se habla de «la Isidria que ostenta vanidosa / por su cotilla aquel gran mar de tetas / donde la vista en su extensión se pierde / y mueve tempestad en las braguetas ...». En estos versos, si se exceptúa la primera alusión, que confirma la afición de Nicolás por las «tetas» (hasta el punto de que a veces no conseguía dominarse en el «meter mano», como en las de Dorisa del soneto *Atrevimiento amoroso*, octavo de la edición Valmar), todo lo demás se dice con una sinécdoque tan maliciosa como divertida. Y obsérvese por otra parte que cuando tiene que nombrar órganos sexuales recurre irónicamente a curiosas formas de metátesis, como en los versos 421-424 del cuarto canto, cuando invita al ficticio discípulo a emplear un lenguaje correcto y educado: «Ni tampoco tu boca obscena diga / si no es muy precisa coyuntura / *Jocara, derjo, nescojo ni ñoco* / (trasposición se llama esta figura) ...». El poema es, pues, a todos los efectos, un poema pedagógico (y los comentaristas modernos, desde Helman [1970] a Fernández Nieto [1980] y a Philip Deacon [1980], así han sabido verlo), con una evidente intención ilustrada, que se emparenta con ejemplos ilustres que van desde la *Virtud al uso* de Afán de Ribera a *Los eruditos a la violeta* de Cadalso, de la *Óptica del cortejo* de Ramírez al divertido opúsculo de Velázquez de Velasco, marqués de Valdeflores, *Colección de diferentes escritos relativos al cortejo*, etc., para no hablar del equivalente italiano del petimetre del *Giorno* de Parini.

Don Nicolás se pone en el lugar del ayo de Parini con la orgullosa conciencia de transgredir el sistema, no para escribir un simple divertimento; hasta el punto de que no duda en declarar su nombre con toda claridad («el dulce Moratín fue mi maestro»), tratándose de una obra que sabía muy bien que iba a ser censurada y proscrita, con consecuencias que hubieran podido ser más graves, como conducirle a un proceso inquisitorial. Pero lo que importa es la estructura del poema, la voluntad de representar irónicamente una sociedad hipócrita y gazmoña, que hacía clandestinamente y a ciertos niveles de la burguesía lo mismo que las rameras hacían de modo manifiesto y desde luego menos morboso. Recuérdense a este respecto las orgías del círculo aristocrático llamado de la Bella Unión, contadas por Perico y María (1778) en las coplas populares estudiadas recientemente por Paul Guinard: y eran damas y prostitutas las que alegraban las fiestas de los señoritos juerguistas con ritos lascivos. O bien la fiesta exhibicionista, o *streap-tease* colectivo, descrita por Valladares en la comedia inédita *Diálogo-cómico-trágico-femenino*:

MARIANA RABOSO:

Pues sí; el día de mi Santo
tuvimos diversión grande
sobre mesa. Se digeron
cosas vivas y picantes.
Vicente Ramos principio
dio a la Scena onesta y grave.
Se me antojó ver sus cosas
más ocultas, y el vergante,
como es tan corto de genio,
las manifestó al instante.
¿Pero creeréis *que* aun*que* es gordo
y lo *que* le sobra es carne,
donde tener más devía
es adonde menos se alla?
solamente una cosita
se le advierte *que* es bastante
sólo para distinguirle

de nosotras; pero nadie
de nosotras la querría
ni aun para desayunarse.
¡Vallés sí *que* es brava pieza!
Y tiene todas las partes
necesarias para dar
alimento a cualquier ambre.
Enfín, ninguno quedó
sin pasar por el examen
de mis ojos. ¡Qué gran rato
tuvimos allí! Hasta el Frayle
hizo públicas sus cosas:
por cierto, *que* eran bien grandes.
Y la Pérez, aun*que* es ella
Carmelitita bastante,
su friolera a todos nos
hizo visible y palpable ...

Estamos, pues, ante una sociedad que estaba modificando sus estructuras sociales, y en consecuencia desplazando la línea de separación entre lo que está bien y lo que está mal. Lo que cambiaba, y esto era lo más importante, era el sustrato ideológico (don Marcelino había sabido verlo muy bien), en el cual hasta la obscenidad se «culturizaba» en un juego elitista y malicioso, una moda de salón y burguesa que quedaba fuera de la rígida moral contrarreformista, pero que se alimentaba del placer de transgredir estas mismas normas. Era lo mismo que habían hecho algún tiempo atrás los libertinos franceses. La moral de Nicolás de Moratín, desde luego más honrada, era que: «... mandarle / a un joven bueno y sano continencia / es lo mismo que darle sentencia / de que no coma o de que no descoma, / dos cosas necesarias igualmente». Y se comprende bien que esto y el haber salvado el único ingrediente imprescindible y catalizador de la transgresión, es decir, la malicia, tenía que herir la susceptibilidad de los bien-pensantes y de las jerarquías eclesiásticas encargadas de la censura, mucho más que alguna que otra expresión ingenuamente obscena.

5. RAMÓN DE LA CRUZ Y GARCÍA DE LA HUERTA

Uno de los temas peor conocidos de la literatura española del siglo XVIII es, sin ninguna duda, el del teatro de su primera mitad. Con decir que los autores perpetúan la fórmula calderoniana, que se repiten sin cesar los tópicos barrocos, que los elementos dramáticos e intelectuales pierden intensidad, que se prefiere la escenografía efectista y los más truculentos recursos, que las comedias de la época parecen toscos remedos de las del siglo XVII, que casi todas son malas, algunas medianas y una que otra digna de alabanza relativa, y con hablar de decrepitud o degeneración del teatro no cortesano, la mayor parte de los críticos despachan centenares de comedias que han tenido indudable éxito, como ha puesto de relieve Andioc [1970]. Cierto que el éxito de público nunca será un índice de calidad literaria, pero ambas cosas pueden no estar reñidas y en ciertos casos puede haber una indudable relación.

Si ya en 1886 había escrito Menéndez Pelayo que Zamora, Fernández de León y Cañizares eran «poetas de no vulgares dotes» y que en ellos «empiezan a notarse como síntomas de algo nuevo», aunque a estas palabras acompañen juicios que casi no perdonan nada, la verdad es que desde entonces nadie se ha preocupado de estudiarlos. Sólo en tiempos muy recientes han aparecido algunos trabajos que anuncian un posible cambio de rumbo. De Cañizares se ha estudiado su adaptación de la *Ifigenia en Áulide* (Díaz-Regañón [1957]), las influencias calderonianas (Trifilo [1961]); pero más recientemente ha sido objeto de dos trabajos, uno que se limita a analizar los argumentos de 36 comedias, sin añadir prácticamente nada sobre su valoración literaria, a pesar de lo cual es libro útil (Ebersole [1975]), y otro que rompe la línea tradicional de interpretación, poniendo de relieve la gran cantidad de divergencias en contenidos y técnicas con el teatro anterior (Caro Baroja [1974]). Sin embargo, sobre Zamora apenas se puede citar otra cosa que el libro anterior, que también enfoca a este autor de forma parecida a Cañizares, y un estudio en el que se pone de relieve cómo, siguiendo fiel al sistema calderoniano, ha evolucionado en sus contenidos (P. Merimée [1975]). De los demás autores dramáticos de la primera mitad del siglo, nada.

Si Cañizares y Zamora son los autores más significativos, Hoz y Mota, Lamini y Sagredo, Fernández de León, Añorbe y Corregel, Juan Salvo, Luis Billet, Armesto Quiroga, o el mismo Torres Villarroel, merecerían un estudio detallado para determinar no tanto su valor literario, que no parece grande, como su valor histórico, que posiblemente obedece no a continuar la línea calderoniana, sino precisamente a modificarla. El teatro de Torres Villarroel, y más que los sainetes, la ópera *Juicio de Paris y robo de Elena* (1742) y la comedia *El hospital en que cura amor de amor la locura*, que debe de ser algo anterior a la ópera, tienen un apreciable valor literario y, salvo el breve estudio de José Hesse [1969] de los sainetes, y algunas referencias en libros generales, sin demasiado interés, sólo un historiador de la medicina se ha preocupado de analizar, como profesional, al doctor Camacho de la comedia (Sánchez Granjel [1971]).

Es indudable, sin embargo, que todo este teatro sigue de alguna manera la fórmula *popular* de la comedia nueva, de la que Lope de Vega trató en el *Arte nuevo de hacer comedias* (1609), y es indudable que volver a plantearse ciertos problemas de fondo, relacionados con la concepción del teatro como mera diversión o como instrumento culturalizante, tenía que ocurrir. Las condiciones para este planteamiento del problema eran dos: que la corte apoyara a una o a otra tendencia, y que pesaran sobre los intelectuales españoles las corrientes clasicistas. Podría añadirse una tercera circunstancia: la no existencia de ningún dramaturgo genial, como Calderón. En cuanto a lo primero no cabe la menor duda del despego cada vez mayor de la corte oficial hacia el teatro popular, lo que acaba manifestándose con la adopción de la ópera como espectáculo cortesano y con la erección de los teatros de los Reales Sitios. En cuanto a lo segundo, la importancia de Luzán, imbuido de ideas italianas, y a su través de ideas clásicas, fue menos decisiva de lo que generalmente se afirma, pero pesó de alguna manera; en mi opinión tiene más importancia el que Nasarre y Montiano estuvieran ligados a la corte, el uno como bibliotecario, el otro como miembro y director de la Academia de la Historia, y el que ambos, junto con Luzán y Luis José Velázquez, pertenecieran a la Academia del Buen Gusto de la marquesa de Sarria.

Era indudable que tenía que reproducirse la misma discusión de finales del siglo xvi. Y los términos son parecidos. Por algo es Blas Nasarre el que plantea realmente el tema al publicar en 1749 las comedias y entremeses de Cervantes. El prólogo, que tantos dicterios ha merecido a Menéndez Pelayo [1886], a vueltas de una serie de errores, propios de la erudición de la época, plantea muy bien el tema. El problema estuvo en que Nasarre pensaba en el teatro francés del siglo xvii, mientras que Cervantes tenía presente el teatro clasicista italiano del siglo xvi. Entonces Nasarre se explicaba el capítulo 48 de la primera parte del *Quijote* pensando en Molière, Racine y Boileau, y por ello disparató al entender que Cervantes había escrito sus comedias como un Quijote dramático. Pero en realidad lo que había planteado Cervantes y lo que planteaba Nasarre era lo mismo: el teatro no debe ser un espectáculo de pura diversión, sino un espectáculo docente, en el amplio sentido que se daba a la palabra, por lo que prefiero traducirla por «cultural» o «culturalizante».

Frente a la comedia histórica los innovadores pretenden imponer el género trágico. Las características tradicionales de este género podían sintetizarse en: temas tomados de la antigüedad griega y romana o de la historia bíblica, verso solemne, análisis de las pasiones humanas sirviéndose de los temas elegidos, naturalmente, unidades de acción, de tiempo y de lugar, carencia absoluta de elementos cómicos. Con estas características no era fácil que el público habitual de los teatros españoles, digamos más bien de los madrileños, aceptara tales obras.

Al llegar hacia 1770 el primer paso importante va a ser la decidida voluntad de cambiar dos cosas fundamentales: los temas y la finalidad de la tragedia. Los temas van a tomarse de la historia nacional (Pelayo y Covadonga, la leyenda de la condesa Ava, los amores de Raquel y Alfonso VIII, y más adelante Numancia, los hechos de Cortés, los de Guzmán el Bueno). Las pasiones o van a interesar poco o van a ser mero vehículo para expresar otras ideas (recuerdos patrióticos, crítica del despotismo ilustrado, enaltecimiento de los valores de la nación, etc.). Este tipo de teatro no se puede calificar de neoclásico (véase Caso González [1966 y 1970], aunque convendría matizar algunas afirmaciones). Se trata más bien de una tragedia de gusto rococó. Si la voluntad de imitar a los trágicos franceses no puede ponerse en duda y tampoco el que de alguna manera la comedia histórica del siglo XVII aporta algunos elementos dramáticos, que eran las dos condiciones fundamentales que entonces consideraba yo como signos de gusto rococó, hay que poner también de relieve las importantes innovaciones que claramente anuncian Nicolás Moratín, García de la Huerta o Jovellanos, y que son comunes a todos los trágicos de estos años. Estas innovaciones hay que ponerlas a su vez en relación con la literatura francesa del siglo XVIII. Concretamente con el intento de Voltaire de hacer un teatro nacional con la *Zaïre* (1733) y con el más claro de De Belloy con su *Le siège de Calais* (1765). El conocimiento de la primera obra es seguro por parte de los autores españoles que comienzan con la tragedia de tema nacional; no se puede decir lo mismo de la segunda, aunque queda constancia de que Jovellanos la conocía ya antes de 1773. En todo caso, lo que interesa subrayar es que prácticamente al mismo tiempo franceses y españoles intentan desarrollar una auténtica novedad en el género trágico, que en España tendrá continuación importante en los años siguientes, mientras que en Francia será necesario esperar a los planteamientos, ya auténticamente revolucionarios, de madame de Staël en su libro *De l'Allemagne* (1810). Al final el romanticismo creará el drama histórico, más parecido a la comedia histórica española, y a cuya forma teatral se le negará de nuevo el calificativo de tragedia, porque esta palabra iba ligada necesariamente a una forma literaria difícil de modificar.

Dejando a un lado obras de las que trataré en otros capítulos, de dos autores es necesario decir algo: Ramón de la Cruz y García de la Huerta.

Ramón de la Cruz (1731-1794) es uno de los autores dramáticos más interesantes de la segunda mitad del siglo XVIII. Nacido en Madrid, estudió humanidades y al parecer leyes, aunque no parece que haya conseguido ningún grado. En 1759 entra como oficial tercero en la Contaduría de Penas de Cámara, y ocupando ese cargo, ya como oficial primero, murió a los 63 años.

A pesar de su interés, es un autor poco estudiado. Quiero decir que hay en él algunos aspectos histórico-literarios que han sido soslayados por la crítica o que no se han estudiado a fondo. Por ejemplo, su labor de traductor y adaptador de obras italianas y francesas, en la línea del clasicismo rococó de aquellos años. Tradujo obras de Molière, de Voltaire, de Beaumarchais, de Zeno, de Metastasio, de Shakespeare (a través de la traducción francesa de Ducis), de óperas italianas. En general más que traducciones son adaptaciones, y de aquí el interés de analizarlas a fondo. En otros casos Cruz imita o utiliza obras extranjeras. Este aspecto ha sido más estudiado. Puede verse Cirot [1932], Hamilton [1939], Gatti [1941, 1943, 1949, 1970, 1972], Nozick [1948] y Meregalli [1959].

Otro aspecto en el que apenas se ha entrado es el de sus muchas comedias y zarzuelas originales, que ni siquiera han conseguido los honores de la edición o de la reedición.

Se ha señalado que un Ramón de la Cruz que en principio condena los sainetes, acaba siendo el gran sainetero de la época. Merecería la pena analizar por qué. Se ha entrevisto la relación entre los fines de los sainetes de Cruz y los fines que perseguían los ilustrados de la época con su teatro; pero no se ha estudiado en serio la relación existente entre su costumbrismo y las tendencias típicas de los ilustrados, que pretendían descubrir la realidad social de su momento, con vistas a modificarla, como lo demuestran periódicos como *El Pensador*, o posteriormente *El Censor*, el *Viage de España* de Ponz, o los mismos *Diarios* de Jovellanos. Se puede decir que Cruz es un ilustrado, que persigue literariamente el mismo ideal artístico que los autores que he citado, pero que no cae en la manía del clasicismo a ultranza. Si acaba encontrando en el sainete su mejor medio de expresión, será sobre la base de hacer de cada sainete una piececita satírica, con la misma finalidad de los escritores de comedias clasicistas: presentando estilizadamente los personajes sobre los que recae algún vicio o alguna mala costumbre y castigándolos al final.

Sobre su costumbrismo habría mucho que decir. El propio Cruz se vanagloriaba de que sus personajes eran retratos vivos y reales; pero no basta esto para poder hablar de costumbrismo, porque más bien sería la suya una técnica realista, con fines moralizadores, sin pretender las tipificaciones propias del costumbrismo. De aquí que podamos reconocer a veces no sólo una forma estilizada, sino incluso hasta una forma expresionista moderada, es decir, una exageración de determinados rasgos, que provocan caricaturas más que retratos. En este sentido cabría incluso preguntarse si los tipos populares madrileños que saca a escena hablaban como Cruz los hace hablar, o, por el contrario, si ellos mismos no acabaron adoptando el lenguaje que Cruz les atribuye. Este aspecto ha sido uno de los más tratados por los críticos. Pueden verse Hamilton [1921 *a* y *b* y 1926], Vega [1945], Conde [1957], Jagot-Lachaume [1962] y Dufour [1974].

Comenzó hacia 1757 con sainetes semejantes a los entremeses anteriores, pero pronto pasó a un tipo de sainete que es muchas veces la síntesis, o como el esbozo, de una comedia de caracteres, cercana, por tanto, a la comedia clasicista. En este sentido Cruz es un autor curioso e interesante, condenado por algunos críticos de vía estrecha, pero que cuando en 1786 anuncia su *Teatro o colección de los sainetes y demás obras dramáticas*, consigue 371 suscriptores, y entre ellos muchos nobles y altos dignatarios del ejército, la magistratura y la Iglesia, y con nombres como los de Floridablanca, Almodóvar, Alba, Osuna, Fernán Núñez, José de Olmeda, Jovellanos, Cabarrús, Llaguno y Amírola, Tomás de Iriarte, García de la Huerta, Sempere y Guarinos y varios embajadores y encargados de negocios, lo que prueba la aceptación por parte de un público amplio, incluso el más clasicista.

Menéndez Pelayo [1886] y Cotarelo [1899 y 1915] hicieron correr el tópico de que Cruz sigue una tradición hispánica no clásica. Ciertamente pesa en él esa tradición, pero unida a la aceptación de las formas clasicistas, por lo cual habría que analizar el conjunto de su obra como un producto típico del rococó literario que entonces se impone en España.

Un aspecto que merece la pena señalar es que Ramón de la Cruz nos ofrece en el *Manolo* (1769) el contrapunto burlesco del ambiente favorable al género trágico. En la «Introducción», cuando Chinica dice que tiene una tragedia en la faltriquera que es en todo original, Ponce le pregunta: «¿Y es caso de Roma o Grecia?», a lo que Chinica replica: «¿Pues qué, faltan en Madrid / asuntos para tragedias, / habiendo maridos pobres / y mujeres petimetras, / para exponer caracteres / de compasión; tantas viejas / para inspirar el terror; / tantas justas providencias / que animan a la virtud; / y para que se aborrezca / el vicio, un Antón Martín, / predicando penitencia? / ¿Qué país del universo / ofrece en todas materias / más héroes; ni en qué país / hay tantas civiles guerras / como aquí, que hay pretensiones, / primos, cuñados y suegras?».

No debemos dejarnos engañar por estas palabras, creyendo que Ramón de la Cruz tenía un concepto de la tragedia que se acercaba al actual. Simplemente se burla del género trágico, que también él había practicado, por medio de la fórmula de distorsionar al máximo los elementos normativos: frente a los personajes nobles, los vulgares; frente a las grandes acciones, las de gentes de la más baja estofa; junto al lenguaje sublime, palabras y expresiones coloquiales en fuerte contraste. Se servirá del endecasílabo, con un ritmo apropiado, y muchos versos podrían proceder de cualquier tragedia. «Héroes» se une a «castañas», el tío Matute arengará a su «escuadrón de valientes parroquianos», y cuando después lance un pulido discurso vendrá Mediodiente a decirle: «¿qué apostáis cagarro un canto y os parto por en medio la mollera?»; la tía Chiripa llamará «esposo» al tío Matute, y más adelante Manolo jugará con el doble significado de «esposa»; Manolo utilizará la relación de tono épico para contarnos sus hazañas en las cárceles, etc. En definitiva, Cruz se burla de la forma trágica, y especialmente de los temas romanos y griegos, de los caracteres y de la catarsis. En el fondo puede que haya algo importante: un concepto del teatro como pura diversión, aunque sin negarle completamente el carácter docente. El final de su sainete, con la disparatada moraleja, es claro a este respecto: «MEDIODIENTE. — Amigos, ¿es tragedia o no es tragedia? / Es preciso morir, y sólo deben / perdonarle la vida los poetas / al que tenga la cara más adusta / para decir la última sentencia. SEBASTIÁN. — Pues dila tú, y haz cuenta que yo he muerto / de risa. MEDIODIENTE. — Voy allá. ¿De qué aprovechan / todos vuestros afanes, jornaleros, / y pasar las semanas con miseria, / si dempués los domingos o los lunes / disipáis el jornal en la taberna?».

Aparte de bibliografía ya citada, para el *Manolo* téngase en cuenta también Simón Díaz [1944] y Courgey [1966].

Ramón de la Cruz se burló del teatro trágico en otras ocasiones, como en *El marido sofocado* (1774) o en *Zara*, parodia de la *Zaïre* de Voltaire.

Vicente García de la Huerta (1734-1787) es una curiosa figura literaria, que todavía no se ha estudiado en serio, y que puede simbolizar, a partir de 1765, al contestatario de las nuevas ideas políticas y sociales, de los nuevos vientos literarios, de la pedantería extranjerizante de muchos contemporáneos. Y un contestatario que bajó al mismo terreno de los enemigos que combatía, y les demostró que era capaz de escribir la única tragedia que por aquellos años tuvo auténtico éxito. Huerta debió ser para Iriarte, Samaniego, Forner, Jovellanos, Moratín, Clavijo y Fajardo, Aranda y sus partidarios, un individuo molesto, y más que nada porque les retaba concediéndoles la ventaja de su propio terreno.

García de la Huerta, nacido en Zafra (Badajoz), estudió en Salamanca y pasó después (acaso en 1757) a Madrid, donde fue nombrado archivero del duque de Alba, escribiente primero de la Real Biblioteca, y académico de las academias de la Lengua, de la Historia y de Bellas Artes. Ciertos conflictos familiares, todavía oscuros, y algunos problemas con el conde de Aranda, que tampoco están nada claros, le llevaron primero a París y después, en 1767, desterrado a Granada, y en 1768 condenado al presidio del Peñón y finalmente confinado a Orán. Los problemas personales debieron andar mezclados con los políticos y las culpas de otros debieron también recaer sobre él. Al sustituir Floridablanca al conde de Aranda, en 1777, García de la Huerta volvió a Madrid, y probablemente con el carácter agriado. Madrid ya no era lo que él había dejado nueve años antes. A pesar del triunfo de la *Raquel* en 1778, su tiempo había pasado, cosa que él debió soportar muy mal. Sus ideas literarias y políticas, sistemáticamente enfrentadas con casi todos los que algo valían, y la torpe idea de su *Theatro hespañol*, le condujeron a una casi constante polémica hasta su muerte en marzo de 1787.

Confieso honradamente que Huerta es uno de los autores del siglo XVIII que me resulta más atrayente, sin poder estar de acuerdo con casi ninguna de sus ideas fundamentales. Creo que se ha sido injusto con él, que no se ha tenido suficientemente en cuenta que la política vigente no quiso aceptar ni una sola de sus posiciones críticas, que esto le exasperó y que, ciertamente, perdió más de una vez los estribos, pero cualquiera los hubiera perdido al verse tratado como él lo fue. La verdad es que, si estudiamos con detenimiento toda la polémica que provocó, acaso habría que condenar antes a Forner, a Samaniego o a Ezquerra, no sólo porque no quieren entender a Huerta, sino también porque tergiversan de tal forma sus ideas, que sus alegatos caen con frecuencia en lo panfletario, injurioso y calumnioso. Y vuelvo a insistir en que estoy muy lejos de aceptar las ideas y las tesis de Huerta. Pero va siendo hora de que se diga que la razón no sólo es necesario tenerla, sino también ganarla. Y los contrincantes de Huerta, humanamente, y sin excluir al ilustre Jovellanos, la perdieron casi siempre.

Huerta es un anacronismo viviente, incapaz de aceptar las circunstancias culturales de su momento. Esto explica su *Theatro hespañol* (1785-1786), colección que pudo ser magnífica en aquel momento, si la hubiera presidido un mínimo de objetividad, de sindéresis crítica y de un hábil buen gusto. Pero prescindir de todo el ciclo de Lope de Vega, no incluyendo obras más que del ciclo de Calderón, olvidar lo más representativo de éste, aunque no fuera precisamente lo más representado, insultar a Cervantes, y otro montón de delirios contra autores españoles y franceses, indicaba bien a las claras que, si la intención era buena, Huerta había perdido la brújula. Pero que en el fondo había algo válido en su postura lo demuestra el que todos los que entonces sobresalían en el Madrid literario se volcaron en una desmesurada polémica, varias veces estudiada (Menéndez Pelayo [1886], Cotarelo y Mori [1897], Caso González [1962]).

Sus traducciones de la *Zaïre* de Voltaire, la *Xaira*, y de la *Electra* de Sófocles, a través de Pérez de Oliva, repitiendo el título de éste, *Agamenón vengado* (1779), no han sido todavía estudiadas, aunque creo que explicarían la actitud crítica de Huerta, mucho mejor que la polémica del *Theatro hespañol*.

Pero ciertamente ha sido la *Raquel* (1772) la tragedia de Huerta que ha atraído más a los críticos. Y ello ya desde el momento de su estreno en Madrid (1778) (pero antes se había estrenado en Orán, en 1772): la censura suprime unos 700 versos, aproximadamente un 30 por 100 del texto original; parece que circularon abundantísimas copias, aunque hoy no se encuentran, porque sólo se conocen tres manuscritos de la Biblioteca Municipal de Madrid y otro de la Biblioteca Nacional, y de ellos sólo dos o tres son contemporáneos del estreno, cosa rarísima si realmente se hubieran hecho las dos mil copias que se dice; añádase la prohibición de facto de la tragedia, al ordenar el corregidor de Madrid, a los cinco días del estreno, el cambio de programa, con motivo de volver la corte de Aranjuez a Madrid. Es indudable que estos tres hechos (aceptada una notable rebaja en el segundo) están indicando claramente que la tragedia gustaba a unos y molestaba a otros en razón de su contenido doctrinal, y no de su carácter de tragedia neoclásica o de comedia heroica. Sin embargo, desde Martínez de la Rosa, y especialmente desde Menéndez Pelayo [1886] se ha venido insistiendo en el triunfo de Huerta por lo que su obra tenía de comedia heroica tradicional. Todavía un inteligente análisis de McClelland [1970] pone de relieve el enlace con el pensamiento político del Siglo de Oro. Ahora bien, a partir de la discutible, pero importantísima, tesis doctoral de René Andioc [1970], ha habido un cambio de perspectiva.

Andioc observa un reflejo en la *Raquel* del motín de Esquilache, y concluye que éste fue el motivador fundamental de la tragedia, y que ésta en definitiva defiende un ideal político en el que la aristocracia juega el papel de poder moderador, frente al absolutismo que imponía el despotismo ilustrado, tesis que mantiene, algo más moderadamente, en su edición de la tragedia [1971]. Es difícil sustraerse al atractivo de esta tesis; pero acaso convendría darle la vuelta: Huerta, teniendo en cuenta sus vivencias personales, ha escrito una obra comprometida, de carácter político, cuya tesis es la de que la nobleza tiene un papel importante en el gobierno de la nación, que no se la debe olvidar frente a advenedizos que quieren cambiar la tradición española, y que traicionan a la patria todos esos nobles que aceptan el cambio que se trata de imponer desde arriba, por un poder bastante discutible. En definitiva sería un alegato contra la política de Carlos III, vista como contraria a la tradición patria, y regida por extranjeros o por nobles que se han vendido a tal reforma. Con esta matización acepto la tesis de Andioc, porque además explica los tres hechos antes señalados, la censura, el afán de conocer el texto original y la real prohibición de la obra a los cinco días de su estreno. El motín de Esquilache quedaría como una anécdota, que se refleja en la obra, pero que no la motiva.

Esto además explicaría el «todos contra Huerta», que es como una consigna de los últimos nueve años de su vida, que pudo ciertamente influir en su conducta, y que lo llevó a disparatar con demasiada frecuencia, porque el hombre acosado a veces intenta la huida por donde más enemigos le esperan.

Por otra parte, el carácter de *comedia heroica* de la *Raquel* quedaría en segundo plano, porque el éxito de la obra estaría en función de sus ideas y no de su forma, como por los mismos años ocurrió con *El delincuente honrado* de Jovellanos.

BIBLIOGRAFÍA

Aguilar Piñal, F., «Las primeras representaciones de la *Raquel* de García de la Huerta», en *Revista de Literatura*, XXXII (1967), pp. 133-135.
—, *Sevilla y el teatro en el siglo XVIII*, Cátedra Feijoo, Oviedo, 1974.
Andioc, René, *Sur la quérelle du théâtre au temps de Leandro Fernández de Moratín*, Tarbes, 1970 [trad. castellana simplificada en *Teatro y sociedad en el Madrid del siglo XVIII*, Castalia, Madrid, 1976].
—, ed., García de la Huerta, *La Raquel*, Castalia, Madrid, 1971.
Caro Baroja, Julio, *Teatro popular y magia*, Revista de Occidente, Madrid, 1974.
Caso González, José, *Poesías de Gaspar Melchor de Jovellanos*, IDEA, Oviedo, 1961 [1962].
—, «El comienzo de la Reconquista en tres obras dramáticas. (Ensayo sobre estilos de la segunda mitad del siglo XVIII)», en *El padre Feijoo y su siglo*, III, Cátedra Feijoo, Oviedo, 1966, pp. 499-509.
—, «Rococó, prerromanticismo y neoclasicismo en el teatro español del siglo XVIII», en *Los conceptos de rococó, neoclasicismo y prerromanticismo en la literatura española del siglo XVIII*, Cátedra Feijoo, Oviedo, 1970.
Cirot, G., «Une des imitations de Molière par Ramón de la Cruz», en *Revue de Littérature Comparée*, III (1932), pp. 422-426.
Conde, Carmen, «Mujeres imaginadas y reales», en *Revista Nacional de Cultura*, Caracas, CXX (1957), pp. 96-104.
Cotarelo y Mori, Emilio, *Iriarte y su época*, Madrid, 1897.
—, *Don Ramón de la Cruz y sus obras. Ensayo biográfico y bibliográfico*, Madrid, 1899.
—, *Ramón de la Cruz. Sainetes, en su mayoría inéditos*, I, NBAE, 23, Madrid, 1915.
Courgey, P., «Réflexions sur le *Manolo* de Ramón de la Cruz et la *Farsa y licencia de la reina castiza* de Ramón del Valle-Inclán», en *Mélanges à la memoire de Jean Sarrailh*, I, París, 1966, pp. 281-289.

Díaz-Regañón, J., «Una parodia española de *Ifigenia en Aulide*», en *Argensola*, Huesca, VIII (1957), pp. 297-305.

Dowling, John, ed., Ramón de la Cruz, *Sainetes*, I, Castalia, Madrid, 1981.

Dufour, G., «Juan de Zabaleta et Ramón de la Cruz: du *galán* au *petimetre*», en *Les Langues Neo-Latines*, CCXII (1974), pp. 81-89.

Ebersole, Alva Vana, *José de Cañizares, dramaturgo olvidado del siglo XVIII*, Ínsula, Madrid, 1974 [1975].

Gatti, J. F., «Un sainete de Ramón de la Cruz y una comedia de Marivaux», en *Revista de Filología Hispánica*, III (1941), pp. 374-378.

—, «La fuente de *Inesilla la de Pinto*», en *Revista de Filología Hispánica*, V (1943), pp. 368-373.

—, «Las fuentes literarias de dos sainetes de don Ramón de la Cruz», en *Filología*, Buenos Aires, I (1949), pp. 59-67.

—, «Le *triomphe de Plutus* de Marivaux y *El triunfo del interés* de Ramón de la Cruz», en *Filología*, XIV (1970), pp. 171-180.

—, «Sobre las fuentes de los sainetes de Ramón de la Cruz», en *Studia in honorem Rafael Lapesa*, I, Gredos, Madrid, 1972, pp. 243-250.

—, ed., Ramón de la Cruz, *Doce sainetes*, Labor, Barcelona, 1972.

Hamilton, A., «Ramón de la Cruz, social reformer», en *Romanic Review*, XII (1921), pp. 168-180.

—, «Ramón de la Cruz' debt to Molière», en *Hispania*, California, IV (1921).

—, «A study of Spanish manners, 1750-1800, from the plays of Ramón de la Cruz», en *University of Illinois Studies in Language and Literature*, XI (1926), pp. 363-426.

—, «Two Spanish imitations of Maître Patelin», en *Romanic Review*, XXX (1939).

Hesse, José, ed., Diego de Torres Villarroel, *Sainetes*, Taurus, Madrid, 1969.

Jagot-Lachaume, M., «La peinture de la vie madrilène dans Ramón de la Cruz», memoria para el diploma de Estudios Superiores, París, 1962; ejemplar mecanografiado en el Institut d'Études Hispaniques de París.

McClelland, I. L., *Spanish drama of pathos, 1750-1808*, Liverpool University Press, Liverpool, 1970.

Menéndez Pelayo, Marcelino, *Historia de las ideas estéticas en España*, III-2, Madrid, 1886; ed. Nacional, III, Santander, 1947, cap. III.

Meregalli, Franco, «Goldoni e Ramón de la Cruz», en *Studi Goldoniani*, Venecia, 1959, pp. 795-800.

Merimée, Paul, *L'art dramatique espagnol dans la première moitié du dix-huitième siècle*, extractos escogidos de la tesis defendida en 1955, Toulouse, 1975.

Nozick, M., «A source of don Ramón de la Cruz», en *Modern Language Notes*, LXIII (1948), pp. 244-248.

Sánchez Granjel, Luis, «El doctor Camacho, psiquiatra», en *Capítulos de la Medicina española*, Universidad de Salamanca, Salamanca, 1971, pp. 381-385.

Simón Díaz, José, «Censura anónima de *El Manolo*», en *Revista de Bibliografía Nacional*, V (1944), p. 470.

Trifilo, S. S., «Influencias calderonianas en el drama de Zamora y Cañizares», en *Hispanófila*, IV (1961), pp. 39-46.

Vega, J., *Don Ramón de la Cruz, el poeta de Madrid*, Madrid, 1945.

José Francisco Gatti

LOS SAINETES DE RAMÓN DE LA CRUZ

I. El sainete característico de Ramón de la Cruz, el que mejor se adapta a su personal temperamento artístico, es el costumbrista, descriptivo, con intenciones críticas o satíricas a veces y a menudo no exento de propósitos morales o docentes. Su capacidad de invención debía de ser escasa: casi todos los sainetes que, por su estructura, calificamos de «comedias abreviadas» no son originales sino imitaciones o refundiciones de obras francesas. Además, aun los sainetes originales de este tipo producen la impresión de que le resultaba difícil urdir un argumento bien elaborado. [...] No obstante, Ramón de la Cruz se consideraba capaz de invención. En el prólogo de su *Teatro*, al refutar los juicios negativos de Napoli-Signorelli, afirma: «no hay ni hubo más invención en la dramática que copiar lo que se ve, esto es, retratar los hombres, sus palabras, sus acciones y sus costumbres»; y agrega de seguida: «yo invento cuando retrato los payos y los hidalgos extravagantes de las provincias de mi nación, y los majos. baladrones, las petimetras caprichosas y los usías casquivanos de mi lugar ...».

Sus sainetes reflejan, de acuerdo con su opinión, la historia social viva y animada de su época:

I. José Francisco Gatti ed., «Introducción» a Ramón de la Cruz, *Doce sainetes*, Labor, Barcelona, 1972, pp. 13-26 (13-16, 18-20 y 22-24).
II. José Francisco Gatti, «Sobre las fuentes de los sainetes de Ramón de la Cruz», en *Studia Hispanica in honorem R. Lapesa*, I, Gredos, Madrid, 1972, pp. 243-249.

Los que han paseado el día de San Isidro su pradera; los que han visto el Rastro por la mañana, la plaza Mayor de Madrid la víspera de Navidad, el Prado antiguo por la noche, y han velado en la de San Juan y San Pedro; los que han asistido a los bailes de todas clases de gentes y destinos; los que visitan por ociosidad, por vicio o por ceremonia; en una palabra, cuantos han visto mis sainetes... digan si son copias o no de lo que ven sus ojos y de lo que oyen sus oídos, si los planes están o no arreglados al terreno que pisan, y si los cuadros no representan la historia de nuestro siglo.

Historia, además, auténtica y verdadera: «yo escribo y ella (la verdad) me dicta». Observador poco profundo, pero agudo, minucioso, directo, pintoresco, de la menuda realidad contemporánea, local, vulgar, en ocasiones parcial, su mérito más notable estriba en el traslado algo simple, aunque no desprovisto de potencia creadora, de esa realidad intensamente conocida. En este sentido, Ramón de la Cruz se consideraba inventor.

El sainete *La comedia casera* (segunda parte) contiene un vivaz diálogo que parece cercano eco de las polémicas que asediaron a Ramón de la Cruz; allí, después de cierta discreta reflexión de un personaje, leemos: «ROQUE. — Señor don Blas, ¿de qué libro / ha sacado usté ese texto? DON BLAS. — Del teatro de la vida / humana, que es donde leo».

El teatro de la vida humana: sin duda, entre el espectáculo vital y el teatro de Ramón de la Cruz existen lazos tan íntimos como ineludibles. La sociedad española de la segunda mitad del siglo XVIII, particularmente de 1760 a 1790, es la fuente primordial de inspiración de los sainetes. Tipos y costumbres, hábitos y prácticas, ideas y preocupaciones, manías y modas; vicios y virtudes, vanidades, ridiculeces y tonterías; las rancias tradiciones nacionales y los novedosos gustos franceses; la familia, el hogar, las calles, las plazas, las ferias, el mercado, los bailes, las fiestas, la comedia y los toros, los paseos, los barrios y las aldeas: todo desfila, se anima, se vivifica, a través de la palabra fácil y desenvuelta, a veces graciosa, de Ramón de la Cruz. Sus personajes pertenecen a los más diversos niveles sociales (excluidas la nobleza y la aristocracia), desde las damas y los caballeros de la naciente clase media hasta la «plebe» de majas y majos y rústicos payos. «El mundo artístico creado por este ingenio —dice Galdós acertadamente— es vasto, de una multiplicidad asombrosa, vivo, palpitante, todo color y movimiento.»

Un argumento bien elaborado o el sencillo y elemental recurso de la presentación de un conjunto de figuras apenas enlazadas sirve igualmente a Ramón de la Cruz para tratar con el mismo gozo artístico a sus personajes burgueses, populares o rústicos. Hay, por supuesto, caracteres predilectos: el petimetre, degradación afeminada del antiguo caballero, que sólo se preocupa por la vestimenta, los perifollos ridículos, la moda y el galanteo frívolo; la petimetra, esclava también de la moda, caprichosa, necia; el abate, ambiguo, clerical y laico, generalmente parásito y holgazán, a veces consejero cínico, a veces humilde doméstico de damas; el cortejo, peligroso y perturbador, que desde los medios aristocráticos y burgueses había invadido los barrios de Lavapiés y del Barquillo; las majas y los majos, siempre altivos y audaces, orgullosos de su condición, atrevidos y desgarrados en acciones y palabras, de lengua picante y en ocasiones procaz. Pero el mundo múltiple de los sainetes encierra asimismo otros varios personajes: madres tiránicas, ligeras o irresponsables; padres prudentes y padres débiles; maridos discretos y maridos tontos; viudas casquivanas, viejas enamoradizas y viejos verdes; grotescos hidalgos provincianos; payas y payos ingenuos o socarrones y astutos; criadas entremetidas y criados intrigantes; pajes quejosos y hasta niños inocentes o resabidos.

[El entusiasmo frenético por lo popular determinaba un extraño fenómeno social que los contemporáneos llamaban *majismo* y que Ortega ha denominado *plebeyismo*. Ramón de la Cruz refleja el conflicto entre petimetría y majismo, entre petimetres o usías y majos; este conflicto se decide casi siempre en favor del majismo, porque el dramaturgo prefiere la espontaneidad bravía y desvergonzada del majo o de la maja a la insulsez y artificio de caballeretes y damiselas. Todos estos personajes tienen vida escénica y no sólo trascendencia social. Aparecen en la casa, la tertulia, el teatro, las calles, la plaza Mayor, el Rastro, la pradera de San Isidro, el Prado; dialogan, y son sus diálogos naturales, fáciles, acaso poco finos; luego desaparecen. Ramón de la Cruz no necesita más que presentarlos y hacerlos hablar.]

La popularidad, el favor de los actores, el aplauso del público, el cambio constante del repertorio dramático obligaban a Ramón de la Cruz a la búsqueda incesante de temas y argumentos nuevos. Recurría a todas las fuentes posibles: la parodia de la tragedia neoclásica de influencia francesa, las venturas y desventuras de los cómicos, cualquier suceso novedoso que despertara el interés del pueblo, las propias contiendas literarias con sus críticos y aun antiguos motivos folklóricos como el de los tres deseos fallidos.

La parodia teatral se remonta a los orígenes del drama; la conocieron los griegos y los latinos. En España hubo entremeses paródicos y comedias burlescas —*La muerte de Valdovinos* y *Las mocedades del Cid*, de Jerónimo de Cáncer, *El caballero de Olmedo*, de Francisco Antonio de Monteser. Pero a Ramón de la Cruz debió interesarle especialmente el florecimiento en Francia, durante el siglo XVIII, de la parodia de tragedias determinadas. Uno de sus autores franceses predilectos, Marc-Antoine Legrand, cultivó este género y con toda probabilidad fue su modelo; debe recordarse que uno de sus sainetes, *Inesilla la de Pinto*, es adaptación de *Agnès de Chaillot*, parodia de la tragedia *Inès de Castro*, de Antoine Houdart de la Motte, que compusieron Legrand y «Dominique» (Pier Francesco Biancolelli). *Manolo*, «tragedia para reír o sainete para llorar», primera parodia de De la Cruz y su obra maestra de este tipo, representaba en España una novedad —olvidadas las comedias burlescas del siglo XVII—. Como tentativa inicial que era, apareció precedida por una introducción justificativa («anda el discurso a tiento / buscándole cosas nuevas ...»); y aun en una edición suelta de 1784 se advertía que el fin del autor no era «ridiculizar las buenas y arregladas tragedias ..., sino el ignorado, presumido e impertinente modo con que algunos han querido introducir la declamación (a la francesa)». Pero ciertamente *Manolo* se endereza contra la tragedia neoclásica, que el público español rechazaba. Los procedimientos paródicos, según las lecciones aprendidas en Legrand o en otros dramaturgos, consisten en el aplebeyamiento absoluto del escenario y de los caracteres (los personajes son ahora taberneros, castañeras, verduleras, ladrones y presidiarios), en el contraste entre el estilo retórico y el estilo humilde y entre el verso fastuoso y el vocablo vulgar (se emplea el endecasílabo en vez del habitual octosílabo), en las situaciones grotescas, en el remedo del confidente, en la mofa de las unidades dramáticas, en la caricatura de los motivos y de los sentimientos, en los discursos irónicos y equívocos (como el extenso relato biográfico del protagonista). Además, hay en *Manolo* algunos hallazgos maestros: el desenlace, con aquellas muertes sucesivas, risibles por lo absurdas y gratuitas, y la reflexión genial de uno de los interlocutores («Amigos, ¿es tragedia o no es tragedia? ...»).

Cuando se trata de la parodia de una obra concreta al procedimiento descrito se añade esencialmente la interpretación humorística o burlona de las escenas, situaciones o frases que muestran con más claridad ingenuidades conceptuales o expresivas y fallas internas o formales. En este sentido, puede considerarse que *Los bandos de Lavapiés* parodia las co-

medias españolas que desarrollaron el tema de las rivalidades y odios de
dos nobles familias y de los infelices amores de los hijos; cabe pensar en
Castelvines y Monteses de Lope de Vega o *Los bandos de Verona* de
Rojas Zorrilla y quizás en *Los bandos de Sena* del mismo Lope. [...]

Varias fueron las polémicas que Ramón de la Cruz sostuvo en
distintas etapas de su labor teatral. Llegó el momento, cuando las
impugnaciones y las sátiras impresas y orales se intensificaron, en
que decidió defenderse en el terreno más favorable para él: el mismo
teatro. Escribió un sainete, *¿Cuál es tu enemigo?*, dirigido contra
sus muchos adversarios, lleno de alusiones, sin duda inteligibles para
los contemporáneos pero recónditas para nosotros. Admitido este
recurso y utilizado además por sus contradictores, Ramón de la Cruz
apeló a él repetidas veces y aun se atrevió a ridiculizar concretamente
en ciertos personajes a algunos de sus críticos: un ejemplo de ello
se encuentra en *El poeta aburrido*. Fue su mejor defensa, en un siglo
de disputas literarias tan enconadas y personales, y sus enemigos te-
mieron de veras verse expuestos a tal exhibición; así uno de ellos
se contiene receloso, «no sea —dice— que me saque a las tablas,
que es la venganza que ha tomado hasta aquí de los que han procurado desengañarle, en lugar de oponer razones a razones». No dejaba, sin embargo, de oponerlas en sus sainetes polémicos Ramón de
la Cruz, que revela el cansancio y el fastidio que le causaban tantos
injustos ataques. *El poeta aburrido* manifiesta ese cansancio y fastidio y expresa las razones.

Hay un grupo de sainetes en que Ramón de la Cruz adaptó con
acierto, para la censura de vicios o defectos individuales y sociales
de su tiempo, un útil esquema, bien conocido por los autores del
siglo XVII: el del entremés de «figuras». Este esquema comprende
un desfile y un examen. Aparece generalmente un caballero o hidalgo
filántropo que se propone curar a hombres y mujeres de alguna locura
o manía y crea con tal fin un hospital o una academia. Ante este
caballero (comisario, juez o médico), acompañado a veces por una
figura simbólica como el Desengaño, desfilan las «figuras», sujetos
ridículos o extravagantes o maniáticos o necios; examina el comisario, juez o médico y prescribe remedios para los diversos males. El
desenlace suele ser escéptico: los buenos propósitos del filántropo
fracasan y la lección definitiva destaca la irremediable fatalidad de
la condición humana. Como dicen los versos finales de *Los hombres*

con juicio: «Loco estaba el mundo / mil años atrás: / loco le encontramos, / y así quedará». *La feria de la fortuna, El hospital de la moda, La academia del ocio, El hospital de los tontos, El almacén de novias* pertenecen a este grupo de sainetes. Sin intriga organizada, todo su valor reside en la procesión de personajillos que encarnan con preferencia, más que vicios morales abstractos, defectos sociales, amaneramientos individuales, vanidades o errores directamente ligados a las circunstancias de aquella época.

II. Los contemporáneos de Ramón de la Cruz —adversarios declarados algunos de ellos, observadores probablemente imparciales otros— advirtieron ya que muchos de sus sainetes no eran originales, sino imitados de comedias extranjeras, por lo común francesas. Uno de sus críticos más severos, el italiano Pietro Napoli-Signorelli, después de juzgar que «carece por completo de fantasía para inventar y disponer de un plan y hacer cuadros historiados», deduce como consecuencia inevitable: «Por eso se ha limitado a traducir varias farsas francesas de Molière en particular, como *Jorge Dandin, El matrimonio por fuerza, Pourceaugnac*; ...». Otro contemporáneo lo acusa de plagiario de autores españoles de la época, y en fin el anónimo redactor de una nota publicada en el *Diario de Madrid* (28 de agosto de 1786) cuando apareció el primer volumen del *Teatro o colección de los saynetes y demás obras dramáticas de D. Ramón de la Cruz y Cano* (1786-1791), observa que «Dancourt, Vadé y Favart le han dado un buen ejemplo, cuyo rumbo ha seguido en sus pequeñas piezas».

No negó nunca Ramón de la Cruz sus imitaciones y adaptaciones del teatro extranjero. En el prólogo de la citada edición del *Teatro*, contestanto la censura de Napoli-Signorelli, declara:

No me he limitado a traducir y, cuando he traducido, no me he limitado a varias farsas francesas, particularmente de Molière, como el *Jorge Dandin, El matrimonio por fuerza, Pourcegnac* [*sic*]... De otros poetas franceses e italianos he tomado los argumentos, escenas y pensamientos que me han agradado, y los he adaptado al teatro español como me ha parecido ...

Poco tiempo antes había entregado a Juan Sempere y Guarinos, para su *Ensayo de una biblioteca española de los mejores escritores del reynado de Carlos III*, un catálogo «con la expresión de las piezas

—apunta Sempere y Guarinos— que ha tomado en todo o en parte de Autores extrangeros, y de las Originales»; se distinguen con dos señales diversas las traducidas y las que «sólo tienen el pensamiento tomado de otras», pero en ninguno de los dos supuestos se indican concretamente las respectivas fuentes. De acuerdo con este catálogo, los sainetes imitados o adaptados son, si no he contado mal, treinta y siete. La erudición moderna ha precisado, en varios casos, las comedias que sirvieron a Ramón de la Cruz para componer un no escaso número de sainetes. No será ocioso hacer una rápida reseña de estas investigaciones.

Las fuentes más tempranamente descubiertas fueron las derivadas de Molière; Napoli-Signorelli, en el siglo XVIII, ya señaló algunas. Esta relación literaria puede considerarse hoy acabadamente estudiada. Emilio Cotarelo y Mori determinó las siguientes imitaciones: *El casado por fuerza, Las preciosas ridículas, El mal de la niña, El casamiento desigual, Los fastidiosos* y *El plebeyo noble*, que proceden respectivamente de *Le mariage forcé, Les précieuses ridicules, L'amour médecin, George Dandin, Les fâcheux* y *Le bourgeois gentilhomme*. Insistieron sobre este mismo tema Arthur Hamilton y Francisca Palau Casamitjana, y Georges Cirot, en un ilustrativo artículo, analizó sagazmente el tratamiento que Ramón de la Cruz dio al *George Dandin* de Molière para transformarlo en *El casamiento desigual*. Caben aquí dos observaciones; entendemos que *La enferma de mal de boda*, que Cotarelo califica de «arreglo o extracto del *Amor médico* de Molière», debe descartarse de este grupo de manera definitiva: no existe tal dependencia; respecto de la refundición de *Pourceaugnac*, comedia que Ramón de la Cruz sin duda utilizó, ha de recordarse que no ha sido aún identificada entre los sainetes impresos o inéditos: ¿habrá que considerarla como perdida?

Otros dramaturgos franceses de muy disímiles valores literarios, no mencionados ni por Ramón de la Cruz ni —en algunos casos— por sus contemporáneos, le suministraron asuntos para varios sainetes: Marivaux, Favart, Legrand, Harni de Guerville. Dos comedias de Marivaux, *L'école des mères* —fuente, asimismo, de *El sí de las niñas* de Moratín— y *L'héritier de village*, son los originales de *El viejo burlado* y *El heredero loco*. De Favart adaptó Ramón de la Cruz tres piezas: *Le coq de village*, con el procedimiento habitual de introducir algunas modificaciones principalmente en el comienzo y el desenlace, se transformó en *El novio rifado*; *Les ensorcelés ou Jeannot et Jeannette*, más bien traducida que adaptada, pero con un tono más realista, ciertos cambios y omisiones, se convirtió en *Los payos hechizados*; *La rosière de Salercy* aportó el tema de *El premio de las doncellas* o *La fiesta de la rosa*. De un oscuro dramaturgo, Harni de Guerville, escogió una ópera cómica en un acto, *Georget et Georgette*, y compuso *Juanito y Juanita*, ajustándose muy directamente a su modelo francés. Hasta una farsa medieval francesa, la famosa de *Maître Pierre Pathelin* —según una versión de S. A. de Brueys, *L'avocat Patelin* (1700), comedia en tres actos y en prosa—, le sirvió para escribir dos sainetes, dividiendo los dos episodios de la farsa, *El pleito del pastor* y *El mercader vendido*, donde hubo de realizar significativos arreglos no exentos de valores teatrales para lograr un desenlace que no fuese la exaltación de la astucia triunfante y eludir así las observaciones de los censores. Pero a ningún autor debió seguramente tanto Ramón de la Cruz como al habilísimo Marc-Antoine Legrand (1673-1728), cuyas numerosas comedias en prosa y en un acto revelan un indudable instinto de los efectos escénicos y el sentido de lo cómico. Hace ya bastantes años [1949] analicé dos imitaciones: una parodia —*Inesilla la de Pinto*, que procede de *Agnès de Chaillot*, de Legrand y Dominique— y un gracioso sainete —*el amigo de todos*, que deriva de *Le philanthrope, ou l'ami de tout le monde*. Ahora esa pequeña deuda, de acuerdo con nuevos cotejos, ha aumentado de modo considerable; no es mi intención examinar detenidamente cada una de las relaciones que estableceré de seguida, pero sí me interesa indicar todas las que he descubierto —y no creo haber agotado las investigaciones—, como datos útiles para un futuro y completo estudio de las influencias en el teatro de Ramón de la Cruz. Enumero sencillamente, por lo tanto, los títulos de los sainetes y sus fuentes respectivas:

1. *Agnès de Chaillot* . . . . . . *Inesilla la de Pinto.*
2. *Le philanthrope, ou l'ami de tout le monde* . . . . *El amigo de todos.*
3. *La famille extravagante* . . . . *Las cuatro novias.*
4. *Le triomphe du temps passé* . . . *Los viejos burlados.*
5. *Le triomphe du temps futur* . . . *De tres, ninguna.*
6. *La métamorphose amoureuse* . . . *La familia nueva.*
7. *Le fleuve de. l'oubli* . . . . . . *Las botellas del olvido.*
8. *L'aveugle clairvoyant* . . . . . *El tordo hablador.*
9. *L'impromptu de la folie* . . . . *El regimiento de la locura.*
10. *La femme, fille et veuve* . . . . *Doncella, casada y viuda.*
11. *Les amazones modernes* . . . . *La república de las mujeres.*
12. *L'heure de l'audience.* . . . . . *La audiencia encantada.* [...]

Ramón de la Cruz afirmó que había imitado no sólo a los franceses, sino también a los italianos. Parece algo difícil que intentara refundir las extensas comedias de Goldoni, cuyo influjo en el teatro español fue limitadísimo. Supongo que habrá que averiguar más bien las conexiones con dramaturgos de origen italiano que residieron en Francia y escribieron individualmente o en colaboración para el teatro francés del siglo xviii, como Pier Francesco Biancolelli (1680-1734), llamado «Dominique», Giovanni Antonio Romagnesi (1690-1742) o Francesco Antonio Valentino Riccoboni (1707-1772). Y quedan aún por indagar críticamente las influencias que Ramón de la Cruz recibió de los entremesistas del siglo xvii. Quizá no sea exacto hablar de «influencias» en este caso. Pero sí puede advertirse en ciertos aspectos de su obra la persistencia de una tradición entremesil. Se ha observado que determinados temas son frecuentemente repetidos por los autores de entremeses durante el siglo xvii y comienzos del xviii; por ejemplo, el de la dama encerrada y el galán astuto o bien el del convidado gorrón. Sobre este último tema podrían citarse numerosos entremeses: *El remediador* y *El convidado*, de Quiñones de Benavente; *La sarna de los banquetes*, de Luis Vélez de Guevara; *El hambriento*, de Moreto; *El hambriento*, de Villaviciosa; *El hambriento*, de Avellaneda; *El convidado*, de Calderón, y algunos más. Varios son también los sainetes de Ramón de la Cruz que desenvuelven análogo asunto: *El hambriento de Nochebuena, El abate Diente-agudo*...; y ya Cotarelo estableció una relación concreta: de *El remediador*, de Quiñones, asegura que fue «muy imitado hasta en el siglo xviii por don Ramón de la Cruz, cosa que no es extraña, pues arranca de un cuento popular ...».

Uno de los tipos más comunes entre los sainetes del autor madrileño, el construido con una serie de escenas de la vida de la corte, particularmente de ambiente callejero, tiene asimismo antecedentes en un grupo de entremeses, como *Las manos y cuajares*, de Quiñones de Benavente, o *La plaza de Madrid* o *La víspera de Pascua*, de Pedro Francisco Lamini Sagredo. También los entremeses que consisten en el desfile de pretendientes ante una dama que los examina para galanteo o marido —*La mal contenta, Los cuatro galanes* y otros de Quiñones de Benavente— ofrecen una fórmula que el sainetero del siglo xviii empleó no pocas veces (*La oposición a cortejo, La elección de cortejo*...). Más curioso es comprobar que los sainetes de costumbres teatrales o de intimidades de la vida de los comediantes —*El teatro por dentro* sirva de ejemplo— tengan su precedente en algunos entremeses como *El ensayo*, de Andrés Gil Enríquez, o *El vestuario*, de Moreto, lo que revela la existencia de una «tradición que se mantuvo hasta declinar el siglo xviii ...». Pero, sobre todo, lo que juzgo de mayor interés es la adaptación que Ramón de la Cruz hizo de un útil esquema entremesil para la sátira de vicios o defectos individuales y sociales de su tiempo. Me refiero al entremés de «figuras». [...] No hay sino comparar el anónimo *Hospital de los podridos*, las dos partes de *El examinador Miser Palomo* de Antonio Hurtado de Mendoza, *El comisario contra los malos gustos* de Salas Barbadillo o *El comisario de figuras* de Castillo Solórzano con los sainetes *El hospital de la moda* (y su segunda parte, *La academia del ocio*), *La visita del hospital del mundo* o *El hospital de los tontos*: se advertirá fácilmente la filiación.

Algo más debería añadirse: el aporte folklórico. Opinaba Cotarelo hace muchos años: «Contingente grandísimo han dado a los entremeses los cuentos populares: tan grande, que acaso la mayor parte proceda de ellos o los tengan incorporados». Quizás esta contribución no haya sido tan importante, pero no cabe duda que entremeses y sainetes se inspiraron a veces en asuntos folklóricos como observó, respecto de Ramón de la Cruz, Augusto Raúl Cortázar. Bastaría mencionar *Los deseos malogrados*, aún inédito, versión de un motivo muy antiguo y difundido, el de «los tres deseos».

JOHN DOWLING

LOS SAINETES: ACCIÓN, CARÁCTER Y PERSONAJES

El argumento de un sainete puede tener una estructura bien definida. En *La presumida burlada* tenemos una pequeña comedia. En la exposición don Gil Pascual de Chinchilla confiesa a su amigo don Carlos que, un mes escaso después de enviudar, ha vuelto a casar, esta vez con su criada, Mariquita Estropajo, una niña de Cuacos, «y el falso llanto de viudo / es ya verdadero llanto». La antigua fregona se ha puesto la doña, trata al marido y a sus antiguos com-

John Dowling, ed., Ramón de la Cruz, *Sainetes*, I, Castalia, Madrid, 1981, pp. 24-39.

pañeros con soberbia, y ha aumentado los gastos de la casa vistién-
dose de petimetra e invitando a muchas visitas.

El punto de ataque ocurre cuando salen en sendos burros dos luga-
reños muy pobres con un payo y preguntan precisamente por don Gil.
Son la madre, la hermana y otro pariente de la flamante madama. El desdichado don Gil hace su plan para dar a su mujer una lección de humildad. En la acción siguiente conocemos a doña María. Se riñe con una
criada mientras que un paje en apartes comenta con sorna; hace su lección
de música con un abate, y recibe a sus visitas, preciándose en su conversación de su hidalguía. Dos puntos culminantes tiene la pieza, uno cuando
don Gil determina castigar a su mujer por su vanidad y otro cuando los
parientes de Cuacos se presentan en casa. La crisis final ocurre cuando
María reconoce su error y pide perdón a su madre. En el desenlace el
amigo del marido pronuncia la moral: «No hay en el nacer oprobio / si
hay virtud para enmendarlo».

El argumento estructurado no es, sin embargo, típico del sainete. En
muchos no hay ni siquiera un hilo continuo de acción. Nos encontramos
más bien ante una serie de viñetas. En *La plaza Mayor*, representada en
la Nochebuena, vemos una serie de acciones en embrión. Un solo personaje habla en soliloquio, o grupos de dos o tres se relacionan entre sí y
se rozan momentáneamente con los demás. El panorama es llamativo,
sirviendo la escena, en este caso la señorial plaza Mayor en la época de
Navidades, de motivo y de eje central. Conocemos a mucha gente sin
profundizar en el carácter de nadie. Dos petimetres desocupados, como
no hay comedias en los coliseos, ven y comentan la comedia callejera:
una criada con mil mandados, un estudiante pegote que está pescando
una invitación a la cena de Nochebuena, una pareja de majos que disputan, un marido que va de compras por su mujer, una beata —señora venida a menos— que procura que su niña pida cosas delante de otros
para que éstos se las compren, una petimetra —mujer del marido que
está de compras— con su cortejo, y todo el paisaje humano del mercado:
pavero, confitero, verdulera, hortera, frutera. Presenciamos el comienzo
de media docena de acciones, pero ninguna se desarrolla, ninguna se acaba. Son pequeños trozos de la vida: un suceso, un lance, una conversación cazados al azar, vivos, muy reales, pero relacionados con un hilo
tenue y luego abandonados. Parece una composición musical con tema
—la plaza Mayor por Navidades— y variantes.

El sainete por excelencia será *Las castañeras picadas* que sí tiene un
hilo de acción, un argumento, pero que al mismo tiempo incluye en el hilo
variantes o sucesos adventicios no relacionados orgánicamente con el desarrollo de una acción ni principal ni secundaria. Una viuda de carpintero
y una castañera disputan el afecto de un aprendiz de la carpintería. Éste

hace lo que le dicta el interés y elige a la carpintera. Pero en el hilo de este argumento se entrelazan una serie de incidentes —interesantes, evocativos, pintorescos— que son como las variantes de un tema musical.

La estructura binaria. Es curioso observar el desarrollo paralelo entre un sainete de Ramón de la Cruz y una sonata de Domingo Scarlatti (1685-1757). Scarlatti vivió primero en la corte de Portugal y después, a partir del matrimonio en 1729 de la princesa María Bárbara de Braganza con el que iba a ser Fernando VI, en la corte de los Borbones de España. Murió en el año en que se fecha el primer sainete conocido de Cruz. Su concepto de la sonata naturalmente influía en músicos como Antonio Soler y Antonio Rodríguez de Hita —éste el que componía la música para óperas con letra de Ramón de la Cruz.

La sonata de Scarlatti tiene dos partes, cada una con un punto culminante (*crux*). En un sainete de Ramón de la Cruz —tenga un argumento estructurado como *La presumida burlada* o un desarrollo de temas y variantes como *La plaza Mayor*— solemos encontrar dos partes. No son iguales. Normalmente, pero no siempre, la primera parte es más corta que la segunda. Hay un punto culminante en cada parte. Es característica de muchos sainetes una mudanza de escena (de calle madrileña a plaza Mayor, de calle a Pradera de San Isidro, de calle al interior de una casa) inmediatamente después del primer punto culminante. Al segundo punto culminante sigue el desenlace o —como no hay en muchos un desenredo propiamente dicho— se cierra con un baile, una tonadilla, o el pedir perdón «por sus muchas faltas» que era de rigor.

En una pieza que se representa en veinticinco minutos, no hay tiempo para desarrollar el carácter de un personaje. En el documento escrito, literario, que nos ha quedado de aquella ya lejana época, encontramos tipos que eran familiares al público: algunos por su oficio de castañera, buñolera, naranjera, limera, ramilletera, albañil, chispero, zapatero, peluquero, escribano, abogado, alguacil, médico, soldado, oficial, cómico, paje, lacayo, criado; otros por su clase o función social: hidalgo, usía, petimetre, majo, abate, marido, esposa, cortejo, viuda, beata; otros por su origen: campesino, gallego, vizcaíno, indiano, italiano, suizo. El esbozo es rápido; Cruz crea sus personajes con unas pocas pinceladas, y no son muy diferentes de un sainete a otro. Sin embargo, hay notas de individualidad. ¿A qué se deben? Cruz escribía una pieza sabiendo el actor o actriz que iba a hacer el papel, si era alto o bajo, hábil en la farsa o en el canto, o grato al público en cierto papel. Si era el sainete un cañamazo [algo parecido a lo que son hoy los guiones de película,] como quiere Ortega, Cruz creaba el patrón que iba a bordar el actor.

El petimetre. Desde el ocaso del poder español y el alborear del *roi soleil*, Luis XIV, Europa imitaba todo lo francés. En la corte de Felipe V y de Fernando VI se hablaba y se escribía francés más que español. El peluquero francés y la modista francesa servían a la clase media que se iba afrancesando tanto en las modas como en las ideas. La afluencia de italianos con la venida de Carlos III no atajó la creciente influencia francesa, y España llegó a ser cosmopolita en el reinado de un rey modesto e ilustrado. La actitud de Cruz, como la de Moratín padre en su comedia *La petimetra* —publicada en 1762 aunque no representada— es de reacción contra la exagerada o ciega aceptación de costumbres e ideas francesas. En los cuadros de Goya de los años 1780 vemos a los nobles y los hidalgos en sus bellos peinados, trajes y vestidos de París. En los sainetes de Cruz imaginamos a gente más modesta en trajes imitados del estilo francés. Cruz toma una postura antagonista contra esta invasión francesa.

El majo. Las majas de Cruz tienen oficio callejero; venden frutas, castañas, buñuelos. Los majos parecen vivir del oficio de su maja si no tienen empleo propio. Son la reacción contra los petimetres; representan lo nacional frente a lo extranjero. A veces los petimetres abandonan su traje francés para vestirse de majo, igual que la duquesa de Alba y la reina María Luisa hacían que Goya las pintara de maja. En otros casos, es el majo el que se viste de petimetre para poder alternar con alguna madama. El traje del majo se inmortalizó en los cartones para tapices de Goya; de este traje se desarrolló el traje de luces del torero; vive todavía en la danza española, en las *Goyescas* de Granados. [...]

Los usías. Son «las señorías», vistan o no traje francés. El usía es antecedente del señorito del siglo XIX. En Eusebio y Ponce de *El Rastro por la mañana* vemos antecesores de Juanito Santa Cruz de *Fortunata y Jacinta*, una versión novecentista de las tensiones sociales que nos esboza Cruz igual que los majos anticipan los manolos de los cuadros de costumbres o los chulos del sainete lírico del fin del siglo XIX.

El cortejo. La sociedad rococó no aceptó la moral barroca.

A pesar de la severidad moral de Carlos III y su corte, a pesar de las frecuentes representaciones de obras calderonianas, el cortejo prospera, al menos en el teatro, como expresión de aquel mundo de placer, de risa, de relajación de costumbres. Un diccionario de sinónimos, publicado en el último año del siglo, distingue entre el *galán* y el *cortejo*:

La voz *cortejo* se ha admitido ya generalmente como sinónima de *galán*, pero hay entre ellas la diferencia de que la *galantería* supone respeto y rendimiento, y el *cortejo* supone familiaridad y confianza. Aquélla puede tal vez confundirse con el amor; éste pudiera más bien equivocarse con la íntima amistad si no anduviese casi siempre acompañado de las apariencias del vicio. El *cortejo* a quien disguste esta significación de la voz, prefiera el nombre y la calidad de *galán*, haciendo más alarde de un obsequioso rendimiento, que no exceda los límites del respeto, que de una confianza que ostente las apariencias de la facilidad o de la posesión.

El cortejo es esclavo de su dama: En *El Prado por la noche* Chinica, cortejo de Paula, va y viene y gasta lo que no tiene sin conseguir dar gusto. Exclama en protesta: «¡Traer, traer; sin saber / si un hombre tiene dinero!» (vv. 485-486). Cruz no nos confirma si la íntima amistad está realmente acompañada del vicio, pero la gente no dudaba del caso más famoso del siglo, la amistad de Manuel Godoy con la reina María Luisa.

El abate. El abate, lindo y afeminado, es un tipo europeo del XVIII, que está más a sus anchas en un salón lleno de damas. En *Los dos libritos*, cuando un paje duda si puede el abate entretener a las dos damas, el abate exclama: «¡Dos! ¿Qué, nunca has visto a uno / de nosotros entre treinta / señoras, hablar a un tiempo / a cada una en su lengua, / de diversos caracteres / y de distintas materias, / con ingenio tan feliz / y tan rápida elocuencia / que a todas treinta las hace / estar con la boca abierta / desde que anochece un día / hasta que el otro amanezca?» (vv. 17-29). [...]

El paje. El papel del paje es de espectador de la comedia humana. Habla con frecuencia en apartes como si fuera la voz del mismo Cruz que comenta lo que ve en esta peregrina vida. Cuando están a la puerta sus parientes y la presumida María Estropajo no quiere recibirlos delante de sus huéspedes petimetres, explica: «son unos pobres paisanos, / y a ella la llamo yo madre / porque siendo yo de un año / me dio de mamar» (vv. 466-469). El paje comenta para sus adentros: «Pues ésa / por acá no la mamamos» (vv. 470-471). [...]

Si el mundo de petimetres presumidos, abates afeminados, pajes mofadores, castañeras chillonas nos parece lejano, no lo es otro mundo muy humano que vislumbramos en los sainetes. En *El Prado por la noche* Paca e Ibarro han ido de paseo para esparcir el ánimo, pero la mujer no deja en paz al marido, quejándose de que no tiene ropa que ponerse. Ibarro se disculpa: «Mujer, yo te diera gusto / como tuviera dinero; / pero sobre que no alcanza / ni aun para comer el sueldo ...». [Paca sigue con sus quejas y el desesperado marido le suelta un exabrupto]: «¡Qué mal te huele el aliento!». Pide que se calle, y Paca le da un ultimátum: «Sí, callemos; / pero para no volverte / a pedir hay dos extremos: / o que me des o me dejes / quejar» (vv. 227-306).

En el mismo sainete, la farsa de la madre que quiere ser rival de sus hijas nos parece una sátira de hoy: «Es que yo / tenía tan poco tiempo / cuando me casé, que apenas / nos llevamos año y medio / mis hijas y yo» (vv. 459-463). En esta penetración del carácter humano, expresada rápidamente, a veces a brocha gorda pero certera, descansa el valor universal de los sainetes.

FRANCISCO AGUILAR PIÑAL

RAMÓN DE LA CRUZ Y GARCÍA DE LA HUERTA EN SEVILLA

El ambiente musical hispalense estaba preparado para recibir con agrado las zarzuelas y piezas musicales cuyos libretos escribiera el pronto famoso sainetero Ramón de la Cruz Cano y Olmedilla, académico honorario de la Sevillana de Buenas Letras desde el 9 de diciembre de 1757, pero al que, por consejo de Montiano, se le prohibió usar el título de académico en 1763 en la portada de sus obras.

Francisco Aguilar Piñal, *Sevilla y el teatro en el siglo XVIII*, Cátedra Feijoo, Oviedo, 1974, pp. 138-147.

Por orden cronológico, las zarzuelas de éste que se pusieron en Sevilla son: en 1770, *El viejo burlado*; en 1771, *La majestad en la aldea*, uno de los más resonantes éxitos populares, con quince representaciones; en 1772, *Los cazadores*, *En casa de nadie no se meta nadie* (con música de Fabián García Pacheco) y *Las segadoras de Vallecas*, primera zarzuela de tema costumbrista, estrenada en Madrid en 1768 con música del célebre Antonio Rodríguez de Hita; en 1774, *Las foncarraleras* (con música de Ventura Galván); en 1775, *La isla de amor*, imitación de una ópera de Sacchini; en 1776, *El licenciado Farfulla*, que poco antes había sido estrenada en el Príncipe madrileño, y *Las labradoras astutas*, adaptada de una ópera de Piccini; en 1777, *El gozo en el pozo* y *La mesonerita*, con música de Antonio Palomino; en 1778, finalmente, *El tío y la tía*, burlesca en un acto, con música de Antonio Rosales [...]

Aparte los sainetes, que debieron ser muchos pero que no quedan recogidos en el *Diario* de González de León, también integraron este repertorio sevillano dos tragedias italianas, de Apóstolo Zeno, traducidas por Ramón de la Cruz, *Sesostris rey de Egipto* y *Severo dictador*, de gran éxito en Madrid y que aquí sólo duraron dos días cada una.

Pero no iban a ser éstas las únicas tragedias que se presentaran al público sevillano, ya que la puesta en escena de este género dramático era parte esencial de la reforma del teatro que se pretendía, según los proyectos del conde de Aranda, en los que Sevilla era pieza clave, bajo la dirección del asistente Olavide. Si la ópera, por ser de argumento elevado y fiesta cortesana, había significado un primer paso importante, otros dos caminos se ofrecían al reformador para conseguir su propósito: las tragedias (originales o traducidas) y las refundiciones del teatro clásico español.

El influjo neoclásico en la primera mitad del siglo no pasó del campo teórico, creando, a lo más, un círculo de opinión muy restringido, en tertulias, salones y academias. La situación cambia con el tercer Carlos, época en la que el empeño se convierte en gestión política, no por obra del rey, que poco gustaba de tales divertimientos, sino del equipo gobernante que encabezaba el conde de Aranda. No vamos a hacer aquí referencia a la prohibición de los autos sacramentales ni a la polémica entablada con este motivo entre Clavijo y Fajardo, Romea, Nifo y Nicolás Fernández de Moratín, ya que en Sevilla no se representaron autos más que en las fiestas del Corpus,

[ni tampoco se estrenaron las obras representativas del nuevo espíritu, aunque sí se vieran algunas traducciones del francés y refundiciones del español acomodadas al gusto neoclásico.]
Quiero hacer referencia ahora a un estreno de cierta importancia.
Me refiero a la tragedia *Raquel*, de Vicente García de la Huerta.
Como es sabido, la primera representación de esta obra en Madrid
tuvo lugar el 14 de diciembre de 1778. En ella actuó como protagonista la actriz María Josefa Huerta, pocos meses antes de su muerte. Sin embargo, su primer estreno tuvo lugar en Orán, el 22 de
enero de 1772. En un trabajo primerizo [1967] di la noticia de haberse representado también en Sevilla los días 24 y 25 de noviembre
de 1774, 30 de enero de 1775 y 20 y 24 de enero de 1777. Con
anterioridad, el 2 de octubre de 1771 y 10 de agosto de 1773, y posteriormente el 23 de julio de 1775, 9 de octubre de 1776 y 21 de
febrero de 1778 se había puesto en escena en el teatro sevillano el
mismo argumento dramático con el título de *La judía de Toledo y
hermosa Raquel*, calificada en el cartel anunciador como «famosa
comedia». Se trata, a no dudar, del texto escrito por Juan Bautista
Diamante, en tres jornadas, siguiendo muy de cerca *La desgraciada
Raquel*, de Mira de Amescua.
¿No podía tratarse de la misma obra? La cuestión no puede sol-
ventarse decisoriamente, dados los escasos datos de que disponemos.
El único argumento que me movió a proponer el estreno sevillano
(el primero en la península) de la obra de García de la Huerta, fue
el título estampado en el manuscrito de González de León: simplemente la *Raquel*, sin hacer alusión a la «judía de Toledo», como en
otras ocasiones; y sobre todo el llamarla a continuación «tragedia»,
en oposición a la «comedia famosa» de Diamante. Débil es, en verdad, el argumento, pero me parece suficiente, por ser tan significativo. Nada extraño hay, por otra parte, en la alternancia con *La judía
de Toledo*, ya que lo mismo ocurrió en Madrid y en Barcelona, donde
la *Raquel* fue estrenada en 1775.
Para el hispanista René Andioc [1970], la *Raquel* es una «tragedia política» que refleja las tensiones sociales que dieron lugar al
motín de Esquilache en 1766. Bastaría una simple sustitución de los
personajes de la ficción dramática por los de la realidad histórica,
simbolizados en aquéllos de forma alegórica. Alfonso VIII, el «rey
cazador», sería claramente Carlos III; la hermosa Raquel, dueña de
la voluntad real, personificaría al «poder intruso», encarnado en el

«advenedizo» Esquilache; los ricos-hombres de la tragedia no pueden ser otros que los mismos nobles, instigadores del crimen popular que hiciera desaparecer de la escena política a quien, con desmedida soberbia, se había elevado «sobre su fortuna». Con meridiana claridad exponen la tesis de la obra unos versos que el autor pone en boca de Raquel, y que destaca Andioc: «Tomen ejemplo de sí los ambiciosos, / y en mis temores el soberbio advierta / que, quien se eleva sobre su fortuna, / por su desdicha y por su mal se eleva». Esta tesis, en absoluta contradicción con las ideas «ilustradas» bastan para caracterizar a la obra, que resulta, sin paliativos, una apología de la aristocracia y una implícita condena de la nueva clase burguesa que estaba suplantando a aquélla en el ejercicio del poder. «Quien se eleva sobre su fortuna, por su desdicha y por su mal se eleva.»

Pero la obra insinúa más, autorizando la subversión popular para restablecer el orden perdido —en este caso por la debilidad del monarca— imponiendo de nuevo la jerarquización social, los fueros y los privilegios. Nada de extraño tiene, pues, que la obra de García de la Huerta fuese aceptada con íntima complacencia por los nobles, cuya causa veían defendida con tanto acierto literario. Hay testimonio, incluso, de su representación privada en los salones más aristocráticos de Madrid. En el madrileño palacio de Liria se puede contemplar, en uno de sus salones, un pequeño cuadro de la época que representa una escena de la *Raquel* cuyos principales intérpretes son el duque y la duquesa de Aliaga, el duque del Infantado, el conde de Cerbellón, la duquesa de Alba, el marqués de Salas y otros ilustres apellidos.

Tenga o no relación directa esta obra dramática con el motín de Esquilache, lo cierto es que las ideas allí expuestas están en abierta oposición con las de Aranda y sus amigos «ilustrados». Aunque su estructura formal se acomode a las reglas neoclásicas, sus principios son de total respeto a la tradición política española. La nobleza de sangre, humillada por los favoritismos reales, no duda en fomentar la rebelión del pueblo, que se siente muy a gusto en su condición de «estado llano», protegido y protector a la vez de la institución monárquica. Tampoco es de extrañar que fuese condenada por los reformadores y prohibida a causa de «su pésima moral», como dice Sempere y Guarinos, un conocido «ilustrado». Para ser representada hubo de someterse a la amputación de más de 700 versos, como también señala Andioc.

Vengamos ahora a Sevilla. ¿En qué lugar de España podía tener tal obra mayor aceptación que en la capital andaluza, tradicional y tradicionalista? Ninguna otra ciudad española podía reclamar con mayor derecho el supuesto del estreno peninsular de la *Raquel*. Y sin salirnos del terreno de la suposición, ¿no podría sospecharse el general aplauso con que sería recibida por la «clase de distinción» de la ciudad, humillada en estos años por el «intruso» Olavide? Pocos relacionarían ya el argumento de la obra con el ministro Esquilache, pero sí podrían —y con suma complacencia— relacionar los sucesos de las tablas con la deseada desgracia política del también «advenedizo» Asistente.

Uno de los testigos del famoso «autillo», el padre Domingo Morico, es muy expresivo a este respecto. Después de afirmar que no se llegó a murmurar de don Pablo «hasta después de muchos meses de estar en ella, en cuyo tiempo había alhajado su casa de un modo que nunca se había visto en aquel país», insinúa claramente que la persecución inquisitorial obedecía a motivos de envidia y resentimiento del clero y de la nobleza hispalenses, por la altiva independencia del gobernante «criollo», político favorecido por la confianza real, «elevado sobre su fortuna» a expensas de la clase nobiliaria, tradicionalmente acostumbrada a hacer y deshacer a su antojo en el gobierno de la ciudad.

De los nobles dice Morico textualmente: «Los Caballeros de Sevilla, que hasta allí estaban acostumbrados a ser atendidos de los Asistentes en cuanto les pedían, y que esta contemplación les había producido muchos ahijados, a los que justa o injustamente valían para condecorar su autoridad, luego que vieron que Olavide no atendía a sus súplicas si no las encontraba justas, y que no podían vencerle con sus razones, junto con el fausto y tren que gastaba, que ofuscaba todo el suyo, empezaron a disgustarse de su gobierno, y como ni en su administración de justicia encontraban que reprender, ni tenían por donde tirarle, empezaron a reparar que tenía en su casa pinturas lascivas, cuya murmuración fue tan pública» que el mismo Olavide le dijo: «Recorra Vm. las pinturas y adornos de mi casa y mande borrar o quitar todas aquellas que puedan disonar a la vista». Extremando los escrúpulos, Morico llevó a casa del Asistente al pintor Juan de Úbeda, al que encargó que «echase bandas y vistiese de ropas algunos niños y figuras de fábulas que había pintadas en los paños de corte que tapizaban dos de las piezas de su casa, y son de los que comúnmente se traen de Francia para este uso». A pesar de esto, sabemos que, por orden del mismo Olavide, el oidor don Francisco de Bruna mandó quemar algunos cuadros del Asistente, cuando éste se encontraba en prisión y próximo a ser condenado. Concluye la declaración de Morico sobre los nobles sevillanos con estas palabras: «Confirmóse el resentimiento de los Caballeros en que se iban excusando en quedarse a comer, de modo que dentro de muy pocos meses, por rara casualidad se veía en la mesa alguno del país».

Sobre la animosidad de los eclesiásticos, manifiesta Morico que los religiosos comenzaron a tramar su pérdida cuando vieron la firmeza del Asistente en obedecer las órdenes superiores: «Vino orden del Consejo de que ningún religioso pernoctase fuera de sus conventos, cuya orden hizo cumplir puntualmente dicho Olavide, y viéndose los religiosos privados de una libertad que usaban con más licencia en aquella Provincia que en ninguna otra de la Nación, a tiempo que era notorio a los mismos religiosos que se estaba tratando de la reducción del número de ellos y de sus conventos ... o para vindicarse del resentimiento que tenían, o para desacreditar al comisionado en reducirlos ... empezaron a levantar el grito diciendo que Olavide era hombre sin religión, cuya voz esparcían sus beatas inocentes y sostenían los nobles, picados de la autoridad que habían perdido con dicho Olavide ...». Insinúa también, como causas de esta animosidad la expulsión de los religiosos de los estudios universitarios y la prohibición absoluta a los eclesiásticos de las Nuevas Poblaciones de pedir limosna y de cobrar por la administración de los Sacramentos.

En resumen, a juicio de Morico, las acusaciones contra Olavide son calumniosas, siendo los estamentos privilegiados —nobleza y clero— los causantes de su desgracia. Según él, Olavide no era «hombre devoto o místico, pero tampoco irreligioso». Es curioso anotar aquí que, entre los testigos, solamente los nobles se atreven a emitir juicios de extrema dureza contra el Asistente. Para el marqués de Torreblanca, era «hombre libertino, falto de piedad cristiana». Para don Francisco de Bruna, «libertino incrédulo». A pesar de tantas acusaciones de impiedad, resulta difícil de admitir tal visión peyorativa de su personalidad, si atendemos a escritos suyos posteriores, como *El Evangelio en triunfo* o los *Poemas sagrados*.

Señalemos, finalmente, que la «tragedia» de García de la Huerta no es tal, sino «drama histórico», con una cobertura trágica que a muchos puede ofuscar. Ni por supuesto, ha de incluirse entre las novedades escénicas que propugnaban los reformadores. Es, como se ha visto, todo lo contrario de lo deseado por Olavide al iniciar su campaña teatral. Pero cuando se representó en Sevilla, ya el Asistente comenzaba a saborear las hieles del infortunio. Su estreno llegó en el momento justo.

JOSÉ MIGUEL CASO GONZÁLEZ

LA TRAGEDIA, GÉNERO ROCOCÓ

Cuando se habla de la tragedia española de la segunda mitad del siglo XVIII, el calificativo que siempre se aplica es el de *neoclásica*; incluso se la suele considerar como el género neoclásico por excelencia. Sin embargo, se trata más bien de un género típico del rococó literario, que va después a teñirse de matices prerrománticos, que va a evolucionar muy poco durante el neoclasicismo de los primeros años del siglo XIX y que incluso perdurará aún después de haber triunfado el drama histórico del romanticismo.

En nuestro teatro del siglo XVI había habido una serie de intentos de adaptación de la tragedia clásica; pero casi todos buscaban al mismo tiempo nuevos caminos, creyendo que el género no podía ser directamente imitado para un público español. La *Numancia* de Cervantes acaso sea el intento más logrado de entonces. La opinión de su autor sobre el género fue ampliamente expuesta en el capítulo 48 de la primera parte del *Quijote*. De éste y de otros textos de los mismos años se deduce que de una u otra forma todos pretenden transformar un género eminentemente culto en un género apto para el público heterogéneo que asistía a los teatros españoles. Y el que acertó fue el que acabó encontrando la fórmula de la comedia de historia, tan denigrada por los franceses de los siglos XVII y XVIII, pero cuyo acierto no es hoy posible poner en duda. De esta forma, mientras la tragedia francesa se hacía género de minorías cultas, la comedia histórica española era oída y aplaudida por cultos e ignorantes.

José Miguel Caso González, «Rococó, prerromanticismo y neoclasicismo en el teatro español del siglo XVIII», en *Los conceptos de rococó, neoclasicismo y prerromanticismo en la literatura española del siglo XVIII*, Cátedra Feijoo, Oviedo, 1970, pp. 16-22.

Cuando al llegar el siglo xviii los círculos intelectuales vuelven a pensar en el noble género trágico, tampoco pueden evitar el plantearse el mismo problema que sus antecesores del xvi, aunque, como la historia nunca se repite, ahora tienen el modelo de las tragedias francesas e italianas, lo que modifica los datos del problema. De todas formas, hay un punto en el que todos prácticamente estarán de acuerdo y que será programáticamente expuesto por Jovellanos: el tema de la tragedia deberá ser buscado en la historia nacional. He aquí un lazo importante que une la tragedia rococó y neoclásica con la comedia histórica del Barroco por un lado y con la comedia histórica del romanticismo por el otro. Mucho antes de que en 1806 madame de Staël defendiera en su libro *Sobre Alemania* el drama histórico, libre de la traba de las reglas, ya Jovellanos había dicho, comentando su *Pelayo*: «Así también con abundoso llanto / honró algún día el delicado griego / los trabajos de Aquiles, que de infamia / libró a su patria en Troya; así un tiempo / sintió el fuerte romano de sus héroes / los ilustres afanes, cuando al pueblo / de Atenas y de Roma en sus teatros / los ofrecía el peregrino ingenio / de Eurípides y Séneca. Si humilde / aún no pudo igualar tan alto ejemplo / el coturno español, la culpa es suya. / Sólo ocupada en lúbricos objetos / la ibera musa casi por tres siglos, / no aspiró a celebrar los altos hechos / que de esplendor llenaron nuestra patria / y de pasmo algún día al universo. / ¿Y no ha de haber quien libre de esta nota / al Parnaso español? ¿Ni quien oyendo / de la vehemente y grave Melpomene / la flébil voz, se rinda a sus preceptos? / Sea tuyo, oh Gijón, aqueste lauro, / y de ti España el generoso ejemplo / reciba de loar en sus escenas / las domésticas glorias».

Este pensamiento de Jovellanos no era exclusivo suyo, sino que la idea de una tragedia de tema nacional estaba en el ambiente, y por eso al mismo tiempo que él escribe su *Pelayo* compone Nicolás Fernández de Moratín la *Hormesinda*, estrenada con grandes esfuerzos y tremenda oposición de los mismos comediantes, en 1770. Esta tragedia de Moratín es un ejemplo típico de tragedia rococó, aunque su valor literario sea escaso. Las dificultades para llevarla a las tablas del escenario se derivan del *estilo francés* en que estaba escrita, el cual se advierte en la falta del gracioso, en haber dividido la obra en cinco actos, en utilizar un mismo tipo de verso a lo largo de todos ellos y en sustituir los momentos más movidos de la acción por una simple narración.

Pero se puede decir que aquí se acaba el estilo francés. Ya el arranque mismo de la obra plantea un problema típico del teatro calderoniano: Munuza ha aspirado a la mano de Hormesinda, hermana de Pelayo, de ascendencia real; él es musulmán, bárbaro y villano, es decir, persona infamada; ella es noble, cristiana y española; sólo el hecho de atreverse Munuza a proponer semejante pretensión es deshonroso. Todo el orgullo de la nobleza española está aquí expresado. Hormesinda no se rendirá: ante los ruegos del moro, ante sus amenazas, permanecerá inconmovible. Munuza pasa por ello del amor al aborrecimiento, no diré que injustificadamente, pero sí con una rapidez inverosímil. Decide vengarse, y su venganza va a consistir en decir a Pelayo, que acaba de llegar de una embajada a Córdoba, que Hormesinda ha sido demasiado débil y se ha entregado a una persona innominada. Pelayo está afrentado por la deshonra de su hermana. Su concepto del honor es el típico del siglo XVII: al depender de la opinión ajena, al margen de la conducta individual, Pelayo no debe tener ni valor para mirarse, mientras no vengue su afrenta, y la venganza no puede ser otra que la muerte de la mujer que ha causado con su «libertinaje» tal deshonra; esta deshonra aumenta porque los otros la conocen, y el honor del hombre pende de la voluble fragilidad de las mujeres. De este modo puede Munuza hablar de la nobilísima ascendencia de Pelayo, de la fama, de la facilidad con que se pierde, de la infamia de un noble afrentado, de la hazaña que es el castigo del ofensor, de que para un noble godo es mejor ser heroico en la venganza que hermano afrentado. No hubiera dicho más en el teatro un noble del siglo XVII.

Este problema de honor, centro de la tragedia de Moratín, hubiera podido resolverse a bien poca costa; pero Moratín necesitaba prolongar la obra, y para ello recurre a un sistema perfectamente conocido en el teatro barroco: el de multiplicar los equívocos y los accidentes (muy poco franceses), con lo que Pelayo estará más de una vez a punto de sacrificar a su propia hermana y con lo que habrá que llegar a la mitad del acto V para que se dé cuenta del engaño de que ha sido víctima. Es decir, Moratín se sirve de recursos semejantes a los de la comedia de enredo. Los resabios calderonianos pueden advertirse incluso en versos concretos, como cuando dice Hormesinda: «¡Ay, infeliz mujer! ¡Ay, desdichada!», que recuerda lo primero que dice Segismundo en La vida es sueño: «¡Ay, mísero de mí! ¡Ay, infelice!».

La tragedia, es cierto, cumple con la regla de las unidades; pero la de tiempo sólo existe en cuanto que la tragedia es intemporal, esto es, en cuanto que no se hace referencia al tiempo que pasa; la de lugar está lograda por el artificio de no localizar las escenas: en el mismo lugar en que se reúnen Munuza y Tulga se entrevistan los nobles asturianos.

Pero si *Hormesinda* es un ejemplo típico de tragedia rococó, la tragedia característica del rococó literario es la *Raquel* de García de la Huerta, estrenada en 1778. Es curioso observar que se trata de un tema legendario, sea cual sea su fundamento histórico, que recogen todas las Crónicas generales medievales, que vuelve de nuevo a interesar tras la publicación de la *Historia de España* del padre Mariana en 1601, y que en un cuarto de siglo reaparece en el canto XIX de la *Jerusalén conquistada* (1609) de Lope de Vega, en la comedia del mismo Lope *Las paces de los reyes y judía de Toledo*, anterior a 1617, y que, según Morley, es probablemente de 1610-1612, en *La desgraciada Raquel* (1625) de Mira de Amescua, en el poema *La Raquel* de Luis de Ulloa y Pereyra, publicado en 1650, pero acaso anterior a 1625, aparte de *La judía de Toledo* de Diamante, anterior a 1667, que es un plagio de *La desgraciada Raquel*, de Amescua, más que una refundición. Esta lista demuestra que se trata de un tema muy grato a los historiadores, poetas y dramaturgos de los 25 primeros años del siglo XVII. La elección del asunto por García de la Huerta enlaza, pues, con el gusto de siglo y medio antes.

Leandro Fernández de Moratín dice de la *Raquel* de Huerta: «Siguiendo el mismo plan de *La judía de Toledo*, de don Juan Bautista Diamante, no acertó a regularizarle sin añadirle graves defectos». No es cierto, desde luego, que Huerta siguiera el mismo plan de Diamante, ya que incluso se aparta bastante de él; pero además hay que añadir que tuvo muy en cuenta el poema de Ulloa. Aunque Moratín no analiza esos graves defectos que dice haber añadido Huerta al plan de Diamante, creo que apunta a las relaciones que hay entre su tragedia y las comedias barrocas. [...]

Efectivamente, al mismo tiempo que se respetan las unidades a toda costa y a pesar de alguna inverosimilitud, García de la Huerta puso en su tragedia mucha más acción de la que es pertinente en una tragedia clásica, redujo al mínimo posible las relaciones y las escenas sin movimiento, dio un carácter épico a algunas relaciones expositivas y utilizó en abundancia recursos melodramáticos. Algunos caracteres de su tragedia están bastante bien estudiados; pero en ellos casi todo es externo; apenas si se profundiza en el análisis, salvo en el caso de Raquel, que con su mezcla de soberbia, orgullo, amor verdadero, ambición, compromiso con su pueblo judío, miedo y ternura, era un gran carácter trágico. Los demás, sin embargo, son cada uno prototipo de un determinado rasgo de carácter, sin que se llegue a ninguna complejidad psicológica. Incluso Huerta exagera ese rasgo: Hernán García será la franqueza y la generosidad, Alvar Fáñez la intransigencia, Garcerán Manrique la adulación, el rey Alfonso la insensatez política y la indecisión, Rubén la ambición del cerebro gris. Este último personaje, creación de Huerta, tiene mucha importancia estructural: una Raquel que decidiera por sí misma, llena de soberbia y ambición, víctima de los nobles castellanos tanto como de su amor y su orgullo, hubiera sido muy clásica, pero poco española. Huerta la coloca junto a Rubén, y es a éste al que hace responsable de sus más imprudentes decisiones, al que presenta con rasgos que le hacen odioso, el que será responsable de la muerte de Raquel, porque hasta el puñal asesino no va a manejarlo ningún noble castellano sino el vil judío, lo que a su vez permitirá al dramaturgo que Alfonso, con el mismo puñal (tópico frecuente), vengue en el asesino la sangre de su amada.

Con todo esto la *Raquel* tenía la apariencia de tragedia clásica, pero era en el fondo muy española y enlazaba muy visiblemente con nuestro teatro barroco. Por ello molestó a los que hacia 1780 estaban ya más acá del rococó, pero agradó a los espectadores tanto que, según parece, su éxito fue pocas veces igualado en los teatros españoles del siglo XVIII.

Ivy L. McClelland

RAQUEL, DRAMA HISTÓRICO RACIONAL

En 1778 la insulsez del panorama teatral se vio aliviada por el estreno en Madrid de la *Raquel* de García de la Huerta, que llama poderosamente la atención en medio de la mediocridad general. Teniendo en cuenta este acierto, las rarezas de Huerta, su actitud irri-

I. L. McClelland, *Spanish drama of pathos, 1750-1808*, Liverpool University Press, Liverpool, 1970, pp. 196-216.

tantemente quisquillosa, el escaso valor de su obra en otros campos, han sido inconvenientes que la posteridad ha tendido a perdonarle. Porque, si como teórico y crítico fue disparatado, obtuso, intolerante y agresivo, como traductor no salió de la medianía y como poeta lírico se mostró inferior a Nicolás Moratín, como autor de la *Raquel* fue el único trágico español de su siglo que supo manejar estéticamente los sentimientos humanos.

Su acierto se debió fundamentalmente a una intuición dramática al parecer más tarde silenciada por su incansable actividad como polemista. Pero la *Raquel* fue también el resultado de dos esfuerzos diferentes armonizados en una notable coherencia artística. En primer lugar, dando muestras de muy buen criterio, Huerta estudió los procedimientos de la comedia heroica nacional. Y a la luz de esta tradición, eligió un asunto de la historia española recurriendo a una fuente también española, la *Primera crónica general*. Sin duda tuvo también muy en cuenta varios dramas españoles famosos del mismo tema que su *Raquel*, además del poema *La Raquel* de Luis de Ulloa, cuya emoción lírica parece haber inspirado la atmósfera dramática de su propia obra. Por otra parte estudió las reglas, que ahora aplicó con provecho, aunque en su *Theatro hespañol* de 1785 las describiría como «esas rígidas normas puramente convencionales», y la estructura interna racional del teatro volteriano, que explica la comprensión práctica de los personajes de *Zaïre* e introduce ideas modernas en las mentes de sus seres de ficción. *Raquel* hunde sus raíces en la tradición nacional, pero si Huerta debe concretamente algo a algún otro autor, éste no puede ser más que Voltaire.

Este asunto nacional, que se desarrolla con una habilidad técnica y una fuerza emotiva aprendidas en el teatro español en su época de apogeo, se mezcla con una nueva corriente racional comparable a la de *Zaïre*. La mentalidad de los personajes es notablemente moderna. El problema emocional, que podría resumirse en el verso: «Hélas! et je t'adore, et t'aimer est un crime!», se trata de una manera nueva. A Huerta le hubiese sido fácil seguir también la ideología tradicional, como Nicolás Moratín, y abordar los conflictos de sus personajes ajustándose a la norma del «pundonor» estático. En su época, una obra concebida de este modo hubiese podido tener el mismo éxito. Pero la novedad de la *Raquel* estriba en la capacidad de sus personajes para pensar, como personas inteligentes en circunstancias similares hubieran podido pensar en el siglo XVIII, y en la impresión que dan a menudo de hablar a partir de una experiencia asimilada. Al lado de los adolescentes histéricos de *Hormesinda*, nos parecen personas adultas.

Otra característica importante es la serena intensidad del drama, que se debe en parte al sentido de fuerza dramática que tenía Huerta, y en parte también al estudio que había hecho de las reglas. Al igual que Montiano y Moratín, cultivó la alta tragedia pensando en la gloria de su patria, imponiéndose voluntariamente la estricta observancia de las reglas, según dice su editor, Sancha, quien a continuación nos explica que los escrúpulos del dramaturgo en este aspecto superaron a los escrúpulos de los franceses, ya que se había vedado a sí mismo la inofensiva ventaja de aprovechar los entreactos, tiempo durante el cual es permisible suponer que transcurre el intervalo de unas cuantas horas, o que puede ser usado por el autor para pasar de un aspecto de la trama a otro. La *Raquel*, para la gloria del país, tenía que ser en tiempo y en acción una tragedia que se ajustase a la vida. El límite de doce o de veinticuatro horas se reduce al tiempo mismo que se requiere para la representación. Además, el dramaturgo excluye al gracioso, elige el sobrio verso endecasílabo y adapta a las exigencias neoclásicas el número de los personajes y el movimiento argumental. Y es grato tener que decir que el país en esta ocasión supo reconocer tales méritos sin el menor regateo. La *Raquel*, con su fuerza interior que procedía de la tradición, y su disciplina externa imitada del extranjero, fue en realidad lo más parecido que se dio en España al *Cato* [de Addison].

Pero Huerta, alardeando de vencer dificultades innecesarias, se dedicaba también a representar una comedia. Fueran cuales fuesen los principios que adoptase, tendía a seguirlos hasta la excentricidad, convirtiéndose así demasiado a menudo en un hombre embarazoso para sus amigos y colegas. Ahora, para mayor honra de su patria, Huerta, el buen patriota y el mal teórico, se disponía a demostrar que un español podía superar a un francés en su propio terreno. Era el mismo tipo de entusiasmo desbordado que más tarde le empujó a expresar su ardiente amor por las antiguas comedias y a difundirlas por el extranjero publicando una recopilación supuestamente representativa de ellas, aunque omitiendo obras nada menos que de Lope, Tirso, Alarcón y Mira de Amescua, porque, según su peregrina lógica, podrían dar a los extranjeros una impresión equivocada de la disciplina española. Su actitud respecto a las unidades podría llamarse «ocasional», mientras que la opinión de su editor acerca del asunto se resume en el adjetivo «decantadas», lo cual alude en parte a la impaciencia de la mayoría de los españoles por una organización coherente, y en parte no es más que un homenaje a la magnánima tolerancia de Huerta. En este caso el cumplimiento de las unidades es demasiado estricto dado el argumento. Huerta se expone a la crítica que tan a menudo se hizo a los neoclásicos en el sentido de que la densidad de la trama es demasiado grande para el tiempo que se atribuye. No obstante, la relativa liberación de la acción física contribuyó a orientar su energía hacia adentro. La obra exigía al público que comprendiera que en la tragedia humana hay algo más que acción exterior. Hizo que lo esencial correspondiese a lo más propio de la alta tragedia: los motivos complejos y las complejas situaciones de los personajes. La muerte de Raquel es el resultado lógico de una pasión ciega lógicamente desarrollada; una pasión que no es más ni menos ciega de lo que son las pasiones en la vida real. Que la voluntad de un rey pudiese verse contrarrestada por el amor que siente por una hermosa mujer era una idea que en sí misma no era nueva. Pero el dramaturgo rompe con las convenciones al mostrar que la pasión de Alfonso es algo más que una conveniencia poética, que la tragedia implica algo más que un choque accidental entre inclinaciones personales e intereses de estado. Huerta consigue convencernos de que fueron las cualidades humanas de Raquel las que la hicieron necesaria para el soberano. Sus maduros amores son más sutiles que los amores teatrales y de convención que exasperaban a Nipho. Es un sentimiento que implica compañerismo y que es inteligente, algo que recuerda el amor de Celia y de Enrico en *El condenado por desconfiado*, y durante la obra revela una gran intensidad vital.

Así, pues, los encontrados sentimientos de Alfonso, a pesar, o, más probablemente, a causa de sus esfuerzos por supeditar los intereses personales a los intereses del estado, de un modo que parece natural y realista escapan a su dominio. Dentro del limitado espacio de Toledo, levanta contra sí una oposición cada vez mayor, tanto pública como particular. Y esta tensión nerviosa tiene que desembocar en el desastre. Toda la fuerza dramática descansa en la idea del apremio; el apremio de la creciente indignación opuesta al apremio de la mutua exigencia de los enamorados; una tensión que impregna la atmósfera y que puede hacer que en la vida real un hombre fuerte pierda los estribos o que una nación declare la guerra. Posiblemente, el rasgo más acertado de la situación psicológica, que resulta más importante aun que las vicisitudes argumentales, es el hecho de que Alfonso no advierte que no sólo está ciego a las convenciones y a las necesidades de sus súbditos, sino que su falta de interés revela de un modo más claro su enamoramiento que si lo expresase con palabras o con acciones. Si un hombre se muestra indiferente ante todo, ello atrae la atención general. No puede interesarse por un asunto privado sin suscitar una extrañeza en el ambiente. Su desgana deja tras de sí una negación activa que afecta a sus relaciones con los demás. La pérdida de un interés personal crea una fuerza activa. Nada es más manifiesto que una ausencia, como Huerta comprendió intuitivamente. Ahí estriba la fuerza artística de la *Raquel*. El dramaturgo no da por supuesta la pasión. Trata de mostrarnos de qué está hecha. Está menos interesado por el artificio que por la humanidad. Atribuye el desastre sobre todo a las inquietas fuerzas que concurren en una negación, el fruto de lo que no se dice. [...]

Una de las mejores cualidades de los antiguos maestros españoles era su sensibilidad para la emoción dramática. Raro fue el dramaturgo neoclásico de cualquier linaje cuya manera de tratar la emoción pareciese natural. Ni siquiera Racine poseía el don de plasmar la tensión nerviosa. Sin embargo, sus maestros, los griegos, habían dominado el arte de atraer la atención del público hacia un momento crítico, un momento conflictivo en el que el tiempo parece detenerse, como ocurre en circunstancias en las que la tensión es anormalmente fuerte y en las que de la decisión de un instante depende toda una vida. Cultivaban el arte de la insinuación nerviosa; su sobriedad exterior hacía aún más intenso el profundo sentido de lo inminente. En los clasicistas franceses, un tratamiento del tiempo demasiado lógico puede impedir que cualquier mención de él contribuya a la tensión dramática. En el extremo opuesto, muchos trágicos del Siglo de Oro tenían en vilo al público de una manera incesante, o alternaban desconcertantemente la enorme celeridad de la acción dramática con la calma de los intervalos reflexivos. Dice mucho en favor de la habilidad natural de esos dramaturgos el hecho de que el público se divirtiese tanto cuando Lope retarda indefinidamente la acción como cuando la acelera de un modo imprevisto. Pero algunos de sus sucesores prestaron deliberadamente una atención mucho mayor a la coordinación de movimiento y emoción, y

Huerta, en sus modestos recursos, había heredado su aguda conciencia del factor tiempo.

Así vemos cómo en el acto II la confidenta de Raquel le recuerda que si quiere reconquistar a Alfonso tiene que darse prisa, ya que el tiempo de que dispone para restablecer su influencia se está agotando. A medida que la obra alcanza su clímax en el acto tercero, cuando el clamor del pueblo pide su sangre; después de que el consejo haya acordado que a la primera ocasión que se presente ha de ser desterrada; y tras de que Raquel ha visto temerosa cómo Alfonso, su único protector, según ella cree, sale a cazar, el castillo es atacado y todas las decisiones tienen que tomarse sin pérdida de tiempo. Es entonces cuando, en momentos tan críticos, Raquel se enfrenta a García, y juzgándole enemigo suyo discute apasionadamente con él siendo muy consciente de que no queda tiempo para discutir, y de que cada momento desperdiciado puede ser fatal.

Esta es una obra de la que los reformadores podían decir justificadamente que se beneficiaba de las unidades de tiempo y acción. De vez en cuando la impresión de disciplina resulta estropeada por estallidos melodramáticos; por ejemplo, el ofrecimiento de sus vidas, en el acto primero, en escenas consecutivas, a cargo de Alfonso, Raquel y García, como una prueba de lo que estaban dispuestos a hacer para demostrar su lealtad. Se trata de antiguos rasgos heroicos a los que el autor no supo resistirse. Pero en conjunto hace que la acción se desarrolle de un modo sobrio, y el sentido dramático del español y su instintiva habilidad escénica quedan reforzados. El aliciente fundamental de la obra es que Alfonso y Raquel son casi siempre seres muy humanos. Son lo suficientemente complejos como para tener interés humano, demasiado complejos tal vez para el gusto de los nuevos clasicistas, que tenían una visión arqueológica de los griegos. En consecuencia, debido a que los personajes principales tienen vida, sus conflictos emotivos se desarrollan realísticamente desde su interior, y el efectista recurso teatral de aumentar la tensión recurriendo al murmullo amenazador de la inquieta muchedumbre y a las constantes alusiones al apremio popular, no es algo necesario en el desarrollo del argumento, sino un golpe final de carácter artístico que Huerta hubiera podido aprender de sus maestros españoles o de Voltaire, quien lo aprendió de Shakespeare. Lo que tiene más valor artístico es la influencia de esta multitud en el momento culminante, porque ha sido algo que ha estado latente en la obra desde el principio. Las alusiones a la agitación del pueblo y a la tensión política tienen en este aspecto el relieve justo para que el público las recuerde, y para que, cuando se produzca finalmente el motín popular, no dé la impresión de que es un recurso arbitrado artificialmente.

El drama, pues, por su tratamiento realista del tema del amor, y la oposición presentada de un modo no menos realista, a la impropia pasión del monarca, por la dignidad, contención y tensión natural con que se desarrolla la mayor parte de la acción, y por el genuino sentido teatral del dramaturgo, la fluidez de sus diálogos y su habilidad poética, aunque no hubiese tenido ningún mérito más, todo eso hubiera bastado para merecer el aplauso de los contemporáneos y el respeto de la posteridad. Pero la *Raquel*, a pesar de ser un drama de historia nacional, se encuentra extrañamente inserto en las ideas del siglo XVIII. Por esta razón representa, no una momentánea revitalización del Siglo de Oro, sino un logro del siglo XVIII.

Tal inserción, aunque pertenezca al pensamiento del siglo XVIII en general, evidentemente estaba inspirada de un modo concreto en el atento estudio que había hecho Huerta del teatro de Voltaire, y para ser más precisos, en la famosa *Zaïre*, obra que Huerta tradujo y llevó a la escena en 1784. No obstante, la argumentación al modo de Voltaire que da a la *Raquel* su tonalidad moderna, nunca es servil y raras veces contiene ecos verbales suyos. La imaginación creadora de Huerta necesitaba muy pocos estímulos exteriores. Lo que le había impresionado en *Zaïre*, de hecho, lo que había impresionado a todo el mundillo teatral europeo, era la racionalización, frente a unos principios aceptados, del amor entre cristianos e infieles, el europeo convencionalmente civilizado y la impenetrable oriental; el tratamiento imparcial de puntos de vista opuestos; unos personajes que son conscientes de las reacciones que provocan en los demás. Los personajes de Huerta, a pesar de su grandiosidad, no son arrebatados de este mundo, como sus predecesores del Siglo de Oro, en alas de la fantasía lírica. Están obligados a hacer afirmaciones prácticas y a tener en cuenta la política. Sus mentes dubitativas, al estilo del siglo XVIII, funcionan por medio de mecanismos inteligibles.

Alfonso y Raquel son intelectualmente semejantes. Son capaces de pensar por sí mismos y de entender el punto de vista del otro. En general, se comportan racionalmente, evitando el melodrama, las efusiones y el sentimentalismo. En vez de usar el diálogo para enfrentarse el uno al otro, se aprovechan de unos coloquios privados para dar y recibir explicaciones necesarias, para discutir y comprender las ideas del otro. Raquel es una mujer emotiva, pero de mente sólida, nunca irrazonable ni coqueta, que sólo recurre a las armas de la mujer cuando comprende que la voluntad de un hombre empeorará las cosas, y aun entonces matiza. Alfonso no tiene una cabeza tan firme, pero es un hombre y no un muñeco. Su amor está planteado de una manera realista, no idealizado pintorescamente. Es más sutil que poético. El espíritu de la edad de la razón impregnó los personajes de Huerta de sentido práctico.

René Andioc

LA *RAQUEL* DE HUERTA Y EL ANTIABSOLUTISMO

La *Raquel* de Vicente García de la Huerta, estrenada en Madrid en diciembre de 1778, se representó por primera vez en Orán el 22 de enero de 1772 durante el destierro del autor en aquel presidio. En un proyecto anónimo de reforma teatral dirigido al corregidor Armona unos años después del estreno madrileño de la obra se afirma que «la *Raquel* de nuestro García de la Huerta, cuio mérito hará en nuestra península eterna su memoria, sabemos de su boca que le mereció seis años de incesante desvelo»; si se trata de un testimonio fidedigno —y debe de serlo si se tiene en cuenta la personalidad del destinatario del proyecto—, la tragedia se empezó a redactar por lo tanto en 1766, año del motín de Esquilache. Los testimonios de otros contemporáneos, Moratín hijo, Napoli-Signorelli, pecan de imprecisos en lo que a la fecha de la redacción se refiere; en cambio, el hijo del gobernador de la plaza de Orán, Eugenio de Alvarado, escribe que «fue compuesta por don Vivente García de la Huerta *que a la sazón se hallaba en Orán*»; es de creer, pues, que don Vicente empezaría a idear su obra a raíz de los acontecimientos de

René Andioc, *Teatro y sociedad en el Madrid del siglo XVIII*, Castalia-Fundación March, Madrid, 1976, pp. 259-300 (259-263, 275-276, 289 y 299-300).

1766, concluyéndola poco antes de estrenarla en la ciudad africana. Como quiera que fuese, la hipótesis harto improbable de la anterioridad de *Raquel* con relación a los referidos disturbios no impediría observar la correspondencia casi total que ofrecen las ideas políticas expresadas por los ricoshombres toledanos de la tragedia con las que profesan las proclamas y pasquines sediciosos de Madrid durante los sucesos de marzo de 1766 o los relatos de la época favorables a la oposición.

Además la eventualidad de una revuelta popular tenía preocupada a la gente desde hacía largo tiempo, tanto en los ·medios oficiales de la capital como en provincias, donde se hablaba del próximo levantamiento del pueblo madrileño; por otra parte, la utilización de los desórdenes por una fracción de la aristocracia supone una previa actitud de recelo que se fortaleció en los primeros meses del reinado de Carlos III, así como una relativa determinación a cambiar el régimen por la fuerza en caso de necesidad; los relatos favorables al levantamiento· —poco importa en este caso su grado de objetividad— reflejan una ideología inconfundible que también impregna a *Raquel*. No pretendemos, ocioso es decirlo, convertir a la *Raquel* en una simple trasposición escénica del motín; la anterioridad del tema dramático de la judía de Toledo bastaría, si fuera necesario, para no dejarnos incurrir en tal interpretación empobrecedora. No por ello es menos cierto que, como trataremos de demostrarlo, su verdadero sentido queda puesto en evidencia si se la reinserta en las circunstancias que rodearon su nacimiento, a saber, la coyuntura política de los primeros años del reinado de Carlos III y, sobre todo, la crisis de marzo de 1766 en la que desemboca naturalmente dicha coyuntura.

Es fácil observar que, a pesar del título, el personaje más importante, como lo destacaron varios críticos, es Hernán García de Castro, el cual se opone a la vez a Garcerán Manrique, a Raquel, y en cierta medida, al final de la obra, a Alvar Fáñez. Si en *Las paces de. los reyes y judía de Toledo*, de Lope, no hay una oposición tan clara entre partidarios y adversarios de la actitud real, sí se da en cambio en las octavas de *La Raquel*, de Luis de Ulloa, y en *La judía de. Toledo*, de Diamante, inspirada en el poema anterior, que son las fuentes más evidentes de Huerta; pero puede afirmarse que a pesar del sello más marcadamente político de las dos últimas obras citadas, es en la *Raquel* de don Vicente donde los personajes principales se hallan más claramente caracterizados desde un punto de vista ideológico y donde el problema político se plantea, si bien no por primera vez, al menos de una manera muy precisa y con las particularidades que ofrece en el siglo XVIII. Y el triunfo completo de Hernán García de Castro en la última jornada subraya la ejemplaridad de la doctrina que defiende desde el principio hasta el final de la tragedia. Además, si en la comedia de Diamante el rey, al caer el telón, resuelve ir a castigar a los nobles asesinos de su amada, en la obra de Huerta, por el contrario, renuncia a la venganza, al menos cuando el «santo cielo» se digna inspirarle, y el perdón que otorga a sus vasallos equivale a una aceptación. No sólo reconoce en varias ocasiones la lealtad de García, sino que la peor enemiga de éste, la misma Raquel, declara antes de expirar: «Sólo Hernando es leal». Además, Garcerán Manrique, el ricohombre que más se opone a García en nombre del acatamiento al poder omnímodo, llega a tener conciencia de su ignominia («Corrido estoy»). El desenlace de *Raquel* es, pues, el triunfo de la idea de la monarquía tal como la concibe Hernán García, esto es, el mismo autor, una idea de carácter claramente aristocrático y antiabsolutista, según veremos. Es además sintomático que el problema político se plantee detenidamente desde el principio de la obra por dos personajes que simbolizan dos actitudes antagónicas en la nobleza, tanto más cuanto que toda la jornada primera es enteramente original, siendo únicamente la segunda la que coincide aproximadamente con el principio de la acción en el poema de Ulloa y la comedia de Diamante. De manera que las fuentes históricas o histórico-legendarias y literarias no bastan para explicar la aparición de la tragedia de Huerta; ésta cobra su plena significación al ser relacionada con las luchas político-ideológicas de los años sesenta a las que dieron origen las medidas tomadas por el nuevo rey y sus ministros.

¿Qué representa socialmente Hernán García? Es, como Garcerán y Álvar Fáñez, un ricohombre, es decir, un individuo de la más alta nobleza española anterior a la entronización de los Austrias —el título seguía usándose en Aragón en el XVIII; así ocurría, por ejemplo, con el conde de Aranda, quien se trasladó de Valencia a Madrid para controlar la situación generada por los desórdenes de marzo de 1766—, lo que confirma la expresión «Godos capacetes» utilizada por García para designar a sus iguales, de quienes se dice portavoz; se trata, pues, de la primera nobleza («los primeros del reino», según García) y de una nobleza guerrera; Hernán García recordará a Alfonso VIII su pasado de conquistador, el de Jerusalén y Las Navas, opuesto al presente en que reinan la desidia y la molicie. Su mayor timbre de gloria, según dice a Raquel, consiste en pertenecer a esa categoría de vasallos «... que su sangre ilustre / en defensa de

Alfonso desperdician, / aquellos que en sangrientos caracteres / de heridas por su nombre recibidas / llevan la executoria de sus hechos / sobre el noble papel del pecho escrita».

Una observación se impone naturalmente: dado que un personaje que representa indudablemente las ideas políticas del autor expone y discute en esta obra ideas políticas, no se debe esperar una exposición objetiva del pro y del contra. Huerta ha tomado partido por una teoría, que es la que defiende García; es comprensible, pues, que la teoría antagónica resulte deformada. El punto de vista bajo el cual se nos presenta al adversario de García, y por lo tanto, del autor, es el punto de vista de éste, aristocrático y antiabsolutista; es decir, que García no ha de juzgar la actitud de Garcerán Manrique de manera objetiva, sino en función de sus propios prejuicios, o sea, de los prejuicios políticos de la alta aristocracia, cuyo punto de vista comparte. El ignorarlo nos llevaría a una interpretación errónea de la doctrina de Manrique; se tratará, pues, de una crítica parcial en ambos sentidos de la voz: se resaltará aquello que en la fracción antagónica de la nobleza, simbolizada por Manrique, se opone aparentemente a la actitud antiabsolutista tal como la representa García. En la medida en que reacciona contra un sistema de gobierno que merma los privilegios, considerados intangibles, de su clase, en la medida en que dichos privilegios constituyen para él una adquisición definitiva cuya legalidad no cabe discutir, si bien en este caso se la discute, García tampoco formulará clara ni positivamente el programa cuya aplicación reivindica; se destacarán esencialmente los aspectos negativos del «reinado» de la judía, y sus consecuencias perjudiciales en primer lugar para la aristocracia serán rápidamente extendidas a todo el reino por el portavoz de una clase que no consiente la más mínima representatividad al resto del país, en cuya mentalidad influye por otra parte, y que por lo tanto se identifica con la totalidad de los españoles, mejor dicho, de los «Castellanos».

De manera que el pueblo, «la plebe infeliz sacrificada», será considerada por García como la otra víctima de Raquel, para crear así la unanimidad en la oposición, unanimidad que los hechos parecen evidenciar más adelante. [...] Nos explicamos ahora por qué García plantea también el problema en el marco de la moral política, y, en sus discusiones con Garcerán, lo centra en torno a la lealtad: él es el *buen* vasallo, y Garcerán el *malo* (de ahí la vergüenza que éste llegará a sentir). Raquel se nos presenta desde el comienzo de la obra mediante un conjunto de epítetos más o menos sinónimos que la pintan como el vicio personificado, mientras que en el transcurso de la representación su actitud dista mucho de confirmar tales premisas. El hecho de trasponer al plano de la moral cualquier intento de innovación política caracteriza inequívocamente la actitud de una clase dominante que se siente amenazada en su poder y justifica con su propia moral el orden social que ha establecido en provecho exclusivo suyo; el que se opone a él se excluye de la sociedad y por lo mismo aparece como inmoral. Es lo que ocurre con Raquel —que no sólo es calificada de prostituta, sino cuyas medidas de gobierno, se nos dice, las inspira la ambición, la «avaricia» y la «codicia»—, y, en menor grado, con Manrique, el cual siente un arrepentimiento tardío pero sincero que contribuye a enaltecer la gloria de Hernán García de Castro.

[Existen algunas analogías entre los acontecimientos descritos en la obra y los sucesos de marzo de 1766.] De «tirano advenedizo, opuesto al Rey, a la Nación y a la Iglesia Católica» tratan al ministro italiano unos «leales vasallos» de 1766, valiéndose de una terminología idéntica a la de las víctimas de Raquel: lealtad al monarca, argumento patriótico y religioso, desprecio de clase hacia los pecheros, elementos todos que figuran en la argumentación de los nobles de la tragedia y en la de los adversarios de Esquilache. Estas son también las características de aquella sociedad secreta en la que sólo podían ingresar los españoles y entre ellos los que se comprometían ante el Santísimo Sacramento a venerar a Carlos III, pedir la cabeza de Esquilache, y, si fuese necesario, a encargarse de hacer justicia. El grito de la muchedumbre en las calles era: «Viva el rey, muera Esquilache»; en *Raquel*, el nombre del ministro se sustituye simplemente por el de la hebrea. Los gritos sediciosos lanzados en la iglesia en presencia de Alfonso recuerdan el proyecto que tenían formado los conspiradores de matar al italiano el jueves santo delante del templo de San Cayetano o de pedir su alejamiento al rey durante el trayecto que éste había de efectuar el mismo día desde el palacio hasta el templo de Santa María. Los castellanos de la tragedia se sublevan mientras Alfonso está entregado «al placer ordinario de la caza», al igual que Carlos III, ocupado el día del motín en la misma diversión en la Casa de Campo; y bien sabido es que el motín de 1766 constó de varias oleadas ofensivas, en particular las del 24 y 25 de marzo, provocada la última por la repentina huida del rey a

Aranjuez, cuyo equivalente dramático lo constituyen en cierto modo las veleidades suicidas de Alfonso.

También destacan el «despotismo» de Esquilache los dirigentes del *Motín Matritense*, las sátiras y relatos de la época desfavorables al ministro, y la carta amenazadora dirigida por «la Nobleza» al duque de Híjar, designado por el corregidor para ir, junto con sus iguales, «a postrarse a los pies del trono, en calidad de rea, pidiendo perdón por excesos que se suponen cometidos por ella, durante su heroico movimiento». La carta agregaba:

Como la *justicia* de éste consta, y la Europa la hará cuando se halle instruida del honor con que se ha *libertado a la Patria del tirano yugo, que sobre sus nobles hombros había puesto el despotismo de los extraños*, se tiene por inútil, y aun indecoroso un paso tan ajeno al carácter y honor de un pueblo, de cuya *lealtad* y aclamaciones ha tenido el soberano la bondad de darse públicamente ,por satisfecho...

Lo firmaba «por la Nobleza de Madrid / el Ilustre tribuno de ella», lo que no deja de evocar, con bastante vaguedad por cierto, al igual que el «S.P.Q. Madritensis» de otro papel, a la república patricia romana que fue pereciendo a manos de la tiranía. [...]

En resumen, pues, la aristocracia es indispensable a la monarquía: asegurando el pleno ejercicio del poder por el príncipe contra las usurpaciones de los consejeros, le escuda contra los excesos del pueblo, y por otra parte protege al pueblo contra los excesos del poder. Naturalmente, sólo puede asumir esa doble función a cambio del pleno goce de sus privilegios; puesto que la pérdida o la merma de éstos se traduce en desorden, subversión, anarquía, resulta que la aristocracia se confunde con un orden social inmutable, del que es, por otra parte, principal beneficiaria. El «liberalismo» aristocrático es un liberalismo hacia atrás, vuelto hacia el pasado; es la capa con que se encubre un conservadurismo intransigente.

[García de la Huerta,] eligiendo «uno de los hechos más vulgarizados en nuestros Anales y Memorias, y repetidas veces puesto en el Theatro por nuestros ingenios», se enfrenta voluntariamente con las mayores dificultades: sustituye por tres jornadas los cinco actos de las poéticas renunciando por lo tanto a los cuatro entreactos que permiten «suponer acciones que dan facilidad increíble a los Poetas», y no obstante, la acción no sufre ninguna interrupción, siguiendo por el contrario una línea continua desde el principio hasta el final de la tragedia. [...] Es, pues, una hazaña literaria particularmente gloriosa, pues se cumple contra la íntima convicción del poeta, y muy análoga, en cierto modo, a la hazaña política de Hernán García. No puede seguirse afirmando por lo tanto que nacionalizó la tragedia clásica; lo que sí hizo —y es radicalmente distinto— fue regularizar en la composición la comedia heroica, y por mejor decir, aplicar a un contenido ideológico mucho más sólido y definido que el de las populares comedias heroicas algunos elementos de una forma que no le era consustancial pero que en este caso le permitieron ceñirse a lo esencial, que era la ilustración de una *tesis* mediante un enredo y unos caracteres apropiados. «Esto es —dice Cotarelo [1897]— lo único que tiene de clásico esta composición: la armazón, el esqueleto. En todo lo demás, argumento, ideas, sentimientos, caracteres, versificación, es indígena, es un drama del siglo XVII», lo cual equivale a afirmar, olvidándose de la tradición grecolatina y de parte de los intentos dramáticos del XVI, que lo clásico es extranjero y ajeno al «casticismo», lo que Huerta no hubiera desmentido al parecer. «Drama del siglo XVII», tal vez, en la medida en que expresa una ideología conservadora, pero que sólo podía escribirse en el XVIII y en determinadas condiciones, pues además no suena exactamente como una de las comedias áureas que seguían representándose en la época de Huerta.

6. EL PADRE ISLA

Ya he expuesto anteriormente (cap. 2) el problema que se le plantea al historiador de la literatura a la hora de tratar del género narrativo en el siglo XVIII. Si este género fue bastante pobre en cuanto a obras nuevas, es posible que no lo haya sido tanto en cuanto a reediciones de novelas del siglo XVII y algunas del XVI, aparte las diversas traducciones, especialmente en el segundo XVIII. Con todo ello pretendo decir que la aparición del padre Isla no es tan oasis en un desierto como tiende a creerse. Lo que sí nos ocurre es que faltos de catálogos adecuados, apenas podemos darnos cuenta del ambiente narrativo en el que vive nuestro jesuita y que lógicamente condicionó su *Fray Gerundio de Campazas* (1758); como tampoco nos es posible determinar con exactitud las innovaciones que realmente aporta.

De todas formas, a mediados del siglo es José Francisco de Isla (1703-1781) el creador de la narrativa más interesante de la época. De familia hidalga, entró de novicio en la Compañía de Jesús a los 16 años en Villagarcía de Campos y estudió en Salamanca, donde tuvo como maestro al jesuita Luis de Losada y probablemente en matemáticas y ciencias naturales a algún jesuita extranjero. Sus primeros escritos (1726) coinciden con la aparición del tomo I del *Teatro crítico* de Feijoo y son una serie de folletos en defensa del Padre Maestro (véase Caso González-Cerra Suárez [1981], *cit.* en el cap. 1). En 1727 escribe en colaboración con Losada *La juventud triunfante*, relato un tanto burlesco y satírico de las fiestas celebradas en Salamanca con motivo de la canonización de san Luis Gonzaga y san Estanislao de Kostka. Ejerce de profesor de filosofía y teología de 1727 a 1754 en Medina del Campo, Segovia, Santiago, Pamplona, San Sebastián y Valladolid. Durante su estancia en Pamplona, en 1746, publica *El triunfo del amor y de la lealtad, día grande de Navarra*. En 1754 empieza a escribir el *Fray Gerundio de Campazas*, en Villagarcía de Campos, obra para la que había recogido ya abundantes materiales y cuya primera parte publica en 1758, con un gran éxito de lectores; era natural que le salieran contradictores y éstos consiguieron que la Inquisición, un mes después de haber aparecido la novela, suspendiera la impresión «hasta nueva orden», prohibiéndola por fin el 10 de mayo de 1760. La segunda parte se editó clandestinamente en 1768, acaso en el extranjero, y también fue prohibida por la Inquisición en 1776. El decreto de expulsión de los jesuitas de 31 de marzo de 1767 alcanzó a Isla en Pontevedra, a cuyo colegio había pasado en 1761. En el viaje a El Ferrol le dio un ataque de parálisis, a pesar de lo cual quiso continuar con sus hermanos de religión. Desde 1768 vivió en Bolonia, salvo un corto destierro en la aldea de Budrio, hasta su muerte en 1781.

Para la biografía del padre Isla sigue siendo muy útil la escrita por Pedro Felipe Monlau [1850] para el tomo de *Obras escogidas* de la BAE; han aportado nuevos datos Alonso Cortés [1936], Eguía Ruiz [1932-1933 y 1948] y García Abad [1969]; además debe tenerse en cuenta el clásico estudio de Tolrá (con el seudónimo José Ignacio de Salas) [1803]. Muy buena síntesis en Sebold [1960].

Isla fue un escritor nacido para el ejercicio de la sátira. Ya las que escribe contra varios contradictores de Feijoo, fundamentalmente en materias médicas y astrológicas (el autor tiene 23 y 24 años) demuestran una gran capacidad para ridiculizar las ideas anticuadas y disparatadas, sin perdonar al hombre. En *La juventud triunfante* se puede ver el primer antecedente del *Fray Gerundio*, cuando se burla de la oratoria sagrada utilizada en la solemne ocasión. Y obsérvese que Isla ridiculiza los actos organizados por la propia Compañía (véase Palmer [1973]). Pero en la línea satírica de nuestro autor tiene más interés la fina ironía de *Triunfo del amor y de la lealtad, día grande de Navarra* (1746). Fue la propia diputación navarra la que encargó a Isla que escribiera una narración de los festejos organizados para la aclamación de Fernando VI. Isla no estuvo presente, pero esto importaba poco. Recibido el original, la diputación dio las gracias al autor y autorizó la publicación de la obra; poco después algunos lectores creyeron que había una sutil burla de la patriotería y el regionalismo navarros, lo que motivó una serie de comentarios contra el autor; la diputación, sin embargo, antes de confesar su error, llenó de elogios al autor, lo que parece incomprensible. Alborg [1972] llega a escribir: «El *Día grande de Navarra* prolonga el mismo espíritu que le había animado a escribir la *Juventud triunfante*, es decir, el mismo deseo de ridiculizar aquellas exhibiciones públicas, con su vana y costosa pompa, en las cuales se derrochaba tanto esfuerzo, tiempo y dinero como mal gusto». Pero parece difícil que Isla aceptara un encargo de la diputación navarra, que se supone le pagaron, para burlarse de Navarra y de los diputados. Me parece que habría que buscar la explicación en otro sentido: es el estilo de la obra el que lleva implícita una aparente burla de personas y de instituciones. Isla recurrió al chiste barroquista, muy en boga entonces en los escritos laudatorios y hasta en los más serios sermones. Y es de ese estilo del que él se burla; los que no han querido entender esto transfieren a las personas citadas lo que es sólo una burla de un estilo semejante al que criticará en el *Fray Gerundio*. Era el estilo que le pedía la propia diputación, y si ésta después de las denuncias aceptó de nuevo el escrito y elogió una vez más al autor, no pudo ser porque no viera la sátira, sino porque comprendía y aceptaba que la sátira iba dirigida al estilo pomposo y retumbante, retórico y afectado, que ellos mismos habían pedido. Si Isla hubiera escrito esta obra por propia iniciativa cabría creer que pretendía ridiculizar a los ilustres personajes que cita; pero no habiendo sido así es impensable la falta de educación y de sindéresis que hubiera significado por su parte aceptar el encargo de un escrito laudatorio y aprovechar la ocasión para burlarse cruelmente de los mismos que le encargaban la obra.

El caso es que Isla venía desde 1726 preparándose inconscientemente para su gran obra, la *Historia del famoso predicador fray Gerundio de Campazas, alias Zotes* (única edición recomendable la de Sebold [1960-1964]). El propósito fundamental de la novela es el de satirizar un tipo de oratoria sagrada que era un resto degenerado de la oratoria barroca que Paravicino había puesto de moda en el siglo anterior. La oratoria sagrada se había transformado·en un ridículo juego retórico, en el que preocupaba más el lucimiento personal del orador que el bien de las almas, al que indudablemente debe ir dirigida toda la actividad del orador sagrado. Y éste buscaba su lucimiento por medio de un estilo encrespado, lleno de metáforas insulsas, de chistes, de equívocos, de agudeza, de erudición clásica o exótica, generalmente de segunda mano, y atiborrada de textos latinos citados a veces por el simple sonido material de las palabras. En el exordio de estos sermones se había introducido la costumbre de tocar las *circunstancias*, esto es, la fecha, el lugar, los nombres, etc., que motivaban la fiesta en la que se predicaba. Un buen ejemplo de este tipo de oratoria sagrada nos lo ofrece el *Florilogio sacro* (1738) de fray Francisco Soto y Marne, el terrible contradictor de Feijoo, libro que acompaña constantemente a Gerundio como libro de cabecera y en el que encuentra los mejores modelos de sus disparatados sermones. Este aspecto de la obra de Isla ha sido el más estudiado. A pesar de su fecha sigue teniendo valor el grueso libro de Gaudeau [1891], entre otras cosas por la cantidad de datos que aporta; Sebold [1960-1964] trata ampliamente este tema en el prólogo y en las abundantes notas. Carvalho [1968] aclara quién fue el «monstruo del púlpito portugués» a quien Isla se refiere, al mismo tiempo que nos ofrece una preciosa muestra de predicación gerundiana. De predicadores navarros, que Isla pudo escuchar en Pamplona, trata Legarda [1955].

El *Fray Gerundio* en tanto que sátira no se agota con el tema· de la predicación. Isla vivía en un ambiente ilustrado, y por ello la educación le preocupaba. En realidad Gerundio es fruto del tipo de educación que ha recibido. Gerundio, hijo de campesinos plebeyos, demuestra desde sus primeros años un ingenio y una inteligencia fuera de lo normal. Pronto se le manda a estudiar las primeras letras con el cojo de Villaornate y después a estudiar gramática, esto es, latinidad, con el dómine Zancas Largas. Isla satiriza los métodos de enseñanza y las materias de que se atiborra la excelente memoria de Gerundio. Más adelante, ya en el convento, el objeto de la sátira será la enseñanza que el estudiante recibe en filosofía y teología, o mejor dicho, la que no recibe, porque Gerundio pronto se inclina por la carrera del púlpito, y para ello consideran él y su nuevo maestro fray Blas, predicador mayor, y hasta los mismos superiores, que aquellos estudios son inútiles. En definitiva, Gerundio es el resultado de una deplorable educación, que empieza con el cojo de Villaornate y termina con las lecciones de fray Blas sobre el modo de predicar. Isla insiste, sin embargo, en las dotes naturales, que hubieran podido hacer de él un hombre muy útil, si su educación hubiera sido otra y si sus maestros no le hubieran inculcado un indudable mal gusto, tomando esta expresión en el sentido de falta de crítica y carencia de recursos intelectuales para discernir lo aceptable de lo no aceptable. Sebold [1960], y antes algún otro crítico, insisten en un planteamiento determinista de Isla. No lo veo así. Creo que Isla intenta demostrar lo contrario, que las cualidades naturales de Gerundio fueron torcidas desde su más tierna infancia, sin que a lo largo del período de estudios pudiera encontrar nada que le desviara de los vicios iniciales. El humilde origen de Gerundio creo que está planteado en otra dirección, y precisamente en relación con la técnica naturalista de Isla: si la Compañía procuraba reclutar sus novicios entre gente distinguida, otras órdenes los reclutaban precisamente entre gente del campo, costumbre que ha seguido hasta tiempos actuales, con las consiguientes zonas de influencia (por cierto, no recuerdo que nadie haya citado a los dominicos como la posible orden a la que perteneciera fray Gerundio, acaso porque Isla despistó con ejemplos que llevan a otras órdenes mendicantes; pero no estaría mal orientar en esa perspectiva alguna investigación, determinando, por ejemplo, los porcentajes de frailes leoneses en las distintas comunidades conventuales).

Este tema de la educación (Isla era, en definitiva, un ilustrado) no ha sido todavía estudiado seriamente, y a mí me parece la base fundamental de toda la crítica del *Fray Gerundio*.

Ligado al tema de la educación está la crítica que hace Isla de los aristotélicos, de la filosofía moderna y del *Verdadero método de estudiar*, de Verney. Isla era un ecléctico en materias filosóficas y científicas, y en estas últimas, un escéptico, especialmente en cuanto a los resultados alcanzados por la ciencia experimental, aunque, a pesar de todo, cree en ella.

Lo que no acepta es el optimismo no bien fundamentado. Otro punto de la ideología de Isla que está necesitando un estudio detallado.

Aunque la sátira de la vida religiosa parezca sólo marginal, en realidad en todo el libro hay un indudable trasfondo contra las órdenes mendicantes, desde el mismo discurso del lego rollizo que acompaña al provincial (I, 10) hasta la buena vida que se dan fray Blas y fray Gerundio fuera del convento, con la bendición del superior, que piensa en lo que traerán a casa a su vuelta, mientras que por lo pronto son dos bocas menos. Isla retrata una vida religiosa sin virtudes religiosas, porque los padres graves que presenta no son modelos, aunque sean irreprensibles.

Este aspecto del *Fray Gerundio* tampoco ha sido analizado con detalle por la crítica moderna. Lo vieron, como parte implicada, una serie de contradictores de Isla en su momento; pero creo que en el fondo de todo el planteamiento hay algo más que una mera oposición de jesuitas, o de un jesuita, a las órdenes mendicantes. Falta también por analizar en serio si el ilustrado Isla no está planteando problemas semejantes a los que encontraremos después en otros muchos ilustrados, incluidos hombres como Jovellanos. Quiero decir, si Isla no estará condenando un tipo de vida religiosa que no se funda en la vocación, ni en el estudio, ni en la práctica de las virtudes, sino en la vida holgazana, con el agravante de ser los religiosos auténticos explotadores del pueblo crédulo, mantenedores conscientes de supersticiones que dejan buenos dineros, y ajenos a la Regla. Acaso la influencia de Feijoo (perteneciente a una orden que en su mayor parte, no en su totalidad, se salvaba de estos reproches) haya sido mucho mayor de lo que se ha supuesto.

Porque en el *Fray Gerundio* hay un tema feijoniano: la crítica de las supersticiones y de la falsa piedad. El cura de Campazas, igual que alguno de los frailes predicadores, son culpables de ciertas supersticiones sobre los difuntos, y también aquí subraya Isla que la causa es la falta de educación. Se critican igualmente los hábitos religiosos que se ponen las mujeres por alguna promesa. Además, a lo largo de toda la obra queda bien claro que la religiosidad de las gentes es puramente superficial. Otro aspecto de la novela que está necesitando un estudio específico. Para la crítica social de Isla téngase en cuenta Palmer [1971].

El *Fray Gerundio* tiene una estructura lineal y muy simple: comienza con el nacimiento de Gerundio y sigue contándonos paso a paso su vida, como si el autor tuviera la única intención de que el lector vaya siguiendo cronológicamente las consecuencias de cada uno de los episodios. Las digresiones de carácter didáctico se intercalan en el episodio a que corresponden, y su estructura es también muy simple: de acuerdo con la doctrina de que el hombre sufre constantemente tentaciones e incitaciones al mal, pero recibe también inspiraciones y avisos para el bien, alternan las lecciones deplorables con las buenas. Gerundio duda entre las unas y las otras, pero su inclinación y la mala educación recibida le arrastran hacia la oratoria degenerada.

En la técnica literaria de Isla hay que poner de relieve su realismo, más que naturalismo, pero junto a un idealismo teórico. Nuestro autor recogió datos de personajes y de sermones criticables antes de retirarse a Villagarcía de Campos para redactar la obra. Los paisajes y las casas tienen el sabor de lo observado directamente; los personajes rústicos se expresan generalmente en su propio dialecto; sus ideas, o su forma de ver el mundo, quieren ser las mismas de las de los personajes reales, hasta en la formulación (sentido común de sus razonamientos, supersticiones y gustos). En este sentido se puede hablar de Isla como de un antecedente de técnicas literarias posteriores. Lo ha puesto muy bien de relieve Sebold [1960]. Pero esto no significa que nuestro autor haya influido en Zola, en Pereda o en Pardo Bazán. Además sería una equivocación ver la técnica de Isla sólo en esa dirección realista o naturalista, porque para él la doctrina estética fundamental es el idealismo, como nos asegura en el «Prólogo con morrión», donde nos explica que su fray Gerundio no es copia directa de un modelo, sino creación suya a la vista de una serie de ejemplares, ninguno de los cuales reunía todas las cualidades de su personaje. En su virtud, el protagonista y otros personajes de la novela son el resultado de una selección de rasgos reales.

Desde el mismo siglo XVIII hasta Sebold, la crítica se ha empeñado en ver el *Fray Gerundio* como una imitación del *Quijote* de Cervantes. No niego la existencia de algunas coincidencias; pero sí creo que es necesario afirmar que cuando Isla relaciona su novela con la de Cervantes, como ha visto bien Sebold, está pensando en el concepto de sátira literaria del *Quijote*, que era la forma habitual de ver entonces la novela cervantina. Si don Miguel había tratado de desterrar la nociva literatura caballeresca, Isla pretendía asestar un golpe de muerte a la oratoria sagrada culterano-conceptista. Pero las relaciones, salvo algunos detalles, no van más allá. El *Quijote* empieza en la edad madura de don Alonso Quijano, el *Fray Gerundio* con el nacimiento de nuestro personaje; el *Quijote* es una novela cerrada, ya que termina con la muerte del protagonista, el *Fray Gerundio*, abierta, puesto que podría tener tercera y cuarta parte; para Isla la base fundamental de todo su planteamiento es la mala educación de Gerundio, Cervantes no se plantea este tema, y si se insinúa es en el sentido contrario; Gerundio no es un loco, sino una consecuencia de la mala educación recibida y de los malos ejemplos (fray Blas), don Quijote es el resultado de dar como verídicos los libros de caballerías que ha leído; don Quijote cree en ese ideal caballeresco, Gerundio sólo piensa en la buena vida que la predicación le va a proporcionar. Son demasiadas diferencias básicas, por lo que hay que dejar las cosas en el sentido que Isla daba a su imitación cervantina.

Las relaciones con la novela picaresca, en las que han insistido una gran cantidad de críticos, y últimamente Sebold [1960] y Alborg [1972], me parecen más circunstanciales y menos defendibles. Las coincidencias que se han señalado pueden tener tanto un origen literario como una base en observaciones directas de Isla, aunque acaso estas últimas pudieran tener una incitación literaria.

Lo que sí está haciendo falta es un estudio en profundidad, ya antes aludido para diversos aspectos, sobre el carácter ilustrado de *Fray Gerundio*. La bibliografía citada, y toda la que podría añadirse, no lo ha puesto suficientemente de relieve. En ese estudio no puede faltar la referencia a la participación de Isla a favor de Feijoo, desde 1726, en el mismo momento en que se desata la polémica contra el *Teatro crítico*.

Tampoco ha sido analizada detalladamente la *Correspondencia familiar* de nuestro jesuita (1786), con importantes adiciones en 1797 en el *Rebusco de las obras literarias ... de Isla*. Entre las cartas publicadas posteriormente cabe señalar el importante epistolario que dio a luz Pérez Picón [1964-1965]. Ha habido autores que han publicado parte de su correspondencia, escrita pensando en su edición; de otros se han perdido prácticamente todas sus cartas familiares; pero el caso de Isla es un tanto especial: corresponsal empedernido, vuelca en sus cartas toda su intimidad, toda su manera de ser; gracias a su entrañable hermana María Francisca (véase Eguía Ruiz [1955] y Pérez de Castro [1960]) se ha conservado la totalidad, o al menos una gran parte, de estos escritos íntimos. Son una auténtica delicia, un vivísimo retrato del hombre extraordinario que era Isla, aparte de un manantial de noticias de todo tipo. Esta correspondencia, la dirigida a su hermana o a su cuñado como la dirigida a otros muchos corresponsales, merece también un estudio detallado.

Cabría recordar de Isla las *Cartas de Juan de la Encina* (1732) (para esta obra véase Gutiérrez Sesma [1964]) y una serie de traducciones, algunas tan famosas como la del *Año cristiano* de Croiset, o la del *Gil Blas de Santillana* de Lesage, que ha motivado curiosos problemas de literatura comparada. En un libro como el presente no parece, sin embargo, que tenga todo esto demasiado interés.

Quiero terminar resumiendo que, a pesar de la fama y el prestigio que Isla ha tenido desde el mismo siglo XVIII, en mi opinión, como he tratado de poner de relieve, es un autor que está pidiendo a gritos estudios muy serios, porque algunas de sus obras todavía no se han analizado debidamente y porque otras, francamente bien estudiadas, todavía requieren análisis muy circunstanciados desde perspectivas que no se han tenido en cuenta. Piénsese además que es un autor clave para entender el cambio cultural: joven avispado y revolucionario en torno a 1726 es treinta años más tarde una auténtica catapulta «ilustrada», que provoca una polémica no semejante a la que provocó Feijoo, pero sí muy centrada en concretos problemas de evolución cultural, y especialmente en torno a cuestiones entonces tan fundamentales como las religiosas.

Precisamente la polémica desatada por *Fray Gerundio*, que tampoco nadie ha analizado en serio, merece un buen estudio, y más cuando prácticamente todos estos escritos están publicados, primero como tercer tomo de *Fray Gerundio* (1787), y después por Monlau [1850], con nuevos escritos. Algún otro inédito posee la Biblioteca del Centro de Estudios del Siglo XVIII. Pero lo poco que queda inédito nada añade de importancia al conjunto conocido. Lo significativo de esta polémica, como de tantas otras, no es la calidad científica o literaria de los escritos, sino el ambiente cultural, religioso y social que se refleja en ellos.

BIBLIOGRAFÍA

Alborg, Juan Luis, *Historia de la literatura española. Siglo XVIII*, Gredos, Madrid, 1972.

Alonso Cortés, Narciso, «Datos genealógicos del padre Isla», en *Boletín de la Real Academia Española*, XXIII (1936), pp. 211-224.

Carvalho, José Adriano, «El *monstruo del púlpito* portugués criticado en el *Fray Gerundio de Campazas*», en *Archivum*, XVIII (1968), pp. 349-376.

Eguía Ruiz, Constancio, «Postrimerías y muerte del padre Isla en Bolonia», en *Razón y Fe*, n.° 100 (1932), pp. 305-321; n.° 101 (1933), pp. 41-61.

—, «El autor de *Fray Gerundio* expulsado de España», en *Hispania*, Madrid, VIII (1948), pp. 434-455.

—, «El padre Isla en Córcega», en *Hispania*, Madrid, VIII (1948), pp. 597-611.

—, «La predilecta hermana del padre Isla y sus cartas inéditas», en *Humanidades*, Comillas, VII (1955), pp. 255-268.

García Abad, A., «Correcciones y nuevos datos sobre la biografía del padre Isla», en *Revista de Literatura*, XXXV (1969), pp. 39-54.

Gaudeau, Bernard, *Les prêcheurs burlesques en Espagne au XVIIIᵉ siècle: étude sur le padre Isla*, París, 1891.

Gutiérrez Sesma, J., «La medicina y los médicos en la vida y en la obra literaria del padre José Francisco Isla», en *Revista de la Universidad de Madrid*, XII (1964), pp. 976-978.

Helman, Edith F., «El padre Isla y Goya», en *Jovellanos y Goya*, Taurus, Madrid, 1970, pp. 203-214.

Legarda, A., «Donostiarras del siglo XVIII vistos desde el púlpito por el padre Isla», en *Boletín de la Sociedad Vascongada de Amigos del País*, XI (1955), pp. 61-73.

Monlau, Pedro Felipe, *Obras escogidas del padre José Francisco de Isla*, Rivadeneira (BAE, XV), Madrid, 1850.

Palmer, J. L., «Elements of social satire in padre Isla's *Fray Gerundio de Campazas*», en *Kentucky Romance Quarterly*, XVIII (1971), pp. 195-205.

—, «*La juventud triunfante* and the origins of padre Isla's satire», en *Hispania*, Wallingford, n.° 56 (1973), pp. 75-80.

Pérez de Castro, José Luis, «Recuerdos y cartas de doña María Francisca de Isla en su solar de Asturias», en *Cuadernos de Estudios Gallegos* (1960), pp. 239-247.

Pérez Picón, C., «El padre Isla vascófilo. Un epistolario inédito», en *Miscelánea Comillas*, XLII (1964), pp. 183-301; XLIII (1965), pp. 342-505.

Polt, John H. R., «The ironic narrator in the novel: Isla», en *Studies in Eighteenth-Century Culture*, IX (1979), pp. 371-385.

Sebold, Russell P., ed., Isla, *Fray Gerundio de Campazas*, Espasa-Calpe (Clásicos Castellanos, 148-151), Madrid, 1960-1964.

Tolrá, Juan José, *Compendio histórico de la vida, carácter moral y literario del célebre padre José Francisco de Isla, con la noticia analítica de sus escritos, por José Ignacio de Salas* (seudónimo), Ibarra, Madrid, 1803.

John H. R. Polt

LA IRONÍA NARRATIVA DEL PADRE ISLA

En el siglo XVIII, cuando los modelos españoles estaban inspirando a los padres de la novela inglesa, los escritores españoles tendían a evitar el cultivo de un género que había nacido en su misma patria. La excepción más notable que tuvo esta actitud fue la del jesuita José Francisco de Isla. [El objeto del presente ensayo es considerar el *Fray Gerundio* no como una sátira ni como un tratado de retórica, sino como una novela, como una narración. Raras veces la crítica ha estudiado así la obra de Isla.] Si, como dice Robert Alter, «la invención narrativa en los novelistas conscientes de la era prenapoleónica es un proceso intelectivo, simultáneamente crítico de su propia operación y de los objetivos no literarios a los que apunta», me propongo demostrar que Isla es uno de esos «novelistas conscientes», y que su actitud crítica no sólo apunta a la retórica gerundiana sino también al mismo vehículo de su propia sátira. Al fin y al cabo, Isla, que hubiera podido satirizar los excesos retóricos e intelectuales de muchas maneras distintas, eligió como medio de su sátira una novela. Su mensaje afecta al mundo real, y a un aspecto del mundo real que era muy importante para él; pero se nos transmite por medio de una ficción, de una historia que es deliberadamente falsa. Isla nunca olvida su papel de inventor de esa falsedad, y tampoco permite que nosotros lo olvidemos.

La historia de fray Gerundio se pone en boca de un narrador que es consciente de su papel como responsable de su relato y que atrae

John H. R. Polt, «The ironic narrator in the novel: Isla», en *Studies in Eighteenth-Century Culture*, IX (1979), pp. 371-386. Las referencias a tomo y página corresponden a la edición de Isla de R. P. Sebold [1960-1964].

nuestra atención hacia la forma de la novela y hacia el novelista. En el prólogo dice de su héroe: «Yo le concebí, yo le parí, yo le ordené, yo le despaché el título de predicador, para todo lo cual tengo la misma autoridad y el mismo poder que para hacerle obispo y papa. Y si no, dime con sinceridad cristiana: [si Platón, Descartes, Copérnico y Fontenelle pueden imaginar mundos enteros,] ¿qué razón habrá divina ni humana para que mi imaginativa no se divierta en fabricarse un padrecito rechoncho, atusado y vivaracho, dándole los empleos que a ella se le antojare y haciéndole predicar a mi placer todo aquello que me pareciere?» (I, 9-10).

En el cuerpo de la novela el narrador se entromete una y otra vez imponiendo su presencia al lector, llamando la atención hacia la narración como artefacto y hacia sí mismo como su hacedor. Así renuncia ostentosamente al uso del plural: «Pero cuando ya no pensaba en eso (ahora comienzo a hablar en singular), ves aquí que me depara la suerte o la desgracia una rara visión» (IV, 252). En otro pasaje leemos: «Con esto dieron la vuelta al lugar, donde sucedió lo que dirá el capítulo siguiente; pero antes de escribirle suplico al lector que tenga un poco de paciencia, porque voy a tomar un polvo» (III, 194). Juzgando que sus lectores querrán saber por qué interrumpe su obra, el narrador afirma: «Tengan por Dios un poco de flema; y déjennos respirar, haciéndose cargo de que no somos de bronce. La memoria sólo nos conturba, los ojos se arrasan, la voz se corta, el pecho se cierra, la garganta se añuda y hasta la pluma misma parece que no quiere dar tinta. Ya hemos tomado un poco de huelgo. Allá va, pues, lo que nos sucedió» (IV, 249). En éstos y otros pasajes similares, el narrador introduce al lector en su propio tiempo y en sus propias experiencias, arrancándole del mundo de su héroe de ficción, y de ese modo lo que hace es socavar la ilusión de su relato.

El narrador no tiene el menor escrúpulo en declarar el dominio que tiene sobre sus personajes. Fray Gerundio se arrodilla en el púlpito para rezar antes de dar comienzo a uno de sus extravagantes sermones. «Así le dejaremos por ahora», dice el narrador, y se dedica a describir la iglesia, hasta que, aproximadamente una página y media más adelante, leemos: «Pero ya es tiempo de que volvamos a nuestro fray Gerundio, que lo tenemos incomodado y puesto de rodillas por más tiempo del que se acostumbra, no sin grande impaciencia suya por tanta detención» (III, 65-66).

Desde luego, un narrador tan deliberado es consciente de la arquitectura de su obra, a la que metafóricamente representa por un edificio cuando alude al «zaguán de la segunda parte de [esta historia]» (III, 5). Llama la atención del lector hacia las divisiones de la novela e incluso sugiere posibles diferencias de parecer acerca de su conveniencia, como cuando nos dice que fray Gerundio «dio principio a su sermón de esta manera. Pero, salvo el parecer mejor y más acertado de nuestros lectores, antes nos parece más conveniente hacer capítulo aparte, porque el presente harto será que no sea muy prolijo» (III, 67). Sin embargo, no menos importante es evitar que el capítulo sea demasiado corto; no debe constar de un solo párrafo, y aparecer así como un «capitulillo de teta o de miñatura» (II, 204). Una alusión al «clérigo de quien íbamos hablando habrá como dos hojas» (IV, 17) también llama nuestra atención hacia el relato en cuanto libro más que en cuanto experiencia. En otro pasaje el narrador nos dice que no necesita copiar uno de los sermones de su héroe porque ya lo ha comentado en un capítulo anterior, aconsejándonos que lo releamos. No obstante, temiendo que algún lector perezoso no esté dispuesto a volver atrás, nos proporciona lo que quiere ser un resumen de lo dicho anteriormente (IV, 125-126). Aquí la ironía es de doble filo: el narrador no sólo llama nuestra atención sobre la estructura de su libro, apartándonos del mundo ficticio que pretende describirnos, sino que además nos engaña, ya que no hay ningún comentario de un sermón de fray Gerundio en el capítulo anterior, y el «resumen» no tiene por lo tanto nada de resumen. Otro engaño al lector aparece en el pasaje en el que se habla del origen del héroe, donde el narrador alimenta deliberadamente nuestras sospechas respecto al nacimiento legítimo de Gerundio, sólo para concluir diciéndonos suavemente, «y que, para que se vea el poco temor de Dios y la mucha malicia con que habían corrido aquellas voces por el pueblo, la buena de la Catanla no parió hasta el tiempo legal y competente» (I, 84).

En *Fray Gerundio* la existencia del narrador es independiente de su narración, pero la existencia de la narración depende del narrador. Éste le va dando forma a medida que avanza y explica lo que está haciendo. Así le vemos intentando replicar irónicamente a la acusación de que el capítulo anterior no contenía lo que había prometido su título. Por una parte, nos dice, sería una lástima no emplear los materiales interesantes que pudieran usarse, sólo para cumplir la temeraria promesa de un título. De otra —y el absurdo de este argumento lo hace irónico en sí mismo— resulta evidente que el capítulo de un libro no es algo más serio que el capítulo de una orden religiosa, y sin embargo ¿con cuánta frecuencia estas solemnes asambleas se apartan de los propósitos que anunciaban? (I, 152-154).

Los títulos de los capítulos también son dignos de que se les preste atención. En muchos de ellos el narrador de Isla establece un irónico contrapunto a, o hace un comentario sobre su propia narración, al tiempo que subvierte irónicamente el objetivo que con toda evidencia se proponían los títulos de los capítulos. Así, un título comenta el desarrollo del relato mientras se niega evasivamente a dar ninguna de las informaciones que habitualmente se esperan de él: «Capítulo II. En que, sin acabar lo que prometió el primero, se trata de otra cosa» (I, 73). Otro se muestra más preocupado por la forma del relato que por su mismo contenido: «Capítulo VI. En que se parte el capítulo quinto, porque ya va largo» (I, 107; cf. II, 91). En algunos títulos de capítulos, de un modo deliberado y a veces lacónico, la información brilla por su ausencia: «Capítulo VII. Lo mismo que el otro» (IV, 124). «Capítulo X. En que se trata de lo que él mismo dirá» (I, 173). «Capítulo I. Donde se pondrá lo que irá saliendo y verá el curioso lector» (III, 3). «Capítulo I. Donde se refiere lo que no se sabe, pero al fin del capítulo se sabrá su contenido» (IV, 193). El título de un capítulo puede consistir incluso en un elogio crítico: «Capítulo IX. Es buena cosa, y merece leerse» (IV, 169).

En contraste con la falta de información de algunos títulos, encontramos otros en los que parece que se nos digan muchas cosas; así, por ejemplo: «Capítulo VII. Cánsase de hablar el beneficiado, saca la caja, toma un polvo, estornuda, suénase, límpiase, y prosigue la conversación» (II, 111). Respecto a la toma de rapé, este título es más detallado que el texto del capítulo; pero desde luego no es ésta la función de un título, ya que lo importante en el capítulo es la conversación, no el hecho de tomar un polvo. El narrador parece estar informándonos; pero en realidad no nos dice casi nada, como advertimos en seguida por las acciones absurdamente insignificantes que enumera. Otro título semejante es el siguiente: «Capítulo II. Estornuda el beneficiado; interrúmpese la conversación con el "Dominus tecum" y con el "Vivan ustedes mil años"; y después se suena» (IV, 211). Esta vez, sin embargo, nada de lo que contiene el capítulo corresponde al título, lo que nos obliga a elegir entre dos posibilidades: o bien el título es deliberadamente desorientador o el título es el relato. En este último caso, el comentario que hace el narrador sobre la narración se habría mezclado momentáneamente con la narración misma. Al menos en dos ocasiones semejante mezcla es indiscutible. Después de un título, «Donde se cuenta el maravilloso fruto que hizo el sermón del magistral en el ánimo de fray Gerundio», el texto del capítulo comienza con el pronombre relativo «El cual», cuyo antecedente sólo puede ser el «fray Gerundio» del título (III, 170). A la inversa, otro capítulo termina con las palabras: «Con esto se retiraron los padres a dormir la siesta, y después de ella sucedió lo que vamos a decir en el». Aquí termina el capítulo, sin puntuación de ninguna clase. A nosotros nos corresponde completar la frase y, de hecho, el capítulo mismo, incluyendo en ellos el encabezamiento de la página siguiente: «CAPÍTULO VIII» (IV, 136-137).

Los juegos que el narrador se permite con el lector comprenden también la situación temporal del relato. En el Prólogo nos dice que su historia trata «de lo pasado, de lo presente y de lo futuro» (I, 4), en otras palabras, que en el fondo es intemporal. No obstante, empieza su novela situando sus comienzos a mediados o a finales del siglo XVII (I, 65, 76). Lo cual no impide que uno de los personajes aluda al reinado de Carlos II —es decir, a fines del siglo XVII— como una época pretérita (IV, 183). En realidad, la ficción de que estamos en el siglo XVII se ve constantemente puesta en duda por referencias a hechos y a libros del siglo XVIII, y las alusiones remiten hasta poco después de mediados de este siglo, cuando Isla estaba escribiendo. Algunos de estos anacronismos se deben a los objetivos satíricos de la novela, entre cuyas víctimas figuran el *Verdadeiro método de estudar* (1746), de Luís António Verney (Barbadinho), y los pomposos sermones del *Florilogio sacro* (1738) de Francisco Soto Marne. Sin embargo, el narrador de Isla no incurre en anacronismos casuales; llama la atención sobre ellos y los explota con fines irónicos. Para aumentar la confusión, y después de haber situado su acción a fines del siglo XVII y de haberla espolvoreado con alusiones al XVIII, cita como una de sus fuentes «un libro de becerro, escrito en letras góticas y ya muy desgastadas después de tantos siglos» (IV, 191). Por fin nos dice que fray Gerundio vivió «en un siglo tan remoto de nuestros tiempos» que muchos de los documentos que tratan de él, escritos en «la antigua lengua española» que se hablaba antes de la invasión sarracena, ya se han perdido (IV, 250). Después de esta cascada de disparates, un inglés muy instruido visita al narrador, examina los documentos que éste ha estado manejando y que se supone que alguien le ha traducido, y le dice que ha sido muy imprudente al creer en papeles tan llenos de anacronismos, algunos de los cuales le señala (IV, 268). [...]

Al presentarse como historiador de su héroe, el narrador afirma usar fuentes tanto escritas (historiadores, documentos, «gravísimos autores», los archivos del monasterio de fray Gerundio, «un manuscrito antiguo», etcétera) como orales («la leyenda de la orden», «es tradición que...», «es tradición de padres a hijos...»). Todas estas fuentes tienen en común el hecho de avalar los pormenores más extravagantemente insignificantes de la narración. En su época de estudiante, según se nos dice, Gerundio hizo novillos doce veces según un autor, trece según otro (I, 174). Y en otro lugar leemos: «Y diciendo y haciendo se subió sobre una silla o taburete (que en esto hay variedad de leyendas, y no están concordes los autores)» (II, 145). [...] Tales pasajes hacen absurdo el uso de las fuentes; su exagerado detallismo sugiere la ausencia de toda autoridad respecto a la narración, y en consecuencia su carácter puramente ficticio.

No obstante, tal absurdo no impide que el narrador de Isla emplee sus supuestas fuentes con todos los escrúpulos de un historiador concienzudo. Cuando descubre que sólo una de sus autoridades, y solamente de pasada, alude a algunos hechos interesantes, nos dice que «aunque sospechamos los que pudieron ser, no nos atrevemos a referirlos; porque es infidelidad irremisible en un historiador adelantarse a vender las sospechas por noticias» (III, 57). [...] La irónica escrupulosidad del narrador quizá quede mejor reflejada en el siguiente pasaje: «Aseguró después a un confidente, por cuya deposición lo supimos (pues sin algo de esto o sin que él lo dejase anotado en alguna parte, ¿cómo era posible que llegase hasta nosotros la noticia de lo que le había pasado por el pensamiento?)...» (III, 41). [...]

Si el narrador es propenso a presentar la ficción como verdad histórica de una manera que es evidentemente absurda, también se las ingenia para presentar la verdad de tal modo que parezca ficticia. ¿Cuántos lectores, incluso especialistas, han imaginado que Campazas, nombre que sugiere rusticidad, Villaornate, que rima muy adecuadamente con orate, y Zotes del Páramo, con su alusión a la bobería, son invenciones de la fantasía satírica de Isla? Y, sin embargo, todos son lugares reales de la provincia de León.

El narrador consciente se introduce de un modo irónico a sí mismo en su relato, y se dirige al lector directamente pasando por encima de sus personajes. No sólo en el prólogo, sino también en el curso de toda la novela, conversa con el lector imaginario, poniendo en su boca comentarios críticos y respondiendo a ellos... o no respondiendo, como cuando escribe: «A lo menos nosotros estamos en la firme determinación de no declarar lo que hubo en esto, para dejar al curioso lector el trabajo de adivinarlo» (IV, 23). A veces se espera que el lector participe en el relato, como cuando el narrador le dice que no va a copiar el sermón de fray Gerundio, y que el lector tendrá que imaginarse que ha leído sus palabras, que «dé por supuestas y aun por oídas» (III, 86) las diversas y concretas noticias que siguen a continuación (III, 86; cf. III, 64). Naturalmente, las sugestiones que nos hace el narrador con objeto de «evitarse» contar la historia, constituyen en realidad otra manera de contarla.

En su irónica pirueta final el narrador explica que todo lo que nos ha dicho se funda en unos manuscritos árabes, caldeos y de otros orígenes orientales traducidos para él por un viajero que decía llamarse Isaac Ibrahim Abusemblat, coepíscopo del Cairo. El narrador llega a este pasaje de su relato cuando un culto orientalista inglés le visita, examina los papeles y le dice que le han engañado. Es cierto que aquellos papeles mencionan a un predicador y citan algunos de sus sermones; pero no hay el menor indicio de su nombre, nación, orden, ni ninguno de los demás detalles que el narrador nos ha ido transmitiendo fielmente, y todo eso son invenciones del falso coepíscopo, que no es más que un impostor. El narrador queda anonadado; pero entonces nos recuerda que en su prólogo ya se ha proclamado como el inventor de fray Gerundio; «con que, lector mío, vamos a otra cosa, y cátate el cuento acabado» (IV, 270). Sin embargo, llamarse el inventor de fray Gerundio no era exactamente la misma cosa que confesar que había sido engañado por Isaac Ibrahim Abusemblat. Además, mientras hace que se desmorone el tambaleante edificio de su ficción, el narrador, irónicamente, utiliza nuevas ficciones. Al fin y al cabo, el coepíscopo y el inglés son tan ficticios como fray Gerundio y su mentor fray Blas.

¿Cómo explicar este narrador que se muestra tan pertinaz en hacer que no creamos en su ficción? Tal vez la seriedad del mensaje de Isla, la importancia que concede a la reforma de la oratoria sagrada, le hace tener una mala opinión del valor de «una desdichada novela» (I, 15). ¿Cómo se va a tomar en serio semejante pasatiempo, hijastro de la teoría literaria, cuando uno se preocupa de la salvación de las almas? ¿Cómo es posible engañar a los propios lectores, induciéndoles deliberadamente a que crean lo que no es cierto, cuando precisamente se están condenando los artificios retóricos de los predicadores extravagantes? Parte de la actitud irónica de Isla puede explicarse por estas consideraciones, pero no creo que todo pueda atribuirse a ellas, ya que el mismo tipo de relato irónico es lo que caracteriza la obra de algunos de sus contemporáneos que trataron asuntos mucho menos graves. Recordemos que el *Joseph Andrews* (1742) y el *Tom Jones* (1749) de Fielding se publicaron muy poco antes que el *Fray Gerundio*, y que el *Tristram Shandy* apareció entre 1760 y 1767, en el período que media entre las fechas de publicación de las dos partes de la novela de Isla. Estos tres novelistas son, para usar la expresión de Alter, «conscientes». Para los tres, «la invención narrativa ... es un proceso intelectivo, simultáneamente crítico de su propia operación y de los objetivos no literarios a los que apunta». [De hecho, y en buena parte por influencia del *Quijote*,] el narrador irónico se ha convertido en parte de un modelo genérico, como lo es el narrador no irónico en primera persona en la novela picaresca, un género al que el *Fray Gerundio* ha sido incorporado con tanta frecuencia como impropiedad. Al narrador irónico hay que atribuir gran parte del encanto que el lector moderno, quizá no extremadamente interesado por los méritos de los estilos de oratoria sagrada, puede aún encontrar en la novela de Isla. Y un narrador de estas características seguía aún presidiendo la novela histórica de los románticos, hasta ser finalmente desbancado por las sincerísimas protestas de veracidad de Fernán Caballero.

RUSSELL P. SEBOLD

FRAY GERUNDIO DE CAMPAZAS: TEMAS, TÉCNICAS, IDEAS

Hoy nos interesa más la aportación de Isla a la novelística que cuantos datos históricos sobre la oratoria sagrada se hallen contenidos en las páginas del *Fray Gerundio*. Mas, así como hay que tener

Russell P. Sebold, ed., «Introducción» a José Francisco de Isla, *Fray Gerundio de Campazas*, I, Espasa-Calpe (Clásicos Castellanos, 148-151), Madrid, 1960, pp. XLVI-XCIII (XLVI-L, LV-LVIII, LXX-LXXVII y LXXX-LXXXII).

una idea de las sergas de los Amadises, Palmerines y Florismartes para comprender cómo Cervantes las convierte en eterno tema novelístico, también hay que adquirir ciertas nociones generales sobre la evolución del estilo gerundiano y la crítica de Isla antes de entender al «Don Quijote de los predicadores». [...]

El sermón gerundiano, exagerado hasta pasar la raya de la vesania, tiene remotos antecedentes estilísticos. Alguna característica se remonta a los sermones de Antonio de Guevara, insertos en sus *Epístolas familiares*, y algún abuso está criticado ya por fray Luis de Granada en su *Retórica eclesiástica*. Pero el estilo de fray Hortensio Félix Paravicino y Arteaga (trinitario y predicador del rey, 1580-1633) ofrece por primera vez todos los rasgos que habían de ser luego característicos de toda la predicación culterano-conceptista: sorprendentes dudas dogmáticas tramadas adrede para interesar, y luego resueltas a base de ingeniosos pero superficiales argumentos teológicos; agudezas gracianescas, convertidas ya en meros equívocos y retruécanos; epítetos mitológicos para referirse a personajes bíblicos; metáforas, alegorías, paradojas, antítesis, hipérbatos y paralelismos, cuyos lazos significantes y gramaticales se esfuman cada vez más; estilo métrico a base de octosílabos y otros pies, que hacen que los títulos de los sermones estén ya muy cerca de convertirse en cadenciosos títulos de comedia, verbigracia, *A muertos y a idos ya no hay amigos*; y, por último, infinitas citas de las Escrituras, obras de los Padres de la Iglesia y libros profanos para cimentar los argumentos del sermón o recordar su ocasión, un bautizo o la profesión de una religiosa, todo lo cual se convirtió luego en ritual juego de destreza para «tocar las circunstancias» externas de cualquier sermón, es decir, hallar en viejos y venerandos textos como presentimientos de la fecha de un sermón que habría de darse, la parroquia donde se predicaría, y los mismos parroquianos que lo escucharían. [...] Para Paravicino, el cultivo de un estilo elegante es un aspecto del culto de Dios, lo mismo que los temas clásicos paganos se combinan con otros cristianos en los adornos de las suntuosas iglesias barrocas. Pero los sermones gerundianos de sus últimos imitadores están tan atestados de horribles floripondios, que queda desterrada de ellos toda exhortación moral. En ellos se anima a los penitentes espantándoles con la ira de un dios azteca de la lluvia, o se prueba que santa Ana es abuela de la Santísima Trinidad (ejemplos ridiculizados en el *Gerundio*). Para dar una idea del estilo gerundiano, basta citar sólo la mitad del título del sermonario de fray Francisco Soto y Marne (1738): *Florilogio sacro. Que en el celestial, ameno, frondoso Parnaso de. la Iglesia riega (místicas flores) la Aganipe sagrada fuente de gracia y gloria, Cristo: con cuya afluencia divina incrementada la excelsa palma mariana (Triunfante a privilegios de gracia) se corona de victoriosa gloria*, etc. [...]

El primer Borbón, escandalizado del estilo de los predicadores españoles, decretó en 1706 que le hablaran al alma, y luego hizo traducir al
español como modelos varios sermones del jesuita francés Bourdaloue.
Torres Villarroel observó que para las mujeres de su época, «toda la cosecha de los sermones era la celebración de este equívoco pueril del padre
Fulano, de aquella chanza importuna del doctor Tal, de un pensamiento
sutil, delicado y apreciable de aquel padre; y maldecir de todos los demás». Feijoo confesó, en las *Glorias de España* (1730), que el mal estaba
tan arraigado, que excedía incluso a sus máximas dotes de extirpador de
errores, «y así todo el tiempo que ejercí el púlpito me acomodé a la
práctica corriente». Se acomodó incluso el autor del *Gerundio* en sus
primeros sermones. [...]

Se ha dicho a menudo que en el *Gerundio* se desarrolla, paralelamente con la novela, un tratado de oratoria sagrada. Pero no hay
tal cosa. En realidad, no se propone ningún método positivo de
componer sermones. Habían fracasado muchos tratados metodoló-
gicos sobre la oratoria sagrada, precisamente por no haber subrayado de un modo tajante las ridiculeces del cultismo oratorio. Sólo
quedaba por probar la sátira, juntamente con una razonada crítica
de los defectos. Emprendiendo su obra con el fin de hacer justamente eso, Isla no se muestra partidario de ningún método retórico
en particular. Hay fines mayores que conseguir, que son claridad,
propiedad, naturalidad, gravedad, buen sentido y buen gusto —palabras que resuenan por todo el libro—. La palabra de Dios es una
para todos, y «el predicador debe enseñar de un modo claro, perspicaz, inteligible a todo el mundo, proporcionado a las ideas comunes, de manera que igualmente le comprenda el plebeyo que el noble,
el rústico que el cultivado» (III, 140). Los criterios de claridad que
Isla abraza le identifican netamente con la ideología neoclásica [y las
estilísticas antibarrocas de Isla son iguales a las de Luzán, cuya *Poética* conocía muy bien.]
    Fray Gerundio es un personaje híbrido, quijotesco-picaresco, sin
paralelo, como lo pudo concebir sólo un autor del setecientos. Sus
«proezas pulpitables» tienen algo de la extravagancia de don Quijote, y los detalles de su vida íntima tienen algo de la repugnancia
de la de los pícaros. Pero la locura y voluntad épicas de Alonso
Quijano son sustituidas por la blandura y docilidad, a medida que
por la conciencia de sí que tiene el pícaro se sustituye una soberana
inconsciencia. [...]

La distinción aristotélica entre lo universal poético y lo particular histórico había llegado a adquirir insinuaciones moralizadoras para los portavoces de la Contrarreforma. Podía utilizarse la literatura de molde épico o idealista para inculcar verdades morales, porque representaba la vida como debía ser, creando personajes mediante la imitación universal, es decir, juntando en un individuo nobles rasgos de muchos. La literatura realista, en cambio, representaba los hombres como eran, copiando detalles particulares de la época histórica del autor, en obras como *La Celestina*. Para hacer frente a ellas, la Contrarreforma volvió a lo divino las obras de Garcilaso, Boscán y otros; pero discrepó el gusto popular, y así se escribió una obra como el *Guzmán* (aunque moralmente redimido éste por sus digresiones ascéticas). En cambio, Cervantes salvó el abismo entre extremos poéticos e históricos entablando el penetrante diálogo entre caballero y escudero de visos picarescos. Se reúnen, en un descansillo de la escalera entre lo vulgar y lo ideal, un Sancho ennoblecido y un don Quijote humanizado.

La síntesis cervantina en cierto modo está incorporada a la estructura del *Gerundio*. Está limitada por el formalismo de las ideas neoclásicas de Isla, pero esa misma limitación sirvió de trampolín para llevarle a un atisbo genial de lo que sería la técnica novelística del porvenir. Si Cervantes satirizaba a los caballeros andantes, no podía permitirle al suyo —pensaba la edad de Luzán— planear entre las nubes con Amadís; y el setecientos (hasta el agudo *Análisis del Quijote*, de don Vicente de los Ríos, 1780) era todavía demasiado miope para columbrar los vuelos icáreos de Alonso Quijano. Se creía que Cervantes había arrojado a don Quijote al fango de la realidad histórica, donde sólo podía mover a risa.[1] La sátira de un héroe épico pedía, según Isla, la ironización total no sólo de hazañas heroicas («proezas pulpitables»), sino también de la técnica misma de crear personajes heroicos: la imitación poética universal. Del hecho de que

1. [«Las definiciones que el *Diccionario de autoridades* (tomo V, 1737) da de *quijote* ('el hombre ridículamente serio, o empeñado en lo que no le toca'), *quijotada* ('la acción ridículamente seria, o el empeño fuera de propósito') y *quijotería* ('el modo o porte ridículo de proceder, o empeñarse alguno') demuestran que el Siglo de las Luces, haciendo hincapié desde un principio en el buen sentido y lo lógico, no ve en el *Quijote* el menor grado de fantasía heroica, ni por lo menos de signo positivo. La novela de Cervantes es para la rigurosa crítica neoclásica —volveremos a ello— pura sátira» (p. LXIV).]

el carácter del héroe épico reunía los rasgos nobles de todos los héroes, Isla dedujo la consecuencia lógica de que el héroe satírico tenía que ser una reunión de todo lo ridículo de todos los héroes. Así conseguiría la misma síntesis que Cervantes de la imitación universal y la verdad histórica, no en los cerros del paisaje quijotesco, sino en las cunetas de la historicidad. Explica cómo utiliza la técnica de imitación universal, casi calcando un pasaje de la *Poética* de Luzán:

No digo yo que en alguno de ellos (los predicadores) se unan todas las sandeces de mi querido fray Gerundio; que aunque eso no es absolutamente imposible, tampoco es necesario... Pues ¿qué hice yo? No más que lo que hacen los artífices de novelas útiles y de poemas épicos instructivos. Propónense un héroe, o verdadero o fingido, para hacerle un perfecto modelo, o de las armas, o de las letras, o de la política, o de las virtudes morales... Recogen de éste, de aquél, del otro y del de más allá todo aquello que les parece conducente («Prólogo con morrión», I, 10-11).

Repite este concepto del héroe satírico en el párrafo siguiente, aseverando que Quevedo utilizó la misma técnica de imitación en el *Tacaño*, o *Buscón*, que Cervantes en el *Quijote*. Basada en esta idea, la estructura del *Gerundio* llega a ser bastante elástica para permitir el prohibido casamiento de lo quijotesco con lo picaresco. Se establece una analogía entre las «armas, o letras, o virtudes morales» del héroe y las «sandeces» del antihéroe. Casi se llega a intuir la idea moderna de la polaridad entre pícaro y caballero. Pero, en realidad, Isla sólo percibió que lo genérico del pícaro y lo universal del héroe épico son sustancialmente el mismo elemento estructural. En esto se apoyó la nueva síntesis. [...]

Y el carácter prosaico de Gerundico no es sólo vago presentimiento de parte de Isla, sino una contribución técnica consciente y meditada a la novelística, que el mismo jesuita formula en términos conceptuales. [El *Gerundio* presagia el descenso del héroe novelístico, a través del mundo diario del realismo, a los muladares y alcantarillas del naturalismo. Incluso en la práctica, el concepto isliano de la novela apunta ya al de los naturalistas; y mucho más de cerca que la novela picaresca, con sus episodios asquerosos y primitivo determinismo inspirado por la literatura ascética.]

No hay que olvidar el argumento principal de Isla de que «es imposible de toda imposibilidad que haiga (*sic*) buenos predicadores sin que sean buenos teólogos» (II, 85); en efecto: sin buena educación desde la niñez. El maestro de Villaornate y el dómine Zancas-Largas, primeros maestros de Gerundico, son copias directas de los pedantes literarios de la primera mitad del siglo XVIII. Fray Toribio, lector de filosofía y lógica con quien Gerundico estudia después del noviciado, es hermano gemelo del hinchado doctor Teopompo, en quien Feijoo, jugando con el nombre del historiador griego, alegoriza a miles de teólogos decadentes de la época, fray Gerundio, está completamente determinado por su medio escolar. Mas, para hacer la sátira aún más aguda, Isla arguye alegóricamente que la imbecilidad de los predicadores pedantes está determinada tanto por su herencia como por su medio. Así es que no sólo hace nacer a Gerundico en una aldea miserable, sino que le da padres estúpidos, casi analfabetos y aun tenidos por sexualmente promiscuos. Gerundico lo refleja todo en su pobreza intelectual. Cuando era niño, su casa era frecuentada por predicadores de vereda, pero «si por milagro les oía alguna cosa buena, no había forma de aprenderla» (I, 89). Los ridículos preceptos latinos del dómine Zancas-Largas, «como eran tan conformes al gusto extravagante con que hasta allí le habían criado, le cuadraban maravillosamente» (I, 158). De este modo, las posibilidades vitales de Gerundico vienen a ser igualmente limitadas que las de personajes zolescos, como los hermanos Étienne Lantier y Nana, nacidos en los escuálidos barrios bajos de París, e hijos naturales de un borracho y una adolescente provinciana. Sería, desde luego, forzadísimo aseverar que un jesuita aceptara como principio positivo el determinismo hereditario y ambiental de los hombres, el cual formaría la presuposición fundamental de las novelas clínicas de Zola más de un siglo después. Hay que hacer hincapié en que el *Gerundio* es un caso de crítica negativa, y si su técnica apunta al naturalismo, es porque el plan de la sátira y el objeto secundario de satirizar ciertas ideas deterministas de la filosofía de la Ilustración, llevan a ello.[2] La cuidadosa observación isliana de la realidad para

2. [«Desde el primer párrafo de la novela, se trata del medio en que crece Gerundico, dando una detallada descripción geográfica del miserable lugar de Campazas, "de que no hizo mención Tolomeo en sus cartas geográficas". [...] Tan fuertes impresiones hizo el rudo medio del frailecillo en sus sentidos, que le formaron el gusto, y, a la larga, la psicología total, es decir, el *genio* o la *inclinación*, según Isla. A fray Gerundio "el genio y la inclinación le llevaban hacia el púlpito" más bien que a los estudios escolásticos (II, 27). Se valió

crear personajes también debe mucho a la nueva teoría del conocimiento de la Ilustración.

[Tomar notas para una novela no era nada nuevo. Pero el nuevo y genial método de Isla es fijar la atención en tipos humanos y ambientes específicos y preocuparse por la exactitud en reproducir unos y otros.] Isla empezó a apuntar detalles útiles por lo menos dos años antes de que se retirara a Villagarcía de Campos a trabajar seriamente en la composición del *Gerundio*. Nos lo dice en una carta de 1752: «Tengo ya echados muchos rasgos hacia ella y aun hechas algunas apuntaciones». Declara la índole de estos apuntes en otra carta después de la aparición de la primera parte de la novela: «El Antón Zotes que se tuvo presente en ella, fue el mismísimo compadre de madre y vecino de la Antigua, aunque no me ocurrió la circunstancia del parentesco espiritual, y por eso no salió a lucirlo». [...] La casa de los Zotes tiene «dos cobertizos, que llaman *tenadas* los naturales», y además un «estante, que se llama *vasar* en el vocabulario del país» (I, 65-66). La buena de la tía Catanla saluda a un aristócrata «haciéndole una reverencia a la usanza del país (esto

---

de la mitología, en vez de la Sagrada Escritura, para sustanciar cierto sermón, porque "algo más se inclinaba a lo primero, por llevarle allí su genio" (III, 9). *Genio* e *inclinación* ya no significan, como en el Siglo de Oro y antes, espíritus de bien y mal que residen en cada hombre, la varia influencia de los cuatro elementos en el hombre, o influencias de los planetas en las acciones humanas, todos los cuales cedían al libre albedrío, sino que son ya el agregado de influencias sensibles directas que determina el carácter de un individuo. Respecto a esto, debe recordarse que fray Gerundio es capaz de aprender presto y fácilmente, pero que siempre da con mentores pedantes que le inculcan toda suerte de tonterías. Y es que ha sido determinado del mismo modo el principal de ellos, fray Blas, en quien "está el mal tan arraigado, que se ha convertido en naturaleza" (II, 93). Tal esquema hace pensar que también puede haber en el determinismo del *Gerundio* alguna influencia del *Espíritu de las leyes* (1748), de Montesquieu, de quien el crítico Lanson ha observado que "una especie de determinismo naturalista ha precedido en su obra al mecanismo sociológico". Según Montesquieu, la psicología de pueblos e individuos —o, para usar la terminología del filósofo, su *genio* o *inclinación*— es determinada por su medio ambiente, o la interacción del clima y el terreno. Recuérdese la detallada descripción geográfica de Campazas. Además, se explica en el *Espíritu de las leyes* que la imaginación y el gusto de hombres y pueblos derivan de las impresiones que el medio produce en los cinco sentidos: en resumen, "es de un número infinito de pequeñas sensaciones de lo que dependen la imaginación, el gusto, la sensibilidad, la viveza"» (pp. LXIV y LXXXV-LXXXVII).]

es, encorvando un poco las piernas y bajando horizontalmente el volumen posterior hacia el suelo)» (IV, 60). Y así otras referencias a sus observaciones y apuntes. Tal cuidado con los detalles menores y personajes secundarios hace creer que Isla se extremó aún más en apuntar y reproducir fielmente las características de los predicadores y teólogos pedantes. Por lo menos, el haber tomado amplios apuntes sobre ellos, lo declaró en un pasaje sobre su nueva interpretación de la técnica clásica de crear héroes. Por fin, sus detalladas descripciones de personajes, de estilo casi taquigráfico, parecen copiadas directamente de los cuadernos en que iría anotando cualquier observación. Estas descripciones se caracterizan por una claridad periodística [y por la autonomía que se reconoce a los hechos de la realidad física.]

Por mucho que deba la técnica de Isla a sus fuentes y la teoría neoclásica, es igualmente deudora de la epistemología revolucionaria de la Ilustración, ciertos aspectos de la cual se satirizan en la técnica novelística del *Gerundio*. La literatura del seiscientos había representado la realidad «idealizándola» tanto en el sentido filosófico como en el literario. Cervantes la pasó por el tamiz de la imaginación heroica de don Quijote. Los personajes particulares de muchas obras francesas del siglo XVII no son sino deducciones lógicas derivadas de ideas generales de sello cartesiano sobre el carácter. Todavía, según otro procedimiento, se representaba la realidad mundana, neoplatónicamente, como sombra de una idea o esencia. [Pero Isla fue contemporáneo de un total viraje cultural hacia el realismo filosófico y literario, apoyado en la nueva doctrina sensualista, sobre todo de Locke, según la cual los hechos de la realidad física estaban dotados de una existencia inmanente.] El hábito de minuciosa observación de los sensualistas fue la técnica germinal común de las descripciones rousseaunianas de la naturaleza, de la investigación del pasado por el romanticismo y de la documentación del presente por el naturalismo. Pero ya en tiempos de Isla el hombre iba poco a poco dejando de ser el sujeto de la cultura e indagación, para pasar a ser el objeto de ellas. Bajo el escrutinio de los sensualistas, y de los positivistas después, fue perdiendo la aureola de ser semidivino que la literatura heroica y la filosofía escolástica habían creado en torno suyo en épocas anteriores. Se debe en gran parte a este viraje cultural hacia el realismo la cristalización final de la técnica de Isla, quien «cree a sus sentidos» en lo puramente físico, incluso el cuerpo humano. Lo que teme Isla, y lo que satiriza en la novela, son aquellos excesos materialistas que tienden a negar la libre determinación del hombre por el propio arbitrio, aquella crítica que «por las ciencias naturales se había atrevido a escalar hasta el sagrado alcázar de la religión» (II, 77).

EDITH F. HELMAN

EL PADRE ISLA Y GOYA

En su *Historia del famoso predicador fray Gerundio de Campazas, alias Zotes,* el padre Isla se propone ridiculizar a muerte a los predicadores populares de sermones extravagantes y absurdos, que, a pesar de los abiertos ataques y censuras, continuaban dirigiéndose y embruteciendo a sus vastos auditorios por todo el país. Adoptó el recurso elegido por Cervantes para satirizar las novelas de caballerías, pero, a diferencia de su modelo, no fue más allá de la meta elegida. Aunque la novela describe gráficamente la vida de los habitantes de un pueblo pequeño y la de los frailes de una orden mendicante que no nombra, la mayor parte de ella se dedica a desenmascarar a los predicadores ignorantes y ambiciosos que se ganan al público con toda clase de trucos verbales y gestos de pseudoelocuencia. Presenta a la vez los discursos de prelados valiosos y razonables, que intentan reformar a los ofensores, mostrándoles los errores de su técnica y haciéndoles ver cómo se han de escribir y pronunciar los buenos sermones. El padre Isla emplea citas de sermones verdaderos de predicadores famosos de la época e imita con tanto éxito su técnica para arrastrar al público, que el libro metió mucho ruido a su aparición en 1758 y fue inmediatamente denunciado a la Inquisición por miembros de varias órdenes mendicantes, cada cual seguro de que el libro era un ataque directo a ellos.

[Cuando Gerundio era aún un niño, un predicador encuentra en él dotes extraordinarias para la elocuencia y la representación, de

Edith F. Helman, «El padre Isla y Goya», en *Jovellanos y Goya*, Taurus, Madrid, 1970, pp. 203-214.

modo que cuando llega a adolescente, cansado de los estudios, no es difícil que un fraile predicador (fray Blas), que le ha tomado cariño, le persuada de que siga sus pasos.] A pesar de los esfuerzos de un miembro serio de la orden por contrarrestar la influencia de fray Blas sobre Gerundio, para razonar con él, y demostrarle lo absurdo e incluso sacrílego de tan extravagantes sermones, y cuánto daño hacían a la gente sencilla que quedaba fascinada por lo que no podía comprender, fray Gerundio estaba decidido a seguir la carrera de predicador.

Habiendo comprobado que era incorregible, sus superiores le dejaron probar sus talentos en la comunidad, con un sermón en el refectorio. El tema, elegido por fray Blas, era un asunto local: los dos mayordomos del lugar habían conseguido expulsar de la parroquia de la Santísima Trinidad a unas rameras. El sermón había de celebrar este acontecimiento en el día de Santa Ana, en que habría un solemne festival de la hermandad de ese nombre. Gerundio, fuera de sí de gozo, se pasó sus horas de vigilia y de sueño de toda una semana escogiendo frases de un enorme montón de libros, casi todos oscuros comentarios sobre la Biblia y las Sagradas Escrituras, y concordancias latinas que ensamblaba con apólogos y alegorías y extravagantes figuras de lenguaje formando un sermón tan estupendo que su público, forzosamente, no podía menos de quedarse anonadado. En el día feliz fray Gerundio, después de haberse fijado en todos los detalles de su persona y haber practicado gestos y ademanes, subió majestuoso al púlpito, echó una mirada desdeñosa a sus muchos espectadores, se santiguó con afectada solemnidad, propuso un texto en latín y comenzó con estas sorprendentes palabras: «No es de menos valor el color verde, por no ser encarnado ... Nació Ana, como asegura mi fe por haverlo oído decir, de color rojo; porque las cerúleas ondas de su funesto sentir la hicieron fuertemente palpitar en el útero materno ...». A continuación sigue otra serie de textos sin sentido en latín y español en alabanza de santa Ana, del festival y de los mayordomos en frases laberínticas, llenas de citas poco a propósito, comparaciones forzadas y expresiones equívocas casi todas carentes de todo sentido. El sermón, y sobre todo la manera brillante de pronunciarlo fray Gerundio, dejó loca de entusiasmo a la venerable comunidad; algún disidente, un reverendo padre maestro provincial, que casualmente estaba de visita, permaneció grave y en actitud desaprobatoria, y el padre provincial que había tratado de convencer a Gerundio de que no se hiciera predicador estaba tan horrorizado, que le obligó a detenerse tras la salutación y privó a todos el oír la parte principal del sermón, del cual dice burlonamente el padre Isla que «debiera perpetuarse en los moldes, eternizarse en las prensas, inmortalizarse en los mármoles, buriles y pinceles, la pieza original, pieza única, pieza rara, pieza inimitable en su especie».

Pues es precisamente una escena como ésta la que Goya inmortalizó con su buril en el capricho 53. En él vemos a un elocuente loro posado sobre un púlpito con la pata derecha levantada en gesto enfático, como nuestro fray Gerundio, que estaría imitando o «loreando» a su amigo y modelo fray Blas, la figura estática sentada en la plataforma, a la izquierda del predicador, elegantemente vestido con su gran túnica, su calzado bien ajustado, su cara y sus manos cruzadas expresando toda la admiración que sentía ante la representación de su pupilo; a la derecha del loro estaba el superior con la cabeza cubierta, probablemente el visitante distinguido o el padre provincial, grave y desaprobatorio; de frente está el público, asombrado, profundamente conmovido o divertido; detrás del orador están dos individuos sentados que muy bien pudieran ser los dos mayordomos, cuyo éxito celebraba el sermón. Evidentemente esto son puras conjeturas. Es posible que Goya pensara en otras escenas de naturaleza parecida repartidas por la novela. [...] O es posible que recordara la gráfica condena de todas estas actuaciones que hizo el valioso provincial que había intentado, tiempo atrás, reformar a fray Blas, señalando que eran condenables porque daban al público no instruido entretenimiento en vez de enseñanza moral y religiosa:

Están los oyentes escuchando un sermón con la boca abierta, embelesados con la presencia del predicador, con el garbo de las acciones, con lo sonoro de la voz..., con la viveza de las expresiones, con lo bien sentido de los afectos, con la agudeza de los reparos, con el aparente desenredo de las soluciones, con la falsa brillantez de los pensamientos. Mientras dura el sermón, no se atreven a escupir, ni aún apenas a respirar por no perder una sílaba. Acabada la oración, todo es cabezadas, todo murmurios, todo gestos y señas de admiraciones. Al salir de la Iglesia, todo es corrillos, todo pelotones, y en ellos todo elogios, todo encarecimientos, todo asombros. Hombre como éste, ¡pico más bello! ...

Aquí la exclamación «¡pico más bello!» recuerda el letrero de Goya «¡Qué pico de oro!», aunque la expresión es tan común que la coincidencia podría ser, sin duda, puramente accidental. Incluso había un famoso predicador de la época, el padre Manuel Gil, al que frecuentemente se llamaba el «Pico de Oro». Goya podía estar pensando en este modelo real o en otros como él, sobre todo en el sensacional predicador capuchino Diego de Cádiz. [...] Sin duda, Goya conocía la novela o parte de la novela y a su personaje principal, ya fuera por haberla leído o por las muchas polémicas a que dio origen antes y después de los edictos de la Inquisición. La imagen de tal predicador la evocaría años después al oír uno de estos sermones o sencillamente un relato acerca de uno de ellos.

Hay, de hecho, una sorprendente semejanza entre el humor del padre Isla y el de Goya, en su manera de ridiculizar, por un lado, la estupidez y credulidad de los oyentes y, por otro lado, la hipocresía y charlatanería del predicador. Además, esta semejanza se encuentra en otras partes de las obras de ambos. Las imágenes del padre Isla se prestaban, casi obligaban, a la ilustración. Hay otras escenas, así como detalles concretos, en esta novela y en otras obras que presentan sorprendentes analogías de tema y de tratamiento con pinturas y aguatintas de Goya, como, por ejemplo, las que describen las procesiones de penitentes y flagelantes que no podemos estudiar aquí. Mencionaremos brevemente, sin embargo, otro capricho, el número 37, de la serie de los burros, titulado «¿Si sabrá más el discípulo?», en el que un burro con levita, una palmeta en la mano izquierda, está enseñando el abecedario a seis burritos, casi todos con las bocas bien abiertas y el de enfrente mirando un libro o cuaderno en el que hay una gran A escrita varias veces. Esta clase nos recuerda claramente una divertida clase de *Fray Gerundio* el primer día que el niño va a la escuela, la mejor que sus padres habían podido encontrar en leguas a la redonda de su pueblo de Campazas. El maestro, un cojo ignorante, presuntuoso y extravagante, había elegido la profesión por ser buen calígrafo y muy aficionado a la ortografía, acerca de la cual tenía ideas muy curiosas. Una de ellas es que era una falta de respeto emplear palabras que empezaran por *arre*, como *arrepentirse, arremangarse, arreglarse, arreo*, porque era dirigirse a los seres humanos como si fueran *burros*. Enseñaba a decir y a escribir las letras del alfabeto a sus alumnos, explicándoles que las mayúsculas se empleaban para los objetos grandes y las minúsculas para designar el pequeño tamaño de la cosa indicada. [...]

Del *Cojo* el padre Isla dice: «Hacía grandísimo estudio de enseñarles el hablar bien la lengua castellana: pero era el caso que él mismo no la podía hablar peor». Que es precisamente la consecuencia que se saca del maestro burro del capricho 37, cuando pregunta en el título, «¿Si sabrá más el discípulo?». El sentido y el tono de estas dos escenas son idénticos, la misma sátira del mismo tema exagerando los mismos rasgos ridículos. Sin embargo, a pesar de la superficial semejanza del contenido, hay forzosamente grandes diferencias entre el texto y su ilustración gráfica. Toda una escena o una serie de escenas es condensada por el artista en unas cuantas líneas significativas y el efecto dramático aumenta grandemente con el uso del claroscuro. [...] Evidentemente, cuando citamos un texto que quizá Goya haya «ilustrado» no queremos decir ni por un momento que con el *Fray Gerundio* delante se haya puesto a dibujar algunas de las escenas, sino que, habiendo leído el libro, quedaron en su mente unas percepciones que más tarde recordó en forma de imagen. Señalar un texto no significa en absoluto disminuir la originalidad o el valor de su obra, pues los grabados son únicos en su clase y comunican su sentido directamente por medios artísticos propios. Sin embargo, el mirar el texto y el capricho juntos arroja luz sobre uno y otro y, al mismo tiempo, nos deja vislumbrar de cómo la imaginación del artista elaboraba lo dado en un texto, por lo menos en algunos casos específicos.

7. JOSÉ CADALSO

Feijoo muere en 1764. De alguna forma es una fecha simbólica. Poco después ocurrirá el motín de Esquilache (1766) y la expulsión de los jesuitas (1767). El movimiento ilustrado, que hasta entonces se había desarrollado casi exclusivamente entre intelectuales, va a penetrar en la acción de gobierno, y especialmente por medio del Consejo de Castilla. Los que, de alguna forma, habían representado la oposición cultural y la lucha por la reforma, van a contar más decididamente que antes con el apoyo gubernamental. Feijoo puede, una vez más, ser un símbolo: si hasta 1764 los ocho tomos del *Teatro crítico*, más el noveno de suplemento, los cinco de *Cartas eruditas*, y los dos de autodefensa, *Ilustración apologética* y *Justa repulsa de inicuas acusaciones*, se habían ido reeditando sueltos, según las necesidades del mercado, en 1765 se hace la primera edición conjunta, en catorce volúmenes, que va a repetirse de cuatro en cuatro años hasta la edición de Pamplona de 1785-1787. Hay que tener en cuenta lo que significa reeditar seis veces en veintidós años una colección de catorce volúmenes, lo que representó una tirada total de más de doscientos mil ejemplares. Por eso creo que Feijoo simboliza la oficialización de una nueva cultura, a la que todos están conformes en llamar «cultura ilustrada». Y lo mismo que tiene de un lado consecuencias muy importantes en la acción gubernamental, las tiene en los aspectos literarios, de una parte por la protección oficial a la nueva literatura, y de otra porque, al sentirse protegida, puede presentarse en público no como la literatura de oposición, sino como la literatura triunfante, que se sabe respaldada y que se puede permitir el lujo de recorrer caminos nuevos, apenas entrevistos antes de 1767. Cierto que no todo van a ser facilidades: la Inquisición sigue vigilante, y apura sus censuras político-religiosas o religioso-políticas; la sociedad media no reacciona al mismo ritmo que los escritores, por lo que éstos muchas veces en vez de ser un testimonio de su época, son anuncio de épocas futuras; en el mismo gobierno no todos son tan avanzados: buen ejemplo es Floridablanca, que no sólo frenará los impulsos de los ilustrados, sino que incluso recurrirá a escritores como Forner para hacer propaganda antiilustrada.

Los años que van de 1770 al comienzo de la guerra de la Independencia, por poner un límite convencional, tienen un interés extraordinario y lo mismo por lo que significan de avance, que por los retrocesos que también ocurren. Y en el aspecto literario han planteado a los críticos un primer problema, relacionado con el concepto de Ilustración y con los que podríamos llamar estilos de época, problema que he tratado ya en el «Preliminar». Aquí cabe decir que el término *prerromanticismo*, por ambiguo, por equívoco y por inexacto, debe suprimirse. Y la historia literaria de esos años debemos analizarla en sí misma, sin referencias a culturas o a estilos de épocas posteriores. Y entonces veremos que hay, por una parte, una literatura de gusto rococó que perdura a lo largo de toda la etapa; que al mismo tiempo hay una literatura claramente comprometida, en defensa de los ideales de la cultura ilustrada, para lo cual pone en funcionamiento unas formas adecuadas a las ideas que quiere expresar, y que al mismo tiempo el clasicismo rococó engendra un nuevo clasicismo, pero sin renunciar a expresar con esta forma las ideas características de la Ilustración. Lo primero podemos observarlo en la poesía anacreóntica, o en las tragedias de Nicolás Moratín, de Jovellanos, de Cadalso, y hasta del mismo Huerta, que, sin embargo, ideológicamente representa, como hemos visto, la oposición al espíritu ilustrado. Lo segundo está en la literatura que se dio en llamar *filosófica* y en las preocupaciones docentes, sociales o políticas de Meléndez, de Jovellanos, de Cienfuegos, de Montengón y de Quintana. La tercera, en su preocupación formal, está predominantemente representada por Tomás de Iriarte y Leandro Moratín; el ejemplo de este último produjo amplia descendencia en la literatura posterior, a lo largo de todo el siglo XIX, empezando por Cabanyes en la poesía, pero llegando prácticamente hasta Benavente en el teatro.

Vuelve entonces a ocurrir en estos años del siglo XVIII algo parecido a lo que sucedió en la primera mitad del siglo XVII. Se habla de una literatura barroca, en la que se engloban el culteranismo y el conceptismo, dejando generalmente a un lado otra serie de escritores, que la crítica no sabe dónde situar. Un serio estudio cronológico obliga a hablar de una cultura barroca, en la que caben tres estilos, el culterano, el conceptista y el que se puede denominar clásico barroquizante. Tres estilos de época que no podemos ver como sucesivos, sino como simultáneos, a veces conviviendo en el mismo autor y hasta en una misma obra.

Esto es lo mismo que encontramos en el último tercio del siglo XVIII: una cultura, la ilustrada, y tres estilos, que conviven a veces en un mismo escritor e incluso en una misma obra. Y como se trata de una cultura que engloba a los tres, tenemos que ver estos estilos en relación con la cultura de la que dependen y no en relación con otras culturas posteriores. Por ello, el término *prerromanticismo* no va a aparecer en las páginas que siguen, y por ello a la hora de estudiar la literatura de estos años he incluido en casi todos los capítulos la referencia a la Ilustración. Como he aceptado lo que de alguna manera es el principio esquemático de esta *Historia*, y como casi todos los autores podrían incluirse en la poesía, en el teatro y en la prosa, sitúo a los seleccionados en el capítulo donde creo que mejor encajan, tratando de la producción de cada uno de ellos en su conjunto.

José Cadalso, después de haber sido un autor considerado como mediocre (véanse como ejemplos típicos Cueto [1869] y Menéndez Pelayo [1886], pero podrían citarse muchos más autores), ha recobrado en los últimos años el prestigio de que gozó entre sus contemporáneos como impulsor, innovador y orientador literario. Salvadas ya, parece, las peregrinas ideas de un «romántico en acción», como afirma Menéndez Pelayo, a pesar de ciertas controversias a las que habrá que hacer referencia, Cadalso se nos puede presentar como un hombre de amplia cultura, acaso no demasiado profunda, que pudo ser un buen guía crítico de otros.

José Cadalso Vázquez (1741-1782), gaditano de nacimiento, pero de origen vizcaíno, pertenecía a una familia de comerciantes muy acomodados. Huérfano de madre, que murió a consecuencia del parto, y con el padre en América, se hace cargo de él su tío, el jesuita Mateo Vázquez, que a los nueve años (Ferrari [1967]) le envió a estudiar al famoso colegio de la Compañía en París, el de Luis el Grande. Después de acompañar al padre en Londres, y pasar por Holanda y París, vuelve a España, a un país para él en realidad desconocido, y completa estudios en otro colegio de jesuitas, el Seminario de Nobles de Madrid, entre 1758 y 1760. Entre los 18 y los 20 años hace un nuevo viaje por Europa (parece que sólo Francia e Inglaterra). Merece la pena subrayar, porque van a explicar muchas cosas de su obra, su carácter de hijo único, su temprana orfandad maternal, su formación jesuítica en Cádiz, París y Madrid, su amplio conocimiento del extranjero antes de los veinte años y el que no haya hecho estudios en ninguna universidad española.

En 1762 ingresa en el ejército, en el que irá ascendiendo mucho más lentamente de lo que él deseaba, aunque poco antes de su muerte alcanzará el grado de coronel. En 1770, estando en Madrid como secretario de un consejo de guerra, conoce a la actriz M.ª Ignacia Ibáñez, se enamoran mutuamente y hasta parece que Cadalso pretendió casarse con ella, lo que, aparte otros previsibles obstáculos, no se realiza por la muerte de la actriz, en abril de 1771, después de haber estrenado la tragedia *Sancho García*, obra de su amante. La leyenda ha hablado de un intento de desenterramiento del cadáver y de un destierro a Salamanca; pero ni hubo tal intento ni tal destierro (Glendinning [1961 y 1962]), aunque sí probablemente un inmenso sentimiento de soledad, que intentó expresar en las *Noches lúgubres*. Entre 1770 y 1774 podemos situar el período de mayor producción literaria de Cadalso. Prácticamente todas sus obras se escriben en esos años, aunque tuvo problemas con la censura y no consiguió estrenar el drama *Solaya o los circasianos*, ni publicar las *Cartas marruecas*, pero sí dio a luz la tragedia *Sancho García* (1771), *Los eruditos a la violeta* (1772), poco después el *Suplemento*, y finalmente sus poesías con el título *Ocios de mi juventud* (1773).

Muy fructífero fue su contacto con otros literatos de Madrid y de Salamanca, precisamente en esos años de intensa dedicación literaria. La fonda de San Sebastián, la celda de fray Diego González y su propia casa de Salamanca supieron mucho de la influencia de nuestro autor.

Su muerte, en acto de servicio, en el frente de Gibraltar, no tuvo ni siquiera carácter heroico, como si, entre tantas cosas como le negaron, la suerte no quisiera para el buen militar una muerte que correspondiera al valor poco común que sin duda tenía. Todavía no había cumplido los 41 años.

Acaso el punto más conflictivo de la crítica actual al enfrentarse con la obra de Cadalso esté en el empeño de clasificarlo o no como romántico, y en consecuencia de lo primero, y a partir de una sola obra, las *Noches lúgubres*, trascender la posible, no segura, posición cultural, o visión cosmológica, o cosmovisión, nada menos que a toda una época. Aun aceptando, que personalmente no lo acepto, que las *Noches lúgubres* pueda ser una obra romántica, no pasará de ser un caso aislado, lo que no sirve para formular definiciones generales. Aceptemos un hecho: Cadalso, con una formación europea, estaba en condiciones de ser un oráculo de los literatos madrileños de la época. Y es casi seguro que lo fue, si se estudian detalladamente las cartas y las epístolas poéticas de él o dirigidas a él (véase Glendinning [1979]). Pero al mismo tiempo, su egocentrismo, que es una cualidad individual y no la característica de una cultura, ni siquiera de la romántica (porque no cabe confundir el egocentrismo con el individualismo), al tropezar, como tropezó, con diversas dificultades, tanto en lo profesional como en lo literario, se exacerba, y un hecho real, la muerte de M.ª Ignacia Ibáñez, le arrastra hacia una posición extrema, en la que su sentimiento se trasciende a filosofía. No puede negarse la importancia del resultado; pero hay un hecho que puede considerarse como cierto, a la vista de los datos que poseemos: lo que debió escribir de casi una sentada y quedó interrumpido, por lo que haya sido, no pudo continuarlo después. Lo que fue exacerbación del sentimiento, duró muy poco, y quedó desgajado del cotidiano vivir. Si se hubiera tratado de reflejar una cosmología, Cadalso hubiera podido continuar su obra, aunque nuestro análisis distinguiera hoy, como en tantas obras, lo que procede del sentimiento vivo de lo que es obra de gabinete. El lenguaje no miente; pero las ideas tampoco fluctúan hasta el extremo de ser unas en momentos de angustia, y otras en momentos de calma. Por eso no se puede confundir la cosmología real del autor de lo que sólo fue una formulación sentimental extremada.

Las *Noches lúgubres*, obra no publicada hasta 1789 y reeditada hasta por lo menos treinta y ocho veces, ha tenido en los últimos años tres editores, que han escrito valiosos estudios, cada uno de los cuales ofrece dispares puntos de vista (Edith F. Helman [1951 y 1968], Nigel Glendinning [1961] y Joaquín Arce [1970 y 1978]).

Pero antes de exponer sus opiniones hay que referirse a un artículo de Montesinos [1934], que provocó algún revuelo. Montesinos acepta que las *Noches* sean una especie de *acta notarial* de un hecho anómalo, redactado ante el hecho mismo por quien no está en sus cabales; por ello quedan fuera del ámbito poético. No puede darse mayor incomprensión, por fiarse de documentos muy dudosos y de noticias muy endebles. Pero tanto en el artículo, como en la reseña [1954] de la edición de Helman, hay afirmaciones que deben retenerse, como la relación con el siglo XVII. («Esto ya no es Young. Esto es Quevedo más Valdés Leal. Pero enteramente desprovistos de sentido, porque en la noche cerrada de Cadalso los cielos no narran la gloria de Dios, y la miseria de la vida no se mide por la maravilla de una beatitud futura», p. 160.)

Para Helman [1951], por lo pronto «fue Cadalso un romántico antes del romanticismo, romántico en su vida y muerte, y romántico en buena parte de sus escritos» (p. 18), y las *Noches* expresan en forma extremada los sentimientos que se perciben en otras obras suyas. Analizando estas obras, especialmente cartas y poemas, cree demostrar que el «tono de las *Noches* se percibe también en otras obras subjetivas y personales del autor» (pp. 32-33). Estudia Helman diversos aspectos de la influencia de Young, en la que cree, considerando que «se reduce al tono y al ambiente y, sobre todo, a la manera subjetiva del poeta de registrar y exponer sus propios sentimientos», y concluye: «Con este culto del yo sensible, con esta sensibilidad consciente y razonada, estamos ya en pleno romanticismo» (p. 35). Helman no comprende por qué se ha hablado del prerromanticismo de las *Noches lúgubres*, «puesto que el título, el escenario, el tema, los personajes y su manera de hablar, su forma de relato corto y melodramático, todo es romántico» (p. 36). Después de analizar el «estado de ánimo» del héroe, subraya diversos temas propios de la Ilustración, que aparecen en las *Noches*.

Montesinos, al reseñar esta edición, ante el párrafo citado de la página 35, exclama: «¡Oh, no; no estamos! Estamos en el mismo paraje que nos franquean los *Ocios de mi juventud*, poemas que la señora Helman fuerza dentro de ese romanticismo que postula. ... No estamos en pleno romanticismo, porque el autor de estas *Noches* lo fue también de

Sancho García y de muchas [formas convencionales] que se leen en las *Cartas marruecas* y en *Los eruditos a la violeta*» (pp. 165-166). Montesinos entiende el prerromanticismo como «una sentimentalidad exaltada que no acierta a romper con la poética neoclásica», y supone, creo que muy acertadamente, que Meléndez y Cadalso no hubieran podido convivir con Espronceda, como otros ilustrados del siglo XVIII que gozaron de larga vida «nunca o muy raramente simpatizaron con el liberalismo». Y afirma que no sólo en los países latinos, sino en otros «en que un romanticismo menos eruptivo que el nuestro, precedió al nuestro, es posible la confusión», y termina con este luminoso párrafo: «Quizá fuera lo mejor zafarse de ese terminacho algo embarazoso de prerromanticismo e inventar denominación más exacta. Entre otras cosas porque la usual induce a creer que el romanticismo es algo así como un pre-romanticismo salido de madre, y no es eso. Se trata de dos tendencias, diferentes en muchas cosas, que sólo tienen de común ciertos temas y la voluptuosidad de las lágrimas» (p. 166). Estoy totalmente de acuerdo.[1]

El que vino a dar un vuelco a la crítica tradicional de las *Noches lúgubres* fue Glendinning [1961], en el prólogo a su edición. Glendinning demuestra que ni hubo intento de desenterramiento ni destierro a Salamanca, que lo que de verdadero hay en las *Noches* es que las escribió con motivo de la muerte de M.ª Ignacia Ibáñez y que la amada cuya muerte lamenta Tediato es, hasta cierto punto, también la actriz, y que es igualmente cierta la enfermedad de Cadalso a que Tediato alude en la *Segunda noche*; pero nada más. Para Glendinning las *Noches* «no es una obra de carácter personal, aunque tiene ciertos elementos personales» (p. XXXVII). Glendinning analiza después las fuentes literarias que, a falta de base autobiográfica, explican el origen de las *Noches*, y concretamente la leyenda de *La difunta pleiteada*, que aporta el tema del desenterramiento, y diversas narraciones del siglo XVII, que podrían ser la base del episodio del asesinato y la consiguiente prisión de Tediato en la *Segunda noche*. En cuanto a la influencia de Young, acepta las conclusiones de Helman, pero subraya la influencia de Hervey y acepta tímidamente las de Mercier y Rousseau. Donde Glendinning pone el acento, siguiendo un artículo de Wardropper [1952], y añadiendo nuevos datos, es en la influencia sobre Cadalso de la literatura española de los siglos XVI y XVII, y concretamente de Garcilaso, fray Luis de Granada, Quevedo, Calderón, Gracián, y hasta el dieciochesco Torres Villarroel. Con todos estos antecedentes, las *Noches lúgubres* son para Glendinning una obra de argumentación filosófica y de explicación de ideas generales sobre las desgracias de la vida, y no el desarrollo de un drama personal.

1. Para las ideas de Sebold sobre este tema, y en relación con Cadalso, véase el «Preliminar».

Arce [1970] comienza preguntándose por qué no se ha formulado debidamente la explicación más sencilla y probable sobre el peso de la biografía de Cadalso en la narración de las *Noches*, y que es el de la «literaturización» de un hecho y de unos sentimientos reales. A la realidad del dolor personal derivado de una situación vivida hay que unir el europeísmo de Cadalso y su conocimiento de los *Pensamientos nocturnos* de Young. La reacción de Cadalso coincide con la de éste «en el tono, en el estilo, en la forma de la meditación entre tinieblas y tumbas —y sólo en esto». «La novedad radical —dice— de la obra consiste en haber pretendido aclimatar en la literatura española el género sepulcral, con su típica escenografía y sus reflexiones pesimistas sobre los hombres y su destino, enraizadas en lo más íntimo de una situación personal y expuestas en una prosa mórbida y lenta para producir efectos emocionales» (p. 17). Cadalso es un hombre de la Ilustración, pero en un momento en que se revaloriza el sentimiento, y en definitiva es «el introductor en la literatura española de lo que se ha llamado el prerromanticismo» (p. 18). No acepta la interpretación biográfica, porque Cadalso «es fiel a una moda literaria, que no es la de cincuenta años más tarde, sino la de su tiempo», y «sigue anclado en su siglo y fiel a los modelos de su siglo. Y por eso se le puede llamar prerromántico o, hasta si se prefiere, con otra denominación; pero no le califiquemos de romántico, porque corremos el riesgo de falsear históricamente las perspectivas» (p. 18). De las fuentes señaladas por Glendinning acepta algunas, concretamente las procedentes de los moralistas españoles, pero niega taxativamente la de la leyenda de *La difunta pleiteada*. Analiza finalmente el tema y el estilo.

Cabría hablar también aquí de las opiniones extremistas de Sebold [1974]; pero las he comentado ya en el «Preliminar», y no hay razón para volver sobre ellas.

Expuestas las anteriores opiniones, a veces tan contradictorias, considero imprescindible añadir algunas apostillas:

1. Parece que todos aceptan que las *Noches* fueron escritas inmediatamente después de la muerte de M.ª Ignacia, como si fueran un *acta notarial*, si no de hechos reales, sí de sentimientos verdaderos. ¿Por qué nadie se ha preocupado de determinar la posible fecha de redacción de las *Noches*? Cambian mucho las cosas si esa fecha fue 1771, o si fue 1773 o 1774 (este último año me parece el último posible). ¿Estarían incluso escritas ya todas las *Cartas marruecas* cuando redactó las *Noches*? La referencia a esta obra en la carta LXVII ni siquiera prueba que sea posterior a la composición de las *Noches*, puesto que se dan como concluidas, cuando parece que no llegó a rematarlas. Luego, podría estar escribiéndolas, o tener simplemente el plan esbozado.

2. Las *Noches lúgubres* son, desde luego, una obra filosófica, que pudo ser motivada o excitada por circunstancias personales del autor;

pero las posibles referencias biográficas, cuando mucho, sólo explican un concreto estado de ánimo.

3. Todo autor tiene una determinada cultura, que refleja en sus escritos, unas veces por citas directas, pero otras veces como ideas propias, por el simple hecho de que las ajenas han sido asimiladas y hechas sustancia de la cultura propia.

4. De todas formas, Cadalso declara una fuente, los *Night-thoughts* de Young, y la declara como obra a la que *imita*, no a la que sigue o a la que plagia.

5. Sólo quienes, en vez de analizar el bosque, pretenden borrar los límites precisos de los elementos que lo componen, pueden confundir la cosmovisión cadalsiana con la cosmovisión romántica.

Las *Cartas marruecas*, obra que Cadalso no consiguió publicar y que apareció póstuma en 1789, ha tenido también bastantes ediciones modernas, de las que quiero destacar dos, la de Dupuis-Glendinning [1966] y la de Joaquín Arce [1978].

Las *Cartas marruecas* es la obra de Cadalso que más bibliografía ha producido. En el manual de Alborg [1972] se recoge el resumen de las principales opiniones. Ante la imposibilidad de citar toda la bibliografía, me remito a los prólogos de las ediciones antes citadas, al libro sobre Cadalso de Glendinning [1962], al de Sebold [1971 y 1974], y a las sistematizaciones, en los correspondientes manuales, del mismo Glendinning [1973], de Di Pinto [1974] y de Caso González [1975], además del citado de Alborg.

Las *Cartas marruecas* pueden calificarse de ensayo «sobre las costumbres de los españoles modernos y antiguos», como dice en su portada el manuscrito de Osuna, es decir, un ensayo sobre España. Cadalso huye conscientemente de la forma sistemática y hasta incluso de ofrecer una colección ordenada de ensayos. Dice Nuño a Gazel: «Cuando vi el ningún método que el mundo guarda en sus cosas, no me pareció digno de que estudiase mucho el de escribirlas» (carta XXXIX). Dentro de este desorden consciente, la forma de cartas era la más adecuada; pero en vez de ser cartas de un solo corresponsal son tres los que las escriben: el español Nuño, el joven marroquí Gazel, que es el que viaja por España, y el maestro anciano Ben Beley. Con ello, Cadalso no pretende simplemente dar variedad, sino ofrecer la realidad, siempre relativa, a través de tres visiones distintas: la de Nuño será la del español que conoce bien a su patria, que puede juzgarla desde dentro y en consecuencia matizar las observaciones distanciadoras del hombre de otra cultura; la de Gazel será la del extranjero curioso, bien educado, buen observador y preocupado por explicarse lo que observa, desde la perspectiva de un foráneo, y la de Ben Beley será la del sabio que está por encima de lo meramente accidental y en consecuencia juzga en nombre de ideas universales y a través de los datos que le aportan los otros dos corresponsales. Son tres formas de enfrentarse con la misma realidad y tres juicios que se complementan, pero que no se contraponen. Me parece un error creer que sólo Nuño representa a Cadalso, porque quien habla en las *Cartas* es siempre el mismo Cadalso desde la relatividad de tres perspectivas. Por este medio hace Cadalso un análisis de la España de su tiempo, pero con mirada histórica. Su visión del problema de España coincide en general con la de todos los ilustrados: grandeza de España en la época de los Reyes Católicos y a lo largo del siglo XVI; después, un tremendo declive, que deja a la nación sin ejército, sin marina, sin agricultura, sin comercio, sin industria y hasta sin cultura. A la ciencia española dedica varias cartas, especialmente las VI, XXIII y LXXVIII, y en ellas su desprecio y su condena de la ciencia escolástica es total, al mismo tiempo que ve la única solución posible en dejar gritar cuanto quieran a los sabios oficiales, mientras los jóvenes se dedican por su cuenta a estudiar las ciencias positivas. La carencia de cultura, la frivolidad de ideas y de costumbres, la crítica injustificada de España, son temas en los que insiste varias veces. Sin embargo, el planteamiento del problema social en las *Cartas* no es exactamente el de los demás ilustrados. Para Cadalso hay tres clases sociales: la alta nobleza, la baja nobleza y la plebe. Estas tres clases deben distinguirse incluso por la educación: la primera debe ser educada esmeradamente, dados los cargos políticos que le son anejos; la segunda también ha de recibir una educación esmerada, porque es la que ocupa puestos en el ejército, los tribunales y la Iglesia; pero a la tercera le basta con aprender el oficio de sus padres. Incluso en la carta XXIV expone Cadalso que uno de los motivos de la decadencia de la industria artesanal en España obedece a que los hijos no quieren aprender el oficio de sus padres, continuando lo que éstos hicieron, sino que pretenden mejorar de clase, ascendiendo por medio del dinero hasta la clase alta. Como hacen Jovellanos y otros ilustrados, también él critica al noble, ejemplificado en el señorito andaluz de la carta VII, que no se preocupa por adquirir una educación conforme a su clase social, precisamente porque abandona entonces su obligación de servir a la nación, para dedicarse exclusivamente a vivir de las rentas recibidas en herencia.

En las *Cartas* no hay demasiadas ideas sobre la solución de los problemas planteados. Cadalso prefiere más la actitud crítica. Acaso su pesimismo, que no creo que sea exclusivamente de antecedentes estoicos, como sostienen Dupuis-Glendinning [1966], sino que me parece congénito en él, le impide ver soluciones, aunque allá y acá aporte algunas, como su creencia en la cultura y en las ciencias positivas. Sin embargo, «el hombre es mísero desde la cuna al sepulcro», escribe en la carta LIII, idea que le impedía mirar con optimismo el ser de España, porque todo lo más, como otro cualquiera de los apologistas, sólo encontraba la grandeza de España en el siglo XVI, esto es, en el pasado.

La primera obra que publicó Cadalso fue la tragedia *Sancho García* (1771), que fue también su única obra dramática estrenada. La crítica le ha sido en general adversa; pero no conozco ni un solo trabajo que intente analizar detenidamente la obra. Sólo hay estudios de ella en libros generales sobre Cadalso o sobre teatro del XVIII. Uno de los defectos que se le ha señalado ha sido la utilización del pareado, contra el cual la generalidad de los críticos, hasta Alborg, alegan la intolerancia del oído español. Es curioso que las únicas defensas hayan surgido de dos críticos extranjeros, Glendinning [1962] y Sebold [1971], cuyo juicio general de la obra es negativo. Pienso que, cuando críticos tan avispados como Alborg hablan de «dispararle al espectador cinco actos seguidos con idéntico sonsonete» (p. 616), o no han leído la obra, o no la han visualizado (cosa fundamental al tratar de hacer crítica literaria sobre obras dramáticas). El actor profesional sabe muy bien cómo declamar para que ese sonsonete no moleste.[2]

Por lo demás, como ha analizado Andioc [1970], *Sancho García* se centra en las ideas políticas vigentes entonces; podría ser el contrapunto de la *Raquel*, si no fuera que la tragedia de García de la Huerta, si estaba escrita, todavía no se había estrenado ni siquiera en Orán. Cabría pensar en lo contrario, aunque creo que la una no ha tenido relación con la otra.

Una tragedia cadalsiana que se daba por perdida, *Solaya o los circasianos*, ha sido encontrada recientemente por Aguilar Piñal y publicada por él por primera vez [1982]. El que no hubiera pasado la censura puede que haya obedecido a las diversas rebeldías individuales que Cadalso presenta en escena y al poco habitual concepto del honor que le sirve de base. Hablar de nuevo de romanticismo, en razón del aparente individualismo, me parece excesivo. Acaso en la obra haya algo más profundo, una simbología política, indudablemente no coincidente con la política vigente en esos momentos, pero quizá no tan apartada de lo que van a expresar después algunos ilustrados, como Jovellanos. Convendría investigar en este sentido. Por lo demás, desde el punto de vista literario

2. No recuerdo que exista ningún trabajo concreto sobre la relación entre la versificación dramática y la declamación de los actores. Ni creo que nadie haya estudiado lo que significa en la representación que una parte del verso la diga un actor y otra parte otro, cuando existe sinalefa entre las dos partes; ni el hecho de que ciertas pausas sintácticas modifiquen el ritmo del verso, al impedir en la realidad las sinalefas correspondientes. Mi propia experiencia, como viejo comentador de textos dramáticos en verso, me indica que el ritmo convencional del verso no es el único que rige en la representación, y que incluso a veces el hacer sinalefa rompe la unidad de sentido. Es decir, el ritmo de la declamación puede no coincidir con el ritmo del verso.

me parece inferior a *Sancho García*, con ser ésta una tragedia bastante floja.

Considero que, a pesar de lo que se ha dicho, los *Eruditos a la violeta* (1772), y su *Suplemento*, por mucha fama que hayan tenido, no son otra cosa que una sátira frustrada, a la que algunos críticos han concedido más valor del debido, probablemente porque los que deseaban condenar en bloque el siglo XVIII encontraban un buen argumento en la sátira cadalsiana. Lo absurdo es que también se haya escrito que Cadalso criticaba aquello de lo que él había sido la primera víctima. No, Cadalso acaso no alcanzó una cultura muy profunda, porque, en lenguaje actual, Cadalso no fue un especialista en nada, probablemente ni en su propia profesión; pero no se necesita ser especialista en esto o lo otro, para tener una cultura amplia y seria, procedente de la educación recibida y de una intensa lectura. Y Cadalso la tuvo, y por ello protestaba de los que con un par de manuales, la lectura de alguna enciclopedia y media docena de ideas cazadas al vuelo, pretendían saber lo que no sabían.

Las poesías de Cadalso, publicadas en su mayoría en los *Ocios de mi juventud* (1773), ponen de relieve la curiosa actitud intelectual de su autor y son un claro ejemplo de una poética rococó. Hay que comenzar refiriéndose a sus anacreónticas, todas en romance heptasilábico, menos una escrita en romancillo hexasilábico. Por lo pronto, en ellas predomina el tema de Baco sobre el de Venus. En las anacreónticas de Nicolás Moratín encontrábamos un paisaje campestre que tiene el sabor de lo real; en Cadalso lo curioso es que se pasa más concretamente a la aldea y a la choza. Otro rasgo que diferencia a las anacreónticas de Cadalso es la ausencia de algunos peculiares caracteres de las anacreónticas tardías de Moratín, al menos de la versión que nos ha llegado, que ha podido ser modificada por su hijo. En esas anacreónticas Moratín parece seguir ya muy de cerca el modelo de Villegas, y en ellas hay algunos rasgos de estilo que serán comunes después: el diminutivo, los artificiales cefirillos, los adornos floridos, el paisaje primaveral. Esto no está en Cadalso, por lo que, en consecuencia, resulta el anacreontista más vigoroso y más original, aunque no alcance la calidad poética del futuro Meléndez Valdés.

En los *Ocios* hay algunos poemas de circunstancias, pero otros muchos en los que predominan los temas amorosos con un *leitmotiv* que reaparece muchas veces, y que es la renuncia a los temas épicos, filosóficos y satíricos. Es decir, Cadalso, como poeta, no acepta hacerse eco de los ideales ilustrados. Por el contrario, hay que subrayar su actitud personalista y sentimental, que en el prólogo expresa con estas palabras: «Los hice todos [los versos] en ocasión de acontecerme alguna pesadumbre, tal vez efecto de mis muchas desgracias, tal vez efecto de mis pocos años, y tal vez de la combinación de ambas causas».

Cadalso históricamente representó un gran papel en la irradiación de la poesía de gusto rococó de la tertulia de la fonda de San Sebastián, gracias a los contactos con Jovellanos en Alcalá en 1766, y con Iglesias de la Casa y Meléndez Valdés en Salamanca en 1773. Al mismo tiempo sirvió de lazo de unión entre el grupo salmantino y el grupo madrileño. El mejor estudio, aunque no de conjunto, de la poesía cadalsiana es el de Arce [1981].

Con motivo del centenario de su muerte se ha celebrado del 26 al 29 de octubre de 1982 un Coloquio Internacional en Bolonia, en el que han participado Francisco Aguilar Piñal, Iris M. Zavala, E. Kahiluoto Rudat, Jorge Demerson, John H. R. Polt, Maria Teresa Cattaneo, Hans Joachin Lope, Isabel Vázquez de Castro, Nigel Glendinning, Mario di Pinto, John Dowling, David Gies, Maurizio Fabbri, Rafael Olaechea, Manuel Camarero, Rinaldo Froldi y J. Caso González. En las ponencias se han analizado la obra poética cadalsiana, sus dos tragedias, las *Cartas marruecas*, las *Noches lúgubres* y otros aspectos de la vida y la obra de Cadalso. La publicación de las actas, que se espera para 1983, será una magnífica aportación al mejor conocimiento de nuestro autor.

BIBLIOGRAFÍA

Aguilar Piñal, Francisco, ed., José Cadalso, *Solaya o los circasianos*. Tragedia inédita, Castalia, Madrid, 1982.

Alborg, Juan Luis, *Historia de la literatura española. Siglo XVIII*, Gredos, Madrid, 1972.

Andioc, René, *Sur la quérelle du théâtre au temps de Leandro Fernández de Moratín*, Tarbes, 1970 [trad. cast.: *Teatro y sociedad en el Madrid del siglo XVIII*, Castalia, Madrid, 1976].

Arce, Joaquín, ed., Cadalso, *Noches lúgubres*, Anaya, Madrid, 1970, Cátedra, Madrid, 1978².

—, ed., José Cadalso, *Cartas marruecas. Noches lúgubres*, Cátedra, Madrid, 1978.

—, *La poesía del siglo ilustrado*, Alhambra, Madrid, 1981.

Caso González, José, «La prosa en el siglo XVIII», en J. M. Díez Borque, ed., *Historia de la literatura española*, II, Guadiana, Madrid, 1975; 2.ª ed., III, Taurus, Madrid, 1980, pp. 113-118.

Cueto, Leopoldo Augusto de, *Bosquejo histórico-crítico de la poesía castellana en el siglo XVIII*, Rivadeneira, BAE, LXI, Madrid, 1869.

Dupuis, Lucien y Nigel Glendinning, eds., Cadalso, *Cartas marruecas*, Tamesis Books, Londres, 1966.

Ferrari, Ángel, «Las *Apuntaciones biográficas* de José de Cadalso en un manuscrito de *Varios*», en *Boletín de la Real Academia de la Historia*, CLXI (1967), pp. 111-143; véase Glendinning [1979].

Glendinning, Nigel, ed., Cadalso, *Noches lúgubres*, Espasa-Calpe (Clásicos Castellanos, 152), Madrid, 1961.

—, *Vida y obra de Cadalso*, Gredos, Madrid, 1962.

—, *A literary history of Spain. The eighteenth century*, Ernest Benn, Londres, Barnes and Noble, Nueva York, 1972 [trad. cast.: Ariel, Barcelona, 1973].

— y Nicole Harrison, eds., José de Cadalso, *Escritos autobiográficos y epistolario*, Tamesis Books, Londres, 1979.

Helman, Edith F., ed., Cadalso, *Noches lúgubres*, Antonio Zúñiga, Santander-Madrid, 1951; Taurus, Madrid, 1968².

Menéndez Pelayo, Marcelino, *Historia de las ideas estéticas en España*, III-2, Pérez Dubrull, Madrid, 1886; III, Editora Nacional, Aldus, Santander, 1947

Montesinos, José F., «Cadalso o la noche cerrada», en *Cruz y Raya*, n.º 13 (1934), pp. 43-67; incluido en *Ensayos y estudios de literatura española*, México, 1959, pp. 152-164.

—, «Reseña de la ed. de Helman de las *Noches lúgubres*», en *Nueva Revista de Filología Hispánica*, VIII (1954), pp. 87-91.

Pinto, Mario di, *La letteratura spagnola dal Settecento a oggi. Il Settecento*, Sansoni-Accademia, Milán, 1974.

Sebold, Russell P., *Cadalso: el primer romántico «europeo» de España*, Gredos, Madrid, 1974 [es trad. revisada de *Colonel don José Cadalso*, Twayne Publishers, Nueva York, 1971].

Wardropper, Bruce W., «Cadalso's *Noches lúgubres* and literary tradition», en *Studies in Philology*, Chapel Hill, XLIX (1952), pp. 619-630.

JOAQUÍN ARCE

LAS *CARTAS MARRUECAS*

La obra se nos presenta como un conjunto de noventa cartas, precedidas de una introducción y rematadas por una nota, más la final «Protesta literaria del editor». El género adoptado no es original ni ha sido tampoco elegido arbitrariamente. Tiene inmediatos precedentes extranjeros, a los que Cadalso alude en la «Introducción», y permite la posibilidad de ofrecer distintos y cruzados puntos de vista. Los corresponsales que intervienen son tres y actúan como remitentes y como destinatarios; es decir, que son, según los casos, receptores o emisores. Dos son árabes, concretamente marroquíes; el tercero, español y cristiano. La elección de dos extranjeros no es tampoco casual: se trata precisamente de ofrecer las impresiones que, ante nuestro país, recibe quien viene con la mirada limpia y ajena a prejuicios nacionalistas.

Las cartas, sin fechas y no coordinadas, se proponen tratar del «carácter nacional, cual lo es en el día y cual lo ha sido» («Introducción»), y fueron principalmente escritas «en el centro de Castilla la Vieja» («Protesta literaria»); su falta de sistematización pudiera obedecer a hondas motivaciones intencionales, o así intenta justificarla el autor: al igual que en el mundo no hay método y se confunde «lo sagrado con lo profano» y «lo malo con lo bueno», del mismo modo que se pasa de «lo importante a lo frívolo», también él puede y quiere escribir «con igual desarreglo» (carta XXXIX). Pero pue-

Joaquín Arce, ed., José Cadalso, *Cartas marruecas. Noches lúgubres*, Cátedra, Madrid, 1978, pp. 24-35 (24-26, 31-35).

de también suponerse que las *Cartas* no llegaron a alcanzar su organización definitiva.

Cadalso procura en todo momento salvar los límites entre lo fingido y lo real. La ficción novelesca, con su indiscutible antecedente cervantino, consiste en afirmar que «la suerte» quiso que en sus manos cayera un manuscrito por muerte de un amigo; el cual «era tan mío y yo tan suyo, que éramos uno propio» y tan rigurosamente coetáneo «que nació en el mismo año, mes, día e instante que yo» («Introducción»). El reconocimiento, pues, del alcance personal de las *Cartas* está abiertamente declarado por el propio Cadalso, aunque aparente crear una desviante red de referencias y de intermediarios en el juego de la visión plural de los tres corresponsales. El mismo esquema literario, convencional y de moda, busca a pesar de todo la verosimilitud. No sólo se refiere en muchos casos a acontecimientos y personajes auténticos, sino que algunos son muy inmediatos. Además, en el pretexto de la ficción, el autor no ha buscado países extraños, sino que concilia la moda dieciochesca del exotismo con las posibilidades reales del viaje. Marruecos, por su cercanía y relaciones con España, admite fácilmente esa posibilidad; es más, Cadalso ha procurado que el lector de la época pudiera poner en conexión su inventado viajero con un personaje histórico y reciente. Muy pocos años antes, en 1766, un embajador de Marruecos, Sidi Hamet al Ghazzali, conocido precisamente por «El Gazel» —el nombre utilizado por Cadalso— había estado en España durante varios meses, despertando la natural curiosidad, todavía viva en algunos sectores.

Tampoco le preocupa al autor la originalidad de los temas y de las reacciones, porque la verdad está por encima de todo: «Otros lo han dicho antes que yo; pero no por eso deja de ser verdad y verdad útil» (LXVIII). Del mismo género epistolar hay claros precedentes extranjeros que no ignora y que incluso nombra; así, al hacer notar en la «Introducción» lo increíble que al lector español hubiese resultado su obra si tuviera el título de «Cartas persianas, turcas o chinescas», nos da la clave de los antecedentes exóticos por él aclimatados y adaptados a territorio cercano y relacionado con España. El modelo más recordado por la crítica, ya desde el primer momento, fueron las *Lettres persanes* (1721), sátira de la vida en la corte y en París, del filósofo y escritor francés barón de Montesquieu. El título semejante adoptado por Cadalso hizo caer en la fácil conexión, sin profundizarla en muchos casos, inicialmente utilizada como comparación negativa. Ya Quintana llamó la obra del español «desigual imitación» de la francesa. Y Menéndez Pelayo, que consideraba a Cadalso como «mediano escritor» (¡excepto en los *Eruditos a la violeta*!), exageró la nota denominándola «pálida imitación», tópico que repitió Cotarelo variándolo ligeramente: «imitación débil». En época reciente, Tamayo modificó la interpretación crítica, aclarando que nunca es Cadalso «imitador servil» y que sólo el título y el plan general recuerda al francés. Y fue después Hughes quien precisó con más exactitud la parte que puede tener mayor vinculación con las *Lettres persanes*. [...]

Otra significativa fuente literaria, primero sólo apuntada, después discutida, y finalmente remachada por Sebold [1971], es la de Oliver Goldsmith, *El ciudadano del mundo* (*The citizen of the world*, 1762). Aparecida primero en un periódico, en forma de cartas de un mandarín chino que escribe desde Londres a su país, fueron después recogidas en volumen con ese título. Evidentemente hay también aquí cierta identidad de temas y actitudes, pero el dato que más lleva a confirmar su conocimiento por parte de Cadalso es que, según el citado hispanista, una de las cartas coincide también en detalles y ambiente con un fragmento de las *Noches lúgubres*. [...]

La observación e interpretación de la vida contemporánea ocupan una gran parte de las *Cartas marruecas*, por las múltiples perspectivas que el asunto ofrece. La época en que Cadalso vive, con sus peculiares costumbres ciudadanas, es objeto de análisis en distintos sectores, que van del vestuario a la lengua, del lujo al trato social. Todo ello, implicando al propio autor en cuanto activo personaje de su tiempo, se convierte en tema dominante. Dado el entrecruzamiento de puntos de vista, paralelo al gusto por las conversaciones en los salones elegantes, el verbo «concurrir» y el sustantivo «concurrencia» son términos reiterados y frecuentes en la composición de las *Cartas*, en cuanto voces clave del vivir dieciochesco.

El placer de la conversación, sin embargo, se hace intolerable, por los argumentos que tratan, con los ricos, los nobles, los sabios, los eruditos, ya que en ninguno de ellos «ha depositado naturaleza el bien social de los hombres»: sólo la amistad es la «madre de todos los bienes sociables» (XXXIII). Esta nueva dimensión del vivir colectivo —«la sociedad o vida social»—, aunque favorecedora del trato entre los hombres, impide la debida soledad y reflexión (XL). La conversación puede llegar a quitar la melancolía, pero a veces la reacción de las damitas y de los elegantes, ante los obstáculos para conseguir las banalidades de la moda, convertidos en tragedia, hace gracia al sorprendido Gazel (LVI).

El tema de la nobleza y de la educación de la nobleza despierta el interés y la preocupación de los máximos escritores y poetas ilustrados, como Cadalso y Jovellanos, Meléndez y Cienfuegos. Varias son las cartas en torno a esta cuestión. Desde la graciosa definición de nobleza hereditaria (XIII), quizá tomada de Rousseau, hasta los cocheros que tienen vasallos propios (XII), en conexión con la común aspiración por todos sentida para que se les trate con títulos (XXV), incluido el absurdo abuso del *don* (LXXX). Por este afán desmesurado a la ascensión social, una de las causas de la decadencia de las artes útiles en España reside en que son muchos los que no quieren seguir «la carrera de sus padres» (XXIV). Consecuencia a su vez de esta actitud es la desmesurada afición al lujo: por una parte, se señala el paso de la austeridad a la abundancia y afeminamiento (LXVIII); por otra, se hace una valoración económica del lujo, al considerarlo útil si sirve para que distribuya mejor el dinero y no se estanque; conveniente sería por ello inventar un lujo nacional, aun cuando iba a ser más una imitación que una invención (XLI). En todo caso, es inútil ya declamar contra el lujo, puesto que intentar prevenirlo es tan infructuoso como detener el mar (LXXXVIII).

La actitud cadalsiana de sano relativismo, con su reconocimiento plural de distintas realidades y su búsqueda de conciliación entre los contrastes, se refleja en la afirmación de que «cada nación tiene su carácter» (XXIX), como también cada provincia española (II); y asimismo, es el propio siglo XVIII el que presenta peculiaridades distintivas no por todos igualmente valoradas. Los europeos —afirma— se envanecen del siglo en que viven, pero no hay que dejarse «alucinar de la apariencia», sino ir a «lo sustancial»: no se discute que hay «cierta ilustración aparente», pero Cadalso parece negarse a admitir que se haga la apología del siglo basándose en que se come «con más primor», o en que no se desafían ya maridos y amantes, o en la invención de placenteras frivolidades (IV). Así está expuesto por boca de Gazel al principio, pero más adelante se reconocerá que el verdadero progreso radica en los «adelantamientos» científicos, en la mayor «humanidad en la guerra», en la posibilidad de traducciones, que permiten «el mutuo comercio de talentos» (XLVIII).

La situación de España es distinta: aquí, donde se ha perseguido siempre a los grandes, hay que desear tener hijos tontos (LXXXIII) y sólo bastará trabajar en las ciencias positivas para que «no nos llamen bárbaros los extranjeros»; en efecto, todavía entre nosotros abundan los sabios escolásticos, no sólo de aquellos que «estudian a Newton en su cuarto y explican a Aristóteles en su cátedra», sino que creen que lo que ellos no enseñan ni aprendieron de sus maestros es «desatino físico y ateísmo puro» (LXXVIII). Y a la crítica de la filosofía escolástica y de los libros inútiles (XXXII y LXXVIII), se une la de esos creadores de absurdos proyectos que se llaman *proyectistas* (XXXIV).

En cuanto a las costumbres, cierto es que entre los cristianos no existe la poligamia, pero de hecho, dada la relajación de costumbres de muchos jóvenes, salen éstos a muchas más mujeres por día que las que nunca haya podido tener cualquier emperador turco o persa (X). Se da además el caso de que una cristiana, casada seis veces por muerte de los cónyuges, siguiendo la voluntad paterna y no su gusto, no encuentra distinción, frente a las leyes mahometanas, entre «ser esclava de un marido o de un padre» (LXXV).

La preocupación lingüística, casi diría léxico-semántica, está en clara conexión con la vida del tiempo y con las nuevas costumbres. Si Nuño pretende hacer un diccionario es precisamente para que las palabras recuperen su auténtico y originario sentido (VIII). Y es que la lengua se transforma al par de la sociedad, de modo que un tatarabuelo no entendería ya el lenguaje del tiempo en que Cadalso escribe, como lo demuestra la carta de una hermana de Nuño, petimetra a la moda (XXXV); también ha cambiado a nivel retórico, ya que la figura llamada antítesis es la equivalente a lo que era en el siglo anterior el equívoco (XXXVI). Por otra parte, al igual que se propaga el uso de «bello», con la consiguiente desaparición de «bueno» y «malo» (XXXVII), se ve obligado el autor a matizar el exacto alcance semántico de vocablos como «tertulia» (XI), «victoria» (XIV), «antigüedad» (XLIV), «político» (LI), «fortuna» y «hacer fortuna» (LIV), «proyectista» (XXXIV), «lujo» (XLI), «fama póstuma» (XXVII y XXVIII), «cosmopolita» (LXXX), y hasta el nuevo pasatiempo de la «coquetería» (LXXVI), que tiene su paralelo en el galicismo léxico entonces introducido. Cadalso, ante la función pública del creador literario, siente la necesidad de autojustificarse; así, al distinguir entre los escritores europeos a los que escriben lo que quieren de los que hacen lo que les mandan, él declara que escribir una cosa y hacer la contraria es burlar la sencillez del pueblo (LXVI).

El espíritu conciliador de Cadalso, que se burla de todo exceso y no niega nunca la parte defendible que pueda encerrar incluso lo negativo, no permite dejar siempre clara su postura definitiva. En todo caso, Gazel, ya en la última de las cartas, habla del regreso a su país; y abiertamente confiesa que tiene que dejar la tierra española y el trato de Nuño, cuando ambos habían empezado a inspirarle «ciertas ideas nuevas»; así que volverá para concluir el único negocio que le preocupa. Todo ello podría indicar, como ya señaló H. J. Lope, una transformación en el ánimo del moro Gazel, que, en uso de su libertad individual, acaba comprendiendo la parte positiva de las costumbres innovadoras del nuevo siglo. Parece, pues, un reconocimiento final del progreso, al que es difícil sustraerse y al que Gazel no piensa ya renunciar.

Nigel Glendinning

LAS *NOCHES LÚGUBRES*

[El mero hecho de que Cadalso escribió las *Noches* «con motivo de la muerte de Filis», o sea, de María Ignacia Ibáñez, es de poca monta para la indagación de los móviles del autor. Lo que necesitamos descubrir es la significación para Cadalso de su muerte y del momento de su muerte. Y para ello hace falta saber primero lo que significaban esos amores con la actriz, que tanto dieron que hablar a los contemporáneos del autor.] Cadalso llegó a conocer a María Ignacia en Madrid —probablemente en 1770—. Ella había estado en la corte desde 1768, cuando la trajeron de Cádiz para ser *sobresalienta* en la compañía de María Hidalgo. Él, en cambio, había estado ausente de Madrid desde el último día de octubre de ese mismo año, desterrado por haber escrito una sátira contra las costumbres de la alta sociedad madrileña, llena de alusiones a los bailes de máscaras y a los cortejos y amoríos de la nobleza. Probablemente no volvió a Madrid hasta fines del mes de febrero de 1770. Y si trababa amistad entonces con la actriz, fue después de uno de los momentos más críticos de su vida —su destierro—, cuando él tenía veintiocho años y ella veinticuatro. [...]

La vuelta a Madrid en 1770 no constituyó para Cadalso una sencilla vuelta al tren de vida que había llevado en la corte y en Alcalá a fines de la década sesenta antes de su destierro. Tampoco fueron sus amores con María Ignacia, a su parecer, iguales que los de su primera juventud. La vida cortesana no le interesaba más, como declara en el idilio anacreóntico «Vuelve, mi dulce lira». «No esperes en la corte / gozar días felices, / y vuélvete a la aldea, / que tu presencia pide», dice. Y ya había anunciado su desengaño en materia de amoríos en 1768. Al nuevo Cadalso le convenía María Ignacia —«sensible y modesta», además de hermosa, como Leandro Fernández de Moratín nos dice— más que las frívolas ninfas de Manzanares. Porque ella parece haber cuadrado perfectamente con el ideal horaciano de la vida sencilla, sin ambiciones ni envidias, que Cadalso se había hecho en Aragón (durante el exilio) y expresaba en sus poemas pastoriles. Paradójicamente, es posible que las relaciones entre los dos, por irregulares que pareciesen, tuvieran para

Nigel Glendinning, ed., «Prólogo» a Cadalso, *Noches lúgubres*, Espasa-Calpe (Clásicos Castellanos, 152), Madrid, 1961, pp. XXVI-XLVII (XXVI-XXVIII, XXX-XXXIII, XXXVIII-XLVII).

Cadalso el mismo sentido filosófico y moral que los poemas idílicos en que la cantaba. En esos poemas anacreónticos y quizás en sus amores también Cadalso rechazaba los falsos valores que él veía en el mundo a su rededor. La fidelidad de la actriz y el respeto que se profesaban [...] le parecerían de una ejemplaridad rarísima, que haría contraste con la inconstancia e inmoralidad al uso en la sociedad madrileña de entonces.

Si así era, y sus amores hubiesen sido muy criticados, habría habido lugar para que Cadalso pensase en un nuevo rechazo injusto de la sociedad, un nuevo destierro, por decirlo así, y que reprodujese en 1771 los mismos pensamientos y las mismas actitudes filosóficas que en 1768. La muerte de María Ignacia vendría a ser para Cadalso algo así como un segundo ejemplo de la injusticia del mundo y de su fortuna contraria, que le pedía una nueva posición filosófica. De todos modos, esto nos explicaría por qué en sus *Noches* el autor trata, sobre todo, de la lucha de Tediato con la adversa suerte y la injusta sociedad: temas también de la poesía escrita por Cadalso durante su destierro. [...] Es de notar, sobre todo, el extraordinario parecido entre las ideas de Tediato en las *Noches* y las del propio Cadalso en su poema *Carta escrita desde una aldea de Aragón a Ortelio*. A Tediato, como a Cadalso, al principio todo le parece negro; se encuentra «cargado de *tedio*»; y trata de justificarse protestando su inocencia. Luego contrasta su propia intachable virtud (y la bondad excepcional de la amada) con la maldad de los más de los hombres, y se queja de la indiferencia de los cielos. Y, por fin, acepta su destino estoicamente como parte de la dura suerte de todos los seres humanos, del mismo modo que Cadalso al final de su poema. [...]

Ya que no creemos que la historia del desenterramiento de la amada, base de las tres *Noches*, se derivase de un suceso verdadero de la vida del autor, ¿de dónde viene? Su probable fuente se encuentra en una leyenda folklórica muy difundida en la literatura mundial, y usada tanto por autores cultos como populares. Se ha dado en llamar las versiones españolas de esa leyenda, *La difunta pleiteada*, título de un drama atribuido a Lope, que está basado sobre ella.

En esa historia se trata del amor de dos jóvenes que quieren casarse, pero cuyos padres (y en algunos casos las circunstancias) no se lo permiten. El amante rechazado va al extranjero y los padres de la joven la hacen casarse luego con una persona que no es de su agrado; ella muere del disgusto poco después de la boda. Después de su muerte, el amante vuelve y trata de desenterrarla (con la ayuda de un sacristán o ermitaño) con la intención de suicidarse para unirse con ella. Pero, al abrirse la tumba, ya gracias a la intervención de la Virgen, ya gracias a las caricias del amante, la muerta vuelve en sí. El amante la lleva a su casa y viven juntos hasta que el marido de ella se da cuenta de lo que pasa y pone pleito al amante —se supone que por secuestro—. Afortunadamente, triunfa el amor y el marido pierde; los dos amantes siguen viviendo juntos como si tal cosa.

Es claro que la mayor parte de esta extraña historia no tiene nada que ver con las *Noches*, pero el episodio central del desenterramiento pudo haber servido a Cadalso perfectamente como trama de su obra. Si hubiese mucha oposición a sus amores con María Ignacia, sería del todo natural que Cadalso pensase en esa leyenda después de su muerte. El objeto de la historia es precisamente el de justificar unos amores frustrados por las justas (o injustas) exigencias de la sociedad. De todos modos, hemos encontrado cinco probables ecos de ella y dos posibles reminiscencias en las *Noches*. [...] Los ecos son los siguientes: 1.°, el día que Tediato pasa cerca de la tumba de su amada, al fin del cual un sacristán le hace salir porque va a cerrar las puertas; 2.°, el soborno de Lorenzo; 3.°, la crítica que hace Tediato de la codicia de Lorenzo y de los hombres en general; 4.°, la tentativa de levantar la losa de la tumba de la amada, y 5.°, la intención que tiene Tediato de suicidarse. Las dos posibles reminiscencias son: 1.°, la posibilidad de que la muerta volviese a la vida, en la que Tediato parece creer antes de abrir la tumba en la *Primera noche*, y 2.°, la intención de Tediato de llevar el cadáver de su amada a su casa, mencionada al fin de la misma *Noche*.

Existen bastantes versiones españolas de esta historia que Cadalso hubiese podido conocer. Entre ellas podemos señalar las versiones novelísticas de Matías de los Reyes, Castillo Solórzano y María de Zayas, como más difundidas quizás en el siglo XVIII que el drama atribuido a Lope y otra versión dramática de Rojas Zorrilla. También hay muchos romances sobre el mismo tema coleccionados en el siglo pasado y cotejados por María Goyri de Menéndez Pidal en su interesante estudio de las fuentes de la comedia *La difunta pleiteada*, atribuida a Lope. La única versión española de la historia que conocemos donde se encuentran los siete detalles que hemos señalado, es precisamente uno de estos romances. Y citamos a continuación la parte que pudiera haber servido a Cadalso, empezando con la vuelta del amante después de la muerte de su amada:

Al cabo de nueve meses
viene Don Juan de las Indias,
por la calle de su esposa
hizo la primer visita.
En una alta ventana
ha visto una blanca niña:
—¿Por quién tienes ese luto?,
¿por quién toda esa *enculía*?
—Yo se lo dijera a usted
si a usted no le pesaría:
por Doña Ángela, señor,
por Doña Ángela Mesías.
—Dime tú, la niña blanca;
dime tú, la blanca niña:
¿en qué parte está enterrada?
—Cerca del agua bendita.
Con estas mismas palabras
hacia la iglesia camina,
se estuvo haciendo oración
la mayor parte del día,
hasta el ermitaño dice
y el ermitaño decía:
—Sálgase fuera, Don Juan,
que voy a trancar la ermita.
El interés mueve al hombre,
que Don Juan se lo decía.

—El anillo de mis dedos
dos mil ducados valía;
el anillo de mis dedos
sin la piedra los valía.
Entre el ermitaño y él
levantan la losa arriba,
sacó un dorado puñal
de su dorada *petrina*,
para mata se con él,
para hacer a compañía.
Esto que ha oído la Virgen,
corre sus nuevas cortinas.
—Que vivan los dos amantes,
pues que tanto se querían.
Agarróla de la mano,
llevóla la calle arriba,
sacudiendo sus cabellos
que de polvo los tenía.
Esto que oye el comerciante,
en pleito se lo ponía.
El pleito fue a Valladolid
a ver quien ella quería.
Ella dijo que a Don Juan,
que ella a Don Juan quería,
que el que no la olvida en muerte
tampoco la olvida en vida.

Desgraciadamente, visto que no existe, que sepamos, versión impresa o copia de éste ni de ninguno de los romances de *La difunta pleiteada* anterior al siglo pasado, no podemos decir con seguridad que existía la historia en esta forma en la época de Cadalso. Sin embargo, dada la existencia de la tradición oral, es muy posible que existiese un romance en el siglo XVIII no muy diferente textualmente de éste que se cantaba por los años de 1880. Las versiones de Castillo Solórzano y María de Zayas, sobre todo, no son muy distintas de los romances estudiados por María Goyri, y es probable que éstos existían ya a principios del siglo XVII, si no bastante antes como la señora de Menéndez Pidal supone. De todos modos, no sería inverosímil que Cadalso conociese una versión en forma de romance de la historia en el caso de que existiera. Sabemos que conocía algunos romances populares y coplas. Y si se refiere dos veces a los de Francisco Esteban en tono despectivo, por lo menos cita una copla con evidente gozo en una carta a Tomás de Iriarte, la cual había oído cantar una vez a «una gitana ojinegra, caripícara». Dondequiera que encontrase esta historia, parece claro que Cadalso la conocía, aunque no la siguió servilmente en sus *Noches*. Es muy probable que haya aprovechado las circunstancias principales del desenterramiento para ellas. Mas hace de Lorenzo todo un personaje con motivos propios que sufre y piensa (a pesar del soborno) a veces casi como el mismo protagonista. También Cadalso cambia completamente el final de la historia, esencialmente popular y además inútil para su caso, visto que su amada estaba muerta de verdad. Al abrir la tumba, Tediato encuentra gusanos y corrupción. El autor no permite al protagonista el fácil éxito milagroso de la leyenda, sino que le hace arrostrar la realidad por miserable y desgraciada que sea. Además, añade Cadalso todo un episodio ajeno a la historia popular en su *Segunda noche*: la prisión de Tediato, que le sirve de segundo desengaño, haciéndole experimentar de nuevo la contraria suerte. Pero este nuevo episodio y los sucesos de la *Segunda noche*, ¿de dónde vienen si no de *La difunta pleiteada*? ¿Serán verdaderos en parte, como supuso «M. A.»? [1]

[Por lo que respecta a las posibles fuentes del asesinato y de la prisión de Tediato en la *Segunda noche*,] no estamos seguros de haber acertado con una fuente literaria para estos sucesos. Mas esto

1. [«La leyenda cadalsiana sobre el desatinado propósito del poeta de desenterrar el cadáver de su amada tiene su punto de partida en una famosa carta, de 1791, firmada con las letras "M. A.", que apareció en la edición de 1822 y en alguna otra posterior, en la que se cuenta lo que el título dice explícitamente: *Carta de un amigo de Cadalso sobre la exhumación clandestina del cadáver de la actriz María Ignacia Ibáñez*. En ella se dice que la enfermedad de la cómica motivó "que al tercer día de cama expirase en los brazos de su amante". Ello tanto le perturbó, "que casi terminó en demencia". Cadalso no se apartaba de la losa que cubría a la muerta, hasta que "últimamente paró su violento dolor en la extravagancia de desenterrar el cadáver; pasó al pie de la letra todo lo que describe en la *Primera noche*". Por la vigilancia de espías puestos por el conde de Aranda —sigue diciendo la carta— no pudo el infeliz enamorado llevar a efecto su intento, y el conde terminó por desterrarlo. La obra se habría compuesto "recientes estos lances" y su autor se vio obligado a interrumpirla por la intervención de un amigo; y cuando, "disipada la melancolía", quiso concluirla, "le fue imposible seguir el mismo estilo, confesando que aquella obra era sólo hija de su sentimiento".» Joaquín Arce, ed., J. Cadalso, *Cartas marruecas. Noches lúgubres*, Cátedra, Madrid, 1978 (pp. 45-46).]

no quiere decir que no la tengan. La historia del asesinato que inculpa a un inocente es tan vulgar en la literatura mundial, que no hay razón alguna para creerla realidad y no ficción en Cadalso. Según Stith Thompson, es típica de la literatura folklórica, y D. P. Rotunda cita la tercera novela del primer libro de los *Ducento novelle*, de Celio Malespini, como ejemplo italiano del tema, en la que unos hombres matan a otro y un inocente está acusado del crimen, metido en la cárcel y luego condenado a suplicio.

Otra historia muy parecida se encuentra en la séptima carta de la *Relation du voyage d'Espagne*, de la famosa madame d'Aulnoy. Un caballero francés socorre a un español atacado por otros tres en una callejuela. Éstos matan al otro en el mismo momento en que el francés saca la espada para ayudarle. El muerto cae sobre el francés, y la gente, al verle con la espada en la mano, cree que es el asesino y por poco le prende.

No faltan casos parecidos en la literatura española. Se encuentra una historia algo semejante en *La vida de Marcos de Obregón* (Relación III, Descanso XII), y otra en la cuarta Soledad de las *Soledades de la vida*, de Cristóbal Lozano. En la historia de Espinel, dos amigos inocentes son presos, sospechados de haber dado una gran cuchillada en el rostro a una mujer que había gritado «¡Ay, que me han muerto!», en el mismo momento en que ellos echaban a correr para ver cuál era «el más viejo». En la cuarta Soledad de Lozano (y en la segunda parte del romante *Lisardo, el estudiante de Córdoba*, que se deriva de ella), el protagonista se está ocultando de sus enemigos cuando oye que matan a otro creyendo que es él. El herido, gritando «¡Ay, que me han muerto!», corre a Lisardo y se ase a él, manchándole con su sangre antes de morir; y Lisardo trata de escaparse lo más a prisa posible para evitar las sospechas de la justicia, que no logra prenderle.

Aunque no podemos probar que ninguna de estas historias sirviese necesariamente a Cadalso para el comienzo de su *Segunda noche*, es cierto que cualquiera de ellas pudo haberle suministrado detalles para el suceso que describe. Como los acontecimientos descritos por Cadalso, las historias de Malespini, Espinel y Lozano suceden durante la noche; la prisión de un inocente figura en Malespini y Espinel; y los gritos que Cadalso pone en boca de los asesinos y del asesinado («¡Muere, muere!» y «¡Que me matan!»), se encuentran en Cristóbal Lozano, en el romance, y en parte también en Espinel. Además, es siempre posible que exista otra historia, aún más cercana a la *Noche* de Cadalso, desconocida para nosotros.

No vamos a insistir más sobre estas posibles fuentes. Nuestra intención al sacarlas a la luz ha sido sólo subrayar el probable carácter ficticio de esta parte de la obra, al igual que la *Primera noche* y el desenterramiento. Creemos haber dicho ya lo bastante para probar que hay más *literatura* y menos *vida* en esta obra de Cadalso de lo que se ha creído hasta ahora. [Otras fuentes de las *Noches*, ya señaladas por la crítica y en un caso por el mismo Cadalso, son los *Pensamientos nocturnos* o *Noches*, de Edward Young, y las *Meditaciones entre los sepulcros*, de Hervey; fuentes que tienen más relación con el estilo y el contenido filosófico de la obra de Cadalso.]

RUSSELL P. SEBOLD

EL YO ROMÁNTICO DE CADALSO EN LAS *NOCHES LÚGUBRES* Y EN LAS *CARTAS MARRUECAS*

Los críticos solían decir que Cadalso expresó en su vida la poesía que el neoclasicismo le incapacitaba para comunicar en sus obras, y que así llegó a ser «el primer romántico en acción». Hoy en día casi todos los lectores se sentirían más inclinados a aceptar la opinión de Ernesto Lunardi, de que lo más romántico de las obras de Cadalso no es su contenido narrativo autobiográfico, sino la *forma mentis* o disposición de ánimo que revelan, y esto es especialmente cierto en cuanto a las *Noches lúgubres*.

En 1934, Montesinos observó que en las *Noches* «se diría que no existe sino aquello que puede ser resonancia a la queja de Tediato: truenos y relámpagos, cárceles y cementerios, carceleros y enterradores». En 1948 Lunardi subrayaba el hecho de que cuando Tediato mira más allá de su sufrimiento y su muerte, no ve la luz divina; que el Dios de Tediato (a quien él nunca llama *Dios*) es el Dios «de los miserables, de los elegidos para el dolor, de los que saben ser impíos para seguir los im-

Russell P. Sebold, *Cadalso: el primer romántico «europeo» de España*, Gredos, Madrid, 1974, pp. 172-186 (172-178, 180, 184-186) y 213-237 (213-215, 217-228, 236-237).

pulsos más sinceros de su corazón». En 1951, Edith Helman hizo notar que el «uso del aparato de la naturaleza para realzar el estado de ánimo del héroe es un rasgo completamente romántico» en las *Noches lúgubres*, y que en realidad en la obra de Cadalso «no hay otra acción que la pasión de Tediato». La señora Helman sigue observando que el corazón sensible de Tediato y su humanitarismo también son rasgos esencialmente románticos. Sin embargo de todo esto, nadie ha emprendido un análisis completo de la mentalidad de Tediato; y creo que el lector encontrará bastante sorprendentes los resultados del presente análisis, puesto que a principios de la década de 1770, el héroe de Cadalso se encuentra ya en posesión de toda la gama de rasgos psicológicos que solíamos considerar como privativos de los personajes literarios españoles de los años treinta y cuarenta del siglo XIX.

En un pasaje Tediato proclama que tiene «una alma superior a todo lo que naturaleza puede ofrecer». Su confianza en la superioridad de su espíritu se evidencia también por otros pasajes, por ejemplo: «una alma que tengo más noble... un corazón más puro... sí, más puro, más digna habitación del Ser Supremo que el mismo templo». Unas líneas más adelante alardea de que él nunca ha tenido compañeros porque «¡ninguno me ha igualado en lo bueno!». El horror de la cárcel, en la segunda noche, hace que se refiera a las heridas que sufre debido a «lo sensible de mi corazón»; y al enfrentarse con las múltiples calamidades de la familia de Lorenzo, en la tercera noche, exclama: «¡Qué corazón el mío!». Tediato es el primer ejemplar español de una nueva familia de personajes literarios que empezó en Francia con la *Nouvelle Héloïse* y floreció por toda Europa hasta mediados del ochocientos. Refiriéndose a Saint-Preux y a Julie, Rousseau nos dice que se trata de seres cuyas «almas son tan extraordinarias, que no se las puede juzgar por las reglas comunes». Casi setenta años más tarde, uno de los numerosos descendientes literarios de Tediato, el héroe rejuvenecido del *Diablo mundo* (1841), también está dotado de un corazón, un alma tan pura, que «la aurora más pura y más serena / de abril florido en la estación amena / fuera junto a su luz noche sombría». En fin, el héroe de Espronceda es un «hombre en el cuerpo, y en el alma un niño»; y por los mismos años, Tula Avellaneda sentía en su pecho un «alma elevada ... capaz de ... grandes virtudes», pues tan noble era esa alma suya, que a veces la escritora incluso se veía «abrumada por el instinto de mi superioridad».

Teniendo semejante disposición anímica, el héroe de tipo rousseauniano estaba a un mismo tiempo destinado a sentir verdadera compasión por los desgraciados, a cultivar sus inclinaciones compasivas como prueba halagadora de su propia superioridad, a imaginarse a sí mismo como el sufridor delegado de las desdichas de la raza entera, a disimular su falta de interés real por los oprimidos imaginándose a sí mismo rechazado por ellos, y finalmente, a confundir de tal modo sus sentimientos reales e imaginarios como para no saber él mismo por dónde se había de trazar la raya de su sinceridad. Un antecedente directo de este nuevo dolor altruista-egoísta se encuentra en la primera versión de *The pleasures of imagination* (1744) de Mark Akenside. En un tono que recuerda a Shaftesbury y presagia a Rousseau, Akenside describe el sufrimiento ilimitado de «my afflicted bosom, thus decreed / The universal sensitive of pain, / The wretched heir of evils not its own (mi afligido pecho, así escogido / para ser el sensorio universal del dolor, / el miserable heredero de males que no son suyos)». Pero Inglaterra se había adelantado en dos o tres décadas al continente en la expresión de tales ideas; y por lo tanto Cadalso está todavía muy en la vanguardia al poner las palabras siguientes en boca de su héroe melancólico hacia 1774: «hallarás en mí un desdichado que padece no sólo sus infortunios propios, sino los de todos los infelices a quienes conoce, mirándolos a todos como hermanos... Hermanos nos hace un superior destino, corrigiendo los caprichos de la suerte, que divide en arbitrarias e inútiles clases a los que somos de una misma especie. Todos lloramos... todos enfermamos... todos morimos». Esta apasionada profesión de altruismo es provocada por la triste situación de la familia de Lorenzo, que para Tediato se convierte en símbolo de todos los hombres y su aciago destino, puesto que el mísero sepulturero ha visto a su padre y a su mujer morir en el mismo día; tiene siete hijos hambrientos, de menos de ocho años, dos de ellos enfermos de viruela, y otro en el hospital; y otra hija mayor que tiene, acaba de desaparecer de la casa.

Sin embargo, Tediato confiesa que si su corazón no se partió al ver tal espectáculo «excusa tiene: mayores son sus propios males y aún subsiste». Quiere decirse que el dolor de Tediato tiene lo mismo una causa exterior, que otra interior más roedora, lo cual es una reiteración de la idea expresada en su ya citada queja de que siente «un tormento interior capaz, por sí solo, de llenarme de horrores, aunque todo el orbe procurara mi infelicidad». El lector recordará también la explicación de Meléndez Valdés del *fastidio universal* como «materia en todo a más dolor hallando», y como al mismo tiempo teniendo «en todo el corazón perenne causa». La doble motivación del sufrimiento de Tediato es tan claramente romántica, que a éste se le podría tomar por un contemporáneo de Espronceda. Recuérdese que Espronceda en el *Canto a Teresa*, se pinta a sí mismo sufriendo las punzadas del desencanto *dentro* de su «desierto corazón herido», que «retuércese entre nudos dolorosos / ... gimiendo de amargura», al mismo tiempo que *desde fuera* se siente ultrajado por la indiferencia del mundo ante la muerte de Teresa: «Que haya un cadáver más, ¡qué importa al mundo!».

Para el romántico lo más importante de ese dolor de inspiración altruista es su función como término de comparación; pues al asociarlo con sus penas personales puede dar a éstas un valor «universal». Mas, como también sugieren otros pasajes, las quejas ante el desprecio del mundo son igualmente eficaces para sostener la significación pseudouniversal que el poeta quisiera dar a sus sufrimientos, y son ciertamente mucho menos insinceras si se tiene en cuenta el deseo poco constante del romántico de socorrer a los oprimidos (el *Canto a Teresa* contiene una especie de recapitulación en miniatura de la evolución del romanticismo, desde el idealismo social «ilustrado» hasta esa desilusión personal en la que el romántico suele creerse objeto de la irrisión de la sociedad). El alejamiento de Tediato de los otros hombres, cuando él se considera el más infeliz de los mortales, y su ridiculización por parte de ellos, son temas que se repiten una y otra vez en las *Noches lúgubres*. Tediato pide a la luna que no mire «al más infeliz mortal»; confiesa: «soy el más infeliz de los hombres»; asegura que «si el ser infeliz es culpa, ninguno más reo que yo»; y en su extrañamiento no encuentra consuelo, porque no sólo es diferente de los otros hombres, sino que tiene que escuchar «la risa universal, que es eco de los llantos de un mísero». Esta idea de «la risa universal» se sugiere también antes, en el pasaje de las *Noches* donde Tediato se queja de haber sido abandonado por su amigo (líneas que parecen anunciar la rima LXI de Bécquer, sobre su miedo de encontrarse solo en su última enfermedad):

¿Quién no se cansa de un amigo como yo —pregunta el personaje de Cadalso—, triste, enfermo, apartado del mundo, objeto de la lástima de algunos, del menosprecio de otros, de la burla de muchos? ¡Qué mucho me dejase! Lo extraño es que me mirase alguna vez... Hiciste bien en dejarme: también te hubiera herido la mofa de los hombres.

Podría haberse dado una compenetración total entre Tediato y su contemporáneo Werther, que se quejaba de que «el ser incomprendido es el destino de un hombre como yo». Pero el rechazo de Tediato por el mundo es más general, más absoluto y más romántico que el de Werther. Acosado en su dolor por la risa del mundo, Tediato ha adoptado ya una actitud como la de don Félix en *El estudiante de Salamanca* (1840): «Y él mismo, la befa del mundo temblando / su pena en su pecho profunda escondió» —escribe Espronceda—. Objeto de la indiferencia «universal», lo mismo que los románticos posteriores, Tediato se siente abandonado tanto por la divinidad como por la humanidad: «En vano les diría mi inocencia —dice Tediato refiriéndose primero a los hombres y luego al cielo—... Los astros darían su giro sin cuidarse del virtuoso que padece ni del inicuo que triunfa». Espronceda expresa esta misma idea en forma muy semejante cuando confiesa, en el primer terceto del soneto dedicatorio de sus *Poesías*: «Los ojos vuelvo en incesante anhelo, / y gira en torno indiferente el mundo, / en torno gira indiferente el cielo».

[El dolor romántico, más que un dolor, es una melancolía o sensación de falta de plenitud en el sentido metafísico.] En las primerísimas líneas de las *Noches*, mientras Tediato saborea su horror, nos cuenta que «la oscuridad, el silencio pavoroso ... *completan* la tristeza de mi corazón». El verbo que he subrayado es importante. Debido a que se siente incompleto, Tediato, [...] parece incapaz de experimentar plenamente sus emociones sin buscar la infinita extensión material de ellas a través de las metáforas naturalistas. La misma idea se sugiere hacia el final de la segunda *Noche*, mientras Tediato busca alguna forma de alivio para su espíritu temeroso y hambriento: «Las tinieblas son mi alimento». Los fenómenos naturales que no sugieran un estado de ánimo como el de Tediato no tienen realidad para él: «Cuantos objetos veo en lo que llaman día, son a mi vista fantasmas, visiones y sombras». En Tediato se manifiesta una creciente tendencia a controlar la correspondencia entre sus emociones y la faz de la naturaleza, bien sea eligiendo con extremo cuidado la hora en que sale al aire libre, o bien imponiendo por fuerza su estado de espíritu a cuanto ve a su rededor. La negativa que se da en el siguiente pasaje revela el intenso deseo del poeta de dominar la naturaleza: «Aun la noche ... es menos gustosa, porque en algo se parece al día. No está tan oscura como yo quisiera». [...]

Mientras el romántico se consuela viendo su dolor reflejado en la faz compasiva de toda la naturaleza, también al mismo tiempo se venga en cierto modo privando al «mundo mofador» de su existencia; pues esa «toda la naturaleza» en la que busca compasión es de hecho un «mundo» severamente reducido, con más nubes tormentosas que tiempo hermoso, más luz de luna que de sol, más cipreses y sauces llorones que otros árboles, más violetas que otras flores, y solamente las imágenes más vagas de hombres y moradas humanas. En el romántico, para concretar, el abandono del «mundo mofador» por ese «mundo compasivo» cortado a su medida es la base de una nueva forma de ascetismo.

Como el asceta cristiano de siglos anteriores, el romántico renuncia al mundo y a sus vanidades para entregarse a una fe total; mas en el caso de éste se trata de su propia secta de «panteísmo egocéntrico», [con frecuencia los románticos rousseaunianos hablan de lo egoísta en el tono de la consagración religiosa]. Para tomar otro ejemplo, la idea de Tediato de que su «corazón más puro» es una «más digna habitación del Ser Supremo que el mismo templo», hace recordar ciertas nociones sobre los primeros cristianos como la que se expresa en la nostalgia de Feijoo por los «primeros siglos de la Iglesia, cuando los cristianos no tenían otros templos que las cavernas más obscuras, ni otras imágenes de Dios y de sus santos que las que traían grabadas en sus corazones». La satisfacción gozosa que siente el romántico al proclamar la vanidad del mundo y la fugacidad de la vida humana, recuerda también ese rencoroso placer que algunas veces se trasluce por el tono realmente muy vanidoso de ciertos escritores ascéticos de la Contrarreforma, como fray Hernando de Zárate, el beato Alonso de Orozco y Juan de Salazar, cuando condenan la conducta de sus prójimos.

En una carta a su confidente, Werther hiperboliza así: «¡Oh, Guillermo! la celda del ermitaño, su cilicio y su cinturón de espinas serían un alivio comparados con lo que yo sufro». [Y en el principal pasaje ascético de las *Noches lúgubres* leemos:] «Un cuerpo tan débil como el nuestro ... ¿qué puede durar? ¿cómo puede durar?», etc. El considerar su extrañamiento de sus prójimos como una especie de retiro ascético de una sociedad pecadora y efímera, llegó a ser una constante en los románticos; y en el *Diablo mundo*, por ejemplo, Espronceda todavía recurre a la habitual imaginería ascética para representar su enajenación: «Y es la historia del hombre y su locura / una estrecha y hedionda sepultura!». O: «¿No ves que todo es humo, y polvo, y viento?». El cambio de un concepto teocéntrico a un concepto egocéntrico del universo explica cómo Cadalso puede crear la impresión de la autogratificación voluptuosa con las mismas tácticas retóricas que Young, Hervey y los ascetas españoles habían usado para expresar terribles censuras; explica por qué Chateaubriand no encontraba bastante personal para su gusto al entonces muy leído poeta de los *Night thoughts*, y por qué Lunardi veía tan gran diferencia entre los puntos de vista al parecer semejantes de Young y Cadalso.

Para Tediato, que se ha «separado del mundo» igual que Nuño Núñez, el suicidio habría sido el renunciamiento final de las vanidades humanas; porque el suicidio romántico difiere de otros suicidios en el sentido de que representa el último disentimiento en una dialéctica personal con todas las fases de la existencia (el sacrificio final en un ascetismo personal), más bien que un intento de escaparse de cualquier problema concreto o conjunto de problemas concretos. Aunque Tediato no realice sus intenciones suicidas, ya en 1774 ha llegado, al menos filosóficamente, a las últimas consecuencias del amor de sí mismo a lo romántico. [...]

Las *Cartas marruecas* contienen una multitud de observaciones y lamentos que resultan difíciles de conciliar con la fe que tenían en la europeización muchos españoles del reinado de Carlos III. «Los europeos del siglo presente —escribe Cadalso— están insufribles con las alabanzas que amontonan sobre la era en que han nacido... la generación entera abomina de las generaciones que la han precedido. No lo entiendo... No nos dejemos alucinar de la apariencia.» Los escritos de este siglo excesivamente confiado están parodiados ya en la misma Introducción de las *Cartas marruecas*. Los términos de este primer trozo de sátira contra la Ilustración son típicos del estilo y punto de vista de la obra, como ahora veremos. Los libros de antaño se medían «por palmos, como las lanzas» —nos dice Cadalso— mientras que los de los tiempos modernos se miden «por dedos, como los espadines». En la carta XXXIV, Nuño descubre su escepticismo ante el valor y los efectos de muchas de las complicadas reformas socioeconómicas, promovidas por la Ilustración: «la gente, desazonada con tanto proyecto frívolo, se preocupa contra las innovaciones útiles».

Además, si un programa de reformas basado en las ideas de la Ilustración se lleva demasiado lejos, puede suponer una amenaza para el conjunto de las cualidades constitutivas o esenciales —«lo esencial»— de la nación española, según se expresa Cadalso, casi anticipándose al concepto de historia interna o psíquica de un pueblo (*intrahistoria*) que Unamuno formuló más de un siglo después en *En torno al casticismo*. La preocupación de Cadalso por la *quidditas* del carácter español es constante; se encuentra, no solamente en sus obras literarias, sino también en sus cartas personales, por ejemplo, cuando se dirige a Manuel López: «si algo se me ha pegado de los muchos países que he visto, ha sido sólo de lo exterior que en nada influye a lo interior». Más que las ideas en sí, lo que amenaza las cualidades «esenciales» de la nación española son las relucientes abstracciones de la filosofía de la Ilustración: «Concédote cierta ilustración aparente que ha despojado a nuestro siglo de la austeridad y rigor de los pasados; pero, ¿sabes de qué sirve esta mutación, este oropel que brilla en toda Europa y deslumbra a los menos cuerdos? Creo firmemente que no sirve más que de confundir el orden respectivo, establecido para el bien de cada estado en particular».

Es obvio que Cadalso no está enfrentado con una crisis intelectual como lo estaban los *philosophes* franceses y Feijoo —ideas viejas que haga falta extirpar, frente a ideas nuevas que importe inculcar. Intelectualmente, Cadalso es un moderno y un liberal entusiasta. Pero se siente desgarrado por una angustiosa crisis de lealtades, una contradicción total entre su lealtad intelectual a su siglo y su más apremiante lealtad emocional a ese indefinible *quid Hispanicum* que encontraba en la tradición nacional. Por una parte, Cadalso se declara crítico imparcial y ciudadano del mundo. Por otra parte, con sus observaciones sobre el posible efecto negativo de la «ilustración aparente» del siglo XVIII en los países individuales de Europa, rechaza completamente la idea dieciochesca de la *Humanidad* como denominador común para juzgar todas las naciones de los hombres. [...]

El corazón de Cadalso está en conflicto con su mente; tiende a mirar hacia el resto de Europa en busca de normas críticas, pero siempre vuelve los ojos hacia España como el único contexto en el que su propio espíritu encuentra alguna identidad personal o humana. En 1912, Azorín observaba que Cadalso parece muy moderno si se le examina con los mismos criterios con que juzgamos a otros críticos más recientes que han tratado lo que suele llamarse el *problema de España*. Azorín continúa diciendo que Cadalso se parece específicamente a Larra y a aquellos escritores —como Joaquín Costa— que agrupamos bajo la clasificación de precursores o miembros de la generación del 98. Yo creo que la razón más importante de esta semejanza es el hecho de que Cadalso se anticipó a esa lucha entre el corazón y el intelecto que caracterizaría también a dicho grupo de escritores posteriores. A causa de su mayor lealtad al corazón, la crítica de Cadalso, Larra y Unamuno, por ejemplo, nunca llega a ser más que un desesperado gesto personal, con sólo alguna rara excursión por el campo de las ideas puras. [Con algunos de estos últimos escritores comparte también otros rasgos que son novelísticos en el sentido más convencional de la palabra; y su uso del ejemplo narrativo (que incluye muchas veces la descripción, la caracterización y el diálogo) hace de él un obvio precursor de Larra; pero el estudio de la influencia de Cadalso sobre Fígaro —un tema fascinante— está todavía por escribir.]

Lo que hace que las *Cartas marruecas* sean una valiosa obra literaria, no es su contenido intelectual, sino su enfoque personal: es decir, la angustiada vivencia cadalsiana del *problema de España*. Esta dramática reacción personal frente a los problemas nacionales da nacimiento a un nuevo elemento subjetivo en el ensayo español, y ya en 1917 Azorín lo caracteriza muy hábilmente, en el prólogo a su edición de las *Cartas marruecas*: «la trascendencia de Cadalso estriba, por lo que respecta a la revolución romántica, en que al hacer la crítica de los valores históricos y sociales, pone frente a ellos, instintiva y fatalmente, el propio yo. Y ésa es toda la vida moderna, que el romanticismo, en literatura y en política, ha preparado: la liberación del individuo. Después de Cadalso, Larra afirma su yo bravía y espléndidamente». [...]

En la Introducción a las *Cartas marruecas*, Cadalso nos advierte que no va a detenerse «en decir el carácter de los que las escribieron», porque «esto último se inferirá de su lectura». Así, el autor sugiere desde el comienzo que hay una dimensión subjetiva en su libro, que ésta ha de buscarse en la caracterización de los corresponsales imaginarios, y que tal caracterización se ha de inferir mientras uno lee, es decir, de la manera en que están expresadas las ideas, o sea del estilo. Ahora bien, puesto que los personajes de ficción son siempre proyecciones de las personalidades de sus creadores, y puesto que el estilo es la impronta que deja en la lengua la personalidad del autor, Cadalso sugiere de este modo que no ha logrado después de todo ser imparcial, ni separar sus observaciones sobre España en cuanto crítico de sus reacciones subjetivas en cuanto español.

La personalidad de Cadalso no sólo se refleja en todos los corresponsales imaginarios; sino que el propio escritor, apenas disfrazado tras una máscara muy transparente, *es* uno de los corresponsales: el corresponsal español Nuño Núñez. Esto se hace especialmente evidente por la carta XXXIX, en donde Gazel cuenta cómo entró en el cuarto de Nuño una mañana antes que su amigo se hubiera levantado. En la mesa de Nuño acertó a ver un manuscrito titulado *Observaciones y reflexiones sueltas*; y abriéndolo al azar, descubrió que «era un laberinto de materias sin conexión. Junto a una reflexión muy seria sobre la inmortalidad del alma, hallé otra acerca de la danza francesa, y entre dos relativas a la patria potestad, una sobre la pesca del atún». Sería difícil encontrar otra descripción más apropiada de los temas y la organización interna de las materias de las mismas *Cartas marruecas*. Las *Observaciones y reflexiones sueltas* de Nuño son el *alter ego* de las *Cartas marruecas*, el disfraz con que la obra penetra en la realidad de su propio microcosmos imaginario, de igual modo que Nuño es el yo hecho personaje de ficción que permite a Cadalso lograr su acceso personal a la esfera de la obra. Lo que Gazel está describiendo, es en realidad una escena de la vida del mismo Cadalso mientras éste estaba creando las *Cartas marruecas*; y esta interpolación autobiográfica es un testimonio bien claro de la verdadera identidad de Nuño. Aquí se funden la ficción y la realidad: Nuño es a la vez el creador que crea su obra, y el personaje creado que la habita. [...]

La incapacidad de Cadalso para ser un crítico imparcial, para hacer otra cosa que no sea reaccionar subjetivamente ante los problemas de España, le lleva a introducir una innovación técnica muy original en el género de las cartas críticas pseudoorientales. Los críticos han observado que la nacionalidad y las opiniones de Nuño hacen obvio que él es el portavoz de Cadalso. Mas no han logrado ver que Nuño ocupa un lugar tan nuevo en el género en que aparece, que de resultas de ello la técnica de tal género se altera de modo significativo. Las cartas del que viaja por un país extranjero sugieren cierto grado de desprendimiento y objetividad, pero las de un hombre que vive en su propio país, rodeado de cosas familiares, sugieren una identificación personal con los problemas nacionales. No hay ningún personaje paralelo a Nuño Núñez, el sagaz corresponsal español, en las cartas «orientales» de otros países: no hay un corresponsal francés en las *Lettres persanes* de Montesquieu, ni un corresponsal inglés en *The citizen of the world* de Goldsmith. En su prefacio, el «traductor» de las *Lettres persanes* —un francés desde luego— confiesa que «los persas que escriben aquí estaban alojados conmigo; pasábamos la vida juntos ... Me comunicaban la mayoría de sus cartas; yo las copiaba». Sin embargo, el «traductor» nunca aparece en la obra propiamente dicha, ni como corresponsal ni en ninguna otra forma. El anónimo y borroso «caballero vestido de negro», un inglés, que aparece esporádicamente en *The citizen of the world*, desde la carta XIII en adelante, es un antecedente algo más cercano de Nuño Núñez. Pero él no escribe ninguna carta, no nos dice casi nada acerca de sí mismo en los diálogos que se reproducen en las cartas de los corresponsales chinos, y frecuentemente desaparece de la narrativa por un espacio de diez o doce cartas.

Como la gran mayoría de los españoles, Cadalso es incapaz de contemplar cualquier problema de una manera desapasionada, o de evitar hablar sobre sí mismo durante mucho tiempo; también, como casi todos los españoles, es incapaz de distinguir entre los males de España y su propio modo de experimentarlos. La frase *Me duele España* se ha usado en tiempos más recientes para describir esta especie de angustiosa relación personal con los problemas nacionales. Cadalso es quizá, dentro del siglo xviii, el mejor ejemplo del fenómeno que, siguiendo una sugerencia de Aubrey F. G. Bell, Américo Castro ha llamado el «integralismo hispánico», por el cual se da una fusión tan completa entre el yo del español y todo aquello con que se pone en contacto, que la expresión de su opinión sobre cualquier tema se transforma en una reacción subjetiva.

Sería difícil encontrar un género literario menos apropiado para los escritores españoles que el de las cartas críticas pseudoorientales del siglo xviii, las cuales suelen caracterizarse por cierto grado de objetividad y por la exclusión del yo del autor, incluso cuando éste expresa sus propias opiniones. La solución se daba en la introducción de un personaje que fuera a la vez natural de España y un doble psicológico del autor.

Es verdad que Nuño escribe sólo diez cartas, mientras Ben-Beley escribe once, y Gazel sesenta y nueve. Mas estos números no significan más que una concesión externa a la forma del género, una concesión encaminada puramente a justificar el título de la obra; porque Nuño —es decir, el elemento de la reacción subjetiva española— está casi siempre presente en una u otra forma, desde la primera carta en adelante: además de las diez cartas que Nuño escribe, se le cita, se le parafrasea, o se dirigen a él los otros corresponsales, en otras cincuenta y tres cartas, lo cual quiere decir que desempeña un papel importante en más del setenta y cinco por ciento de todas las cartas, y nunca se le pierde de vista por un espacio de más de tres cartas. Desde la carta III en adelante, Gazel también cita los escritos de Nuño: sus *Observaciones y reflexiones sueltas*, su diccionario de conceptos morales, su *Historia heroica de España*, extractos y análisis de ciertos sucesos históricos escritos por el corresponsal español, etcétera. La carta XXXIII, de Gazel a Ben-Beley, sólo contiene tres o cuatro líneas escritas por el joven moro: el resto es la copia de una larga carta que ha recibido de Nuño. En las cartas en que no se citan las palabras de Nuño, se parafrasean sus opiniones. Frecuentemente se expresa la conformidad con las opiniones de Nuño, o se busca su aprobación: «Soy del dictamen de Nuño»; «Del mismo dictamen es mi amigo Nuño», etc. Y casi cada página aporta nuevas acotaciones dialogales como «dice Nuño», «me dijo Nuño», «decía Nuño», «prosiguió Nuño», «suele decirme Nuño», «añadió Nuño», etc. En las *Cartas marruecas* Nuño aparece por todas partes.

Sin embargo, la presencia de Cadalso en estas páginas, disfrazado como autor de una obra semejante a las *Cartas marruecas* (*Reflexiones* de Nuño = *Cartas* de Cadalso), y la interpolación constante de sus opiniones no serían suficientes para explicar ese nuevo y marcado subjetivismo que ha visto un lector sensible como Azorín. Aún más importante que la presencia del Cadalso crítico y el Cadalso escritor en la obra, es la presencia en ésta del Cadalso hombre. La crítica de España contenida en las *Cartas marruecas* depende tanto de la caracterización del personaje autobiográfico que Cadalso ha creado en Nuño, como del hecho de que el corresponsal español expresa las opiniones del autor. A pesar del intenso interés que ha despertado siempre la personalidad de Cadalso, el aspecto autobiográfico del paralelo Nuño-Cadalso apenas se ha tenido en cuenta en estudios anteriores.

René Andioc

LA TRAGEDIA *SANCHO GARCÍA*

La «tragedia española original» en cinco actos de Cadalso, *Don Sancho García, conde de Castilla*, representada en el palacio de Aranda y luego en el teatro de la Cruz en 1771, ofrecía al público madrileño «afectos de religión, honor, patriotismo y vasallaje». El «buen vasallo», conforme a la imagen que trata de popularizar la

René Andioc, *Teatro y sociedad en el Madrid del siglo XVIII*, Castalia, Madrid, 1976, pp. 390-394.

propaganda más o menos oficial, es en este caso el moro Alek, consejero de Almanzor, rey de Córdoba; el monarca, partidario del «*despotismo* que hace al Soberano», y deseoso de dar muerte a Sancho García en nombre de una razón de estado teóricamente desterrada por los discípulos del gran Federico, constituye en cierto modo la antítesis de aquellos «Monarcas virtuosos / que se tienen por grandes y gloriosos / como sus pueblos venturosos sean», al igual que el despotismo oriental, la «tiranía», permiten dignificar por contraste el absolutismo ilustrado en las obras de los teóricos de esta forma de gobierno. A pesar de haber caído en desgracia, Alek se niega a proferir quejas contra su soberano: «Abomino a los hombres que se atreven / a dar censura a quien obsequio deben. / El Rey es como Dios, Señora, atiende: / quien más lo estudia, menos lo comprende».

La divinización del monarca, destinada a fomentar la pasividad política; la irresponsabilidad regia; la concesión de carácter mítico y por lo tanto desprovista de graves consecuencias («El *cielo*, visible y único *Juez* de un Soberano ...»); nada falta. Fiel a sus principios, Alek manifiesta la intención de defender a Almanzor después del prendimiento de éste: la nobleza de la actitud, realzada por el asombro del vencido monarca, es tanto más evidente cuanto que sobre el rey moro carga la responsabilidad exclusiva del escándalo suscitado por la condesa al querer ella dar veneno a su hijo Sancho por complacer a su ambicioso amante Almanzor: «El crimen que insensata he cometido / ¿De quién, sino de ti fue persuadido?».

Al acercarse el desenlace, importaba borrar en lo posible la mala impresión causada por los amores culpables de doña Ava, para que recobrase ésta su autoridad de gran señora de la Reconquista: para ello no bastaba, en efecto, el que la copa envenenada no llegase a su destino, evitando «la muerte a Sancho, *el crimen a doña Ava*». Rompiendo ya los lazos de solidaridad que antes la unían a Almanzor, que es también el enemigo político de los castellanos, la condesa se convierte por fin en protagonista «positiva»; entonces puede pronunciar las frases que actualizan la tragedia: «Ayuda, o Cielo, la guerrera saña / de Sancho, y *sus gloriosos descendientes*, / contra África felices y valientes».

La obra no pasó de cinco representaciones y atrajo poca gente cuando se estrenó en el teatro de la Cruz, del 21 al 25 de enero de 1771; pero las entradas que reproduce Emilio Cotarelo, poco afecto por lo demás a los intentos neoclásicos, quedan muy por debajo de la realidad; en efecto, los 1.184 reales del primer día no representan la entrada total, ni mucho menos, pues se trata sólo de los entonces llamados asientos, a los que hay que añadir el rendimiento de los aposentos (1.000 reales) y el del patio —esto es, de los espectadores que presenciaban el espectáculo de pie—, gradas y cazuela, que, como ocurre no pocas veces, no se ha conservado en este caso, de manera que la entrada del primer día debió de alcanzar unos 3.000. Es cierto que en los días siguientes los madrileños no acuden tan numerosos, pero tampoco se puede seguir afirmando con el mismo historiador que en los dos últimos «se representó en la soledad más completa» ni que en cambio el público «rebosaba en el coliseo del Príncipe para aplaudir la zarzuela de don Ramón de la Cruz titulada *Las segadoras de Vallecas*»: del 19 al 23 inclusive, es decir, también en cinco días, esta obra *no alcanzó*, al menos si nos fundamos en las cuentas fragmentarias, *el total realizado por Sancho García* que, conviene repetirlo, no era de los más alentadores; en cuanto a las entradas de la tragedia cadalsiana en los dos últimos días, no fueron de 320 y 155 reales, como escribe don Emilio, sino que ascendieron —¡por así decir!— a 742 y 476, respectivamente; pero, como queda dicho, sin incluir las cuentas del patio, gradas y cazuela, de manera que no se trata, ni mucho menos, de un fracaso rotundo e inapelable, y sí, en cambio, de una obra que no produjo mucha impresión en el público, como tantas otras, antiguas o modernas.

La elevación de los sentimientos se reduce a veces en *Sancho García* a un cierto número de fórmulas superlativas, y la dignidad del estilo no está exenta de aquella grandilocuencia a base de apóstrofes que Leandro Fernández de Moratín condenaba en los dramas populares. «Arreglada y débil»: tal es el dictamen del autor de *El sí de las niñas*; y, en efecto, como en otros intentos contemporáneos, el *Sancho García* cadalsiano trata de observar con esmero unos cuantos preceptos clásicos, como son la división en cinco actos, las tres unidades, el estilo «trágico», etc. Tal «debilidad» resalta más al cotejarse la tragedia con *La condesa de Castilla*, de Nicasio Álvarez de Cienfuegos, concluida en 1798 y estrenada en 1803, y en la que se enfoca muy de otra manera el tema del *Sancho García*.

Doña Ava se ha enamorado del asesino de su difunto esposo sin conocer la verdadera identidad de Almanzor, y la pasión del moro no se acompaña en este caso con intenciones políticas. El drama de la condesa (ya no es don Sancho, sino ella la que da su nombre a la tragedia) es el de una mujer desgarrada por dos fuerzas contrarias, la de su amor y los imperativos de la política belicista del joven despotismo castellano encarnado en Sancho García. A diferencia de la doña Ava de Cadalso, ella forma propósito de envenenar a su hijo al oírle determinar su encierro y la ejecución de Almanzor; se trata, pues, del último recurso de una amante desesperada *por la crueldad de su hijo*. La exaltación de la pasión amorosa —en unos versos que recuerdan más a la Raquel de Huerta que a la Lucrecia de Moratín o a la Dosinda de Jovellanos— está, en efecto, estrechamente vinculada a la crítica del déspota en ciernes. La ambición de don Sancho le lleva a desoír los avisos del buen consejero Rodrigo cometiendo una serie de desafueros, y a apetecer la guerra sin consideración a los intereses del país, *a los que debe estar sometida la voluntad del monarca*, de manera que el amor de doña Ava y Almanzor tiende a confundirse con el pacifismo de ambos, con su aspiración al bienestar de sus pueblos. En el desenlace, se arrepiente públicamente Sancho García, prometiéndole una eterna amistad al amante de su ya difunta madre. Se trata, como se ve, de un «mensaje» muy distinto del que nos brindaba un cuarto de siglo antes la tragedia cadalsiana al correrse el telón, y que anuncia en cierto modo un porvenir cercano.

Francisco Aguilar Piñal

SOLAYA O LOS CIRCASIANOS

[Esta tragedia nunca fue impresa, pero tampoco fue conocida, en original o en copia, por ningún erudito o estudioso moderno de la obra de Cadalso. Dada por perdida, como *La numantina*, nadie lo lamentó demasiado, sabiendo el fracaso teatral de *Don Sancho García* en su estreno y el escaso valor literario que se asignaba a Cadalso como dramaturgo. Sin pretenderlo, el azar vino a poner en mis manos una copia manuscrita de *Solaya* en el mes de julio de 1980, cuando revisaba algunos tomos de comedias sueltas en la biblioteca universitaria de Sevilla.]
   Lo primero que llama la atención es que la acción se desarrolla en Circasia, región de la Rusia meridional, en las vertientes septentrionales del Cáucaso, entre los mares Negro y Caspio. Es un terreno montañoso,

   Francisco Aguilar Piñal, ed., «Introducción» a José Cadalso, *Solaya o los circasianos*. Tragedia inédita, Castalia, Madrid, 1982, pp. 33-44.

que en 1708 pasó a depender de Turquía, pero que en el siglo XIV, en el cual parece tener lugar la tragedia, estaba bajo el dominio de Tamerlán, que impuso la religión mahometana. Por su parte, Tartaria, país al que pertenece el príncipe Selín, hijo del Khan, puede entenderse como la Gran Tartaria, inmensa región del centro de Asia, habitada por nómadas, que comprende desde Turquestán a Mongolia o, lo que es más probable, la Pequeña Tartaria, en la península de Crimea, gobernada por descendientes del Gengis-Khan, de origen turco, que en el siglo XVIII pasó a depender de Rusia, y cuyos habitantes eran también mahometanos. Aparte el *Witing* de Trigueros, localizado en la lejana China, ninguna otra tragedia española de la época se sitúa en ambiente islámico, aunque después vayan apareciendo algunas más, como la tragedia en cinco actos y en verso, de Manuel Amigo, *Brahem ben Alí* (1787), la *Zoraida* (1798) de Cienfuegos o *Alí-Bek* (1801) de María Rosa Gálvez. Sería lícito preguntarse por qué Cadalso prefiere situar en tierras tan lejanas, con las que España no tenía ninguna relación en el siglo XVIII, un drama de honor típicamente castellano, eludiendo así enfrentarse con la historia nacional, cosa que hizo, por otra parte, al poco tiempo en *Don Sancho García*. Quedan pendientes de estudio esta explicación y la fuente literaria de donde extrajo el argumento y los personajes de su obra. [Parece estar claro, sin embargo, que ambas tragedias fueron escritas por Cadalso para colaborar en la reforma del conde de Aranda, a lo largo del año 1770, de vuelta de su destierro aragonés.]

El argumento de *Solaya* se reduce a un drama familiar de la alta nobleza circasiana, en el que se enfrentan el amor y el honor, como en tantos otros casos del repertorio nacional. Pero el desenlace, de asombrosa crueldad, se sale de los tópicos al uso para presentarnos una rebeldía femenina infrecuente en nuestro teatro anterior al romanticismo. *Solaya*, como el *Don Sancho*, es una tragedia en cinco actos, versificada en pareados endecasílabos, forma métrica inusual pero no desconocida en los escenarios españoles, ya que cuenta con precedente tan digno como *El desprecio agradecido* (1633) de Lope de Vega, aunque Cadalso siguiera con mayor probabilidad el ejemplo de los trágicos franceses. La acción es lineal, sobria en recursos escénicos, sin complicaciones que puedan distraer la atención del único problema planteado, a cuya solución se dirigen todos los resortes dramáticos, esencialmente sicológicos. El conflicto entre el honor familiar y el amor de Solaya es el motor de la acción, que se desenvuelve en un plano ideológico, al que se subordinan todos los demás elementos dramáticos. [...] En *Solaya* se cumplen puntualmente las normas del preceptista neoclásico [Luzán]: *a*) las tres unidades de acción, tiempo y lugar; *b*) acción verosímil, pero distante en el tiempo o en el espacio, según el consejo de Muratori, «porque los hechos muy recientes se saben con más individualidad» e impiden al poeta la libertad de modificarlos mediante la ficción; *c*) mudanza de fortuna de algún personaje principal; *d*) el argumento debe contener alguna instrucción moral, con objeto de excitar al temor y corregir las pasiones. Estamos, pues, ante una tragedia neoclásica, aunque con las puntualizaciones que se añadirán después.

A grandes rasgos, el argumento es como sigue. El príncipe Selin, embajador de Tartaria, llega a Circasia para cobrar, como impuesto de guerra, una entrega de doncellas circasianas con destino al Khan de Tartaria. Selin se enamora de Solaya, hija del senador Hadrio y hermana de Heraclio y Casiro, que se oponen violentamente al enlace considerándolo como delito de honor, que mancilla a la colectividad. En el acto primero, tras un consejo familiar, Hadrio y sus dos hijos varones intentan disuadir a Solaya de su amor, apelando al honor de la familia, que quedaría manchado si ella accediese «al tálamo afrentoso del tirano». Solaya defiende su amor, pero Heraclio la recrimina: «¿El logro de un amor te determina / a ver de tu familia la ruina?». Emparentar con el tirano es el mayor deshonor para Hadrio y sus hijos, que están decididos a impedirlo con la muerte, según las palabras de Casiro a Selin en el acto segundo: «Derrámese la sangre desdichada / de toda mi familia asesinada / primero que se mezcle con la tuya». Ante tal disyuntiva, en el acto tercero Solaya, en cuyas manos han dejado todos la decisión final, renuncia al amor de Selin en un momento de vacilación, pues al tratarse de mujeres nobles «habla el honor y las pasiones callan». Sin embargo, tras un parlamento entre los dos amantes, Solaya vuelve de su acuerdo y decide marcharse con Selin, lo que hace exclamar a Heraclio, en versos muy significativos: «¡Dejamos su destino a su albedrío! / ¡Quién creyera jamás tal desvarío!». La tragedia finaliza con el incendio del palacio, que sirve de marco, entre luces tenebrosas, al asesinato de Selin y de Solaya por el brazo de sus hermanos, a quienes perdona «pues no ignoro / la fuerza del honor». Casiro, con la espada ensangrentada, se intenta justificar ante el consternado padre con estas palabras: «Tu honor, el suyo, el de mi casa entera / me dictaron venganza tan severa». Esta defensa a ultranza del honor familiar esconde, sin embargo, otra motivación más profunda, la del *honor colectivo*, vulnerado en la familia senatorial, una de sus cabezas visibles. Poco antes lo había manifestado claramente Heraclio, al increpar a Solaya: «¿Tu Patria vendes a tan bajo precio?». Estas palabras indican que es, en última instancia, la patria la que se traiciona en la tragedia cadalsiana, lo cual representa una sutil evolución en la idea barroca del honor, ahora más colectivo que individualizado, como patrimonio de la nobleza, que sustituye al rey en la defensa de la colectividad, como el concepto de patria sustituye al de monarquía. Tema apasionante sobre el que aún hay mucho que investigar, sobre todo pensando en el apoyo literario que supone el teatro de los años setenta a una política ilustrada, defensora del regalismo, pero también enaltecedora del patriotismo de los nobles, fuesen seguidores del conde de Aranda o del duque de Alba.

El asesinato del príncipe Selin en escena, que quizá contribuyera a la prohibición de la obra, en momentos de polémica sobre la licitud del tiranicidio, pretende ser compensado por las palabras finales que Cadalso pone en boca del senador Hadrio: «Es un Príncipe al fin, y del respeto / debe mirarse como sacro objeto». Comparando este desenlace con el de *Don Sancho García*, la diferencia es esencial, ya que en éste Almanzor se suicida y su muerte es considerada como justicia divina: «Venérese en castigo tan severo / el brazo de los cielos justiciero». Es el mismo principio que subyace en la *Hormesinda*, por ejemplo, donde queda explícito que «castigar al rey toca a Dios solo» y termina afirmando que «jamás desespere el inocente / pues Dios hace justicia». Es la lección moral que falta en *Solaya*, donde los nobles circasianos se toman la justicia por su mano, sin atender a más razones que las del honor, con desprecio absoluto del amor, considerado como delito, al ser incompatible con el código de valores imperante en la sociedad circasiana. Cuando Selin, en el acto segundo, se defiende de la acusación de rapto o violencia por su parte, ya que Solaya consiente en ser su amante, Hadrio confirma la opinión negativa del amor, efecto sólo de la debilidad femenina. [...] La pasión amorosa es aquí condenada porque anula la voluntad femenina, tema que se repite en *Don Sancho García*, donde doña Ava, víctima de su «flaqueza», habla de su «indigna pasión» que la tiene esclavizada. Cadalso pone allí en boca de Alek, el sensato confidente, frases que resumen la instrucción moral de la tragedia, sea lo irracional de toda pasión («la pasión nos convierte en fieras»), sea lo ilusorio de la felicidad amorosa («quien busca paz donde hay amor, delira»). Frente a estas «razonables» sentencias, Solaya, después de un instante de duda, se pone decidida de parte del amor, increpando a los «cielos tiranos», en una pregunta que queda flotando en el aire, como un eterno interrogante, sin posible respuesta: «¿Por qué me dais un corazón sensible / si tan inmenso mal es insufrible?». [...]

Quisiera destacar la importancia de esta «sensibilidad» con que Cadalso adorna a su protagonista, por primera vez en la escena española. Es un término de origen francés, ya usado por Feijoo al tratar de la «sensibilidad de los brutos» en el discurso 13 de su *Teatro crítico*, como alusión a las impresiones físicas. A esta filosofía sensorial, deudora de Locke y Condillac, sigue una segunda acepción, en el sentido de impresión moral, procedente de novelistas como Rousseau y Richardson, que hace referencia a la emotividad del alma, abierta a los demás con sentimientos de compasión y ternura, es decir, una sensibilidad como virtud social, de la que ha escrito con acierto el profesor Maravall, quien ve en ella una «transformación sociohistórica, día a día más radical en su alcance». Aún hay otro significado para la sensibilidad ilustrada, el propio de los «filósofos», de «los hombres reflexivos», que buscaron el sentir de la razón: «los dulces y elevados sentimientos que suscitan las actividades del razonar metódico y científico». Con estas dos últimas acepciones, según Maravall, el hombre ilustrado tiñe toda su actividad «de sentimientos de humanidad y beneficencia». Propiamente, en ninguna de estas acepciones puede incluirse este sentido de sensibilidad amorosa [...] más propio de un personaje romántico, angustiado ante una pregunta sin respuesta, que de uno neoclásico, incapaz siquiera de formularla cuando excede los límites de la razón. Esta sensibilidad para el amor es algo nuevo en la literatura española, expresada en los términos en que Cadalso lo hace, más cercano sin duda de la «comedia lacrimosa» posterior y de la novela sentimental que de toda la literatura amorosa anterior. Con Cadalso comienzan a tambalearse los pilares del racionalismo cartesiano.

Pero aún hay más. Si Cadalso tiene la intención de hacer una tragedia neoclásica, poniendo en evidencia los excesos de una pasión no controlada, carga tanto las tintas que consigue efectos opuestos. Ciertamente, el amor es vencido por el honor, pero, de una parte, los ejecutores de la justicia, Hadrio y sus hijos, aparecen retratados con tales atributos de inhumanidad que caen en peores excesos que los que se condenan, haciendo odiosa la justicia, mejor la venganza social, que encarnan. De otra, la simpatía del lector-espectador se vuelca plenamente hacia los culpables del «delito» amoroso. Selin es presentado como un príncipe amable y prudente, más bien modetado en sus filosóficas reflexiones. A su lado, Solaya es una verdadera heroína romántica, rebelde ante los prejuicios sociales por primera vez en el teatro español. Si una naturaleza sumisa y obediente es, sin duda, el rasgo predominante de la heroína neoclásica, no cabe duda de que Solaya no lo es, al preferir la muerte a la obediencia. Muerte quizá «por razón de estado», como en *Don Sancho García* y en *Raquel* (otra víctima del amor), pero modernizada por la «rebeldía» de Solaya frente al código del honor, mera exigencia social que ignora los derechos del «yo» más íntimo.

Un lejano precedente de este desenlace sangriento en escena podría ser *La mayor victoria*, de Lope de Vega, donde Pompeyo mata a su hija inocente porque no puede vengar su honor en el emperador, que la desea. Pero aquí no aparece ningún atisbo de honor colectivo ni de rebeldía femenina, ya que en Lope no se da el conflicto con el sistema tradicional de valores, aunque admite, como en *La mayor virtud de un rey* (1635), que «la mujer más cobarde / en llegando a querer (y más doncella) / su honor y el de sus padres atropella». El teatro español es abundante en casos de venganza familiar contra doncellas que han traspasado los límites de la honra, pero generalmente son casos de adulterio consumado, que no se da en *Solaya*, doncella honesta que defiende un amor perfectamente legítimo a los ojos de la moral religiosa. Ni *Los comendadores* o *La locura de la honra* de Lope, ni *El médico de su honra* o *A secreto agravio* de Calderón, pueden ser precedentes de esta tragedia cadalsiana, insólita y turbadora, que abre nuevos caminos dramáticos.

8. JOVELLANOS

Jovellanos es probablemente la más insigne figura intelectual del siglo XVIII, en competencia con Feijoo. Es el hombre de formación más amplia, de espíritu más abierto, de cultura más completa, de mayor personalidad, de más equilibrada actitud humana, cultural, política, religiosa, social y económica, de todo el siglo XVIII. Se diferencia de Feijoo en que su labor se ejerce de cara al poder constituido, con el que se enfrenta, y no de cara al «vulgo». No pudo provocar una polémica popular, pero sí provocó diversas tormentas políticas, en las que a veces llevó la peor parte, porque Jovellanos no había nacido para moverse en el complejo mundo de la política activa, y, sin embargo, casi siempre tuvo que vivir en relación con ella, incluso como protagonista. Pocos hombres de toda nuestra historia cultural están hoy tan vivos como él; pocos pueden leerse, como él, pensando en nuestros problemas de ahora; pocos han tenido una visión tan amplia de los temas que debió tratar. Causa auténtica admiración comprobar que su reforma agraria, puesta al día, todavía es un programa de futuro, o que el planteamiento del problema socioeconómico de Asturias sigue vigente. Asombra de tal forma su modernidad, que a veces parece que estamos leyendo escritos de ahora y no de hace doscientos años. Naturalmente, sería ridículo creer que toda la obra de Jovellanos ha conservado èsta perennidad. Todos hablamos el lenguaje de nuestro tiempo, queramos o no, tratemos de lo que tratemos, de Dios o de la coyuntura económica.

Para la biografía de Jovellanos (1744-1811), además de los libros clásicos de Ceán Bermúdez [1814, pero en realidad 1820], cuyos datos, no siempre exactos, se han repetido hasta la saciedad, a veces con errores, y los de Somoza [1885, 1889 y 1911], que dio pasos de gigante en la aportación documental, puede consultarse la síntesis de Caso González [1970], que se apoya en mucha documentación nueva y segura. De calidad muy variable hay infinitos trabajos biográficos, que pueden verse en las bibliografías de Somoza [1901], Constantino Suárez-Martínez Cachero [1955], Lilian L. Rick [1977] y Aguilar Piñal [*cit.* en «Preliminar].

La amplitud y diversidad de la obra jovellanista me obliga a dejar a un lado una serie de importantes obras, a las que de todas formas me referiré después, para tratar sólo con algún detalle de lo que es fundamentalmente literario.

Como poeta Jovellanos es ciertamente desigual; pero la *Epístola del Paular*, tanto en su versión amorosa como en la filosófica, que fue la única que conoció el público, las dos *Sátiras a Arnesto* o la *Epístola a Moratín*, constituyen ejemplos señeros de la poesía del siglo XVIII, por la nueva sensibilidad que reflejan, por la técnica poética y hasta por la novedad de las ideas. La primera versión de la *Epístola del Paular* puede considerarse como uno de los mejores poemas amorosos de la época. El silencio del monasterio cartujo frente al atormentado corazón del poeta por la traición de Enarda, el bosque que se supone otoñal, cuando Jovellanos estuvo en El Paular en junio, las hojas que caen al suelo en lentos círculos, la vuelta a la celda por la noche atravesando los medrosos claustros, que erizan los cabellos, los fantasmas que le gritan que huya, porque su corazón está lleno de ideas mundanales que chocan con la paz de los monjes, el endecasílabo suelto, con ritmos cambiantes en relación con lo que se quiere expresar, todo esto hace del poema una obra extraordinaria. En la segunda versión, publicada por Ponz (1781) en su *Viage de España*, Enarda y el amor desaparecen, y lo que arrastra al poeta al monasterio es el ansia de paz, que no puede alcanzar porque su corazón está demasiado ligado al mundo. El poema pierde en sentimiento lo que gana en profundidad.

La segunda *Sátira a Arnesto*, publicada en *El Censor* (1787), es un poema que deberá entrar en cualquier antología de poesía del siglo XVIII, no tanto por el tema, con ser muy importante (sátira de la nobleza aplebeyada y de la nobleza afrancesada en sus costumbres y degenerada), sino por el lenguaje y por la técnica poética. Jovellanos no rehúye ninguna palabra directa o vulgar, si es la más significativa, pero sin excluir las metáforas, las sinécdoques y metonimias, las alusiones indirectas, la ironía, o si se quiere, el humor sin clave, es decir, no dando más que a través del contexto el plano real al que se hace referencia. En cuanto a la técnica cabe subrayar la utilización del endecasílabo suelto, pero rompiendo constantemente los ritmos habituales, a base de encabalgamientos y de cesuras anómalas, añadiendo además primeros hemistiquios de terminación aguda. Con todo esto se consigue una expresividad tal, que la sátira, indudablemente dirigida a personas concretas, alcanza tal dureza que pocas veces se ha conseguido en la poesía satírica española, incluyendo a Quevedo o a Argensola en la cuenta.

La *Epístola a Moratín* (1796) tiene mucho más interés por las ideas, puesto que Jovellanos expone en ella una especie de socialismo, no como programa político, sino como sueño o meta ideal, en lo que Jovellanos indudablemente cree.

Hay que recordar también otros poemas: la *Epístola a Batilo* (descripción de la vega del Bernesga); la *Epístola a sus amigos de. Sevilla*, cuya primera parte surge directamente del sentimiento del poeta, al abandonar Sevilla para trasladarse a Madrid en 1778; las epístolas filosóficas *A Bermudo* y las dos *A Posidonio*; los dos romances a Antioro, contra García de la Huerta; la traducción del primer canto del *Paraíso perdido* de Milton; alguno de los sonetos, o el poema *A la luna*.

Como poeta Jovellanos ha sido revalorizado en este siglo, a partir del momento en que Azorín [1913] publica su artículo «Un poeta». La fina sensibilidad azoriniana le permitió escribir: «Poeta es, ante todo, este anciano». Cuando todavía no se había inventado el término *prerromántico*, Torres-Rioseco [1928] presenta a Jovellanos como un romántico, por la sensibilidad de su expresión poética; para Torres-Rioseco el fervor con que presenta sus ideales reformistas, su expresión atrevida y directa, su sinceridad y su sensibilidad apuntan hacia una nueva estética de la literatura española. Es después un gran poeta, Gerardo Diego [1944 y 1946], el que valora a Jovellanos como poeta, tanto en su verso como en su prosa, por sus descripciones de la naturaleza, por su autenticidad, originalidad y entusiasmo; en su segundo artículo analiza la influencia de predecesores y coetáneos, recuerda a fray Luis de León en relación con la *Epístola del Paular*, y aunque no le considera un gran poeta, acepta que marcó la pauta y fue el centro de la poesía española durante casi medio siglo. Arce [1947] analiza la relación de Jovellanos con fray Luis de León, tanto estilística como conceptual. El mismo Arce [1960] estudia en otro artículo las tendencias neoclásicas y prerrománticas de la poesía jovellanista, la principal crítica de su poesía, la influencia que ejerció en sus contemporáneos y en otros poetas del siglo XIX, la sensibilidad y otros aspectos significativos. Estos trabajos han sido reelaborados e incluidos en un libro capital del autor [1981].

Real de la Riva [1948], en un importante artículo sobre el grupo salmantino analiza «el magisterio incomprensible de Jovellanos», es decir, la influencia perniciosa ejercida sobre fray Diego González, Meléndez Valdés y Fernández de Rojas por medio de la *Epístola a sus amigos salmantinos*, en la que les pedía que abandonaran la poesía amorosa y frívola para dedicarse a la filosofía moral, a la épica y al teatro respectivamente. En mi opinión hay en la base una doble incomprensión: en primer lugar, la opinión, compartida, por ejemplo, por Pedro Salinas, de que la única buena poesía del grupo salmantino fue la de carácter anacreóntico, lo que hoy no podemos aceptar, como explico en el capítulo dedicado a Meléndez Valdés; en segundo lugar, porque no es Jovellanos el que se inventa la idea de las nuevas tendencias poéticas, sino que son los propios poetas salmantinos los que le inducen a dar el consejo, por lo que le cuentan en sus cartas. Por otro lado, la «conversión» de Meléndez, como aclaro en el correspondiente capítulo, es posterior y no tiene nada que ver con la citada epístola.

Caso González [1960] publica dos cartas inéditas en las que Jovellanos expone sus teorías métricas, y poco después [1961 (1962)] da a luz la primera edición crítica y ampliamente comentada de las poesías de Jovellanos, que es la única que debe consultarse y que ha sido reeditada, ampliada y corregida, en el tomo I de las *Obras completas* de Jovellanos, dentro de la «Colección de Autores Españoles del Siglo XVIII». La parte del prólogo de 1961 que era estudio de la poesía de Jovellanos, junto con otros trabajos jovellanistas, se ha reeditado en [1972]. Iris M. Zavala [1969] reinterpreta, desde una perspectiva social, algunas poesías de Jovellanos. Se manifiesta en contra del carácter prerromántico de algunos temas propuesto por Caso y Arce. Indudablemente Zavala no ha entendido lo que ambos críticos han sostenido, arrastrada por una posición política extremista. Para entender mejor el ambiente cultural y literario en el que Jovellanos escribe poesía en su etapa sevillana debe leerse Aguilar Piñal [1966], así como la tesis doctoral de Defourneaux sobre Pablo de Olavide [1959]. Finalmente, otro estudio que debe tenerse en cuenta es el capítulo que Polt [1971] dedica a la poesía de Jovellanos en su obra de conjunto sobre nuestro autor.

Como autor dramático tiene don Gaspar una importancia que es necesario subrayar, y no por su tragedia *Pelayo* (o *Munuza*), sino por *El delincuente honrado*, nuevo género que prácticamente introduce Jovellanos en España. El *Pelayo* es una tragedia que aporta como innovaciones el tema nacional y la inspiración de ideas patrióticas como principal fin catártico. Esta obra no preocupó excesivamente a la crítica literaria; pero en los últimos años le han dedicado apreciables páginas Polt [1971] y McClelland [1970], que analizan la tragedia desde su perspectiva formal (neoclásica) y desde las ideas. Caso González [1966 y 1970] puso el acento en el carácter rococó más que neoclásico, punto de vista que, sin embargo, convendría matizar.

El delincuente honrado, estrenado en 1773, que tuvo mucho éxito entonces y en los años siguientes, y que fue traducido al italiano, al francés y al alemán, es en realidad el único drama burgués que ha triunfado en España. Este tipo de teatro lo inaugura en Francia Nivelle de la Chaussée (1692-1754), del que Luzán había traducido (1751) *Le prejugé à la mode* (1735), y que contó con dos dramas de Diderot, *Le fils naturel* (1757, estrenado en 1771) y *Le père de famille* (1758, estrenado en 1761), además de dos escritos teóricos, *Entretiens sur «Le fils naturel»* y *Discours sur la poésie dramatique*. Una discusión en la tertulia sevillana de Olavide sobre su posible adaptación en España provocó un concurso, que ganó Jovellanos.

El drama es una obra de tesis, sobre un problema de actualidad: la injusticia de condenar igualmente al retado que al retador en los duelos de honor. Se trataba de criticar la legislación promulgada hacía pocos años. Lo importante desde nuestro punto de vista es que Jovellanos, aunque no rehúye los argumentos *ad rationem* en algunos lugares, se apoya precisamente en la sensibilidad del espectador o del lector. Sensibilidad que debe entenderse como una participación de la razón humana a impulsos de los sentimientos individuales. Jovellanos acumula elementos sentimentales para probar su tesis: Torcuato, el retado, es un dechado de virtudes, que no quiso matar al retador, el marqués de Montilla, que muere porque él mismo se arroja sobre la espada de su contrincante; nadie, salvo su amigo Anselmo, sabe lo que ha ocurrido; Torcuato se ha casado con la viuda de Montilla, y ambos cónyuges son felices; el juez especial designado por el rey, don Justo, resulta ser el padre de Torcuato, cosa de la que se entera cuando ya la sentencia es obligada; Anselmo está primero dispuesto a sufrir el castigo antes que delatar a su amigo, y después, por orden de don Justo, acudirá a la corte para pedir el perdón del reo; la orden de perdón llegará en el último momento, cuando Torcuato está ya en el patíbulo. El inocente se salva, y la tesis queda probada.

Pero además *El delincuente* es literatura comprometida en otro sentido: la concepción de la justicia. Este punto, como el anterior, ha sido estudiado por Caso González [1964], que pone de relieve que los dos magistrados, don Justo y don Simón, simbolizan al nuevo magistrado ilustrado y al magistrado al estilo antiguo.

El delincuente ha sido objeto de interesantes estudios. Pitollet [1935] analizó las posibles relaciones del drama de Jovellanos con *L'honnête criminel* de Fenouillot de Falbaire, relaciones que otros críticos hemos reducido después a poco más que el título. Análisis inteligente y útil fue el hecho por Sarrailh [1949], pero superado ya por Polt [1959], que es uno de los mejores análisis de conjunto, y por Caso González [1964]. El aspecto formal lo ha estudiado también Beverley [1972], y el temático, desde la perspectiva de la Ilustración, Menarini [1973 y 1974]. La actitud de Jovellanos ante la justicia volvió a ser tratada por Caso González [1975]. McGaha [1973] sugiere que *El delincuente* es la fuente principal de *La conjuración de Venecia* de Martínez de la Rosa y tan romántico o más que este último drama.

No voy a tratar de una serie de obras de Jovellanos de tema económico o político, como el *Informe en el expediente de ley agraria* (1795), sus discursos económicos para la Sociedad Económica de Asturias, o su *Defensa de la Junta Central* (1811), pero sí debo subrayar que son modelos de lengua, los primeros de lengua precisa y exacta, al mismo tiempo que profundamente artística, el último de lenguaje apasionado, en la parte expositiva, fluido y oratorio. Tampoco cabe aquí hablar de los muchos trabajos de carácter pedagógico, tema al que Jovellanos dedicó mucho tiempo, desde la creación de centros o reformas de estudios, hasta escritos teóricos. Lo que sí hay que decir es que estas obras analizan problemas en parte vigentes hoy y ofrecen soluciones en gran medida todavía aplicables, a pesar de los años transcurridos. De otras obras es necesario hablar, aunque no sean de creación. En primer lugar de las *Cartas del viaje de Asturias*, más conocidas como *Cartas a Ponz*, de las que se acaba de hacer una edición crítica con prólogo de Caso González [1981], que es en realidad la única bibliografía que merece la pena citar para el conjunto de las *Cartas*. Son un claro ejemplo de literatura ilustrada. Los ilustrados pretendían conocer la realidad nacional directamente, las razones históricas por las que se había llegado a ella, y así proponer las soluciones más adecuadas. A esto obedece el *Viage de España* de Antonio Ponz (1772-1794), obra para la que en principio escribió Jovellanos sus *Cartas*, después de recorrer la región en 1782. La pretensión primaria de Ponz era la de describir monumentos, por lo que Jovellanos trata del convento de San Marcos de León, de la catedral de Oviedo, de algún otro monumento de la misma ciudad y del escultor barroco asturiano Luis Fernández de la Vega, al que en realidad él descubre. La carta II (San Marcos) y la X (Fernández de la Vega) son todavía estudios no superados en conjunto por la erudición moderna; no así la IV (catedral de Oviedo). Ahora bien, Ponz también se preocupaba de la agricultura, la industria, el tema de la lana, la minería, los problemas universitarios, el pacifismo y otros muchos asuntos, propios de la inquietud de los ilustrados. Por eso Jovellanos dedicó la mayor parte de sus cartas a problemas de comunicaciones, agrícolas e industriales; pero al mismo tiempo se preocupó de las romerías de los campesinos y de una raza marginada, los vaqueiros de alzada. Los análisis de Jovellanos no se quedan en lo folklórico o curioso, sino que entran a fondo en toda la problemática asturiana y en la crítica de la situación social y económica. Baste como muestra este precioso botón: defendiendo la necesidad de elevar el nivel de vida de los campesinos, dice que «trabajar mucho, comer poco y vestir mal, es un estado de violencia que no puede durar».

No han merecido tampoco estudios serios los diversos discursos pronunciados por Jovellanos en el Real Instituto de Náutica y Mineralogía, fundado por él en Gijón. Lo único que cabe citar es Caso González [1969 y 1980], que tampoco son estudios sistemáticos. Merecería la pena analizar estos discursos, desde el de inauguración del Instituto (1794) hasta el que trató de la geografía histórica (1800). Esta serie, a la que une el hecho de que sus principales destinatarios hayan sido los alumnos del instituto, plantea temas muy importantes, que podrían sintetizarse en los siguientes puntos: 1.°, necesidad de la educación científica y técnica para el progreso económico de la región; 2.°, la necesidad de que los científicos tengan una formación humanística, porque donde acaba la ciencia empieza la literatura; 3.°, una protesta contra la especialización, «provechosa al progreso», pero funesta al estado de las ciencias, porque ella trunca «el árbol de la sabiduría», separa «la raíz de su tronco, y del tronco sus grandes ramas», y se destruye el enlace que tienen entre sí todos los conocimientos humanos; 4.°, las Humanidades, concretamente las castellanas, preparan al hombre para el mejor ejercicio de sus facultades intelectuales, porque pensar y hablar son dos operaciones íntimamente ligadas, y todo lo que contribuya a expresarse mejor significa una perfección de la facultad de pensar; 5.°, rechazo del método memorístico en el estudio humanístico; 6.°, toda la naturaleza está sometida a la jurisdicción de los sentidos; pero si no es más que eso, nada dirá a la razón: para ello es necesario poner a ésta en comercio con la naturaleza misma, y de esta forma se llegará a conocerla y por el mismo camino a utilizarla en servicio del hombre y de la patria; 7.°, la conveniencia, la armonía y el orden de la naturaleza conducen al fin último de unir a la gran familia humana en sentimientos de paz y de amistad, a establecer el imperio de la inocencia y a llenar los augustos fines de la creación, lo que ocurrirá en un día lejano, cuando llegue «otra generación más inocente y más digna de conocer, por la contemplación de la naturaleza, el alto grado que fue señalado al hombre en su escala»; 8.°, «no os negaré yo que los hombres, abusando de la geografía, han prostituido sus luces a la dirección de tantas sangrientas guerras, tantas feroces conquistas, tantos horrendos planes de destrucción exterior y de opresión interna como han afligido al género humano; pero ¿quién se atreverá a imputar a esta ciencia inocente y provechosa las locuras y atrocidades de la ambición? ¿No será más justo atribuir a sus luces estos pasos tan lentos, pero tan seguros, con que el género humano camina hacia la época que debe reunir todos sus individuos en paz y amistad santa? ¿No será más glorioso esperar que la política, desprendida de la ambición e ilustrada por la moral, se dará priesa a estrechar estos vínculos de amor y fraternidad universal, que ninguna razón ilustrada desconoce, que todo corazón puro respeta, y en los cuales está cifrada la gloria de la especie humana? Entonces ya no indagará de la geografía naciones que conquistar, pueblos que oprimir, regiones que cubrir de luto y orfandad, sino países ignorados y desiertos, pueblos condenados a oscuridad e infortunio, para volar a su consuelo, llevándoles, con las virtudes humanas, con las ciencias útiles y las artes pacíficas, todos los dones de la abundancia y de la paz, para agregarlos a la gran familia del género humano, y para llenar así el más santo y sublime designio de la creación». En suma, un conjunto de hermosos sueños, que ponen de relieve el programa educativo de Jovellanos, pero no una utopía, porque él piensa todo esto como meta lejana, no como programa de acción inmediata.

Las *Memorias histórico-artísticas de arquitectura* son un conjunto de escritos en los que se trata de describir diversos monumentos de Palma de Mallorca. A Jovellanos le habían conducido sus desgracias al castillo de Bellver. Desde allí podía observar la ciudad de Palma, algunos de sus monumentos y el extraordinario paisaje que la rodea. Contó además con un buen equipo, al que, desde su retiro, orientó acertadamente, para descubrir documentos y hacer dibujos. Pero de todo el conjunto de las piezas sobresalen las dos partes de la *Descripción del castillo de Bellver*. Si como descripción del monumento y del paisaje que le rodea, las páginas de Jovellanos son una maravilla de exactitud, de precisión, de finura y de sentimiento de la naturaleza, otros dos rasgos la colocan en un primerísimo plano de la literatura española en torno a 1805. Me refiero concretamente al hecho de revivir la historia medieval y al de hacer del paisaje un reflejo de su estado de ánimo. Jovellanos no sólo nos cuenta la historia medieval del castillo, sino que reconstruye novelísticamente la vida cortesana y guerrera del castillo en la Edad Media, anticipándose a la novela histórica del romanticismo, y hasta él mismo entra en el cuadro, reviviendo sensaciones de origen caballeresco.

Pero lo realmente interesante de la *Descripción* es el sentimiento de la naturaleza. Jovellanos describe lo que siente, pero además lo que le es externo se traba íntimamente a su alma sensible, porque el paisaje se describe en función de su estado de ánimo. Las liebres que ve cruzar ante sus pies, rápidas y medrosas, huyendo de su propia sombra; la perdiz que le anuncia con su canto dónde tiene el nido; el bosque que rodea al castillo, y al que los palmesanos acudían a solazarse, pero que va desapareciendo por el hacha destructora; los miles de pajarillos; el rielar de la luna en la bahía de Palma y los juegos de luces y sombras en el bosque, todo esto no son sólo elementos observados y sentidos, sino vida que se une a la suya, y que acaba expresando su soledad, su tristeza y su abandono. No es un paisaje creado en función de un sentimiento: es un paisaje real que a Jovellanos le emociona y a través del cual el sentimiento expresa toda la dolorida carga del hombre injustamente perseguido y desamparado.

Las *Memorias* se escribieron fundamental, pero no únicamente, para aportar datos al historiador de las artes, Agustín Ceán Bermúdez. No se han publicado nunca como obra unitaria, y está haciendo falta esa edición. Tampoco hay estudios de conjunto, pero sí parciales, unidos con frecuencia al hecho concreto de la prisión de Jovellanos en Bellver. Puede citarse en primer lugar a Menéndez Pelayo [1886] y a Cabot Llompart [1936], que apenas tratan de las *Memorias*; más interés tienen el artículo de Sureda Blanes [1947] y el de Aranguren [1960]; no aporta mucho el de Álvarez [1965]; tiene bastante interés erudito el libro de Fernández González [1974]; el único estudio, aunque también parcial, de las *Memorias*, centrado fundamentalmente en la *Descripción*, es el de Caso González [1975], artículo en el que se utiliza la palabra *prerromanticismo*, aunque con ciertas limitaciones. El autor hoy, como ya se ha dicho, excluiría tal término, o al menos lo limitaría mucho.

Entre las obras de Jovellanos es imprescindible tratar de su correspondencia, de la que se conserva una importante cantidad. Como es lógico, en estas cartas se tratan los más variados temas, pero abundan los literarios. Salvo el prólogo de Caso González [1970] a una antología de estas cartas, la interesantísima correspondencia de Jovellanos tampoco ha merecido un estudio de conjunto. Se editará a partir del tomo II de las *Obras completas* de Jovellanos en la «Colección de Autores Españoles del Siglo XVIII».

En una sociedad como la española, tan poco dada a escribir diarios, o al menos a publicarlos, los catorce de Jovellanos constituyen una obra excepcional, hasta el punto de que más de un crítico los considera como su obra capital. Van desde el veinte de agosto de 1790 hasta el seis de marzo de 1810, con diversas interrupciones. En las anotaciones de los *Diarios* encontramos infinidad de datos para la historia política y económica, minuciosas descripciones de obras de arte, multitud de observaciones sobre libros y sobre personas, abundantes noticias para la biografía de su autor y gran cantidad de comentarios que revelan la intimidad de Jovellanos o sus múltiples preocupaciones intelectuales. Merece la pena subrayar que en los *Diarios* se manifiesta intensamente la sensibilidad de su autor ante la naturaleza: un día es un arroyo cerca de Trubia, otro la contemplación de las montañas desde lo alto de Pajares, o del mar desde la playa de San Lorenzo; una vez anota los juegos de la luna con las nubes que corren, o la aparente imagen de un barco incendiado cuando ella sale por la raya del mar, otra, contempla una tela de araña, o describe una bochornosa tarde de julio en el cerro de Santa Catalina. Jovellanos viaja mucho, y en los *Diarios* refleja la actitud crítica del ilustrado, a quien interesa la realidad social no en lo que pueda tener de típico, como ocurrirá a los románticos, sino en lo que tiene de realidad observada. Generalmente se limita a anotar con objetividad lo examinado o las noticias que le dan; pero algunas veces añade su interpretación crítica. También se advierte la gran curiosidad de su autor, capaz de captarlo todo, de interesarse por todo y de profundizar en lo que no conoce bien.

La edición de los *Diarios* sufrió múltiples avatares, desde la primera que pretendió hacer Nocedal, y que ni se terminó ni se publicó, al suspenderse la Biblioteca de Autores Españoles, hasta la que editó el Instituto de Estudios Asturianos, sobre texto que había preparado Julio Somoza y al que puso un excelente prólogo Ángel del Río [1953]. Esta edición prescinde de los cinco últimos diarios, que había publicado Somoza previamente y que probablemente él no había unido a los otros nueve, porque no necesitaba preparar el texto. Artola [1956] volvió a publicarlos en la continuación de la Biblioteca de Autores Españoles, pero suprimiendo notas de Somoza y todos los dibujos. También se anuncia una nueva edición en la «Colección de Autores Españoles del Siglo XVIII».

Al prólogo de Ángel del Río [1953] hay que añadir el que puso Julián Marías [1967] a la antología que preparó para Alianza Editorial.

BIBLIOGRAFÍA

Para ampliar la bibliografía sobre Jovellanos pueden verse: Somoza [1901], Suárez-Martínez Cachero [1955] y Rick [1977].

Aguilar Piñal, Francisco, *La Real Academia Sevillana de Buenas Letras en el siglo XVIII*, CSIC, Madrid, 1966.
—, *Sevilla y el teatro en el siglo XVIII*, Cátedra Feijoo, Oviedo, 1974.
Álvarez Solar-Quintes, Nicolás, «Jovellanos en Mallorca», en *Boletín del Instituto de Estudios Asturianos*, n.º 54 (1965), pp. 103-122.
Aranguren, José Luis, «Jovellanos desde el castillo de Bellver», en *Papeles de Son Armadans*, XVIII (1960), pp. 221-237.
Arce, Joaquín, «La poesía de fray Luis en Jovellanos», en *Revista de la Universidad de Oviedo* (1947), pp. 41-45.
—, «Jovellanos y la sensibilidad prerromántica», en *Boletín de la Biblioteca de Menéndez Pelayo*, XXXVI (1960), pp. 139-177.
—, *La poesía del siglo ilustrado*, Alhambra, Madrid, 1981.
Artola, Miguel, ed., *Obras publicadas e inéditas de don Gaspar Melchor de Jovellanos*, BAE, LXXXV, LXXXVI y LXXXVII, Madrid, 1956.
Azorín, *véase* Martínez Ruiz.
Beverley, J., «The dramatic logic of *El delincuente honrado*», en *Revista Hispánica Moderna*, XXXVII (1972-1973), pp. 155-161.
Cabot Llompart, Juan, *Jovellanos confinado en Mallorca*, Fernando Soler, Palma de Mallorca, 1936.
Caso González, José, «Teorías métricas de Jovellanos en dos cartas inéditas», en *Boletín del Instituto de Estudios Asturianos*, XIV (1960), pp. 125-154.
—, ed., Gaspar Melchor de Jovellanos, *Poesías*, IDEA, Oviedo, 1961.
—, «*El delincuente honrado*, drama sentimental», en *Archivum*, XIV (1964), pp. 103-133.
—, «El comienzo de la Reconquista en tres obras dramáticas (Ensayo sobre estilos de la segunda mitad del siglo XVIII)», en *El padre Feijoo y su siglo*, Cátedra Feijoo, Oviedo, 1966, pp. 499-509.
—, ed., G. M. de Jovellanos, *Obras en prosa*, Castalia, Madrid, 1969; 1976².
—, ed., G. M. de Jovellanos, *Obras*, 1: *Epistolario*, Labor, Barcelona, 1970
—, *La poética de Jovellanos*, Prensa Española, Madrid, 1972.
—, «La justicia, los jueces y la libertad humana según Jovellanos», en *Libro del bicentenario del Colegio de Abogados*, Oviedo, 1975, pp. 45-47.

Caso González, José, «El castillo de Bellver y el prerromanticismo de Jovellanos» en *Homenaje a la memoria de Rodríguez Moñino*, Madrid, 1975, pp. 147-156.

—, *El pensamiento pedagógico de Jovellanos y su Real Instituto Asturiano*, IDEA, Oviedo, 1980.

—, ed., G. M. de Jovellanos, *Cartas del viaje de Asturias (Cartas a Ponz)*, Ayalga Ediciones, Salinas, 1981.

Ceán Bermúdez, Agustín, *Memorias para la vida del Excmo. Sr. D. Gaspar de Jovellanos y noticias analíticas de sus obras*, Madrid, 1814 [1820].

Defourneaux, Marcelin, *Pablo de Olavide ou l'Afrancesado (1725-1803)*, Presses Universitaires de France, París, 1959 [trad. cast., Renacimiento, México, 1965].

Diego, Gerardo, «Jovellanos y el paisaje», en *Sí* (9 de enero de 1944).

—, «La poesía de Jovellanos», en *Boletín de la Biblioteca de Menéndez Pelayo*, XXII (1946), pp. 209-235.

Fernández González, Ángel Raimundo, *Jovellanos y Mallorca*, Ediciones Biblioteca Bartolomé March, Palma de Mallorca, 1974.

McClelland, Ivy L., *Spanish drama of pathos, 1750-1808*, University of Toronto Press, Toronto, 1970, I, pp. 189-191; II, pp. 404-423.

McGaha, Michael D., «The romanticism of *La conjuración de Venecia*», en *Kentucky Romance Quarterly*, XX (1973), pp. 235-242.

Marías, Julián, ed., G. M. de Jovellanos, *Diarios*, Alianza Editorial, Madrid, 1967.

Martínez Ruiz, José, Azorín, «Las ideas antiduelísticas», en *Los valores literarios*, Renacimiento, Madrid, 1913.

Menarini, P., «Tre contemporanei e il duello: Jovellanos, Iriarte, Montengón», en *Spicilegio Moderno*, n.º 2 (1973), pp. 53-79.

—, «Una commedia politica dell'Illuminismo: *El delincuente honrado* di Jovellanos», en Fabbri, Garelli y Menarini, *Finalità ideologiche e problematica letteraria in Salazar, Iriarte, Jovellanos*, Pisa, 1974, pp. 93-168.

Menéndez Pelayo, M., *Historia de las ideas estéticas de España*, III, Editora Nacional, Santander, 1947.

Pitollet, Camile, «*El delincuente honrado* de Jovellanos et *L'honnête criminel*», en *Bulletin de la Société d'Études des Professeurs des Langues Méridionales*, XXX (1935), pp. 19-21.

Polt, John H. R., «Jovellanos *El delincuente honrado*», en *Romanic Review*, L (1959), pp. 170-190.

—, *Gaspar Melchor de Jovellanos*, Twayne Publishers, Nueva York, 1971.

Real de la Riva, César, «La escuela poética salmantina del siglo XVIII», en *Boletín de la Biblioteca de Menéndez Pelayo*, XXIV (1948), pp. 321-364.

Rick, Lilian L., *Bibliografía crítica de Jovellanos (1901-1976)*, Cátedra Feijoo, Oviedo, 1977.

Río, Ángel del, «Estudio preliminar» a Jovellanos, *Diarios*, I, IDEA, Oviedo, 1953, pp. 1-112.

Sarrailh, Jean, «A propos du *Delincuente honrado* de Jovellanos», en *Mélanges d'Études portugaises offerts à M. Georges Le Gentil*, Durand, Chartres, 1949.

Somoza, Julio, *Jovellanos. Nuevos datos para su biografía*, Madrid, 1885.

—, *Las amarguras de Jovellanos*, Gijón, 1889.

—, *Inventario de un jovellanista, con variada y copiosa noticia de impresos y manuscritos, publicaciones periódicas, traducciones, epigrafía, grabado, escultura, etc.*, Madrid, 1901.

—, *Documentos para escribir la biografía de Jovellanos*, Madrid, 1911.

Suárez, Constantino, *Escritores y artistas asturianos*, índice bibliográfico, edición, adiciones y prólogo de J. M. Martínez Cachero, IV, IDEA, Oviedo, 1955.

Sureda y Blanes, José, «Jovellanos en Bellver», en *Boletín del Instituto de Estudios Asturianos*, I (1947), pp. 29-105.

Torres-Rioseco, Arturo, «Gaspar Melchor de Jovellanos, poeta romántico», en *Revista de Estudios Hispánicos*, Madrid, I (1928), pp. 146-161.

Zavala, Iris M., «Jovellanos y la poesía burguesa», en *Nueva Revista de Filología Hispánica*, XVIII (1965-1966), pp. 47-64.

Joaquín Arce

LA SENSIBILIDAD POÉTICA
DE JOVELLANOS

La capacidad de sentimiento, y hasta su descarado abuso, constituyen una característica de la época en que vivió Jovellanos. En un mundo racionalista y abstracto empieza a ponerse de moda la sensibilidad, el hombre sensible. Nunca como entonces se habló más de «almas sensibles». La moda sentimental, resquebrajando los muros del falso edificio dieciochesco, asentado en la razón, el optimismo y la ingenua fe en la inteligencia humana, se extendió a todas las esferas de la vida y del arte. Los héroes y heroínas de las obras literarias de entonces lloran; los autores de esas obras lloran también; y, empapada en lágrimas, ha llegado a nosotros toda una literatura que muestra una faceta peculiar del alma humana en un momento de su peregrinar por la historia. De esta voluptuosidad de las lágrimas no se libra un espíritu tan equilibrado y firme como el de Jovellanos. Vamos a sorprenderle sin rubor en este matiz de su personalidad.

Su amigo, discípulo y biógrafo, Ceán Bermúdez, cuenta que al irse Jovellanos a Madrid, por haber sido nombrado alcalde de casa y corte, y abandonar Sevilla,

arrancó de aquella ciudad bañado en lágrimas, dejando en igual situación a sus compañeros. No es hipérbole, sino verdad, que las derramó también sobre el Guadalquivir, enviándolas en su corriente a los amigos que dejaba en Sevilla, pues yo le he visto en Aldea del Río, cuando componía en su orilla aquella tierna epístola ...

Joaquín Arce, «Jovellanos y la sensibilidad prerromántica», en *Boletín de la Biblioteca de Menéndez Pelayo*, XXXVI (1960), pp. 152-167 (157-159, 163-167).

Alude Ceán a la epístola de *Jovino a sus amigos de Sevilla*, donde el propio autor nos confirma su llanto, y hasta hace ostentación de sus lágrimas, no como signo de debilidad, sino de «sensible corazón», expresión que condensa toda una época.

> Voyme de ti alejando por instantes,
> ¡oh, gran Sevilla! el corazón cubierto
> de triste luto, y del continuo llanto
> profundamente aradas mis mejillas.
> ....
> Su llanto escondan los que en él al mundo
> un testimonio dan de sus flaquezas;
> pero el sensible corazón, al casto
> fuego de la amistad solmente abierto,
> ¿se habrá de avergonzar de su ternura?

Nada hay mejor, no existe mayor elogio ni mayor virtud a fines del siglo XVIII que ser «sensible». Por eso, en la misma composición, al hablarnos de la corte, se nos dice que está «sólo habitada / de pobres insensibles do no tienen / la compasión y la piedad manida». Y si de sí mismo confiesa Jovellanos, en su epístola *A Posidonio*, que siempre fue «sensible y compasivo / a los ajenos males», se ve obligado a recomendar en cambio en la epístola *A Eymar*: «Guárdate ¡oh amigo! / guárdate de pasar por insensible». [...]

El ascendiente que Jovellanos ejerció en los poetas contemporáneos no fue sólo de carácter doctrinal. Hay un aspecto mucho más interesante que se refiere al traslado, a la pervivencia de temas poéticos que, partiendo de Jovellanos, recogen sus inmediatos seguidores, enlazándolos sin solución de continuidad con los poetas románticos. Vamos a fijarnos en una faceta del tema llamado de la *partida* (o de la *ausencia,* o de la *despedida,* que viene a ser lo mismo), tema ya frecuente en el siglo XVI, sobre todo en la poesía mélica italiana. Pasará a ser, no obstante, un tema eminentemente romántico y prerromántico por su capacidad para expresar el cruel dolor de la separación y por su posibilidad de fácil desahogo sentimental en ayes y suspiros. Pero hay un aspecto del tema, la descripción realista del carruaje que se aleja con estruendo, que tendrá fortuna entre nuestros poetas prerrománticos y que se incorpora, según creo, con Jovellanos, a nuestra lírica del XVIII. El carruaje es fundamentalmente una *diligencia,* que tiene un típico acompañamiento de campanillas, de chirridos de ruedas y de gritos y blasfemias de mayorales y zagales. Esta serie de elementos de una realidad no poética, fundidos con el dolor de la ausencia, constituyen un ejemplo de poesía descriptiva y sentimental a un tiempo, representativa de una continuidad temática de escuela realmente sorprendente.

Ya en la primera de sus cartas a Ponz nos dice Jovellanos: «La conversación de cuatro personas embanastadas en un forlón ..., el ruido fastidioso de las campanillas y el continuo clamoreo de *mayorales y zagales, con bandolera, su capitana y su tordilla*, son otras tantas distracciones que disipan el ánimo ...». Tema sobre el que insiste en su epístola de *Jovino a Poncio* donde, en contraposición a los libres viajes a caballo, se preguntará: «¿Hay por ventura angustia más tirana / que andarse emparedado entre ladrillos, / sin ver más que la torda y la gitana, / no oír más que rechinos y chasquidos, / o al son de las malditas campanillas / ajos, votos, blasfemias y aullidos?».

Y todavía nos ha dejado otras dos versiones poéticas del mismo tema, una de las cuales, la elegía *A la ausencia de Marina*, no fue conocida hasta nuestros días. Aunque como afirma Demerson, recuerden a Garcilaso «détails de fond et de forme», la composición en verso suelto es típicamente prerromántica. No hay sólo —y quizá por vez primera en Jovellanos— la incorporación a su poesía de una serie de vocablos realistas, sino también un acordar del ritmo del carruaje que se aleja estridente con el ansia amorosa de unión que queda defraudada. El amante sólo puede aspirar a convertirse en uno de los servidores de la diligencia —sea el mayoral que gobernaba el tiro de las mulas, sea el zagal que, pie en tierra y látigo en mano, las arreaba— para poder continuar junto a la ausente. Obsérvese la continua andadura estilística exclamativa o interrogativa, el alternarse de la primera y tercera persona, el ansia tumultuosa junto al léxico detallista:

> ¡Ay! ¡Si le fuera dado acompañarte
> por los áridos campos de la Mancha,
> siguiendo el coche en su veloz carrera!
> ¡Con cuánto gusto, al mayoral unido,
> fuera, desde el pescante, con mi diestra
> las corredoras mulas aguijando!
> O bien, tomando el traje y el oficio

de su zagal, las plantas presuroso
moviera sin cesar, aunque de llagas
mil veces el cansancio las cubriese.

Pero la descripción prototípica, la que imitaron sus discípulos, la
que mereció los reproches de Hermosilla por sus expresiones familiares
y la comprensión cordial de Azorín, son los versos de la epístola *Jovino
a sus amigos de Sevilla*, escrita en ocasión de su despedida en el año
1778:

¡Ay cuán rauda-
mente me alejan las veloces mulas
de tu ribera, oh Betis, deleitosa!
Siguen la voz con incesante trote
del duro mayoral, tan insensible,
o muy más que ellas, a mi amargo llanto.
Siguen su voz; y en tanto el enojoso
sonar de las discordes campanillas,
del látigo el chasquido, del blasfemo
zagal el ronco amenazante grito,
y el confuso tropel con que las ruedas
sobre el carril pendiente y pedregoso,
raudas el eje rechinante vuelven,
mi oído a un tiempo y corazón destrozan.

En un período de poesía en que se vive de abstracciones, de descripciones genéricas gastadas por el uso de la tradición poética, el sabio de
Gijón, el serio magistrado y economista se atreve a hacer una descripción
vivaz y pintoresca de un medio de locomoción que pertenece a una forma
de vida no aristocrática y personalista, sino indiferenciada y popular y
con un hondo sentido de comprensión hacia lo incómodo y desagradable
como elemento constitutivo de la realidad circundante. Descripción que
copiarán sus discípulos imitando hasta la onomatopéyica vibración de
algunos versos a base de erres. Así, Meléndez Valdés escribirá en su
elegía III, *La partida*:

Habré partido yo; y el rechinido
del eje, el grito del zagal, el bronco
confuso son de las volantes ruedas,
a herir tu oído y afligir tu pecho
de un tardío pesar irán agudos.

Y también Cienfuegos, nuestro poeta prerromántico por excelencia, volverá a repetir casi idénticas palabras. Es más, una más atenta lectura nos descubre que su descripción en *Un amante al partir su amada*, que además manifiesta un gran parecido temático con *A la ausencia de Marina*, deriva de Jovellanos y no de Meléndez: «¡Ay, que el zagal el látigo estallante / chasquea, y los ruidosos cascabeles / y las esquilas suenan, y al estruendo / los rápidos caballos van corriendo!».
[Ya entrado el siglo xix, en 1821 (2.ª ed. 1832), se publican las *Poesías* de Eugenio de Tapia, el más fiel seguidor, en el total de su obra poética, de Jovellanos. En un romance de este escritor decimonónico, en quien resucita pálidamente el gran Jovino, se habla con ligereza y desenfado de una diligencia que se vuelca en el camino; y una vez más salen a escena, aunque sin el goce detallístico de lo pintoresco, las mulas y sus nombres, y el mayoral, y el zagal, y el látigo y las blasfemias: «Embarcada ya la gente, / grita el mayoral: "¡Manchega! / ¡Comisaria!", y con las voces / cruje el látigo y resuena». En la poesía posterior, encontraremos un eco ya tenuísimo y muy debilitado en la figura eje del romanticismo español, en la composición *A Olimpia*, de 1820, del Duque de Rivas: ya sólo es el verso rumoroso, trepidante, unido al dolor de la separación («y al mirar las losas / de do arrancando la sonante rueda / te alejó mi cariño») lo que queda del motivo poético originario. En cuanto a la prosa, hay una vaga resonancia de uno de los elementos —el acompañamiento sonoro de carruajes y caballerías— en Leandro F. de Moratín, que ya en la primera escena del comienzo de *El sí de las niñas* habla, por boca de Simón, de todo lo que cansa en las posadas, el leer, el dormir, el cuarto y hasta «el ruido de campanillas y cascabeles, y la conversación ronca de carromateros y patanes». Otro autor representativo es Mariano José de Larra, entre cuyos *Artículos de costumbres* no podía faltar uno dedicado a *La diligencia*, recogiendo una vez más monótonamente algunas de las pinceladas típicas: «Por fin suena el agudo rechinido del látigo, la mole inmensa se mueve, y estremeciendo el empedrado, se emprende el viaje ...».]

José Miguel Caso González

EL POETA SATÍRICO

[Es fácil comprobar, comparando cualquiera de las sátiras con la *Epístola del Paular* o con la *Epístola a sus amigos de Sevilla*, hasta qué punto el estilo poético de Jovellanos sabía plegarse a las distintas necesidades expresivas.] La primera de las dos *Sátiras a Arnesto* fue publicada en 1786. Aunque sin título específico, podría dársele el de *Sátira contra las malas costumbres de las mujeres nobles*. Es toda ella un alegato contra el desorden sexual de la alta sociedad. Después de una introducción, en la que el satírico afirma que persigue al vicio, no al vicioso, entra de lleno en la descripción de Alcinda, la mujer noble, casada, que baja al Prado provocando con su deshonesta manera de vestir a los hombres; la que pasa las noches fuera de casa, mientras el marido ronca a pierna suelta. Para estas mujeres el matrimonio no es más que la patente de adulterio. Por eso no les importan los méritos del novio, y «el sí pronuncian y la mano alargan al primero que llega», frase que dio pie a uno de los caprichos de Goya.

El magistrado de ideas nuevas aflora después en los versos 81-96. Se dirige a la justicia y la increpa por dejarse sobornar. El soborno consiste en ver indolente cobijado el desorden en las casas de la alta sociedad o paseando en triunfo por las calles, mientras mueve su brazo con crueldad «contra las tristes víctimas, que arrastra / la desnudez o el desamparo al vicio; / contra la débil huérfana, del hambre / y del oro acosada, o al halago, / la seducción y el tierno amor rendida». Una de las críticas del enciclopedismo contra la vieja justicia era la de que aceptaba la distinción de clases ante la ley. Por eso en el artículo 1.º de la Constitución francesa del 3 de septiembre de 1791 se proclamaba que «les hommes naissent et demeurent libres et égaux en droits», y en el artículo 6.º que todos los ciudadanos son iguales ante la ley. Esta es la opinión de Jovellanos, y la expresa en esta sátira sin tapujos. Pero la expresa además con su característico

José M. Caso González, ed., «Introducción» a Gaspar Melchor de Jovellanos, *Poesías*, IDEA, Oviedo, 1961, pp. 37-44.

humanitarismo. No le basta afirmar que las mujeres nobles que hagan ostentación de su incontinencia deben ser castigadas de la misma manera que las mujeres públicas, sino que además señala los atenuantes que pueden tener estas últimas y que las primeras no podrán alegar jamás: desnudez, hambre, acoso del oro, seducción; a pesar de lo cual la justicia constituida las infama aún más y las condena a prisión.

Jovellanos trata inmediatamente de una de las causas del desorden: el lujo. Diríamos mejor la moda, que viene de Francia y agota los dineros de la mísera España, adornando la cabeza de la imprudente doncella, tras de la que acecha el astuto seductor. Jovellanos es contrario aquí a la introducción de estas mercancías extranjeras. Pero no lo fue en un documento de un año antes, que muy bien pudo ser el estímulo de la sátira que nos ocupa. Nos referimos al *Voto particular sobre permitir la introducción y uso de las muselinas*, presentado en la Junta de Comercio y Moneda. Opina aquí por la libertad de introducción y uso, porque en caso contrario habría que enfrentarse con las mujeres, «la clase más apegada a sus usos, más caprichosa, más mal avenida y difícil de ser gobernada», sobre todo en la corte y grandes poblaciones, «donde no permitiéndolas su flaqueza ser orgullosas, y obligándolas su condición a ser vanas, hacen que el lujo viva y reine siempre en ellas». Buena prueba son las leyes contra las muselinas, siempre desobedecidas. Jovellanos afirma: «Que no era nuevo el querer traer a la razón a las mujeres por el camino del honor, pero que siempre se había tentado sin fruto. Que el honor y el lujo nacían de la opinión y se alimentaban con la vanidad. *Que podría convenir alguna vez combatir la opinión, pero que ésta debía ser una guerra de astucia y no de fuerza*, porque de otro modo, siendo la opinión que alimenta el honor solamente habitual, y la que fomenta la moda actual y presente, resultará que la segunda, como más fuerte, quedará triunfante siempre que atacase de lleno la primera». Como con la prohibición no iba a conseguirse nada, don Gaspar opina que no conviene, ya que además la Hacienda iba a perder catorce millones de reales por aduanas, pues las muselinas entrarían igual, pero de contrabando.

Lo que el político admitía lo critica el poeta. Su sátira puede ser parte de esa guerra de astucia que propugnaba. Pero en ella también apunta el economista: todas las riquezas de América no bastan «a saciar el hidrópico deseo, / la ansiosa sed de vanidad y pompa». Y a continuación añade, en versos dignos de grabarse en la memoria: «Todo lo agotan: cuesta un sombrerillo / lo que antes un estado, y se consume / en un festín la dote de una infanta». El final de la sátira presenta un cuadro desolador de la alta sociedad: el noble que malbarata las riquezas reunidas con afán por sus abuelos; el tráfico monstruoso que se hace con todo, hasta con el honor; la belleza rendida, no al valor ni al ingenio, sino al oro. Y en una pincelada dura y amarga Jovellanos termina:

> La vejez hedionda,
> la sucia palidez, la faz adusta,
> fiera y terrible, con igual derecho
> vienen sin susto a negociar contigo.
> Daste al barato, y tu rosada frente,
> tus suaves besos y tus dulces brazos,
> corona un tiempo del amor más puro,
> son ya una vil y torpe mercancía.

La expresión es nerviosa en toda esta sátira, con cortes frecuentes y encabalgamientos duros; en el lenguaje se desciende hasta las palabras más vulgares, si no hay otras más significativas, y la adjetivación abunda en aciertos expresivos. Al mismo tiempo hay que señalar algunos párrafos declamatorios, latinismos como *cruda*, *saltar* (por «bailar»), *expilar* (por «despojar»), y alusiones clásicas (Julia, Lucrecia, Lais, Lilibeo), a las que hay que unir la que se hace de la doña Bascuñana del cuento XXVII del *Conde Lucanor*.

Antes de que se publicara la segunda sátira en 1787, *El Censor*, periódico en el que ambas vieron la luz, incluyó dos cartas firmadas por el «Conde de las Claras», que es probablemente seudónimo de Jovellanos. Primer problema que en ellas se plantea: el mal atacado en la sátira anterior, ¿es sanable con el remedio de la sátira? Sí, contesta; pero la sátira debe ser proporcionada a la gravedad del mal. Segundo problema: ¿se puede llamar bella una sátira que no produce el efecto deseado? No, porque su belleza depende de su utilidad. «Como en las obras de la Naturaleza, así sucede en las del arte: lo que las constituye hermosas o bellas, y aun buenas, es la aptitud, utilidad o conformidad respecto a un fin; y tanto más hermosas, más bellas serán, cuanto esta aptitud sea mayor o más perfecta.» Así cree el autor que debe interpretarse esta sentencia de Boileau: «Rien n'est beau que le vrai».

Con estos principios por delante el autor de las cartas hace la crítica de la primera *Sátira a Arnesto*. Le extraña aquello de que persigue al vicio, no al vicioso, porque no hay vicio en abstracto, y por tanto el vicio no es nada separado de los viciosos. «Desengañémonos, concluye, o la sátira no es sátira, o ha de herir a alguna o a muchas personas de carne y hueso.» Con lo cual se subraya el carácter general y poco personalista de la crítica hecha en la sátira primera. Le señala después que es de poco efecto contra el enemigo que se dirige. Y se detiene exactamente en los latinismos y en las alusiones clásicas señaladas. «Siempre que no sea cada sátira de las que usted use, le dice, como un cañón de a veinte y cuatro, que hienda, que rompa, que derribe, que destruya, que truene, que aterre, que haga estremecerse a todos, cuente usted con que todo lo demás es tiempo perdido.» Y más adelante propugna una sátira que «avergüence, que saque los colores a la cara, que arranque iras y lágrimas». Si estos dos discursos fueron o no escritos por el propio Jovellanos, tema es que no interesa demasiado ahora. Para nosotros las ideas y el estilo son de don Gaspar, y el mismo tono en que se habla de la primera sátira parece demostrar que no otro que su autor se hizo a sí mismo la crítica, para sentar las bases de una doctrina sobre la poesía satírica, que le sirviera como de presentación a la sátira siguiente, al mismo tiempo que repetía en prosa, y con mayor dureza, las ideas de la sátira ya publicada.

Efectivamente, la que se conoce con el título de *Sátira contra la mala educación de la nobleza* está ya concebida de acuerdo con la citada doctrina. Ya no se anda Jovellanos con paños calientes, porque los modelos reales pudieron entonces señalarse con el dedo. No serían muchos los nobles de la época descendientes de Boabdil, ni muchos los que tuvieran en sus escudos algo de lo que Jovellanos indica, ni muchos los que hubieran pasado por Sorèze. Por otra parte, su sátira se hace sangrienta y cruel, apunta con toda la carga del cañón de veinticuatro a unas pocas personas, y tuvo que sacar los colores a la cara y arrancar iras a algún noble encopetado. Acaso uno de los modelos vivos fuera el marqués de Torrecuéllar, que se sentaba al lado de Jovellanos en el Consejo de las Órdenes Militares, y que, según Alcalá Galiano, era uno de los nobles famosos por el traje de majo que con frecuencia vestía. Es necesario afirmar que Jovellanos no ataca a la nobleza por ser enemigo de ella. Es, al contrario, uno de los pocos defensores que le quedaban a la nobleza como clase social. Para él era necesaria social y políticamente, y por eso lo que le duele es que se haya hecho indigna del respeto de los ciudadanos e inhábil para representar su alto papel. Los tiros de Jovellanos en la sátira van en dos direcciones: la del noble aplebeyado (vv. 1-197) y la del noble afrancesado y degenerado (vv. 198-274).

El primer verso señala ya directamente al noble vestido de majo. No hay introducción de ningún género. Por medio de una interroga-

ción retórica Jovellanos nos sitúa ante el primer objeto de su sátira.
Se trata de un noble de la más alta alcurnia, a pesar del traje y del
aspecto. Sobre el portón de su palacio está grabado en berroqueña
un ilustre escudo; pero al entrar en su casa, comienzan ya los contrastes, todo es viejo y ruinoso. En pocos versos se hace su retrato
cultural: es casi analfabeto, no ha viajado y los mayores disparates
geográficos o históricos ni los advertirá, porque ni siquiera leyó el
catecismo del padre Astete. Pero su memoria no está vacía: nada ignora de toros y de cómicas. No podía ser de otro modo. Su ciencia
«no la debió ni al dómine, ni al tonto / de su ayo mosén Marc, sólo
ajustado / para irle en pos cuando era señorito. / Debiósela a cocheros y lacayos, / dueñas, fregonas, truhanes y otros bichos / de su
niñez perennes compañeros». El paje Pericuelo, el sota Andrés, Paquita, la celestina doña Aña, Cándida la invicta, la venenosa Belica,
la sociedad La Bella Unión: he aquí los maestros del nieto de
Boabdil.

La segunda parte comienza con una interrogación retórica de
tres versos, el segundo de los cuales, con sólo tres palabras significativas, es el más breve y más extraordinario retrato que podía hacer
del tipo de noble de que ahora va a tratar: «¿Será más digno, Arnesto, de tu gracia / un alfeñique perfumado y lindo, / de noble traje
y ruines pensamientos?».

Este alfeñique perfumado y lindo ha viajado por el extranjero
y se ha educado en la famosa escuela militar de Sorèze (Tarn, Francia). De allá trajo nueva fe y nuevos vicios. Por las mañanas anda
de un burdel en otro; después se adoba, visita, come en noble compañía, va de paseo al Prado, más tarde a la luneta del teatro y a la
tertulia y al fin al garito. «¡Qué linda vida!», exclama el poeta. Y en
tres versos estilizados, rápidos y ceñidos concluye: «Puteó, jugó, perdió salud y bienes, / y sin tocar a los cuarenta abriles / la mano del
placer le hundió en la huesa». Pero si escapa y busca una esposa, el
tálamo es su potro: el satírico se regodea en la pintura de su impotencia sexual, producto del vicio y la enfermedad. Ante semejante
alfeñique el recuerdo de aquellos nobles de antaño, defensa de la
patria, era natural. El contraste es cruel. Y pide al fiero berberisco
que vuelva: «Débiles pigmeos / te esperan; de tu corva cimitarra / al
solo amago caerán rendidos». Jovellanos acumula después interrogación tras interrogación. ¿Es esto un noble? ¿Un noble a quien el
trono fía su defensa? ¿Es ésta la nobleza de Castilla?

¡Oh vilipendio! ¡Oh siglo!
faltó el apoyo de las leyes. Todo
se precipita: el más humilde cieno
fermenta, y brota espíritus altivos,
que hasta los tronos del Olimpo se alzan.
¿Qué importa? Venga denodada, venga
la humilde plebe en irrupción, y usurpe
lustre, nobleza, títulos y honores.
Sea todo infame behetría: no haya
clases ni estados. Si la virtud sola
les puede ser antemural y escudo,
todo sin ella acabe y se confunda.

En esta sátira, más que en la primera, el verso de Jovellanos, corregido por Meléndez Valdés, es un instrumento finísimo y dúctil. Las cesuras y pausas, los cortes violentos del verso, los encabalgamientos, las interrogaciones retóricas, la adjetivación escasa y muy expresiva, la abundancia de sustantivos y verbos, un lenguaje directo, rico y, si es necesario, vulgar; todo sirve a la terrible expresión del satírico. El fuego de la sagrada ira ha encendido todas sus palabras.

Jovellanos creía varios años después que nadie conocía esta sátira como suya. Pero acaso no fuera así, y como dice Ángel del Río, un ataque tan feroz y tan directo pudo ser una de las causas del ambiente hostil a Jovellanos antes ya de su primer destierro en 1790. El noble aplebeyado y el noble alfeñique, el uno sin cultura y el otro con una cultura que le ha pervertido, tenían modelos vivos; pero fueron estilizados y caricaturizados. Y la alusión directa, que para los aludidos tenía que estar muy clara, difícilmente sería perdonada por los que tan descaradamente y con acentos tan terribles eran puestos en la picota.

Iris M. Zavala

JOVELLANOS Y LA POESÍA BURGUESA

La poesía, que hasta el siglo XVII estuvo regida fundamentalmente por un propósito artístico, recibe ahora la infusión del espíritu científico y de reforma. La literatura que canta el progreso de la humanidad, que propone como ideal al hombre libre guiado por los principios de su razón soberana, es necesariamente una literatura vinculada a la «filosofía» y al historicismo. Es el medio que mantiene la unidad entre las aportaciones científicas abstractas y la influencia de las ideas filosóficas sobre el gran público. Jovellanos lo dijo una y otra vez en sus discursos sobre la educación: «El principal objeto que se propone la poesía es agradar y conmover, aunque secundaria o indirectamente puede y debe tener la mira de instruir o corregir» (BAE, XLVI, p. 137 b). [...]

Estos hombres ilustrados propugnan una estética al servicio de los ideales de la época. Sienten la realidad de manera distinta, al paso que se van quebrantando las formas y reglas existentes, y hasta se crean nuevas formas de arte (como en el caso del ensayo, tal y como lo inaugura Feijoo). Es una literatura que supedita la poesía al mundo de la razón. La materia poética está dominada por el convencionalismo. Los ilustrados quieren argumentar, refutar, persuadir. Jovellanos y sus amigos reclaman sin cansarse la cultura práctica. Ésta se les muestra como fuente de felicidad, puesto que todo lo que tiene un sentido utilitario servirá para el bien del pueblo. El fin supremo es la eficacia. De ahí que en esta «cultura dirigida» el estado deba prohibir la publicación de obras groseras y dañosas. La literatura tiene finalidad inmediata:

Para comunicar la verdad es menester persuadirla, y para persuadirla, hacerla amable. Es menester despojarla del oscuro científico aparato, tomar sus más puros y claros resultados, simplificarla, acomodarla a la comprensión general e inspirarle aquella fuerza, aquella gracia que, fijando la imaginación, cautiva victoriosamente la atención de cuantos la oyen (BAE, XLVI, p. 333 a). [...]

Iris M. Zavala, «Jovellanos y la poesía burguesa», en *Nueva Revista de Filología Hispánica*, XVIII (1965-1966), pp. 50-55 y 58-60.

El siglo comienza con una filosofía que aspira a un cambio total en la estructura de la sociedad, con métodos que le son propios. Es, pues, casi imposible estudiar los fenómenos aisladamente, segregados de su lógica y entrelazada organización. Pero esta filosofía, con todas las medidas prácticas que propone (reforma agraria y de la enseñanza, libertad de comercio, etc.), refleja un cambio social muy acusado y definido: el surgimiento de la burguesía, que había quedado trunca desde la época de los Reyes Católicos. Los ideales que va esbozando esta minoría son ideales burgueses, y la literatura propone y refleja esos mismos ideales.

Pero vale la pena señalar qué entendemos por burguesía. Creo que todos estaremos de acuerdo si definimos al burgués como al hombre que se basta a sí mismo, y cuyas raíces están en la experiencia misma de la vida; que sabe orientarse en el mundo, sabe que significa algo y quiere hacer valer sus peticiones acá abajo. La misma muerte pierde, para el burgués, mucho de su misterio: comienza a despojarse de sus características religiosas; es una especie de sentir sin creer. La vida, por el contrario, pierde su sentido negativo. El burgués sabe para qué vive; su vida tiene una finalidad aquí abajo.

El burgués español del siglo XVIII es optimista. No es, como el hombre del antiguo régimen, un conformista, y tampoco es verdaderamente pesimista en cuanto al porvenir de su patria. Cree en la renovación por medio de las nuevas fórmulas que preconiza. Confía en sus fuerzas y en su trabajo, y sobre todo en las «luces», de donde vendrá el remedio de todos los males. Es eminentemente pacifista. Le repugna la guerra por inhumana y antisocial. Su ideal es una era de paz en que la libre comunicación de ideas y luces permita al país entrar decididamente por el camino del progreso. Se queja de que las fuerzas se empleen al servicio de la guerra que, atropellando los derechos, la propiedad y la libertad de los individuos, los envía a la muerte en vez de utilizarlos en una labor de pacífica productividad. Si es tanto lo que falta por hacer en el interior, ¿a qué lanzarse a empresas exteriores que acarrean la muerte o la ruina de los ciudadanos o que, en todo caso, entorpecen la reorganización interna de la nación?

Está arraigado en este burgués el sentimiento de afirmación nacional, de confianza en su propia clase y en su capacidad de perfeccionamiento. Su protesta se alza contra el mal gobierno y contra las clases privilegiadas que explotan a un pueblo paciente y resignado, digno de un nivel de vida superior y, sobre todo, capaz de alcanzarlo, de conquistarlo. El burgués es el nuevo elemento social que se sabe poderoso y amenaza al antiguo orden, porque sus cauces le resultan estrechos. Es el hombre que mira con optimismo su país, porque cree en la propia perfectibilidad. Esgrime su censura contra el presente y preconiza una serie de reformas que traerán el bienestar en un próximo futuro. Es el hombre descontento cuyos postulados, una vez que se desarrollen, formarán el liberalismo. Su labor es crítica, pero él está demasiado vinculado al antiguo régimen para dar soluciones consecuentes con esta crítica.

Obsérvese, finalmente, que este ideal burgués florece entre los nobles. Nobles y burgueses tienen intereses comunes y se alían para crear un programa de reformas económicas que logre acabar con el feudalismo. Pero el grupo de reformadores no pertenece, salvo raras excepciones, a la burguesía como clase social. Lo que ocurre es que tiene una *mentalidad burguesa*.

La poesía española del siglo XVIII, antes de la epístola de «Jovino» *A sus amigos de Salamanca*, consistía sobre todo en anacreónticas, bucólicas, idilios. Los poetas de la escuela de Salamanca —fray Diego González, fray Juan Fernández, Iglesias, Meléndez Valdés y otros— escriben generalmente sobre temas amorosos. (Recordemos que Cadalso vivió en Salamanca y, en gran medida, actuó como corifeo del grupo.) Hay, sin embargo, aun en este ambiente sensual, artificioso, arcádico, algo positivo: el redescubrimiento de las grandes tradiciones españolas que se inicia cuando los poetas vuelven los ojos a fr..y Luis de León, Garcilaso, Lope, y a los grandes temas poéticos del Siglo de Oro. Spell y Demerson sostienen que hay influencia de Rousseau en las descripciones de la naturaleza de Meléndez, Cienfuegos o Quintana. Es posible. Pero parecería que donde verdaderamente se ejerce la influencia rousseauniana es en el campo de la reforma social. Las descripciones de la naturaleza de la escuela salmantina tienen como fuente primordial a fray Luis, a Garcilaso y, claro está, a los poetas latinos. Es decir, estoy convencida de que el entronque con la tradición hispánica tiene más fuerza y mayor importancia, aquí, que la huella de Rousseau. Porque hay que insistir: el siglo XVIII español redescubre a España; es un viaje al interior de la patria para exhumar sus raíces espirituales y sociales. Revaloración de las grandes fuerzas del espíritu, por un lado, y por otro el nacimiento de aquella burguesía que tímidamente había venido gestándose desde fines de la Edad Media. [...]

Volvamos ahora al papel de Jovellanos. Joaquín Arce [1960], que acertadamente caracteriza al escritor asturiano como «centro de irradiación de temas poéticos que enlaza el siglo XVIII con el XIX» y como «eje de la nota sentimental de su tiempo», parece, sin embargo, no caer en la cuenta de que quizá lo primordial en Jovellanos sea precisamente esa función de guía. Yo me atrevería a decir que Jovellanos cambia la faz o la dirección de la poesía del siglo XVIII. Ya observó Ángel del Río [1953] que en Jovellanos, como en otros autores del momento, arte y erudición, poesía y ciencia social van unidas, se influyen mutuamente. Jovellanos, hombre de estado, economista, reformador activo, es de los primeros en observar los cambios (que él mismo fomenta). Y como sabe que para lograr ciertas reformas es preciso *convencer*, y por otro lado *denunciar*, acaba por ver en la poesía un instrumento de reforma social, un vehículo de pensamiento moral, un medio indirecto de educación. Nunca un arte puro y libre. Es curioso, sin embargo, que no haya practicado esa poesía que propugnaba, excepto en contadas ocasiones. La explicación es sencilla: Jovellanos no se consideraba poeta; se sabía hombre de estado, jurisconsulto. Nunca pensó en publicar sus composiciones. La poesía era para él un mero pasatiempo, o bien una especie de confesión íntima que podía dar a conocer en un círculo pequeño.

En cambio, a aquellos de sus amigos que hacían «profesión de poetas», les exigía esa orientación social. [...] La poesía que comienza a escribir el grupo salmantino, dirigido por Jovellanos, y que seguirá cultivando el grupo sevillano, es *poesía burguesa*. (Excluyo por el momento a Forner, cuya poesía sí me parece propiamente filosófica, aunque su tono sea más bien polémico: es un ir a los temas filosóficos para destruirlos, como se ve sobre todo en los *Discursos sobre el hombre*.) El tema fundamental es la crítica social: se denuncia a la nobleza, en particular por su falta de utilidad (de tal manera que sus defensores tendrán que esforzarse por hallarle una función). Se critican los vínculos y mayorazgos que sustraen la propiedad de las tierras a la libre circulación de la economía individual. Se condena la guerra, la ambición del conquistador, el honor militar, la farsa sangrienta del guerrero. Se exalta, en cambio, el amor y la unión universales, se entonan cánticos a la fraternidad. Se denuncia la pobreza en que vive el campesino. El campo no es ya lugar de trinos de aves, sino de miseria moral y material. El signo dominante no es ya la utopía idílica, sino la virtud sólida y concreta. El hombre virtuoso de estos poetas, el nuevo hombre exaltado por ellos hasta la hipérbole, carece, como el *honnête homme* de los franceses, de las virtudes heroicas del noble o de las trascendentales del asceta o del santo, pero en cambio es productivo y tolerante. No se trata de un concepto religioso, sino social. [...] Las composiciones de Jovellanos sobre el otoño, sobre la noche, sobre los coches desvencijados, su sátira *Contra los letrados*, sus epístolas *A Arnesto, A Eymar, A Bermudo, A Poncio*, su *Respuesta a una epístola de Moratín*, para citar algunos ejemplos, son poemas de tema burgués: no son poesía filosófica. Como observa Rodríguez Casado, la Ilustración española del siglo XVIII fue más actitud y postura vital que trascendencia metafísica. El pensamiento ilustrado es filosóficamente débil, mientras que el entusiasmo en materia pragmática y social —economía, educación, problemas de gobierno— no tiene límites. [Hasta ahora se ha aceptado la denominación de «poesía filosófica» para designar toda la poesía del XVIII. Propongo llamarla mejor *poesía burguesa*, término que corresponde más al espíritu del momento.]

FRANCISCO AGUILAR PIÑAL

LA TAREA REFORMADORA DE SEVILLA

Al testificar en el proceso que la Inquisición siguió contra Olavide, ilustres sevillanos ponen de manifiesto algunos datos que nos permiten reconstruir, en mínima parte, lo que fuera la tertulia que el Asistente presidía a diario en los salones del Alcázar, a semejanza de lo que había hecho años antes en Madrid y haría después en La Peñuela. Al defender el teatro y el baile, como se ha dicho, el político limeño pretendía dar esparcimiento al público y al mismo tiempo establecer las condiciones más idóneas para hacer de Sevilla una capital a nivel europeo, donde los espectáculos públicos fueran adorno indispensable de una sociedad culta y refinada.

De la misma forma, habituado a estas manifestaciones de elegancia social, no duda en hacer de sus habitaciones en el Alcázar hispa-

Francisco Aguilar Piñal, *Sevilla y el teatro en el siglo XVIII*, Cátedra Feijoo, Oviedo, 1974, pp. 77-90.

lense lugar de reunión de personas selectas, amantes de la música, de las letras, de las artes y de la amena conversación, tan de moda en círculos cortesanos. Y eso, en realidad, es lo que pretendía: convertir la regia mansión en pequeña corte, en modelo de vida «a la francesa», donde se codeasen la frivolidad y la cultura, el buen tono y la ironía, el ingenio y los delicados modales. Contaba para ello con la inestimable ayuda de su prima hermana Gracia de Olavide. [...] No son las frivolidades, por otra parte, el tema que nos interesa de esta aristocrática tertulia, sino su dimensión teatral, ya que en ella se representaban pequeñas piezas y —lo que hace más a nuestro propósito— se estimulaba la creación dramática mediante concursos y lecturas públicas. Así nació, en 1773, la obra de Jovellanos *El delincuente honrado*, junto a otras comedias de sus colegas Bruna, Aguirre, Trigueros y el propio Olavide. Es Ceán Bermúdez el que nos facilita los detalles:

En la tertulia se ventiló cuanto había que decir acerca de la comedia en prosa *a la armoyante* (sic) o tragicomedia que entonces era de moda en Francia; y aunque se convino en ser monstruosa, prevaleció en su favor el voto de la mayor parte de los concurrentes, y se propuso que el que quisiese componer por modo de diversión y entretenimiento alguna de este género, la podía entregar a don Juan Elías de Castilla, que hacía de secretario de dicha Junta, para que, leyéndola en ella, sin manifestar el nombre del autor, pudiese cada uno juzgarla con libertad.

En este ambiente de emulación literaria nació, pues, la vocación dramática de Jovellanos. Pero no era la primera. Con anterioridad habían recibido igual beneficio otros contertulios, Antonio González de León y Cándido María Trigueros. [De este último sabemos que en el año de 1767] contaba treinta y uno de edad y disfrutaba de un beneficio eclesiástico en Carmona, concedido por el cardenal Solís, con el que había vivido en calidad de paje desde su mocedad. Nunca llegó a recibir las órdenes mayores, manteniéndose en el nivel de subdiácono, suficiente para el beneficio. En lo que ahora nos afecta, Trigueros es autor de más de veinte obras teatrales, fechadas en cuatro períodos de su vida bastante diferenciados. [...] Bástenos ahora considerar la producción dramática de Trigueros en las dos primeras etapas, que se corresponden con la estancia de Olavide en Sevilla, exceptuando el período 1769-1773, en que reside habitualmente en las Nuevas Poblaciones. Son las dos épocas en que se estimula la creación literaria de las reuniones del Alcázar. El primer arreglo teatral de Trigueros es *Ciane o los bacanales de Siracusa*, fechada en julio de 1767. Le sigue *Los Guzmanes o el cerco de Tarifa*, con interesante carta-prólogo a Olavide, firmada en Sevilla el 25 de febrero de 1768, en la que leemos lo siguiente:

«Viene, por fin, a las manos de V. S. la tragedia *Los Guzmanes*, y viene a ellas mucho más temprano que debiera. Yo la dejaría de buena gana descansar, siguiendo el consejo de Horacio, hasta que limada y corregida poco a poco, fuese menos indigna del asunto y de las personas que la deben leer; mas la ha pedido V. S. repetidas veces y quizá sería desatención no presentársela con esta brevedad.» Y dice a continuación: «He deseado siempre tener correspondencia literaria con alguno de los célebres eruditos que no menos en ésta que en otras clases de literatura pudiesen contribuir a que yo me perfeccionase en el gusto fino y delicado, que es sin duda el requisito de un literato más difícil de adquirir. Entretanto que no logro este gusto, me ha ofrecido mi buena suerte el honor de tratar a V. S. y ya que así me proporciona un sujeto que a las demás calidades de los eruditos de la Atenas moderna añade más inteligencia del lenguaje en que estas obras están escritas, el cual no es la menos principal y dificultosa de sus condiciones, no quiero que V. S. alabe mis escritos, sino que los censure».

Trigueros, a sus treinta años, se considera a sí mismo un erudito, dedicado con preferencia a estudios más serios, por eso comenta después: «Yo, que fundo mi reputación en literatura de otro carácter, creo que perderé poco en no ser tenido por gran poeta trágico; bien que quisiera ser perfecto aun en esto, que sólo me ocupa los pocos ratos que hurto a las antigüedades de mi nación, a las lenguas y a los estudios propios de mi profesión y de mi estado, para darlos a mi diversión, desahogo y pasatiempo».

Debió resultarle muy grato dicho pasatiempo, ya que a los pocos días de fechada esta carta finaliza la comedia *Juan de buen alma*, adaptación del *Tartufe* de Molière, aunque precisa en la introducción que «he mudado todo lo que me ha parecido y que es tanto que creo haber escrito una comedia enteramente nueva». En ella ridiculiza la hipocresía en materia de religión, y la envía para su censura al padre Morico el día 8 de marzo. Años más tarde (1777) fue denunciada esta comedia a la Inquisición por el abogado José Iglesias y por el fraile Manuel Gil, quien dice de ella que «es una atroz sátira contra la devoción y constituía un último esfuerzo para desacreditarla en el espíritu del pueblo». La misma suerte corrió la tragedia *El Viting*, fechada en el siguiente mes de mayo, considerada por el censor como «pésimo ejemplo que no debe darse al pueblo», ya que en ella se trama una rebelión contra el monarca, se asalta su palacio y se asesina al heredero del trono.

Al enjuiciar la anterior comedia *Juan de buen alma*, el padre Gil nos da preciosas noticias sobre las relaciones Trigueros-Olavide, a quien acusa de querer destruir la devoción sevillana.

Después de esto —dice— al ver prosperar una comedia destinada a satirizar las personas devotas, ¿quién no pensaría que era una continuación del proyecto comenzado y como un nuevo medio con que se llevaba adelante? El don Cándido era amigo de Olavide, y se sabía que en las ocasiones en que de Carmona venía a Sevilla, concurría a su tertulia ...

Trigueros trabaja sin cesar y el 15 de junio envía una nueva tragedia, *Egilona*, a su amigo Félix Hernández, clérigo de menores como él, para su previa censura. El tema de Abdalazis y la celosa Egilona es tratado varias veces en el siglo XVIII, pero creo que es Trigueros el primero en sacar partido del tema, para ser leída con toda probabilidad en las reuniones del Alcázar. Pero antes, el 22 de mayo, había remitido la comedia *Don Amador* a Gracia de Olavide, la musa femenina de la tertulia, quien también participó, como sabemos, en el repertorio dramático traduciendo del francés la comedia de madame de Grafigny *La Paulina*.

Cuando Olavide regresa a Sevilla, en mayo de 1773, de nuevo Trigueros se dedica a escribir teatro para la revitalizada tertulia, a la que acude Jovellanos con su *Delincuente*. De la pluma del activo beneficiado salen en estos años la comedia *El mísero y el pedante* y el oratorio *La muerte de Abel* (1773), *Los ilustres salteadores* (1774) y *Cándida o la hija sobrina*, ambas «comedias lastimosas», la tragedia, tomada del alemán, *Los Teseides*, y los dramas pastorales o bucólicos a imitación de Metastasio, *Endimion* (1775) y *Las fuerzas de Orlando* (1776). Ya no estaba en Sevilla Olavide, pero la afición teatral despertada en Trigueros no decaería hasta su muerte. En 1781 dedica a la actriz María Bermejo, «la Bermeja», la tragedia *Electra*, que se representa en Madrid en 1788; en 1784 es premiada su comedia *Los menestrales*. Más tarde se dedica a refundir a los clásicos. El mayor éxito obtenido, aunque póstumo, fue con *Sancho Ortiz de las Roelas*, arreglo de *La estrella de Sevilla*, de Lope.

Otro contertulio, Miguel Maestre, el «dulce Miguel» [como lo nombra poéticamente Jovellanos] traduce para el «salón» sevillano *Gustavo*, de Piron; Jovellanos, la *Ifigenia*, de Racine; Luis Reynaud, la *Eugenia*, de Beaumarchais.

El propio Olavide, que ya había escrito en su etapa madrileña la zarzuela en un acto *El celoso burlado*, traduce en Sevilla varias obras francesas: de Racine, *Mitrídates* y *Fedra*; de Voltaire, *Zayda, Casandro y Olimpia* y *Mérope*; de Belloy, la *Celmira*; de Lemierre, la *Hipermenestra* y *Lina*; de Mercier, *El desertor*; de Regnard, *El jugador o estragos que causa el juego*. Con estas traducciones, Olavide —dice un biógrafo— «trató de liberar al teatro español de trabas temáticas y hacerlo accesible a temas profanos, sin falsos pudores ni prejuicios religiosos ni paramentos alegóricos». [...]

Que Olavide fuese pieza clave en la reforma del teatro lo reconoce el escritor Sebastián y Latre, en carta escrita al Asistente sevillano el 9 de febrero de 1773, desde Zaragoza, con motivo de enviarle un ejemplar de su *Teatro español*:

A ninguno con tan justa causa como a V. S. debo yo presentar el adjunto ejemplar de mi ensayo... Es bien notorio que al celo, inteligencia y eficacia de V. S. se debe el haber dado a conocer en España una representación de que apenas se tenía noticia, como lo insinúo en mi Prólogo, y lo hubiera dicho con mayor claridad si el justo respeto que debo tener a la persona de V. S. me lo hubiera permitido. Sé y me consta que V. S. es uno de los mayores conocedores del Teatro y el único que pudiera darnos a los aplicados a la poesía dramática unos perfectos modelos para su imitación. Este concepto me estimula muy particularmente a que desee merecer la aprobación de V. S., si no por el desempeño de las piezas, a lo menos por el pensamiento de reformar nuestro Teatro, cuya obra continuaré en todas sus partes, si fuese yo tan feliz que el Gobierno estimase por útil mi idea.

En su contestación, fechada el 20 de marzo en La Carolina, Olavide expone sin ambages sus pensamientos sobre el alcance de la reforma, que contaba con su mayor adhesión y apoyo.

En mi concepto, dice, nada forma tanto las costumbres de un Pueblo; nada ameniza tanto a la Nobleza y la Plebe; nada inspira tanta dulzura, urbanidad y amor a la honradez como las frecuentes lecciones que se dan al público en el Teatro. Pienso, pues, que el que diera a España tragedias y comedias que, oyéndose con gusto, pudieran producir aquellos y otros efectos, le haría, acaso, el mayor servicio.

Confrontando estas ideas con las ya expuestas de los adversarios de la escena, se comprueba que no podía haber mayor diversidad de criterios y que la conciliación era imposible, siendo para unos escuela de maldad lo que para otros era espejo de honradez y buenas costumbres.

José Miguel Caso González

EL DELINCUENTE HONRADO, DRAMA SENTIMENTAL

El tema de la obra es el siguiente: Torcuato, insultado por el marqués de Montilla, responde con dignidad, pero es retado; acepta el reto en última instancia, cuando su honor quedaría manchado caso de rehusar; muere el marqués; durante algún tiempo se desconoce quién es el matador; Torcuato se casa mientras tanto, solicitado, con la viuda del muerto; se aman tiernamente; la corte quiere castigar al matador y envía para ello un nuevo magistrado, tan activo que en poco tiempo da los pasos suficientes para que Torcuato se considere casi descubierto; después de ser encarcelado su amigo Anselmo, el único que conoce el secreto, y cuando va a ser condenado por callarse, Torcuato se entrega al juez; convicto y confeso, es condenado a muerte, de acuerdo con la pragmática del año anterior; su inocencia, sin embargo, es reconocida por don Justo, que pide al rey el perdón; don Justo resulta ser, además, el padre del reo; en el último momento llega el perdón real, conseguido por Anselmo, y Torcuato se salva, volviendo la felicidad a una familia atormentada por tantos sinsabores.

Con este tema Jovellanos se propuso demostrar la injusticia de una ley que condenaba a los dos participantes en un duelo, sin distinguir entre retado y retador. Esta es su tesis, clara y explícita.

José Miguel Caso González, «*El delincuente honrado*, drama sentimental», en *La poética de Jovellanos*, Prensa Española, Madrid, 1972, pp. 202-234 (202-206, 208-211, 219-223, 229-233).

Para ello necesitaba presentar al retado totalmente inocente. Por eso incluso se aclara que el marqués fue el verdadero causante de su muerte, al arrojarse contra la espada de Torcuato, que se limitaba a defenderse, dispuesto a no matar. Siendo Torcuato inocente, la ley que le condena a muerte es una ley injusta y cruel, que no distingue entre culpable y víctima. La razón condena los duelos, pero la sociedad, que los acepta, condena a infamia perdurable al que, retado, no acude al reto. Torcuato ha sido, pues, víctima de la opinión. En el duelo en sí la muerte es secundaria, porque importa más la actitud de los contendientes. Torcuato no quiso matar, y esto basta para salvarle. Como la ley le condena, es la ley la que es injusta.

Pero el *Delincuente* plantea problemas más hondos y generales. Lo que Jovellanos somete a crítica es sencillamente la manera de entender la justicia en general. Don Simón es el magistrado que se atiene a la ley escrita y para quien castigar al reo, incluso con la muerte, es cumplir la ley, tan sagrada que un magistrado no puede buscarle interpretaciones; para él, además, el castigo es un derecho de la sociedad, que puede y debe arrojar de sí a todo el que no se atenga a la ley que el legislador le dicta. Don Justo, por el contrario, es el magistrado que respeta la ley y la cumple, porque esa es su obligación; pero que sabe juzgar a la propia ley y determinar la justicia o injusticia de cada caso particular.

Hasta el siglo XVIII regía en todas las naciones de Europa un derecho penal cruel e inhumano. Bastaba un simple indicio para que cualquier ciudadano fuera encerrado en la cárcel, igual culpado que inocente; los interrogatorios eran siempre secretos y muy frecuente la aplicación de la tortura. Los códigos eran sanguinarios, determinaban penas y castigos excesivos y por añadidura hacían acepción de personas en la aplicación de los suplicios y de las penas.

Los enciclopedistas franceses fueron los primeros en criticar este estado de cosas y en exponer un concepto humanitario de las penas fundado en el respeto a la persona humana. Siguiendo sus doctrinas, Federico II de Prusia y la república suiza decretaron la abolición de la tortura. Pero fue sobre todo Beccaria el que con un librito de pocas páginas, en un estilo vehemente y dogmático, con ausencia de citas, planteó un concepto totalmente nuevo del derecho penal. Este librito, publicado en Liorna en 1764, corrió rápidamente por Europa, siendo ávidamente leído, muy alabado por unos y ásperamente combatido por otros. En España fue traducido por Juan Antonio de las Casas (Ibarra, Madrid, 1774), traducción que, como ha demostrado Sarrailh [1949], no conoció Jovellanos

antes de escribir su comedia, por lo que tuvo que servirse del texto original o acaso de la traducción francesa de Morellet.[1]
Jovellanos era partidario de Beccaria. En el monólogo final del acto II pone en boca de Torcuato estas exclamaciones: «Si se obstina en callar sufrirá todo el rigor de la ley... Y tal vez la tortura... (Horrorizado) ¡La tortura!... ¡Oh nombre odioso! ¡Nombre funesto!... ¿Es posible que en un siglo en que se respeta la humanidad y en que la filosofía derrama su luz por todas partes, se escuchen aún entre nosotros los gritos de la inocencia oprimida?». No puede asegurarse que estas palabras deriven directamente de Beccaria, porque es igualmente posible que procedan de cualquiera de los autores que trataron del tema, especialmente de los enciclopedistas franceses. En realidad, reflejan no un texto, sino una lección bien aprendida, considerada como principio de justicia, en nombre del principio superior de respeto a la persona humana.

[Como Beccaria Jovellanos sostiene:] distinción entre provocado y provocador; absolución del primero; el honor, necesario en la monarquía, causa que absuelve el concepto de delito. Por cierto que en la frase: «sin el honor no puede subsistir una monarquía» [acto I, escena 5.ª], hay una fundamental variante con respecto a la edición de Barcelona. En ésta se decía: «Es una quimera sin la cual no puede subsistir ningún gobierno». Según Montesquieu el principio del gobierno republicano es la virtud, el del gobierno monárquico el honor y el del gobierno despótico el temor. En la segunda versión Jovellanos corrige el texto de acuerdo con la opinión de Montesquieu, mientras que en la primera el honor se considera principio de todo gobierno, sin distinguir entre republicano, monárquico o despótico. [...]

El concepto del honor queda totalmente claro en los parlamentos de ambos magistrados. Para don Simón es el honor tradicional; para don Justo las cosas son totalmente opuestas: el verdadero concepto del honor se funda en el ejercicio de la virtud y en el cumplimiento de los propios deberes; pero ese no es el concepto vulgar, que considera pundonoroso al de sentimientos fogosos y valiente al que tiene más osadía.

Ahora bien, el problema que se plantea no es si la ley es justa de acuerdo con un concepto verdadero del honor, si no si lo es de acuerdo con el concepto corriente. Don Justo, es decir, Jovellanos, considera que la legislación debe aplicarse a modificar las ideas vulgares y erróneas, pero que, sin embargo, a la hora de dictar leyes no pueden tenerse en cuenta más que las que circulen, sean buenas o malas. Por eso la legis-

---

1. Conservo el texto primitivo; pero hoy puedo afirmar que Jovellanos disponía del texto original, puesto que figura en el Yndice de su biblioteca sevillana de 1778.

lación sobre duelos es injusta, porque «hoy pensamos, poco más o menos, como los godos, y sin embargo, castigamos los duelos con penas capitales».

La argumentación de Jovellanos va, pues, más allá que la de Beccaria, aunque sus ideas sean las mismas que las de la Europa ilustrada. Condenar a muerte al provocado a duelo es injusto, porque existe el honor; pero ese honor vigente en la vida social, sobre todo entre la nobleza, es uno de los muchos prejuicios que deben desaparecer. La pragmática de Fernando VI es, en consecuencia, injusta, porque no distingue entre ambos duelistas, lo que no significa que lo fuera en cualquier circunstancia, porque tendría aplicación a partir del momento en que el concepto del honor fuera otro, cuando nadie que fuera retado pudiera ser tildado de cobarde por rehusar el duelo. [...]

Un día surge en aquella inquieta tertulia que Olavide reunía en su casa de Sevilla, abierta a todos los vientos de Europa, la discusión sobre la *comédie bourgeoise* o drama sentimental, que estaba haciendo furor en Francia y en otras naciones. Concebido como género intermedio entre la comedia y la tragedia, y ésta era teoría de Diderot, pareció a aquellos graves contertulios que el drama era un género monstruoso, es decir, ni comedia ni tragedia, sino ambas cosas a la vez, y que por tanto se apartaba de la doctrina clásica pura. Ellos lo veían, por tanto, como tragicomedia, y así se subtitularía durante mucho tiempo *El delincuente honrado*. Pero en esto se alejaban bastante al mismo tiempo de la opinión de Diderot, para quien la tragicomedia no puede ser más que un mal género, porque en él se confunden dos géneros alejados y separados por una barrera natural; no se pasa, dice él, por matices imperceptibles, se cae a cada paso en los contrastes, y la unidad desaparece.

A pesar de su hibridez, los contertulios de Olavide no sólo aceptaron tal novedad, sino que se propusieron ensayarla en España, y para ello se convocaron a sí mismos a concurso. Según Ceán, presentaron obras, además del Asistente Olavide, Jovellanos, Ignacio Luis de Aguirre y Francisco de Bruna, todos magistrados de la Real Audiencia. No se conoce más que la de don Gaspar, que fue la que alcanzó el primer lugar, por lo que no es posible juzgar el mérito de las otras ni de lo que representaron como innovación dramática. [...]

Lo sentimental de la *comédie larmoyante* radica en algo más que en la escena capaz de poner un nudo en la garganta del espectador.

No debe olvidarse que el adjetivo «larmoyante» surgió en Francia en son burlesco, y aunque caracteriza a una parte de este tipo de teatro, resulta demasiado superficial. En las comedias sentimentales hay, en general, escenas lacrimosas; pero sin ellas puede existir también este género. Es, efectivamente, mucho más importante que el dramaturgo nos descubra el alma sensible de los personajes, en vez de sus pasiones. Sólo esto, aunque no se derrame una lágrima en toda la comedia, caracteriza al género.

En *El delincuente honrado* hay ambas cosas: pintura de sentimientos y escenas lacrimosas. El amor ante todo no está visto como pasión, sino como sentimiento. Es el amor de dos esposos que sufren el uno por el otro. Ni en Torcuato ni en Laura se nos presenta la fuerza incontrastable del amor; incluso las mayores ternuras a que ambos se entregan son de origen sentimental. El mismo juego de la comedia se fundamenta en sentimientos, como el silencio de Torcuato después del duelo, la decisión de abandonar Segovia, el entregarse a la justicia y la voluntaria confesión de su delito.

Como era frecuente en otras obras del mismo carácter, ocupa en la nuestra un lugar preeminente la amistad, que llega incluso al grado de virtud heroica, como ocurría también en *Le fils naturel* de Diderot o en *L'honnête criminel* de Fenouillot de Falbaire. Anselmo guardará el secreto de Torcuato hasta la muerte, siendo capaz de callarse ante la justicia y de ser condenado por ello. Torcuato, en el mismo momento en que más urge que huya, no sólo intercederá por el amigo que sabe totalmente inocente, sino que se entregará al juez y confesará su crimen, con el fin de salvar al amigo generoso. El punto culminante de esta amistad heroica es el encuentro de los dos amigos en la cárcel, que Felipe nos describe en la escena 6.ª del acto III.

De este modo la obra reposa totalmente sobre sentimientos. Pero además de esto reposa sobre la sensibilidad. Toda la obra está llena de frases que hacen referencia directa o indirecta a las lágrimas. En los momentos oportunos, los que convienen al fin de la comedia, Jovellanos recurre también a la escena lacrimosa. Así, cuando Torcuato está ya condenado, pero se sabe que es inocente, al enfrentarse, como amigos, juez y reo, Jovellanos echará mano del recurso de reconocer don Justo en Torcuato a su hijo, un hijo ilegítimo, fruto de unos amores que no pudieron llegar a término feliz. El momento es terrible. Don Justo ha condenado a su propio hijo. La ley no le deja escape. La corte ha insistido en la rápida conclusión del proceso y en el cumplimiento de la sentencia. Sólo queda un camino al padre que ha condenado a muerte a un hijo que nunca había conocido: pedir al rey el perdón del reo. También este recurso le falla. La corte se niega a perdonar. La desesperación está a punto de adueñarse del pobre padre. Un último intento será el de enviar un emisario personal que contará, si es necesario, las tristes circunstancias de este suceso. Siguen pasando los minutos y se acerca el momento fatal. El nudo se aprieta en la garganta del espectador. Corre un cierto espeluzno de tragedia. Torcuato va a morir, sin que su padre (inverosímilmente, digámoslo también) acuda al último recurso, el de esperar la llegada de Anselmo con el perdón o con la muerte. Pero Jovellanos no dudó en caer en esta inverosimilitud, porque así la «impresión» es más fuerte, más ahogante. Y el argumento sentimental, el fundamental de su tesis, surtirá más efecto. [...]

Al editar Jovellanos su obra en 1787 la subtituló «comedia en prosa». El género lacrimoso no utilizaba habitualmente la prosa. Incluso *L'honnête criminel* de Falbaire, de cuyas relaciones con el *Delincuente* ya se ha hablado, estaba escrito en verso. ¿Por qué entonces Jovellanos hace la aclaración de que su comedia está en prosa? ¿Qué importancia podía tener el subrayar esta característica? [...]

El teatro español continuaba la costumbre del siglo XVII; pero una de las innovaciones de Jovellanos era precisamente la de apartarse de esa corriente, para seguir, también en esto, las teorías de Diderot, fundadas a su vez en ensayos anteriores, franceses e ingleses. Para Diderot el drama debía ser un género de gran naturalidad, donde las cosas que se dijeran fueran también naturales. El verso trágico comportaba cierta afectación o engolamiento que no iba bien a un género de tema contemporáneo y de carácter urbano. Por esta razón defiende en teoría y practica en sus obras un teatro escrito en prosa, y por lo mismo Jovellanos escribe su comedia en prosa y no en verso. Quienes tan reiteradamente la pusieron en verso sólo entendieron una parte, aunque quizá la más importante, de lo que Jovellanos había querido hacer. Es casi seguro que sobre ellos resbalaban totalmente las innovaciones técnicas del *Delincuente*.

La prosa de Jovellanos no es, a pesar de todo, vulgar. Peca sin duda de lo contrario. Como afirma Arce, «el lenguaje es entonado, artificioso, insincero a pesar de la continua exteriorización de gestos y actitudes sensibleras y de la rebusca de situaciones conmovedoras». Acaso el adjetivo «insincero» sea poco exacto, porque Jovellanos no pretendió hacer una comedia costumbrista, sino una comedia de tesis, y éste es el punto de vista estético que debe tenerse presente al juz-

gar la obra. Lo que Jovellanos maneja son ideas, no caracteres particulares o universales. De aquí que la falsedad del lenguaje obedezca
de manera fundamental al hecho de no pretender retratar tipos concretos, con lenguaje propio, como hubiera sido necesario en una comedia costumbrista. Por eso la «insinceridad» no me parece defecto
que pueda achacársele; pero sí el engolamiento y la artificiosidad.
El propio Arce señala que el estilo «es conscientemente rítmico,
mórbido, lánguido». Apunta dos ejemplos solamente, cosa que bastaba a sus fines; pero lo rítmico predomina a lo largo de toda la
comedia. Son especialmente tres personajes los que se distinguen
por su lenguaje rítmico: Laura, Torcuato y don Justo. Sin embargo,
don Simón y la gente menuda no utilizan en absoluto los períodos
conscientemente rítmicos reiterados o los utilizan muy poco. La diferencia entre ambas maneras de hablar está, pues, en relación con la
presentación de los personajes.

Todos los actos, menos el quinto, terminan con un monólogo.
Cada acto camina hacia una cima de tensión emocional, para llegar
en esos monólogos finales al punto máximo. El primer acto es el
planteamiento del problema: por él sabemos todo lo que ha ocurrido, sin que Jovellanos manifieste interés en ocultarnos nada, porque
no es la intriga el resorte dramático que le preocupa; sabemos además que Torcuato es inocente, conocemos el dolor que lo que se
avecina va a causar a todos, especialmente a Laura, y sabemos que
Torcuato va a buscar en la huida la salvación. El monólogo final resume todos estos presupuestos y nos hace penetrar en los sentimientos del protagonista. El acto segundo es el de la confesión de Torcuato a Laura y el de la prisión de Anselmo. Todo cambia ahora:
Torcuato decide quedarse y entregarse a la justicia; el monólogo nos
advierte de la decisión final. El acto tercero es el de la confesión
de Torcuato a la justicia y el de la sentencia; pero como don Justo
conoce la inocencia del reo, el monólogo nos advierte de la súplica
del juez al rey. El acto cuarto es el del reconocimiento entre padre
e hijo, juez y reo, y el de la denegación del perdón pedido por el
juez antes de saber que es padre del reo al que ha condenado: el monólogo nos coloca en el trance patético en que el padre, no ya el
juez, va a clamar por el perdón de un hijo inocente. De esta manera
los monólogos con que se rematan los cuatro primeros actos son
como el punto más alto de la curva emocional, a la vez que preparan
la acción del acto siguiente.

Por lo demás el desarrollo de la acción es simplicísimo, como quería Diderot. El camino es lineal, sin que intervenga más imprevisto que la prisión de Anselmo, que tuerce el desarrollo preparado en el acto primero. Tan simple, que casi no hay acción dramática. Acaso por esto abundan las escenas que son una pura discusión de ideas, escenas que en general Jovellanos sabe motivar.

Finalmente, de acuerdo con las teorías de Diderot, el autor recurre al «cuadro», a la escena estática o plástica, que podría representarse en un lienzo. Tales son, por ejemplo, la escena 5.ª del acto II, entre Torcuato y Laura, o la escena 3.ª del acto IV, entre don Justo y Torcuato. Los efectos teatrales apenas existen, salvo al final, cosa que también era propia de la técnica de Diderot.

JOHN H. R. POLT

LAS BASES TEÓRICAS
DE *EL DELINCUENTE HONRADO*

El poema autobiográfico *Historia de Jovino* indica que Jovellanos ya cultivaba la comedia antes de escribir el *Pelayo* [Caso, 1961], pero o bien destruyó estos textos o bien por una razón u otra se perdieron. La única obra teatral que se conserva de Jovellanos, además del *Pelayo*, a menudo se adscribe, aunque de una forma poco precisa, al género cómico; pero es posterior al *Pelayo*. Se trata de *El delincuente honrado*, drama escrito en 1773 y representado por vez primera en 1774 en uno de los teatros reales. Aunque escrito en prosa, fue versificado por varios espontáneos, y se tradujo a diversas lenguas extranjeras; y, después de una edición pirata que apareció en Barcelona, su autor lo publicó con seudónimo en Madrid en el año 1787. La trama argumental parece basarse en un hecho real que sucedió en Segovia, donde transcurre la acción, en 1758. Hay también similitudes temáticas y onomásticas que emparentan la obra con

John H. R. Polt, *Gaspar Melchor de Jovellanos*, Twayne Publishers, Nueva York, 1971, pp. 67-73.

un episodio de la historia de Roma según lo cuenta Tito Livio, quien
habla de un Torcuato Manlio que condena a su propio hijo por in-
fringir la prohibición de librar combates singulares con el enemigo.
La acción de la obra de Jovellanos tiene una indudable unidad,
ya que su propósito es «descubrir la dureza de las leyes que, sin
distinción de provocado y provocante, castigan a los *duelistas* con
pena capital» (I, 79). La historia ocupa de veintiocho a treinta horas,
y al igual que en el *Pelayo*, se desarrolla en diferentes lugares de un
mismo edificio, en este caso el Alcázar de Segovia. Se respeta así
fácilmente un concepto muy estricto de las unidades, siempre que
estemos dispuestos a aceptar la severidad de un proceso que descubre al delincuente, le sentencia aquel mismo día y tiene que
ajusticiarle al día siguiente por la mañana. Hay, sin embargo, otros
lunares en la verosimilitud de la obra. ¿Cómo podemos creer que
don Simón, magistrado «de la vieja escuela», muestre tanto interés
en casar a su hija con un hombre de familia desconocida? ¿Podemos
aceptar que don Justo, sabiendo que Anselmo ha ido a implorar la
gracia del rey, y estando en juego la vida de su propio hijo, ordene
la ejecución de Torcuato sin esperar siquiera el resultado de la gestión de Anselmo? El origen de estos problemas está en el modo en
que Jovellanos concibió su argumento, y posteriormente no se tomó
la molestia de resolverlos.

En *El delincuente honrado* el conflicto no es de carácter íntimo
y moral, y el hecho de que Jovellanos estuviera más interesado por
otros aspectos de la obra puede explicar la escasa atención que
presta a veces a los móviles de sus personajes. Torcuato está a punto
de abandonar a su esposa, luego renuncia a hacerlo y confiesa su
culpa con objeto de salvar a su amigo, acepta la sentencia condena-
toria y acepta la súbita revelación de quién es su padre, todo ello
sin ninguna lucha interior y siempre sometiéndose totalmente a su
idea del deber. Semejantemente, don Justo, a pesar de que considera injusta la ley sobre los duelos, no vacila en condenar a Torcuato.
Tras haber descubierto que el delincuente es su propio hijo, sigue
firmemente decidido a hacer cumplir la ley hasta sus últimas consecuencias. La virtud parece triunfar de un modo inevitable en estos
personajes; y su virtud es de ese género inflexible que hace a algunos héroes romanos tan admirables como inhumanos. En los personajes de Jovellanos el triunfo de la virtud va acompañado por la
plena conciencia de los sacrificios que ello va a representar; sin em-

bargo el autor no emplea esa lucidez para analizar un proceso emo-
tivo, sino para subrayar un *pathos* que se expresa en escenas sentimentales y en copiosas lágrimas.

Como escribí en otro lugar [1959], el conflicto básico de la obra ...
debe buscarse en un nivel completamente distinto del sentimental ... Jovellanos establece un contraste entre dos conceptos de la ley, que encarnan
dos magistrados, don Justo y don Simón, el corregidor. Don Justo es
«un magistrado filósofo, esto es, ilustrado, virtuoso y humano», mientras
que don Simón, «esclavo de las preocupaciones comunes, y dotado de un
talento y de una instrucción limitados, aprueba sin conocimiento cuanto
disponen las leyes, y reprueba sin examen cuanto es contrario a ellas»
(I, 79). En otras palabras, Simón es incapaz de elevarse a un nivel filosófico
que le permita juzgar no sólo a los individuos, sino también las leyes y las
instituciones; sus criterios son totalmente formalistas, y acepta como buena
cualquier cosa que haya sido decretada por la autoridad constituida. Esta
posición se opone a la de Justo, ya que Justo no sólo juzga la culpa individual según las normas legales, sino que además analiza estas mismas normas
a la luz de los principios éticos. Es, por lo tanto, al mismo tiempo un servidor y un crítico de la sociedad a la que sirve; y por medio de él Jovellanos manifiesta su petición de que los valores legales se hagan coincidir con
los valores éticos. Don Simón es el elemento de contraste de estas opiniones, y en consecuencia uno de los personajes más importantes dentro de la
pugna ideológica, aunque dentro de la trama argumental presidida por
Torcuato su papel sea secundario. Sus opiniones y las de Justo acentúan
el dramatismo de las situaciones. Simón descubre que el hombre cuya
muerte se ha apresurado a pedir es su yerno; Justo se ve obligado a condenar a su hijo en nombre de una ley que castiga por igual al provocador
y al provocado en un duelo, y que, como «magistrado filósofo», considera
injusta. La intervención real apoya la filosofía de la ley que tiene Justo
y la lección que Simón se ha visto obligado a aprender; pero advirtamos
que no ha sido la razón lo que ha movido al rey, sino el patético alegato
del amigo de Torcuato, Anselmo. De una manera muy «ilustrada», los
sentimientos reales atemperan el rigor real.

Jovellanos indica una discrepancia entre los verdaderos principios de la sociedad y las leyes que se supone que encarnan estos
principios. A través de sus personajes, admite que el concepto predominante del honor es «falso», por desentenderse de lo que íntimamente vale un hombre; pero afirma que cuando semejante concepto está
ampliamente difundido, y viene a ser como el principio fundamental
del gobierno monárquico bajo el que viven los personajes, la ley no

debe castigar a unos hombres por obedecer a un código que en caso de violarse les acarrearía un castigo por parte de la sociedad. Aceptar un duelo no debería constituir un crimen para el que es provocado, ya que si se niega a aceptarlo se atraería el desprecio de los demás ciudadanos, convirtiéndose en un proscrito a sus ojos. Este argumento puede encontrarse en Hobbes y en escritores de la Ilustración como Montesquieu y el reformador legal italiano Cesare Beccaria, a quien Jovellanos cita al final de su obra. En *El delincuente honrado*, la solución del conflicto es un *deus* —o *rex*— *ex machina*, dramáticamente tan poco justificado como los desenlaces de esas comedias del Siglo de Oro en las que el rey aparece para hacer justicia y disponer las bodas necesarias, o, para citar un ejemplo más próximo, el final del *Pelayo*.

Dejando aparte los hechos reales y los escritos de los «filósofos» de la Ilustración, las fuentes de *El delincuente honrado* han de buscarse en la teoría y en la práctica dramáticas francesas del siglo XVIII, de un modo especial en las teorías dramáticas de Denis Diderot, tal como se exponen en los *Entretiens sur «Le fils naturel»* y *De la poésie dramatique*. En estas obras Diderot teoriza sobre lo que ya habían puesto en práctica él mismo y otros dramaturgos franceses, algo a lo que llama un nuevo género teatral, «el género serio». Diderot no pretendía hacer objeciones estéticas a la mayoría de las «reglas» del teatro neoclásico, incluso las unidades dramáticas; pero quería dar al teatro una orientación social más fuerte. Con este objeto, proclamó nuevas reglas de su invención. El nuevo género iba a tratar asuntos importantes con argumentos sencillos y realistas, haciendo que la acción recayera en los personajes principales y haciendo caso omiso de los criados, que eran tan importantes en la comedia francesa. Se prescindiría del sensacionalismo y de la risa, y se trataría más bien de actuar sobre los sentimientos del público por medio de escenas emotivas plasmadas físicamente en los gestos de los personajes (*tableaux*). La pantomima, o desarrollo de la acción por medio de ademanes y movimientos, había de acentuar el realismo y en algunos casos la fuerza sentimental de la obra. Ésta debía tener siempre una fuerte orientación moral. Finalmente, el drama se basaría en la condición social, no en el carácter de los personajes.

Diderot recomienda concretamente que «alguien se proponga poner en escena la condición de juez; que desarrolle su asunto con todo el interés que éste permite... Que el hombre se vea obli-

gado por las funciones de su estado, ya sea a faltar a la dignidad y
a la santidad de su ministerio, y deshonrarse a los ojos de los demás
y a los suyos propios, ya a inmolarse a sí mismo en sus pasiones,
sus gustos, su fortuna, su nacimiento, su mujer y sus hijos; y luego
que alguien diga si quiere que el drama honesto y serio carece de
calor, de color y de fuerza».

La obra de Jovellanos sigue estas indicaciones y reglas. Se ocupa
de asuntos importantes, apasionadamente debatidos incluso hoy en
día: no sólo de la justicia o injusticia de las leyes, sino también del
deber del ciudadano (Torcuato) y del magistrado respecto a una ley
que consideran injusta. La trama argumental, aunque no es muy
sencilla, lo es más que la de cualquier comedia de enredo; y a pesar
de sus fallos de verosimilitud, es realista por el ambiente que se
describe con gran precisión, por tratar de un problema real, en
modo alguno artificioso, por recurrir a personajes comunes, y por
usar la prosa, aunque a veces rítmica, casi prosa poética. La acción se desarrolla entre los personajes principales, con poquísimas
ocasiones de risa. Además, los movimientos de Torcuato en el primer acto, que indican su turbación; las lágrimas; el modo de agru-
parse y los movimientos de los personajes en los actos cuarto y quinto, con Torcuato encadenado, en la oscura prisión; las súplicas y los
ademanes de Laura; y la libertad final y los abrazos, todo contribuye
a desarrollar el argumento por medio de la acción, el movimiento, la
pantomima, y da pie a escenas previstas para ser de gran impresión
visual: *tableaux*. No es necesario insistir en la orientación moral de
la obra.

En cuanto a la función de la condición social, don Justo parece ideado
para adecuarse a lo que pedía Diderot; su conflicto es exactamente el
descrito por el escritor francés: los sentimientos del hombre oponiéndose
a las sagradas obligaciones del juez. Justo vive plenamente su papel social,
su condición, la de juez; de ahí el dramatismo del hecho de que se vea
obligado a condenar a su propio hijo, al que había perdido desde hacía
mucho tiempo. Pero la misma importancia de la condición podemos verla
también en el personaje de Torcuato, con un conjunto un poco más complejo de papeles: esposo, amigo, ciudadano virtuoso y delincuente. El título
de la obra indica ya que su conflicto estriba en la naturaleza paradójica de
esta combinación ... Los personajes no parecen tener ningún núcleo de personalidad; más bien resbalan súbita y abruptamente de un papel a otro,
siempre encajando perfectamente en las normas preconcebidas de cada

función. Sus personalidades tienen facetas, pero carecen de profundidad; al igual que ocurre en el título, permanecen en un estadio de paradoja sin resolver. Parece como si Jovellanos, moviéndose desde el plano abstracto al concreto, enfrentara conceptos opuestos (esposo, juez, padre, etc.) y les diera nombres, sin acabar de imaginarse a unas personas, siguiendo un proceso de dentro a fuera a partir de una personalidad bien definida. El lector moderno, siempre interesado por la penetración psicológica, se sentirá defraudado; pero el público de Jovellanos, interesado mucho más que en psicología, en la sociología que pasaba por «filosofía», al parecer se sintió satisfecho. Una vez más, lo que puede parecernos un defecto de la obra, debería verse más bien como una adecuación consciente a una teoría dramática, la de Diderot.

Aunque el autor y los críticos vacilaron acerca del género al que corresponde, de hecho *El delincuente honrado* es un ejemplo español del teatro burgués que los franceses llamaban *drame*. Además de proporcionar las bases teóricas de la obra, Diderot y otros autores franceses de la misma tendencia, y que escribieron entre 1750 y poco después de 1770, fueron también las fuentes de diversos pormenores de la trama argumental y de la expresión en *El delincuente honrado*. Además de *Le fils naturel* de Diderot, hay que tener en cuenta dramas como los de Michel-Jean Sedaine, Sébastien Mercier y Fenouillot de Falbaire, cuya obra *L'honnête criminel* lleva un título del que hay un eco evidente en *El delincuente honrado*. No obstante, ambas obras, como la anónima *Honnête voleur*, pueden simplemente ser una muestra de la popularidad de títulos paradójicos, contemporánea de la rehabilitación literaria del delincuente.

Ángel del Río

LOS *DIARIOS*

Los pocos críticos que se han ocupado de los *Diarios* han subrayado, erróneamente a nuestro juicio, su carácter íntimo y los han relacionado con el género de confesiones o memorias estrictamente personales tan abundante en otros países. Ceán, el primero en caracterizar la obra, ya lo hacía diciendo: «Yo los llamaría acaso con más propiedad sus confesiones porque refieren con sinceridad y franqueza los sentimientos de su corazón». Para Menéndez Pelayo eran los *Diarios* ante todo «examen de conciencia que Jovellanos hacía de sus actos y hasta de sus más recónditos pensamientos». Somoza en su *Inventario* los consideraba «la obra más íntima y trascendental de Jovellanos», y por último Adellac, el prologuista de la edición del Instituto, hablaba de «estas confesiones tan ingenuas, tan expresivas, tan cordiales».

Sin negar la parte de verdad contenida en los juicios enumerados, ya que todo diario es por sí obra de intimidad, lo cierto es que el elemento introspectivo, el análisis de los propios sentimientos y aun la simple expresión de ellos, ocupa en estas memorias del escritor asturiano una parte mínima, motivada, además, en la mayoría de los casos, no por el afán de autoanálisis o de confesión, sino por el deseo de enjuiciar hechos o conductas personales en relación, casi siempre, con las persecuciones políticas de que el autor o sus amigos fueron objeto. Por eso nos parece más exacto Menéndez Pelayo cuando afirma que «son [los *Diarios*] de amenísima lectura y están sembrados de noticias topográficas, históricas, descriptivas, arqueológicas y de costumbres».

Como el lector podrá comprobar, el elemento objetivo —anotaciones de viajero, alusiones a acontecimientos, impresiones críticas— predomina en forma realmente incomparable sobre el elemento subjetivo, revelación de recónditos pensamientos o de ocultas pasiones.

Hubo sin duda en la sensibilidad de nuestro diarista una vena

Ángel del Río, «Estudio preliminar» a Jovellanos, *Diarios*, IDEA, Oviedo, 1953, pp. 43-45 y 104-112.

auténtica de subjetivismo romántico prematuro, pero, junto a ella, refrenándola, operaba un temperamento extremadamente pudoroso reforzado por la disciplina del neoclasicismo: culto a la razón, al saber, al orden y a la virtud. Sólo en alguna página poética, ya en verso o en prosa, da rienda el melancólico Jovino a su caudaloso sentimiento, pero ni aquí en los *Diarios*, ni en ninguna otra de sus obras encontraremos, aun en los momentos de mayor exaltación sentimental, nada que se acerque a esa desnudez del yo que inició, entre otros, Rousseau [1] y cultivaron luego los románticos.

En rigor, la lectura de los *Diarios*, pese a su carácter de obra privada o íntima, no modifica sino que refuerza la imagen que cualquier conocedor de la obra y vida de Jovellanos se había formado previamente: pasión por la cultura, amor por la justicia, celo por el bien público, sensibilidad y gusto artístico muy finos pero constreñidos por las ligaduras del neoclasicismo, rectitud, virtud, patriotismo, nobilísimo temple moral.

Dejando aparte el elemento personal, cuatro notas nos parecen destacarse en el libro: 1. Curiosidad por todo: geografía, arte, ciencia, costumbres, formas de vida, agricultura, historia, lengua, doctrinas políticas, sociales o filosóficas, enseñanza, etc. 2. Capacidad de observación hasta captar con todo detalle el objeto que atrae su mirada. 3. Sentido crítico en el enjuiciamiento de hechos, ideas u

---

1. [«En 1794 lee *Las confesiones* de Rousseau, libro que, en conjunto, le merece juicio poco favorable, a pesar de lo cual es manifiesto que inconscientemente va dejándose penetrar por la sensibilidad exaltada del ginebrino ante los paisajes solitarios y románticos. Sale con el libro debajo del brazo y se dirige a la playa o a otro lugar, donde lee algunas páginas. Las anotaciones como "paseo con J. J." o "paseo con J. J. en luneta" se repiten por estos días y así preparado su espíritu no es sorprendente que escriba: "Nubes, calma... No puedo echar de mi memoria la situación de Santa Catalina en la noche de ayer; la dudosa y triste luz del cielo; la extensión del mar descubierta de tiempo en tiempo por medrosos relámpagos que rompían el lejano horizonte; el ruido sordo de las aguas, quebrantadas entre las peñas al pie de la montaña; la soledad, la calma y el silencio de todos los vivientes hacían la situación sublime y magnífica sobre toda ponderación. En medio de ella interrumpió mis meditaciones el *¿Quién vive?* de un centinela apostado en un pórtico de la ermita, el cual, oída la respuesta, echó a cantar en el tono patético del país, y esta única voz, de que yo me alejaba poco a poco, contrastaba maravillosamente con el silencio universal. ¡Hombre! Si quieres ser venturoso contempla la Naturaleza y acércate a ella; en ella está la fuente del escaso placer y felicidad que fueron dados a tu ser", 30 julio, 1794 (pp. 44-45).»]

hombres y en el afán de inquirir las causas. 4. Sentido práctico en su preocupación por valorar siempre las ideas por su utilidad para el bien social. Todas ellas reflejan el espíritu de su tiempo y son en cierta manera epítome de él: poligrafismo y enciclopedismo, culto a la razón, no a la pura y deductiva, sino a la práctica; no a la que se recrea en el reino de lo abstracto, sino a la que busca la relación que existe entre lo particular histórico y lo general, entre el resultado y la causa. Habría que añadir el espíritu de reforma y una fina sensibilidad para la recepción de la belleza que si no es enteramente moderna, anuncia ya algunas de las emociones más características del alma romántica.

Se refleja, por otro lado, claramente en los *Diarios* esa peculiar posición jovellanista, precursora de la de tantos intelectuales españoles de los siglos siguientes: amor por el pasado de la nación española y actitud crítica ante ese mismo pasado en cuanto era causa de los evidentes síntomas de la decadencia del país; afán de reforma y respeto por la tradición; admiración por las conquistas de la cultura europea y hondísimo sentimiento nacional.

Son, en una palabra, estos *Diarios* minero inagotable de noticias que, separadas, aclaran muchos aspectos parciales tanto de la vida del propio Jovellanos como de la vida española, y juntas, constituyen probablemente un documento de primera importancia para reconstruir la imagen, uniforme y variada al mismo tiempo de lo que fue España en un momento histórico de capital interés para la comprensión de problemas que aún hoy no se han resuelto. En efecto, Jovellanos escribe esta obra cuando aún viven y se sienten con vigor muchas de las más nobles tradiciones nacionales y cuando —siguiendo el ejemplo de Feijoo y de los ministros reformadores de Fernando VI y Carlos III— hombres como el mismo Jovellanos, tratan, por un lado, de revivificar esas nobles tradiciones, y, por otro, de acompasar el ritmo retardado de la cultura española con los nuevos hechos y las nuevas ideas, es decir, con los avances del espíritu europeo. No había por qué pensar que existiera incompatibilidad entre ambos propósitos. Pero ya en la situación de perseguido en que se encuentra el autor de los *Diarios* y en sus numerosas alusiones a una divergencia radical con los directores del país, se advierte la honda crisis que va a precipitarle en una trágica división durante más de ciento cincuenta años. Antecedente inmediato de esa crisis fueron los anhelos de reforma, ya se trate de la reforma intelectual iniciada por Feijoo, de la económica y política llevada a cabo por los ministros del despotismo ilustrado o de la literaria propugnada por los neoclásicos. La reacción, a veces justificada, otras no tanto, no tardó en producirse, complicada con la venalidad de las clases dirigentes en la España de Carlos IV y con las graves amenazas para la paz del mundo que el ímpetu de la Revolución francesa desencadenó y la ambición napoleónica convirtió poco después en realidad. Jovellanos, por lo armónico de su temperamento, por la moderación misma de su ideario, tradicionalista y renovador a un tiempo, fue una de las primeras víctimas de la crisis y testigo de mayor excepción. Ello está evidente en casi toda su obra, pero en ninguno de sus otros numerosos escritos, ni siquiera en la *Memoria en defensa de la Junta Central*, podemos encontrar un testimonio comparable al que ofrecen los *Diarios*.

En otro sentido, la imagen de la vida española que en ellas se refleja es a nuestro juicio más variada y, a la vez, más precisa; menos literata y artificial que la que en su tiempo ofrecerá, por ejemplo, el Cadalso de las *Cartas marruecas* o, más tarde, Larra y los costumbristas del xix. En Cadalso o Larra todo está visto a través de un prisma personal, eminentemente crítico; en los costumbristas, en forma limitadísima y parcial. En estos *Diarios*, en cambio, la crítica aparece enriquecida o neutralizada por un sentido práctico, constructivo, en el que se aúnan el amor local —su asturianismo—, el fervor nacional y un vago iluminismo humanitario atento a los acontecimientos del mundo y guiado por la ilusión de una vida mejor para todos los hombres.

No creemos necesario en esta valoración general recapitular la significación de los diferentes aspectos con algún detenimiento. Pero debemos decir algo de un rasgo altamente revelador tanto de la personalidad del propio Jovellanos como de la fisonomía de la vida española que a través de sus observaciones se nos revela. Nos referimos a la tremenda austeridad visible en todas las impresiones y comentarios, austeridad tanto más significativa cuando se la compara con la frívola mundanidad de muchos libros famosos de memorias del siglo xviii en otros países.

Ya advirtió Dantín Cereceda, al comentar en la *Revista de Occidente* el *Viaje* de Ponz, la ausencia en el vivir español de lo que él llamaba «la voluptuosidad, la sensualidad europea». Idéntica ausencia en los *Diarios* de Jovellanos. Nada de fiestas galantes, ni de idilios o aventuras amorosas, ni de regusto a la anécdota picante de la *petite histoire*. Cuando se alude a la licencia de la corte se hace siempre veladamente y con manifiesta repugnancia. En cuanto al trato social, reflejado como hemos visto en numerosas anotaciones, se advierte un aire que sin carecer por entero de señorío es siempre discreto, moderado como de un país que no se ha entregado nunca a los goces del vivir sensual. Los placeres a los que el diarista alude, fuera de una cierta fruición en la comida, son los sanos placeres del vivir campestre, del recrearse en la contemplación de la naturaleza[2] y en la vida de sociedad, o los de la buena conversación sobre libros, arte, historia o las llamadas ciencias útiles. En cuanto a sentimientos íntimos, el amoroso queda casi totalmente eliminado. La ternura del poeta, a quien en su época se le aplicó por antonomasia el adjetivo de «melancólico», sólo vibra ante el espectáculo de la naturaleza, ante lo que él llama «objetos útiles» —educación, economía, etc.— o ante los estímulos de la amistad. También asoma rarísima vez el sentido de lo cómico, el humor. La obra es realmente de una absoluta seriedad.

Si bien el literario no es su mayor mérito, no carecen los *Diarios* de valor artístico. Es la gracia y la ley de este tipo de obra perteneciente a un género híbrido e inclasificado, el poder de captar la vida sin orden, como ella es: al lado de un vulgar detalle doméstico surge alusión a un hecho histórico; junto a un dato económico aparece la anécdota sin trascendencia y tras la semblanza de un personaje se apunta la idea nueva. Todo ello directo, sin elaboración imaginativa ni adornos retóricos. Así, dada la inagotable curiosidad y la agudeza de observación del autor, no es extraño que en muchas páginas estén representadas las realidades de su tiempo con un vigor y realce superiores al que nos ofrecen la novela, el drama o la poesía tan desvitalizadas del siglo. No contribuye poco a ello la vivacidad del estilo:

2. [«Posee también ojos y sensibilidad para observar lo más delicado y menudo, los pequeños primores de la naturaleza, como un fray Luis de Granada o un Azorín, nombres que Gerardo Diego ha recordado al citar, justamente, el siguiente pasaje que se encuentra en una de las primeras páginas, y al que, en el manuscrito, acompaña un dibujo: "telas de arañas, hermoseadas con el rocío, así (aquí el dibujo). Cada gota un brillante redondo, igual, de vista muy encantadora. Marañas entre las árgomas, no tejidas vertical, sino horizontalmente, muy enredadas, sin plan ni dibujo. ¡Cosa admirable! Hilos que atraviesan de un árbol a otro a gran distancia, que suben del tronco a las ramas sin tocar el tronco, que atraviesan un callejón. ¿Por dónde pasaron estas hilanderas y tejedoras, que sin trama ni urdimbre, sin lanzadera, peine ni enxullo tejen tan admirables obras? ¿Y cómo no las abate el rocío? ... Todo se trabajó en una noche; el sol del siguiente día deshace las obras y obliga a renovar la tarea", 27 septiembre, 1790 (p. 43).»]

concentrado, preciso, lacónico y forzosamente lleno de reiteraciones. Se salva, no obstante, del peligro de la monotonía en la que suelen caer la mayoría de las obras de este tipo. Con sorprendente ductilidad suele encontrar Jovellanos el tono y el vocabulario adecuados a las materias tan diversas de que trata y, a pesar de que las fórmulas se repiten, pocas veces producen fatiga en el lector. El hecho es digno de notarse, sobre todo si se tiene en cuenta la falta de precedentes en la literatura española.

Hay, desde luego, desigualdad y descuidos, hay abundancia de galicismos, frases truncadas y alguna oscuridad, voluntaria la mayor parte de las veces, pero Jovellanos se revela en esta obra como maestro en el dominio de la frase corta. Ya no es la sentencia de brevedad intencionadamente retorcida como en Gracián u otros conceptistas, sino la frase descriptiva, gráfica, exacta en la anotación de un fenómeno o ajustada a la sensación, al juicio o a la idea que el diarista trata de expresar. Por este libro más que por ningún otro habrá que contar a Jovellanos entre los precursores de la prosa del siglo xix y aun del xx. Y por idénticos motivos son los *Diarios* la obra del escritor gijonés que con mayor gusto se lee. En ella están salvados los más graves defectos de la prosa de su siglo: la insulsa prolijidad, el prosaísmo y la falsa elocuencia.

Son, en resumen, estos *Diarios* una obra que por muchos conceptos merece ser más conocida de lo que hasta aquí lo ha sido. En cuanto al autor, a lo que la significación literaria e histórica de Jovellanos se refiere, confirman lo que en otro lugar hemos dicho y habían visto ya antes otros jovellanistas: la grandeza indudable de Jovellanos no consiste en que fuera ni un gran poeta ni un gran economista ni un gran educador ni un gran escritor político ni un gran crítico de arte, etc., sino en haber sido de lo mejor que España tuvo en su época en cada una de esas ramas de la cultura o de la creación literaria y, sobre todo, en haber reunido tan diversos saberes en una personalidad singularmente armónica. Visto así, no nos parece excesivo, salvadas las distancias, el hablar como alguien ha hablado de un «Goethe gijonés». Si a esto se añade un temple moral de verdadera excepción —de ello hay más de una prueba en los *Diarios*— bien merece Jovellanos un alto puesto entre los españoles ilustres del pasado.

José Miguel Caso González

ELOGIO DE CARLOS III

Para conmemorar el aniversario de la inauguración de la Sociedad Económica de Madrid, se celebró el 8 de noviembre de 1788 una junta plena, en la que Jovellanos pronunció su *Elogio de Carlos III*. El rey moría poco después, el 14 de diciembre. No se trata, pues, de un elogio fúnebre. En realidad tampoco se trata de un elogio de Carlos III, porque este escrito apunta a fines muy concretos: la exaltación de toda la política ilustrada que se había desarrollado durante el reinado de dicho rey, y más exactamente de la política de reforma económica, en la que las Sociedades de Amigos del País tuvieron un papel importante.

Jovellanos hace del problema de España un planteamiento típico de la Ilustración. Reconoce el gran valor de la cultura española al empezar el siglo XVI; pero los españoles se dedicaron a las sutilezas escolásticas, a la arbitraria interpretación de las leyes, a unas ciencias naturales aplicadas sólo a la astrología, a unas matemáticas meramente especulativas. No hubo estudios útiles, nadie se preocupó de la economía, se abandonó el campo, se arruinaron las fábricas y no se hizo otra cosa que estrujar al pueblo, lo que motivó que se consumiera «en dos reinados la sustancia de muchas generaciones». Planteada ya en estos momentos la polémica por la ciencia española, a causa del desafortunado artículo *Espagne* de Masson de Morvilliers, contra el que escribe, entre otros, Forner, que puso sus indudables conocimientos históricos al servicio de la política cultural de Floridablanca, los ilustrados, con los redactores de *El Censor* a la cabeza, protestan de Masson, pero también de aquellos que intentan convencer a la nación de que es tan ilustrada, tan rica y tan poderosa como la que más. Esta actitud, condenada como antiespañola, era la más patriótica que podían adoptar los que estaban empeñados en la tarea de regeneración. Jovellanos forma también parte de ella: «Si la utilidad es la mejor medida del aprecio, ¿cuál se deberá a tantos nombres como se nos citan a cada paso para lisonjear nuestra pereza y nuestro orgullo?». El grupo ilustrado no niega que haya habido unos cuantos ilustres sabios de rango europeo; lo que niega es que entonces esté España a la altura

José Miguel Caso González, ed., «Introducción» a Jovellanos, *Obras en prosa*, Castalia, Madrid, 1976², pp. 35-38.

de la Europa culta. Y porque no lo está, ni en el aspecto cultural, ni en el económico, es por lo que ese grupo ha emprendido la tarea de regeneración.

El *Elogio de Carlos III* pone primero de relieve el triste estado de España al comenzar el reinado de ese rey y nos cuenta su tarea reformadora. Lo primero fue remover los estorbos. Y dice: «La ignorancia defiende todavía sus trincheras, pero Carlos acabará de derribarlas. La verdad lidia a su lado, y a su vista desaparecerán del todo las tinieblas». Se da entrada a la libertad de filosofar, la teología abandona el yugo aristotélico, se destierra el método escolástico, se mejoran los estudios de derecho. Las ciencias exactas se empiezan a enseñar en todas partes por el método experimental. La economía, «verdadera ciencia del estado, la ciencia del magistrado público», fue protegida y estimulada: «Apenas sube Carlos al trono, cuando el espíritu de examen y reforma repasa todos los objetos de la economía pública», y España empieza a tener economistas, que discuten y estudian todos los problemas de la nación. Y se fundan las Sociedades Económicas. Jovellanos no cita ningún nombre propio; pero los de Aranda y Campomanes están detrás de enfervorizados párrafos. Es necesario recordar que el primero se encontraba en aquellos momentos en desgracia, y que el partido arandista había sido reducido al silencio o poco menos. También se refiere Jovellanos a Floridablanca, pero con palabras que disuenan al lado de las dedicadas a los otros dos. El siguiente párrafo no tiene desperdicio:

Las inspiraciones del vigilante ministro que, encargado de la pública instrucción, sabe promover con tan noble y constante afán las artes y las ciencias, y a quien nada distinguirá tanto en la posteridad como esta gloria, lograron al fin restablecer el imperio de la verdad. En ninguna época ha sido tan libre su circulación, en ninguna tan firmes sus defensores, en ninguna tan bien sostenidos sus derechos. Apenas hay ya estorbos que detengan sus pasos; y entre tanto que los baluartes levantados contra el error se fortifican y respetan, el santo idioma de la verdad se oye en nuestras asambleas, se lee en nuestros escritos y se imprime tranquilamente en nuestros corazones. Su luz se recoge de todos los ángulos de la tierra, se reúne, se extiende, y muy presto bañará todo nuestro horizonte.

Jovellanos era dado a soñar, aunque difícilmente perdía contacto con la realidad. Por eso creo que el párrafo anterior tiene una significación muy clara: es una llamada de atención a Floridablanca, para que no eche a rodar toda la labor realizada por el grupo de los ilustrados; un aldabonazo al primer ministro, para que la política reformista siga adelante, para que se derriben de una vez los obstáculos que aún siguen en pie; una manera de criticar la flojera y los miedos de Moñino. Efectivamente, no pasarían tantos meses sin que los temores de Jovellanos se cumplieran: la muerte de Carlos III, la Revolución francesa y el cambio de rumbo en la política española con la entrada de Godoy empezarían a dar al traste con todo. Jovellanos sería desterrado año y medio después, y este elogio debió tener en ello alguna culpa; en 1797 intentaría el gran sacrificio de volver a poner en marcha los programas reformadores, pero ya sin posibilidad ninguna de éxito. Los obstáculos al restablecimiento del imperio de la verdad fueron cada vez mayores. Jovellanos lo padeció en la propia carne: en 1790 discreto destierro a Gijón, en 1798 intento de envenenamiento, en 1801 encierro en la cartuja de Valldemosa y poco después en el castillo de Bellver.

9. MELÉNDEZ VALDÉS

Llegamos a la poesía que más claramente podemos llamar ilustrada en cuanto a la cultura que refleja. Conviene ante todo hacer notar que una cultura incluye desde las formas colectivas de comportamiento hasta los principios filosóficos o religiosos que rigen en la comunidad, o en una parte de esa comunidad, cuando en ella existen tensiones internas. Reducir lo cultural a algunos aspectos intelectuales es mutilarlo, porque hay una interrelación entre todos los elementos que constituyen la actividad humana. Si nosotros separamos los problemas sociales de los problemas religiosos, y todos ellos de las normas vigentes en los usos amorosos y en la forma de expresar el amor, es sólo en razón de nuestra incapacidad para poder analizar el conjunto como tal o porque nuestro interés se centra sólo en una faceta del conjunto, pero no porque cada uno de esos elementos exista con independencia de los otros.

Dicho esto creo que puede entenderse que una anacreóntica pertenece a la poesía de la cultura ilustrada con el mismo derecho que un poema revolucionario por sus ideas sociales. Lo que ocurre es que si en un momento determinado una cultura se compone de una serie de elementos que funcionan interrelacionándose, una cosa será el análisis sincrónico y otra el diacrónico de cualquiera de esos elementos. Por otro lado, sucede que al tratar de poesía anacreóntica suelen interesarnos más los rasgos formales, mientras que al tratar de poemas filosóficos nos preocupa más el contenido, sin darnos cuenta de que forma y contenido funcionan necesariamente unidos en uno y otro tipo de poesía.

En definitiva, dentro de la poesía ilustrada podremos hablar de poesía rococó, de poesía filosófica y de poesía neoclásica. La primera desarrolla viejos temas, especialmente, pero no exclusivamente, amorosos. Sus modelos literarios serán ante todo poetas españoles e italianos de los siglos XVI y XVII, a través de los cuales pasan en su mayor parte los modelos latinos y griegos, pensando, como Jovellanos en el prólogo a su *Pelayo*, que si los modelos antiguos habían sido ya reelaborados por los autores modernos, lo mejor es imitar a éstos. La segunda será la que prefiere los nuevos temas sociales, políticos, económicos, filosóficos y religiosos, como una obligación del poeta de contribuir a la propagación de esas nuevas ideas. Los modelos poéticos siguen siendo poetas españoles de los siglos XVI y XVII, pero a ellos se unen otros franceses e ingleses. Como al mismo tiempo, y después del avance que lo sensorial había dado con respecto a lo intelectivo, el sentimiento individual, como fuente estética, y en tanto que sensibilidad trascendida a intelección, teñirá muchos de estos poemas de claroscuros nuevos, que desdibujan las líneas precisas de toda poética clásica. La tercera, tanto si pretende exponer los ideales ilustrados, como si se aparta de ellos, busca, en imitación más directa de los poetas latinos y griegos, una expresión poética más contenida, huyendo del tono oratorio que había adoptado la poesía filosófica.

Está claro que no se trata de tres estilos sucesivos, sino simultáneos, y que el mismo autor puede escribir poesía rococó y filosófica a un tiempo, o rococó, filosófica y neoclásica.

Tal es el caso de Juan Meléndez Valdés (1754-1817). Aunque atacado sobre todo por su faceta filosófica, por contemporáneos como Leandro Moratín, Arriaza y Gómez Hermosilla, fue considerado generalmente como el poeta más representativo del siglo XVIII.

Para su biografía se pueden consultar buenos trabajos (Colford [1942], la obra fundamental de Demerson [1962], Cox [1974], y la síntesis del mismo Demerson [1981], aparte el estudio clásico de Quintana [1820]). Nacido en Ribera del Fresno (Badajoz), estudió en Madrid (1767-1772) y en Salamanca (1772-1778). Aquí le conoció Cadalso. Dice Demerson [1981]: «Cadalso reside en Salamanca durante los cursos 1773 y 1774. Con su experiencia, sus viajes, sus amoríos, su amplia cultura, su labia, su gracia, el militar, que tiene treinta y dos años, suscita la admiración de sus jóvenes compañeros, "Batilo" y "Arcadio", o sea, Meléndez e Iglesias. Les lee sus *Ocios de mi juventud*, que compuso en Aragón, en Borja sobre todo; les lee también una tras otra las *Cartas marruecas*, que está escribiendo entonces. Los inicia a la anacreóntica, les hace compartir su admiración por Garcilaso y su "doloroso sentir", por Rousseau, por los poetas ingleses que expresan esa nueva forma de sensibilidad que marcará profundamente el siglo XIX. Y más aún, los acostumbra a la reflexión personal y los orienta hacia las ciencias positivas y la cultura extranjera» (p. 10). En la misma Universidad de Salamanca enseñó Meléndez Humanidades, primero como sustituto y después como titular de la primera cátedra de Humanidades. En 1780 consigue el premio de la Academia Española con su égloga *Batilo*. En 1789 se pasó a la magistratura, las causas de cuya decisión han sido muy discutidas (véase buen resumen en Colford, pp. 108-111, y en Demerson, pp. 150-151). Mientras tanto había adquirido fama de poeta y había publicado (1785) el primer tomo de sus *Poesías*. Ejerce primero como alcalde del crimen en la Real Audiencia de Zaragoza, pasa después (1791) a oidor de la Chancillería de Valladolid y en 1797 a fiscal de la Sala de Alcaldes de Casa y Corte. Trabaja febrilmente. A esta época pertenecen los *Discursos forenses*, parte de los que hubo de redactar como magistrado. Al caer Jovellanos como ministro de Gracia y Justicia, Meléndez, sin motivo ni explicación ninguna, es obligado a dirigirse a Medina del Campo. Era el comienzo de un exilio que iba a durar hasta la abdicación de Carlos IV. El 3 de diciembre de 1800 se le jubiló de oficio con la mitad del sueldo y se le ordenó residir en Zamora. Al mismo tiempo quedaba implicado en la vasta operación de Godoy, Caballero y la Inquisición contra los ilustrados, como consecuencia de la cual Jovellanos sería encarcelado en Mallorca. Meléndez se defiende y en 1802 se le devuelve el sueldo completo y se le autoriza a residir donde mejor le acomode. Después del motín de Aranjuez vuelve a Madrid, nombrado fiscal del Consejo. Meléndez escribe sus dos *Alarmas españolas* contra los franceses; pero en noviembre queda atrapado en Madrid y tiene que prestar el obligado juramento a José I. Acepta varios importantes cargos en el gobierno intruso, y en 1813 tiene que pasar la frontera camino del destierro. Reside en diversos lugares y muere en Montpellier en 1817.

Meléndez publicó su primera colección de *Poesías* en 1785. Anunciaba un segundo tomo, que por entonces no apareció, y en el que iba a incluir «poesías de carácter más grave y menos dignas del ceño de los lectores melindrosos». En esa edición de 1785 todos los poemas, salvo cuatro, son de temas anacreónticos y amorosos. Lo que no incluyó en la primera edición lo publicó en la segunda, en 1797, además de aumentar el número de anacreónticas. El propio poeta, en el exilio, preparó una edición definitiva, que publicó Quintana en 1820; este año el mismo Quintana dio a luz los *Discursos forenses*. Poesías inéditas publicaron Cueto [1871], Foulché-Delbosc [1894], Serrano y Sanz [1897], María Brey Mariño [1950] y Rodríguez Moñino [1954]. Polt y Demerson han preparado la edición crítica y definitiva, cuyos dos tomos ya han aparecido [1981 y 1983], dentro de la «Colección de Autores Españoles del Siglo XVIII».

La dedicatoria en endecasílabos a Jovellanos de la edición de 1785 es importante, porque en ella afirma que él fue quien le alentó en sus *primeros* conatos y le descubrió el camino en que debía marchar, un camino que pasaba por Tibulo, Anacreonte y Horacio. Jovellanos le ha mandado seguir sin miedo sus huellas, porque Amor y Febo le aguardan al final para ceñir su sien de mirto y rosas. No recuerdo que estas afirmaciones se hayan analizado nunca a fondo, cuando son la expresión de un magisterio bien distinto del que habitualmente se supone ejercido por la *Epístola de. Jovino a sus amigos salmantinos* (1776). Jovellanos fue el impulsor de la poesía anacreóntica de los primeros años de Meléndez, según se desprende de la dedicatoria.

Con la *Epístola* de 1776 pretende Jovino que los poetas salmantinos cambien de rumbo, y a Meléndez le pide que arroje «a un lado el caramillo pastoril» y se aplique a la poesía épica, a cantar los hechos de Numancia y Sagunto, los triunfos de Pelayo, los héroes de la conquista de América y las victorias de Felipe V. Posiblemente la idea de que Meléndez Valdés escribiera poesía épica se la había indicado Jovellanos antes de agosto de 1776, pues en carta de aquél a éste del 3 de ese mes le escribe que «excitado de lo que V. S. me dice» ha traducido unos trescientos versos de la *Ilíada*, pero que encuentra muchas dificultades de orden lingüístico y que la traducción «quedará muy lejos de la grandeza de la obra», a pesar de lo cual esperaba terminar el libro I en el mes de agosto. Así pues, lo que Jovellanos hace es animarle a seguir por el nuevo camino emprendido; pero no a indicarle un nuevo género poético, el filosófico, como los críticos han creído. Este magisterio de Jovellanos ha sido frecuentemente mal juzgado. Cueto [1869] le acusa de desviar a Meléndez de «la senda de su vocación verdadera» (p. CXI); Gerardo Diego [1946] habla del estupendo magisterio de Jovino, «que hoy nos parece inverosímil», y más adelante afirma que le desvió de sus legítimas vocaciones; Real de la Riva [1948] va más allá: habla de la «grave, autoritaria e incomprensible influencia de Jovellanos» y de su «insensibilidad poética», para concluir que «cualquiera que sea de vista medianamente perspicaz comprenderá fácilmente que las recomendaciones de Jovellanos constituían un grave desacierto, que para nada tenían en cuenta el origen, el carácter ni las condiciones de los poetas» de la escuela salmantina. Todos estos juicios, y otros que podrían citarse, aluden a la poesía filosófica de Meléndez, y no a la poesía épica. De todas formas Meléndez debió descubrir pronto que sus traducciones de Homero y de Virgilio (Demerson [1962]) le indicaban que ese no era su camino. Por eso en la dedicatoria de 1785, como en son de disculpa, dice: «Otros, Jovino, cantarán la gloria de los guerreros», porque esas son «horrendas, tristes escenas de locura que, asustada, mira la Humanidad».

Desde Wolf [1837] se ha venido hablando de dos épocas en la poesía de Meléndez Valdés. La crítica actual (Colford [1942], Alborg [1972], Arce [1981]) niegan la realidad de estas dos épocas. Colford (p. 183) concretamente argumenta que en la edición de 1820 aparecen más anacreónticas que en las dos anteriores juntas, y que las mejores de este género fueron compuestas después de 1797, añadiendo que poemas filosóficos los tenía ya escritos antes de 1785, de lo que deduce que es falsa la idea de un Meléndez que primero escribe en su *primer estilo* y varía después por presión de Jovellanos. Ahora bien, en la edición de 1785 las anacreónticas son 44, en la de 1797 se añaden ocho más y en la de

1820, a las 52 anteriores, se agregan otras 27. Esto, por lo tanto, sólo significa que no hay dos épocas en la poesía de Meléndez Valdés, pero no que éste no haya utilizado dos estilos, el segundo documentado a partir de 1782, sin que ello signifique que «Batilo» renuncie a su poesía anterior, ni a corregirla y mejorarla de acuerdo con su criterio de un constante perfeccionamiento, criterio acaso no siempre acertado.

El nacimiento del *segundo estilo* no tuvo nada que ver con la *Epístola de Jovino a sus amigos salmantinos*, como se ha venido repitiendo por todos, sino que obedeció a otra motivación: en 1780 la Academia de la Lengua premia la égloga *Batilo*, y por esta razón Meléndez acude a Madrid en 1781. Jovellanos, al que todavía no conocía personalmente, le pone en contacto con muchas gentes. En casa de don Gaspar, en la que reside, tuvo que leer las dos versiones de su *Epístola del Paular*, la amorosa, inédita y desconocida hasta hace pocos años, y la filosófica, que acababa de publicar Ponz en su *Viage de España*. Al año siguiente Meléndez sorprende a su mentor, al salirle al encuentro cerca de Valladolid, cuando éste viajaba de Madrid a León, recitándole varias poesías de nuevo estilo. Esto escribe Jovellanos: «Nuestro mayor placer fue oírle recitar algunos poemas compuestos después de nuestra última vista en esa corte. Su gusto actual está declarado por la poesía didascálica. Cansado del género erótico, que tanto y tan bien cultivó en sus primeros años, y que era tan propio de ellos como de su carácter tierno y sensible, ha creído que envilecería las musas si las tuviese por más tiempo entregadas a materias de amor y sin dejarlas remontarse a objetos más grandes y sublimes. En consecuencia emprendió varias composiciones morales, llenas de profunda y escogida filosofía y adornadas al mismo tiempo con todos los encantos poéticos. [...] Esta *conversión* de nuestro amigo a las musas graves nos dio lugar a reflexionar cuánto era reprensible el ceño de aquellos ceñudos literatos que, deseosos de ennoblecer la poesía, reprenden como indigna de ella toda composición en que tenga alguna parte el amor».[1]

El episodio a que aquí se hace referencia sucedió en los últimos días del mes de marzo de 1782 y, como la «última vista en la corte» ocurrió el año anterior, se puede establecer con total exactitud la fecha de la *conversión* de Meléndez, posterior, pues, en cinco años a la *Epístola* de Jovellanos, y ajena a ella, puesto que no se refiere a la poesía épica. Cuando en la dedicatoria de 1785 dice que no va con él la poesía filosófica acaso no fuera más que una falta de seguridad en sus dotes para tal género de poesía. Esto justificaría también por qué el segundo tomo no

---

1. José Miguel Caso González, ed., Jovellanos, *Cartas del viaje de Asturias*, I, Ayalga, Salinas, 1981, p. 62.

salió inmediatamente después del primero, o al mismo tiempo. No era la misma, como se ha visto, la opinión de Jovellanos.

En la misma *Carta I del viaje de Asturias* don Gaspar escribe: «Batilo está ya en la encrucijada», tras referirse a «la inmensa distancia que hay entre esta especie de poesía y aquella en que antes se ejercitara». Esto significa que Jovellanos, y con él sin duda el propio autor y otros contemporáneos, admiten en la obra de Meléndez *dos estilos*, o dos lenguajes distintos, que pueden ser tres, ya que también se encuentra una faceta neoclásica (Arce [1981], Polt [1981]), «la que se complace en los valores formales y canta, como uno de sus objetos de preferencia, las Bellas Artes», en frase de Arce; pero también la que se puede descubrir en odas y otros poemas que reflejan la poesía salmantina del siglo xvi.

La poesía anacreóntica de Meléndez puede presentarse como el más preclaro ejemplo de la poesía rococó. En primer lugar, cada uno de los poemitas equivale a un pequeño cuadro, pero al formar, en la mayoría de los casos, parte de un conjunto (*La inconstancia, La paloma de Filis, Galatea o la ilusión del canto, Los besos de amor*) se puede hablar de una estructura más amplia, en la que cada cuadro, aunque tenga valor independiente, se engarza en esa otra estructura, igual que ocurre en las decoraciones de habitaciones, en los retablos o en las pinturas rococós. Piénsese en los grandes cuadros de Fragonard, en los cuales una serie de escenitas son tratadas como temas independientes, aunque forman indudablemente parte de la unidad del cuadro.

Se trata de una poesía a la que se ha aplicado con frecuencia el calificativo de frívola, pero la frivolidad es una categoría social, no una categoría estética. Es, efectivamente, poesía amorosa, pero sobre los aspectos más externos y sensuales (en algún caso sexuales) del amor, un amor que se concibe como juego social, cuya expresión se viste de imágenes y eufemismos, pero que tiene detrás una vida real, un tanto infantil a veces, como de adolescentes que se entrenan para el pleno juego amoroso, otras veces más llena de realidades sexuales. Quiero decir, en definitiva, que esta poesía anacreóntica podrá ser en ocasiones un puro juego retórico, pero es frecuentemente la expresión, más o menos disimulada, de usos sociales. No debe olvidarse el importante tema del cortejo, versión dieciochesca del amor cortés medieval. Ha sido estudiado por Carmen Martín Gaite [1972]. El mundo rococó es sensual por definición, atiende a aquellos aspectos que penetran por los sentidos y huye de todo lo que exija planteamientos intelectuales. Cuando quiere «mover» al espectador o al lector lo hace a través de la sensibilidad y con argumentos que provocan la reacción más primaria del público. La literatura filosófica de la Ilustración heredará este fundamental aspecto del rococó.

Se trata también de un arte y de una literatura elitistas, para iniciados, para reducidos círculos. Es por ello un arte refinado, de buena sociedad, no exactamente burgués, aunque esté a mitad del camino. Las costumbres que refleja están lejos de las populares, pero también se han alejado de las de las cortes reales y de las de los grandes señores de la época anterior, acaso en parte por un acercamiento de estas cortes a los gustos de una sociedad todavía elitista, pero que no pertenece a la clase alta.

La poesía anacreóntica de Meléndez no se ha analizado casi nunca desde estas perspectivas críticas. Las ha tenido muy levemente en cuenta Salinas [1925], en el conocido prólogo a su antología de «Clásicos Castellanos», que es todavía, a pesar de sus años y de su incomprensión de la poesía filosófica, un buen estudio de conjunto. Otros insisten más en los recursos estilísticos y lingüísticos, como Arce [1966, 1970 y 1981], que pone de relieve cómo Meléndez ha dado la tonalidad definitiva a una naturaleza o a unos seres artificiosamente miniaturizados, por medio del diminutivo, ha elegido a los más inocentes representantes del mundo animal, ha evocado con complacencia las partes del rostro o de la figura femenina, poniendo en primer plano la gracia de lo minúsculo, ha repetido la mitología más elemental y puesto de relieve las insignificantes superfluidades de la coquetería y galantería setecentistas (p. 206). El mismo Arce advierte que por la vía del sensualismo refinado llega a la conmoción erótica y a la audacia expresiva de las anacreónticas de *Los besos de amor*, que Meléndez no se atrevió a publicar (p. 208). Sólo en época reciente se ha puesto este género de poesía de Meléndez en su adecuado relieve (Di Pinto [1974], Palacios [1979]).

Un aspecto de esta poesía melendezvaldesiana es la posibilidad simbólica de algunos elementos, como la paloma en *La paloma de. Filis*. Lo ha puesto de relieve Di Pinto [1974].

La concreta visión de la naturaleza en la poesía de Meléndez, uno de los aspectos más significativos de toda su poesía, no sólo de la anacreóntica, ha interesado bastante. Pueden verse los trabajos de Artigas [1918], Cossío [1936], Salvador [1966], Calvo Revilla [1969], además de los citados de Salinas y Colford. Convendría poner el acento en que frente al paisaje primaveral típico de las anacreónticas y de los poemas pastoriles, en la poesía filosófica aparece más frecuentemente un paisaje otoñal o invernal, que con frecuencia debe interpretarse simbólicamente.

Si Meléndez no publicó en 1785 el segundo tomo de sus *Poesías*, sí dio a la prensa el romance *La despedida del anciano*, publicado en 1787 en el n.º 154 de *El Censor*, y que después incluyó en 1797 en la sección titulada «Discursos». Es un poema que sigue el planteamiento social de las sátiras *A Arnesto* de Jovellanos, publicadas poco antes en el mismo periódico. Un anciano sale desterrado y con el pecho ahogado, después de pedir que su persecución no caiga sobre la patria, hace una trágica pintura de España: se persigue la verdad, a España la pierden los aduladores, se ha olvidado el glorioso Siglo de Oro, el labrador vive miserablemente, pero reina el lujo entre las clases adineradas, las mujeres hacen gala del vicio, los jóvenes están afeminados, se han perdido las virtudes castellanas y la preocupación de los nobles por los humildes, ahora los ricos explotan a los pobres, a pesar de ser el noble y el plebeyo de la misma masa y de igualarlos a todos la ley de Dios, sólo es noble el que es útil y trabaja, en las altas familias todo es desunión y vicio, el adulterio es común, el interés es lo único que rige en las relaciones familiares, «en la sangre del pobre el rico se baña», fallaron las leyes, es más honrado el que más estafa, nada hay estable, todos engañan y trampean, el oro tiraniza al pueblo. Este poema va más allá que los de Jovellanos en el planteamiento social. Estamos ante el primer poema filosófico que Meléndez publica, es decir, ante una poesía que se pone al servicio de los ideales de la Ilustración, o mejor dicho, que intenta incidir en los problemas sociales; al fin, poesía comprometida.

Meléndez Valdés publica la segunda edición de sus *Poesías* en 1797, en Valladolid. Esta edición incluye prácticamente, con muchas variantes, todos los poemas del tomo primero y único de 1785, salvo cinco, pero añade muchos nuevos, empezando por anacreónticas y otros poemas amorosos y romances. En la Advertencia dice el autor que aumentó en esta parte casi un tercio respecto a la edición de 1785. Esto, por lo pronto, demuestra que Meléndez no renunció a ese tipo de poesía al pasarse al filosófico. De todas formas en esta segunda edición lo más importante son las odas filosóficas y morales, las elegías morales, las epístolas y discursos, todo lo cual ocupa enteramente el tomo tercero. Ha analizado muy bien la evolución temática de la poesía de Meléndez, Polt [1981], cuyo texto incluyo en la antología.

Se ha discutido la calidad poética de la poesía filosófica melendezvaldesiana. La crítica del siglo XIX, creo que por prejuicios ideológicos y estéticos (Cueto [1869], Menéndez Pelayo [1888]), y en parte la del siglo XX, especialmente la que gira en torno a los poetas del veintisiete (Salinas [1925] y otros citados anteriormente), se manifestaron reticentes y hasta contrarios a la poesía comprometida de Meléndez. Para Salinas la poesía filosófica de nuestro poeta representa un esfuerzo hacia la profundidad casi siempre fallido, y se manifiesta «únicamente en discursos declamatorios y lánguidos, donde las vulgares ideas se diluyen en los versos más blandos e inconsistentes que salieron de la pluma de Meléndez» (p. XLV). Es indudable que, cuando regían principios como los del «arte por el arte» o los de la «poesía pura», era difícil aceptar una poesía como la del segundo estilo de Meléndez. Sin embargo, cuando después de nuestra guerra civil se descubrió que el lenguaje poético no sólo podía, sino que debía entregarse a los problemas humanos cotidianos, se abrió una nueva posibilidad de leer a Meléndez y de comprenderle desde su propia perspectiva. Así Demerson [1962], Froldi [1967], Alborg [1972], Palacios [1979], Arce [1981], Polt [1981] y otros críticos, no sólo aceptan la validez poética de esa poesía filosófica, sino que incluso le reconocen la misma calidad poética o incluso superior que la de la poesía amorosa.

Es indudable que la validez temporal de los temas que toca Meléndez ha sido, en general, limitada, lo cual es lógico en este tipo de poesías; pero esto no dice nada en contra de ella. Poemas que se refieren a problemas ideológicos, religiosos, sociales o económicos muy concretos es cierto que acaban teniendo en cuanto a su contenido un simple valor histórico. No pretenden aspirar a otra cosa. De todas formas el conjunto de ideas que conforman estos poemas está muy lejos de haber perdido vigencia, en cuanto pueden fácilmente abstraerse de lo temporal. Pero queda, además, la forma en que este compromiso se ha expresado. Meléndez renuncia a la demostración racional y se basa únicamente en el sentimiento, pero un sentimiento que intenta racionalizarse. Esto comporta un lenguaje especial, tildado de retórico y discursivo, pero que se acomoda muy bien a la finalidad del poeta.

Meléndez Valdés cayó en una sola ocasión en la tentación de ser autor dramático con *Las bodas de Camacho*. La presentó al concurso convocado en Madrid con motivo de la paz de 1783 y del nacimiento de los infantes gemelos Carlos y Felipe. El jurado lo presidía Jovellanos, que había sido por otra parte el autor del plan de la obra. Se trata de un género prácticamente nuevo en los escenarios españoles, imitación de *El pastor Fido* de Guarini, aunque para Arce [1973] el principal modelo en cuanto a la forma es el *Aminta* de Tasso. Meléndez modificó bastante la narración cervantina, incluyendo una mujer más, con lo cual la intriga pasaba de triangular en Cervantes (Quiteria frente a Camacho y Basilio) a bipolar doble (Quiteria y Petronila frente a Basilio y Camacho), es decir, Meléndez aceptaba el tipo de intriga característico del teatro español de capa y espada del siglo XVII, creando para ello un personaje que no estaba en el *Quijote*. Por lo demás la pieza la construyó casi completamente en torno a la preparación del engaño de Basilio. Si los versos son como de Meléndez, en tanto que obra dramática tenía muy poca defensa, y efectivamente fracasó ostensiblemente. Merece la pena señalar el análisis de Arce [1973].

BIBLIOGRAFÍA

Para una bibliografía más extensa véanse Demerson [1971], II, pp. 389-462, y Polt-Demerson [1981], pp. 43-49.

Alborg, Juan Luis, *Historia de la literatura española. Siglo XVIII*, Gredos, Madrid, 1972, pp. 445-467.

Arce, Joaquín, «Rococó, neoclasicismo y prerromanticismo en la poesía española del siglo XVIII», en *El padre Feijoo y su siglo*, II, Cátedra Feijoo, Oviedo, 1966, pp. 447-477.

—, «Diversidad temática y lingüística en la lírica dieciochesca», en *Los conceptos de rococó, neoclasicismo y prerromanticismo en la literatura española del siglo XVIII*, Cátedra Feijoo, Oviedo, 1970, pp. 31-51.

—, *Tasso y la poesía española*, Planeta, Barcelona, 1973, pp. 319-326.

—, *La poesía del siglo ilustrado*, Alhambra, Madrid, 1981.

Artigas, Miguel, «La *Oda al otoño* de Meléndez Valdés», en *La Basílica Teresiana*, Salamanca, IV (1918), pp. 53-57.

Brey Mariño, María, «Poesías inéditas de don Juan Meléndez Valdés», en *Revista de Estudios Extremeños*, VI (1950), pp. 343-352.

Calvo Revilla, J., «El nuevo sentido del campo en la poesía de Meléndez Valdés», en *Insula*, n.º 179 (1961), p. 6.

Colford, William E., *Juan Meléndez Valdés. A study in the transition from neo-classicism to romanticism in Spanish poetry*, Hispanic Institute in the United States, Nueva York, 1942.

Cossío, José María de, «El agua y el paisaje. Meléndez Valdés», en *Notas y estudios de crítica literaria. Poesía española. Notas de asedio*, Espasa-Calpe, Madrid, 1936, pp. 259-263.

Cox, R. Merrit, *Juan Meléndez Valdés*, Twayne Publishers, Nueva York, 1974.

Cueto, Leopoldo Augusto, *Bosquejo histórico-crítico de la poesía castellana en el siglo XVIII*, BAE, LXI, Madrid, 1869.

—, *Poetas líricos del siglo XVIII*, II, BAE, LXIII, Madrid, 1871.

Demerson, Georges, *Don Juan Meléndez Valdés et son temps*, Klincksieck, París, 1962 [trad. esp.: *Don Juan Meléndez Valdés y su tiempo*, Taurus, Madrid, 1971].

—, «Sur une œuvre perdue de Meléndez Valdés. La traduction de l'*Enéide*», en *Hommage offert à Marcel Bataillon par les hispanistes français*, Bulletin Hispanique, LXIV bis (1962), pp. 424-436.

Diego, Gerardo, «La poesía de Jovellanos», en *Boletín de la Biblioteca de Menéndez Pelayo*, XXII (1946), pp. 209-235.

Foulché-Delbosc, R., «*Los besos de amor*. Odas inéditas de don Juan Meléndez Valdés», en *Revue Hispanique*, I (1894), pp. 73-83.

—, «Poesías inéditas de don Juan Meléndez Valdés», en *Revue Hispanique*, I (1894), pp. 166-195.

Froldi, Rinaldo, *Un poeta illuminista: Meléndez Valdés*, Istituto Editoriale Cisalpino, Milán, 1967.

Martín Gaite, Carmen, *Usos amorosos del dieciocho en España*, Siglo XXI, Madrid, 1972.

Menéndez Pelayo, Marcelino, *Historia de las ideas estéticas en España*, III, Madrid, 1888; Editora Nacional, Santander, 1947.

Palacios, Emilio, ed., Meléndez Valdés, *Poesías*, Alhambra, Madrid, 1979.

Pinto, Mario di, «Il settecento», en *La letteratura spagnola dal settecento a oggi*, Sansoni-Accademia, Florencia-Milán, 1974, pp. 5-270.

Polt, John H. R., «La imitación anacreóntica en Meléndez Valdés», en *Hispanic Review*, 47 (1979), pp. 193-206.

— y Georges Demerson, eds., Juan Meléndez Valdés, *Poesías selectas*. *La lira de marfil*, Castalia, Madrid, 1981.

— y Georges Demerson, eds., Juan Meléndez Valdés, *Obras en verso*, Centro de Estudios del Siglo xviii, Oviedo, 1981, vol. I; 1983, val. II.

Quintana, Manuel José, ed., *Poesías*, «Noticia histórica y literaria de Meléndez Valdés», Madrid, 1820 (incluida en BAE, XIX).

Real de la Riva, César, «La escuela poética salmantina del siglo xviii», en *Boletín de la Biblioteca de Menéndez Pelayo*, XXIV (1948), pp. 321-364.

Rodríguez-Moñino, Antonio, ed., Juan Meléndez Valdés, *Poesías inéditas*, Real Academia Española, Madrid, 1954.

Salinas, Pedro, ed., «Introducción» a Meléndez Valdés, *Poesías*, La Lectura (Clásicos Castellanos, 64), Madrid, 1925; incluido en *Ensayos de literatura hispánica*, Aguilar, Madrid, 1958, pp. 236-272.

Salvador, Gregorio, *El tema del árbol caído en Meléndez Valdés*, Cátedra Feijoo, Oviedo, 1966.

Serrano y Sanz, M., «Poesías y cartas inéditas de don Juan Meléndez Valdés», en *Revue Hispanique*, IV (1897), pp. 266-313.

Wolff, Fernando José, *Floresta de rimas modernas o poesías selectas castellanas desde el tiempo de Ignacio de Luzán hasta nuestros días*, París, 1837.

Pedro Salinas

LA POESÍA ANACREÓNTICA

La obra de Meléndez ofrece al lector una perspectiva muy variada. Poeta en extensión, rara vez en profundidad, se aparece como espíritu de gran amplitud. Amplio en los temas amatorios, filosóficos, fútiles episodios galantes o meditaciones sobre ideas abstractas. Amplio en sus inspiraciones: se llegan a su oído variadas musas, la de la sensualidad pagana del siglo XVIII, la de la inquietud social y filosófica, la de una religión vagamente panteísta. Amplio por la cantidad de formas poéticas a que recurre: anacreónticas, odas, romances, etcétera. Y, sin embargo, Meléndez es un poeta monótono, y esa variedad puramente numérica y superficial se puede traducir en la sujeción a unos cuantos elementos básicos cuya repetición, en variadas combinaciones, es prueba, a la par, de su riqueza en cantidad y de su íntima escasez de inspiración. [Vamos a exponer alguno de esos elementos esenciales.]

Anacreontismo y sensualismo. No significo con esto la imitación servil de la lírica de Anacreonte, sino todo un estado de espíritu poético, que tomando como arranque una obra literaria, la de Anacreonte, se desarrolla en varias direcciones en concordancia con ciertas formas de vida social de la época. Se trata más bien de los temas anacreónticos, de la complacencia en los goces de los sentidos. Es ésta planta viciosa que se da en todos los climas del siglo XVIII, y precisamente en el más frío de todos, en Suecia, produce con Bellman a su mejor poeta. Con todo el prestigio de la tradición clásica,

Pedro Salinas, ed., «Prólogo» a Meléndez Valdés, *Poesías*, Espasa-Calpe (Clásicos Castellanos, 64), Madrid, 1925, pp. 43-55.

hermana un tipo de estilización elegante e impersonal de la tendencia sensualista del siglo. Se corre por toda Europa, y su mejor representante en España es Meléndez. Ya se conocía a Anacreonte desde Cetina, y, sobre todo, con Villegas; pero el ambiente no era propicio al desarrollo de esta poesía, hasta que llega a España el aura fina y cargada de sensualismo de esa concepción de la vida, despreocupada y alegre, que impera en la Europa del siglo XVIII y que por raro contraste se remansa en la seca y austera Salamanca, primero con los ensayos de Cadalso y luego con las más perfectas realizaciones de Meléndez.

Nació en él esa tendencia por el coincidir de varias circunstancias: los estudios de griego, su percepción, probablemente a través de Cadalso y en poetas franceses o italianos, de ese estado de ánimo sensualista dominante en el siglo, su temperamento blando y epicúreo y, por último, el hecho de existir ya en nuestro idioma la traducción de Villegas, que creó al anacreontismo poético su forma y su léxico en castellano. Los intentos de Cadalso en este género debieron de servirle de estímulo, y sus anacreónticas son el principio de su fama poética; aunque antes de imprimirse las de Meléndez ya existía otra colección de poesías al modo anacreóntico en castellano, se cita aquí por curiosidad, pues esa prioridad nada tiene que ver con el impulso anacreóntico de Batilo, [denominación poética de Meléndez,] cuyas poesías circulaban manuscritas entre sus amigos mucho antes. La importancia de esta tendencia es capital en Meléndez Valdés. Al imitar a Anacreonte se forma un modo de sentir y de pensar que no se circunscribe al estricto campo de la oda anacreóntica, sino que corre y se difunde por toda su poesía y la impregna de un fuerte aroma sensual y festivo. Hay en Meléndez Valdés toda una serie de poesías amorosas, las dirigidas a *Galatea*, a *Lisis*, a *Filis*, que, sin poder llamarse propiamente anacreónticas, derivan directamente de esa concepción de la vida. «Volupté c'est le mot du XVIIIème siècle, c'est son secret, son charme, son âme», dicen los Goncourt. Y esta poesía de la voluptuosidad es en Meléndez la misma actitud anacreóntica trasladada al escenario de la vida moderna, poesía erótica y galante ya, como la de ciertos poetas menores de la Francia del XVIII, como las estampas de la época, y que culmina en Meléndez Valdés con los secretamente famosos *Besos de amor*.

En cuanto a la anacreóntica pura pueden observarse en Meléndez todas las características de tal poesía, tal como las expone Ausfeld.

El dominio de la fantasía plástica es evidente. Los pensamientos abstractos se expresan por la narración de un suceso. Las poesías han de ser breves, sin extenderse en consideraciones copiosas y, a veces, expuestas con animación dramática. Amor, vino y amistad, son la trilogía favorita. En la concepción de la vida hay cierto desdén por las riquezas y honores, amonestaciones para no olvidarse del presente por pensar en el futuro, y el viejo aviso de que la fugacidad de la vida es un motivo más para aprovecharla alegremente. Veamos ahora el desarrollo de los temas:

El amor se expresa, por lo general, no de un modo directo e inmediato, sino envuelto en narración o alegoría; es todopoderoso, e inútil la lucha con él; la belleza de la amada constituye la más terrible de las armas, y a ella sucumben los héroes celebrados. Se describe a la persona querida con todo detalle, sirviéndose, a veces, de la ficción de ofrecer a un pintor la enumeración de sus atractivos. El amor y la amada se aparecen en sueños. En los accesorios que sirven de marco y exorno, va guiado el poeta por el afán de elegir los más graciosos, amables y menudos, desdeñando lo fuerte y grandioso: fuentes, arroyuelos, bosquecillos y grutas, forman parte principal de esta escenografía. Las flores y las guirnaldas se traen a cuento para comparación con la amada y triunfo de su belleza. En la fauna dominan las aves, y, de ellas, las más delicadas: paloma y ruiseñor. Es muy frecuente y familiar el empleo de la mitología. Viene luego la alabanza del vino, remedio sin par contra aflicciones y desdenes, y al propio tiempo compañero del goce amoroso. El vino invita también a las alegres reuniones de festiva compañía. Cuando estos personajes de la anacreóntica abandonan sus regaladas actitudes, es para sumergirse en el torbellino de la danza, uno de los temas favoritos: ella es coronamiento de la fiesta, donde las bellas se realzan con rosas y mirtos. Los procedimientos de estilo concurren a lograr un efecto de vivacidad y ligereza, por la repetición de ciertas fórmulas de comparación, abundancia de epítetos amables y constante tendencia a los diminutivos. Esta *Kleine Manier* es perfectamente visible en Meléndez: amable, delicado, tierno, murmurador, gracioso, reaparecen sin cesar en sus poesías. En suma, la asimilación de este género por Batilo fue perfecta, y este aspecto de su poesía es el que, con razón, caracteriza a Meléndez. La difusión del anacreontismo fue extraordinariamente rápida, y se convierte esta tendencia en elemento obligado e indispensable de toda poesía, hasta la revolución romántica.

La poesía de la naturaleza. El anacreontismo ofrece no pocos puntos de contacto con la poesía bucólica, y el epicureísmo poético se complace muchas veces en la sensual contemplación de las bellas formas de la naturaleza, como se delata en la poesía renacentista.

Podría decirse que hay en lo anacreóntico una cierta especialización de la naturaleza, un paisaje acotado y suyo, artificioso y limitado, sí, pero que es una intervención, siquiera sea en rango servil, de la naturaleza en la vida del hombre. Esta visión de lo natural es la que se dio primero en Meléndez Valdés, la de sus *Odas anacreónticas*, y las *Églogas* e *Idilios* y primeros romances. Era, sin duda, de origen literario, y responde perfectamente en su tono a la tradición del bucolismo español tal como se da en Garcilaso, tan citado por Meléndez, en Herrera y en Góngora. La naturaleza se nos presenta aquí como armonioso conjunto de bellezas sensuales, como adecuado fondo y escenario para la alegre exaltación de los sentidos, y, a veces, como ejemplo e invitación al goce jubiloso del presente. Arroyos y danzas se desenredan con voluptuoso paralelismo de ritmo, y los colores de las flores o las ternezas de las avecillas son réplica y complemento de los encantos de las zagalas o de las caricias de los amantes. Pero conforme avanzan los años, ciertos desvíos, que ya aparecen en el primer momento, hacia otras concepciones de la naturaleza, se afirman y se ordenan.

Corre por el mundo literario de Europa un nuevo sentido de la poesía campestre. Las zagalas melancólicas o joviales que participaban sus sentimientos a la campiña circundante, las parejas amorosas, por las cuales y para las cuales tenían sentido solamente árboles y paisajes, se retiran. Y del mismo modo que acontece en la pintura, la naturaleza quédase en soledad, y relevada de su menester de rodrigona mana, ahora ella sola, amores o melancolías, mientras el poeta, recogido en un rincón invisible y minucioso, apunta más o menos diestramente los nuevos latidos que percibe. Se ensancha notablemente el campo de observación: ya no son únicamente las cosas lindas y amables las que tiran de la atención, sino que todo lo que en la naturaleza se contiene va presentándose en largas enumeraciones, con afán, a veces —en el tipo de poesía descriptiva—, de coleccionista que no quiere olvidarse de nada. Y frente a aquel ideal de selección con que se miraba a la naturaleza, cuyas cosas no todas eran buenas para la poesía, se afirma ahora, como norma de la poesía campestre, la admisión incondicional de lo que viva en su seno. Tal tarea no puede cumplirse por mera virtud lírica, necesita una técnica nueva, la del poema descriptivo, con su prolija escrupulosidad antipoética. Es la época de Thompson, de Saint Lambert, de Delille: los temas de la naturaleza se ordenan en ciclos (otoño, invierno, primavera, verano; o el otro, muy favorecido: la mañana, el mediodía, la tarde, la noche). El procedimiento literario es la descripción detallada y fiel, donde todas las cosas ostentan iguales derechos, donde se pierden relieves y jerarquías en un enfadoso igualitarismo.

Tal tendencia domina en Meléndez en la mayoría de los romances y buen número de odas. La favorece la innata propensión de Batilo a la repetición, a lo difuso. Pero, por lo menos, ya se ha descubierto el campo. Y en la última fase de sus poesías llega Meléndez a tonos más verdaderos y modernos: el hombre se sitúa frente a la naturaleza en actitud de interrogación o diálogo; el campo ya no es sólo fuente de placer u objeto de catalogación: asoman el trabajo y el dolor, en una concepción realista y sentimental como la de las *Epístolas*. Y, al mismo tiempo, se insinúa un sentido incipiente de lo subjetivo, interpretaciones psicológicas o cosmológicas del campo, como se ve en los versos citados al hablar del sentimentalismo. A esto fue llevado Meléndez probablemente por la tendencia general suya a la elevación de los temas y del tono por la atención que se concedía al campo desde un punto de vista utilitario, acaso por el agrarismo político, como se desprende de su dedicatoria a Godoy en 1797. Por eso fueron un poco injustos los románticos con Meléndez Valdés al no concederle más categoría que la de Pastor Clasiquino. [...] Pero por encima de esa concepción tuvo Meléndez visiones más amplias y en él y en su amigo Jovellanos están los mejores versos de naturaleza del siglo XVIII. Su sensibilidad, en varios cambios, se dibuja aquí mejor que en parte alguna, y no es posible negar que, partiendo de un punto de vista artificial y libresco, supo alzarse a la impresión directa, descriptiva o sentimental, llamando tímidamente a las puertas de lo romántico.

Sentimentalismo. Nos encontramos ahora con otra nota que señoreó muchas formas literarias del siglo XVIII y en cuyo seno se engendraba oscuramente el romanticismo: es el abuso ostentatorio de la sensibilidad, el sentimentalismo. Lejos de hallarse en contradicción con los anteriores aspectos de la lírica de Meléndez, puede decirse que en cierto modo estaba contenida en ellos. Conocemos la inclinación sensualista de la fase anacreóntica, y el constante empleo de la naturaleza como tema poético. Pues bien: según Lanson, el arranque de la literatura sentimental es la filosofía de Locke, con su defensa de la sensación. Como se trata de buscar el placer, y aun más que el placer las sensaciones conmovedoras, en las efusiones extremas de la sensibilidad, en el don divino de las lágrimas, se ve un motivo de goce y paladeo. De tal manera, la exageración del sentimiento es un placer sensual más. Abríasele a Meléndez la puerta a la nueva tendencia, precisamente a causa de su sensualismo. Por otra parte, la literatura de la naturaleza, tal como la representa la poesía favorita de Meléndez, esto es, la bucólica renacentista, llevó siempre un lastre de sentimentalismo amoroso, como se recuerda por la lírica de Garcilaso. Pero mucho más en el siglo XVIII, al poderoso empuje de Rousseau, la naturaleza misma es el gran excitante de movimientos y emociones en todo ánimo sensible.

Los paisajes de montaña, los jardines ingleses y chinos, provocan un cambio en la sensibilidad general, y es sabido cómo la palabra romántico nace para designar un cierto aspecto de un paisaje natural, una nueva clase de belleza entrevista en la naturaleza. También por este lado sentíase, pues, Valdés accesible al sentimentalismo. En casi ninguna de las fases de inspiración de Batilo se deja de encontrar ese tipo de sensibilidad literaria: en la inspiración amorosa, junto a las visiones serenas de la dicha de los pastores, se nos ofrecen los estragos de la pasión en el momento de la partida, como en la famosa elegía de ese nombre. El amor maternal crea escenas como las de los romances, en que unos padres enternecidos y filosóficos derraman sobre la cuna del niño dormido frases dulzarronas, sensibilidad sin recato. En la poesía de la naturaleza se nos ofrece junto a las bellezas descriptivas imágenes sentimentales como la del árbol caído, en su doliente soledad, sólo interrumpida por el posarse de la tórtola. Y aquel paisaje impersonal, cañamazo para las descripciones, se tiñe de sentimiento, de tonos subjetivos:

> Todo es paz, silencio todo,
> todo en estas soledades
> me conmueve, y hace dulce
> la memoria de mis males. (Romance *La tarde*.)

También se da curso libérrimo la sensibilidad de Meléndez cuando toca a la amistad. Sus *Epístolas* abundan en expresiones de afecto y cariño desbordante, lacrimoso a ratos. Y hay, por último, el curioso sentimentalismo ante las ideas abstractas. El poeta no desata ya los fáciles raudales de su sentimiento ante este o aquel espectáculo concreto, sino simplemente al conjuro de las *ideas del siglo*, de aquellas ideas de los hombres ilustrados que capitaneaba Jovellanos: Humanidad, Beneficencia, Justicia. Por las epístolas de Meléndez corren enternecidos endecasílabos sobre temas como la mendiguez, la calumnia, la beneficencia pública. Tal sentimentalismo humanitario lleva a Meléndez a consecuencias que parecen muy remotas de sus primeras actitudes. Así, por ejemplo, en su primera época nos pintaba al hombre de los campos como ser feliz y sencillo, libre de cuidados. He aquí cómo es ahora el poblador de las campiñas:

... afana, suda, se desvela
del alba rubia al Véspero luciente.
Sufre la escarcha rígida, las llamas
del Can abrasador, la lluvia, el viento.
Cría, no goza y sin quejarse deja
que el pan mil veces le arrebata el vicio. (Epístola VII.) [...]

¿Revelan realmente estos dos puntos de vista en Meléndez una contradicción profunda? Al mirar al hombre de los campos como ser feliz y sencillo, o al considerarle como criatura agobiada y doliente, Meléndez aplica al tipo real del campesino una lente de deformación: la primera, la del viejo sentimentalismo bucólico; la segunda, el sentimentalismo humanitario. Porque no es posible referir tan sólo a una época de Meléndez esa característica sentimental, que en realidad transcurre, con matiz más o menos variado, por toda su vida poética y que es la causa de que Azorín le cuente por el iniciador del romanticismo. Alúdase, para terminar, al reflejo del sentimentalismo en su estilo. Si miramos, por ejemplo, las elegías tituladas *La partida* o *El retrato*, las hallaremos llenas de expresiones afectivas, de admiraciones e interrogantes. Desapareció la fluidez de la anacreóntica y el discurso es entrecortado y anheloso, con frases de dudosa ilación, rotas por espacios de puntos suspensivos. Apenas comienza a expresarse una idea, se ve cortada por la afluencia de una irreprimible emoción. Estilo declamatorio, agitado, que quiere reemplazar la transmisión directa y viva del sentimiento por este rodeo semidramático, complacencia en un modo de hablar sensualmente modelado por los mandatos de una alma en conmoción.

Joaquín Arce

ROCOCÓ E ILUSTRACIÓN EN LA POESÍA DE MELÉNDEZ

Meléndez Valdés, discípulo de Jovellanos, nacido exactamente diez años después que él, es el eje, la clave y la síntesis de toda la poesía setecentista española. Por su capacidad mimética, puede erigírsele en modelo de cualquiera de las actitudes del siglo XVIII. Cierto es que ese estilo menor, que aísla y enfoca los elementos frívolos de la vida dieciochesca encuadrables en el anacreontismo o sensualismo rococó, alcanza el punto culminante con Meléndez. Él ha dado la tonalidad definitiva a una naturaleza o a unos seres artificiosamente miniaturizados en forma de *cefirillos, fuentecillas, yerbezuelas, arroyuelos, zagalejos, bracitos, ojuelos, amorcitos, avecillas, vuelito, alitas*, etc.; ha elegido a los más inocentes representantes del mundo animal —*palomas, tortolitas, abejas, mariposas*—; ha evocado con complacencia las partes del rostro o de la figura femenina —*seno, talle, labios, nariz, frente, cejas*—, poniendo en primer plano la gracia de lo minúsculo —*lunarcitos, hoyuelos, ricitos*—; ha repetido la mitología más elemental —*Venus, Amor, Baco*— y puesto de relieve las insignificantes superfluidades de la coquetería y galantería setecentistas. Ha logrado un género arquetípico concentrando motivos preexistentes. [...]

La complacencia en los objetos, en las prendas femeninas, descubre también un temperamento mórbido y fácilmente impresionable ante la coquetería y el encanto femenino. Y por esta vía del sensualismo refinado llega a la conmoción erótica y a la audacia expresiva de las anacreónticas de *Los besos de amor*, que el poeta no dio nunca a la luz y no fueron impresas hasta 1894. Sólo en época reciente se ha puesto este género de poesía melendeciana en su adecuado relieve. Es un aspecto que lo distingue, no tanto por el tema en sí, sino por la auténtica y sincera conmoción erótica que sus versos demuestran. [...]

Joaquín Arce, *La poesía del siglo ilustrado*, Alhambra, Madrid, 1981, pp. 206-213, 321-325 y 359-362.

Los registros del erotismo pueden alcanzar forma aún más estilizada, si se admite la posibilidad simbólica. La agrupación de poesías sobre el tema de *La paloma de Filis* es bien conocida por su carácter sensualmente amatorio, entendiendo por tal el simple regodeo en los juegos y caricias. Pero la tensión aumenta de grado si se admite la sugerencia de Di Pinto que cree que la paloma, según los momentos «soggetto e oggetto di questa semiologia erotica», se convierte de hecho en muchos casos en «metafora sessuale», sin perder su propio candor.

Saliendo de este aspecto, que es sólo una parte de la sociedad setecentista y no, figurativamente hablando, lo más decisivo en la individualización del rococó, cabe señalar, en muy distinto orden de cosas, la visión de una naturaleza recortada y dinámica, que se manifiesta con formas sinuosas en el libre desenvolvimiento de las líneas que se curvan caprichosamente. Véase un ejemplo de la oda II, *El arroyuelo*, perteneciente al grupo significativamente titulado *La incostancia*:

¡Cómo tus claras linfas,   ¡Cuán serpean y ríen,
libres ya de los grillos   y en su alegre bullicio
que les puso el Enero,   la fresca hierbezuela
me adulan el oído!   salpican de rocío! [...]

El muestrario que todavía pudiera presentarse para acreditar la amplísima gama de posibilidades en la poesía de Meléndez sería larguísimo. Y así como hay estratos distintos de inspiración mórbida y hedonística, se puede contemplar este extremo del arco creativo melendeciano, que se debate entre el regodeo rococó y las grandes ideas reformistas, con unos pocos títulos representativos de esa primera faceta: *A una fuente, La gruta del Amor, El Amor mariposa, De los labios de Dorila, De un baile, El espejo, El abanico, El gabinete, Los hoyitos, El ricito, El lunarcito* (y por este camino recuérdese que se llega en el lenguaje a la miniatura de lo minúsculo, inocente y tierno: *labiezuelo, lengüita, lengüecita, mariposilla, pececillos, alitas pequeñuelas*, etc.).

[Por la amplitud de sus intereses, la variedad y extensión de su obra lírica y por número de versos en que toca el tema de la corrupción cortesana,] Meléndez Valdés se convierte en la figura central de este enfoque. Una vez más, lo que Jovellanos anticipa, encon-

trará plenitud creadora en la obra de su fiel discípulo. Diversas son
las ocasiones en que aparece esta inquietud social, pero me centraré
en cuatro poemas que permiten abordar de lleno la cuestión. Es el
primero un discurso poético, aparecido en *El Censor* en 1787 (donde
también, un año antes, había publicado Jovellanos su sátira I) titulado *La despedida del anciano*. En este larguísimo romance octosilá-
bico, se contrapone al pasado el presente, con todas sus miserias, y
reaparecen los motivos de la desigualdad social, de la educación, de
la industria. Y, sobre todo, el contraste, obsesivo en Meléndez, entre
la pobreza virtuosa y la nobleza inútil. Al alejarse de su tierra, el
anciano compara la antigua grandeza con la situación actual de su
patria. Dado el descuido en que el campo yace, en él se debieran
«gastar los montes de plata / que de las remotas Indias / traen las
flotas a tus playas». Es el labrador el descendiente —no se olvide
que Meléndez era extremeño, tierra tópica de campesinos y conquistadores— de los que proporcionaron tales riquezas, mientras ahora
«su miserable familia / por lecho tiene unas pajas».

Meléndez establece una contraposición entre el labrador y el colono,
por un lado, y el noble y su mayordomo, por otro. [...] Y así, «el labrador indigente» ve que le arrebata el trigo «un mayordomo / inhumano».
Y para esto, clama indignado, está «el infelice colono / expuesto al sol y
a la escarcha». La virtud no es compatible con los que tienen «carrozas
doradas», porque «sólo es noble ante sus ojos / el que es útil y trabaja».
Y esto se da en «la hollada / familia» del artesano, lugar de virtudes y
de mujeres castas. En cambio, las discordias que reinan en los «altos
techos», donde se entrega a los hijos a manos mercenarias, provocan su
indignación y su punzada antieclesiástica: «¡Ministros de Dios! ¿qué es
esto? / ¿Cómo no clamáis? ...».

Ante tales familias rotas y corrompidas, surge la burguesa idea del
interés egoísta, aquí condenado: «¡Oh interés! tú sólo eres, / tú, de tantos
males causa». Duras expresiones, como «en la sangre / del pobre el rico
se baña», justifican que, en su opinión, hasta el labrador que va a la
corte se corrompe; por eso, «las fortunas son de un día, / el que es hoy
señor, mañana / mendiga; nada hay estable; / todos trampean y engañan».

Semejante en contenido, pero contraponiendo aquí dos situaciones
presentes, la del campo y la de la ciudad —recuperación, en clave ilustrada, del tema clásico entre corte y aldea—, es la epístola, en endecasílabo libre, *El filósofo en el campo*. Jovellanos la califica en sus *Diarios*
de «sublime» al leerla en Gijón el 22 de junio de 1794. El filósofo, cuyas
cualidades he delineado, es el propio poeta o, al menos, quien habla en

primera persona, tostado por el sol al aire libre, y se presenta frente al que está tendido en un sofá «al par del feble ocioso cortesano». Lo que es para el filósofo el «triste labrador» y su miseria, se describe en cargada estampa melodramática:

> Él carece de pan, cércale hambriento
> el largo enjambre de sus tristes hijos,
> escuálidos, sumidos en miseria,
> y acaso acaba su doliente esposa
> de dar ¡ay! a la patria otro infelice,
> víctima ya de entonces destinada
> a la indigencia, y del oprobio siervo;
> y allá en la corte, en lujo escandaloso
> nadando, en tanto el sibarita ríe
> entre perfumes y festivos brindis,
> y con su risa a su desdicha insulta.

La opulencia nos hace insensibles, sea ante las «mil doradas carrozas», sea ante las cortesanas o el teatro como escuela de maldades. La única diferencia entre el colono y el señor es que uno ha recibido «el arte de gozar» y el otro, el trabajo. Y así entre éstos no hay ni vicios, ni adulterio, ni equivalente a esa alta dama que «al vil lacayo, / si el amante tardó, se prostituye». Quien hace pobre al labrador es el yugo «de un mayordomo bárbaro, insensible». De aquí, que el filósofo incite a vivir en el campo, donde reside la virtud, y enfrenta su sudor a la ociosidad de la corte, centro de vicios. Ese sudor, que inunda los surcos del arado, es el que alimenta «del cortesano el ocio muelle».

[Hay en Meléndez enteras composiciones dedicadas al tema de la virtud,] ya anunciado en explícitos títulos: *Los consuelos de la virtud* (oda XXXII); *El deléite y la virtud* (elegía I); *La virtud, en la temprana y dolorosa muerte de un hombre de bien* (elegía VI); *El hombre fue criado para la virtud, y sólo halla su felicidad en practicarla* (discurso II). El principio de la mencionada elegía VI («Virtud, alma virtud, don inefable») coincide con el de los *Discursos filosóficos*, de Forner, a lo que no puede ser ajeno el que el quinto de éstos sea contestación al discurso II de Meléndez.

Que la virtud esté ligada a todo lo que tenga relación con el bien o la perfección humana nos lo demuestra asimismo Meléndez aliándola con la verdad («¡Oh augusta firme amiga / de la excelsa virtud! Tú al sabio oscuro / ... / cariñosa sostienes / en la ilustre fatiga», *A la verdad*), con el vínculo de amistad («La amistad, sazonado / fruto de la virtud, y don precioso ...», *A don Antonio Tavira*), con la idea de la paz («Muere en la paz que la virtud da sola», *Los consuelos de la virtud*), con el refugio en la soledad («¡Ay!, la virtud divina / que del vil suelo excelso le levanta / sólo la debe a ti, soledad santa», *La noche y la soledad*), y con la misma racionalidad humana («Mas luego la razón ... / de la virtud me muestra la hermosura», *El deleite y la virtud*). También en Meléndez se siente la inocencia como consustancial con la virtud, por lo que se la encuentra en los pueblos primitivos no todavía rousseaunianamente corrompidos por la cultura:

... entre inocentes
semibárbaros hombres las virtudes
hallarás abrigadas, que llorosas,
de este suelo fatal allá volaron.
Disfruta, amigo, sus sencillos pechos;
bendice, alienta su bondad salvaje,
preciosa mucho más que la cultura
infausta, que corrompe nuestros climas
con brillo y apariencias seductoras.

La mención, por otro lado, de las poblaciones indígenas de remotos lugares se encuentra en la prosa de Cadalso y en los versos de Jovellanos y Meléndez. Veámoslos aquí ligados al sentimiento de fraternidad universal que abraza tanto a los seres civilizados como a los incultos. Jovellanos, en su sueño de humanidad futura, espera que cada uno «al franco, al negro etíope, al britano / hermanos llamará, y el industrioso / chino dará, sin dolo ni intereses, / al transido lapón sus ricos dones» (*Respuesta de. Jovellanos a Moratín*). Y Meléndez expresa lo mismo más incisiva y concentradamente: «Todos tus hijos somos, / el tártaro, el lapón, el indio rudo, / el tostado africano / es un hombre, es tu imagen y es mi hermano» (oda IV, *La presencia de Dios*).

Otra estrofa hay de Meléndez, una lira, en la que el ideal de hermandad está abierta y doloridamente confesado, como consecuencia de la situación de su patria y del íntimo y angustioso problema por él mismo vivido. Se trata de su evacuación a Francia y de su regreso, ya en 1814: «Todos en uno unidos, / todos en santa paz, todos hermanos, / lejos ya los partidos, / lejos los hombres vanos, / que enconos atizaron tan insanos» (oda XXVIII, *Afectos y deseos de un español al volver a su patria*).

Dos últimas referencias al tema de la virtud en Meléndez completarán esta rápida panorámica. Se establece en una que la virtud es norma y fin en el incierto luchar de la existencia; como el alma humana no debe prostituirse tras el vicio («tu destino / es la virtud aquí …»), concluye exhortando: «La virtud, la virtud: éste el primero / de tus conatos sea, de tu mente / estudio, de tu pecho afán sincero, / de tu felicidad perenne fuente» (elegía V, *Mis combates*).

Los otros versos cierran también una oda. Y si son significativos no es tanto por su limitado acierto poético, sino precisamente porque confirman que es un tema que se presta a convencionalismos y repeticiones, de los que ni siquiera Meléndez se libra. Véanse conceptos expresados en forma cansada y tópica: «Mientras con pecho entero / la amarga copa del dolor apuro, / y constante prefiero / la virtud indigente / al vicio entre la púrpura fulgente» (*Los consuelos de la virtud*).

JOHN H. R. POLT

LA POESÍA ILUSTRADA.
LA ELEGÍA *A JOVINO*

Tres categorías temáticas —la naturaleza, los temas filosóficos y religiosos y los que podríamos llamar patrióticos o expresivos de la ideología ilustrada— se caracterizan por su poca importancia antes de 1783 y por tenerla bastante mayor a partir de esta fecha, sobre todo durante los años de magistratura (1789-1798). Según amplía Meléndez sus horizontes poéticos, pone sus versos al servicio de las ideas de la Ilustración y descubre nuevas maneras de representar la naturaleza. No escasean las descripciones de ésta, aun en la década de los años setenta, pero lo son de la naturaleza estereotipada de la poesía bucólica y anacreóntica. Aquellos prados siempre verdes, regados por sendos arroyuelos y suavemente abanicados por el céfiro, constituyen una naturaleza ideal, cuya verdad no estriba en la observación objetiva sino en el deseo subjetivo de belleza y armonía, y que, sobre todo en las primeras anacreónticas de nuestro poeta, es decorado más que protagonista. Sólo a partir de los años ochenta pasa

John H. R. Polt, «Introducción crítica» en J. H. R. Polt y Georges Demerson, eds., Juan Meléndez Valdés, *Poesías selectas. La lira de marfil*, Castalia, Madrid, 1981, pp. 33-49 (33-36, 42-43, 45-49).

la naturaleza, en la poesía de «Batilo», al primer plano. Entonces empezamos a encontrar poemas, que pueden ser silvas u odas, pero también romances o anacreónticas, dedicados a describir una naturaleza que ya no es la típicamente primaveral de los primeros años, sino una naturaleza más variada y dinámica, donde hay primavera pero también otoño e invierno, mañana pero también noche, sol pero también lluvia. El *yo* de estos poemas, colocado dentro del escenario, lo observa desde un punto determinado. Su observación se hace a través de los sentidos, sobre todo el visual, el auditivo y el olfativo; y el poeta nos transmite sus impresiones sensorias pormenorizadas con plena conciencia de los efectos de la luz, de los sonidos y de los aromas, y de su percepción por los sentidos. Leemos, por ejemplo, que los rayos de la aurora «las cristalinas aguas / cual vivas flechas hieren / y hacen de bosque y prados / más animado el verde». A diferencia de los campos anacreónticos, esta naturaleza no es sólo emanación de las aspiraciones del poeta; pero nos es presentada a través de la subjetividad de un *yo* observador que la percibe y que también reacciona ante ella. El personaje que habla en los poemas siente «un tierno pavor» ante una escena nocturna, y en *La tarde* llega a preferir la insensibilidad de la piedra a su propia sensibilidad exacerbada. En algunas ocasiones, ve en los procesos de la naturaleza el fluir del tiempo destructor, motivo que se repite con insistencia en la poesía de Meléndez; pero también, como en su oda *Al sol* o en el romance *La lluvia*, ve la naturaleza como una gran máquina en que todo contribuye a los eternos procesos de la vida. Esta poesía descriptiva, influida por la epistemología sensualista y por los poetas ingleses y franceses, constituye una de las contribuciones más originales de Meléndez a la renovación de la lírica castellana. [...]

Meléndez creía que la lengua castellana, aunque rica y majestuosa, aún no había sabido «sujetarse a la filosofía», y que sus propias composiciones sobre «la bondad de Dios, su benéfica providencia, el orden y armonía del Universo, la inmensa variedad de seres que lo pueblan y hermosean», podrían servir de «pruebas o primeras tentativas» para «despertar nuestros buenos ingenios». En el cultivo de esta vena le alentó Jovellanos, a quien dedicó en 1780 la que llamó su «primera composición filosófica», la oda *La noche y la soledad*. De hecho los temas filosóficos ya aparecen antes en las obras de Batilo; pero es cierto que la «filosofía» en ese sentido característicamente setecentista que le da el poeta le ocupa sobre todo a partir de 1780, tanto en las que titulaba *Odas filosóficas y sagradas* como en otras composiciones.

Por ejemplo, *El invierno es el tiempo de la meditación*, anterior a 1798, trata el tema del tiempo, que «en vuelo arrebatado / sobre nuestras cabezas precipita / los años», y cuyo paso se ve en el árbol de hojas muertas. Sin embargo, estas imágenes, que dan pie en otras poesías al tono elegíaco, aquí demuestran «la armonía / de este gran todo»: en ellas admira el poeta, dirigiéndose a Dios,

> tu infinita bondad: de este desorden
> de la naturaleza,
> del alternado giro
> del tiempo volador nacer el orden
> haces del universo, y la belleza.

La fe en el orden del universo, regido por un Dios bondadoso bajo cuya paternidad son hermanos todos los hombres, es la esencia de la filosofía ilustrada de Meléndez, que en lo moral se manifiesta en el filantropismo y en el culto de la virtud. La elegía *La virtud* nos da un retrato ideal del varón fuerte y hombre de bien, «buen padre, amigo fiel, buen ciudadano», cuya nobleza «fue sola su virtud, no de su cuna / el excelso esplendor, los largos bienes». Este hombre virtuoso comprende el orden no sólo físico sino también moral del universo, y a imitación de Dios,

> ... a cuanto existe
> se derrama solícito, inflamado
> de esta llama de amor que eterna arde
> por la infinita creación, dichosa
> cadena que al gran Ser la nada enlaza.
> Corre sus milagrosos eslabones
> del polvo al querubín; y en todos viendo
> el propio bien en el común librado,
> más y más vivos sus afectos arden.

La misma cosmovisión es también la base de la mayoría de las composiciones religiosas de nuestro poeta, de todos modos no muy abundantes. Meléndez juntó en sus ediciones las *Odas filosóficas* con las *sagradas*; y la división que entre poesía filosófica y poesía religiosa hacemos aquí es un poco arbitraria. Batilo pudo escribir una plegaria de tono muy personal, como *El hombre imperfecto a su perfectísimo Autor*; pero tiende a adorar a Dios en su creación. La omnipresencia del Creador es motivo para que el poeta ruegue: «Hinche el corazón mío / de un ardor celestial que a cuanto existe / como tú se derrame, / y, oh Dios de amor, en tu universo te ame». [...]

Después de las investigaciones dedicadas al siglo XVIII durante los últimos veinte años, ya no es posible hablar de la poesía setecentista como «neoclásica», sin distinciones; ni tampoco podemos ver ya una sencilla progresión de movimientos literarios, cediendo el barroco ante el neoclasicismo y éste, a su vez, ante el prerromanticismo, precursor de la «revolución romántica» del XIX. Gracias a varios investigadores, mas sobre todo a las lúcidas síntesis de Joaquín Arce [1981], nos hemos dado cuenta de que varias modalidades poéticas —rococó, prerromanticismo y neoclasicismo— coexisten en la segunda mitad del setecientos, si bien con variaciones en su mayor o menor preponderancia, y coexisten también en la obra de unos mismos poetas. Tal es el caso de Meléndez.

Mejor que nadie ejemplifica nuestro poeta la tendencia estética que llamamos rococó, entre cuyas características podemos señalar el gusto por la simetría y por la variedad; la preferencia por las formas curvas y ligeras; la predilección por lo delicado, pequeño, íntimo y elegante; el erotismo juguetón; el empleo de una mitología «reducida a meras dimensiones domésticas» (Arce), decorativa sin trascendencia; y una calidad huidiza relacionada con la gracia y con el juego y cuyo fondo es la inocencia —inocencia muchas veces ambigua, o perdida y añorada. Esta calidad la vemos en la representación del deseo erótico (Cupido) como niño, en las visiones de una naturaleza suave y armoniosa, y en el hecho de florecer ahora por última vez lo pastoril, tanto en la pintura como en las letras. [...]

Otra modalidad poética importante del siglo XVIII es la prerromántica, que se manifiesta sobre todo entre 1770 y 1790, fechas que también encuadran aproximadamente el mayor auge de la Ilustración, desde el motín de Esquilache hasta la muerte de Carlos III. La poesía prerromántica es a veces sensible y subjetiva, y otras veces ideológica, más o menos objetiva; pero siendo ésta una diferencia más temática que formal, creo que podemos hablar de una modalidad prerromántica de dos vertientes. Tanto en una vertiente como en la otra, la poesía prerromántica busca un lenguaje comunicativo que sirva con un mínimo de estorbos para la exposición diáfana de las ideas, o bien para la expresión directa de los sentimientos. Tiende a evitar, por lo tanto, las metáforas atrevidas y la regularidad rítmica, por atraer la atención sobre sí y distraerla del mensaje del poeta. El prerromanticismo subjetivo emplea con frecuencia un lenguaje de fuerte ritmo irregular, anhelante y entrecortado. Más mesurado y prosaico es el verso prerromántico ilustrado. En efecto, podemos ver en las dos tendencias el deseo de crear un lenguaje poético realista, prosaico en un caso, rítmico en el otro, pero con un ritmo «espontáneo» y «natural» que imita la lengua hablada de la pasión, en lucha con el metro. El poeta prerromántico suele preferir los endecasílabos sueltos, cercanos a la prosa, y las silvas, sumamente flexibles. No se limita al vocabulario tradicionalmente «poético», sino que incorpora a sus versos los términos de la vida cotidiana, los técnicos y científicos, las palabras «fuertes» y realistas; y si lo pide la ocasión, no vacila ante la creación de palabras nuevas. El substrato de esta poesía prerromántica, en sus dos vertientes, es la filosofía ilustrada. Ésta queda evidente en los versos ideológicos; pero el sensualismo derivado de Locke influye también en la poesía subjetiva donde «el papel del estado de ánimo ha llegado a ser más importante que el de los hechos objetivos» (E. L. Tuveson). [...]

Ninguna poesía de Batilo representa mejor la vertiente subjetiva y sentimental del prerromanticismo que su Elegía Moral II, A Jovino: el melancólico (1794). Una ojeada a este poema nos mostrará que en sus 166 endecasílabos sueltos hay unos once casos de encabalgamiento, y que si en la mitad de los versos la cesura se apoya en la sintaxis, en la otra mitad es difícil cualquier división más o menos equilibrada del verso. En otras palabras, estos versos tienden a rebelarse contra sus moldes métricos.

Tratan, además, de imitar el lenguaje espontáneo de la confesión emocionada: sus pausas, repeticiones y correcciones («¡Oh, si del vivo, del letal veneno, / que en silencio le abrasa, los horrores, / la fuerza conocieses!») parecen brotar de quien, no acertando al principio con la expresión adecuada de los sentimientos que se le desbordan, les va buscando otra mejor. En los versos 140 ss. la pena del «melancólico» se desahoga mediante un fluir casi inconexo, interrumpido por pausas que sugieren sollozos. Abundan en todo el poema las exclamaciones, y con los repetidos ay y oh se acerca el poeta a la expresión de la subjetividad pura. Los tropos no son ni frecuentes ni atrevidos. Los de mayor interés combinan elementos humanos y naturales por medio de la adjetivación (v. gr., «cansada luz», «tristeza oscura», «nublados ojos»), equiparando así el mundo subjetivo al de la naturaleza. Otras metáforas (v. gr., «penas veladoras», «rebelde razón») prestan una vida independiente a ciertos aspectos de la personalidad y sugieren un conflicto interior que contrasta con la armonía de interior y exterior. Algunas de las imágenes sensorias, que sirven sobre todo para expresar recuerdos, figuran realidades vulgares: «la ronca voz», «entre sudor y polvo». Esencial para esta elegía es la filosofía, o psicología, sensualista. No hay nada nuevo en que alguien se crea incapaz de todo gozo, pero sí lo hay en que diga: «mi espíritu, insensible / del vivaz gozo a la impresión süave», versos comparables a los 96 ss., donde leemos que las percepciones sensorias «mi espíritu inundaran de alegría». El «melancólico» supone que el espíritu reside en el interior del hombre y recibe impresiones de fuera por medio de los sentidos. Cuando deja de recibir estas impresiones, abstraído en su dolor («elevado y triste»), parece «fría estatua» (v. 133), comparación que en el contexto intelectual de la época nos recuerda la hipotética estatua de Condillac convertida en persona cuando se le añaden los sentidos y se establece así el contacto entre su *yo* y el universo.

Russell P. Sebold ha sugerido que una vez que los sentidos, en la filosofía sensualista, reemplazan a Dios como fuente de todo conocimiento, la deidad deja también de ser fuente de consolación. Ésta, después de Locke y Condillac, la busca el hombre en sus propias sensaciones, con lo cual acaba concibiendo un mundo que reitera su propio dolor. Ahora bien, para nuestro «melancólico» no existe consolación religiosa. Dirigiéndose a su amigo, le dice: «Tú solo a un triste / ... / eres salud y suspirado puerto» y «tú solo existes, / tú solo para mí en el universo», sentimiento que refuerzan los versos 149 ss., auténtica plegaria dirigida a Jovino. En los versos 36-48, el personaje proyecta hacia fuera no sólo su oscuridad interior («mi espíritu ... todo lo anubla en su tristeza oscura») sino también su conflicto interior («parece que a mi vista ... todo se precipita al caos antiguo»). Su «fastidio universal» y su dolor tienen su causa en un *todo* anublado en la «tristeza oscura» del espíritu, es decir, del *yo*. De esta manera, el *yo* proyecta su tristeza sobre *todo* para encontrar en seguida en *todo* motivo a su tristeza. El dolor produce oscuridad, y la oscuridad causa dolor. El mundo subjetivo y el objetivo acaban siendo idénticos.

No ha de sorprendernos que quien no encuentre a su alrededor sino la reiteración de sus propios sufrimientos se sienta aislado en el universo a pesar de este aparente contacto. Ya en los primeros versos de la elegía,

el «melancólico» se presenta como radicalmente separado de sus prójimos. Él solo vela; él solo parece percibir la lobreguez y el horror de la
noche, mientras los demás mortales gozan de «un blando saludable sueño». En efecto, ni siquiera existen los demás: sólo existe Jovino, y aun
Jovino existe sobre todo como receptor de las quejas de su amigo. La
única realidad del poema es la subjetividad de éste. Ya no funcionan los
sentidos que alimentaban su conciencia. Antiguamente, según él mismo
recuerda (vv. 92 ss.), mantenía un contacto sensorio con el mundo,
que tenía entonces una existencia concreta que influía en la suya («mi espíritu inundaran de alegría»). Ahora, si bien parece concederse aún la
existencia de la «hermosura varia» de la naturaleza (v. 39), el yo ya no
es capaz de percibirla: a su vista la naturaleza se envuelve en luto (v. 40)
y la «risueña frente» de la «rubia aurora» se convierte en «luz molesta»
(v. 52). El yo rechaza la luz gloriosa del día y rechaza la quietud de la
noche (vv. 55 ss.); todo lo que venga de fuera, como no sea la reiteración de su subjetividad, le es molesto. El yo se identifica, pues, con el
todo rechazando o transformando cuanto no sea reflejo de su dolor; y así
el dolor, que ocupa toda su atención, llega a ser la confirmación de su
unicidad y de su ser. Dejar de sufrir y dejar de ser son lo mismo, según
se ve en los versos 73-75: «¿Quién pondrá fin a mis extremas ansias, /
o me dará que en el sepulcro goce / de un reposo y olvido sempiternos?».
El único consuelo que le queda al yo del poema es el dirigirse a Jovino
y «aliviar» su «dolor profundo» (v. 9) por medio de una comunicación
que es el poema misrᴏ. Con esto, cierto gozo sentimental llega a reemplazar el gozo que imprimían en el espíritu los sentidos.

Después de leída esta elegía, ¿podemos todavía asegurar con
Ángel del Río que en el romanticismo español «aparece sólo como
un eco débil» lo que tiene de más revolucionario el romanticismo
europeo, a saber, «la nueva concepción naturalista y panteísta de la
vida, el lirismo sentimental profundo y la rebeldía del individuo
frente a toda realidad externa; la subjetividad de raíces metafísicas
con el imperio lírico del "yo" y el entronizamiento de la sensación
como materia del arte»? ¿Quién no verá estos elementos en los
versos que acabamos de estudiar?

Rinaldo Froldi

EL TEMA DE LA NATURALEZA

La afición a la poesía idílico-pastoril es común a toda la literatura del siglo XVIII europeo, pero se caería en un error considerando de modo uniforme una producción poética que sólo aparentemente ofrece un carácter unitario. El bucolismo de la Arcadia italiana y el predominante en Francia a comienzos de siglo consistía en una artificiosa representación del campo como fondo idílico ante el cual los poetas, cultos y «ciudadanos», se imaginaban a sí mismos gozando de un disfraz escénico y de una acción y unas palabras más o menos teatrales, con un lenguaje que estaba a medio camino entre lo sutil y lo sencillo. Inspirándose en los tradicionales elementos, que procedían en mayor o menor medida de Teócrito o de Virgilio, el campo era un pretexto para una evasión en la que la buena sociedad se reconocía en sus distanciadas aspiraciones: era por lo tanto un juego literario elegante y exquisito que se prolongaba también en doctas disquisiciones teóricas. En realidad existían divergencias sobre cuestiones predominantemente estilísticas, porque unos eran partidarios del rígido clasicismo de Rapin, mientras que otros seguían los dictámenes y el ejemplo de Fontenelle, más abierto y más moderno, y de este modo el problema de la poesía pastoril quedaba inserto en la entonces tan debatida *querelle des anciens et des modernes*; pero por lo que se refiere al contenido y a las finalidades del género, las diferencias eran mínimas, y todos estaban sustancialmente de acuerdo sobre el carácter convencional de los elementos que lo componían así como sobre su intención hedonista. [...]
El desarrollo posterior de la poesía pastoril en el siglo XVIII europeo va a caracterizarse cada vez más por un concepto distinto de su función: se va al encuentro de la naturaleza convencidos de que ésta es un lugar de perfección moral, y así el campo se convierte en el refugio de quien quiere huir de las falsas convenciones de la ciudad para volver a encontrar —más próxima al orden de la natu-

Rinaldo Froldi, *Un poeta illuminista: Meléndez Valdés*, Istituto Editoriale Cisalpino, Milán, 1967, pp. 49-68.

raleza— una vida más auténtica y de mayor plenitud, empezando por el sentimiento amoroso. Las convenciones mitológicas terminarán por abandonarse o por quedar reducidas a una mera fórmula ornamental, y la naturaleza ya no será tan sólo un telón de fondo ante el cual se desarrollan acciones humanas, sino que se cantará directamente asumiendo el papel de protagonista: en este sentido tendrá una importancia capital la obra de Thomson, tan fecunda de desarrollos para toda la literatura europea posterior.

En la literatura española del XVIII, el tema pastoril, que en la primera mitad del siglo depende aún de las últimas experiencias del barroco, trata de elevarse a una nueva vida por medio de un acercamiento más directo a la naturaleza por parte de los poetas que escriben hacia mediados de siglo. Luzán en *Leandro y Hero* compone un «idilio anacreóntico», Porcel cuatro «églogas venatorias» con el título de *El Adonis*, obras ambas presentadas a la Academia del Buen Gusto de Madrid; Cadalso es autor de una égloga, *Desdenes de Filis*, y encontramos dos églogas más en la poesía de fray Diego González, pero sólo con Meléndez Valdés el tema idílico-pastoril adquiere un aspecto nuevo y capaz de constituir una experiencia poética profunda, que se incorporará a la literatura española como un verdadero modelo e inicio de una tradición.

Atmósfera pastoril encontramos en los romances juveniles que Meléndez Valdés envió en 1777 a Jovellanos junto con una carta, en la que afirmaba que los había compuesto en sus «primeros años» (algunos entre 1771 y 1772) tomando por modelo a Góngora, y que han sido publicados una parte por Serrano y Sanz [1897] y otra por Salinas [1925]. Se trata de «romances amorosos» ambientados todos ellos en un escenario campestre, donde los personajes son pastoras y zagales que llevan nombres clásicos: Amarilis, Galatea, Filis, Batilo. Las casas son «chozas», la plaza del pueblo sirve para un baile rústico y el tema amoroso se trata con estilo ligero y vena melancólica: los sufrimientos de amor, el juego de las miradas que se otorgan y se niegan, y que engendra incertidumbres, celos, desvíos o simples galanterías. El campo se describe con una extraordinaria simpatía y el autor no desdeña hacerse protagonista, ya que es frecuente el uso de la primera persona; incluso en los romances 8 («Donde el celebrado Tormes») y 10 («Sobre la menuda arena») del volumen publicado por Salinas, el protagonista lleva el mismo nombre de la personificación pastoril de Meléndez Valdés, Batilo, y en el romance 8 (como sugiere su mismo título) hay una alusión concreta al Tormes de Salamanca. [...]

Pero donde Meléndez Valdés plasma mejor su ideal idílico-bucólico es en las *Églogas*. Hay ya un primer esbozo de égloga en el año 1774 en el que se finge un canto amebeo entre Batilo y Jovino, es decir, donde Meléndez Valdés introduce a su lado a su amigo Jovellanos; el tema que se canta son las delicias de la estancia en el campo. Desarrollo de este asunto es la égloga más extensa y mejor trabajada que se titula *Batilo*, que el poeta compuso entre 1779 y 1780, y que presentó a un concurso abierto por la Real Academia Española para una composición «en alabanza de la vida del campo», y obtuvo el primer premio. Esta larga égloga es por así decirlo la suma de los temas poéticos que hasta entonces habían interesado al joven Meléndez Valdés: el amor, el deseo de soledad y de reposo, la pasión por el canto, el consuelo de la amistad, todo ello ambientado y diríase que fundido en el paisaje idílico que se estiliza a la manera propia de la tradición bucólica, pero que no descuida los detalles concretos de un paisaje más preciso que es caro al corazón del poeta: el Otea, el Tormes, es decir, la dichosa Salamanca del ocio laborioso de Meléndez, o el Betis de la Sevilla donde vive el amigo lejano, el más maduro y grave Jovellanos. Todo ello impregnado de un sentimiento de dulce y complacida morosidad sentimental que no es un simple deseo de consuelo hedonista, sino una necesidad de renovación moral: «No aquí esperanza o miedo, / las tramas y falsías / que saben los soberbios ciudadanos». [...]

La naturaleza no es tan sólo bella y agradable, sino también útil: providencialmente, ofrece al hombre todo cuanto necesita; hay siempre como un espíritu religioso en la manera como Meléndez Valdés observa sus fenómenos. Por ejemplo, en el romance VIII, *La lluvia*, ésta se invoca y se describe con una humanísima participación gozosa sugerida por el modo consciente con que desciende benéfica para vivificar los campos sedientos. Todos los aspectos de los diversos cambios de las estaciones también se ven con una conmovida simpatía. Meléndez Valdés cultiva así de un modo muy personal un tema predilecto de la poesía del XVIII. Decididamente lejano del gusto de la Arcadia italiana (Rolli, Metastasio y otros) que en la sucesión de estaciones habían visto la oportunidad de diversos placeres para los hombres (que en la mayoría de los casos derivaban de una imagen artificiosa, escenográfica de la naturaleza), Meléndez Valdés está más bien cerca de la poesía de las estaciones de Thomson y de Saint-Lambert. Había leído a Thomson ya fuera directamente, ya en una traducción francesa más bien libre, y conocía en su lengua original el texto de Saint-Lambert. E incluso fue el texto de Saint-Lambert (quien en su prólogo cita a Thomson) lo que le hizo interesarse por la obra del poeta inglés. De Thomson Meléndez Valdés toma sobre todo el sentido religioso de la naturaleza y la idea de la misión reveladora del poeta, mientras que de Saint-Lambert toma el aspecto más propiamente utilitario de la naturaleza, la conciencia que ella tiene de ser útil a los hombres, y a la que los hombres deben corresponder para recobrar la felicidad perdida junto con el bienestar que es su condición indispensable.

Para comprender la importancia y el carácter peculiar de la nueva orientación de Meléndez Valdés, nos ofrece la posibilidad de útiles observaciones la comparación de dos poemas inspirados por el tema de la primavera: se trata de una de las primeras composiciones de Meléndez, la anacreóntica V, *De la primavera* y el idilio VI, *La primavera*. En la anacreóntica el tema de la renovación de la naturaleza es un pretexto para introducir el motivo fundamental de la invitación al placer, tanto más deseado cuanto más fuerte es la conciencia de la fugacidad de todo. Pero en el idilio el contraste clásico entre hombre y naturaleza desaparece ante la atención que se pone predominantemente en las cosas; aquí hay una búsqueda de pormenores precisos y pequeños, hasta que irrumpe a mitad del poema el grito jubiloso que canta la fuerza creadora de la naturaleza: «¡Amor, nueva vida / de todos los seres!», para reanudar después la alegre descripción de la primavera concebida como «raudal de la vida», dispensadora de bienes, realidad en la que el hombre participa plenamente.

La sucesión de las estaciones se produce de tal modo que cada una de ellas está estrechamente ligada a la otra: si de la primavera el poeta dice que es fuente de la vida y preparadora de las estaciones que la seguirán, del otoño dice que «todas las estaciones / te sirven a porfía». Y lo celebra con el mismo júbilo, si no mayor: el placer hace «saltar de gozo» el pecho del poeta: la misma fiesta bulliciosa de la vendimia se convierte en el símbolo de esta profunda alegría que se apodera de la humanidad ante los dones de la naturaleza. El tema de la vendimia reaparece en otra composición más tardía que suena como el eco nostálgico de una estación feliz que tiempo atrás transcurrió en contacto con la naturaleza; después de la jubilosa descripción de la vendimia, el poeta concluye:

Cuando yo estos dulces versos
cantaba en mi fácil lira,
en el ocio de mi aldea
en gloriosa paz vivía;

fementido luego el hado
me arrastró a las grandes villas,
vi la corte y perdí en ella
cuanto bien antes tenía.

Son versos de la madurez del poeta, cuando la vida le había arrebatado muchas ilusiones, pero no la fe en que la vida sencilla y laboriosa implica un valor moral. Por otra parte, la nueva valoración de la realidad natural, incluía una visión positiva de la vida, que el hombre desarrollaba en contacto con ella, e invitaba a una meditación más honda, impregnada de problemas de orden moral, económico, social y también político que impulsaban al gran lector que fue Meléndez Valdés a experiencias siempre nuevas y más abundantes. Ya en esta poesía sobre las estaciones es posible advertir esbozos y motivos que originarán en Meléndez Valdés una auténtica y genuina poesía social.

Por medio del trabajo se alcanza una redención social: el romance XV, *Los segadores* es en este aspecto una interpretación más profunda del motivo estacional del verano. La descripción sigue siendo minuciosa, pero ya no estamos tan sólo ante un sentimiento que se acerca a la naturaleza en busca de una armonía humana; interviene también la mente para reconocer el valor de aquel trabajo tan hábilmente descrito: «de la honrosa agricultura / resonad las alabanzas; / ... / la inocencia ríe y canta / y el trabajo es pasatiempo / cuando el placer lo acompaña». La variedad de las estaciones tiene un significado, porque el frío del invierno fue el que preparó el triunfo dorado de las mieses: «... un Dios bueno nos regala. / Éste es el orden que puso / con omnipotencia sabia / al tiempo que raudo vuela / con igualdad siempre varia». Así en el romance XXXV, *Los aradores*, donde el autor canta al invierno, se afirma de una manera aún más manifiesta la necesidad de las estaciones y los benéficos dones de todas ellas. Para explicar el origen del «trastorno aparente» del crudo invierno dice que procede «del orden con que los tiempos / alternados se suceden, / durando naturaleza / la misma y mudable siempre». Se reafirma el «noble destino» del agricultor y se describe con complacida admiración su vida, tan diferente de la viciada y viciosa del ciudadano, regida por sanos principios morales, presidida por el amor a la familia, protegida por el «alma paz» y por la «inocencia». [...]

La intervención del poeta es profunda; diríase que casi polémica, que conoce por experiencia el mundo de las ciudades, ha visto de cerca sus peores vicios, que son la envidia y la calumnia, y los condena ásperamente, exaltando en cambio la vida del campo, donde «... un día y otro día / pacíficos se suceden / cual aguas de un manso río, / risueñas e iguales siempre». El romance que ahora examinamos evoca por la similitud del tema la oda anacreóntica XL, *De mi vida en la aldea*, donde el poeta se complace describiendo la alegría que siente al refugiarse de vez en cuando en el campo, «las penas y el bullicio / de la ciudad huyendo», para disfrutar de la belleza armoniosa de la naturaleza, para retirarse —en el sosiego— entre sus amados libros «do atónito contemplo / la ley que portentosa / gobierna el universo», para tratar en pie de igualdad a la gente sencilla en la cual «la igualdad inocente / ríe en todos los pechos».

No es difícil advertir la gran influencia que tuvo sobre Meléndez Valdés el pensamiento de J. J. Rousseau; si Thomson y Saint-Lambert están presentes en su obra, Meléndez Valdés se apoya sobre todo en Rousseau para cantar el valor moral de la vida campesina, y para polemizar de un modo más o menos velado con el orden social constituido. [...] A partir de esta comunión íntima con las cosas y de la conciencia de su profundo significado para la vida del hombre, siguiendo las huellas de Rousseau, se desarrolla la idea de la feliz inocencia de los hombres primitivos cuyo ejemplo debe servir de guía para recuperar la felicidad natural. El tema se desarrolla claramente en la epístola V, *A Gaspar González de Candamo*, es decir al amigo que —después de los años felices que ambos vivieron juntos en Salamanca, donde Candamo era catedrático de lengua hebrea—, nombrado canónigo de Guadalajara, en México, a fines de 1786 se dispone a partir para su nuevo destino.

El poeta, después de lamentar —en la primera parte de la epístola— la partida del amigo, y de evocar con nostalgia las largas y amistosas discusiones que habían sostenido sobre el tema de la virtud, «... depurando el oro / de la verdad de las escorias viles / con que el error y el interés la ofuscan», o bien sobre el problema «del hombre y su alto ser, del laberinto / oscuro de su pecho y sus pasiones», y después de haber recordado el calor «con que tú orabas en favor del pobre», hasta provocar las lágrimas del poeta: «y escuchándote yo, bañadas vieras / mis mejillas de lágrimas», demuestra comprender las razones más profundas que mueven al amigo a emprender el gran viaje: «la tierna humanidad, el vivo anhelo / de conocer al hombre en los distintos / climas do sabio su Hacedor le puso».

Nos encontramos, pues, en el ámbito de un interés por el exotismo típico de la Ilustración que se manifiesta en la voluntad y el deseo de acercarse a los hombres que están lejos de nosotros, para reconocer los orígenes comunes, no a la manera romántica para evadirse hacia lo desconocido y lo extraño. Aquel mundo lejano es el lugar donde vive aún la inocencia y que puede enseñarnos el sentido, para nosotros ya perdido, de la virtud, de la paz, de la honradez:

... Ve sus almas,
su inocencia, el reposo afortunado
que les dan su ignorancia y su pobreza.
Velos reír, y envidia su ventura;
lejos de la ambición, de la avaricia,
de la envidia cruel, en sus semblantes
sus almas nuevas se retratan siempre.
Naturaleza sus deseos mide,
la hambre el sustento, su fatiga el sueño.
Su pecho sólo a la virtud los mueve,
la tierna compasión es su maestra,
y una innata bondad de ley les sirve.

Pero el magisterio de Rousseau va más lejos, puesto que en Meléndez Valdés existe también una incitación concreta a una reforma social que arranca del reconocimiento de la igualdad de todos los hombres, sin distinción de clases; incluso se establece polémicamente una contraposición entre la corrupción de los ricos y la moralidad del pobre colono explotado. La necesidad de su redención es el motivo predominante de otra epístola, la VI, *El filósofo en el campo*, que nos parece perfectamente justificado definir como un auténtico ejemplo de poesía social. La vigorosa actitud de protesta, inspirada por la fuerza de una conciencia moral que se rebela, es algo ya evidente desde los primeros versos de la epístola, en los que se contrapone el regalado ocio del ciudadano con la decisión del poeta que se enfrenta con la vida más dura del campo, capaz de proporcionarle profundas enseñanzas.

EMILIO PALACIOS

AMOR, NATURALEZA Y PRERROMANTICISMO

La primera poesía de Meléndez Valdés resulta de la conjunción de dos elementos, amor y naturaleza, que adquieren en su tratamiento una dimensión dinámica y estética. Unas veces se fija la atención

Emilio Palacios, ed., «Estudio preliminar» a Juan Meléndez Valdés, *Poesías*, Alhambra, Madrid, 1979, pp. 31-37 y 119-121.

más en uno que en otro, en un intento de aislar algo que comúnmente va unido. Toda ella es una poesía jovial, que canta en tono
amable los placeres de la vida. Y es precisamente en la anacreóntica
donde la plasmación de estos ideales juveniles es más cabal. El resto
de los poemas, aun siendo en principio composiciones distintas,
también están tocados con el mismo espíritu anacreóntico, siendo en
este sentido las diferencias escasas.

Dos personajes traspasan los versos todos, Cupido y Baco. El hijo
de Venus se presta a todos los galanteos amorosos. Esparce el amor
con su flecha traidora entre jóvenes despreocupados y goza en su
función enamoradora. Es aleve y artero, pues su acción viene de
improviso enturbiando los sentimientos de los amantes. Sin embargo, otros están siempre esperando su llegada para que su corazón
se impregne en sus dulces heridas. Su representación es tópica y
responde a la imaginería clásica: «Vendados los ojuelos, / limpio el
cabello y rizo, / las alitas doradas, / y en la diestra sus tiros. / La
aljaba al hombro bello, / y el arco suspendidos, / que escarmentados
temen / los dioses del Olimpo. /Arterillo el semblante / cuan vivaz
y festivo / y así, como temblando, / por su nudez, de frío».

Inspirados por Cupido, los versos describen todas esas historias
de amor por las que puede pasar cualquier Batido enamorado:
aprehensiones o sentimientos que le hacen sufrir o alegrarse. Situaciones que unas veces suenan a fresco, y otras recuerdan viejos tópicos consagrados por muchas plumas de tradición literaria. Los antiguos temas de nuestra poesía amorosa del Renacimiento vuelven a
restaurarse en la pluma de Meléndez. Sin embargo, además del tratamiento formal, hay, creo, diferencias esenciales. Frente a la poesía
quejumbrosa, amores desconsolados, del Renacimiento, hay ahora un
predominio de la poesía más gozosa donde los amantes participan
plenamente de la vida en amanerados convites, tocados con guirnaldas; donde hay una mística del beso furtivo y la mirada imprevista;
donde se goza con el dulce movimiento de la danza. También hay,
cómo no, amantes esquivas, y entonces nos acercamos principalmente a los poemas de pastores amorosos que tienen un ambiente más
próximo a la bucólica tradicional. Romances y sonetos nos ofrecen
excelentes ejemplos en este sentido.

En oposición al amante discreto, que ama o sufre en silencio,
aparece ahora el fino amante que vive en un continuo galanteo amoroso. La poesía sale así de un mundo interior, para mostrarse en esta

continua relación. No quiere decir que se desprecia totalmente esta íntima queja del poeta, pues en otras ocasiones podemos encontrarnos a un Batilo en pena por la esquivez de su amada, o celoso. Entonces rechaza el amor y las promesas de la amiga, porque «quien en promesas fía / sobre la arena escribe, / y en el amor firmezas / ninguno hallar porfíe». Es el pez que se muerde la cola: el mismo poeta que aconsejaba a *Lisi* inconstancia, se lamenta ahora de las inconstantes. Estamos ante un gran juego amoroso en el que el Meléndez joven toca en cada circunstancia la tecla que le interesa, las más de las veces en pura ficción literaria, y otras por literaturización de su propia experiencia personal.

Los banquetes se convierten en auténticas bacanales en las que el vino iguala, unifica y trae esa fraternidad universal que sólo se da en estado de inocencia o de olvido. Y, centrados en el mundo personal, el vino sirve para mitigar las penas de los desconsolados, de amores o de desgracias. Y también inspira a los poetas. «Alas al genio ofrece, / calor a la armonía / y a los claros poetas / templa acorde la lira.» Amor, amistad y vino componen el mundo de la anacreóntica. E impregnándolo todo, la sensación de la presencia sensual de la mujer. En la oda *A un pintor* tenemos la precisión exacta de un dibujo femenino con todos los matices del rococó, que viene a ser la perfecta definición de la mujer en el sentimiento de Meléndez. Trenzas de oro ondeando al viento, coronadas por una guirnalda y rosas hasta las «cándidas sienes». La «tersa frente» color azucena, contrastando con las «negras cejas». Los «ojos de paloma», con llama en sus pupilas. La nariz «tornátil y de nieve». Los labios con púrpura «de mil claveles». La boca enseña sus pequeños dientes blancos, que preludian su dulce hablar. «Dos virginales rosas las mejillas.» «Enhiesto cuello» de coral sobre los hombros torneados. Y bajo el hoyuelo, el «pecho albo» con «turgentes pomas». Recuerdos en esta descripción de los tópicos renacentistas, pero ahora plenos de sensualidad. La mujer realiza su sugestión amorosa a través de ojos, labios y senos. El poeta no sabe a veces por qué decidirse: los ojos «desmayados y tiernos» le arrastran, pero los labios entreabiertos invitan al beso. [...]

Se ha dudado de la sinceridad de Meléndez Valdés en sus apreciaciones campestres. E irónicamente se habla de la calle de Sordolodo, con el ruido de las herrerías, en la que compuso sus poemas. Es posible que los ambientes rústicos de sus primeros poemas tengan este recamado ambiente literario. Pero no cabe lugar a ironizar sobre la postura de Batilo, porque, si es que damos a la literatura un margen de imaginación, no es preciso tener delante un paisaje campestre para describirlo. Y, además, nadie le puede negar a un hombre del pueblo insuficiencia de imágenes.

El punto de vista sobre la naturaleza va variando en el devenir poético de Meléndez. A la primera visión campestre se llega por el sentimiento, y por eso es inseparable del amor, elemento primario. Se alegra o se entristece cómplice de la felicidad del autor, sus amigos y amadas. Bien es cierto que, como el poeta vive preferentemente estados gozosos, la naturaleza se muestra, las más de las veces, radiante, bella y agradable. Este camino de acceso a la realidad trae consigo una gran sensibilidad en el escritor, que capta toda su sensualidad y, al mismo tiempo, una introspección psicológica en cuanto que existe esta acomodación de los estados de ánimo con la naturaleza. En este sentido tiene un elemento de base común a la poesía renacentista, aunque el preciosismo de Meléndez proporciona mayor colorido en su presentación. Además, frente a una visión más estática de la poesía clásica, ésta pretende dar un mayor dinamismo con la presencia de los seres vivos en movimiento: mariposas, jilgueros, ruiseñores. Esto no significa, sin embargo, un acercamiento realista a la naturaleza. Ésta aparece transformada por una visión literaria. Los antiguos tópicos del *locus amoenus* persisten en su esencia, aunque reformados, o bien crea otros nuevos que pronto se convierten en fórmulas. Se produce una ilusión de paisaje, y por eso, después de haber observado cualquier espectáculo, podemos comprobar que hemos sido engañados y que nuestros ojos no han contemplado más que un artesonado de colores brillantes o cualquier vasija decorada con escenas campestres. Todo ha sido reducido a la dimensión de un cuadro que se repite como modelo.

Otras veces, por el contrario, pretende acercarse a la realidad con una mayor precisión, con un espíritu más naturalista, aunque no científico. Podemos comprobar entonces cómo los tópicos se rompen para aproximarse a la naturaleza que él conoce: el nogal «pomposo», o el álamo «copado», el haya, albérchigo o el romeral, aparecen mezclados con aves o peces de su tierra. Pero las más de las veces nos encontramos ante el paisaje estereotipado descrito en términos formularios. La alegría del vino y el amor se enmarca en una escenografía campestre en la que encontramos la fuente de agua cristalina, o el río que se desliza en ondulantes meandros por el valle de verde hierba esmaltado de flores multicolores. Los árboles frondosos y de alta copa dan cobijo a los amantes o propician en su sombra los ágiles bailes, mientras el coro de las aves alegran el ambiente con sus trinos. También el céfiro refresca los calores e impregna de esencias olorosas los sentidos.

[Cuantos críticos han tratado el problema del supuesto prerromanticismo de Meléndez] han concluido en una evolución hacia el romanticismo en nuestro escritor. Colford [1942], en particular, orienta su trabajo en este sentido, haciendo hincapié en su sentimentalismo. Sin embargo, no aprovecha las conexiones de Meléndez con nuestros clásicos que hubieran dulcificado su concepto de romántico. [...] Al incluir a Meléndez en el prerromanticismo, casi todos los críticos coinciden en ver en él a un poeta sentimental. Y eso es cierto. Porque el escritor extremeño fue sentimental por naturaleza. Porque la Ilustración, que valoró la razón por encima de todo, nunca negó el sentimiento, y quizás un análisis minucioso de las diversas estéticas «neoclásicas» nos descubriera que este período que estudiamos no fue tan compacto. Porque, finalmente y sobre todo, las desgracias personales propiciaron una profundización en el sentimiento que brotó constante por múltiples heridas. Por eso no debe extrañarnos que con frecuencia eche mano de una imaginería luctuosa que le viene de Young, a través de Cadalso, de Rousseau, de corrientes de moda cultural europea o de mano de la dolorida poesía de fray Luis.

Puede parecernos que en Meléndez se da un incremento del sentimiento, del dolor y su expresión fúnebre a lo largo de su carrera literaria. Pero esto no es casual, porque su vida se desliza en un aumento de la mala fortuna, persecuciones y desgracias. Es lo suyo sentimiento, no sentimentalismo ficticio como en las actitudes de muchos poetas románticos.

Para confirmar su prerromanticismo no se puede invocar que escribiera romances históricos, porque este género no es feudo de ninguna época, si bien en el romanticismo aumentó su cultivo. Desde que se creó la épica no dejó de usarse, y bien conocidos son los intereses por los temas históricos en el neoclasicismo, sobre todo a través de la tragedia. Tampoco se puede recordar la presencia en su poesía de las figuras del proscrito, del mendigo, del náufrago o del desterrado, porque en él no se trata de una alabanza a ultranza del marginado, sino la expresión de una vivencia o de una preocupación social. Con lo cual, todo el sentimiento y melancolía que en él se produce sería muy digno de estudiar desde el punto de vista del psicoanálisis. La escenografía fúnebre, luctuosa, nocturna... tampoco es en su caso una falsa postura o moda, sino la representación más exacta de un negro paisaje interior, que, además, en su expresión se presenta muy personal.

La invasión de los terrenos de la Ilustración por el romanticismo ha desfigurado en buena parte la imagen de la cultura de nuestro siglo XVIII, que dentro de la misma ideología más o menos tajante presenta una variedad de expresión. Ha favorecido esta falsa visión la crítica hecha desde el romanticismo, con frecuencia con intenciones partidistas y políticas. [...] Para poder determinar el calificativo que conviene a un autor importa más tener en cuenta la ideología del mismo que sus aspectos formales. En este sentido no podemos negar que Meléndez es uno de los más representativos poetas ilustrados. Su forma de entender la vida, la sociedad, es esencialmente ilustrada. Claro que también es cierto que el europeísmo de nuestro siglo XVIII proporcionó a nuestros escritores no pocas fórmulas e imágenes literarias que se superponen a una ideología con la que no se corresponden. Patente es el desfase con que España va accediendo a los distintos movimientos culturales. Además, si se invoca el sentimiento como determinante hemos de indicar que éste no tiene tiempo sino que es consustancial al hombre de todas las épocas. Y se ve, cómo no, también en los períodos clásicos.

GEORGES DEMERSON

ALGUNAS FUENTES FRANCESAS DE MELÉNDEZ

Numerosos temas que Meléndez toma de autores latinos y, sobre todo, de ingleses, han sido puestos en evidencia por W. E. Colford [1942]. No insistiremos más sobre los primeros. En cambio, los segundos, y las conclusiones a que llega, más o menos explícitamente, el crítico americano, han de detenernos un instante.

Por ejemplo: a propósito de la *Caída de Luzbel*, Colford afirma con razón que nuestro autor ha imitado el *Paradise lost* de Milton, y cita

Georges Demerson, *Don Juan Meléndez Valdés y su tiempo (1754-1817)*, II, Taurus, Madrid, 1971, pp. 189-200.

tres pasajes cuyo cotejo con el texto español parece, en efecto, convincente. Y, sin embargo, no creemos en la *influencia directa* del Homero inglés sobre el poeta salmantino porque, según su propia confesión, diga lo que diga Colford, Meléndez, al finalizar sus estudios, era incapaz de comprender no sólo los matices y las sutilezas, sino tampoco el sentido literal de la epopeya británica. Cuando, en 1778, corrige la versión del canto I, que acaba de enviarle Jovellanos, sigue el texto apoyándose en una traducción francesa. Sólo al comprobar ciertos desacuerdos entre esta versión —cuyo exceso de libertad denuncia— y el manuscrito de Jovino acude al texto original. Pero para seguirlo, nos dice, necesita los servicios de un irlandés que se lo traduce palabra por palabra: «... como notaba alguna variación en la traducción francesa y la de V. S., hacía que me volviera el original a nuestro castellano literalmente, para ir así cotejándole mejor».

Antes que el texto inglés, para él tan confuso como siempre, probablemente sea la versión de Jovellanos, que conoce muy bien por haberla pulido y corregido él mismo (y de la que, según su costumbre, ha conservado una copia), la que Meléndez tiene a la vista, cuando, seis o siete años más tarde, decide escribir la *Caída de Luzbel*. Así se explicaría que haya seguido «sobre todo el primer canto», el único que tradujo su amigo. La confesión de ignorancia del propio poeta, el reducido número de obras en inglés que contenía su biblioteca (de las que varias estaban duplicadas con su traducción en francés), la existencia de múltiples versiones francesas de las obras imitadas por Meléndez, todos estos hechos nos incitan a pensar que la influencia directa de los textos originales ingleses sobre el poeta español fue muy reducida; en todo caso, mucho menos intensa de lo que Colford da a entender.

Una observación que hemos hecho, sobre textos contemporáneos precisamente, de la época en que Meléndez muestra mayor entusiasmo por el estudio del inglés, transforma esta opinión en cuasi certeza. El fallecimiento de su hermano, en junio de 1777, fue para el poeta no sólo causa de auténtica desesperación, sino la ocasión para tres composiciones en verso: las dos elegías a la muerte de Esteban, editadas por Serrano y Sanz [1897] (con los proyectos primitivos redactados por el autor), y la oda XXIV, *A la mañana, en mi desamparo y orfandad*, vuelta a publicar recientemente con algunas variantes bajo el título de *Canción de un infeliz que, sin haber dormido toda una noche, se queja del vecino día*.

En estos diversos poemas, lo que sorprende al lector es la importancia concedida a la noche; es «desastrada, pavorosa, infelicísima», anunciadora de todas las desgracias en las dos elegías; pero si permanece aún como «pavorosa» en la oda y la «canción», es en cierto modo por costumbre, porque se humaniza, y al término de una evolución muy prerromántica se transforma en la «piadosa noche», «la amiga noche», precursora lejana de la «douce nuit qui marche» baudeleriana. Esta presencia permanente de la noche, la aparición, a la vuelta de un verso, de la luna, evocan infaliblemente *The night thoughts* de Young.

Ciertamente, la influencia del gran autor inglés sobre el joven y sensible poeta extremeño no tiene nada que pueda sorprender. La amistad de Meléndez con Cadalso, imitador más o menos directo, en sus *Noches lúgubres*, del cantor de Narcisa, hacía, por decirlo así, inevitable esta influencia; en efecto, el joven proclamó en diversas ocasiones su admiración hacia el poeta de las *Noches*: «Yo quise seguir en algo el vuelo del inimitable Young». «Y con Young silenciosos nos entremos / en blanda paz por estas soledades.»

He aquí algo que parece dar la razón a Colford. El crítico americano, naturalmente, no se olvida de resaltar esta confesión, y se aprovecha de ella para subrayar la influencia de Young y, de manera general, de los poetas ingleses en Meléndez. Sin embargo, si volvemos a la base del problema, es decir, al nivel de los manuscritos, nos vemos obligados a exponer serias reservas, a la par sobre la importancia y sobre las modalidades de esta influencia inglesa. Serrano y Sanz no creyó conveniente editar íntegramente el manuscrito de una de las elegías a la muerte de Esteban; ahora bien, el folio número 7 —autógrafo como los otros— que omite publicar, es para nosotros de gran interés, porque está *redactado completamente en francés*. Contiene una serie de sentencias o reflexiones morales, del mismo género que las que el autor, igualmente en francés, sembró en el segundo «plan de sus elegías». Hemos podido identificar la mayor parte de estas frases como préstamos tomados de la traducción de Young por Le Tourneur. Pertenecen todas a la segunda noche: *La amistad*. [...]

Así, pues, Colford tiene razón en lo que al fondo se refiere: la influencia del «inimitable Young» es indiscutible. Sin embargo, no es directa; se ejerce por medio de una traducción francesa. Este hecho carecería de importancia si se tratase de una vulgar traducción literal y exacta. Pero no es este el caso: esta traducción, marcada fuertemente por el espíritu francés, es en realidad una adaptación, una refundición cartesiana del original. «Mi intención —escribe efectivamente Le Tourneur— ha sido sacar del Young inglés un Young francés que pudiese gustar a mi nación.» Es este Young francés el que frecuentaba Meléndez con tal asiduidad que, según creemos, se sabía algunos pasajes de memoria. [...]

Lo mismo sucede con los otros autores insulares. Según parece, fue por la interpretación de una traducción francesa —de las que no carecía— cómo Meléndez conoció las obras de Thomson y de Pope. Para Locke, este intermediario no deja la menor duda, ya que en el mismo párrafo en el que el estudiante informa a su corresponsal que está «aprendiendo la lengua inglesa», afirma que conoce a Locke desde hace tiempo: «Uno de los primeros libros que me pusieron en la mano, y aprendí de memoria, fue el de un inglés doctísimo. Al *Ensayo sobre el entendimiento humano* debo y deberé toda mi vida lo poco que sepa discurrir». Hemos, pues, de repetir aquí y generalizar las indicaciones hechas a propósito de las *Noches*, pues se aplican igualmente a estas otras traducciones. Las versiones francesas de obras extranjeras, durante el Siglo de las Luces, no son nunca literales y, por lo tanto, nunca «neutrales»: están acompañadas de una elaboración, de una refundición de las ideas extranjeras, que el traductor vacía en el molde del espíritu francés.

[El método de trabajo de nuestro autor tendría que haber facilitado la vuelta a las fuentes]; cuando se ha fijado un modelo, casi no se aparta de él: toma de él un giro, una imagen, uno o varios versos, a veces todo el plan de una composición. La complejidad proviene de la gran cantidad de lecturas de Meléndez. El poeta no se limitaba a leer las obras más conocidas, para estar al corriente del movimiento literario europeo, se suscribió a revistas, ya españolas, como *El Censor*, el *Diario de Madrid*, el *Semanario Erudito de Salamanca*, las *Variedades de Ciencias, Literatura y Artes*, o *La Gaceta*, ya francesas, como la *Décade Philosophique, Politique et Littéraire*, por no citar más que periódicos que estamos seguros de que recibía. Ahora bien, estos periódicos estaban plagados de análisis, de extractos y de juicios sobre obras hoy día olvidadas, pero que pudieron proporcionar a Meléndez —cuya Musa, para elevarse, tenía siempre necesidad de un punto de apoyo— la sugerencia, el germen, la idea inicial de tal o cual composición. [En cuanto a los autores franceses, es obvia la presencia de Rousseau, Saint-Lambert, Roucher, Montesquieu, Voltaire y otros en la obra y en el pensamiento de Meléndez.]

10. CIENFUEGOS Y QUINTANA

En el prólogo a su edición de las *Poesías* de 1797 Meléndez Valdés escribe: «Téngaseme a mí por un aficionado que señalo de lejos la senda que deben seguir un don Leandro Moratín, un don Nicasio Cienfuegos, un don Manuel Quintana y otros pocos jóvenes que serán la gloria de de nuestro Parnaso y el encanto de toda la nación. Amigo de los tres que he nombrado, y habiendo concurrido con mis avisos y exhortaciones a formar los dos últimos, no he podido resistirme al dulce placer de renovar aquí su memoria». Párrafo interesante, porque la relación de maestro a discípulos de Meléndez con Cienfuegos y Quintana no fue nunca desmentida por éstos. El último sería en 1820 el editor de la versión definitiva del maestro, con un estudio ya clásico sobre su poesía.

Nicasio Álvarez de Cienfuegos (1764-1809) nació en Madrid, quedando huérfano de padre antes de cumplir los seis años, lo que acaso influyó en su sensibilidad. En 1782 pasó a estudiar Leyes a Salamanca, donde conoció a Meléndez. En 1787 regresó a Madrid. Aunque sólo pretendía triunfar en literatura, la necesidad le obligó a ejercer como abogado de los Reales Consejos desde finales de 1789. Participó en la tertulia liberal y contraria a Godoy que reunía Quintana en su casa, lo que no impidió que en 1798 se le nombrara para dirigir la *Gaceta de Madrid* y el *Mercurio de España*, periódicos que dependían de la secretaría de Estado. En el mismo año publica sus *Poesías*. En 1808, estando ya enfermo de tuberculosis, tuvo problemas con Murat, a causa de noticias publicadas en la *Gaceta* sobre la proclamación de Fernando VI como rey de España en diversas ciudades. Se le exigió una rectificación, pero antes de incluirla dimitió de su cargo en la secretaría de Estado. Gravemente enfermo, no pudo salir de Madrid al entrar Napoleón, pero no quiso firmar el juramento de fidelidad al rey José y fue condenado al destierro. El 27 de junio de 1809 llegaba a Orthez, y allí moría tres días más tarde. La más documentada biografía de Cienfuegos es la de Cano [1969];

pero pueden consultarse también los artículos de Batcave [1909], Alarcos García [1931] y Simón Díaz [1944].

El Cienfuegos juvenil, amigo y discípulo de Meléndez, comienza escribiendo un tipo de poesía rococó, muy poco personal, que se inserta en los tópicos del grupo salmantino. El mismo poeta abandonó después estas obras, reunidas en 1784 en un cuadernillo al que tituló *Diversiones*, publicado por Froldi [1968] y por Cano [1969]. Pero era el momento de la «conversión» de Meléndez, y esto debió pesar sobre Cienfuegos. Sobre todo después «de su regreso a Madrid, en 1787 —escribe José Luis Cano—, ya licenciado en Leyes, su poesía se va liberando de los clichés neoclásicos [esto es, rococós], llegando a alcanzar un apasionado acento romántico —una inflamada voz, como ha escrito un crítico [Ruiz Peña, 1944]— y un tono personal que le distingue de los demás poetas de su generación» (p. 31). Efectivamente, Cienfuegos comienza a expresar sus sentimientos y ciertas ideas abstractas desde la perspectiva de un desolador pesimismo. La felicidad no existe, o, como mucho, es sólo un sueño. Su poema *La primavera* es un buen ejemplo de este cambio de actitud respecto de la poesía filosófica de la Ilustración. La primavera de Cienfuegos conserva algunos tópicos clásicos, pero es al mismo tiempo una primavera con lluvia, y la amargura del corazón del poeta contrasta con la alegría universal. Todo se enciende en amor, en vivificante amor, «hijo dichoso del alma primavera», pero el poeta sólo lamenta su soledad y su desamor, la ternura de su triste corazón, que no encuentra a quien amar. De pronto, un curioso giro: «¡Ay! sometido / de la pobreza a la imperiosa mano / nunca oiré delicioso, / nunca me oiré llamar padre ni esposo». Y después de esta confesión de renuncia al matrimonio por carencia de recursos, un párrafo sobre la injusticia social: «Cruel disparidad, tú monstruosa, / divinizando la opulencia hinchada / sobre la humillación del indigente, / sumergiste la tierra lagrimosa / en desorden y horror. Por ti cercada / de riqueza y maldad alzó la frente / la insaciable codicia, que sangrienta / llamó suyo el placer y la esperanza / que la natura por común holganza / dio a los humanos. Al sudor y afrenta / el bueno es condenado, / porque nade en deleites el malvado».

A través probablemente de Rousseau y de Gessner, como señalaron ya Menéndez Pelayo [1887] y Spell [1938], entona a continuación un canto a la bienhadada Suiza, donde quisiera hacerse labrador, para ser feliz con su esposa y sus hijos; pero son sólo sueños y por eso «jamás será mi primavera hermosa», terminará el poeta. La significación del cambio se puede advertir comparando este poema con otro incluido en *Diversiones* y titulado *A la vida del campo*. Este poema, romancillo en pentasílabos, comienza con esta afirmación: «¡Qué dulce vida / es la del campo». El poeta va libre de penas y de cuidados contemplando los pájaros, las abejas, las flores y la hierba; a la sombra de un árbol se duerme arrullado por un arroyo. Y al final vuelve a los versos iniciales. Ciertamente, tópicos, lo que pone de relieve la novedad de la otra primavera. Debe tenerse en cuenta que la poesía rococó, inserta en larga tradición, sólo tenía ojos para el campo en primavera, y que la poesía filosófica había pasado al otoño y al invierno. Cienfuegos lo que hace es cambiar el signo de lo primaveral. En torno a estos mismos sentimientos giran la mayor parte de los poemas de Cienfuegos. Los aspectos sociales son abstractos, tópicos y manidos, y a veces tienen en ese momento una larga tradición, como el tema de la felicidad de la vida del campo, sin que por ello dejen de ser corrientes en toda la poesía ilustrada. A ésta pertenecen específicamente temas como la amistad, constante en Cienfuegos. Para Cano [1955] Cienfuegos lo hereda de Meléndez, como éste lo heredó de Jovellanos y Cadalso. Al mismo tiempo el tema de quien ama a una mujer, pero es desamado, al que se unen la soledad, la muerte y el sepulcro. Acaso la única nota distintiva de su poesía, frente a la típicamente ilustrada, sea el pesimismo o esa especie de «tedio universal» de que se reviste una buena parte de la obra poética de Cienfuegos, expresado en un lenguaje, no sólo de tono oratorio, sino incluso desorbitado y descompuesto.

La crítica ha aludido frecuentemente al espíritu revolucionario de la poesía de Cienfuegos, aunque casi sólo con referencia al poema *En alabanza de un carpintero llamado Alfonso*, no incluido en la edición de 1798, sino en la póstuma de 1816. Sin embargo, no se sale del abstracto tema de que sólo merece elogios el hombre virtuoso. Cienfuegos, extralimitando su acento, hace viciosos a los ricos y a los poderosos y virtuoso hasta la santidad al pobre carpintero Alfonso; pero aquí acaba su revolución, ya que incluso al personalizar uno de los términos de la oposición, ésta no funciona entre ricos y pobres, aunque esta contraposición esté en el contexto. Ha estudiado el carácter social de nuestro poeta Cano [1957]. A Hermosilla, que se asombraba de que la censura hubiera dejado pasar algunas frases «demasiado republicanas», los dedos se le antojaban huéspedes, porque la única expresión malsonante es ésta: «¿Pueden honrar al apolíneo canto, / cetro, toisón y espada matadora, / insignias viles de opresión impía?», la cual más que apuntar al republicanismo designa en general a todo poder tiránico. Para la poesía de Cienfuegos hay que tener en cuenta además los trabajos de Moro [1936], Mas [1966] y Froldi [1968].

No he visto apuntada, en la bibliografía que he manejado, la posible influencia de Jovellanos sobre Cienfuegos. Me parece muy clara en tres ejemplos que señala Cano [1969]. *Mi paseo solitario de primavera* lo relaciona con la oda *La noche y la soledad* de Meléndez, aunque el tono de ambos es distinto. Pues bien, la soledad como refugio para sus penas de enamorado está en la *Epístola del Paular*, primera versión

(1779) de Jovino (véase el cap. 9). Lo mismo creo que ocurre con *El otoño*, relacionable con la oda *Al otoño* de Meléndez, pero también con la *Epístola del Paular*. El tercer caso me parece mucho más interesante. Se trata del poema *Un amante al partir su amada*, cuyos versos 7-10 dicen así: «¡Ay! que el zagal el látigo estallante / chasquea, y los ruidosos cascabeles / y las esquilas suenan, y al estruendo / los rápidos caballos van corriendo». Cano los relaciona con éstos de *La partida* de Meléndez: «Habré partido yo; y el rechinido / del eje, el grito del zagal, el bronco / confuso son de las volantes ruedas, / a herir tu oído y afligir tu pecho / de un tardío pesar irán agudos. ... El coche se oye; / y del sonante látigo el chasquido, / el ronco estruendo, el retiñir agudo / viene a colmar la turbación horrible / de mi agitado corazón» (versos 46-50 y 136-140). Pues bien, los versos de Meléndez derivan de éstos de la *Epístola de Jovino a sus amigos de Sevilla* (1778): «¡Ay cuán raudamente me alejan las veloces mulas / de tu ribera, oh Betis deleitoso! / Siguen la voz, con incesante trote, / del duro mayoral, tan insensible, / o muy más que ellas, a mi amargo llanto. / Siguen su voz; y en tanto el enojoso / sonar de las discordes campanillas, / del látigo el chasquido, del blasfemo / zagal el ronco amenazante grito, / y el confuso tropel con que las ruedas / sobre el carril pendiente y pedregoso / raudas el eje rechinante vuelven, / mi oído a un tiempo y corazón destrozan. / De ciudad en ciudad, de venta en venta / van trasladando mis dolientes miembros, / cual si ya fuese un rígido cadáver». Jovellanos es el primero que se atreve a intercalar estos detalles y estas palabras en una poesía de tono elegíaco, precisamente para subrayar su estado de alma (véase Arce [1960] y Caso González [1961]). ¿Conocía Cienfuegos el poema, todavía inédito, de Jovino? ¿O simplemente se hace eco del reflejo de él en Meléndez? Pero el caso es que el poema de Cienfuegos plantea otro curioso interrogante. ¿Conoció la *Elegía a la ausencia de Marina*, poema de Jovellanos de hacia 1770, que parece incompleto, y del que sólo se conserva un manuscrito suelto (véase Caso González [1961], poema 5)? Porque hay como un cierto aire de familia entre los dos poemas. Naturalmente, Meléndez pudo prestarle los poemas de Jovellanos que él poseía. A todo lo dicho cabría añadir algunos otros detalles que parecen insinuar un conocimiento de la poesía de don Gaspar por parte de Cienfuegos.

Escribe Arce [1981]: «Quizá la crítica literaria no ha insistido lo suficiente, desviada por la novedad de ciertos temas, en que el problema fundamental que presenta la obra poética de Nicasio Álvarez de Cienfuegos es el lingüístico. Naturalmente, su extremosidad no fue ignorada por los contemporáneos, que hicieron de esta cuestión caballo de batalla. Las personalidades más independientes, más liberales, aun desconfiando en parte de la audacia, le elogian sin reservas. Sin embargo, los críticos oficiales, los gramáticos y retóricos, los que aceptaban el verdadero ideal neoclásico, como Moratín o Arriaza, le llenan de improperios y de las más graves acusaciones. La innovación lingüística fue tal que ella por sí sola supone una nueva dirección en la poesía española, la que alcanza la cota lírica más alta en la dirección prerromántica» (p. 455). Analiza Arce diversas opiniones de contemporáneos o muy cercanos en el tiempo a Cienfuegos y nos describe después sus principales innovaciones: «La más llamativa por su reiterado empleo consiste en la normal ruptura de la relación de sentido existente en el sintagma nombre-adjetivo, que se sustituye por otro equivalente transmutando las funciones de ambos componentes y alterándose, por tanto, la relación de dependencia entre el término primario y el secundario. Quizá podría afirmarse que, en contraste con el sentido lineal y macizo de la expresión neoclásica, hay aquí un intento pictórico de sustituir las cosas por la sustantivación de sus cualidades, intercambiando la relación normal entre el nombre y el adjetivo. Véase el paso de la expresión normal a la usada por Cienfuegos, que es la última: selvas espesas = la espesura de las selvas = *las selvosas espesuras*» (p. 459); otra novedad, que viene de Meléndez, es la abundancia de participios de presente no usuales, en función adjetival (*alondras revolantes, rugiente compañero*); Arce pone de relieve «la incorporación a la esfera de la poesía de un vocabulario que pertenece al trabajo manual, a una clase social que no había ascendido todavía a la categoría de lo poetizable». Hay que añadir a esto que Cienfuegos rompe muchas veces el sistema habitual del castellano, lo que sería acerbamente criticado por los moratinistas, y que se atreve a la creación de inusitados compuestos (*honditronante*). No tiene inconveniente en incorporar galicismos, a veces sólo de sentido.

Como poeta trágico Cienfuegos busca sus argumentos en el mundo griego (*Idomeneo, Pítaco*), aunque también recurre al tema nacional, en un caso al mundo exótico de los Zegríes y Abencerrajes (*Zoraida*) y en el otro a una leyenda de que ya se había servido Cadalso, la de la condesa Ava y su hijo Sancho (*La condesa de Castilla*). Aunque Martínez de la Rosa dice que ninguna de estas cuatro tragedias llegó a estrenarse, Cook [1959] asegura que *Zoraida* se estrenó en 1798 y *La condesa de Castilla* en 1803, la primera con buena acogida y la segunda sin éxito.

Cienfuegos respeta en sus cuatro tragedias las reglas clásicas; pero el tono declamatorio y moralizante las hace casi insoportables. De todas maneras, salvo las obligadas referencias en libros generales, nadie ha estudiado detalladamente estas obras, cuando merecería la pena ponerlas en relación con su poesía, tanto por los temas como por la técnica del verso. Tampoco sobraría analizar los recursos dramáticos de Cienfuegos, que pueden acaso deparar más de una sorpresa, como su utilización de los gestos sin palabras.

Manuel José Quintana (1772-1857) nace en Madrid y estudia Leyes en Salamanca. Vuelto a la corte, ejerce de abogado desde 1795. Es bien conocida su tertulia, de carácter liberal y contraria a Godoy. A la entrada de los franceses en Madrid se dirige a Sevilla. Obtiene diversos cargos oficiales, pero a la vuelta de Fernando VII se le persigue por sus ideas y es encerrado en la ciudadela de Pamplona hasta 1820. Ocupa entonces de nuevo una serie de cargos. En 1823 tiene que buscar asilo en un pueblo de Extremadura hasta 1828. A partir de 1833 su carrera política es ascendente. En 1855 la reina Isabel II corona con laurel de oro en el senado a Quintana. Muere dos años después. La biografía de Quintana ha sido muy bien estudiada por Piñeyro [1892], obra prácticamente definitiva. Debe olvidarse el libro de Vila Selma [1961]. En la actualidad se pueden consultar los dos trabajos de Dérozier [1968 y 1969].[1]

Dejo a un lado su primera colección de *Poesías* (1788), publicada a los dieciséis años, y que el propio autor olvidó totalmente después (la ha estudiado Alonso Cortés [1933]). En su segunda salida, las *Poesías* (1802), siguiendo de cerca a Meléndez Valdés y a Cienfuegos, pero con una forma contenida que le relaciona con Horacio y Virgilio, con Garcilaso y fray Luis de León, con Herrera y Rioja, es un ejemplo, más que del poeta *ilustrado*, como le han definido algunos críticos, de un Quintana que está ya más acá de la Ilustración, porque su creencia en el progreso indefinido, en los derechos del hombre, en el poder de la ciencia, y su protesta contra la tiranía y contra todo tipo de opresión, son ya más una consecuencia de la Ilustración de la época de Carlos III que temas propiamente ilustrados. Otros autores, como Jovellanos, están por los mismos años llegando a una evolución semejante de su pensamiento, aunque apenas se atreven a expresarlo más que en escritos privados. En Quintana, de alguna forma, el ideal de las Luces acaba adquiriendo cierto matiz revolucionario. Dérozier [1968 y 1969] pone el acento en el ataque de Quintana al catolicismo y en su ideología enciclopedista. Sin embargo, es muy posible que Quintana no se refiera al catolicismo en general, sino a un determinado tipo de catolicismo (véase, sin embargo, el artículo de Sebold [1966]). En la *Epístola a Valerio* (1790) me parece que está muy claro, ya que después de condenar la pintura sangrienta de los mártires (versos 37-63) expone su idea de lo que debe ser la pintura religiosa (versos 64-79).

1. En ambos dice Dérozier que los maestros de Quintana en Salamanca fueron Meléndez Valdés, Estala y Jovellanos. Es cierto que Quintana pudo conocer en 1790 a Jovellanos, cuando éste residió varios meses allí con motivo de la reforma de estudios del Colegio de Calatrava, y es posible que hablaran de literatura y que Quintana quedara fascinado por Jovino. Pero éste no pudo ser maestro suyo en el sentido docente del término.

De todas formas conviene aclarar que en 1802, sea por razones de autocensura, sea porque él mismo todavía no había madurado su pensamiento, se expresa con cierta moderación en comparación con los poemas de 1808 en *España libre* y en *Poesías patrióticas*, o con segundas versiones publicadas en 1813, como la de la oda *A la imprenta*, que alcanza un tono exaltado que no tenía la versión de 1802. En la «Advertencia» a las *Poesías patrióticas* (1808) dice precisamente Quintana: «También la de la *Imprenta* se halla entre las *Poesías* que dio a luz el autor en 1802, [aunque] las cadenas que entonces aprisionaban la verdad entre nosotros no permitieron que se imprimiese como se había escrito» (lo cual no significa que la versión de 1808 sea exactamente la original).

En el prólogo de 1802 a Toribio Núñez Sessé, enumera así Quintana los temas de sus versos: «Los objetos que ofrecen al público estas *Poesías* son los afectos que nacen de la amistad, la admiración que inspiran la hermosura y los talentos, el entusiasmo que encienden los grandes espectáculos de la naturaleza, la indignación hacia toda especie de bajeza que profane la dignidad de las artes; en fin, la exaltación por la gloria y por los descubrimientos que ennoblecen la especie humana».

En 1808 Quintana da a luz *España libre*, con las dos odas *A España, después de la revolución de marzo* y *Al armamento de las provincias españolas*, y poco después publica las *Poesías patrióticas*, en las que incluye la oda *A Juan de Padilla* (fechada en 1797), la segunda versión de *A la invención de la imprenta*, *A la expedición española para propagar la vacuna en América* (estudiada por Monguió [1956-1957]) y *El panteón de El Escorial* (estudiada por Leopoldo de Luis [1972]). Salvo la oda a la vacuna, en todas las demás los temas son la tiranía, la opresión, la libertad, expresados en un lenguaje que tiene más de arenga o de discurso político, en definitiva de oratoria exaltada; es un lenguaje nuevo, incluso en *El panteón de El Escorial*, que es una tremenda crítica de los Austrias, desde Felipe II hasta Carlos II, en una forma inusitada, que acerca el poema a una escena dramática, con acotaciones en verso. Como apunta Dérozier [1969] hay reminiscencias de Lewis y semejanzas patentes con la tragedia del mismo Quintana *El duque de Viseo*.

El carácter oratorio y a veces épico que tienen muchos versos de Quintana lo ha señalado Pageaux [1963], pero ya anteriormente Menéndez Pelayo [1887] había escrito: «El plan de las odas de Quintana, no solamente es *clásico*, sino lógico y oratorio, mucho más que lírico, en el sentido en que hoy suele entenderse la poesía lírica». Pageaux pone de relieve, por otra parte, cómo Quintana recoge sus imágenes de la poesía clásica española. Así pues, su poesía está fundamentalmente al servicio de las ideas, con un lenguaje vehemente y exaltado, que cae de lleno en la censura de Arriaza en 1807, cuando protesta de los que han allanado las barreras que dividen los términos de la oratoria y la poesía, que practican «cierto estilo declamatorio, un tono sentencioso, un empeño de derramar la moral cruda, con exclusión de los mitológicos adornos y de las invenciones alegóricas», que sientan a la poesía en la cátedra de Demóstenes, a lo que añade: «La práctica de estos principios ... me ha parecido ser semilla de una nueva secta, que sucederá a las dos ya desterradas y conocidas con los nombres de *culteranismo* y *conceptismo*, la cual vendremos a llamar *filosofismo*; tanto más hermana de ellas, cuanto se compone de los mismos elementos, que son hinchazón y oscuridad». Aunque esta crítica de Arriaza puede que se dirija fundamentalmente a Meléndez Valdés y a Cienfuegos, me parece indudable que alcanza a Quintana. Para la poesía de Quintana, además de la bibliografía ya citada, se puede consultar Merimée [1902] y Cano [1970].

Nuestro autor escribió, y estrenó con éxito, dos obras dramáticas. En *El duque de Viseo* (1801), en tres actos en vez de cinco, dramatiza un tema que recoge de *The castle spectre* (1797) del novelista y dramaturgo inglés Matthew-Gregory Lewis (1775-1818); pero Quintana lo modifica bastante, además de servirse de algunos elementos de la obra del mismo título de Lope de Vega. Estas influencias se habían negado, pero Dérozier [1968] ha visto que hay algunos puntos de contacto.

La finalidad de *El duque de Viseo* es, una vez más, la de condenar la tiranía, aunque es dudoso que así fuera entendido por el espectador de la época. Lo curioso de la obra está en las efectistas escenas del acto III, que se desarrollan en la cárcel donde se encuentra el hermano del usurpador y en la que encierran también a su hija. Escenas de miedo, de folletín por entregas, que demuestran hasta qué punto, aparte de derivar de la obra de Lewis, *El delincuente honrado* de Jovellanos pesaba en la evolución del drama. Como en el caso de Jovellanos, los argumentos contra la tiranía no son intelectuales, sino sentimentales; pero Quintana cae en la infantil trampa, que le llega indudablemente desde Alfieri, de dividir el mundo en buenos y malos, acumulando todas las desdichas sobre los primeros y todas las crueldades y todos los vicios sobre los segundos. De aquí que, frente a la tragedia clásica, no podamos hablar en *El duque de Viseo* de caracteres, sino, como en el drama urbano, de condiciones. La tragedia tuvo éxito (Dérozier [1968]) y por ello debe considerarse como una pieza que sirve de puente con el teatro posterior.

En 1805 estrena Quintana *Pelayo*, sobre un tema ya tratado por Nicolás Fernández de Moratín en su *Hormesinda* y por Jovellanos en su *Pelayo*. En mi opinión Quintana cometió un gran error: hizo de Hormesinda una mujer capaz de amar a Munuza, o que tal parece. En los temas tradicionales es siempre peligroso apartarse de las líneas fundamentales de la leyenda; y en este caso desde el siglo ix se decía que el matrimonio entre Munuza y la hermana de Pelayo se había celebrado con un engaño de aquél y sin el consentimiento de ésta. Al apartarse de esta tradición Quintana caía en inverosimilitud para los que conocieran la leyenda. Pero de esta forma consigue un interesante personaje femenino, al encontrar Hormesinda gracia a los ojos del tirano, transformarse de alguna manera en la redentora de su pueblo y morir por él, a manos de Munuza, cuando al aparecer Pelayo, al que creía muerto, lo libera de la cárcel en que lo había encerrado el moro. Este último es otro magnífico carácter dramático, lo que no se puede decir de Pelayo, que deambula por escena acosado por un problema de honor, como en Nicolás Fernández de Moratín, aunque no sea ése el problema central ni la sublevación tenga relación directa con él. Pero Pelayo pronuncia frases como éstas: «Quien pierde a España / no es el valor del moro; es el exceso / de la degradación: los fuertes yacen; / un profundo temor hiela a los buenos; / los traidores, los débiles, se venden, / y alzan sólo su frente los perversos». A esto podemos añadir palabras como «patria», «tirano», «libertad», que apuntaban claramente a la España de 1805 y que tuvieron que llegar directamente a los espectadores de la época, para los que la transposición de los símbolos era fácil, y más cuando el gran actor Máiquez ponía toda su ideología progresista en el recitado de los versos.

El mejor estudio del teatro de Quintana es el de Dérozier [1968], pero véase también Caso González [1966]. Mi interpretación del *Pelayo* no coincide siempre con la del ilustre crítico, aunque quizá ni él ni yo hayamos puesto suficientemente el acento en el carácter político, de literatura comprometida, de las dos tragedias, y sobre todo del *Pelayo*, porque acaso desde esa perspectiva que los dos apuntamos (y que ya Quintana había señalado en 1821), pudieran explicarse muchas cosas, empezando por el mismo tema, que no sería una exaltación patriótica del héroe de Covadonga, sino un grito de protesta por la situación política española de principios del siglo XIX.

En 1808 tenía «bastante adelantadas» otras tres tragedias, *Roger de Flor, Blanca de Borbón* y *El príncipe de Viana*; pero desaparecieron al serle confiscados todos los bienes por los franceses, los cuales, dice Quintana, dieron al traste con sus papeles, con los mejores años de su vida y con todos sus proyectos literarios (BAE, XIX, p. 42).

No hay ninguna edición moderna del teatro de Quintana, por lo que es necesario acudir a la preparada por el propio autor para sus *Obras completas*, Rivadeneira (BAE, XIX), Madrid, 1852, cuyo texto difiere de los publicados en 1801 y 1805 y de los incluidos en la edición de 1821. Para los textos de *Pelayo*, véase Dérozier [1968], pp. 127 y siguientes. El mismo estudioso anuncia una edición crítica.

En 1791 presentó Quintana a un concurso de la Academia Española el poema didáctico *Las reglas del drama*. Ninguno de los concursantes consiguió el premio. Quintana no publicó su poema hasta 1821, corrigiendo el texto y añadiéndole abundantes notas. ¿Representa de verdad este segundo texto su doctrina de 1791? Lo dudo mucho. En todo caso en la «Advertencia» que le puso habla de limpiarlo de su desaliño y sus descuidos, «para hacerlo menos indigno del público». Dérozier [1969], que dice que «este trabajo de escuela es un fracaso», resume así su contenido: «La lectura de esta inacabable serie de tercetos es fastidiosa, a pesar de la vehemencia del autor. Condena, según la óptica del siglo XVIII, la comedia del Siglo de Oro para ensalzar los méritos de la tragedia francesa, con cierta predilección por Racine. Sin embargo manifiesta por los dramaturgos de la antigüedad un entusiasmo que, rechazando el neoclasicismo, no se somete a las reglas académicas. A cada paso, reconocemos la dialéctica alfieresca. Recordando la "famélica osadía" de la "caterva estúpida y grosera" que anubla el lustre de su patria, Manuel Josef muestra, al comentar este pasaje en 1821, que no se equivocaba a pesar de sus pocos años. ... Para él, la tragedia debe permitir la explosión de sentimientos elevadísimos, debe presentar héroes estereotipados (tirano-héroe popular), y, ante todo, debe ser un modelo histórico, a través del cual los hombres de una generación recojan la lección de las precedentes para echar los cimientos de la sociedad futura. En este último sentido, es una concepción cuya lucidez asombrosa abre perspectivas históricas nuevas. Es una maravillosa introducción a las grandes odas que preceden la guerra de la Independencia» (pp. 22-23).

Como crítico literario hay que recordar una valiosa «Vida de Cervantes» (1807), para la edición del *Quijote* que hizo la Imprenta Real; los artículos que incluyó en la revista fundada por él, *Variedades de Ciencia, Literatura y Artes* (1803-1806) (han estudiado esta revista Le Gentil [1909] y Gil Novales [1959]), y los prólogos y notas de sus *Poesías selectas castellanas desde el tiempo de Juan de Mena hasta nuestros días* (1807).

En este mismo año publica el primer tomo de su colección de *Vidas de españoles célebres*, continuada en 1830 y 1833. Del resto de las obras de Quintana hay que destacar las *Cartas a lord Holland*; pero, como otras obras menos importantes, pertenecen ya a una época posterior a la guerra de la Independencia, límite cronológico de este tomo.

BIBLIOGRAFÍA

Para ampliar la bibliografía de Cienfuegos puede verse Simón Díaz, José, «Bibliografía de Nicasio Álvarez de Cienfuegos», en *Bibliografía Hispánica*, IV (1946), pp. 35-44; Cano, José Luis [1969], pp. 41-45, y Aguilar Piñal, Francisco, *Bibliografía de autores españoles del siglo XVIII*, tomo I, *A-B*,

CSIC, Madrid, 1981. Para Quintana, véase Dérozier, Albert [1968, pero edición de 1978].

Alarcos García, Emilio, «Cienfuegos en Salamanca», en *Boletín de la Real Academia Española*, XVIII (1931), pp. 712-730. (Incluido en *Homenaje a Emilio Alarcos García*, I, Valladolid, 1965, pp. 549-565.)

Alonso Cortés, Narciso, «Poesías juveniles de Quintana», en *Revista de la Biblioteca, Archivo y Museo del Ayuntamiento de Madrid*, X (1933), pp. 211-240.

Arce, Joaquín, «Jovellanos y la sensibilidad prerromántica», en *Boletín de la Biblioteca Menéndez Pelayo*, XXXVI (1960), pp. 163-167.

—, *La poesía del siglo ilustrado*, Alhambra, Madrid, 1981.

Batcave, L., «Acte de decés de Cienfuegos», en *Bulletin Hispanique*, XI (1909), p. 96.

Cano, José Luis, «Cienfuegos y la amistad», en *Clavileño*, n.º 34 (1955), pp. 35-40.

—, «Cienfuegos, poeta social», en *Papeles de Son Armadans*, n.º 18 (1957), pp. 248-270. (Incluido en *Heterodoxos y prerrománticos*, Júcar, Madrid, 1975, pp. 85-102.)

—, ed., Nicasio Álvarez de Cienfuegos, *Poesías*, Castalia, Madrid, 1969.

—, «Quintana, poeta político», en *Ínsula*, n.ºˢ 284-285 (1970), pp. 22-23.

Caso González, José, ed., Jovellanos, *Poesías*, IDEA, Oviedo, 1961, pp. 28-31.

—, «El comienzo de la Reconquista en tres obras dramáticas (Ensayo sobre estilos de la segunda mitad del siglo XVIII)», en *El padre Feijoo y su siglo*, III, Cátedra Feijoo, Oviedo, 1966, pp. 499-509.

Cook, J. A., *Neo-classic drama in Spain. Theory and practice*, Southern Methodist University Press, Dallas, 1959.

Dérozier, Albert, *Manuel Josef Quintana et la naissance du libéralisme en Espagne*, Les Belles Lettres, París, 1968 [trad. castellana de Manuel Moya, *Manuel José Quintana y el nacimiento del liberalismo en España*, Turner, Madrid, 1978].

—, ed., Manuel José Quintana, *Poesías completas*, Castalia, Madrid, 1969.

Froldi, Rinaldo, «Natura e società nell'opera di Cienfuegos (con un appendice di testi inediti)», en *Annali della Facoltà di Filosofia e Lettere*, Milán, XXI (1968), pp. 43-86.

Gil Novales, Alberto, «Un periódico de 1803», en *Las pequeñas Atlántidas*, Seix Barral, Barcelona, 1959, pp. 113-124.

Le Gentil, Georges, «Variedades de ciencias, literatura y artes», en *Les revues littéraires de l'Espagne pendant la première moitié du XIX° siècle*, París, 1909, pp. 1-3.

Luis, Leopoldo de, «La oda *Al panteón de El Escorial*, de Quintana», en *Revista de Occidente*, n.º 117 (1972), pp. 363-377.

Mas, Amédée, «Cienfuegos et le prerromantisme européen», en *Mélanges à la mémoire de Jean Sarrailh*, II, París, 1966, pp. 121-137.

Menéndez Pelayo, M., «Don Manuel José Quintana. La poesía lírica al principiar el siglo XIX», en *La España del siglo XIX*, III, Madrid, 1887, pp. 249-287. (Incluido en *Estudios y discursos de crítica literaria*, IV, Santander, 1942, pp. 229-260.)

478   ILUSTRACIÓN Y NEOCLASICISMO

Merimée, Ernest, «Les poésies lyriques de Quintana», en *Bulletin Hispanique*, IV (1902), pp. 119-153.

Monguió, Luis, «Don Manuel José Quintana y su oda *A la expedición española para propagar la vacuna en América*», en *Boletín del Instituto Riva-Agüero*, Perú (1956-1957), pp. 175-184.

Moro, V., *L'opera poetica di Nicasio Cienfuegos*, Mori, Florencia, 1936.

Pageaux, D. H., «La genèse de l'œuvre poétique de M. J. Quintana», en *Revue de Littérature Comparée*, XXXVII (1963), pp. 227-267.

Pyñeiro, Enrique, *Manuel José Quintana (1772-1857)*. *Ensayo crítico y biográfico*, París, 1892.

Ruiz Peña, Juan, «La inflamada voz de Cienfuegos», en *Escorial*, n.º 41 (marzo 1944), p. 117.

Sebold, Russell P., «*Siempre formas en grande modeladas*: sobre la visión poética de Quintana», en *Homenaje a Rodríguez-Moñino*, II, Madrid, 1966, pp. 177-184. (Incluido en *El rapto de la mente*, Prensa Española, Madrid, 1970, pp. 221-233.)

Simón Díaz, José, «Nuevos datos acerca de Nicasio Álvarez de Cienfuegos», en *Revista de Bibliografía Nacional*, V (1944), pp. 263-284.

Spell, J. R., *Rousseau in the Spanish world before 1833. A study in Franco-Spanish literary relations*, University of Texas Press, Austin, 1938.

Vila Selma, José, *Ideario de Manuel José Quintana*, CSIC, Madrid, 1961.

RINALDO FROLDI

LA POESÍA JUVENIL DE CIENFUEGOS

Si fijamos nuestra atención en los primeros textos del volumen
de poesía de Cienfuegos, advertimos en ellos la presencia de una
atmósfera literaria que recuerda inmediatamente la manera de los
Ocios de mi juventud, de Cadalso, o de las anacreónticas de Meléndez Valdés. Ya en la primera composición que sirve de prólogo,
Mi destino, los puntos de contacto son manifiestos: Cienfuegos, con
amable fantasía, finge una predicción atribuida, ya en la época de su
nacimiento, cuando aún estaba en la cuna, al dios Amor, con su cortejo de amorcillos; una predicción que le destina —lejos de las empresas guerreras o de los peligros del mar, de las riquezas y de las
demás ambiciones humanas, siempre peligrosas— solamente a perennes «tiernos amores». Semejantemente, Cadalso, en el poema
inicial de su libro, decía de sus versos que «todos de risa son, gusto
y amores», y en la composición siguiente añadía: «mi lira canta la
ternura sola». Por otra parte, Meléndez Valdés, en sus odas *A mis
lectores* y *De mis cantares*, que abren su volumen poético, después
de haberse definido como de carácter sensible («yo tiemblo y me
estremezco») e inclinado al placer («muchacho soy quiero ... gozar-
me con danzas y convites»), imagina que en sueños se le presentaron
Baco y Amor, que le anunciaron su destino: «Tú de las roncas
armas / ni oirás el son terrible, / ni en mal seguro leño / bramar
las crueles sirtes. / La paz y los amores / te harán, Batilo, insigne; /
y de Cupido y Baco / serás el blando cisne».

Rinaldo Froldi, «Natura e società nell'opera di Cienfuegos (con un appendice di testi inediti)», en *Annali della Facoltà di Filosofia e Lettere*, Milán,
XXI (1968), pp. 43-48.

Los puntos de contacto entre la poesía de Cienfuegos y la de los poetas mayores del ámbito salmantino que le habían precedido hacía poco, y que eran sus modelos inevitables, son tan evidentes que sería inútil citar nuevos textos a modo de prueba, de un modo especial por lo que concierne a la influencia de Meléndez Valdés. Éste, que ya era profesor de Humanidades en 1782 en aquel Ateneo, cuando llegó Cienfuegos a los dieciocho años, y que ya había conquistado una posición eminente en la cultura poética local, guió como maestro los primeros pasos de aquel poeta más joven, del cual se convertirá en amigo, para seguir siéndolo siempre.

Cienfuegos se orientó hacia una poesía de tipo anacreóntico-galante o hacia una producción más intensa y personalmente sentimental, con un fondo predominantemente pastoril. Al primer tipo de inspiración pertenecen composiciones como *Mis transformaciones*, donde el suspiro final («¡oh, si a mi amor eterno / correspondieses, Laura!») que revela un estado de sutil tormento psicológico, va precedido por una elegante serie de descripciones en las que el poeta, turbado sin cesar por *amantes ansias*, imagina diversas metamorfosis suyas en seres naturales, con tal de poder permanecer cerca de la amada, o como *El precio de una rosa*, que consiste en la descripción de un gracioso juego erótico, o como *La desconfianza*, donde toma motivos y ritmos de Meléndez Valdés, aunque desviándolos hacia una actitud subjetiva de dudas y de aceptada melancolía. [...]

Al segundo tipo de inspiración pertenece el díptico *El propósito* y *La violación del propósito*, sobre lo que podría definirse como «la imposibilidad de no amar», tema muy querido por el poeta, y que poniendo un énfasis particularmente intenso en los motivos sentimentales, analizados con gran atención por los matices, será el punto de arranque de un manifiesto subjetivismo. En *El amante desdeñado* y *Los amantes enojados* el ambiente se hace abiertamente pastoril, por más que Cienfuegos, como también Meléndez Valdés, eludiendo la convencional abstracción clasicista, lo torna más concreta y por así decirlo familiarmente preciso, con alusiones salmantinas al Tormes y al Otea. El elemento descriptivo tiene importancia con una función introductoria, mientras que más tarde la atención se fija principalmente en las figuras de los protagonistas, sencillos pastores que representan condiciones humanas elementales y auténticas en las cuales los sentimientos se encuentran en estado puro: el sufrimiento de quien no es correspondido en su amor o la fuerza de las pasiones que lo arrasan todo, también los pequeños rencores y las inevitables incomprensiones: «se enlazan los dos amantes / y en mil besos regalados, / perdones tiernos se piden / y se aman más que se amaron».

El tema anacreóntico de la fugacidad de la vida y de la invitación al amor se presenta en *El fin del otoño* por medio del tema del rápido sucederse de las estaciones, mientras que en *El túmulo* el motivo de la necesidad de amar cuando se es joven («El tiempo de amar es éste / los días rápidos huyen y la juventud no vuelve») reaparece en un escenario patético y distinto: los dos jóvenes amantes se prometen fidelidad ante la tumba de dos pastores que supieron amarse durante toda la vida.

Idílico es el romance *El cayado*, donde aparece un viejo hablando con un fresno, coloquio a través del cual el protagonista reconstruye los episodios más sobresalientes de su vida, con una intensa participación en lo que es el fluir de la naturaleza y una triste y profunda conciencia del destino humano de la muerte. Por lo demás, los aspectos meditativos, que están siempre presentes en estas composiciones que podrían llamarse «ligeras», son característicos de Cienfuegos, quien también puede alcanzar los tonos dramáticos partiendo de motivos que pertenecen al gusto anacreóntico-galante. En *El rompimiento*, la figura de la protagonista, «Filis inconstante», no sólo da pie a una serie de perfiles sentimentales y observaciones psicológicas, sino que también nos conduce a una rigurosa reflexión moral: la infidelidad de la mujer no se considera como un juego mundano tolerable, aunque merezca censura, sino que el poeta lo siente como una grave ofensa moral y provoca en él ansias de venganza. Más orientada hacia un tono patético es la canción *A Galatea*, que consiste en un largo monólogo de una madre que llora por la huida de su hija con un amante, y que está dividida entre la represión y el perdón amoroso.

Resulta fácil relacionar este primer grupo de poemas que estamos examinando con el período salmantino de la vida de Cienfuegos, tanto por diversas referencias indiscutibles que aluden de manera concreta a la ciudad de sus estudios, como por evidentes influjos de Meléndez Valdés y por la semejanza de estos textos con otro grupo de poemas, inéditos hasta hoy, cuyo manuscrito lleva la fecha de 1784 (y que por lo tanto deben atribuirse sin duda alguna al período salmantino). El mismo título de *Diversiones* evoca los *Ocios* de Cadalso y los poemas anacreónticos que Meléndez Valdés decía haber compuesto como «deliciosos pasatiempos». Se trata de un breve volumen que aunque revela ciertas limitaciones inevitables en un autor de veinte años, ofrece una visión clara de la personalidad en formación del poeta. Advertimos, por ejemplo, sobre la base de una cultura clásica no académica, un cierto gusto por formas y experiencias no convencionales y un espíritu crítico vivaz y despierto. De estilo fácil y suelto, la canción inicial (*Me acuerdo que algún día*) cuenta en forma graciosamente mitológica cómo Amor se manifestó en su invencible poder al joven poeta incrédulo, mientras que el poema monostrófico *Anacloris hermosa*, el romance *Por divertir tus tristezas* y la endecha *Dulce pastorcilla* pueden situarse en el ámbito del gusto neoclásico.

Pero junto a la temática erótico-sentimental aparecen también temas más propiamente naturalistas y descriptivos, como en la endecha *Dulce pajarillo*, en la oda *Barquilla azotada* y sobre todo en la idílica breve oda *A la vida del campo*, que en la rápida métrica del pentasílabo (versos adónicos) se crea un feliz cuadro de paisaje que sin embargo concluye con una valoración de carácter moral: «¡Qué dulce vida / es la del campo! / Libre de penas / y de cuidados». Está también el intento inconcluso de una égloga más larga, *La bucólica del Tormes*, que nos recuerda a Batilo [Meléndez] como modelo inspirador: son siete estrofas melodiosas en las que la exaltación de la vida campesina es un himno a la virtud, a la paz interior que desconoce quien ama el mundo y sus ambiciones: «¡Felices los pastores / que gozamos dulzuras superiores!».

También son interesantes en esta producción juvenil los rasgos epigramáticos y los temas burlescos, raros en la musa de Meléndez Valdés, aunque frecuentes en el ambiente salmantino de la época: epigramas compusieron Iglesias de La Casa, Forner y un libro entero de epigramas León de Arroyal. Sin embargo, lo que más merece destacarse es que ya en estas composiciones juveniles se advierte una preocupación moral que luego vamos a encontrar constantemente en toda la producción de Cienfuegos. Y no se trata tan sólo de la moral que deriva de un cierto sentido horaciano de la sencillez de la vida del campo, que puede manifestarse en formas no exentas de originalidad o hacerse manifiesta en el elogio de la prudencia (*A los viejos*) o de la pobreza (*El cielo soberano*), sino que se muestra sobre todo en una actitud crítica respecto a la sociedad o a ciertos defectos humanos; así es evidente el desprecio por la vanidad, sobre todo tal como se manifiesta en el equivocado culto a la nobleza (*Soneto a un montañés, Epigrama al mismo*), por la ostentación de un orgullo

militar mal entendido (*A un valiente andaluz*), y en general por toda
aspiración humana moralmente vacua que se contrapone a la sencillez de quien ha elegido un estilo de vida consciente y ético. La
razón se propone como guía de la existencia: una razón que equilibra
la vida y las pasiones, que situando exactamente al hombre en el
ambiente natural, evita las proyecciones idealistas y triunfa de las
contradicciones. En esta actitud, el joven Cienfuegos revela claramente su formación ideológica, esencialmente ilustrada.

José Luis Cano

CIENFUEGOS, PRERROMÁNTICO

[Cuando Cienfuegos, siendo estudiante en Salamanca, comenzó
a escribir poesías, estimulado por su maestro Meléndez, la escuela
neoclásica salmantina, a la que tan gran impulso había dado Cadalso, dominaba todopoderosa. Cienfuegos no dejó de rendir su tributo a la moda neoclásica de anacreónticas y pastorales, con su
artificioso cortejo de Cupidillos y Céfiros, Filis y Cloris, pastores y
arroyuelos. El manuscrito de sus *Diversiones*, fechado en 1784, está
lleno de los tópicos neoclásicos más gastados, que contrastan, sin
embargo, con algunos sonetos y epigramas jocosos, más sobrados de
ingenuidad que de ingenio. Pero, sobre todo a partir de su regreso
a Madrid, en 1787, ya licenciado en Leyes, su poesía se va liberando
de los clichés neoclásicos, llegando a alcanzar un apasionado acento
romántico y un tono personal que le distingue de los demás poetas
de su generación.]
En la última década del siglo, Cienfuegos escribe, en efecto, una
poesía efusiva, trémula, preocupada —social diríamos hoy—, a la
que cuadra perfectamente el calificativo de prerromántica. Este
prerromanticismo del «fino, tradicional e innovador Cienfuegos»,
como le llama Azorín, puede observarse no sólo en la expresión
fogosa, exaltada, de sus sentimientos —especialmente el amor y la

    José Luis Cano, ed., «Introducción» a Nicasio Álvarez de Cienfuegos,
Poesías, Castalia, Madrid, 1969, pp. 31-38.

amistad—, sino en el gusto por ciertos temas muy característicos del romanticismo —soledad, ruptura amorosa, tumba, muerte—, y en la tendencia innovadora del lenguaje, que comprendía la incorporación de galicismos y de neologismos, algunos no muy afortunados, pero otros perfectamente aceptables. Estas audacias de expresión y de lenguaje, unidas a la pasión que Cienfuegos pone en sus versos, logran dar un sabor personal, un raro acento, a su poesía. En Cienfuegos está ya presente el más fogoso romanticismo, con todo su entusiasmo y todo su desengañado pesimismo. Algunos de sus mejores versos, si los leyésemos aislados de los poemas a que pertenecen, podríamos creer que eran de Espronceda o de Bécquer. He aquí unos ejemplos, de tonalidad ya enteramente romántica: «Jamás será mi primavera hermosa» ... «Nadando el alma en celestial contento» ... «Oh, quién me diese el atrasar el tiempo / hasta arrancarle mi verdor marchito!» ... «De mi país de amor vuelvo a esta tierra / de soledad, de desamor y llanto.»

Los títulos mismos de algunos de sus poemas —*El túmulo, El rompimiento, La despedida, Mi paseo solitario de primavera, Un amante al partir su amada, La escuela del sepulcro...*—, son muy expresivos del gusto de Cienfuegos por los temas y motivos que iban a dominar en la época romántica. El subjetivismo romántico, aunque no libre aún del todo de adherencias neoclásicas, surge en Cienfuegos con un ímpetu que no encontramos en otros poetas de su generación, sobre todo cuando cultiva temas que el romanticismo hará suyos, como la soledad, la muerte o el desengaño amoroso. El tema de la soledad, por ejemplo, es uno de los preferidos de Cienfuegos. Como en los poetas románticos, también en Cienfuegos la soledad es casi siempre fruto inseparable del desamor o de la ausencia de la amada. Versos como «mi soledad y desamor lamento, de soledad y desamores llena ...» son frecuentes en nuestro poeta. Pero otras veces, partiendo de ese desamor o de la ausencia de la amada, la soledad es en Cienfuegos refugio para la melancolía y la meditación filosófica, frente a la agitación y vanidad cortesanas. El binomio corte-aldea se resolverá en los poetas prerrománticos, como se resolvía en los clásicos, a favor de la soledad del campo, fuente constante de paz y felicidad. Así ocurre, por ejemplo, en el poema de Cienfuegos *Mi paseo solitario de primavera* —su poema más importante del tema soledad— cuyo precedente podría ser la oda de Meléndez *La noche, La soledad*, dedicada a Jovellanos y escrita en 1780. Pero el tono de ambos poemas es distinto. En Meléndez es sereno y meditativo, y el poeta busca la soledad para contemplar extasiadamente la noche estrellada, las maravillas del «Supremo Hacedor», del «Gran Ser», como fray Luis de León en su oda *La noche serena*. Mientras que para Cienfuegos la soledad es un refugio para sus penas de enamorado: «Yo siempre herido de amorosa llama, / busco la soledad, y en su silencio / sin esperanza mi dolor exhalo».

Y llega a ser una *soledad querida* —así la llama en otro de sus poemas más prerrománticos, *El otoño*—, cuando se convierte en un bálsamo de su desamor. Emilio González López ha señalado el contraste entre este poema de Cienfuegos y la oda *Al otoño* de Meléndez: «Para el neoclásico Meléndez Valdés, el otoño significaba la estación de la recolección, de la abundancia y regalo de la vida, en la que corre el espumoso vino; para Cienfuegos es el símbolo de la tristeza universal, pues viendo los árboles deshojados y los cielos encapotados, siente más que nunca su propia soledad».

Otro motivo romántico, el tema sepulcral, es también uno de los preferidos de nuestro poeta. En el prerromanticismo español, la influencia del inglés Young y de su poesía nocturna —*The complaints or night thoughts* (1742)—, va a ser visible en Cadalso, en Meléndez, y por supuesto en Cienfuegos, que consagra al tema de la tumba tres de sus poemas: uno muy breve, de su primera época, *El túmulo*, y dos extensos: *La escuela del sepulcro*, de tono filosófico, y *A un amigo en la muerte de su hermano*, en los que la meditación elegíaca en torno a la brevedad y la vanidad de la vida, y al desengaño a que el hombre parece fatalmente condenado, está teñida de un hondo pesimismo. Nadie puede ser feliz en este mundo amargo es la conclusión a que llega el poeta. La existencia humana es sólo dolor y llanto, y el descanso y el sosiego sólo se encuentran cuando llega la muerte, en la tumba: «¡Oh sepulcro feliz! ¡Afortunados / mil y mil veces los que allí en reposo / terminaron los males!».

En bellos versos nos quiere convencer Cienfuegos de que el hombre nada puede contra los males de la existencia: «Mas ¡ay! que el hombre en su impotencia triste / no puede más que suspirar deseos...». Esta visión pesimista de la existencia se repite en otros poemas de Cienfuegos, como *El recuerdo de mi adolescencia*, evocación de su amistad con Batilo —Meléndez— en Salamanca, y el ya citado *Mi paseo solitario de primavera*. Para Cienfuegos, en el mundo reinan la maldad y la injusticia, la opresión y el crimen, y el hombre, apenas traspasada la bella edad adolescente, entra en una *edad de dolor*, que sólo terminará con la muerte.

Otros temas prerrománticos podríamos citar, entre los cultivados por Cienfuegos. Así, el de la despedida de los amantes, que se encuentra ya en la poesía clásica —bastaría recordar el bello romance de Góngora «Aquel rayo de la guerra / Alférez mayor del reino...» en el que la bellísima Balaja despide al gallardo Abenzulema—, y que en los poetas prerrománticos se convierte en motivo obligado de inspiración. El tema de la despedida lo puso de moda entre los prerrománticos españoles el fecundísimo Metastasio, cuya aria *Despedida a Nice*, llegó a hacerse famosa por las muchas veces que se cantaba en los teatros y en las funciones caseras. A ella se refiere Cienfuegos en una oda que lleva el siguiente título: «Habiendo el autor en una función casera de teatro oído cantar una despedida a una señora, bajo el nombre de Nice, con un hermano suyo, bajo el nombre de Tirsis, hizo en su elogio la siguiente Oda». La *Oda* o *Despedida a Nice* de Metastasio fue traducida e imitada, entre otros, por Meléndez Valdés y por Arriaza. Cienfuegos, aparte la *Oda a Nice* que acabamos de citar, trata el tema en otras dos ocasiones: en la letrilla titulada *La despedida*,[1] perteneciente a su primera época, y en el poema, de tono ya enteramente romántico, *Un amante al partir su amada*. En ambos poemas, por cierto, hay ecos de poesías de su maestro Meléndez. El primero imita la letrilla XIV de éste, que lleva el mismo título, *La despedida*. Y en cuanto a *Un amante al partir su amada*, recuerda también la elegía III de Meléndez, titulada *La partida*. Los detalles realistas y gráficos con que vivifica Cienfuegos su poema, al evocar la partida de la amada, Laura, en un coche, desde el paseo del Prado, parecen tomados del

---

1. [«En *La despedida* hay ecos claros, tanto en el tema como en el ritmo y en el colorido musical de los versos, de la cancioncilla metastasiana *La partenza*. Obsérvese sobre todo la semejanza del estribillo: "e tu chi sa se mai / ti sovverrai di me"; "y tú quién sabe en tanto / si olvidarás mi amor". En el fondo estamos siempre en el mismo clima cultural: la búsqueda por parte de la poesía salmantina de experiencias nuevas, europeas, capaces de renovar el gusto español» (Rinaldo Froldi, «Natura e società nell'opera di Cienfuegos (con un appendice di testi inediti)», en *Annali della Facoltà di Filosofia e Lettere*, Milán, XXI, 1968, p. 44).]

poema de Meléndez: el grito del zagal, el chasquido del látigo, el ruido de los cascabeles, el *ronco estruendo* del coche, se repiten en ambos poemas con la misma intención: dar un cuadro vivo, animado, de la despedida. Sólo que el tono es mucho más vibrante y apasionado —más romántico en suma— en el de Cienfuegos.

Al tono intensamente prerromántico de su poesía, añade Cienfuegos, en no pocos de sus poemas, la inquietud de sus preocupaciones sociales, de su apasionado humanitarismo, de sus sentimientos revolucionarios. Hoy llamaríamos a Cienfuegos poeta social, poeta comprometido, pues no ocultó en sus versos su amor a las reformas, su deseo de que la sociedad se rigiese por la igualdad social y por la fraternidad entre los hombres. Cienfuegos era un enamorado de las nuevas ideas, de la moral y el progresismo enciclopedista, que había aprendido siendo estudiante en Salamanca, junto a Meléndez, y más tarde en Madrid, junto a Quintana y su adorado amigo Florian Coetanfao. Su pensamiento revolucionario se refleja claramente en sus poemas, sobre todo en la oda *En alabanza de un carpintero llamado Alfonso*, que Cienfuegos no se atrevió a publicar en el volumen de sus *Poesías* (1798), y en la que ya vio Menéndez Pelayo un contenido socialista, y Hermosilla «frases demasiado republicanas». Sin embargo, sería un error considerar a Cienfuegos como un ideólogo, que hace propaganda de sus ideas políticas y revolucionarias. Era todo lo contrario: un sentimental, que escribía sus poemas sociales movido por su corazón apasionado y tierno, por su ardiente amor a la humanidad. Más que una ideología política, lo que hay en muchos de sus poemas es un fondo ingenuo de humanitarismo sentimental a lo Rousseau —cuya influencia, ya advertida por Valera y por Menéndez Pelayo, puede rastrearse en el poema titulado *La primavera*—. Valera creía que ese humanitarismo rousseauniano de Cienfuegos, que Hermosilla llamaba con desprecio «panfilismo», era postizo, pues «el español iba por bajo». Pero lo cierto es que en los poemas de Cienfuegos, los temas de protesta social cobran ese ardor, ese fogoso acento que tiñe de hervor romántico toda su poesía. Sus invectivas contra la injusticia social, contra la codicia de los ricos, contra la inmoralidad y la opresión, son violentas y ásperas, y explican que Menéndez Pelayo y Hermosilla las denunciaran como subversivas. Su ardiente pacifismo, patente en algunos de sus poemas —sobre todo en su oda *A la paz entre España y Francia en 1795*, durísima diatriba contra la guerra— tiene esa misma raíz humanitaria, y va siempre unido a sus invocaciones de fraternidad universal y de amor entre todos los hombres.

[Es claro que Cienfuegos no podía expresar todo ese mundo poético que sentía crecer en él —esas ideas y preocupaciones nuevas, ese hervor romántico que contrastaba con el frío clasicismo de un Moratín, por ejemplo—, en el lenguaje neoclásico que todavía imperaba en los poetas de su generación. Necesitaba echar mano de un lenguaje nuevo que fuera capaz de expresar ese mundo nuevo que ya se vislumbraba en el horizonte. Y como no lo encontró a su alrededor, tuvo que inventárselo. No sólo utilizó frecuentes galicismos y neologismos, sino que acudió a diversos recursos estilísticos: aliteraciones, frecuentes exclamaciones e interrogaciones, imprecaciones, empleo insistente del diminutivo, de la anáfora y del polisíndeton. El resultado fue un lenguaje nervioso y extraño para el paladar de la época. Con razón escribe Menéndez Pelayo que Cienfuegos había nacido romántico, y le sucedió «lo que a todos los innovadores que llegan antes de tiempo. La literatura de su siglo —añade don Marcelino— le excomulgó por boca de Moratín y de Hermosilla, y los románticos no repararon en él porque estaba demasiado lejos y porque conservaba demasiadas reminiscencias académicas».]

JOAQUÍN ARCE

LAS INNOVACIONES LINGÜÍSTICAS DE CIENFUEGOS

La apertura lingüística de Meléndez no se limita al léxico; y él era tan consciente de ella, que pide, en la «Advertencia» que puso a sus poesías en 1797, que se consideren sus composiciones de alto vuelo como «pruebas o primeras tentativas», ya que nuestra lengua está «poco acostumbrada hasta aquí a sujetarse a la filosofía ni a la concisión de sus verdades». Y es en la misma «Advertencia», donde Meléndez nos da los nombres de quienes siguieron su senda: Leandro Moratín, Cienfuegos y Quintana, sobre todo los dos últimos. He ahí la cadena de nuestra lírica dieciochesca, y a Meléndez como

Joaquín Arce, *La poesía del siglo ilustrado*, Alhambra, Madrid, 1981, pp. 455-461.

eslabón fundamental. Un paso adelante en su camino lo representará Cienfuegos. La culminación e inmediata disolución del prerromanticismo lírico español es algo anterior al triunfo del más puro ideal neoclásico. Los poetas que le caracterizan en sus formas extremas son Cienfuegos y Francisco Sánchez Barbero, nacidos ambos, sintomáticamente, en el mismo año, 1764.

Quizá la crítica literaria no ha insistido lo suficiente, desviada por la novedad de ciertos temas, en que el problema fundamental que presenta la obra poética de Nicasio Álvarez de Cienfuegos es el lingüístico. Naturalmente, su extremosidad no fue ignorada por los contemporáneos, que hicieron de esta cuestión caballo de batalla. Las personalidades más independientes, más liberales, aun desconfiando en parte de la audacia, le elogian sin reservas. Sin embargo, los críticos oficiales, los gramáticos y retóricos, los que aceptaban el verdadero ideal neoclásico, como Moratín o Arriaza, le llenan de improperios y de las más graves acusaciones. La innovación lingüística fue tal que ella por sí sola supone una nueva dirección en la poesía española, la que alcanza la cota lírica más alta en la dirección prerromántica. Leandro F. de Moratín es tajante; aunque no le nombre, piensa seguramente en Cienfuegos cuando en 1825 escribe en París su «Discurso preliminar» a sus comedias.

«Hubo una época» —dice— en que los jóvenes mal instruidos, desconocedores de la «antigua literatura» y del «propio idioma», «creyeron hallar en las obras extranjeras toda la instrucción que necesitaban para satisfacer su impaciente deseo de ser autores. Hiciéronse poetas, y alteraron la sintaxis y propiedad de su lengua, creyéndola pobre, porque ni la conocían ni la quisieron aprender; sustituyeron a la frase y giro poético que la es peculiar, locuciones peregrinas e inadmisibles; quitaron a las palabras su acepción legítima, o las dieron la que tienen otros idiomas; inventaron a su placer, sin necesidad ni acierto, voces extravagantes que nada significan, formando un lenguaje oscuro y bárbaro, compuesto de arcaísmo, de galicismos y de neologismo ridículo. Esta novedad halló imitadores y el daño se propagó con funesta celeridad».

No se limita la crítica moratiniana al lenguaje, sino también a la forma y contenido general de las composiciones, es decir, a la ignorancia del «arte de componer»:

falta de plan poético, pobreza de ideas, redundancia de palabras, apóstrofes sin número, destemplado uso de metáforas inconexas o absurdas, desatinada elección de adjetivos, confusión de estilos, y constante error de creer sencillo lo que es trivial, gracioso lo que es pueril, sublime lo gigantesco, enérgico lo tenebroso y enigmático. A esto añadieron una afectación intolerable de ternura, de filantropía y de filosofismo, que deja en claro el artificio pedantesco, y prueba que tales autores carecieron igualmente de sensibilidad que de doctrina.

Sin embargo, Larra agudamente intuía en 1836 que el significado de la reforma poética de Cienfuegos no era ni mucho menos ajeno a los problemas de la lengua. El razonamiento de Larra es contundente: si «la literatura es la expresión del progreso de un pueblo» y «la palabra, hablada o escrita, no es más que la representación de las ideas, es decir, de ese mismo progreso», no se puede avanzar en ideología y «pretender estacionarse en la lengua»; por ello cree que el defecto de los poetas del XVIII es el de que «quisieron adoptar ideas peregrinas, exóticas, y vestirlas con la lengua propia»; pero esa lengua era un «vestido» que «venía estrecho a quien le había de poner»; de aquí las inculpaciones a Cienfuegos: «¿Qué mucho, si Cienfuegos era el primer poeta que teníamos filosófico, el primero que había tenido que luchar con su instrumento, y que le había roto mil veces en un momento de cólera o de impotencia?».

La preocupación de Cienfuegos por la lengua no sólo nos la confirma Quintana («dejó diferentes trabajos sobre etimología y sinónimos castellanos»), sino el mismo discurso de recepción de Cienfuegos en la Real Academia Española, en 1799, donde proclama valientemente, frente a la actitud purista que lógicamente tenía que caracterizar a los que le escuchaban, la necesidad de incorporar palabras extranjeras, extendiendo a la lengua sus ideas filantrópicas, humanitarias, de hermandad y cosmopolitismo. Su innovación es tal, que Salvá llega a afirmar: «Cienfuegos ha escrito en una lengua que le pertenece exclusivamente, pero que no es la castellana de ninguna época».

Aparte palabras y locuciones que se le censuraron con fundamento, otras son normales en cuanto a su formación en el lenguaje poético, como *honditronante*. ¿No emplea Jovellanos *dulcisonantes* y Reinoso *horrisonantes*? Pues Cienfuegos no tiene por qué vacilar ante *hondisonante*, del que ya sólo le separa un breve paso el *honditronante*. (Es una recuperación del sentido de la profundidad, al que contribuyen también expresiones como «abismosas ondas».) Lo cierto es que el censurado *otoñal* es adjetivo que ha pervivido y el verbo *palidecer* no digamos (al que Corominas, nada menos, asigna la fecha de 1884). *Rustiquecido* no ha pasado en cambio a los diccionarios. Y si se acepta el *aromoso* de Reinoso, tendríamos que hacer igual con el *letargoso* de Cienfuegos; pero mientras el primero se recoge en los diccionarios, el segundo no.

Los críticos del XIX suelen unir Cienfuegos a Quintana. Pero Quintana, que algo heredó de él, tenía una robusta formación de tipo clásico que le impide caer en los excesos verbales de aquél, aunque ideológicamente le era muy afín. El juicio que de Cienfuegos dio el propio Quintana es definitivo:

Nadie le excede en fuerza y en vehemencia, y no sería mucho decir que tampoco nadie le iguala. Aunque el fondo de ideas sobre que su imaginación se ejercita pueda decirse tomado de la filosofía francesa, no ciertamente el tono ni el carácter, que guardan más semejanza con la poesía osiánica y con la poesía alemana. Pero si el estilo, por llevar el sello robusto y fogoso de su índole y de su ingenio, se hacía respetar de los lectores, no así la dicción a que dan cierto aire de afectación y extrañeza el uso excesivo de palabras compuestas, los arcaísmos poco necesarios y sobre todo las frases y palabras inventadas por el escritor y usadas por su autoridad particular.

Una vez más, las generaciones inmediatas habían visto bien: toda la importancia de Cienfuegos en la historia de la lírica española reside en su intento por crear una lengua poética, intento fallido e infructuoso, pero no de menor alcance lingüístico que el que, más de un siglo después, lograría Rubén Darío. Nada tiene de extraño que le hayan perseguido con saña los estreñidos críticos ochocentistas, que confundían la dignidad de la forma neoclásica con su estrechez de miras y de gusto: ejemplo de ello son Tineo y Gómez Hermosilla. La modalidad de Cienfuegos fue por entonces calificada de *neogongorismo* en su aspecto formal y de *panfilismo* o *filosofismo* en su aspecto temático. Cuestión de nombres, naturalmente, pero lo importante es señalar los límites perfectamente definidos del movimiento prerromántico, cuya existencia como grupo o, mejor, como tendencia o corriente, no puede negarse. [...]

La novedad más llamativa, por su reiterado empleo, consiste en la normal ruptura de la relación de sentido existente en el sintagma nombre-adjetivo, que se sustituye por otro equivalente trasmutando las funciones de ambos componentes y alterándose, por tanto, la relación de dependencia entre el término primario y el secundario. Quizá podría afirmarse que, en contraste con el sentido lineal y macizo de la expresión neoclásica, hay aquí un intento pictórico de sustituir las cosas por la sustantivación de sus cualidades, intercambiando la relación normal entre el nombre y el adjetivo. Véase el paso de la expresión normal a la usada por Cienfuegos, que es la última: selvas espesas = la espesura de las selvas = *las selvosas espesuras*. Y por el mismo camino se llega al *hojoso verdor, musgoso verdor, selvoso frescor, letargoso olvido, laberinto montuoso, nublosa oscuridad, victoriosa mortandad, aspereza montañosa*, para culminar en *y ya anegada con salobre muerte* o *la nevosa altivez del Guadarrama*. Como se ve, la extravagancia de la expresión, igual que le ha de ocurrir a Sánchez Barbero, puede llegar a rozar lo grotesco. Aunque no sean exactamente del mismo tipo, véanse expresiones afines: *enriscada costa, añosa maldad, invernal tristeza, hermanal familia, hambre macilenta, pampanoso octubre, acentos ladradores, enlutada luna, congojosa choza...*

Otra novedad de la lengua de Cienfuegos —novedad relativa, ya que es Meléndez, sobre todo, quien insinúa estas creaciones o restauraciones lingüísticas, satirizadas por Moratín— es la abundancia de participios de presente no usuales, en función adjetival: *el eco retumbante, el espumante caballo, las bramantes olas, alondras revolantes, vivificante sol, el abismo hondi-tronante del Etna, león que centelleante, rugiente compañero, silencio amante, vid doliente, oreante soplo, vivificante amor, expirante, espumante...*

En el ámbito de la ampliación léxica es justo hacerse eco además de la incorporación a la esfera de la poesía de un vocabulario que pertenece al trabajo manual, a una clase social que no había ascendido todavía a la categoría de lo poetizable: y así aparecen el *formón* y el *escoplo* y la *gubia*, en una poesía de tono proletario, que por entonces se aborda, como ya hemos visto, con un extremoso y simplificador esquematismo.

En la misma línea está, aunque nunca se le recuerda en este sentido, Francisco Sánchez Barbero. En algunos puntos hasta exagera la lección de Cienfuegos. Los temas autobiográficos, patrióticos, carcelarios y patibularios, sociales y bíblicos, se expresan en un lenguaje bronco, obsesivo, balbuciente. A la ostentación retórica de lo estruendoso y trepidante pertenecen versos como «el polo al ronco estruendo / con que los truenos sin cesar retumban» (*A la batalla de Trafalgar*), no vacilando en llegar a decir, en otra ocasión, *estrépito ruidoso*. Todos los recursos son válidos para obtener determinados efectos: «Era diciembre; deslunada noche, / cargado el éter de pluviosas nubes» (epístola III, *A Ovidio*). No sólo hablará de *el enlutado escriba*, sino también de *enlutado duelo*. Por este camino llegará incluso, tras la *noche deslunada*, a la *noche enlutecida* (*Plegaria a la noche*).

La inadecuación entre significantes y significados, el forcejeo en la búsqueda de elementos retóricos, que a menudo se superponen inertes y miméticos en vez de adherirse sin fisuras a la plenitud de lo que se pretende expresar, es, desde el punto de vista formal, el límite —en el que insisto— de los modos líricos prerrománticos. No sorprende, por tanto, que en la rigurosa aplicación de un método estructuralista a un poema de Meléndez hayan sido observados, dejando aparte el juicio excesivamente negativo del crítico, auténticos fallos. La poesía prerromántica difícilmente logra la definitiva estructuración poemática si no valoramos lo que tiene de esfuerzo de renovación, de inquietud escrutadora en inéditas zonas del sentir. Como muy bien dijo Larra —y podría extenderse al estilo y a la conformación del organismo poético— «esta lengua, tan rica antiguamente, había venido a ser pobre para las necesidades nuevas»: era un «vestido» que «venía estrecho».

RUSSELL P. SEBOLD

LA VISIÓN POÉTICA DE QUINTANA: «SIEMPRE FORMAS EN GRANDE MODELADAS»

Quintana compone el endecasílabo que figura en el título de este trabajo a los diecinueve años, al dar preceptos para la tragedia, en el poema didáctico titulado *Las reglas del drama* (1791). [...] Mas antes

Russell P. Sebold, «*Siempre formas en grande modeladas*: sobre la visión poética de Quintana», en *El rapto de la mente*, Prensa Española, Madrid, 1970, pp. 224-231.

de emprender el análisis de la visión y técnica poéticas que se hallan como presagiadas en el citado verso clave, será útil echar una ojeada de repaso al trasfondo vital e ideas literarias de quien va a expresarse en versos penetrados de tanta grandeza.

Se orienta hacia lo grande la actuación política de Quintana, sobre todo el estilo de los documentos públicos que redacta, por ejemplo, el de esas *Proclamas* que dirigió a los súbditos americanos de la corona española cuando era oficial primero de la Secretaría General de la Junta Suprema Gubernativa del Reino: «Ya no sois aquellos que por espacio de tres siglos habéis gemido bajo el yugo de la servidumbre: ya estáis elevados a la condición de hombres libres».

El Quintana prosista escribe las vidas de grandes hombres —el Cid, Guzmán el Bueno, el Gran Capitán, Francisco Pizarro, etc.—, y aunque insiste en la verificación de los datos con documentos fidedignos (dejó inédita su vida del duque de Alba por no haber podido asegurarse de la autenticidad de ciertos actos atribuidos a ese prócer), escribe estas vidas a grandes rasgos, sin meterse en trivialidades. Y tan escuetos perfiles de grandeza se espera que formen —según explica Quintana en el prólogo de sus *Vidas de españoles célebres*— una «lectura propia de los primeros años de la vida, en que el corazón ... apasionándose naturalmente por todo lo que es grande y heroico, se anima y exalta para imitarlo». En el contexto de tal preocupación por lo grande y heroico, resulta menos sorprendente el, por otra parte, curioso comentario que Quintana hace sobre las antiguas baladas de los guerreros medievales al decir que «los romances ... eran propiamente nuestra poesía lírica».

Empero, lo que sí sorprende es la forma en que Quintana describe la propiedad del delicado estilo amoroso del restaurador de la poesía española, el dulce Batilo: «la belleza en sus versos *vencedores* / se goza retratada, / de *rayos* coronada y *resplandores*». A Quintana, crítico literario nada vulgar, no se le iba a escapar el nuevo dinamismo naturalista de las poesías de Meléndez, debido en gran parte a la influencia de las corrientes sensualistas de la filosofía de la Ilustración: «ved florecer las rosas, / reír el prado, embebecerse el viento» —escribe el poeta joven, en 1797, extasiado ante el estilo del otro—. Mas es natural que Quintana prefiera ese otro momento en que la musa de Meléndez «al éter se encumbró; gozosa mira / bajo de sí las nubes, / y el campo inmenso del espacio gira». Por mucho que Quintana admirara el lirismo de Meléndez, es evidente que le atraía todavía más lo que éste tenía de restaurador, de *vencedor* del «alto silencio en la olvidada España».

En fin, según la estética quintaniana, no se han de admitir en las artes «más licencias que aquellas de donde puedan resultar grandes bellezas»; y los mejores ejemplos son Cervantes y Velázquez, pues escribió el primero y pintó el otro, «no con la mano, sino con sola la voluntad». Así, por ejemplo, en abril de 1826, cuando tras largo silencio Quintana dedica un romance al poeta José Somoza, lo hace con mucha vacilación y exhortando con estoica grandeza a que sólo «Canten los que son dichosos; / pero el infeliz que llora, / guarde para sí el gemido / y sus lástimas esconda; / que las orejas del mundo / son esquivamente sordas / al lamentador poeta / que en vez de cantar solloza»; actitud clásica madura completamente contraria, por ejemplo, a la que tomará Espronceda más de una década después, en el *Canto a Teresa*, al esperar para romper el silencio justamente ese momento en que sus palabras «lágrimas son de hiel que el alma anegan». Quizá recordando lo que había escrito en el prólogo de sus *Vidas de españoles célebres*, Quintana dice, en el mismo romance de 1826, que hizo versos con cierta frecuencia sólo durante la juventud cuando «mil grandiosas esperanzas / eran mi existencia toda, / que el ánimo exaltaban / entre ilusiones hermosas». En cambio, a Espronceda le interesa su antigua fe de caballero, «de grandes hechos generoso guía», únicamente en la medida en que por vía de contraste da más relieve al enfermizo placer que siente en el momento en que se introduce al lamentador canto segundo de *El diablo mundo*. En resumen, todo lo que piensa, siente, dice y escribe Quintana se deja reconocer por tomar «Siempre formas en grande modeladas».

Pero acerquémonos ya a la fuente de donde mana tanta grandeza espiritual.

[Menéndez Pelayo ha dicho que Quintana ora ante el mismo altar que Benjamín Franklin, esto es, ante «un ara enteramente desnuda dedicada a cierto numen desconocido, que no parece ser otro que la tendencia progresiva que late en las entrañas del género humano». Mas lo religioso en Quintana no se limita ni a una veneración del espíritu del progreso, ni tampoco al típico deísmo de la Ilustración. Va mucho más allá para tomar una forma a la vez más personal y más cordial, la cual se hace evidente por el paralelo que hay entre el misticismo humanístico de Quintana y otro norteamericano, Ralph Waldo Emerson, en este caso del siglo XIX, cuyo pensamiento, igual que el del poeta español, está todavía muy influido por la filosofía de la Ilustración.]

En la oda *A don Ramón Moreno, sobre el estudio de la poesía*, Quintana recomienda que su amigo agradezca el «precioso don» de la poesía del que la «especie entera» se halla dotada, es decir, «la grandeza del genio que elevado / en generoso vuelo arde, y te lleva / a ansiar, llorar, a suspirar consigo, / a amar y aborrecer; que yo entretanto, / al ver los mundos que a su arbitrio crea / un numen bienhechor en él bendigo, / *y hombre, de un hombre en el grandor me elevo*». Según

Emerson, en *The American scholar*, el humanista acaba dándose cuenta
de que «al ahondar en los secretos de su mente, ha ahondado en los
secretos de todas las mentes»; y el orador, que «él es el complemento
de sus oyentes, que le beben las palabras porque él les completa su
naturaleza; al bucear cada vez más hondo en su presentimiento más
privado, más secreto, él descubre con sorpresa que esto es lo más aceptable, lo más público y lo más universalmente verdadero». Esta coincidencia anímica se explica por el influjo de «esa Unidad, esa Sobre-Alma,
dentro de la cual —explica Emerson en *The Over-Soul*— el ser de cada
hombre particular está contenido y se hace uno con el de los demás;
ese corazón común del que toda conversación sincera es culto, al que
toda acción recta es sumisión... Vivimos en sucesión, en división, en
partes, en partículas. Mas dentro del hombre está el alma del todo; el
sabio silencio; la belleza universal, con la que están relacionadas cada
parte y partícula; el *Uno* eterno».

[A este tipo de misticismo humanístico se debe esa imponente
universalidad y atemporalidad que caracterizan la visión del mundo
que se nos brinda en los mejores versos de Quintana, y también
esa curiosa nota de la oda *A España, después de la revolución de
marzo* y ciertos otros poemas de Quintana que yo llamaría *patriotismo universal*, ese tono que tanto enardece a los nacidos fuera de
España como a los que traen sus orígenes de las más antiguas estir-
pes castellanas.]

Pero lo cierto es que sí se debe a ese misticismo universalista
«el soberano vuelo de la atrevida fantasía» de Quintana, según el
mismo poeta llama a su intento de visión sinóptica de la historia
española en la oda patriótica ya mencionada. Al leer esta oda y las
que están dedicadas *A Juan de Padilla*, *A la expedición española
para propagar la vacuna en América*, *A la invención de la imprenta*
y a *El panteón de El Escorial* se tiene la sensación de bajar corriendo
la escalera de las edades para vivir en la intuición de un magnífico
momento todo el proceso histórico. [...] He aquí precisamente, en
este misticismo de la historia, el *quid poeticum* de los versos de
Quintana, es decir, la raíz de esa deleitosa oportunidad que nos dan
de «escuchar una voz fuerte, decisiva, autónoma que hace afirmaciones a las cuales yo puedo asentir», que según Lionel Trilling es
el deleite que da toda auténtica poesía de tipo no marcadamente
«poético», o sea, metafórico y adornado. Aquí se nos impone lo
dicho por la voz escuchada, porque ésta viene a ser la de la raza
entera.

Se ha dicho que Quintana fue incapaz de poetizar los temas de la naturaleza, la mujer y el amor. Pero, bien mirado, la forma en que Quintana maneja estos temas, lejos de constituir un defecto, los convierte en nuevas ocasiones para que se exteriorice esa cordialísima preocupación suya que le hace querer ver reflejada en todo la grandeza espiritual del hombre, y así también buscar en sus versos «Siempre formas en grande modeladas».

La oda *Al mar*, en la que hay imponentes descripciones de la naturaleza, a pesar de salir al final vencedor de ésta el hombre (el explorador James Cook), depende de la típica noción clásica de que «la naturaleza es un hombre más grande y el hombre un pequeño mundo», y constituye un nuevo intento de hallar esa proporción orgánica entre todas las cosas que hacía que el artista de la antigüedad clásica experimentara en la contemplación del cosmos ese, ya divino, ya humano, goce de «hallarse repetido en las formas infinitas de la vitalidad universal». Con los fragmentos siguientes de la oda ya mencionada se subraya el intento de Quintana de buscar una proporción o armonía de comprensión entre su intelecto y los dilatados términos y despiadadas fuerzas del mar: «... Sonó en mi mente / tu inmenso poderío»; «... nada ansié tanto / como espaciarme en tu anchuroso seno»; «¿Dónde es tu fin? ¿En dónde / mis ojos le hallarán? ...»; «... ¿Te hizo el destino / para ceñir y asegurar la tierra, / o en brazo aterrador hacerle guerra?». Quintana se siente atraído por el tema de Cook: porque éste, saliendo vencedor, contesta a la última pregunta y reafirma entre el hombre y el mar esa proporción y regularidad que «constituye el lema del arte clásico, del arte simpático propio de un temperamento confiado, amigo y afirmador de la vida» [Ortega].

En cuanto a la mujer, no es que Quintana sea incapaz de presentarla en sus versos con carácter femenino y tierno (véase *A Célida* o *A Elmira*); sino que ejerciendo la selectividad en función de su particular visión del mundo, como lo hace todo artista, Quintana prefiere introducir en sus versos a ciertas mujeres excepcionales, de empuje en cierto modo épico (*A Luisa Todi*, *Ariadna*, *La danza*, etc.). [Y debido precisamente a lo lógica que resulta esta visión de la mujer dentro de la temática general de la poesía de Quintana, no se da cabida en ésta al tema del amor, por lo menos en la forma en que solía tratarse en los versos de esos días.]

Parece así natural que se sustituya el amor blando por la amistad en la temática quintaniana, y que se asocie este tema con ciertos fenómenos naturales y grandes acciones humanas mencionadas por

Quintana al resumir los fines y el contenido de sus versos en la dedicatoria de la edición de 1802:

«Los objetos que ofrecen al público estas poesías son los afectos que nacen de la amistad, la admiración que inspiran la hermosura y los talentos, el entusiasmo que encienden los grandes espectáculos de la naturaleza, la indignación hacia toda especie de bajeza que profane la dignidad de las artes; en fin, la exaltación por la gloria y por los descubrimientos que ennoblecen la especie humana»; porque la amistad forma algo así como un resumen de esa gran armonía o ritmo universal que los filósofos y poetas de la antigüedad clásica postulaban entre el hombre, el animal, la planta, el mineral y toda fase orgánica e inorgánica del cosmos. Según se explica, por ejemplo, parafraseando a Aristóteles en *Las siete partidas*, «non es una cosa amistad et amor, porque amor puede venir de la una parte tan solamiente, mas la amistad conviene en todas guisas que venga de amos a dos... Et concordia es una virtud que es semejante a la amistad, et desta se trabajaron todos los sabios et los grandes señores que fecieron los libros de las leyes, porque los homes viviesen acordadamente; et concordia puede seer entre muchos homes».

Vale relativamente poco toda crítica o exégesis literaria que se haga sin tomar en cuenta cualesquiera reflexiones autocríticas que pueda haber dejado el escritor estudiado; y como tantos miembros de escuelas literarias a las que les acontece no estar de moda en cierto momento, Quintana ha sido víctima de una falsa crítica basada en los prejuicios personales de los seudocríticos y en nociones literarias externas a su estética y aun a la de toda su época. No se llega a ninguna parte censurando, por incapaz de comprender el amor, a quien ha declarado abiertamente su intención de evitar tal tema para tratar la amistad; o por insensible a los encantos de la naturaleza salvaje, a quien se ha propuesto loar las conquistas de los forjadores de la civilización, etc. Y, sin embargo, tal sigue siendo el patrón de gran parte de nuestra llamada crítica literaria.

Albert Dérozier

EL TEATRO DE QUINTANA

«Alfieri fue el ídolo de los literatos soñadores de libertades es-
partanas.» Esta frase de Menéndez Pelayo, en su *Historia de los
heterodoxos*, ha seducido a muchos comentaristas hasta Valbuena
Prat: Quintana, conocedor del pensamiento filosófico francés del
siglo XVIII, habría cogido la pluma en un estado de arrobamiento e
inspiración para componer sus odas, *El duque de Viseo, Pelayo*, y la
mayor parte de sus escritos políticos. Esta hipótesis ingeniosa, arma
de doble filo, piedra maestra de un edificio imaginario, es a la vez
insostenible e insuficiente en cuanto al teatro, y no resuelve este
problema elemental: ¿por qué Alfieri en vez de Colardeau, Diderot
o incluso Voltaire? Un examen de la producción teatral de Quintana nos permitirá responder.

Su primera tentativa en este dominio fue, no lo olvidemos, un
ensayo escolar: *Las reglas del drama*. Esta interminable serie de
tercetos es de lectura fastidiosa, pero apuntan ya, bajo la pluma de
un poeta de diecinueve años, algunos temas favoritos que se anuncian con timidez o con énfasis. El gusto del tiempo es neoclásico,
y en una composición destinada a ser juzgada por la Real Academia
Española los candidatos debían alabar los méritos de la tragedia
francesa y olvidar cuidadosamente los grandes clásicos nacionales.
Sin embargo, Quintana mostraba por los dramaturgos antiguos un
entusiasmo que escapaba completamente a los límites neoclásicos
y en el que descubrimos la predilección de toda una vida. Va siguiendo paso a paso la dialéctica del Alfieri al fustigar «... la famélica osadía / de la caterva estúpida y grosera / que anubla el lustre
de la Patria mía» y que llena las salas de teatro. Recordemos que
Quintana ha deplorado que la tragedia, apoteosis del género literario, fuera tan extraña al temperamento español.

Albert Dérozier, *Manuel José Quintana y el nacimiento del liberalismo en
España*, traducción de Manuel Moya, Ediciones Turner, Madrid, 1978, pp. 84-
124.

Desde 1791 ya solicitaba una reforma completa del teatro con una censura mucho más severa. En 1821, comentando esta obra de juventud, reconoce que la *Comedia nueva*, de Moratín, fue «cruel bien que necesaria» y evoca la «escasez actual» de España «en este ramo de la literatura». Las tentativas constituyeron otros tantos fracasos. Es, quizá, del abismo de esta «nulidad absoluta» del que surgirá el Alfieri español. La amargura que exhala el Quintana de 1791 se confirma treinta años después: el problema de la tragedia no ha sido tomado en consideración nunca. «Ocupación de toda su vida» y «único título de su reputación y de su gloria», dirigida a corazones dotados «de una imaginación pronta que se afecta vivamente de las desgracias ajenas; sensibilidad que simpatiza con ellas; nobleza y elevación en sus pensamientos». Esta concepción de la tragedia, a través de estas líneas escritas a los cincuenta años, es muy reveladora. Lo que Quintana ha admirado en Alfieri es el genio que ha sacado al teatro italiano de su marasmo y al igual que Chenier ha escrito pensamientos nuevos con versos antiguos. En él ha adivinado nuevos horizontes.

¿Creyó entonces en el futuro romanticismo? Creyó, sin duda, en 1791 que tal revolución era favorable a recrear la tragedia española. Nos lo prueban *Las reglas del drama*, en la teoría, y *El duque de Viseo* y *Pelayo*, en la práctica. Treinta años más tarde sus meditaciones eran desengañadas y admitía el fracaso de esta nueva tentativa. Quintana es un imitador, pero jamás un adaptador servil. Si se cuenta a sí mismo entre todos los que intentaron honestamente la tragedia, si confiesa su error después de haber observado, de 1791 a 1821, los frutos nuevos, si al alborear el romanticismo vacila en reconocerle valor y originalidad artísticos (porque creyó de buena fe que el prerromanticismo abría una vía original, como podrá creer en ciertos ideales filosóficos sin adherir a la revolución), no por ello representa menos una de las más interesantes tentativas de su tiempo.

[Quintana, fiel discípulo, intentaba conciliar las teorías de la unidad aristotélicas con las de Alfieri, buscando lo que finalmente podríamos llamar una coherencia motriz.] Ante la insuficiencia de «Una sola acción presentada sea / en solo un sitio fijo y señalado, / en solo un giro de la luz febea ...»; ante el hecho de que todos los grandes clásicos griegos, ingleses, alemanes y españoles han violado este principio, exigirá, desde 1791, la verosimilitud: «Si trazar temerario pretendieses / un enlace difícil, y cansarte / y agotar tu cerebro en él quisieses, / ¿quién de aquel laberinto ha de sacarte? / ¿un pariente que allí de Indias viniera? / ¿un billete arrojado en cualquier parte? / ¿un dios que baja de su augusta esfera, / y con su omnipotencia rompe el nudo / que el autor deslazar por sí debiera?».

Esta actitud crítica, basada en el simple sentido común, no es tan nueva: recordemos el *Buscón*, de Quevedo, cuando describe una extraña comedia en la que aparecían en escena un rey de Normandía en hábito de ermitaño, sin propósito, luego dos graciosos para hacer reír y terminaba casándose todo el mundo para desenredar un desenlace complicado. Comedia hecha de trozos cogidos a unos y otros, formando un conjunto mal terminado, por un autor cuya vocación, como habría dicho Beaumarchais, consistía en robar todos los malos pasajes de los buenos autores.

Igual de poco original es la determinación de los caracteres en el poema didáctico de Quintana: el galán siempre valiente, el anciano desolado que comunica su experiencia y sus consejos y el héroe legendario animado de sus legendarias cualidades. [La descripción del tirano siempre «suspicaz y pérfido» (Enrique, Munuza) sigue en todos sus puntos el modelo italiano. Aquí se detiene la simple verosimilitud y comienza lo que hemos llamado «coherencia motriz», es decir, comienza la tragedia.] Los héroes de Quintana obedecen a esta única coherencia fundamental, originada en su enfrentamiento con el tirano. Los otros personajes sólo sirven para poner de relieve este combate grandioso del héroe y de la realidad, del bien y del mal, del corazón y de la razón. Si el principio es admitido, las consecuencias son rechazadas. ¿Debemos asombrarnos de esto? Quintana no pretende sacrificar a una ideología indecisa lo que según su idea debe consagrar el triunfo humano de la voluntad de poderío. El único desenlace posible no es el de la muerte del héroe, sino el de la muerte del tirano. Pelayo y Orén no son Rugiero. La lucha consigo mismo es una quimera. El combate contra Dios no existe.

Es difícil apreciar si sólo el móvil moralizador basta a justificar este balance. El autor confiesa que «nada desnaturaliza más las obras de imaginación que proponerse en ellas un objeto político y moral cualquiera que sea». El arte dramático debe ser un arte de conciliación. No es una disertación, pero es algo más que la pura fantasía. Quintana da la razón a Voltaire contra Alfieri, al neoclasicismo contra el prerromanticismo. *Mahomet*, *Alzire*, *Tancrède* y *Zaïre* representan el equilibrio:

La tragedia griega era a un tiempo política y moral; y los grandes hombres que así la concibieron, y los más de sus modernos imitadores, no han querido sin duda que el esfuerzo grande del ingenio humano al presentar en un espectáculo público el cuadro terrible de las pasiones de los príncipes, y de los crímenes y desgracias que ellas producen, se redujese a una vana y estéril conmoción, desvanecida tan pronto como se desvanecen las imágenes pintadas en la fantasía.

Quintana rechaza la teoría de la exaltación de origen alfieresco. No está desgarrado interiormente y el problema de la muerte no le atormenta. La exaltación desmesurada del Yo, la ruptura suprema de la libertad en el sacrificio y, en suma, la redención, sólo eran a sus ojos antivalores. En su deseo pedagógico de mezclar íntimamente ética y estética, en su rechazo de la vehemencia espontánea y gratuita, Quintana olvida voluntariamente que la tragedia griega, desdeñando a los malvados, hace perecer a los buenos en ocasiones. [...]

Henos aquí ante dos dramas en los cuales la historia de los tiempos pasados sirve de marco y de lección a la de los tiempos modernos, según un tema favorito de Quintana. La trama es,· a priori, bastante simple y esquemática, pedagógica con frecuencia. Trátese de historia verdadera (Pelayo) o imaginaria (El duque de Viseo), para Quintana una tragedia puede ser obra de imaginación y proponerse al mismo tiempo un doble objetivo político y moral.

El duque de Viseo merece más que una modesta alusión a The castle spectre, de G. Lewis, que le inspiró. Quintana reconoce que ha tomado el tema del patrimonio británico, pero nos confiesa dónde acaba la imitación y comienza la originalidad en su prólogo olvidado de 1801: «Los nombres de los personajes, el país y la época de la acción son diversos; pero los supuestos en que se funda la fábula, los caracteres más distinguidos y algunos trozos son enteramente los mismos en la obra inglesa que en la española». Sin embargo, añade a continuación, con elementos idénticos la composición dramática es diferente. A los lectores o espectadores que no conocían a Lewis, Quintana les ofrece algunas informaciones exegéticas. Sin duda olvida decir que la tragedia de su modelo, The castle spectre, de 1797, había sido precedida dos años antes por la escandalosa novela Ambrosio, or the monk; que tanto en una como en otra obra, el autor se entregaba complacientemente a un satanismo fácil y a los escalofríos del horror. Pero sin confesarlo,

Quintana muestra que fue sensible a ello, como sus contemporáneos ingleses, y que esta nota nueva y seductora captó cierto tiempo las imaginaciones.

Evoca el esquema del drama inglés para mostrarnos todo lo que su inspiración le debe; pero rehúsa por el momento un romanticismo que le parece excesivo y suprime los espectros, las visiones y la música: lo que él llama con un poco de condescendencia «la farsa». ¿Qué es lo que le ha gustado más en su modelo? Los dos personajes, Osmond y Hassan, y el sueño del tirano: en *El duque de Viseo* pueden encontrarse este tipo de preocupaciones. Y penetrado de una preocupación debida a su honradez fundamental, Quintana traduce en apéndice —aunque de una manera poco literal— los pasajes que ha tomado de Lewis para que el lector pueda comparar y juzgar: esta preciosa traducción, lo mismo que el prólogo, ha desaparecido definitivamente de las ediciones posteriores.

Como al parecer nadie había ido más allá de las sumarias indicaciones legadas por Quintana, era casi imposible medir con precisión la extensión de la imitación. [Una lectura atenta de *The castle spectre* demuestra que Quintana no dice todo. Muchas veces es preciso traducir literalmente a Lewis para ver el calco sistemático en las escenas shakespearianas de horror y también la transformación de unos sentimientos generosos y humanos para que vibren con resonancias patrióticas y nacionales. Se trata, desde el punto de vista de nuestro teórico del momento, de franquear un paso en la adaptación a las tradiciones españolas de un género que le es extraño.]

El problema racial confirma nuestra hipótesis. Dos veces en su obra, Quintana da la palabra a unos negros, y las dos veces nuestra impresión es idéntica. Conforme con la discriminación de fray Bartolomé de las Casas, que ha evocado con tanto acierto, no cree que el habitante de las «áridas arenas de la Libia» sea digno de otra cosa que de una curiosidad pasajera. Tanto en *El duque de Viseo* como en *A una negrita protegida por la duquesa de Alba*, hace de él un tema estrictamente literario. ¿Por qué? El negro es, por definición y por color, el ser afligido de todos los defectos. Queriendo dar un aspecto de verdad a este comportamiento simplista, pero corriente en esta época en España, cultiva la oposición del bueno y del malo: Alí y Asán. El malo es, por supuesto, el ministro y consejero del tirano. Su «boca siempre bárbara y funesta» inflama la ferocidad natural del segundo. ¿Que el tirano piensa cometer un nuevo crimen? El negro le invita, le empuja a cometer otros más, y él mismo los comete para endurecer a su amo en la vía del mal. Para consumar esta sorprendente mezcla de literatura, de ficción y vida, Quintana se veía obligado a presentar al espectador, en el momento preciso, a un negro que fuera racista. Hasta su última réplica, Asán es reticente: ¿puede un negro tener confianza en un blanco? Más que verdad humana o convención dramática, es obstinación. [...] El negro, demonio del mal, sólo es el espíritu vengador porque está desheredado. Pero la justicia y la autenticidad exigían que su venganza fuese la consecuencia de su sufrimiento. Encuentra en el tirano el castigo celeste y él mismo se convierte en el instrumento de la cólera divina. Es un negro que ha leído mucho. Al final de la obra prueba que está muy evangelizado. Ama el remordimiento devorante que arrasa a Enrique cuando éste piensa, angustiado, en el abismo de tormentos feroces que le espera en la horrible eternidad. No vacila en renegar del destronado Enrique: «Húndete en el infierno, que te aguarda, / y deja libre respirar la tierra». [Quintana no muestra gran simpatía ni por el uno ni por el otro. El problema, que esperábamos ver debatido, pierde su acuidad porque queda opacado el papel del negro es el producto filosófico de una mente que ha asimilado imperfectamente sus lecturas. La única chispa de verdad discutible salta de la confrontación entre la ética y la estética del autor: los blancos devolverán a los negros, buenos por naturaleza o malos por fatalidad, lo que en el fondo es lo mismo, su libertad.]

Estamos nada más que en el primer año del siglo XIX, pero ¡cuántos sufrimientos y sombras errantes ya! Espronceda llevará el tema a los extremos más románticos en *El estudiante de Salamanca*. La estoica lección de la constancia, de la abnegación, de la obstinación y del intenso desprecio de la muerte, hace una tímida aparición. Las máximas patrióticas iniciales quedan anticuadas por el nuevo gusto por el sufrimiento y el martirio. Se trata más, insistimos, de una sugestión, de un ligero toque parcialmente consciente y de una propensión nueva por una atmósfera desconocida; porque los personajes siguen siendo fundamentalmente morales y moralizadores. La conclusión era la más romántica posible: El Espectro se hace hombre y la obsesión realidad. El desenlace sangriento en medio de una lúgubre decoración prepara otras muchas agonías posteriores. [...] Su tragedia *Pelayo*, digámoslo claramente, no es psicológica: da mayor relieve a los hombres que a las mujeres (Pelayo contra Zoraida) y a los héroes que a los hombres (Pelayo contra Veremundo o contra Hacén). Su intención es la de ofrecer una apología del héroe nacional a través de los mismos protagonistas («Pelayo soy, el hijo de Favila») y de la fama alcanzada. En el último acto se grita: «¡Pelayo y libertad!», sobre el modelo de «¡Santiago y cierra España!». Pelayo se convierte, como más tarde Padilla, en un emblema divino que los cristianos invocan. Notemos la identidad de pensamiento y estilo con la oda *A Juan de Padilla*: los dos, consagrados espontáneamente por todo el pueblo, aclamados ruidosamente por sus compañeros de lucha, llegan a ser héroes populares y prototipos de la rebelión.

Las máximas patrióticas brotan de todas partes. El concepto de España invade la escena y expulsa a Alfieri. El paralelismo es total entre la reacción antiislámica y la invitación a la revuelta próxima contra un vecino cada vez más exigente. La exaltación «sobrenatural» del dramaturgo italiano pasa a segundo plano y se cambia en «la augusta religión de mis abuelos». Pelayo se dirigirá más a una masa vibrante que a personajes de teatro: «¡No hay Patria, Veremundo! ¿No la lleva / todo buen Español dentro en su pecho? / Ella en el mío sin cesar respira ...».

La noción de causa justa preludia la futura cruzada que predicarán abiertamente las dos grandes odas de *España libre*. La divergencia con Alfieri se acentúa; el tirano ya no es el enemigo de la libertad, sino de las libertades individuales. [...] El sacrificio heroico y estrictamente gratuito, altamente dramático, ha cedido el puesto a una lección de coraje patriótico y de instrucción cívica. ¿Por qué?

La intención política es de ardiente actualidad: «Usando, pues, del derecho que en todos tiempos han tenido los autores dramáticos de ejercitarse en asuntos ya manejados por otros, ha querido el autor de esta tragedia dar por su parte al heroico restaurador de nuestra nación y monarquía el tributo de admiración y de alabanza que todo buen Español le debe». La alusión del prólogo es apenas velada, ya que en 1805 las palabras «restaurador» y «buen español» están cargadas de sentido. [...]

La tragedia de Quintana comienza por una lección de historia. ¿Cómo explicar la lejana derrota de los godos, es decir, la desastrosa situación de España en los primeros años del siglo XIX? «Aún indignado el corazón se acuerda / que la molicie, el crimen nos mandaban.» Alusión valerosa y apenas velada en 1805 y que sin desvelar el segundo término de la comparación transparente, deja la iniciativa al espectador: el tirano es Rodrigo, último rey godo, y lo son también Carlos IV y su favorito Godoy. El príncipe virtuoso es Alarico y al mismo tiempo Carlos III.

La evocación de la España antigua deja entender el precio que habrá que pagar para forjar una nueva: «El nuevo Estado que a rayar comienza ...». Esta profecía hablaba al corazón de los españoles cansados de las licencias del último Borbón y de la tiranía, no menos deprimente, de su ministro Godoy. La restauración de una España nueva y fuerte, en los límites de sus tradiciones históricas, debe ir acompañada de sacrificios eternos, tanto más penosos cuanto que el tirano moderno es un ser dotado de razón. Estamos lejos del combate de Alfieri entre la razón y el corazón.

El paralelo continúa. La resistencia se organiza para abatir al déspota: «Y porque estén envilecidos todos, / ¿todos viles serán? ...», pregunta Pelayo. Numerosos son los que esperan en la sombra, prestos a levantarse a su irresistible llamada. Los asturianos figuran en la plaza de honor: persistente recuerdo histórico pero preludio también de la oda *Al armamento de las provincias españolas contra los franceses*, de julio de 1808. Para completar el díptico, Quintana anuncia ya el caso de los afrancesados con una perspicacia desconcertante.

El problema es esquemático en el primer acto: «... Los fuertes yacen, / un profundo temor hiela a los buenos, / los traidores, los débiles se venden. / Y alzan sólo su frente los perversos». Se afirma y se enriquece gradualmente en las escenas siguientes. Pelayo reniega violentamente de Hormesinda, que vive complacientemente, «... en la estación odiosa / de la superstición y tiranía».

No podemos dejar de subrayar el estrecho parentesco entre esta actitud con la del mismo Quintana ocho años más tarde, el 20 de junio de 1813, en la «Advertencia preliminar» de sus poesías, dedicada a Cienfuegos:

Hipócritas de honor y patriotismo, no han podido sostenerse contra el torbellino revolucionario, que les ha arrancado la máscara con que se cubrían y puesto en descubierto toda su abominable desnudez. Tú conocías a muchos de ellos, tú los amabas, tú los estimabas. ¿Pudiste imaginarlo jamás? Los unos se ríen ahora de la misma doctrina que antes predicaban, se han hecho siervos y apóstoles del más execrable tirano, y han insultado sacrílegamente a la patria moribunda en su agonía. Los otros, destrozando cruelmente los vínculos de una amistad antigua y jamás violada, han profanado sin pudor ninguno los respetos todos de la hospitalidad y la confianza, y correspondido al afecto más tierno y paternal con la más negra traición ...

Es indudable que una amargura personal anima estas líneas, pero son los mismos argumentos de Pelayo frente a una «infame apóstata». Hormesinda representa sobre todo la mujer que ama al tirano. Es una afrancesada perfecta que da en su corazón asilo a sentimientos y no a deberes, que obedece a un ideal que cree bueno, pensando servir a su país, aliviar sus sufrimientos y salvar vidas humanas. La antítesis de Quintana es Meléndez Valdés. Literariamente la idea no es nueva, pero, adaptada como aquí a circunstancias originales, cobra un valor nacional y tristemente profético.

11. TOMÁS DE IRIARTE
Y LEANDRO FERNÁNDEZ DE MORATÍN

Creo que fue Quintana [1] el primero que habló de una *poesía prosaica* en torno a 1775. Sin embargo, ya Samaniego, incoherentemente, había motejado con tal término a las fábulas de Iriarte. El *prosaísmo* se explica por dos motivos, el uno literario y el otro social. Literariamente era la reacción extrema contra la poesía barroquista que tanto tiempo había perdurado. Se deseaba una poesía natural y sencilla, sin metáforas violentas ni hipérbatos, sin alusiones eruditas sólo comprensibles para algunos iniciados. Huyendo de todo esto era fácil caer en el vicio contrario, en un lenguaje excesivamente coloquial, sin imágenes, tan «natural», que fuera del ritmo del verso y de la rima, apenas utilizaba ninguna de las tradicionales galas poéticas.

La motivación social estaba en el hecho de que la poesía se considerara cada vez más como vehículo para expresar verdades, es decir, como medio docente, destinado a un público amplio, al que no se le podía hablar más que en un lenguaje fácilmente comprensible; como al mismo tiempo había una tradición de libros de texto en verso (en 1771, por ejemplo, se publica la *Gramática latina, escrita en verso castellano*, de Juan de Iriarte), el prosaísmo docente hay que considerarlo, en parte, como continuador de esa tradición y en parte como el intento ilustrado de expandir cultura a capas sociales alejadas de ella o de exponer determinados conocimientos (el caso del poema *La música* de Tomás de Iriarte) especializados o minoritarios, a fin de que llegaran a más gentes.

Por otra parte me parece muy interesante, muy sugestivo y aplicable

1. Escribe Quintana en *Sobre la poesía castellana del siglo XVIII:* «La poesía en aquel tiempo, libertada de los últimos delirios del culteranismo apadrinados por Huerta, se veía expuesta a otros vicios, por ventura más contrarios a su naturaleza, que eran el prosaísmo y la flojedad. La mayor parte de los versos que entonces se escribían, a fuerza de aspirar a la llaneza, a la claridad y a la sencillez, rayaban en los términos de lo bajo y trivial» (BAE, XIX, p. 152).

a la poesía española, el siguiente párrafo de Eliot: «Los que condenan o desnaturalizan *en bloc* la poesía del XVIII por ser prosaica, tropiezan en una incertitud del significado de la voz *prosaico*, para llegar precisamente a la más errada conclusión posible. No se tiene que examinar gran cantidad de la poesía inferior del setecientos para darse cuenta de que el defecto de ella es el no ser bastante prosaica. Nos inclinamos a usar *prosaico*, no sólo en el sentido de 'como prosa', sino en el de 'falto de belleza poética'. ... Empero, debiéramos distinguir entre poesía que es como *buena* prosa, y poesía que es como *mala* prosa. Y aun así, creo que la prosa es mala por parecerse a mala poesía, más veces de las que la poesía es mala por parecerse a ·mala prosa».[2]

De todo el clan de los Iriarte sólo nos interesa aquí Tomás, nacido, como los otros, en la isla de Tenerife (1750-1791). Con la protección de su bien situado tío Juan, empezó antes de los veinte años a traducir obras francesas para los teatros de los Reales Sitios. Muy pronto adquirió cierta notoriedad con la sátira en prosa *Los literatos en cuaresma* (1773). Tertuliano de la Fonda de San Sebastián, contó con buenos amigos que le defendieron, pero también tuvo que enfrentarse con el odio y la intemperancia de Forner.

Sobre Iriarte existe un magnífico libro de Cotarelo y Mori [1897], el cual, a pesar de los años y de una crítica indudablemente atrasada, sigue siendo fundamental, aunque sólo sea por la importancia de los datos de primera mano que aporta, no sólo para Iriarte y sus hermanos, sino para toda la época. Debe también tenerse en cuenta el libro de Cox [1972], buen resumen del estado actual de los estudios iriartianos.

La fábula, que se empieza a prodigar en estos años, es un ejemplo bien claro de intento de culturalización, lo que explica, creo, la diferencia con fabulistas como La Fontaine, a quien le mueven otros motivos. Además de las *Fábulas literarias* (1782) de Tomás de Iriarte, tengo que referirme a las *Fábulas en verso castellano* (1781) de Félix María de Samaniego (1745-1801), dejando a un lado otros fabulistas. Hay que poner de relieve un hecho social: los niños de mi generación hemos sido todavía lectores, incluso apasionados, de las fábulas de ambos autores, no sólo porque nuestros libros de texto incluyeran algunas, sino porque nos las leíamos en cualquier ejemplar que tuviéramos a mano. El número de ediciones de ellas que se han hecho en doscientos años son claro signo de su éxito. Es decir, cuando dos «prosaístas» conscientes han conseguido los fines por ellos perseguidos, y durante dos siglos, es que han acertado plenamente con la forma literaria que necesitaban para llegar a los lectores a quienes se dirigían. La obra literaria es por un lado un producto estético, pero es también, y necesariamente, una comunicación.

2. Tomo la cita de Sebold [1961], p. 24.

Lo único que cambia de una a otra es el ámbito de la comunicación. Góngora no se dirigía a los adolescentes; Samaniego e Iriarte estaban, sin embargo, muy lejos de pensar en un grupo elitista.[3] Samaniego escribió sus fábulas para educar a los niños del Seminario de Vergara, Iriarte para inculcar unos cuantos principios literarios. Samaniego tradujo unas veces fábulas de Fedro, de La Fontaine y de otros fabulistas, otras veces las adaptó y otras creó nuevas fábulas sobre temas tradicionales. Iriarte pretendió ser más original en cuanto a los temas, pero limitó su enseñanza a la retórica y la poética para principiantes. El prosaísmo de Samaniego es con frecuencia ramplón, el de Iriarte, sin perder la claridad expositiva, resulta más poético. Quintana decía: «Iriarte cuenta bien, pero Samaniego pinta», juicio que me parece aceptable.

Los ideales estéticos de ambos los expone perfectamente Samaniego en la dedicatoria a Iriarte del libro III. Le dice que no quiere otro modelo que el de sus versos, «fáciles, amenos, sin ambicioso ornato», en definitiva, ir marchando «por el llano, / contándonos en verso castellano / cosas claras, sencillas, naturales, / y todas ellas tales, / que aun aquel que no entiende poesía / dice: *Eso yo también lo diría*». Por eso Samaniego, como Iriarte, no implorará a las musas, ni a los númenes, ni siquiera a Apolo, sino a la naturaleza, que, sabia, le dictará sus verdades.

Las fábulas de Samaniego pueden leerse en la edición de Ernesto Jareño [1969], que lleva un apreciable prólogo. Un libro que debe tenerse en cuenta a la hora de estudiar a este autor es el de Palacios Fernández [1975], el mejor conocedor actual de Samaniego, que nos ha dado también [1976] una edición de su poesía erótica. Las fábulas han sido analizadas desde diversos aspectos por el mismo Palacios Fernández [1972], por Niess [1943] y por Santoyo [1973].

Las fábulas de Iriarte se han editado desde 1782 casi un centenar de veces. De las más recientes, y todavía en el mercado, cabe señalar la de Alberto Navarro [1963], con un buen prólogo. Cioranescu [1954] ha analizado lo que significa la fábula en general, y en concreto las de Iriarte, como género literario, y ha puesto de relieve lo que hay en éstas de personal y de sátiras con nombres y apellidos conocidos, dentro del mundo de los escritores y los artistas, que era el único que realmente

---

3. El mismo Quintana, *op. cit.*, había escrito: «Por opinión y por uso ya sus fábulas [las de Iriarte] se han hecho clásicas; no hay niño que no las aprenda con facilidad y con gusto, no hay hombre hecho que no les tenga afición; las ediciones se repiten a porfía, y el gran calificador del mérito de los escritos, el tiempo, confirma cada día más el feliz desempeño del autor en el útil y noble objeto que se propuso».

le interesaba a Iriarte. Algo de esto subraya también Navarro González [1952]. Un trabajo novedoso y muy esclarecedor de la poética y de la fábula iriartianas es el de Sebold [1961], cuyo contenido resume así el propio autor en la introducción: «Nunca se ha intentado poner de relieve, a base de principios estéticos internos a la obra de Iriarte, cómo procede éste para crear poesía, y cómo da forma artística así al goce anímico que experimenta en su crear poético como a las circunstancias que le inspiran versos: es decir, justamente eso que le hace, además de versificador, poeta. Para seguir la trayectoria de Iriarte desde la inspiración hasta la obra acabada, intentaré primero destacar en su poesía aquello que no es ni reserva neoclásica, ni pensamiento de su siglo, ni ambiente de época, ni versificación correcta; aquello que, sin embargo, se nos da íntimamente ligado con una nueva síntesis de estos y otros elementos, aunque no es reductible a ella: la sensibilidad artística de Iriarte. Ya hemos visto que Iriarte es sensible a la pintura, a la música y a situaciones y emociones de tipo poético, lo cual es el indispensable primer paso en la evolución psicológica de cualquier espíritu hacia esa más meditada sensibilidad formal que rige la creación».[4]

También se puede consultar Cossío [1941]. Un aspecto importante de las *Fábulas literarias* es el de la versificación, al que es general referirse. Se pueden consultar a este respecto un artículo de Clarke [1952] y los ya citados de Sebold [1961] y Navarro González [1963].

En la obra poética de Iriarte hay que destacar también, precisamente como ejemplo de prosaísmo docente, el poema en cinco cantos *La música* (1779). Elogiado habitualmente por su contenido, pocos son los críticos que no lo condenan literariamente. Dejando a un lado el generalizado enfado que ha provocado el primer verso, atípico en la versificación de Iriarte, el conjunto, si se analiza desde sí mismo, podría resultar literariamente más positivo de lo que habitualmente se cree. Un acercamiento a este análisis lo encontramos en Arce [1981 *a*]. Subirá ha tratado del contenido en diversos lugares, pero especialmente [1949] en el primer volumen de su magnífico estudio sobre el compositor Iriarte y los melólogos de la segunda mitad del siglo XVIII.

Prosaicas son también las, por otro lado, interesantes *Epístolas*, aunque su prosaísmo obedece a otras razones distintas de las estéticas (véase Arce [1981 *a*]). El resto de la producción poética, a pesar de algunos buenos sonetos, tiene menos importancia.

Si las fábulas constituyen la obra por la que fundamentalmente Iriarte ha pasado a la posteridad, no es posible olvidar dos de sus comedias: *El señorito mimado* (1783) y *La señorita malcriada* (1788). La primera contó con la aprobación de los mejores representantes del teatro

---

4. Sebold [1961], pp. 12-13.

arreglado y clasicista. Para el censor Santos Díez González la obra era
la demostración, contra los defensores del teatro tradicional, de que ya
no podrían decir que no era lo mismo discutir que dar buenas obras; no
encuentra en la comedia ninguna falta, y por todo ello considera, no sólo
que se le debe conceder la licencia para la representación, sino que su
autor merece que oficialmente se le den las gracias. Para Leandro Moratín, «si ha de citarse la primera comedia original que se ha visto en los
teatros de España, escrita según las reglas más esenciales que han dictado
la filosofía y la buena crítica, ésta es».[5] El mismo Moratín señala como
defectos «la falta de movimiento dramático, de ligereza y de alegría
cómica». La obra fue muy bien representada y notable su éxito de taquilla. La envidia se cebó con Iriarte, pero ello no puede impedirnos
reconocer que se trataba, efectivamente, de la primera comedia original
de factura clásica que podía sostenerse en el escenario.

El tema de la comedia es el de la educación de los hijos. Mariano,
huérfano de padre y con el tutor en América, ha sido educado por su
madre, que le ha consentido siempre sus caprichos. Las consecuencias
han sido una serie de vicios y una sucesión de disparates y locuras. El
tutor logra desenredar el embrollo en que se metió, cuando todavía la
madre no quiere creer lo que es la evidencia misma. La tesis de Iriarte
es en definitiva contraria a la libertad del educando. Si el carácter de
Mariano está muy bien analizado, el de la madre me parece mal ideado:
doña Dominga no es una madre excesivamente blanda y amorosa, sino
sencillamente tonta, lo que impide que sea un paradigma, como en principio deben ser los caracteres de una comedia clásica sobre los que
recaiga la tesis que se intenta demostrar.

La señorita malcriada, estrenada en 1791, peor representada que la
anterior, tuvo menos éxito de público, a pesar de ser mejor comedia que
El señorito mimado. En La espigadera se hace un análisis de la comedia
y se concluye: «¡Ojalá que en nuestro teatro se representasen muchas
piezas tan arregladas y dignas de alabanza como ésta, y que los que
proveen de farsas a la escena se dedicasen a estudiar más la naturaleza
y a seguir el camino recto de la regularidad y del buen gusto por donde
ha sabido conducirse este autor, y en sus primeros vuelos se ha remontado tanto el joven Moratín con su comedia de El viejo y la niña!».[6] La
comedia de Moratín se estrenó un año antes que la de Iriarte, aunque
la de éste se había impreso ya en 1788.

El tema de La señorita malcriada es también el de la educación de
los hijos. Ahora se trata de una señorita, doña Pepita, a quien su padre

5. Leandro Fernández de Moratín, Obras, ed. Academia de la Historia,
II-1.ª, Madrid, 1830, p. XLI.
6. La espigadera, obra periódica, II, Blas Román, Madrid, 1791, p. 69.

se lo consiente todo, que hace de su capricho ley inapelable, que es ligera y voluble, despótica con sus inferiores, irrespetuosa con los mayores, que a causa de su superficialidad acepta a un falso marqués, y cuando se descubren los trampantojos de éste y ella quiere entonces volver al joven caballero don Eugenio, es desairada, lo que constituye su castigo.

Iriarte, en definitiva, iniciaba un teatro que se venía propugnando teóricamente desde hacía bastantes años y que hasta entonces sólo había producido alguna tragedia aceptable, bastantes mediocres y muy pocas comedias de escaso valor. Con él se inicia un nuevo tipo de comedia, cuyo máximo representante será muy poco después Leandro Fernández de Moratín.

Hay edición reciente de ambas comedias, con muy buen prólogo, de Sebold [1978 a]. Hay que añadir a los títulos analizados La librería, en prosa, y el melólogo Guzmán el Bueno (1791), estudiado por Subirá [1949]. De la teoría dramática de nuestro autor ha tratado Rossi [1958]. El carácter neoclásico y el significado de las comedias de Iriarte han sido estudiados por Cox [1974] y Garelli [1974].

De Leandro Fernández de Moratín (1760-1828) ha escrito Fernández Nieto [1977]: «La biografía de Moratín, plagada de contradicciones y actitudes equívocas, interesa hoy tanto como su obra literaria. Su imagen ha sido frecuentemente falseada y ha provocado distintos comentarios e interpretaciones según la ideología de los críticos» (p. 19). No es éste lugar para comentar las interpretaciones de sus actitudes humanas, ciertamente equívocas y contradictorias; pero puede verse Lázaro Carreter [1960, 1961]. En 1779 obtiene el accésit en un concurso convocado por la Academia Española con el poema La toma de Granada por los Reyes Católicos, y de nuevo consigue el segundo premio en 1782 con la Lección poética, sátira contra los vicios introducidos en la poesía castellana. En 1786 tenía ya escrita su primera comedia, El viejo y la niña. Poco después inicia sus viajes por Europa, al ser recomendado por Jovellanos a Cabarrús para que le acompañara como secretario. De 1792 a 1796 realiza otro largo viaje por Francia, Inglaterra e Italia. Estos viajes han tenido gran importancia en la evolución del pensamiento de Moratín, perfectamente rastreable en las cartas escritas en esos años. Nombrado secretario de la Interpretación de Lenguas, ocupa diversos cargos y sigue escribiendo para el teatro y estrenando con éxito, pero con problemas. Durante la guerra de la Independencia continúa en la secretaría y colabora con los franceses, con los que tiene que huir a Valencia en 1812. Los años siguientes son bastante azarosos, tiene que acabar en el exilio, y acogido por la familia Silvela, vive primero en Burdeos y después en París, donde muere.

Desde la Noticia [1830] de la edición de sus obras por la Academia de la Historia y de la más interesante *Vida* de Manuel Silvela [1845] hasta hoy se han escrito muchas y muy dispares biografías de nuestro autor. Aparte algunos trabajos de síntesis en prólogos a ediciones de Moratín, se puede recomendar el libro de Dowling [1971], el cual, dentro del estilo de la colección a que pertenece, ofrece un apreciabilísimo estado de la cuestión, con abundantes aportaciones personales. Aunque no sea una biografía en el sentido recto del término debe tenerse en cuenta el interesante libro de Vivanco [1971]. Hay otros muchos artículos sobre detalles biográficos, entre los que cabe señalar los de Rossi [1974], Ortiz Armengol [1975], Fernández Nieto [1974] y Tejerina [1977, 1979].

El aspecto fundamental de la obra moratiniana es el dramático, y también el que ha dado lugar a más estudios críticos. Me voy a referir aquí a los más importantes trabajòs de conjunto. Indudablemente el primero que debe citarse es el grueso volumen de Andioc [1970, trad. castellana abreviada 1976]. No se trata de un libro concreto sobre Moratín, sino de un análisis, fundamentalmente socioliterario, del teatro dieciochesco, en especial el de la segunda mitad; pero es precisamente ese amplio marco el que permite comprender mucho mejor el teatro de don Leandro. Un minucioso índice de nombres y títulos conduce al lector con facilidad a lo que le interese. Un curioso trabajo es el del hispanista japonés Higashitani [1967, 1972], que creo que es el primero de esa nacionalidad que ha publicado sobre temas dieciochistas españoles. No cae en la beatería del neófito, sino que se enfrenta con hechos culturales tan ajenos a su propia tradición con el menor respeto posible a la bibliografía anterior. Moratín fue para Higashitani «un burgués comodón, nada más. No era tímido, ni apocado, ni afrancesado, como dicen los eruditos». Otro trabajo de conjunto y a la vez de síntesis es el de Paul Merimée [1960]. No puede olvidarse el magnífico libro de Dowling [1971], ya citado. No conozco la tesis de Legendre [1960], pero parece, por su título, un estudio de conjunto. También hay que citar un libro de Rossi [1974] y la interesante interpretación, o recreación, de Moratín por parte de un escritor de nuestro tiempo, Vivanco [1971], aportación original, en búsqueda del ser más íntimo de don Leandro, recreado a través de toda su obra. Un importante análisis de la obra de Moratín desde un ángulo histórico-social es el de Rien [1982]. Debe señalarse también un valioso libro de consulta, el de Ruiz Morcuende [1945], que es el único vocabulario existente de un autor del siglo XVIII.

El viejo y la niña se escribe en 1786 y se estrena en 1790. La estructura de esta comedia es perfectamente clásica: frente a la intriga bipolar doble, característica de la comedia barroca, Moratín adopta la triangular, Isabel frente al marido y al amante. El tema es afín, pero no idéntico, al de *El sí de las niñas*, que analizaré después. En *El viejo y la niña* la mujer joven, engañada por su tutor, que le dice que su amante don Juan se ha casado, acepta el matrimonio de conveniencia con el comerciante gaditano don Roque. La aparición de don Juan, el amor que renace entre ambos, la actitud de marido omnipotente de don Roque, todo ello lleva a una situación de posible adulterio, con lo que la única salida para Isabel, dentro de la mentalidad de Moratín, será el retirarse a un convento, pero después de hablar al marido de igual a igual. Dowling [1976] encuentra el origen de la comedia moratiniana en un episodio real del autor: antes de 1780 Leandro andaba enamorado de Sabina Conti, que vivía en su propia casa, y que en 1780 se casó con Juan Bautista Conti, de 39 años, el doble que Sabina. El viejo y la niña la terminó en 1783, y le serviría de catarsis. Poco después, en 1785, viviendo Leandro con su tío don Miguel, se casó éste en segundas nupcias con una mujer joven de Segovia, Isabel de nombre, como la protagonista de la comedia, repitiéndose el episodio del hombre maduro que se casa con «niña». Anteriormente varios críticos se habían referido a otro episodio que cuenta José Antonio Melón, relacionado con las cartas de amor de «Licoris» que él les enseñaba mientras componía su comedia. Al margen de estas posibles anécdotas personales, debemos ver en El viejo y la niña un tema más general, que también Goya desarrolló en su cartón para tapiz titulado La boda (1792), en el que el novio se pinta con todos los rasgos de lo monstruoso e inaceptable, y en el capricho 14 («¡Qué sacrificio!»). en el que los familiares venden la muchacha a un novio horrible, pero rico, que les librará de la miseria. En la comedia moratiniana la tesis no es tanto la de que la mujer tenga plena libertad para la elección de marido, como la de los peligros que entrañan estas bodas irracionales. Moratín insinúa el posible adulterio, pero sin que se llegue a él. Jovellanos, en la primera de sus sátiras A Arnesto, publicada en el mismo año en que Moratín escribe su comedia, plantea el tema desde la otra perspectiva: la mujer se siente libre en cuanto que casada, y por ello «y sin que invoquen la razón, ni pese / su corazón los méritos del novio, / el sí pronuncian y la mano alargan / al primero que llega», versos que motivaron el segundo de los Caprichos de Goya. Por eso la belleza, la juventud y la ternura no tienen inconveniente en negociar con «la vejez hedionda, la sucia palidez, la faz adusta, fiera y terrible». El mismo tema desde dos puntos de vista.

De esta comedia hay dos ediciones modernas, la de Lázaro Carreter [1970] y la de Fernández Nieto [1977]. Además del estudio del primero se pueden consultar los siguientes: Dowling [1960, 1976], Pataky-Kosove [1979] y Di Pinto [1981], para quien al joven Leandro no le importaba «tanto la tesis del matrimonio desigual, cuanto la solución, el desenlace de tal tipo de coerción, la recuperación de la libertad» (p. 76).

En 1792 estrenó Moratín La comedia nueva o El café, en dos actos y en prosa. Con ella pretendía desterrar de los teatros las comedias seudohistóricas que tanto se representaban entonces. Aunque en el momento del estreno se consideró una sátira personal contra Comella o Zavala, especie que se ha seguido repitiendo, parece que debe pensarse más en una crítica general contra el teatro barroquizante todavía en boga, ejemplificado con *El cerco de Viena* de don Eleuterio, género histórico que tanto se prodigaba, como pudo elegir para su burla una comedia de magia. Si don Eleuterio disparata y confía en el éxito de su comedia para resolver sus problemas económicos y poder casar a su hermana, Moratín no se ceba con el personaje, como Isla con fray Gerundio. Al que sí presenta con rasgos caricaturescos es a don Hermógenes, pedante insufrible y en el que quiso representar a los teóricos defensores del teatro barroco. Hay que señalar finalmente el hecho de que está escrita en prosa, imitando así a la comedia francesa. Hay varias ediciones modernas de esta comedia; pero aparte la de Fernández Nieto [1977], edición que también se debe señalar para las otras comedias originales, se pueden recomendar las de Dowling [1968, 1970 *a*] y la de Lázaro Carreter [1972]. Han escrito sobre *La comedia nueva* también, aparte de la breve nota de Sarrailh [1934], Andioc [1961] y Dowling [1970 *b*].

El barón, obra que tuvo desde 1787, en que se compuso para ser representada como zarzuela (véase Andioc [1965]), una curiosa historia que llega hasta el mismo momento del estreno de la segunda versión en 1803, está dentro del tema preferido por Moratín, el de la libertad de elección de la mujer casadera. Bien versificada y agradable, es, sin embargo, inferior a *El sí de las niñas*, que prácticamente la anularía. Es decir, típica línea moratiniana, pero sin llegar a su desarrollo.

En 1804 estrena *La mojigata*, escrita en 1791, que había corrido bastante en copias y que hasta se había representado en casas particulares. Para estrenarla la había corregido, suprimiendo varios párrafos, algunos por razones extraliterarias. Ha estudiado estos cambios Caso González [1981]. Si por un lado en la comedia se pretende criticar el vicio de la hipocresía, por otro se incide en el tema que más preocupaba a Moratín: el de las muchachas sometidas a la arbitrariedad paterna, en este caso fundada además en el hecho de que una buena herencia que se cree que va a recibir doña Clara quedará entera para el padre si ella entra en religión. *La mojigata*, que es acaso la comedia moratiniana que más recuerda los lances de la comedia de capa y espada, tiene una estructura compleja, sin dejar de ser sencilla, y su lenguaje natural e intencionado y los personajes perfectamente analizados la hacen superior a *El barón*. Véase Cid de Sirgado [1972] y Sebold [1978 *b*], que estudia al personaje femenino protagonista de la comedia, para poner de manifiesto sus perfiles individuales.

Pero la obra maestra de Moratín, la que puede considerarse como el modelo de la comedia clasicista, imitada largamente durante todo el siglo XIX, es *El sí de las niñas*, estrenada en 1806. El tema vuelve a ser el mismo de algunas de las anteriores: boda arreglada sin contar con la voluntad de la novia, y además boda de una jovencita con hombre maduro. Los caracteres, sin excluir siquiera a los criados, son una maravilla de estudio y análisis, retratos comparables a los del mejor Goya. Los de Paquita y su madre, don Diego y su sobrino Carlos, serán siempre cuatro de los mejores caracteres del teatro español. El espíritu fresco y lozano de doña Paquita, su amor adolescente junto a su capacidad de sufrimiento ante lo inevitable, su renuncia a todo engaño y al mismo tiempo su infantil disimulo, todo hace de ella un ser encantador, del que el espectador se compadece. La madre, habladora y empecinada en resolver su problema, capaz de sacrificar a su hija, pero nunca cruel, que sigue la rutina que a ella misma le enseñó su propia vida, resulta tan natural, que la sátira de Moratín lleva al espectador a compadecerla más que a condenarla, aunque no se pueda aceptar su manera de comportarse. El viejo don Diego, ridículo por el error de pretender a una jovencita, pero personaje siempre digno y noble, comprensivo y que no se deja arrebatar ni por la pasión ni por los celos, acaba también ganándose la simpatía del espectador. En el valiente militar don Carlos algunos han observado su excesiva obediencia y respeto al tío, pero Casalduero [1962] ha puesto de relieve que se rige por la razón, que en el pensamiento de Moratín es la que hace que la autoridad no se convierta en tiranía, que los hombres sean capaces de dominarse, con lo cual, como dice Andioc [1970], don Carlos es al mismo tiempo un personaje dramático que se enfrenta al galán popularizado en las comedias de capa y espada.

En *El sí de las niñas* el sentimiento tiene también un papel importante, porque Moratín no ha querido apoyar su tesis en argumentos intelectuales, como podrían ser, de alguna forma, los de *El viejo y la niña* (pero véase Pataky-Kosove [1979]), sino en el sentimiento. Esto le diferencia fundamentalmente del teatro francés, especialmente de Molière.

La comedia está escrita en prosa, con un lenguaje natural y sencillo, sin caer en el vulgarismo. Las unidades, que se respetan naturalmente en su totalidad, se han conseguido sin la menor inverosimilitud. La de lugar, al haber elegido la sala de paso del piso alto de una posada; la de tiempo, al situar la acción *in medias res*, lo que permite la reunión de todos los personajes sin forzar las circunstancias. Así resulta un modelo de sencillez, de naturalidad, de unidad, de humanidad. La reposición de la comedia con motivo del centenario del nacimiento de su autor demostró que es una de las pocas comedias vivas, no sólo del siglo XVIII, sino de toda la literatura dramática española.

La bibliografía sobre *El sí de las niñas* es enorme. Voy a señalar sólo algunos de los principales trabajos: para detalles concretos véase Asensio [1961], Dowling [1961], sobre la intervención inquisitorial, tema para el que también se puede ver Fernández Nieto [1960]; sobre la relación Paquita-Francisca Muñoz, de la que tanto se ha escrito, véase Villegas Morales [1963]. En relación con este último tema es muy importante la ponencia de Sebold [1981], que pone de relieve el realismo insólito en la época de Moratín. Otros importantes aspectos han sido tratados por Laborde [1946], Casalduero [1957], Palacio Atard [1964], Aubrun [1965], Judicini [1971], Goenaga y Maguna [1972] y Moreno Báez [1975].

Moratín tradujo en 1798 el *Hamlet* de Shakespeare, traducción que ha estudiado Morgan [1965]. En 1812 y 1814 adaptó al castellano *La escuela de los maridos* y *El médico a palos* de Molière, que han sido analizadas por Andioc [1979], que estudia los métodos y principios de traducción y adaptación seguidos por nuestro autor.

La poesía de Moratín está en el extremo opuesto de la de Cienfuegos. Bien lo demuestra la *Epístola a Andrés*, construida con palabras, frases y aun versos enteros de Cienfuegos, incluso de Quintana y del Meléndez no anacreóntico, y que constituye una dura crítica del lenguaje poético del primero. Moratín propugna una poética clasicista, horaciana, bien analizada por Arce [1981]; una serie de traducciones de Horacio debieron servirle para captar la esencia de su poesía y para encontrar en español moldes apropiados para expresarse de forma parecida. Su *Elegía a las Musas* es el más perfecto ejemplo de cómo el dolorido sentimiento del poeta desterrado se manifiesta con una contención y un equilibrio clasicistas y un lenguaje atildado y puro, sin la menor concesión al tono oratorio o desmelenado, a que el tema se prestaba, especialmente ante el conmovido recuerdo de una España destrozada por la guerra. La epístola I, *A don Simón Rodrigo Laso*, sobre el tema de la infelicidad humana, comparada con poemas semejantes de Cienfuegos, pone bien de relieve la diferencia entre ambas poéticas. De la neoclásica escribe Arce [1981 a]: «La suprema aspiración neoclásica es centrar el interés en un armónico ideal de simplicidad constructiva, no ajeno a lo elevado de la concepción. Abstracto ideal que, en los mejores momentos, se identifica con lo que está fuera de la historia, en la búsqueda de verdades absolutas, atemporales, imperecederas» (p. 482). Y del poema *A la Virgen de Lendinara* dice Fabbri [1981] que «no contradice sino más bien confirma la compleja relación que se ha establecido dentro del mundo lírico moratiniano entre educación ilustrada y culto por lo clásico» (p. 127).

Otra importante faceta de Moratín es la de poeta satírico. La vemos ya en su *Sátira contra los vicios introducidos en la poesía castellana* (premiada con accésit por la Academia Española en 1782), en la que luce su ingenio y su agudeza satírica, especialmente al tratar del teatro. Además de la ya citada *Epístola a Andrés* hay que recordar la *Epístola a Claudio*, escrita contra «el filosofador siglo presente», pero con un tema de validez general: la crítica a los que predican *virtud*, pero no la practican. Otros poemas (*Los días, A Geroncio, Más vale callarse, El coche en venta, Aguinaldo poético*, etc.) son agudos desahogos personales contra los que le atacaban o pequeños cuadros costumbristas, llenos de humor y de gracia. La sátira moratiniana se queda siempre en lo ingenioso y en lo ridículo, pero no llega nunca a ser el látigo que fustiga, como las dos tremendas sátiras de Jovellanos *A Arnesto*.

Hay dos aspectos de la obra de Moratín a los que conviene aludir, ya que ahora disponemos de dos magníficas ediciones. Me refiero al *Diario*, publicado completo por primera vez por René y Mireille Andioc [1968] y al *Epistolario*, editado por René Andioc [1973]. El primero no tiene la calidad ni el valor del de Jovellanos, pero aporta datos muy interesantes, sobre todo cuando se trata de viajes. El *Epistolario* es uno de los más ricos e importantes del siglo XVIII.

Del Moratín satírico hay que citar también *La derrota de los pedantes, sátira contra los vicios de la poesía española* (1789), que ahora podemos leer en una pulcra edición de Dowling [1973], y que ha estudiado más recientemente Lopez [1981].

Finalmente, hay que citar los *Orígenes del teatro español*, la obra a la que Moratín dedicó sus últimos años y que ha analizado últimamente Mancini [1981].

BIBLIOGRAFÍA

Andioc, René, «À propos d'une reprise de *La comedia nueva* de Moratín», en *Bulletin Hispanique*, LXIII (1961), pp. 56-61.

—, «Broutilles moratiniennes», en *Les Langues Neo-Latines*, LIX (1965), pp. 26-33.

— y Mireille Andioc, eds., L. Fernández de Moratín, *Diario (mayo 1780-marzo 1808)*, Castalia, Madrid, 1968.

—, *Sur la quérelle du théâtre au temps de Leandro Fernández de Moratín*, Tarbes, 1970 [trad. castellana abreviada: *Teatro y sociedad en el Madrid del siglo XVIII*, Castalia, Madrid, 1976].

—, ed., L. Fernández de Moratín, *Epistolario*, Castalia, Madrid, 1973.

—, «Moratín traducteur de Molière», en *Hommage des hispanistes français à Noël Salomon*, Laia, Barcelona, 1979, pp. 49-72.

Arce, Joaquín, *La poesía del siglo ilustrado*, Alhambra, Madrid, 1981.

—, «La lírica de Moratín y el ideal neoclásico», en *Coloquio Internacional sobre Leandro Fernández de Moratín* (1980), Piovan Editore, Abano Terme, 1981, pp. 23-36.

Asensio, J., «Estimación de Moratín. Un manuscrito de la B. N. de París sobre *El sí de las niñas*», en *Estudios*, Madrid, XVII (1961), pp. 83-144.

Aubrun, Charles V., «*El sí de las niñas* o más allá de la mecánica de una comedia», en *Revista Hispánica Moderna*, XXXI (1965), pp. 29-35.

Casalduero, Joaquín, «Forma y sentido de *El sí de las niñas*», en *Nueva Revista de Filología Hispánica*, XI (1957), pp. 36-56. (Incluido en *Estudios sobre el teatro español*, Gredos, Madrid, 1962, pp. 185-215.)

Caso González, José Miguel, «Las dos versiones de *La mojigata*», en *Coloquio Internacional sobre Leandro Fernández de Moratín* (1980), Piovan Editore, Abano Terme, 1981, pp. 37-60.

Cid de Sirgado, Isabel, «A revival of Molière's *Tartuffe* through a forgotten play of Moratín», en *Papers on Romance Literary Relations*, University of Georgia, 1972, pp. 1-12.

Cioranescu, Alejandro, «Sobre Iriarte, La Fontaine y fabulistas en general», en *Estudios de literatura española y comparada*, La Laguna, 1954, pp. 199-204.

Clarke, D. C., «On Iriarte's versification», en *Publications of the Modern Language Association of America*, Baltimore, LXVIII (1952), pp. 411-419.

Cossío, José María, «Las fábulas literarias de Iriarte», en *Revista Nacional de Educación*, n.° 1 (1941), pp. 53-64.

Cotarelo y Mori, Emilio, *Iriarte y su época*, Madrid, 1897.

Cox, R. M., *Tomás de Iriarte*, Twayne Publishers, Nueva York, 1972.

—, «Iriarte and the neoclassical theater: A reappraisal», en *Revista de Estudios Hispánicos*, Alabama, VIII (1974), pp. 229-246.

Dowling, John C., «La primera comedia de Moratín, *El viejo y la niña*», en *Ínsula*, n.° 161 (1960), p. 11.

—, «The Inquisition appraises *El sí de las niñas*, 1815-1819», en *Hispania*, Wallingford, XLIV (1961), pp. 237-244.

— y René Andioc, eds., L. Fernández de Moratín, *La comedia nueva. El sí de las niñas*, Castalia, Madrid, 1968.

—, ed., L. Fernández de Moratín, *La comedia nueva. Comedia en dos actos estrenada en el teatro del Príncipe, Madrid, 7 de febrero de 1792*, Castalia, Madrid, 1970.

—, «Moratín's *La comedia nueva* and the reform of the Spanish theater», en *Hispania*, Walingford, LIII (1970), pp. 397-402.

—, *Leandro Fernández de Moratín*, Twayne Publishers, Nueva York, 1971.

—, ed., L. Fernández de Moratín, *La derrota de los pedantes. Lección poética*, Labor, Barcelona, 1973.

—, «La génesis de *El viejo y la niña* de Moratín», en *Hispanic Review*, XLIV (1976), pp. 113-125.

Fabbri, Maurizio, «La oda *A la Virgen Nuestra Señora* y su significación en la lírica de Moratín», en *Coloquio Internacional sobre Leandro Fernández de Moratín* (1980), Piovan Editore, Abano Terme, 1981, pp. 123-135.

Fernández Nieto, Manuel, «*El sí de las niñas* de Moratín y la Inquisición», en *Revista de Literatura*, n.° 35 (1960), pp. 3-32.

—, «La estancia de Moratín en Peñíscola», en *Boletín de la Sociedad Castellonense de Cultura*, L (1974).

—, ed., L. Fernández de Moratín, *Teatro completo*, Editora Nacional, Madrid, 1977.

Garelli, P., «Originalità e significato del teatro comico di Tomás de Iriarte», en Fabbri, Garelli y Menarini, eds. *Finalità ideologiche e problematica letteraria in Salazar, Iriarte, Jovellanos*, Pisa, 1974, pp. 48-90.

—, «A proposito di Iriarte e del suo teatro», en *Spicilegio Moderno*, n.° 11 (1979), pp. 179-187.

Goenaga, A. y Maguna, J. P., «Moratín y *El sí de las niñas*», en *Teatro español del siglo XIX*, Las Américas, Madrid, 1972, pp. 39-68.

Higashitani, Hidehito, «Estructura de las cinco comedias originales de L. F. de M.: exposición, enredo y desenlace», en *Segismundo*, III (1967), pp. 135-160.

—, *El teatro de Leandro Fernández de Moratín*, Plaza Mayor Ediciones, Madrid, 1972.

Jareño, Ernesto, ed., Félix María de Samaniego, *Fábulas*, Castalia, Madrid, 1969.

Judicini, J. V., «The problem of the arranged marriage and the education of girls in Goldoni's *La figlia obbediente* and Moratín's *El sí de las niñas*», en *Rivista di Letterature Moderne e Comparate*, Florencia, XXIV (1971), pp. 208-222.

Laborde, P., «Un problème d'influence: Marivaux et *El sí de las niñas*», en *Revue de Langues Romanes*, LXIX (1946), pp. 127-145.

Lázaro Carreter, Fernando, «Moratín resignado», en *Insula*, n.° 161 (1960), pp. 1 y 12.

—, *Moratín en su teatro*, Cátedra Feijoo, Oviedo, 1961.

—, ed., Leandro Fernández de Moratín, *Teatro completo*, I: *El viejo y la niña. El sí de las niñas*, Labor, Barcelona, 1970.

—, ed., L. Fernández de Moratín, *La comedia nueva*, en *Literatura de España*, III: *Neoclasicismo y romanticismo*, Editora Nacional, Madrid, 1972, páginas 180-221.

Legendre, M. R., «L. F. de M. et le théâtre espagnol de la seconde moitié du XVIII° siècle», Faculté des Lettres, París, 1960 (ejemplar mecanografiado en el Institut d'Études Hispaniques de Paris).

Lopez, François, «Disquisiciones sobre Leandro Fernández de Moratín prosista», en *Coloquio Internacional sobre Leandro Fernández de Moratín* (1980), Piovan Editore, Abano Terme, 1981, pp. 147-154.

Mancini, Guido, «Los orígenes del teatro español según Moratín», en *Coloquio Internacional sobre Leandro Fernández de Moratín* (1980), Piovan Editore, Abano Terme, 1981, pp. 155-161.

Mérimée, Paul, «El teatro de Leandro Fernández de Moratín», en *Revista de la Universidad de Madrid*, IX (1960), pp. 729-761.

Moreno Báez, Enrique, «Lo prerromántico y lo neoclásico en *El sí de las niñas*», en *Homenaje a la memoria de Rodríguez-Moñino*, Madrid, 1975, pp. 465-484.

Morgan, R., *Moratin's «Hamlet»*, Stanford University, 1965.

Navarro González, Alberto, «Temas humanos en la poesía de Iriarte», en *Revista de Literatura*, n.° 1 (1952), pp. 7-24.

—, ed., Tomás de Iriarte, *Poesías*, Espasa-Calpe (Clásicos Castellanos, 136), Madrid, 1963.

Niess, R. J., «A study of the influence of Jean de la Fontaine on the works of F. M. Samaniego», en *University of Minnesota Summaries*, III (1943), pp. 158-162.

Noticia de la vida y escritos de don Leandro Fernández de Moratín, en *Obras*, ed. de la Academia de la Historia, I, Madrid, 1830, pp. xix-xxviii.

Ortiz Armengol, Pedro, «Viajes y entredichos de Moratín en Francia», en *Estudios románticos*, Casa-Museo de Zorrilla, Valladolid, 1975, pp. 199-266.

Palacio Atard, Vicente, «La educación de la mujer en Moratín», en *Los españoles de la Ilustración*, Madrid, 1964, pp. 241-267.

Palacios Fernández, Emilio, «Caracterización de los personajes en las fábulas de Samaniego», en *Boletín de la Institución Sancho el Sabio*, XVI (1972), pp. 169-189.

—, *Vida y obra de Samaniego*, Caja Municipal de Ahorros, Vitoria, 1975.

—, ed., Félix María de Samaniego, *El jardín de Venus y otros jardines de verde hierba*, Ediciones Siro, Madrid, 1976.

Pataky-Kosove, Joan L., «The influence of lachrymose comedy on Moratín's *El viejo y la niña*», en *Hispanic Review*, n.° 47 (1979), pp. 379-391.

Pinto, Mario di, «La tesis feminista de Moratín. Una hipótesis de lectura de *El viejo y la niña*», en *Coloquio Internacional sobre Leandro Fernández de Moratín* (1980), Piovan Editore, Abano Terme, 1981, pp. 75-91.

Rossi, Giuseppe Carlo, «La teorica del teatro in Tomás de Iriarte», en *Filologia Romanza*, V (1958), pp. 49-62. (Incluido en *Estudios sobre las letras en el siglo XVIII*, Gredos, Madrid, 1967, pp. 106-121.)

—, *Leandro Fernández de Moratín. Introducción a su vida y a su obra*, Cátedra, Madrid, 1974.

Ruiz Morcuende, Federico, *Vocabulario de don Leandro Fernández de Moratín*, Real Academia Española, Madrid, 1945, 2 vols.

Santoyo, J. C., «John Gay: su influencia en las fábulas de Samaniego», en *El doctor Escoriaza en Inglaterra y otros ensayos británicos*, Instituto Sancho el Sabio, Vitoria, 1973, pp. 87-132.

Sarrailh, Jean, «Note sur le *Café* de Moratín», en *Bulletin Hispanique*, XXXVI (1934), pp. 197-199.

Sebold, Russell P., *Tomás de Iriarte, poeta de «rapto racional»*, Cátedra Feijoo, Oviedo, 1961. (Incluido en *El rapto de la mente*, Prensa Española, Madrid, 1970, pp. 141-196.)

—, ed., Tomás de Iriarte, *El señorito mimado. La señorita malcriada*, Castalia, Madrid, 1978.

—, «Historia clínica de Clara: *La mojigata* de Moratín», en *Estudios ofrecidos a Emilio Alarcos Llorach*, II, Universidad de Oviedo, Oviedo, 1978, pp. 447-468.

—, «Autobiografía y realismo en *El sí de las niñas*», en *Coloquio Internacional sobre Leandro Fernández de Moratín, Bolonia 1978*, Piovan Editore, Abano Terme, 1981, pp. 213-227.

Silvela, Manuel, «Vida de don Leandro Fernández de Moratín», en *Obras póstumas de Silvela*, Madrid, 1845. (Incluido en *Obras póstumas de Leandro Fernández de Moratín*, I, Rivadeneira, Madrid, 1867, pp. 1-58.)

Spender, Stephen, «The making of a poem», en *Partisan Review* (verano de 1946).

Subirá, José, *El compositor Iriarte (1750-1791) y el cultivo español del meló-logo*, CSIC, Madrid, 1949-1950, 2 vols.

Tejerina, Belén, «Angélica Incontri y Leandro Fernández de Moratín», en *Studi Ispanici* (1977), pp. 113-122.

—, «Leandro Fernández de Moratín y el Colegio de España», en *Studia Albornotiana* («El cardenal Albornoz y el Colegio de España»), XXXVII (1979), pp. 625-770.

Villegas Morales, J., «Nota sobre Francisca Gertrudis Muñoz y Ortiz y *El sí de las niñas*», en *Boletín de Filología*, Santiago de Chile (1963), pp. 343-347.

Vivanco, Luis Felipe, *Moratín y la Ilustración mágica*, Taurus, Madrid, 1971.

RUSSELL P. SEBOLD

LA ESTÉTICA DE IRIARTE

En el acercamiento de su poesía a la prosa, en el buen sentido, Iriarte está influido, no sólo por los ingleses y franceses, sino también por el precursor de todos los «ilustrados» españoles: Feijoo. En sus *Reflexiones sobre la historia* (1730), el simpático benedictino, siempre insaciable en cuanto a la erudición, lamenta que no todos los poetas de la antigüedad relataran verdades históricas como Lucano en la *Farsalia*. Reaparece este punto de vista en un juicio autocrítico de Iriarte, al final de una epístola inédita sobre poesía; pero reaparece con la notable innovación de que se ha convertido en principio estético; por cuanto el fabulista jamás escribió versos sobre sucesos ni personajes históricos, ni sobre materia rigurosamente técnica, excepto en *La música*. Reflejando el punto de vista de Boileau, a la vez que el de Feijoo, Iriarte advierte, en su epístola inédita a la condesa de Benavente, que sus poesías, «Si de algo bueno tienen, / será sólo una cosa, / que, aunque, versos, contienen / tanta verdad como si fueran prosa» (Cotarelo [1897], Apéndices, p. 483). Tal aserto acaso pareciera confirmar una vez más la noción de la personalidad antipoética de Iriarte. Mas hay en estas palabras un inconfundible juicio estético, el cual se aclara si se tiene en cuenta el principio básico de la estética iriartiana.

Formulado del modo más sencillo posible, dicho principio es que «la verdad no necesita recurrir a los atavíos del arte para osten-

Russell P. Sebold, *Tomás de Iriarte, poeta de «rapto racional»*, Cátedra Feijoo, Oviedo, 1961, pp. 29-38; reimp. en *El rapto de la mente*, Prensa Española, Madrid, 1970, pp. 161-169.

tarse tan hermosa como es» (*Los literatos en cuaresma*). Las palabras *verdad* y *arte* se han de entender en sentidos especiales que se declaran en otra exposición del mismo principio, interpolada en *La felicidad de la vida del campo*: «No, Sileno, las gratas invenciones / en que, a tu parecer, la poesía / de la verdad los límites excede, / son débiles esfuerzos con que intenta / pintar milagros que pintar no puede: / Adorna la verdad, mas no la aumenta». Cotejando estos dos pasajes, viene a ser evidente que el concepto de *arte* abarca para Iriarte, además de las reglas de la poética, las «gratas invenciones» o convenciones y fórmulas estilísticas de la poesía: es decir, cuando no pertenezca a la *naturaleza*-mundo-entorno, ni a la *naturaleza*-intuición-personal del poeta. He aquí la reveladora paradoja de que quien ha sido señalado como el seguidor más servil del credo neoclásico, afirma, como todo auténtico poeta, que un credo en cuanto credo y cualesquiera meras fórmulas estilísticas se hallan en la periferia de lo poético. Porque para Iriarte la esencia de lo poético no consiste, ni en uno, ni en el total de los rasgos de aquello que vulgarmente se llama *poesía*, sin exceder «de la *verdad* los límites», sino en unos «milagros que pintar no puede» aquella, o sean ciertas *verdades* anímicas (ya del alma racional, ya del alma sensible, según se distinguía entonces), las cuales perderían su aureola de valor intuitivo-estético, de ajustarse rigurosamente a medios expresivos demasiado violentos. (La *poesía*, en el sentido vulgar, «adorna la *verdad*, mas no la aumenta».)

Volvamos ahora a la observación autocrítica de Iriarte, de que «... aunque versos, contienen / tanta verdad como si fueran *prosa*». De lo que ya queda resumido de la estética iriartiana, se ve que *prosa* para Iriarte, como para Boileau, Goldsmith, Quintana y Eliot, no significa 'antipoético y falto de inspiración', sino al contrario 'auténtico, de aire espontáneo, natural'. Así, comparando sus versos con la prosa, Iriarte quiere decir que cree haber logrado en ellos un estilo tal, que no sofoque la verdad anímica que contengan aquéllos, ni les quite la bella irradiación del alma en ese momento en que se intuye una nueva relación de ideas o sentimientos. Debió de proponerse hacer versos que se caracterizaran por esa «voz fuerte, decisiva, autónoma» que Trilling gusta de escuchar en la poesía no metafórica ni marcadamente *poética*: poesía que es poesía por la precisión de la armonía entre su significación y sus elementos significantes.

Por si hubiese alguna duda sobre la eficacia de esta estética como instrumento para juzgar la obra de Iriarte, debe notarse que el mismo poeta sabe distinguir con todo rigor entre esos versos suyos que «... contienen / tanta verdad como si fueran prosa» (pero que —se debe entender— no lo son) y esos otros versos prosaicos, en el sentido corriente, de algunas de sus epístolas a amigos. En la epístola VI a su hermano don Domingo, advierte que «... Apolo no siempre es tan divino, / que dictar quiera versos elegantes / y dignos de tenerle por padrino, / sino que se complace en ser humano, / y prosa suele hablar con consonantes». Y en la epístola VII, «En llanos versos a un amigo escribo». En resumen, la escala de valores estéticos de la poética iriartiana se articula entre el polo de la poesía que se acerca con exceso a la prosa prosaica y deja por consecuencia de ser poética, y el polo de la poesía que se acerca con justa medida a la prosa intuitiva y por ello se enriquece de nuevas perspectivas; y si cabe hablar del prosaísmo de la poesía de Iriarte, hay que verlo, por lo menos en algunas obras, como elemento positivo y meditado de la estética del fabulista, forjado con plena conciencia.

Como demostración de la validez general de la estética iriartiana, veámosla llevada a la práctica en una de las poesías más líricas y más convencionales del poeta canario: el delicioso soneto que sigue.

¡Fresca arboleda del jardín sombrío,
clara fuente, sonoras avecillas,
verde prado, que esmaltas las orillas
del celebrado y anchuroso río!

¡Grata aurora, que viertes el rocío
por entre nubes rojas y amarillas,
bello horizonte de lejanas villas,
aura blanda, que templas el estío!

¡Oh soledad!, quien puede te posea;
que yo gozara en tu apacible seno
el placer que otros ánimos recrea,

si tu silencio y tu retiro ameno
más viva no ofrecieran a mi idea
la imagen de la ingrata por quien peno.

He aquí una «verdad adornada», sólo adornada, sin ningún intento de «aumentarla»: una verdad sencilla, un pacífico diálogo entre la naturaleza-mundo-externo y la naturaleza-espíritu-creador. Hay en este soneto como un preludio de la delicadeza y melodía de las *Rimas* de Bécquer (que, recuérdese, estudió con el neoclásico Lista), de la tranquilidad soleada y agridulce de los jardines de Juan Ramón Jiménez, y de las imágenes de García Lorca («y un horizonte de perros / ladra muy lejos del río»), además de ecos de la lira de Garcilaso. Pero nótese que no hay en todo el soneto ninguna imagen o construcción que no fueran muy naturales en una prosa noble y simple.

Entonces, ¿qué es lo que causa esa impresión de «poesía pura»? El tono de exclamación limita el enfoque del soneto a su *verdad*, o sea la impresión que la belleza natural produce en el ánimo del poeta. La ausencia, en los cuartetos, de verbos que tengan una función puramente verbal o narrativa, también sitúa al lector en el nivel de impresiones anímicas. Los tres verbos de los cuartetos se hallan en cláusulas de función adjetiva; así expresan, más que acciones, impresiones estéticas, y los tres son verbos de segunda persona, subrayando el hecho de que el soneto es un íntimo diálogo entre el alma y la naturaleza. La colocación alternada de los adjetivos delante y detrás de los sustantivos aumenta la sugestión de ondas de sucesivos embelesamientos con diversas bellezas naturales. Todos los verbos de los tercetos son de por sí, o por el sentido que se les da en el poema, verbos que aluden a fenómenos del espíritu. Por fin, la versificación del soneto va más allá de una mera perfección técnica para llegar a ser un brillante toque arquitectónico y expresivo.

Alternan endecasílabos de distintas acentuaciones de tal forma, que los acentos casi reflejan (salvo que los cruces de los cuartetos son diferentes) el esquema de consonancias del soneto. Primer cuarteto: endecasílabos acentuados en la sílaba cuarta y octava (*A*); en la sexta (*B*); en la sexta (*B*); y en la cuarta y octava (*A*). Segundo cuarteto: endecasílabos acentuados en la sílaba sexta (*B*); en la cuarta (*A*); en la cuarta y octava (*A*); y en la sexta (*B*). Primer terceto: endecasílabos acentuados en la sílaba sexta (*C*); en la cuarta (*D*); y en la sexta (*C*). Segundo terceto: endecasílabos acentuados en la sílaba cuarta (*D*); en la sexta (*C*); y (se rompe el esquema) en la sexta (*C*). Mas esto no es arquitectura por arquitectura, ni imperfección final por incapacidad de sostener ya el esquema. Tal perfección-imperfección en el esquema de acentos está rigurosamente pensada como instrumento para «adornar» el «milagro que pintar no puede» la poesía. Hay una fina adecuación entre forma y contenido que refleja, por el esquema perfecto, salvo una interrupción final, la visión que nos da el poeta de la naturaleza como un bello y alegre conjunto mancillado por un solo lunar: las sombras del jardín. Y al mismo tiempo el rompimiento de esquema permite una orquestación de los diferentes estados de ánimo del poeta: la melodía regular de los cuartetos y el primer terceto traduce a la forma el encanto igual del poeta con los diversos aspectos de la naturaleza que contempla; luego el efecto *espondaico* de dos versos acentuados en la misma sílaba ocurre en el momento en que el poeta abandona su tranquila contemplación para rendirse a la monotonía de su pena.

¿Dónde está en esto la famosa e inapelable simetría neoclásica? [He aquí un rompimiento de esquema, a propósito y por motivos estéticos. Según Pope cabe en la poesía neoclásica lo que es pura intuición artística; e Iriarte concurre con Pope, no sólo por el ejemplo que he analizado, sino por sus reflexiones sobre el papel de las reglas en la creación poética.] José María de Cossío [1941] ha señalado que hay otra curiosa contradicción entre el resumen en prosa de la moraleja de la fábula LX de *El volatín y su maestro* y la misma moraleja cuando Iriarte la versifica. Según el resumen la fábula ha de enseñar que «En ninguna facultad puede adelantar el que no se sujete a principios». Pero esto en verso sale así: «¡Lo que es auxilio juzgas embarazo, / incauto joven! ...»; y comentando sobre ello, Cossío explica que la verdadera moraleja de la fábula es que «las reglas, la lógica, los principios del arte, son para el inspirado ayuda y no estorbo». Ello es que los neoclásicos percibían que además de la lógica de cada género literario, hay una lógica particular de cada obra literaria. Tanto es así, que un rompimiento de esquema es la única posibilidad dentro de la lógica del soneto de Iriarte. Aceptada esta lógica (que no contradice las reglas, pero que tampoco se reduce a un mero cumplir éstas), se nota en todo el soneto una precisión racionalista: su estilo es tan «fluido... ordenado y geométrico» como el de Feijoo, según dice el anónimo biógrafo del benedictino en el primer tomo de las ediciones póstumas del *Teatro crítico*. Se ha logrado en el soneto algo semejante a lo que todavía dentro de la tradición inglesa de la poesía-prosa, Stephen Spender [1946] llamará, al discurrir sobre su procedimiento creativo, la «capacidad de razonar por una lógica de imágenes». Razonando de modo no muy diferente, Iriarte llega en su soneto a esa especie de armonía poética que requiere que «The sound must seem an echo to the sense» (Pope, *Essay on criticism*, II). Y pese a tal razonamiento, más bien gracias a él, el soneto de Iriarte tiene un lirismo logrado por pocos poetas de su siglo.

Creo que la lógica del soneto «¡Fresca arboleda del jardín sombrío!» es, además, un ejemplo iluminativo de lo que Iriarte quiere decir por la «exactitud» poética. Por su marcado idealismo *a priori* suele compararse el neoclasicismo francés del siglo XVII con el racionalismo deductivo cartesiano: haciendo hincapié en principios generales, la poética neoclásica francesa parece muchas veces haber incapacitado tanto al escritor para captar lo individual en la literatura, como de hecho las reglas cartesianas para la dirección del espíritu incapacitan al filósofo para captarlo en el mundo físico. Pero la exactitud ideal y abstracta del cartesianismo no es la que quiere Iriarte. El fabulista alcanzó en la Ilustración la segunda época del racionalismo, ya no idealista, sino realista, empírico e inductivo, con su insistencia en que el filósofo u hombre de ciencia observara minuciosamente los individuos en la naturaleza, antes de recurrir a la razón para estructurar los datos recogidos. La historia de la filosofía, siempre útil para reconstruir la mentalidad general que influye en las artes de una época, es imprescindible para comprender las del Siglo de las Luces. En el contexto del racionalismo ilustrado e *individualista* no es difícil compaginar la insistencia de Iriarte en la «exactitud» con su rompimiento de esquema en el soneto que acabo de analizar. En tal contexto también se explica fácilmente el que ciertos neoclásicos españoles del setecientos, como Iriarte, tachen de fríos a los neoclásicos franceses del seiscientos. Pero aunque la insistencia de la filosofía de la Ilustración en lo individual puede considerarse como un primer paso en la evolución total de la mentalidad europea hacia el romanticismo y las demás escuelas literarias del siglo XIX, no se crea que el esquema individualizado del soneto iriartiano se deba a una influencia del prerromanticismo. [Iriarte luchaba por evitar lo que Samuel Johnson llamaba «las negligencias del entusiasmo» (*Lives of the poets: Life of Thomas Yalden*), y la preocupación iriartiana por la «exactitud» en lo individual está también implícita en todos los aspectos —estructura, simbolismo naturalista y versificación— de las *Fábulas literarias*.]

Alberto Navarro González

IRIARTE, FABULISTA

Género de viejísimo abolengo, la fábula tenía campo propicio para su desarrollo en la segunda mitad de nuestro siglo xviii, e Iriarte fue a ella impulsado, a mi ver, por tres causas principales: 1) Prestigio literario, que al género le venía desde Francia. 2) Campo fácil que en nuestra literatura hallaba para aspirar al título de «primero». 3) Su gran afición a la «crítica blanca».

El que perteneciendo a un siglo tan preocupado por la moral, enfocada desde un punto de vista eminentemente social, y cultivando un género de tan gran tradición moralizante, opte, sin embargo, por la modalidad de la «fábula literaria», tiene fácil explicación si consideramos su obsesionante preocupación por el quehacer literario, el ambiente en que se movía y sus ansias de pasar por autor original e iniciador de modos. Iriarte pudo así, en efecto, presumir de haber elaborado una colección de fábulas originales, aunque ellas versen sobre un más corto sector del vivir humano que las de los restantes grandes fabulistas. Ciertamente que no es el creador de la fábula literaria; pero sí es el primero y único, no sólo en la literatura española, sino en la universal, que nos ha dejado una extensa colección original de ellas.

Iriarte, saliéndose de lo practicado al editar otras obras suyas (*Poesías*, *Epistola ad Pisones*, *Eneida*, poema de *La música*, *Robinsón*) y de lo que hicieron otros fabulistas, no puso prólogo a sus fábulas, aunque la primera lo sustituya en parte. Sin embargo, al tener que defenderse en *Para casos tales*, tuvo ocasión de exponer sus ideas sobre la fábula. Será un género amplio y vagamente definido por los antiguos, pero para un autor del siglo xviii forzosamente ha de tener sus reglas, y he aquí las principales que le reconoce Iriarte:

1. La fábula no debe ser mero disfraz de personas y hechos particulares, sino que ha de tener aplicación universal.

Alberto Navarro González, ed., «Prólogo» a Tomás de Iriarte, *Poesías*, Espasa-Calpe (Clásicos Castellanos, 136), Madrid, 1963, pp. xl-lii.

2. Se puede atribuir a los brutos alguna acción de la que no son capaces, pero «no han de ser demasiado repugnantes y tan desproporcionadas que quebranten lo que los maestros llaman verosimilitud de la fábula en cuanto símbolo».

3. Los razonamientos deben dejarse para la adfabulación.

4. Puede haber tres maneras de fábulas: «Unas se fundan en alguna propiedad de toda una especie de animales ...; otras, en que el poeta atribuye individualmente a algún animal lo que no es propio de todos los demás de aquella especie ...; y otras, mixtas, en que, aunque se supone una propiedad de alguna especie de animales, añade el inventor de la fábula ciertos hechos o circunstancias que atribuye a algunos individuos de aquella especie misma».

Iriarte, dentro de estos amplios preceptos, se mueve con gran soltura, ofreciéndonos su colección una rica variedad, no sólo desde el punto de vista métrico, sino desde el de la estructura misma de las fábulas. La sentencia unas veces está al fin, otras al principio, y otras no se formula expresamente; interviene el autor en graciosas introducciones o en medio del relato; hay cuadros de costumbres, epigramas y ágiles diálogos; los sujetos no son sólo animales, sino seres humanos y cosas, etc.

En lo que sí coinciden todas (salvo la segunda de las póstumas) es en el asunto literario de la sentencia. [...] Esta colección, tanto como preceptiva literaria, es una ética literaria.

En efecto, únicamente 16 fábulas tratan de las cualidades que han de tener las obras literarias (VI, VIII, XI, XV, XVIII, XX, XXV, XXIX, XLII, XLVII, XLIX, LI, LIV, LX y la primera y novena de las póstumas); dedicándose, en cambio, 26 a cualidades no meramente literarias de los autores (IV, VII, X, XII, XIII, XIV, XVI, XVII, XIX, XXIV, XXVII, XXVIII, XXIX, XXXI, XXXVIII, XLIII, XLIV, XLV, XLVIII, LII, LIII, LIX, LXI, LXVI, y la séptima y octava de las póstumas); 29 especialmente dirigidas a los críticos (II, III, V, IX, XXI, XXII, XXIII, XXVI, XXX, XXXII, XXXIII, XXXIV, XXXV, XXXVII, XLI, XLII, XLVI, LV, LVI, LVII, LVIII, LXIII, LXIV, LXV, LXVII, y la tercera, cuarta, quinta y sexta de las póstumas), y 4 (XXXVI, XL, L y LXII) a los lectores.

A la vista de ellas resulta obvio comprobar que Iriarte no expone ideas originales ni nuevas en torno a la creación o enjuiciamiento de la obra literaria. Y es que, aparte de que Iriarte no poseyera personales ideas estéticas, no se propuso, a mi ver, darnos una preceptiva completa en fábulas, sino ante todo defender el gusto, obras y comportamiento suyo y de sus amigos, así como atacar los de sus contrarios.

Es cierto que Iriarte se disculpa en su fábula-prólogo; pero aun sin tener en cuenta la afirmación de críticos contemporáneos y posteriores, basta ver la vida que anima ciertas fábulas, y sobre todo la tercera y quinta de las póstumas, de tan transparente disfraz, para cerciorarse de que Iriarte escribe la mayoría de sus fábulas llevado no por un mero afán didáctico-literario, sino empujado por un hecho concreto que le apasiona, aunque trate de disfrazarlo procurando que caiga dentro de algún principio general. El escritor formula viejos principios y satiriza generales vicios, pero al hacerlo no cabe duda de que goza considerando cómo a determinados conocidos suyos burla y hiere cuando burla y ataca a los animales que maneja.

Esto nos explica que las fábulas de Iriarte no se hayan hecho famosas en España y fuera de ella por los principios estéticos expuestos, sino por ciertas cualidades poéticas que adornan estas breves composiciones, y que frecuentemente hay que relacionar con concretos acontecimientos de la vida del autor.

En efecto, Iriarte nos muestra en estas fábulas sus mejores dotes de compositor literario: fecundo inventor de argumentos ingeniosos, experto versificador, satírico que vierte festiva ironía, sobre todo cuando nos habla personalmente en ágiles introducciones, hábil manejador del diálogo, gracioso costumbrista y hasta emocionado lírico. [...]

Ciertamente que en el tratamiento festivo y satírico-didáctico del mundo animal no deja una interpretación altamente poética, y que tampoco revela hondo conocimiento de los irracionales, que aquí no necesitan disfrazar zonas profundas de la psicología humana; sin embargo, sabe presentar los viejos héroes con rasgos originales (recuérdese la clasificación que de los animales hace, según sus dotes musicales y de laboriosidad). Esta misma visión del mundo animal, mirado ante todo con ojos de hombre que canta y trabaja; las cosas que allí aparecen (relojes, hebillas, encajes, libros, abanicos, jardines, etc.), y el mundo humano que entre ellas se afana (viajeros, eruditos, galanes, titiriteros, etc.), claramente muestran el vivir atareado, desocupado o divertido, pero ni apasionado, ni heroico, en que se movió Iriarte.

Desde el punto de vista de la versificación, las fábulas ofrecen especial interés, y ya en la primera edición las acompaña un apéndice con 40 clases de metros empleados. Los versos utilizados oscilan entre cuatro y catorce sílabas, siendo los más usados el endecasílabo (treinta y una fábulas con dos casos de acentuación en cuarta y séptima), el octosílabo (catorce fábulas), el heptasílabo (ocho fábulas) y el hexasílabo (cinco fábulas).

Quiso el fabulista presentar 20 clases de metros de arte mayor y otras tantas de arte menor; pero a pesar de ello, y de que cuarenta y dos fábulas están escritas en metros largos, claramente muestran una mayor habilidad en el manejo de los cortos. En cuanto a la rima, parte del verso tan especialmente atendida por Iriarte, es de resaltar la riqueza y variedad de las mismas, así como la abundancia del asonante (veintitrés fábulas). Como es normal en nuestro Parnaso, predomina la rima llana, ofreciéndonos un solo caso de endecasílabos sueltos, así como una fábula (la XLII) toda con rimas esdrújulas y otra (la XXV) con rimas masculinas.

Respecto a las estrofas, recoge gran parte de las usadas en nuestra anterior literatura, siendo las más numerosas: la silva (diecinueve fábulas), el romance (once fábulas) y la redondilla (siete fábulas). A pesar del alarde métrico que esta colección de fábulas significa, conviene observar que Iriarte no intenta una renovación métrica de nuestra poesía, sino tan sólo presentar la mayor cantidad posible de metros empleados en el Parnaso castellano.

Ciertamente que deja muchos sin incluir, pero valoraremos adecuadamente el esfuerzo de este escritor neoclásico, tan atento a las formas exteriores, si contemplamos el empobrecimiento en que se hallaba la métrica española del siglo XVIII.

La fama y la difusión de estas fábulas ha sido superior al valor real de las mismas, con tenerlo muy notable. Traducidas a los principales idiomas europeos, influyeron muy directamente en la fabulista Florian, y Schopenhauer las cita con elogio en diversas ocasiones.

Patrizia Garelli y Russell P. Sebold

EL TEATRO DE IRIARTE: COMPORTAMIENTOS SOCIALES Y DETERMINISMO AMBIENTAL

1. La literatura nunca fue *otium* para Iriarte, ni tampoco solamente un medio de ganarse la vida: poseía un sentido muy alto de la responsabilidad moral del escritor. Profundamente convencido de los ideales propugnados por el «despotismo ilustrado», y vinculado, si no por nacimiento, al menos por su cultura y por la importancia de su familia, al ambiente aristocrático que fue el alma de este movimiento, Iriarte creía firmemente en la función que cada cual, dentro de su propio estado, tenía el deber de desempeñar con objeto de mejorar la nación. Vocación que debía de sentir doblemente en cuanto a su propia persona, de una parte como escritor, es decir, como hombre público, de otra como aristócrata, como de hecho era: efectivamente, la nobleza tenía el deber de erigirse en modelo de comportamiento moral y cívico, por el hecho de que era el punto de mira de todos, para el conjunto de la sociedad.

Consciente de tener que contribuir al bien público, se vio impulsado a elegir un género que congeniase con su personalidad, pero siempre también en la medida en que fuese útil y eficaz para la colectividad. Parece que es en este sentido como debe entenderse la tan comentada diversidad iriartiana: en el pasar de la poesía satírica a la didáctica y pastoril, para acabar en el teatro, no hay que ver ningún alarde exhibicionista, sino más bien el propósito de averiguar por qué camino podía alcanzar con mayor eficacia sus propios fines. Pese a todo, no faltaron en Iriarte intentos más estrictamente artísticos; por ejemplo, es bien conocido el gran esmero con que corregía sus obras: se describe a sí mismo por la noche, cuando todo el mundo ha terminado ya su tarea, todavía inclinado sobre sus papeles, corri-

---

i.   Patrizia Garelli, «A proposito di Iriarte e del suo teatro», en *Spicilegio Moderno*, n.° 11 (1979), pp. 179-187.

ii.   Russell P. Sebold, ed., «Introducción» a Tomás de Iriarte, *El señorito mimado. La señorita malcriada*, Castalia, Madrid, 1978, pp. 84-97.

giendo afanosamente. El concepto de lo útil, aunque nunca disociado del de la belleza, sin embargo fue siempre el norte de sus pensamientos acerca del valor de la obra literaria. Una cita textual suya es que el objeto «de la verdadera Poesía no es únicamente deleitar, sino también instruir». [...]

Sin duda alguna, en la intensa e incansable actividad iriartiana, que la enfermedad no consiguió menguar, encontramos una fe ciega en las posibilidades humanas y una especie de disponibilidad generosa que se alimenta de un optimismo fundamental respecto a la realidad, sin dejar nada por intentar donde entrevé la posibilidad de «ser útil». Ello empuja a Iriarte a terrenos que podrían parecer alejados de su vocación más auténtica, pero si fue escritor, fue también y por encima de todo «filósofo». «Los hombres podemos ser todo lo que la educación quiere que seamos.» ¿Cómo extrañarse de que se preocupe por la educación de los niños, cuando éstos constituyen el futuro de la nación? No es casual que el choque entre generaciones, el conflicto de mentalidades opuestas, revista tanta importancia en su teatro. Iriarte no vacila en penetrar en el campo pedagógico, pero ciertamente no sin haberse provisto de un bagaje de lecturas adecuadas: en la segunda jornada de *Los literatos en cuaresma*, don Patricio-Iriarte demuestra que ha leído mucho y reflexionado más aún sobre el problema educativo, ya que propone soluciones personales sobre la simultaneidad del aprendizaje de las matemáticas y de la escritura por parte de los niños, así como también sobre el estudio de la filosofía; una vez más, las consideraciones objetivas sobre la situación de la enseñanza en la España del siglo XVIII, la concreción de las soluciones que ofrece, demuestran una solidez de pensamiento que no puede confundirse con un fácil entusiasmo. Floridablanca, al proponerle que compusiera las *Lecciones instructivas* para la juventud, sabía que iba a encontrar en él pleno acuerdo, ya que Iriarte, al elogiar la obra del maestro de escuela, había escrito que «a los Autores de buenos libros acomodados para la enseñanza común debe el Estado tanto como a los Conquistadores que le han engrandecido, o a los Legisladores que le gobernaron». Iriarte no sólo acepta el encargo del mencionado manual, sino que continúa con esas tareas en favor de la juventud traduciendo en vísperas de su propia muerte el *Robinsón* de Campe.

La lucha por la consolidación de los ideales ilustrados se refleja en el plano de la experiencia humana de Iriarte, que consigue olvidar sus problemas personales, renunciando a desahogos íntimos, aun sabiéndose condenado en una edad todavía muy temprana. La íntima armonía del que sabe que ha consagrado todas sus fuerzas al servicio de un ideal por el cual otros seguirán luchando, se combina aquí con su condición de perfecto caballero que había hecho de la reserva y de la dignidad personal normas de su vida.

Iriarte participó plenamente en el espíritu de grupo que unió estrechamente a los ilustrados, tan heterogéneos por su cultura, origen y situación social: el *spleen* suscita en él, mal disimulada por la gracia festiva del verso, la crítica de la pasividad y de la inercia, pero más aún del alejamiento voluntario del trato humano. No es casual que Bitter, el comerciante inglés víctima de su propio talante sombrío que en *Donde menos se piensa salta la liebre* se retira a Sacedón para huir de sus semejantes, resulte condenado a vivir entre individuos extravagantes e insoportables.

Rechazar la relación de convivencia que nos liga a nuestros semejantes parece a Iriarte pura demencia, abandono de la condición humana de la racionalidad y caída al nivel de los «viles brutos», renegar del propio «genio» y al mismo tiempo del propio destino, que consiste en «pasar la vida en sociedad». Este sentido de la sociabilidad, que es característico de la Ilustración y que inspira las «tertulias» del XVIII, está en la base de la amistad que unió a Iriarte con muchos de sus contemporáneos, y de un modo especial con Cadalso. [...]

La noción de la vida como hecho social, para nosotros está en la raíz del interés de Iriarte por el teatro, concebido como representación artísticamente recreada y culta en su ejemplaridad de las relaciones humanas. Es decir, no se trata tan sólo de representar la realidad de un modo fiel, sino de elegir críticamente lo que puede expresarla mejor.

El teatro iriartiano asume la doble misión de deleitar y educar en nombre del principio ilustrado del perfeccionamiento social; éste es para Iriarte un deber y un derecho en nombre de la sociabilidad de la que se hablaba antes: «en este mundo todos / somos de todos», afirma don Eugenio en *La señorita malcriada*, cuando Pepita niega que tenga derechos sobre su persona, dado que no está unida a él por ningún vínculo de parentesco. En las palabras de don Eugenio no hay ninguna voluntad de tiranía masculina, sino el convencimiento de la igualdad del hombre y de la mujer como seres humanos, y el deseo de hacer que la joven lleve una vida más digna, devolviéndole su propia estima —en realidad ama a Pepita— y a la de la sociedad, en una perfecta fusión del bien personal y público. Sin embargo, el propio Iriarte considera posible que una intención tan noble pueda interpretarse mal, y doña Ambrosia la interpreta como voluntad de esclavizar a la joven, lo cual demuestra que la solicitud para con los demás es tan poco frecuente que parece algo inusitado o por lo menos sospechoso. Semejantemente, don Roque, el «estrafalario poeta» de *La librería*, interpreta sin malicia alguna, más bien como una vaga costumbre social, el interés de Fermín por la educación de Feliciana, a modo de pretexto para acercarse a ella, nada más que «uno de los sesenta y dos modos de introducirse con las Damas»; no piensa ni por un momento que el interés pueda deberse a un sincero deseo de ver mejorar a una joven que posee muchas cualidades prometedoras que sólo esperan manifestarse por medio de una oportuna educación que hasta ahora le ha faltado. Desde luego, el amor que Fermín siente por Feliciana hace más agradable su misión, pero no por ello ésta es menos generosa: cuando se entera de que la misma educación que él le ha dado es causa indirecta de su probable separación, ya que de ese modo ha hecho que reparara en ella el rico don Silvestre, no sólo no lamenta lo que ha hecho, sino que, con un acto de heroica generosidad, dice sentirse muy feliz por lo sucedido: «Nunca será tan dichosa Feliciana como lo soy yo en haberla servido de algo ...». No es otro el espíritu con el cual el honrado don Fausto recuerda gravemente a Mariano en *El señorito mimado* que «nadie debe / singularizarse». El mismo deseo de ser útil a la comunidad está presente en el juicioso don Cristóbal, tío de Mariano; éste se propone corregir la conducta de su sobrino, no sólo en su calidad de tutor y pariente del joven, sino también sintiéndose investido de un deber para con toda la sociedad, en la cual Mariano deberá ser «buen padre, ... esposo, ... amo», y con gran ecuanimidad aprueba la decisión de Flora de no casarse con él.

En la base del teatro iriartiano hay siempre una inarmónica relación de convivencia, ya sea debido a un abuso de poder por parte de la familia, ya a que ésta renuncia a sus deberes. El primer caso está ejemplarizado por *La librería*, el segundo por *El señorito mimado* y *La señorita malcriada*, obras en las que doña Dominga y don Gonzalo, por razones diferentes, pero que tienen por denominador común el egoísmo, renuncian a la educación de sus respectivos hijos, en un caso equivocando el papel que Pepita debe representar en la sociedad, creyendo que sólo tiene que brillar en las fiestas y en las diversiones; en el otro por culpa de la ceguera del amor materno, viviendo en un mundo ideal que tiene como centro a Mariano, idolatrado como compendio de todas las perfecciones.

Este tema puede considerarse con toda razón fundamental en el teatro de Iriarte, puesto que ya aparece en la primera comedia original del autor canario, *Hacer que hacemos*, donde la problemática moral, aunque esté presente, resulta más difuminada que en las obras posteriores, pero que también se funda en un modo erróneo de interpretar la vida social por parte del protagonista. Así, don Gil se limita a tratar a diversas personas, estableciendo con ellas relaciones superficiales, pero sobre todo sin hacer nada por el bien común; descuida sus propios deberes familiares y por fin termina por perjudicarse gravemente perdiendo a la mujer amada.

El problema de las relaciones sociales proporciona una continuidad ideal al teatro de Iriarte, y lo vincula a todo el resto de su producción, ya que está presente desde *Hacer que hacemos* hasta la última comedia del autor, *El don de gentes*. En esta obra las relaciones sociales son bastante más complejas, precisándose mejor que en las comedias anteriores el tema de la relación amorosa, que permanece un poco en la sombra en *El señorito mimado* y *La señorita malcriada*, pero siempre dentro de una total continuidad de propósitos respecto a lo que ya se expresó en *La librería*. [...]

Una vez recuperado el valor artístico e ideológico del teatro de Iriarte, conviene precisar ahora otro aspecto que confirma la importancia que tiene también en el plano histórico-político. La comedia de Iriarte, en su afán por cambiar la sociedad, arranca de la observación directa de la vida española del siglo XVIII: un fenómeno que es posible observar también en otros autores contemporáneos o inmediatamente posteriores a Iriarte, y que no nos parece oportuno definir, como a veces ha hecho la crítica, con el término tal vez excesivamente característico de «realismo». El procedimiento del autor no consiste simplemente en reproducir la realidad objetiva —apariencias, lugares, objetos, costumbres, que con tanto detalle Sebold [1978 *a*] ha identificado en las comedias de Iriarte—, sino además en presentar esa realidad de un modo interpretativo, dirigida a fines ético-sociales. El dramaturgo consigue así hacer resaltar en ella, más allá de lo típico y de lo contingente, aquellos elementos capaces de operar una modificación real de la sociedad. Por vez primera lleva a la escena española personajes cuya mentalidad y cuyo estilo de vida anticipan los de la burguesía, y que, aun encontrándose aún desprovistos de una verdadera conciencia de clase, son ya plenamente conscientes de que representan una fuerza nueva, capaz de influir concretamente en la realidad, al menos desde un punto de vista económico-moral, ya que todavía no político.

Iriarte comprendió muy bien el importante papel político-social de la burguesía en Inglaterra: en la epístola VI escrita a su hermano Domingo mientras viajaba por Europa, le elogia entusiásticamente aquel país como laborioso, rico y libre, aunque dándose plenamente cuenta de lo distinta que era la realidad social, y aún más la política, de España. En la «fantasía poética» *El egoísmo* el tema de la nación ideal vuelve a ser tratado por Iriarte en términos bastante parecidos a los ya comentados de la citada epístola: Inglaterra se presenta una vez más como nación ideal, pero el tono del poeta, aunque no es menos entusiasta, se hace optativo: el autor sueña para España una realidad semejante a la que ofrece aquel país tan admirado, pero comprendiendo con realismo que aún falta mucho para conseguirla, y que hay que empezar por el plano social antes que por el político. El cambio debía producirse primero en la mentalidad y en la manera de vivir de sus compatriotas, para luego alcanzar a las instituciones destinadas a regirlos. Dado que este proceso aún no se había producido, Iriarte se guarda mucho de proponer cambios políticos; mientras el «egoísmo» predomine sobre el bien público, el «paternal cuidado de los reyes» le parece la forma de gobierno no sólo menos nociva, sino también más apta para buscar el bien de la nación, la única que puede coordinar la iniciativa privada, que de otro modo se dispersaría. La actitud de Iriarte no sólo no es fruto de una adulación servil e interesada, sino que tiene por origen una profunda y objetiva reflexión sobre la realidad histórico-social de su país, que todavía no está en condiciones de imitar el ejemplo inglés, aun poseyendo en potencia todos los «arbitrios fecundos que en sí mismo / para hacerse feliz tiene el Estado».

Deseoso de ver progresar a España, Iriarte no podía por menos que observar con viva complacencia que algo estaba cambiando lentamente en la estructura social del país: un nuevo ideal de vida estaba perfilándose en el horizonte, grávido de fecundas promesas: don Fausto y don Eugenio, respectivamente en *El señorito mimado* y en *La señorita malcriada*, son los personajes a través de los cuales el autor da su testimonio.

Los dos jóvenes, brillantes, pero sobre todo nobles, han abandonado antiguos y ya caducos prejuicios de casta para dedicarse a una actividad productiva. Don Eugenio confía en ella hasta el punto de arriesgar todo su capital, con una mentalidad que en términos burgueses no vacilamos en calificar de «económicamente emprendedora».

La novedad del comportamiento de los dos personajes resalta junto al más tradicional de Mariano y de don Gonzalo; estos últimos, preocupados sólo por divertirse, desdeñan el trabajo, del que opinan que sólo puede dar la infelicidad. Mariano compadece sinceramente a don Fausto: «siempre metido en cuidados / de sus pleitos, de su hacienda, / revolviendo unos legajos, / unos librotes... sirviendo / su empleo como un esclavo», y piensa en su propio porvenir sólo en función de la pingüe herencia que le espera a la muerte del tío, ya gobernador en las Indias, dinero que no considera ganado, sino robado.

II. Debido a su tesis común, de que la mala educación echa a perder a los jóvenes, debido a títulos tan semejantes y a alguna otra semejanza, *El señorito mimado* y *La señorita malcriada* solían con cierta injusticia mirarse como obras gemelas, o como si la segunda no fuese más que una extensión o adaptación de la primera. Alcalá Galiano fue el primero en advertir que no meramente por ser la segunda iba la *Señorita* a ser inferior al *Señorito* y que en algunos aspectos es, en efecto, superior a éste. Quiere decirse que cada una de estas comedias tiene ciertas características y atractivos propios que la distinguen de la otra —su argumento, sus caracteres y temas secundarios, etc.—; hecho artístico importante que yo no quisiera oscurecer hablando juntamente de las dos. Y sin embargo, las principales técnicas de ambas —las únicas que cabe analizar aquí— son tan semejantes, que resulta más iluminativo estudiar las dos obras juntas.

[No se puede entender a los personajes principales del teatro iriartiano sino examinándolos en términos de *su* contexto vital, o sea las circunstancias que han influido de modo inmediato en la formación del carácter de cada uno de ellos.] El primer escritor español del setecientos en haber enfocado a su personaje como resultado de las circunstancias físico-humanas que la suerte le deparó fue Isla, quien recibió la influencia de la teoría determinista implícita en la filosofía sensualista de Locke, según he demostrado en la introducción a mi edición del *Fray Gerundio*. [Véase el cap. 6 de este volumen.] [...]

Mariano, igual que fray Gerundio, es un alma en blanco, tabla rasa en la que fácilmente se trazará la imagen de cualquier persona, costumbre o suceso con el que tenga contacto; los personajes de Isla e Iriarte son, como el pícaro clásico, personajes casi desprovistos de voluntad —por lo menos para cualquier cosa buena—, juguetes del destino, pero con la importante diferencia de que su «destino» no radica ya en el nexo de conceptos morales y metafísicos contrarreformistas más o menos abstractos que componían el del pícaro, sino que consiste en la suma de las impresiones casi imborrables que su medio humano y físico estampa directamente en sus almas.

Todas las circunstancias de Mariano —su edad, el ser huérfano de padre, el carácter de su madre, la ausencia de su tío, los malos maestros, los malos compañeros, el ser naturalmente dócil, etc.— se combinan para echarle a perder. Cuando «aun no tenía cuatro años / ese chico», su tío, a quien su difunto padre había encomendado su educación nombrándole tutor suyo, partió a desempeñar un cargo de gobernador en Indias; y la ausencia del tutor que no se creía durase más de cinco años se fue prolongando hasta «quince largos», durante los que se sustituyó en la madre la tutoría. Doña Dominga, que contempla a su hijo en todo, buscó otro ayo y otros maestros para reemplazar a los «hábiles», «severos» y «formales» que el primer tutor había traído, y dio con unos «descuidados, / o necios, o aduladores / que la estaban engañando»; y al chico tales preceptores le dejaron «temoso, afeminado, / superficial, insolente, / enemigo del trabajo; / incapaz de sujetarse / a seguir por ningún ramo / una carrera decente».

[Tan mal formado por la perjudicial atmósfera de que su madre medio tonta y mimadora le ha rodeado en casa, es natural que Mariano empiece también «desde muy temprano» a regirse por un círculo creciente de influencias nocivas y a través de toda la obra, se le recuerda al lector, con una serie de alusiones muy claras, que el carácter de Mariano obedece a su «mala educación», o sea a la totalidad de las influencias ambientales que han venido a dejar su impronta en él.]

Las palabras más frecuentemente usadas por Isla para describir el carácter de fray Gerundio son *dócil* y sus sinónimos, y en virtud de su docilidad el predicador es cada vez más inexorablemente regido por su medio poco propicio. Semejante disposición neutra permite que las circunstancias de Mariano le influencien de modo idéntico. Entre los apuntes del plan de *El señorito mimado*, Iriarte anota que Mariano es «dócil en dejarse engañar de cualquier embustero» y se confirma tal docilidad en la misma obra cuando la simplona de doña Dominga excusa el comportamiento de Mariano en cierta ocasión porque «como criatura y dócil, / incurrió en una flaqueza / perdonable». La prueba de que el esquema de tipo determinista usado en la explicación de la conducta de Mariano es intencional en Iriarte se halla entre los mismos apuntes: «Lo que se imprime en la tierna edad, dura *siempre*». Bien es verdad que tanto en el borrador como en el texto definitivo, don Cristóbal expresa la esperanza de que aislando a su sobrino de ciertas influencias sea posible reformarle; mas teniendo en cuenta el sesgo que su medio ha dado a su carácter, cabe preguntar si Mariano no daría, en cualquier ciudad o provincia, con otros influjos iguales. [...]

Tal patrón determinista se repite, en *La señorita malcriada*, en el carácter de Pepita. La primera circunstancia que puede haber contribuido a la determinación de la disposición voluntariosa de Pepita es el carácter de su difunta madre, que sobresalió «en lo seria, / en lo encogida, celosa / y amiga de tomar cuentas / que fue». No sabemos qué edad tendría Pepita al morírsele tan antipática progenitora, pero cabe imaginarse a chica tan briosa como ella rebelándose ya en sus años más tiernos contra tan irascible inquisidora, afirmándose en su impetuosidad con cada acto de rebelión. Luego en años posteriores la falta de tal madre (recuérdese la ausencia del padre de Mariano) permite que Pepita dé rienda suelta a sus inclinaciones; e —«Hija de padre por fin»— la graciosa joven entre petimetra y maja se adapta a maravilla al «Buen humor y buena vida» de su padre juerguista y despreocupado. Éste la anima a seguir la moda de la regocijada y libre sociedad madrileña de su tiempo, actuando en las funciones teatrales que se organizan en las casas elegantes y participando en cualquier otra diversión que le llame la atención. «Que Pepita se divierta / —dice— cuanto la diere la gana; / que baile, que represente, / que juegue, que entre y que salga; / que aprenda trato de mundo / en una tertulia diaria, / y se porte como todas / las que en Madrid hacen raya.» He aquí que Pepita se va a moldear por cuanto ve en torno suyo, y a la vez se revela en estos versos el procedimiento más importante que Iriarte usa al crear sus personajes: se basa cada uno de éstos en la reunión de muchos datos de observación sobre diferentes individuos reales que pertenecen a la misma especie —«y se porte como todas / las que en Madrid hacen raya»—. Técnica realista tan moderna (todavía hoy vigente) proviene en un principio de la aplicación en el xviii del llamado procedimiento de la «imitación de lo universal», de derivación aristotélica, a la nueva novela y comedia de costumbres, así como a la recreación en éstas de realidades, no ya fantásticas, sino concretas, cotidianas; todo ello influido a la vez por la epistemología sensualista, o de observación, según he demostrado en el ya citado estudio sobre el *Fray Gerundio*.

Por algunos pasajes de *El señorito mimado* [...] resulta evidente que para el carácter de Mariano Iriarte ha observado del mismo modo a muchos jugadores reales en los garitos «perfumados del cigarro»; pero tal señorito ofrece la particularidad de ilustrar a la vez la transición entre la manera antigua de «imitar lo universal» y la nueva; pues en sus apuntes, Iriarte dice: «En el carácter del hijo (de doña Dominga) entran todos los vicios que hay esparcidos en caracteres de varias comedias, cuales son los del jugador (¿*Le joueur* de Regnard?), del malgastador (¿*Le dissipateur* de Destouches?), del supersticioso, ignorante y preocupado, cobarde, etc.». Es que antes del setecientos, al crear un nuevo personaje, el escritor solía buscar sus modelos principalmente en los habitantes ficticios de epopeyas, tragedias, comedias o novelas anteriores. La «imitación de lo universal» en aquel tiempo no significaba las más veces sino la reunión de lo más utilizable que se hallase esparcido en diversos libros, salvo en el de la naturaleza.

[En cambio, la influencia del medio real sobre Pepita se explica así]: Don Eugenio opina «que en ella / no son nativas las faltas, / que todas son *adquiridas* / y ya casi *involuntarias*; / y que caprichos, errores, / vivezas, extravagancias / *por hábito se contraen*, / no por índole viciada» (los subrayados son míos). Si la docilidad de Mariano es lo que le lleva a copiar los malos modelos de que siempre se halla rodeado, el «corazón benigno» de Pepita parece ser el que le permite fiarse de todos los que quieren influirla para mal. Se nos recuerda que tales influjos son los decisivos cuando Pepita repite dócilmente una de las lecciones que le ha dado Ambrosia, su maestra en lo que entonces se llamaba *marcialidad*: «Yo tendré mis tertulianos. / Entre ellos no es regular / me falten aficionados; / y tomaré mis medidas / para no descontentarlos. / Manejándonos con maña, / ... a los que a solas / trate con más agasajo,

/ pondré en público mal gesto; / y también será del caso / reñirles...
y aun hacer que me reconvengan / sobre lo mal que los trato».

René Andioc [1970] fue el primero en llamar la atención sobre la
marcialidad de la figura de Pepita, según se define esta cualidad en
la *Óptica del cortejo* (1774) de Manuel Antonio Ramírez y Góngora;
mas el distinguido hispanista francés, que habla de Iriarte sólo por
incidencia, no ha señalado todos los paralelos que existen entre dicho
concepto y el carácter de la libre y mal educada hija de don Gonzalo.
De la larga definición puesta en boca de cierta «ninfa», personaje de
dicha obra de Ramírez y Góngora, entresaco tan sólo los detalles que
se reflejan más claramente en la personalidad de Pepita: «Marcialidad
es hablar con desenfado, tratar a todos con libertad y desechar los melindres de lo honesto ... tratamos gentes y nos comerciamos con frecuencia y marcialidad, conocemos los ardides de los hombres, y aun en tal
disposición los barajamos, que aun ellos no se entienden con nosotras ...
la marcialidad (basa fundamental de la majeza) es hacer cada una lo que
le acomoda, vivimos conforme nuestra voluntad ... motéjannos algunos
hipocritones necios de resueltas, descaradas e hijas de una mala educación, porque hablamos con despejo en las visitas, tratamos con farsantes
en los estrados y defendemos los ajamientos». No solamente parecen estar
anticipados en estas líneas el carácter, la educación y las costumbres de
Pepita, sino que en las últimas citadas incluso parecen estar previstos
otros personajes de *La señorita malcriada*, como don Eugenio y doña
Clara («hipocritones») y el marqués (un «farsante» frecuentador de «estrados»), así como ciertas situaciones de la comedia iriartiana. [...]

Iriarte, que estaba muy relacionado con la alta sociedad, tendría
muchas oportunidades de conocer y observar a las madres de hijos
únicos y mayorazgos mimados. Mas lo cierto es que se copió directamente de la realidad —de numerosas madres reales— la figura de
doña Dominga, que Iriarte describe en sus apuntes de manera más
completa que en el reparto impreso al frente de la obra: En el plan
manuscrito, la madre de Mariano aparece descrita como «contem-
plativa, bonaza, ignorante y llena de preocupaciones (mujer de unos
36 años)». De la descripción impresa han desaparecido los califica-
tivos *ignorante y llena de preocupaciones*, que, junto con *contem-
plativa*, son muy útiles como claves para penetrar el velo de falso
amor materno detrás del cual doña Dominga procura por instinto
autoprotectivo ocultar su egoísmo y velcidad, su irresponsabilidad
como gobernadora de su casa y tutora, y su falta absoluta de las
luces y aun del sentido común que harían falta para enderezar los

pasos de un hijo hacia el buen éxito. Doña Dominga tiene de la maternidad y sus obligaciones el mismo concepto que podría tener una niña consentida de diez años: dul. ıra, caricias y la satisfacción inmediata de todos los caprichos del hijo. Doña Dominga ha llegado a la madurez (física) durante el período de la Ilustración, pero es un caso único el de la ilustrada joven del reinado de Carlos III, doña María Isidra Quintana de Guzmán la Cerda, hija del conde de Oñate, que se doctoró por la Universidad de Alcalá y fue nombrada socia de la Real Academia Española a los dieciséis años.

No se había conocido otro período de tanto progreso científico y filosófico, mas en la mayoría de los hombres, para no decir nada de las mujeres, la «ilustración» era una tintura bastante leve, como se ve por *Los eruditos a la violeta* de Cadalso y las sátiras de Clavijo, Juan Antonio Mercadal, Beatriz Cienfuegos, Cristóbal Romea y Tapia y otros costumbristas del setecientos. [...] Ahora bien, esta clase de educación defectuosa es precisamente la que Iriarte tiene en mente al describir a doña Dominga como «ignorante y llena de preocupaciones», según se desprende de la entonces nueva acepción de *preocupación* (utilizada por Moratín en frases semejantes), de «ofuscación del entendimiento causada por pasión, por error de los sentidos, *por educación o por el ejemplo de aquellos con quienes tratamos*». Quiere decirse que el medio —la moda y las costumbres de la alta burguesía— han determinado también la mentalidad de doña Dominga.

Y en consecuencia, sus intentos de solucionar los problemas causados por su hijo son precisamente los que se esperarían de «una muñeca con la cabeza de cartón»; son nulos. [...] Pero es que doña Dominga viene contemplando a su hijo en todo desde hace muchos años por evitar, no en una sola ocasión, sino todos los días, las molestas responsabilidades de la maternidad: no le importaba nunca qué maestros tuviese su hijo, qué conocimientos se llevase de sus lecciones, ni qué amistades trabase con tal de que no la estorbara. Teniéndole fuera de vista, todas son unas meras «flaquezas perdonables» en que, «como criatura y dócil», no puede menos de «incurrir».

[En el nivel subconsciente, sin embargo, doña Dominga parece percibir en parte la casquivana inconsecuencia y egoísmo de cuanto dice y hace, y como compensación psicológica para justificarse a sus propios ojos, colma a su hijo de palabras cariñosas. La caracterización de doña Dominga constituye, en fin, un maestral retrato psicológico de la inmadurez emocional y la inutilidad para todo lo práctico de muchas mujeres de las clases acomodadas.]

JOAQUÍN ARCE

LA LÍRICA DE MORATÍN Y EL IDEAL NEOCLÁSICO

Si lográramos precisar que Moratín fue un poeta auténticamente neoclásico en sus mejores momentos, vibrando casi al unísono con Foscolo, y si recordamos que la poesía de André Chénier, aunque muerto en 1794, no se publicó hasta 1819, y que Hölderlin, en Alemania, no murió hasta 1843, comprenderíamos que nuestro Leandro de Moratín no fue un retrasado poeta del xviii español, ni un anticipo de vagas tonalidades románticas, sino un puro y fiel representante de ese auténtico resurgir del gusto clásico que coincide, en su plenitud, con los albores del romanticismo.

El neoclasicismo *stricto sensu* no puede, pues, sentirse ajeno a alguna de las modalidades que caracterizan la sensibilidad romántica. El tema clave pudiera ser la nostalgia; y toda nostalgia arrastra consigo una enervante melancolía. Cuando el ideal de belleza clásico, imperturbable y sereno, incontaminado en relación con la diaria realidad, se arropa o se empapa en añoranza melancólica, que alterna lo que dice y lo que calla, utilizando silencios expresivos en pausas sugeridoras, y alterando el orden consabido de la secuencia verbal en busca de concisión, estamos en presencia del neoclasicismo lírico: y ésta es, creo, la máxima aportación de Moratín el Joven a la poesía castellana.

Lo típico del neoclasicismo no es un retorno a las formas de la clasicidad, sino una idealización de la misma como marco o ámbito propicio para la expresión de los sentimientos actuales y personales.

Joaquín Arce, «La lírica de Moratín y el ideal neoclásico», en *Coloquio Internacional sobre Leandro Fernández de Moratín* (1980), Piovan Editore, Abano Terme, 1981, pp. 25-36.

Y es este nuevo y personal modo de sentir el que se pretende evidenciar en ritmos, cadencias y dicción —como entonces decían— que corresponden a esa pretensión de idealidad. Se trata de trascender, sin despreciarlas ni menospreciarlas, las personales reacciones emocionales, situándolas en una atmósfera idealizante y abstracta. La selección verbal y las referencias mitológicas, actuantes funcionales, no mero adorno, junto con el ritmo y el enlace de las cláusulas, logran crear esa aspiración lejana: pocos elementos expresivos y formales, pero suficientes para evocar la idea de perfección y de belleza. Existen sentimientos, pero contenidos, tamizados, envueltos en un aura mítica y soñadora. Las formas se purifican y ennoblecen, se reencuentran en un nuevo e interno equilibrio. Ciertas, a pesar de todo, las inevitables coincidencias con algunos temas o elementos del romanticismo: las ruinas, por ejemplo, más como recuerdo de perdida y soñada grandeza constructiva, que como evocación del humano y natural consumirse en el tiempo; la añoranza, no de lugares primitivos, vírgenes o exóticos, sino de ese pasado antiguo idealizado; el ansia de lo infinito, que se carga en algunos momentos de aliento casi religioso. En Moratín más que la recreación de un ámbito espacial mítico, hay un clima, un tono: la melancolía del recuerdo y consecuente añoranza.

La falta de atención hacia el Moratín lírico deriva quizá de sus propias confesiones. [...] En su autobiográfica declaración, en el prólogo a sus *Obras dramáticas y líricas*, de 1825, al resumir todo lo que condena —metáforas absurdas, apóstrofes, epítetos desatinados, «afectación intolerable de ternura, de filantropía y de filosofismo»—, añade que él «nunca aspiró a la gloria de poeta lírico, pero compuso algunas obras en este género, para desahogo de su imaginación y sus afectos».

Como incluso tuvo a veces que corresponder en verso por agradecimiento u otras causas, cabe distinguir tres órdenes de composiciones moratinianas: las ocasionales, que nos interesan aquí muy secundariamente, las de creación imaginativa y las de expresión de su mundo afectivo.

Mal servicio hicieron a Moratín los desaforados elogios de Hermosilla, que escribió precisamente su *Juicio crítico* para condenar a Meléndez y exaltar a su ídolo, poniéndole en todo momento como ejemplo a la juventud estudiosa. Mal servicio le hizo el que le proclamara sin ton ni son «el más perfecto de todos nuestros poetas antiguos y modernos», opinión contra la que se rebelaron tanto el mismo editor del *Juicio crítico*, Vicente Salvá, en el prólogo que le puso, como Juan Nicasio Gallego. No es que éstos negaran méritos a nuestro poeta, pero no aceptaban tan descomunales elogios; y así se pasó de la exaltación máxima a la no beneficiosa definición moratiniana de Salvá, estimando que su mayor mérito fue «carecer de defectos».

Menéndez Pelayo tuvo que reconocer, con razón, que, «considerado como lírico, Moratín es superior a su fama», señalando que frecuentaron su amistad principalmente humanistas y dramáticos. Observación atinada. En la bifurcación de las corrientes poéticas de fines de siglo, el bando contrario formó auténtica escuela, dentro de un lenguaje y unos temas comunes. Moratín no; el que más puede acercársele es un poeta catalán nacido varios años después que él, Manuel Cabanyes (1808-1833).

Los críticos más recientes desconciertan en su valoración. Resulta más que sorprendente que Glendinning, en su historia literaria del siglo XVIII, ni siquiera le mencione en todo el capítulo dedicado a la lírica. Compararle con su padre, para considerarle inferior, como ha hecho Díaz-Plaja, es desenfocar la cuestión, porque son poetas dispares, de generaciones distintas, y tal confrontación resulta improcedente. Estudiar a padre e hijo, uno a continuación de otro, como se hace en la *Historia de la literatura* de Alborg, es asimismo equivocar la perspectiva crítica, ignorando las sustanciales diferencias entre ambos. El crítico moderno que mejor ha afrontado el problema lírico de Leandro, y lo ha tratado con más comprensión, ha sido Lázaro Carreter. Y Lázaro ha visto muy bien que Moratín «confía a sus versos latidos cordiales, acentos íntimos»; lo cual, y no me cansaré de reiterarlo, no sólo no es incompatible con un riguroso ideal neoclásico, sino que es uno de sus componentes esenciales. El cómo lo logra Moratín es lo que yo quisiera mostrar. Por eso no me resulta exagerado, aunque mi interpretación tenga un enfoque distinto, que Lázaro señale en Moratín una importante aportación a la literatura de su tiempo: la melancolía. Debe limitarse, por lo mismo, la opinión de Alborg, destacando como «las notas más personales y constantes» de Moratín, en su obra lírica, «la ironía y la sátira cerebral», con olvido de esa otra dimensión.

Por su parte, Luis Felipe Vivanco [1971] habla de los «pocos aciertos líricos de Moratín —aciertos marginales— ...». Ya para explicar, como «poeta lírico marginal y discontinuo» analiza el prosaísmo precedente. No me parece que el lirismo de Leandro sea marginal, aunque sí puede aceptarse lo de discontinuo; y el precedente prosaísmo, más que justificar esa marginalidad, hace resaltar sus indiscutibles aciertos. También cree Vivanco que «la falta de lirismo» la suplía Moratín con su sentido de la sátira, sin considerar que ésta y cierta gracia costumbrista son simple homenaje convencional a su tiempo, encuadrables en su afición al contraste cómico. Y en efecto, el propio Vivanco señala acertadamente que algunos romancillos moratinianos son «composiciones deliciosas y casi representables, o al menos recitables en una reunión de sociedad»; pero no podemos lamentar, por infundado, «que Moratín no haya llegado a ser un auténtico poeta lírico». Por el contrario, Mario di Pinto, situándose en la línea de Lázaro, acerca a Moratín, por un lado, al «linguaggio essenziale della lirica moderna», y por otro, en algunas odas y sonetos, «al nostro miglior Foscolo».

En el estudio de la poesía de Moratín el Joven voy a fijarme exclusivamente en aquellas composiciones o fragmentos que mejor pueden caracterizar este momento depuradamente neoclásico, no como mera ejemplificación de una modalidad literaria, sino porque creo descubrir en ellos su voz más auténtica y personal como lírico. Empecemos por un precepto básico de la poética del momento, según Esteban de Arteaga, el principio de imitación y su diferencia con la copia. Imitar, que es el fin inmediato de las artes, «es representar los objetos físicos, intelectuales o morales del universo con un determinado instrumento, que en la poesía es el metro ...». La diferencia con la copia reside en que ésta reproduce el objeto con la exactitud y semejanza posible, mientras la imitación no opera con semejanza absoluta sino con la que es capaz el instrumento. Las artes imitan la naturaleza bella, ya que «su fin es hermosear todo lo que imitan, haciéndolo agradable». [...]

He mencionado antes el tema de las ruinas, que toca también Moratín. Y lo hace cuando desde Roma envía una epístola, la II, en verso suelto también, *A don Gaspar de Jovellanos*. Es decir, no se trata de alarde de cultura aprendida, sino de algo vivido y contemplado. La añoranza melancólica, que por su envoltura en oscuridad y silencio pudiera llamarse prerromántica, se encuadra en visión monumental que evoca nostálgicamente la grandeza romana Ruinas neoclásicas aunque no exentas, una vez más, de melancolía. Y el nombre de la «ínclita Roma», trasladado aquí también al final, en posición dominante: «Estos desmoronados edificios, / informes masas que el arado rompe, / circos un tiempo, alcázares, teatros, / termas, soberbios arcos y sepulcros, / donde (fama es común) tal vez se escucha / en el silencio de la sombra triste / lamento funeral, la gloria acuerdan / del pueblo ilustre de Quirino, y solo / esto

conserva a las futuras gentes / la señora del mundo, ínclita Roma».
Los versos conclusivos de la misma epístola —en la que aspira
a una «áurea medianía», a ser «a nadie superior, de nadie esclavo»—, constituyen uno de esos escasos momentos, pero bien significativos, en que se da ese impulso ascensional a una dimensión de
tiempo y espacio sin límites. Tras las horas que huyen para no volver, conduciendo a su fin el caduco esplendor de los imperios,
«... sólo el oculto / Numen que anima el universo, eterno / vive,
y él solo es poderoso y grande».

Motivo este, el de la eternidad, que unido ahora al personal
sentimiento de la muerte, se recoge en otro final de epístola, la I,
que me complace mencionar aquí, como dirigida *A don Simón Rodrigo de Laso, rector del Colegio de San Clemente de Bolonia*. No
recuerdo que hayan sido considerados por nadie estos versos en los
que, sin embargo, alienta Foscolo, el Foscolo de los espacios infinitos, de las noches y las tumbas, el predestinado por el hado a una
«illacrimata sepoltura», mientras Moratín anhela que unas lágrimas
humedezcan su sepulcro: «... Y cuando / llegue el silencio de la
noche eterna, / descansaré, sombra feliz, si algunas / lágrimas tristes mi sepulcro bañan».

La tonalidad sentimental del sentimiento de añoranza, consustancial con el puro neoclasicismo posrevolucionario, sin necesidad
de considerarlo contaminado con pretendidos influjos románticos,
va a dar lugar a una de las más perfectas composiciones neoclásicas
de la poesía española, la *Elegía a las Musas*. Título altamente significativo: nos traslada inmediatamente a la atmósfera clásica, pero
en forma nostálgica, elegíaca. Es una dolorosa despedida de la patria
por parte del poeta exiliado y ya próximo a la muerte. Pero el dolor
no es desesperación, es contenida tristeza y autodominio sentimental. Empieza devolviendo a las «sacras Musas» lo que de ellas recibió: «Esta corona, adorno de mi frente, / esta sonante lira y flautas
de oro / y máscaras alegres...».

La revolución y la guerra de la Independencia han turbado el
ánimo del poeta que ha tenido que abandonar la patria, por lo que
pide a las «Musas celestes», ante el presentido final de su vida,
que oculten sus cenizas en las márgenes clásicamente idealizadas del
extranjero río Garona:

> ... Así agitaron
> los tardos años mi existencia, y pudo
> solo en región extraña el oprimido
> ánimo hallar dulce descanso y vida.
>
> . . . .
>
> Y donde a las del mar sus aguas mezcla
> el Garona opulento, en silencioso
> bosque de lauros y menudos mirtos,
> ocultad entre flores mis cenizas.

La elegante distribución hiperbática y la depurada selección léxica dan solemne dignidad clásica al reprimido dolor, en esos cadenciosos y hábilmente engarzados versos libres, que nada tienen que
ver con el endecasílabo suelto de la poesía ilustrada químicamente
pura. Por una vez, el pedante y meticuloso Hermosilla había visto
con justeza que el sentimiento no es incompatible con los auténticos
valores clásicos de la poesía, que él reconocía, antes que en ningún
otro, en Moratín hijo. Por eso dice de esta elegía: «La mejor en su
línea que tiene el Parnaso español. No hay en ella una sola palabra
que no saliese del corazón. Ésta es la verdadera sensibilidad, éste
el verdadero tono de la tristeza». Y no, sigue diciendo, el abusar
de *ay me*, *cuitado* «y las demás alharacas con que los llamados *poetas
sentimentales* procuran aparentar y remedar las pasiones que no
sienten».

Baste mencionar por último en la *Elegía*, y muy brevemente, el
desazonado encabalgarse de sustantivos y adjetivos, o viceversa, entre verso y verso («de mis manos / trémulas recibid ...»; «... el
oprimido / ánimo ...») y la audaz pausa fuerte a sólo dos sílabas
del final endecasilábico:

> llevar al fin mi atrevimiento. Solo
> pudo bastar ...

Dado que una de las cualidades del estilo clásico es la perspi-
cuidad, la transparencia de la expresión, podría estimarse la alteración del orden de palabras como un artificio barroquizante. No es
así, sin embargo, al menos en un autor tan vigilante de su uso lingüístico como Moratín.

Una de estas formas de transposición mereció un comentario,
no precisamente benévolo, de Juan Nicasio Gallego en su *Examen*.

El cual no pretende atacar al poeta, sino poner orden en las quisquillosas e injustas consideraciones de Hermosilla, sea en sus ataques a Meléndez, sea en sus desmesurados elogios a la lírica moratiniana. Gallego hace ver a Hermosilla que su tipo de crítica cicatera y mezquina es también aplicable a su ídolo. Y así, entre los poetas que «han solido divorciar las indicadas voces (se refiere a las transposiciones de artículos, demostrativos y numerales no separables en castellano de su sustantivo), intercalando otras palabras y aun frases enteras», estaba precisamente Moratín. El recurso formal que destaca Gallego iba a ser estudiado por Dámaso Alonso en relación con Góngora, por encontrarse al principio del *Polifemo*: «Estas que me dictó rimas sonoras ...».

La separación del demostrativo de su sustantivo, por la intercalación de una oración de relativo que precede a su antecedente, es típica pero no consustancial con la sintaxis gongorina. Ejemplos de esta fórmula, que ya se encuentra en poetas latinos como Propercio y Catulo, y en italianos como Benedetto Varchi, se documentan también en España; en primer lugar, en Francisco de Medrano: será después frecuente en Quevedo, y se plasmará en otros dos versos iniciales famosos, los de la *Canción a las ruinas de Itálica*, de Rodrigo Caro, quizá de 1614: «Estos, Fabio, ¡ay, dolor!, que ves ahora / campos de soledad, mustio collado ...».

Interesa esta última referencia porque hubiera resultado altamente sorprendente que un recurso formal que Moratín utiliza en cinco ocasiones proviniera del execrado autor del *Polifemo* y las *Soledades*. No es así: a los antecedentes latino-italianos de la construcción lingüística se une el encabezamiento de esa obra clásica de las ruinas, como es la canción de Rodrigo Caro. Y se justifica su empleo además porque, como muy bien ha intuido Dámaso Alonso, la fórmula tiene valor demostrativo, es decir, que acompaña a verbos de visión y abre poemas de carácter culto, arqueológico. Por eso se explica su restauración en un ámbito de poesía que se propone evocar la cultura antigua. Precisamente la epístola a Jovellanos, ya mencionada, donde presenta Moratín un haz de monumentos en ruinas, empieza así: «Estos, Fabio, ¡ay, dolor!, que ves ahora / no castigados de tu docta lima, / fáciles versos, la verdad te anuncien / de mi constante fe ...».

El mismo recurso hiperbático se halla al principio de la epístola IV, dedicada *Al príncipe de la Paz*, y en el interior de la III, dirigida *A la marquesa de Villafranca*: «Esta que me inspiró fácil Talía / moral ficción... / ... / Ese que aduermes en ebúrnea cuna, / pequeño infante...».

Y aún reaparece el cliché en dos de los veintidós sonetos, lo que es indicio de una nueva concepción en el esquema fijo de esta forma. Uno es el que empieza «Estos que levantó de mármol duro / sacros altares, la ciudad famosa», del que Moratín dice en carta a Ceán Bermúdez, remitiéndoselo en marzo de 1787: «no las tengo todas conmigo, porque sé cuán difícil es hacer un soneto que pueda llamarse bueno».

[Y ya que estamos con los sonetos, conviene señalar que constituyen, como en el caso de Foscolo, un campo válido para aislar algunos de los mejores momentos de la lírica moratiniana. Esta forma métrica le preocupaba: ya hemos visto una declaración suya y no es la única.]

Veamos el soneto XIII, *La despedida,* tan visceralmente autobiográfico: se habla del propio nacer, se sitúa a la madre en un orden ético de valores, se nombran las dotes que le llevaron a la creación literaria, se refiere a las preocupaciones del padre por su educación (meta, la virtud, y sigue la palabra emblemática de los ilustrados); se mencionan los esfuerzos, el estudio constante, los méritos alcanzados y reconocidos, incluso los éxitos en el teatro, la fama alcanzada. Al enumerar las cualidades personales de veracidad, de buen comportamiento con los demás, sin ser correspondido, de su afición por la lírica y el arte, de su sentido del honor, se contrapone la ingratitud de los suyos, que consideran culpas lo que él estimó méritos: así, sólo cabe el adiós definitivo a la patria.

> Nací de honesta madre; dióme el cielo
> fácil ingenio en gracias afluente,
> dirigir supo el ánimo inocente
> a la virtud paternal desvelo.
> Con sabio estudio, infatigable anhelo,
> pude adquirir coronas a mi frente:
> la corva escena resonó en frecuente
> aplauso, alcanzado de mi nombre el vuelo.
> Dócil, veraz, de muchos ofendido,
> de ninguno ofensor, las Musas bellas
> mi pasión fueron, el honor mi guía.

Pero si así las leyes atropellas,
si para ti los méritos han sido
culpas; adiós, ingrata patria mía.

Hágase un experimento: inténtese quitar un verso, un hemistiquio, una sola palabra: no es posible, todo es fundamental, necesario: no hay adorno ni fingimiento de afectos. Se dice exclusivamente lo que hay que decir. Y la novedad está en la concentrada síntesis, en el modo de pausar, de distribuir las secuencias. Selección y condensación, añoranza y melancolía, ansia de infinitud y pureza formal: éste es el auténtico lirismo neoclásico, el de Foscolo y, en diversa medida, el de nuestro mejor Leandro Fernández de Moratín.

FERNANDO LÁZARO CARRETER Y JOHN DOWLING

EL VIEJO Y LA NIÑA

I. *El viejo y la niña*, *El sí de las niñas* y *El barón* resuelven escénicamente una obsesión moratiniana: la de que la conciencia de una muchacha no debe ser violentada a la hora de aceptar marido. La cuestión, planteada desde nuestros actuales supuestos, resulta de una gran trivialidad; pero hay que situarla en su contexto histórico, en el seno de una conciencia social que concebía el matrimonio como transacción y pacto de intereses, para que cobre su rango verdadero. Creo, sin embargo, que el aliciente mayor de estas tres comedias, o, si se prefiere, de *El viejo y la niña* y de *El sí de las niñas* —ya que *El barón*, hasta al propio autor le parecía obra deleznable— reside en el testimonio que brindan sobre el carácter, sobre el «caso humano» de don Leandro. Aun no siendo insensibles a las delicias estéticas, al garbo y a la gracia de estas tres comedias, no

---

I. Fernando Lázaro Carreter, ed., «Introducción» a Leandro Fernández de Moratín, *Teatro completo*, I: *El viejo y la niña. El sí de las niñas*, Labor, Barcelona, 1970, pp. 18-22.

II. John Dowling, «La génesis de *El viejo y la niña* de Moratín», en *Hispanic Review*, XLIV (1976), pp. 113-124.

podemos evitar el sentirnos preferentemente atraídos por su deposición acerca de la persona del autor.

El viejo y la niña nos describe la historia de una muchacha, Isabel, a quien su maligno tutor ha casado con un viejo muy viejo, don Roque, celoso, impertinente y cruel. Pero la niña estuvo tiernamente enamorada, antes de su matrimonio, de un joven apuesto, Juan, el cual llega a Cádiz, y se instala, con el pretexto de resolver unos negocios, en casa de la desigual pareja. Entre Isabel y Juan brotan primero los reproches y después las protestas de un amor renovado. Don Roque sospecha, y trata de complicar en sus ridículas vigilancias a su criado Muñoz, anciano regañón y lleno de buen sentido. Sin proponérselo, Moratín cae en la doble acción. Porque tan interesados como en la solución del irresoluble triángulo —un marido legítimo, una mujer casta y un amante honrado— estamos ante el proceso dialéctico entre amo y criado; entre el dinero y una conciencia recta que resiste al soborno. Hay larvada en esta comedia una protesta, diestramente conducida por Moratín; el pobre Muñoz no tiene más que ingenio y astucia para defenderse, y al fin saldrá dignamente de la prueba. Otro más apocado, se habría sometido, y el dinero habría cumplido su más atroz objetivo: doblegar conciencias.

Pero volvamos a la acción principal; ni Isabel ni Juan están dispuestos al adulterio. Y cuando Roque, en una de las más crueles y violentas escenas del teatro español, obliga a su esposa a fingir desamor a Juan, éste se marcha para siempre. La niña, que ha triunfado de sí misma pero ha sucumbido a la malicia del viejo, decide irrevocablemente ingresar en un convento.

Según vemos, el desenlace es perfectamente decente. Al ser representada la obra en Italia, el público lo halló demasiado «austero y melancólico, y poco análogo a aquella flexible y cómoda moralidad que es ya peculiar de ciertas clases en los pueblos civilizados de Europa», comenta Moratín. El traductor, Signorelli, mudó, en vista de ello, el desenlace; hemos de suponer que decidió o planteó al menos el adulterio. Con lo cual, asegura don Leandro, «incurrió en una contradicción de principios tan manifiesta, que no tiene disculpa».

Moratín operaba siempre desde unos principios morales rectos y honestos. Pero ello era fruto de una convicción racional, tanto como de una contextura anímica sumamente peculiar, que determina en él una tendencia inequívoca hacia la templanza. Él mismo lo proclama muchas veces: «Mi carácter es la moderación», decía en 1821 a Silvela. En todo era don Leandro moderado y hasta cobarde: se había constituido en prisionero de sí mismo, y necesitaba de un orden estable para que su intimidad pudiera sentirse segura. Cualquier situación que la enajenara, que le expusiera a no ser completo dueño de su espíritu, fue siempre sistemáticamente evitada por él.

En *El viejo y la niña*, si hemos de creer —y merece entero crédito— al confidente de Moratín, Juan Antonio Melón, el poeta ha transustanciado un episodio que vivió realmente. Melón, en efecto, en las *Desordenadas apuntaciones* que escribió sobre su amigo, inserta esta noticia: «Cuando hacía *El viejo y la niña*, nos enseñaba a Estala y a mí cartas de una señorita que le quería, y a quien él llamaba Licoris ...; esta señorita se casó con un viejo; y a don Leandro le sucedió aquella escena de *El viejo y la niña*, en que dice el viejo: "Entro, y la encuentro poniendo / unas cintas a mi bata, / y a él, entretenido en ver / las pinturas y los mapas"». Se trata del momento en que don Roque ha oído hablar acaloradamente a su huésped y a su esposa, en una habitación; el burlado amante está pidiendo explicaciones a su amada, pero, al entrar el viejo, ambos fingen normalidad.

No caeremos en el ingenuo error de atribuir verdad objetiva a lo que nos cuenta la comedia, ni siquiera en su planteamiento. Juan no es Moratín, pero es la imagen exacta que éste se formaba del amante puesto en aquel difícil trance de ver irremediablemente perdida a la mujer amada. Juan ni siquiera insinúa a Isabel el logro oculto de su amor: se limita a resignarse. Este sí que es don Leandro, viviera o no la situación de la farsa. Don Leandro no altera un orden legal y socialmente establecido; sufre y huye. Todo antes que adquirir un compromiso, que echar una cadena a su espíritu. Por eso le parecía intolerable la adaptación de la comedia que había hecho Signorelli para el público italiano.

Se me objetará que no estaba realmente enamorado de Licoris, y que, al crear a Juan, no ha podido comunicarle un ardor que efectivamente no sentía. Nada más exacto: ni siquiera pudo inventar un galán ardiente, por absoluta incapacidad de imaginar cualquier tipo de enajenamiento. Juan es fidelísimo trasunto de don Leandro, puesto éste en el extremo hipotético de amar cuanto podía. Pero es que podía poco. Obsérvense las palabras de Melón: «nos enseñaba ... cartas de una señorita que le quería»; era, pues, ella quien ponía los puntos a don Leandro. Él se sentía halagado, y hasta participaba en el juego; no podemos imaginar otra cosa, dada su incapacidad para el amor. Su erotismo no parece haber remontado nunca la fase estrictamente biológica; no le era posible rebasar los límites del afecto o de la ternura, confusamente mezclados con un legítimo orgullo varonil, si obtenía respuesta.

Moratín es un ejemplo insigne de poeta desamorado. En su lírica no hay un solo poema estrictamente amoroso. Cuando tenía veintisiete años, es decir, cuando acaba de terminar su *flirt* con la niña que casó con un viejo, visita Valclusa, escenario de ilustres amores poéticos. Y escribe en seguida a otro gran desamorado, Jovellanos, estas reflexiones: (Los imitadores de Petrarca) «se olvidaron de que nadie pinta bien la pasión de amor, si no está muy enamorado. El que no la sienta, no trate de fingirla, porque será enfadoso y ridículo».

En sus comedias, abundan los enamorados fingidos más que los verdaderos. Así, el barón simulando un amor que no siente por Isabel, para asegurar su dote; don Claudio, repitiendo con Inés ese mismo juego, en *La mojigata*; el pedante don Hermógenes, confiado en las posibles ganancias de su futuro cuñado, mientras entretiene con palabras de amor a Mariquita, en *La comedia nueva*. Si además de estos simulados amantes, los hay verdaderos (don Carlos, Leonardo...), su triunfo no resulta de una pasión arrebatadora, sino que es un fruto secundario: de una generosa renuncia, en *El sí de las niñas*, o de la conjuración de un engaño, en *El barón*.

Y, sin embargo, salvo en *La comedia nueva*, en que el tema erótico apunta sin desarrollo, el amor ocupa extenso espacio en las obras moratinianas; carece de empuje y nervio, pero es prolijamente considerado. Lo cual significa a las claras, que Moratín no siente el amor como pasión, sino como preocupación. Podía amar hasta el límite en que el sentimiento se transforma en arrebato, hasta el instante en que la intimidad del alma debe abrirse. En ese punto justo se detenía don Leandro. Alude varias veces, en su correspondencia, a enamoramientos fugaces; nos falta el testimonio de un gran amor que, evidentemente, no sintió nunca. En general, los sentimentales, es decir, los ocupantes exclusivos de su alma, son malos enamorados.

11. Se estrenó *El viejo y la niña* en el teatro del Príncipe de Madrid el 22 de mayo de 1790. Esta comedia no es, como han supuesto los que no la han leído, una primera versión de *El sí de las niñas*, que se representó por primera vez en 1806. El viejo don Roque y la «niña» Isabel (tiene diecinueve años) están ya casados. Por eso, el problema del triángulo entre el viejo marido, la joven esposa y el joven amante don Juan está planteado en términos que no admiten la halagüeña solución de *El sí*, que es tan del gusto de un público sensible. Sin embargo, un público sentimental también encuentra en el lacrimoso desenlace de *El viejo y la niña* una dulce catarsis. [...]

Pero ¿cómo nos explicamos el fenómeno de que Moratín, soltero y solterón, lograra pintar a jóvenes desesperadas con una ternura insólita en la literatura española? ¿Cómo explicarnos que un hombre que no guardaba comedimiento en las relaciones básicas que sostenía con una larga serie de mujeres de vida ligera supiera revelar con sensibilidad el alma de sus jóvenes personajes como Isabel y Paquita, Mariquita e Inés? Creo que podemos encontrar la contestación en la vida de un joven sentimental del año 1780.

Tenía Leandro nueve años en 1769 cuando sus padres se mudaron a la calle de la Puebla, número 30. Allí vivieron once años, hasta 1780, poco antes de morir el padre. [La casa tenía dos pisos. La familia Moratín habitaba la planta baja. En el principal vivía don Ignacio Bernascone con su familia: su madre, su hermana Isabel que estaba casada con el italiano Antonio Conti, y las hijas de este matrimonio. Una de las hijas de Antonio Conti e Isabel Bernascone se llamaba Sabina, y a ella leía Leandro, según su amigo Juan Antonio Melón, sus «anacreónticas y versecillos», primicias de su Musa en aquellos años de 1770 a 1780, cuando brotaba entre los poetas españoles el primer romanticismo.]

Sospecho que tendría Sabina cuatro años menos que Leandro. Lo digo porque sabiendo que en 1780, cuando ocurrió la crisis en sus relaciones, Leandro tenía veinte años, creo que ella tendría dieciséis, que es la edad de doña Mariquita de *La comedia nueva* y de doña Paquita de *El sí de las niñas*.

Se acabó el idilio en 1780 —el mismo año en que murió Moratín padre— cuando se casó Sabina Conti con su primo Juan Bautista Conti. Éste era natural de Lendinara, del estado de Venecia, donde había nacido en 1741. Poseía el título de conde, y era doctor en derecho por la Universidad de Padua. A la familia de la novia, Juan Bautista Conti debía parecerles un buen partido. Al casarse tenía el literato italiano treinta y nueve años —diecinueve más que Leandro, sólo cuatro menos que el padre de éste, don Nicolás—. A su novia le doblaba la edad y más. A un joven de veinte años como Leandro sin duda le parecía un hombre ya viejo. [...]

Según su diario Leandro solía ver a Conti de cuando en cuando después del matrimonio de éste. A veces se reunían en el café de La Fontana de Oro; otras veces iba Leandro a la casa de Conti. En dos ocasiones no se encontraba Conti en casa. En alguna visita pudo ocurrir el suceso que pasó a la comedia lacrimosa. Leandro acusaba apasionadamente a Licoris de deslealtad. Los interrumpió el marido. Leandro fingía interés en los mapas y las pinturas de la pared mientras Licoris se ocupaba de su labor. La comedia la tituló *El viejo y la niña*. A la niña, Moratín la llamó Isabel, anagrama imperfecto de Sabina y el nombre, por cierto, de la madre de Sabina. Tenía la edad que calculo tendría Sabina en 1783, o sea diecinueve años. Al marido Moratín le puso setenta años, treinta más de los que contaba Juan Bautista Conti. Tal es la venganza que se permite el escritor.

La comedia debía servirle a Moratín de catarsis. Juan Bautista Conti volvió a Italia llevando consigo a Sabina. Dos lustros después Leandro fue a visitarles en su villa de Lendinara. En un soneto ha reconocido su deuda para con Conti, quien le había enseñado, según dice, el arte de escribir poesía. A la larga Moratín no sentiría encono hacia su rival. Sin embargo, una preocupación central del teatro de Moratín es el derecho que debe tener la mujer de elegir al marido, de controlar su propio destino.

Aunque terminó Moratín de componer una versión de *El viejo y la niña* hacia 1783, no se representó en seguida. Nos ha contado que en 1786 consiguió leer la obra a la compañía de Manuel Martínez. A pesar de las dudas de los galanes, dudas inspiradas por la sencillez de la fábula, decidieron representarla. Sin embargo, en manos de la censura eclesiástica —en fin, la iglesia estaba interesada en el matrimonio, aun en el de viejos concupiscentes; «mejor es casarse que abrasarse», había dicho san Pablo— la comedia sufrió «supresiones tan considerables que resultaron truncadas las escenas, inconsecuente el diálogo, y toda la obra estropeada y sin orden». Por último la segunda dama de la compañía, Francisca Martínez, hija del mismo empresario Manuel Martínez, a pesar de que ella misma frisaba ya en los cuarenta años, se negaba a hacer el papel de doña Beatriz, la hermana del viejo don Roque, «a fin de conservar, siquiera en el teatro, las apariencias de su perdida juventud». La comedia no se representó entonces ni tampoco dos años después cuando quiso hacerla la compañía de Eusebio Ribera. María Bermejo, ya de cierta edad y estimable en papeles dramáticos, determinó hacer el de la joven esposa. En ella Moratín no veía a su novia de diecinueve años y deseaba recoger su obra. «Si la compañía de Martínez no hizo esta comedia porque una actriz se negó a fingir los caracteres de la edad madura, tampoco la compañía de Ribera debía representarla mientras no moderase otra cómica el infausto deseo de parecer niña.» El vicario eclesiástico le salvó en esta coyuntura, negando la licencia para la representación.

Entretanto, presenciaba Leandro un casamiento desigual en su propia familia. Desilusionado ya, el joven se mofaba del segundo matrimonio de su tío Nicolás Miguel Fernández de Moratín. (Coincidía uno de los nombres de pila de éste con uno de su hermano mayor, el padre de Leandro.) Melón nos da la pista de las segundas nupcias al escribir que el tío Miguel «se había casado por poderes, en edad avanzada, con una joven de Segovia que no había visto. Cuando me contaba (Leandro) las escenas de la boda de su tío, era para morir de risa».

[Isabel de Carvajal vivía en 1785 con su madre viuda en Segovia. No sabemos su edad precisa, pero todavía era joven al casarse. ¿Tendría diecinueve años como doña Isabel en *El viejo y la niña*? O ¿tendría sólo dieciséis como doña Mariquita en *La comedia nueva* o doña Paquita en *El sí de las niñas*?] ¿Se llamaba Isabel la protagonista de la primera versión de *El viejo y la niña*? No lo sabemos. Sabido es que Moratín pulía sus obras. Es curioso observar que figuraban en la vida de Moratín en esta época dos jóvenes que fueron sacrificadas a maridos si no viejos al menos de cierta edad, una llamada Sabina y la otra Isabel, como la protagonista de la comedia sentimental que quedaba sin estrenar. [...]

Volvamos a los años de la génesis de *El viejo y la niña*. No debemos atribuir la creación de esta obra y de sus personajes exclusivamente a personas y sucesos concretos. En el prólogo que hizo Moratín para la primera edición de *La comedia nueva* (1792), cuando le acusaban de retratar al comediógrafo Luciano Francisco Comella, escribía:

ni en los personajes ni en las alusiones se hallará nadie retratado con aquella identidad que es necesaria en cualquiera copia para que por ella pueda indicarse el original ... Procuró el autor, así en la formación de la fábula como en la elección de los caracteres, imitar la naturaleza en lo universal, formando de muchos un solo individuo ...

Más de treinta años después, al hacer Moratín el prólogo a sus *Obras dramáticas y líricas*, exponía su credo artístico definiendo la imitación:

el poeta, observador de la naturaleza, escoge en ella lo que únicamente conviene a su propósito, lo distribuye, lo embellece, y de muchas partes verdaderas compone un todo que es mera ficción, verisímil, pero no cierto; semejante al original, pero idéntico nunca.

No debemos buscar identidad entre la vida personal del autor y algún asunto de su obra. Además, el tema del casamiento desigual o forzado estaba presente en el ambiente español y europeo del XVIII. El matrimonio ideal era el matrimonio igual, como el que imaginaba Rousseau para Emilio y Sofía. En el teatro Moratín tenía el modelo de su mentor Molière, autor de *Le mariage forcé* (1664) y de otras obras en que figura un tema parecido. Mientras Moratín escribía *El viejo y la niña*, ocurrió un caso verdadero del que se hablaba mucho en Madrid. El conde de Aranda, embajador en París, enviudó la Nochebuena de 1783. Tres meses después, a la edad de sesenta y cinco, se casó con su sobrina nieta, que no llegaba todavía a los dieciséis años. En su cartón para tapiz llamado *La boda* (1791), Goya pintó un casamiento forzado: el novio, joven por cierto, pero feísimo, repugnante y rico, acompaña a la joven novia de gesto pasivo y de sentimientos disfrazados.

Lo que distingue *El viejo y la niña* es la ternura que infunde la obra. Hay alguna escena de pura farsa, como aquella en que el criado Muñoz se esconde debajo del canapé, una escena escrita para captar la voluntad del cómico Mariano Querol. Pero el elemento distintivo de la obra es la ternura. Este elemento perdura en Moratín, quien demuestra una profunda compasión por las jóvenes de su teatro. Simpatiza con la doña Mariquita de *La comedia nueva*, quien, aconsejada por su hermana, perdió un buen partido con un boticario para sostener un noviazgo con el pedante don Hermógenes. Abandonada por él, exclama: «¡Pobre de mí! con diez y seis años que tengo, y todavía estoy sin colocar ...». *El sí de las niñas* es una comedia de desenlace feliz, pero tiene escenas tan lacrimosas como *El viejo y la niña*. Cuando, al final del acto II, o en la escena 6 del acto III, doña Paquita cree que está abandonada por el novio, y se siente desamparada de todos, se derramaban las lágrimas en la cazuela, en los palcos y también en el patio. Hoy día, al pasarse una versión en Televisión Española, las almas sensibles confiesan que derraman alguna lagrimita en el salón-comedor. [...]

JOHN DOWLING

LA COMEDIA NUEVA

«La más asombrosa sátira literaria que en ninguna lengua conozco», decía Marcelino Menéndez y Pelayo de *La comedia nueva* de Moratín. En la segunda mitad del siglo XVIII el más apremiante problema estético era la reforma del teatro español, y la sátira dramatizada de Moratín representa un punto culminante en el ataque armado contra el teatro chabacano que dominaba la escena española. No se trataba de la comedia del Siglo de Oro, la de Lope y de Calderón, que tenía sus admiradores, incluso Moratín, entre los neoclásicos. Tampoco era cuestión de la comedia tardía de Antonio de Zamora o José de Cañizares; éstos, como decía el mismo Moratín, ya no podían enmendarse. La generación de su padre, don Nicolás, había vencido ya los autos sacramentales y las comedias de santos, desterrándolos de la escena. La flecha de Moratín va dirigida contra la llamada comedia heroica, y la medida del triunfo de Moratín y los suyos es que el teatro de Francisco Luciano Comella y Gaspar Zabala y Zamora —entre otros muchos— ha caído en tan completo olvido que muchos, no conociendo lo que era el teatro contemporáneo de Moratín, suponen que atacaba la comedia del siglo anterior. Moratín solía criticar el teatro de los grandes dramaturgos de la edad de oro, pero la comedia que satirizaba era la llamada heroica —que en realidad era chabacana y patética— de Comella y Zamora.

John Dowling, «Estudio sobre *La comedia nueva*», en J. Dowling y R. Andioc, eds., Leandro Fernández de Moratín, *La comedia nueva. El sí de las niñas*, Castalia, Madrid, 1968, pp. 33-53.

Al mismo tiempo criticaba la representación material que imperaba en los teatros de Madrid. En este sentido *La comedia nueva* es una protesta tanto contra los dramaturgos de su día, como contra la situación total que existía en los teatros de la corte.

[Moratín ilustró lo que criticaba en el drama de su época con *El gran cerco de Viena*, el dramón que escribió su joven protagonista don Eleuterio Crispín de Andorra a instancias de su amigo don Hermógenes y con el estímulo de su esposa. No se representa este drama, pero los personajes de *La comedia nueva* recitan o describen tantas escenas que nosotros —lectores o público— acabamos por conocerlo bien. En efecto, es monstruoso.]

La comedia nueva —la de Moratín— tuvo un verdadero éxito en la escena, aunque su acción es tan sencilla como es complicada la de *El gran cerco de Viena*. El autor dramático, su familia y sus amigos almuerzan en un café (se supone que es la famosa Fonda de San Sebastián) cerca del teatro del Príncipe antes del estreno de su primera comedia. Son las tres y media, todavía media hora antes de la hora señalada para el comienzo del espectáculo —por el reloj del pedante don Hermógenes—: «Aquí está mi reloj, que es puntualísimo. Tres y media cabales». Bastante más tarde, después de que estamos enterados de todas las ilusiones que se han formado los personajes por el éxito de la comedia, se vuelve a preguntar qué hora es. «Yo lo diré», dice don Hermógenes; «las tres y media en punto». Todos se precipitan al teatro habiendo perdido el primer acto y la tonadilla, llegando apenas a tiempo para presenciar el alboroto. Los personajes vuelven al café donde la esposa del dramaturgo se repone de su desmayo, y todos se resignan a la pérdida de sus ilusiones.

Difícilmente podría ser más sencilla la acción de una comedia. Depende casi completamente de la certeza con que don Hermógenes informa a sus amigos de la hora —por un reloj que se ha parado—. El enredo arranca del modo más natural de la personalidad de los caracteres.[1]

---

1. [«En *La comedia nueva* no encontramos ningún argumento que tal se pueda llamar. En la escena 1 del acto I, como de costumbre, se nos dan los datos necesarios para seguir el argumento. Concretamente, a través del diálogo entre don Antonio y el camarero Pipí, se hacen presentes las claves preliminares. Sin embargo, estas claves que se dan aquí son sumamente sencillas, comparadas con las de obras anteriores: se va a representar una comedia

El pedante don Hermógenes llegó a ser proverbial porque, después de expresar una doctrina en latín la decía en griego para mayor claridad. Aunque no es el personaje principal, podemos considerarle protagonista. Animó a don Eleuterio a que escribiese para el teatro. Elogió el ingenio de su amigo, exagerando el valor de *El gran cerco de Viena*, e instándole a completar otras comedias que había comenzado. A don Eleuterio su amigo le parecía capacitado para

───────

nueva, escrita por don Eleuterio, y su familia y sus consejeros están celebrando en el café el estreno de la comedia que se va a producir esa misma tarde.

Esta es la única clave que se da. Y durante el resto del acto esta situación no es ampliada con otros datos. Lo que se hace en este acto es describir los personajes mediante su aparición en escena, caricaturizar a los personajes ridículos a través de sus movimientos y comentarios y perorar atacando la decadencia del teatro español y alegando la necesidad de resucitarlo. En este ambiente se acaba el primer acto y el argumento no avanza hasta la escena 6 del acto II. Después, en las escenas 7 y 8, se produce el cambio de suerte con el desastroso fin del estreno de la comedia nueva. Para el público, que espera una complejidad argumental y un desarrollo interesante, resulta enormemente decepcionante este desenlace.

Moratín, en realidad, quería expresar en esta comedia su descontento hacia las obras absurdas que abundan en el teatro nacional de la época y la esperanza del nacimiento de un nuevo teatro de valor en España. Con esta intención, escogió el argumento, demasiado fácil, y dedicó la mayor parte de la comedia a la minuciosa descripción de caracteres y a la crítica verdaderamente despiadada del teatro popular de la época, a través del personaje de don Pedro de Aguilar, que, en realidad, era otro Moratín que actuaba en el escenario. De esta manera, quiso expresar sus teorías y su crítica del teatro con mucha densidad, utilizando como medio una obra de argumento sencillísimo. Al componer esta obra no repitió aquel error que había cometido en la primera. Ante la sencillez del argumento, no quiso alargar la obra a tres actos, como había pasado en *El viejo y la niña*. La redujo a dos actos y consiguió incitar adecuadamente el interés del público, mediante la viva descripción de los caracteres. En esta obra se lleva al plano práctico aquel principio moratiniano de que una comedia de carácter ocupa un sitio superior al que ocupan las de enredo.

Respecto a las unidades de tiempo y de lugar, debido a este argumento sin "argumento" y a la falta del enredo, casi no nos hace notar el esfuerzo que supone su observancia, y todos los movimientos encajan formidablemente dentro del límite del tiempo. Sobre todo, Moratín, con mucha tranquilidad, concede dos horas (entre las cuatro y las seis de la tarde) para abarcar toda la acción, la acción más corta entre las de sus cinco comedias originales. De este modo, el interés de esta obra lo dan la hábil descripción de caracteres y la crítica literaria llevada al teatro.» Hidehito Higashitani, «Estructura de las cinco comedias originales de L. Fernández de Moratín: exposición, enredo y desenlace», en *Segismundo*, III (1967) pp. 144-145.]

aconsejarle bien: don Hermógenes escribía para los periódicos, traducía del francés y daba conferencias. Era célebre por el rigor y la escrupulosidad con que criticaba las obras de otros escritores. Posiblemente el interés cegara a don Hermógenes para los defectos de la comedia, ya que, de tener éxito, esperaba que don Eleuterio le pagase las deudas y le diese la mano de su hermana. Al fracasar la comedia, don Hermógenes insistía en que sabía desde un principio que era mala; y abandonó a su protegido y también a la presunta novia.

Don Eleuterio Crispín de Andorra es un joven sin empleo fijo y cargado de familia: esposa, cuatro hijos —el mayor no pasa de cinco años— y una hermana. Estudió con los escolapios; tiene buena ortografía y sabe hacer cuentas. Trabajó de escribiente en la lotería y después sirvió de paje en la casa de un caballero indiano. Allí conoció a su mujer Agustina, que era doncella de la casa. Al morir su amo se metió a escribir comedias y, persuadido por don Hermógenes de que eran buenas, vivía perseguido de sus acreedores con la esperanza de que un éxito en el teatro le trajera la fortuna.

Para asegurar el éxito de su comedia no sólo se llevaba bien con los actores del teatro que había de presentarla sino que también cultivaba la amistad de los actores y los apasionados del otro teatro. Iba todos los días a casa de la dama del otro corral; le hacía alguna compra, echaba alpiste al canario y hasta daba una vuelta por la cocina para ver si espumaba el puchero. Por todo este esfuerzo iba a cobrar quince doblones por su comedia, cantidad que se pagaba en el verano. En el invierno hubiera cobrado veinticinco, ya que, como decía un personaje, en empezando a helar valían más las comedias —como los besugos—.

Su esposa Agustina es una marisabidilla que prefiere ayudar a su marido en la composición de sus comedias a cuidar de su familia y su casa. «Para las mujeres instruidas», confiesa a don Hermógenes, «es un tormento la fecundidad». El niño que llora, el otro que quiere mamar, el otro que está sucio, el otro que cae de una silla, son distracciones que le quitan tiempo a su labor preferida: disputar con su marido si una escena es larga o corta, contar las sílabas con los dedos, discutir si el lance a oscuras ha de ser antes de la batalla o después del veneno, manotear la *Gaceta* o el *Mercurio* para buscar nombres extravagantes que terminan en -*of* o -*graf*. Doña Agustina —antigua doncella— es capaz de improvisar versos, pero no puede barrer la casa, coser, lavar ropa ni dar de comer a su familia.

Mariquita, hermana de don Eleuterio, hace el papel de Marta ante la María de Agustina —aunque le habían persuadido a que renunciase a un proyectado matrimonio con un boticario para dar su mano a don Hermógenes—. Sabe guisar, planchar, coser y echar un remiendo; sabe escribir y ajustar una cuenta; sabe cuidar de una casa y de una familia. Tiene dieciséis años y está sin casar, y esto le preocupa. Ya que ha renunciado al boticario, se dedica a hacerse agradable a los ojos de don Hermógenes, coqueteando y tirándole miguitas de pan al peluquín. Cuando él la abandona se siente desolada, pero acepta el consejo de don Pedro en el sentido de que si disimula un poco las ganas que tiene de casarse, presto hallará un hombre de bien que la quiera.

Don Serapio es un apasionado del teatro, un bullebulle y un chismoso. A las cómicas les hace gestos y les tira dulces a la silla cuando pasan. Se desayuna con los peluqueros y come con el apuntador; entre horas se junta con unos cuantos amigos para hablar de comedias y cambiar chismes sobre la vida personal y profesional de los cómicos. Anima a don Eleuterio a que escriba para el teatro; y fue él quien había compuesto el casamiento de doña Mariquita con don Hermógenes.

Pipí el camarero, un personaje protático, sirve para acentuar el tema, ya que se contagia con la locura teatral de tal modo que está a punto de meterse a escribir verso dramático.

Los antagonistas de este mundo delusorio son don Antonio y don Pedro de Aguilar. Don Antonio es bondadoso y hace el papel de Philinte ante el misántropo de don Pedro. Es un hombre culto, de buen gusto, que reconoce y elogia los méritos de una buena obra de arte. Prefiere celebrar un despropósito en vez de herir cruelmente al autor desengañándole. Sus verdaderas opiniones se descubren sólo a través de una ironía velada.

Don Pedro es rico, generoso y honrado, pero por naturaleza se pone serio y aun adusto cuando juzga al prójimo. No sabe disimular. Si la verdad hiere, o se calla o se marcha, pero tan exasperado está por los defectos de *El gran cerco de Viena* que desengaña a don Eleuterio y cuando el joven busca disculpas por el fracaso de su comedia le hace reconocer su propia mediocridad. Pero cuando sabe que don Eleuterio tiene responsabilidad por una familia numerosa, don Pedro le ofrece un empleo como ayudante de su mayordomo.

Don Pedro no lleva solo el gravamen de enseñar a don Eleuterio. El público furioso en el teatro da también su merecido al mezquino dramaturgo. El estruendo empezó ya en el primer acto; en el segundo, cuando salió la madre hambrienta con el niño que le pedía pan, el público perdió la paciencia. El patio se puso tremendo: tosía, estornudaba, bostezaba, y había oleadas de ruidos confusos por todas partes. Y entonces sonaron bramidos y comenzaron las descargas de palmadas huecas y los golpes en bancos y barandillas de modo que parecía que la casa se venía al suelo. Se corrió el telón, se abrieron las puertas y la gente salió a la calle renegando. Doña Agustina llega desmayada al café con su marido y la hermana de éste. Después que don Hermógenes les abandona y don Pedro les enseña la moral de su experiencia, don Eleuterio resuelve quemar sus manuscritos antes de empezar a trabajar en su nuevo empleo, y su esposa y su hermana se ofrecen para ayudarle. [...]

Moratín escribió su primera comedia, *El viejo y la niña*, en verso como era tradicional en la comedia; para *La comedia nueva* empleó prosa. Esta obra es cómica, pero por su tono didáctico se le puede considerar como perteneciente a la categoría del *drame* serio, o sea la que denominó Beaumarchais «le genre dramatique sérieux». En Francia, se usaba la prosa en el teatro desde hacía muchos años: M. Jourdain de *Le bourgeois gentilhomme* de Molière se alegró al saber que él hablaba en prosa, por ejemplo. El teatro español era reacio al abandono del verso, aunque el género chico empleaba la prosa desde el principio, y en el siglo XVIII varios escritores dramáticos ensayaban la prosa en obras de mayor extensión. La aportación de Moratín, entonces, descansa no en la novedad sino más bien en la calidad de su lenguaje. En *La comedia nueva* y más tarde en *El sí de las niñas* creó un nivel de prosa dramática que había de servir de modelo para los dramaturgos españoles del siglo XIX y aun del XX. [...]

Moratín tomó parte activa en los ensayos de *La comedia nueva*. No necesitaba gran cosa en la parte del espectáculo, pero el autor se veía y se deseaba para conseguir una obra bien ejecutada en lo material y para animar a los actores a que interpretaran los papeles tal como él los había concebido. El mejorar este aspecto del teatro era uno de los objetos de los reformadores, y no cabía duda de que la escena española pecaba mucho en este ramo.

Russell P. Sebold

LA MOJIGATA: HISTORIA CLÍNICA DE CLARA

En *La mojigata* se nos hace la historia clínica de la falsa devota con la misma técnica con que en *Fray Gerundio de Campazas* se había hecho la del típico predicador pedante: el personaje en minuciosamente analizado en el contexto de las influencias hereditarias y ambientales que han determinado su psicología individual. (Quiero mencionar de paso el sugerente hecho de que Moratín compuso un «Prólogo para una nueva edición del *Fray Gerundio*».) [...]

En este aspecto existe un paralelo entre *La mojigata* y el *Fray Gerundio*, que fue la primera obra de imaginación en lengua española en la que se aplicó la documentación ambiental y hereditaria de tipo realista moderno al análisis sistemático del carácter (en su *Vida* novelesca, Torres Villarroel hizo antes algo semejante sobre la base de su propia existencia, según he hecho ver en un libro reciente [véase el cap. 2 del presente volumen]). Así Azorín se equivoca al reclamar para Moratín la distinción de haber sido el primer observador sistemático y el primer realista moderno de la literatura española; mas resultará iluminativo tener sus palabras en cuenta al considerar el tema que nos ocupa aquí:

Moratín es un realista —dice Azorín en *Leyendo a los poetas*—. La precisión, el orden, la lógica, entran por primera vez con él en la literatura española moderna. Ha habido en España una tradición literaria de superficialidad e incongruencia. Superficial e incongruente era el teatro, y superficial e incongruente era la novela. Ni en uno ni en otro género vemos observación justa y real de la vida y de los hombres. Moratín es el primero que lleva al arte literario la observancia lógica coherente y exacta.

Interesa recordar que el método realista de la observación directa lo atribuye a Moratín no sólo un gran admirador como Azorín, sino también un detractor y contemporáneo de Inarco. En el *Bosquejillo*

Russell P. Sebold, «Historia clínica de Clara: *La mojigata* de Moratín», en *Estudios ofrecidos a Emilio Alarcos Llorach*, II, Universidad de Oviedo, Oviedo, 1978, pp. 447-464.

de su vida, José Mor de Fuentes habla despectivamente del estilo dialogal de los personajes moratinianos, esto es, de sus «dichitos más o menos oportunos, que (Moratín) solía ir a recoger entre las verduleras, como lo he presenciado yo mismo». Iguales caminatas investigadoras daría Galdós, quien incluso llegaría a disertar sobre la «erudición social» en su conocido discurso académico.

[Conseguir representar en una comedia neoclásica, tan bien como lo hace Moratín, la influencia del conjunto social «imitado» o recreado en la conducta de la protagonista, constituye un ejemplo máximo de esa meta artística que los neoclásicos llamaban la «dificultad vencida»]; pues el cortísimo segmento de siete horas de la vida de la mojigata que se representa delante del público, junto con la unidad de lugar y los limitadísimos medios descriptivos de que dispone todo dramaturgo, no permiten exponer a la vista de los espectadores en trasunto detallado el conjunto del ámbito físico-humano del personaje para luego ir señalando poco a poco la relación de causa a efecto entre su psicología y el medio en que se formó, como ya lo había practicado en la novela el padre Isla y como lo harían después en el mismo género los naturalistas decimonónicos.

Sin embargo, Leandro logra que ya en su primera salida a escena la mojigata aparezca vestida, por decirlo así, de toda la fuerza determinativa de su mundo. Pues Clara no se presenta ante nuestros ojos hasta la escena 6 del acto I, y antes de ese momento ella y su crianza han formado el único tema de conversación entre los demás personajes. Así, cuando por fin aparece, ella y su conducta se ven como aureoladas por la expectación de las otras personas dramáticas y por la nuestra. Tal expectación deriva de lo que se nos ha comunicado, en las cinco primeras escenas, sobre los influjos ambientales y hereditarios que han dejado su impronta en Clara; y a su vez la expectación con que aparece nimbado el personaje sirve para hacernos conscientes de ese contexto determinista que en la novela clínica se consolida con la descripción exhaustiva. Por tanto, pese a la brevedad del trozo de la vida de Clara que se desarrolla en el escenario, las nuevas influencias que durante la representación vienen a pesar sobre ella se suman a todas las anteriores, y así se nos presenta íntegro el nexo de cuantos estímulos y motivaciones la vienen rigiendo. Veamos ahora cómo se va completando la historia clínica de Clara con el juego entre las influencias predramáticas meramente relatadas y las otras representadas en escena.

Ya en la escena 1 del acto I, se nos advierte que el carácter de Clara es el producto de la contradicción entre sus inclinaciones naturales y las restricciones que en casa de su padre se le han ido imponiendo: «ayuna cuando la observa / su padre; cuando se va, / se abalanza a la despensa / y se desquita ... reza la corona, tiene / oración mental, se encierra / en su cuarto, abre el balcón, / y a oscuras, porque no pueda / verla su padre, se pasa / la niña las noches frescas / de verano patrullando / con el cabo de bandera / de ahí al lado ... Cuando su padre la ve, / libros devotos hojea; / cuando queda sola, entonces / es la lectura diversa: / coplas alegres, historias / de amor, obrillas ligeras, / novelas entretenidas, / filosóficas, amenas, / donde, predicando siempre / virtud, corrupción se enseña». Con las últimas palabras de este parlamento de don Luis, portavoz de Moratín para sus propios análisis, se alude a novelas como la *Nouvelle Héloïse* de Rousseau, el *Paul et Virginie* de Bernardin de Saint-Pierre y las primeras obras congéneres españolas, en las que bajo la envoltura de la virtud y la sensibilidad naturales el amor físico, antisocial, se hace cada vez más apetecible y difícil de resistir.

Es de notar que novelas tan poco edificantes las presta a la devota Clara un estudiante hipócrita y «opositor a prebendas» llamado don Benito; pues la mojigata moratiniana siempre se ve rodeada de toda suerte de impostores y simuladores, cuyo influjo moral nunca deja de reflejarse en ella. También es iluminativo el hecho de que se analiza la conducta de Clarilla tal como se da «cuando la observa / su padre». Los personajes de *La mojigata* asumen unos respecto de otros el papel de observadores y escudriñadores de vida y costumbres, y reflejan por ende la actitud que su creador toma ante la vida al abastecerse de materiales para sus obras. Incluso se «observa» a personajes secundarios como la prima de Clara, Inés, que originalmente estaba destinada a ser novia de Claudio. Comentando la actitud de su hija Inés hacia Claudio, don Luis dice: «Al principio *observé* en ella / un agrado indiferente, / que presumí que pudiera / con el trato ser amor; / pero después ...» (acto I, escena 1; el subrayado es mío).

La hipocresía de Clara data de su niñez y se fomenta en gran parte por el opresivo ambiente de terror que su padre creó en torno suyo desde el principio. Al examinar este aspecto de la determinación psicológica de la niña, don Luis, tío y alienista de Clara, por decirlo así, revela una vez más que él es en realidad el mismo Moratín con su característica postura de realista y observador ante la existencia humana: «Si yo la conozco, si / *la observo*, si sé sus tretas / mejor que tú —dice hablando con el padre de la muchacha—, si no puede / engañarme... Cuando era niña, mostraba / candor, excelentes prendas; / pero tú, queriendo ver / mayor perfección en ella, / duro, inflexible, emprendiste / corregir las más ligeras / faltas; gritabas; no hacía / cosa en tu opinión bien hecha. / Tu rigor produjo sólo / disimulación, cautelas; / la opresión, mayor deseo / de libertad; la frecuencia / del castigo, vil temor; / y careciendo de aquellas / virtudes que no supiste / darle, aparentó tenerlas. / La hiciste hipócrita y falsa» (acto I, escena 1).

No sólo se trata de la influencia determinista del ambiente casero, sino que la hipocresía la lleva Clara en la sangre. Don Martín, su padre, no se interesa tan vivamente en la vocación religiosa de su hija por ser hombre piadoso; y tampoco, por tanto, son nada puros sus motivos al ayudar a sor Juana María de la Resurrección del Señor, abadesa del convento donde ha de tomar el velo Clara, con la recaudación de los censos debidos a esa santa casa. Ello es que Clara ha sido declarada heredera de la cuantiosa fortuna de un viejo pariente de Sevilla, y si se hace monja, esa herencia pasará a su padre. [...]

Cada página de la «historia clínica» de Clara aporta nuevos datos confirmantes relativos a las motivaciones hereditarias y ambientales a las que nunca dejan de responder los patrones de su conducta. En la Marta de Tirso la falsa devoción no es sino un ardid aplicado a una sola situación; mas en Clara la hipocresía no tiene esa cualidad provisional; ha llegado a ser una forma de vida y luego un aspecto superpuesto del mismo carácter de la muchacha, su segunda naturaleza. Desde luego, Clara no quería de ningún modo ser monja, y en alguna ocasión trata de convencerse de que su aparatosa piedad es sólo una estratagema, pero incluso en tales momentos se discierne por su manera de explicarse que su sistema de astucias está demasiado arraigado en su ser para considerarse una mera treta. Hablando con la criada Lucía en la escena 7 del acto I, Clara dice en agresivo tono de desafío: «Hija, en el mundo / el que no engaña, no medra; / y hoy más que nunca conviene / usar de astucia y reserva. / Fingir, fingir... Si mi padre / trata de heredarme, y piensa, / después de haberme tenido / tan abatida y sujeta, / que he de sepultarme en vida, / valiente chasco se lleva. / Harto he sufrido. Ya es tiempo / de romper estas cadenas, / y de vengarme y de vivir». [...]

La disimulación de Clara, junto con su tendencia innata a la hipocresía, y la expectación universal, han hecho imposible que su conducta salga de los moldes que esas influencias permiten prever:

Clara está irreversiblemente determinada. En el fondo, el agudo analista don Luis llega a la misma conclusión. En la ya citada escena 3 en la que dialoga con Clara, concluye que buena parte de la culpa del espinoso apuro en que se halla su sobrina puede achacarse a «la extraña / tenacidad de tu padre», así como a «su cólera», y luego sigue así: «Este empeño, / nacido de su ignorancia, / y el plan que has seguido, haciendo / la gazmoña y la beata, / te han reducido a tal punto, / que no sé yo cómo salgas». Y de hecho no sale, pues su casamiento con un individuo de la misma estofa —forma de castigo natural— se produce como consecuencia de su relación con su medio.

La idea implícita en la presente comedia, de que no hay liberación posible de una forma de conducta que se ha ido adquiriendo poco a poco en los primeros años de la vida por repetidos contactos con un medio y unos individuos determinados, es muy de su época, no sólo porque tal esquema deriva del determinismo inherente a ciertas filosofías típicamente dieciochescas como el sensualismo, la teoría de los climas y los terrenos a lo Montesquieu, etc., sino también porque en los mismos años en que Moratín escribe *La mojigata* (antes de sus viajes a Inglaterra e Italia), se designa por primera vez este concepto determinista con un término concreto. Se trata de la voz *preocupación* en su acepción de «ofuscación del entendimiento causada por pasión, por error de los sentidos, *por educación, o por el ejemplo de aquellos con quienes tratamos»* (el subrayado es mío). Según Martín Alonso, en su *Enciclopedia del idioma* (Madrid, 1958), está ya en uso este sentido de *preocupación* hacia fines del setecientos, aunque no lo recoge el diccionario académico hasta muy entrado el siglo XIX.

Federico Ruiz Morcuende [1945] cree haber identificado la misma acepción de *preocupación* en las obras de Moratín, aunque no cita ningún ejemplo de las obras cómicas. En la novela *Eudoxia, hija de Belisario* (Madrid, 1793), de Pedro Montengón, se define la noción determinista de la *preocupación* tan claramente como en la ya citada definición, contenida en las ediciones posteriores del diccionario académico: «Basta formar una opinión temerosa, aunque ridícula —escribe Montengón—, para que dure toda la vida ... Por lo que ha pasado podéis inferir, Eudoxia, cuán dañosos efectos tienen todas las vulgares preocupaciones que concebimos desde la niñez (p. 88).

Joaquín Casalduero

FORMA Y SENTIDO DE *EL SÍ DE LAS NIÑAS*

En *El sí de las niñas* (1806), Moratín utiliza siete personajes, que se agrupan en tres parejas, dejando a uno de ellos solo. Las personas de edad: don Diego, doña Irene; las jóvenes: doña Francisca, don Carlos. Dos criados jóvenes: Rita y Calamocha; un criado de edad: Simón. La posición social une, de un lado, a los cuatro señores y, de otro, a los tres criados. Las parejas, más que por la edad o la clase social, se forman por la armonía de sentimientos o el contraste de cualidades morales. La discreción de don Diego hace frente a la insensatez de doña Irene; el amor es atribuido a doña Francisca y a don Carlos. Rita y Calamocha poseen la gracia y el buen humor, y un espíritu más bien servicial que de servidumbre. Todavía hay otra manera de establecer la agrupación: madre e hija, tío y sobrino; señor y criado. Son tres las voces femeninas y cuatro las masculinas.

Moratín maneja sus personajes como si se tratara de una orquesta de cámara. La clase social y la edad dan el tono de los instrumentos; además tenemos el sexo. El timbre femenino y el masculino se emplea muy sutilmente en la armonización o contraste de sentimientos o de cualidades morales. El movimiento, la gracia, la alegría, la prudencia, lo natural, la necesidad, el dolor, el patetismo, la amistad y el amor, todo discurre por el diálogo, que depende constantemente de la edad, el estado social y el sexo. Esas tres circunstancias imponen el tono, el timbre y el color. La variedad está claramente delimitada y aún más claramente dominada. La variedad del mundo moral y social —sentimientos, pasiones, intereses, circunstancias— se sumerge en esta unidad de lo claro. El tono, el timbre, el sexo, las pasiones, los sentimientos, las circunstancias son diferentes, pero están tratadas con la misma claridad.

El espacio donde se reúnen estos personajes es igualmente sencillo y claro: una sala de paso con cinco puertas, cuatro de habitaciones y la quinta que da a la escalera. Una ventana. Es la sala de

Joaquín Casalduero, «Forma y sentido de *El sí de las niñas*», en *Estudios sobre el teatro español*, Gredos, Madrid, 1962, pp. 192-195 y 198-204.

una posada de Alcalá de Henares. Venta o mesón, posada, casa de huéspedes, gran hotel —del siglo XVII al XX, así se ha abarcado el mundo—. Compárense las ventas del *Quijote* de 1605 con esta posada moratiniana. Cervantes necesita un espacio complicado en grado máximo; espacio reducido y estrecho para el número de personas que contiene y los acontecimientos que ahí se suceden uno tras otro. Espacio laberíntico, de una rica variedad de luces en tumultuoso contraste, y en ese límite estrecho para las pasiones infinitas en número y calidad, se abren rompientes que nos trasladan a Florencia o Argel, a los pensamientos extraordinarios, a las acciones únicas, a las decisiones heroicas. A esa maravilla de riqueza y de contraposiciones, a ese mundo complejo, de acciones admirables y espantosas, Moratín le enfrenta la delicia de la unidad, del límite, de lo sencillo. En ese espacio se reduce la vida a sociabilidad, a diálogo; en él se encauza la vida. Cuando hay un conato de acción, cuando sucede algo complicado y confuso es por falta de luz.

Aunque transcurre la acción en la época del autor, no se fija el año, en cambio se nos dice cuánto dura: desde las siete de la tarde hasta las cinco de la mañana. Como se ve, elige Moratín para tiempo dramático no el curso del hacer en la vida, sino la duración del hacer representado, casi equivalente al de la acción. Este tiempo dramático fuertemente concentrado tiene una gran variedad de movimiento. Se pasa del ritmo expositivo al estructural, al satírico, al tiempo de la amistad, al ingenuo; la desesperanza se hace presente, más que con inquietud, con conformidad, viene el movimiento de la sorpresa, del amor, del recuerdo y luego la agitación; después, el lento del dolor, que se anima un momento para ir adquiriendo un tono de imposición e irse ampliando humana y recogidamente. Todavía dan más variedad a este ritmo el juego escénico, las distintas clases de equívocos, la acción *scherzando*. Así el desenvolvimiento de la acción tiene la misma agilidad y expresión que el trazado de los personajes, cuyo gesto, cuya mirada, cuyos movimientos no deben buscar la ampulosidad imponente, dramática y retórica, sino la vivacidad, el sentido moral, la delicadeza; un hacerse la loca para ocultar la verdad, un hacerse la niña para ocultar el sufrir. Todo se confía a la medida: el fingimiento, la gracia, el amor, la amistad, el sentimiento. Una medida tan humana, tan breve, que el menor desliz puede ser, es fatal. No se trata de años, ni de meses, ni aun de días: de las siete de la tarde a las cinco de la mañana.

No se puede perder ni un minuto de esas diez horas. La acción se debe conducir con sumo cuidado, con gran pulcritud, sin precipitarla ni retardarla. La claridad espacial, la claridad de trazo de los personajes está en armonía con la claridad temporal. Las unidades temporales se presentan muy bien dibujadas. A la luz se confía el que vaya contorneándolas y marcando el paso del tiempo; una vez se dice que ha sonado el reloj en la madrugada, dando las tres.

Del ritmo y de la proporción depende que este arte no parezca diminuto; tampoco busca la gracia menuda del rococó, en la cual priva el ingenio y el refinamiento. El teatro de Lope y el de Calderón, como el de Shakespeare o el de los tres franceses, es de un lineamiento de tamaño mayor que el natural, ese teatro tiene una acción de gran aparato. Al pasar a la comedia de Moratín nos sorprende en seguida el cambio de canon. Pero de esa comparación no queda aplastado, no resulta un teatro enano. La acción moratiniana es sencilla como su espacio, abarcable fácilmente como su tiempo. La mirada, la mente no encuentran nada en común entre Moratín y Molière. Tartufo y el Avaro están con Macbeth y Lear, con el caballero de Olmedo y Segismundo, con las creaciones de Corneille y Racine. Figuras llenas de tenebrosidades y de proporciones gigantescas. Los personajes de Moratín son de medidas estrictamente humanas, de una humanidad que no se individualiza, sino que se generaliza. La generalización aúna y concentra fuertemente a esos hombres y mujeres. El año no se nos dice cuál es, la estación podemos sospecharla, y estas diez horas que van de las siete a las cinco se convierten poco a poco en un atardecer, una madrugada y una aurora, a la vez, cauce dramático —exposición, peripecia y desenlace— y encuadramiento simbólico, generalizador de la acción: perturbación de las pasiones, sueño de la razón y su despertar; la acción nos lleva de la inquietud del sentimiento a la serenidad, la cual tiene la forma de felicidad social. Por eso la luz, además de mostrarnos el paso de las horas, tiene una función dramática —la oscuridad da motivo a la peripecia— y tiene también un oficio simbólico: la razón se va imponiendo a los hombres y el sol sustituye a las tinieblas de la noche. La comedia tiene una profunda y ancha base moral que se apoya en el hombre, pero este tono masculino depende tanto de la mujer, que el acento femenino adquiere una inusitada importancia. La solidez de la obra va unida a la delicadeza y la gracia. El problema de la educación, el sentimiento religioso, las censuras de las costumbres, todo puede quedar compendiado en el título *El sí de las niñas*.

Las teorías dramáticas de esa época —de Luzán a Moratín—, la ley de las tres unidades, el decoro, las consideraciones sobre los personajes no deben convertir la comedia en algo muerto. Tenemos que acercarnos a ella viéndola vivir en su medio: fines del siglo XVIII. En lugar de considerar las obras de arte como reflejo de las teorías estéticas o éstas como el producto de aquéllas, yo prefiero, y para mí es más fecundo, considerar unas y otras como la expresión de la misma vida espiritual que se proyecta en dos formas distintas.

Claridad, orden en la exposición y precisión en el trazado de las figuras, estas son las características de *El sí*. Exposición del asunto y precisión física y moral de los personajes animadas por una descripción pintoresca, por la comicidad muy contenida y por la gracia. En este mundo ordenado, claro y preciso florece un sentimiento natural, el cual se hace lacrimoso en el segundo acto y patético en el tercero para conducirnos al desenlace feliz, que la razón humana crea. [...]

La trama de la comedia tiene dos hilos, uno cómico y otro dramático-sentimental. Los personajes no cambian nunca su consistencia, pero la sociedad puede ser considerada desde uno u otro punto de vista. El estilo cómico no cae nunca en lo chabacano, se mantiene siempre dentro de la sencillez y la gracia; el estilo serio no sólo evita lo campanudo, sino que adorna su nobleza con el afecto. El soliloquio casi no se usa, los dos ejemplos (II, 1 y III, 4) son brevísimos. El propósito moral no se confunde con la predicación. Estas observaciones se basan en la propia obra de Moratín y coinciden con las reflexiones que el mismo autor nos dejó sobre el arte dramático. Moratín, al hablar en *La comedia nueva* de los defectos del teatro español, en realidad lo que hace es presentar su manera de ser, y cuando afirma que qué moral puede enseñar el poeta «que no haya observado de qué manera influyen en el carácter particular de cada individuo el temperamento, la edad, la educación, el interés, la legislación, las preocupaciones y costumbres públicas», nos da el modo cómo él ha estudiado el corazón del hombre.

Doña Irene es el carácter cómico de *El sí*. Los criados con su juego, o bien apoyan la comicidad de la madre, o bien hacen que la acción no se mantenga en un plano patético-sentimental. Paquita sólo al comienzo

(I, 2 y 3) tiene que mostrar su gracia para ofrecer el contraste entre la vida ñoña del convento y la fuerza de las pasiones en la juventud. Propósito de Moratín expuesto con su claridad de siempre y que sin embargo la crítica se ha empeñado en no querer comprender. Doña Irene, al tratar de disculpar la conducta de su hija, diciendo que los jóvenes no saben lo que quieren, ni lo que aborrecen, recibe esta réplica de don Diego: «No, poco a poco, eso no. Precisamente en esa edad son las pasiones algo más enérgicas y decisivas que en la nuestra, y por cuanto la razón se halla todavía imperfecta y débil, los ímpetus del corazón son mucho más violentos ...» (II, 5). Este contraste es el punto de partida de toda la sátira social que se centra en la educación, sátira que tiene un tono serio en boca de don Diego y sumamente cómico cuando se refleja en el carácter de doña Irene. Las palabras de don Diego podían únicamente bosquejar la figura: «muy vanidosa y muy remilgada, y hablando siempre de su parentela y de sus difuntos, y sacando unos cuentos allá que... Pero esto no es del caso» (I, 1). Aún añade que interrumpe constantemente y que todo se lo habla. Doña Irene en las tablas no hace nada más que escenificar este boceto, dándole todo el desarrollo necesario. Moratín se sirve del juego gramatical, del juego escénico: «¿me voy, mamá?» (I, 3) a cargo de Paquita o de Rita (II, 3), que hace que se va y vuelve; del equívoco, de la digresión y de la manera de contar, del uso de voces especializadas y esdrújulas: «píldoras de coloquíntida y asafétida» (II, 2). Entre tanta palabrería va surgiendo su egoísmo y, como declara Rita (I, 6), su carácter gazmoño y zalamero (I, 6). Doña Irene está trazada según el punto de vista tradicional de los defectos de la mujer, a los cuales, para mantenerlos en un nivel cómico, no se les permite que adquieran ni la dimensión ni la fuerza de vicios nefandos.

Su comicidad no obedece sólo a su carácter, sino a la acción, pues don Diego apremia para que Paquita hable del matrimonio y la muchacha rehúye hacerlo. La madre, al tratar de sortear esa situación, que, como es relativamente breve, no exige el servirse de enredos complicados ni de estratagemas, es cuando interrumpe, cambia la conversación, cuenta historias con una lentitud y unas repeticiones desesperantes. Su carácter será así, pero el espectador pronto descubre que lo hace intencionadamente. A pesar de este inteligente propósito, el cual hace más compleja su estructura moral, cuando vemos cómo se engaña al tratar de explicarse la conducta de su hija, notamos que doña Irene nunca traspasa el bajo nivel de inteligencia que le suponíamos desde un principio. Su complejidad es instintiva. Instinto e inteligencia tienen a veces un extraño parecido. Así, la comicidad del personaje aumenta, acrecentándose todavía más al ver que esa intención tan aguda va a dar a la gran tontería final: lo que ella hace con don Diego, su hija quiere hacerlo con ella, pero la interrumpe en seguida diciéndole que sabía la locura que iba a cometer. Paquita cree descubierto su amor; su madre prosigue: hora es ya de dejarse de niñerías y no pensar en hacerse monja (II, 4).

La acción pone de manifiesto toda la tontería de que es capaz doña Irene, al mismo tiempo el progreso de la comicidad se ha desenvuelto de manera muy clara, reservando para el final la verdadera sorpresa, la cual, aunque ha sido preparada por los acontecimientos y no por los otros personajes, no deja de tener un cierto tono mecánico, que permite que la hilaridad sea mucho mayor. Todos han pasado la noche en vela, don Diego, Paquita, don Carlos, menos doña Irene, que es la que se queja siempre de no poder dormir. Aún no es hacedero prever la conducta de don Diego, a pesar de darnos cuenta de su decisión. Quien lo ignora todo es doña Irene, la cual se levanta descansada, tranquila, con ganas de desayunar y, creyendo que todo continúa como siempre, oye novedades que no podía imaginar. Primero, su ignorancia, luego, sus aspavientos, su desconcierto van conduciendo la risa hasta el punto más elevado.

Doña Irene es el único personaje ridículo de la obra y, para su comicidad urbana, Moratín no quiere usar los defectos físicos ni las excentricidades, todavía menos piensa en echar mano de los procedimientos escatológicos o de los golpes y apaleamientos. Lo que en Cervantes y en Molière estaba bien, armonizando con la alta y complicada cortesía aristocrática de su época, el arte burgués moratiniano lo rechaza naturalmente. Esto aún se nota mejor en los criados.

El trazado de los criados resalta más contrastado con el de los señores. La parsimonia y circunspección de éstos se debe a ese principio del decoro que permite una mayor movilidad a la gente baja. Sin embargo, la vivacidad de Rita y de Calamocha, creo que más que depender de la teoría clásica, refleja el espíritu de la época tal como supo captarlo Beaumarchais. Sin la audacia del autor de *El barbero de Sevilla*, Moratín parece haber aprendido en él ese dibujo rápido y decidido, esa ligereza casi de baile con la cual los criados muestran su independencia de la figura cómica del XVII y, desde luego, en nada recuerdan al gracioso, cuya índole, por otra parte, no es necesariamente la agilidad. Hasta en los criados hay una gradación cómica. Pendiente siempre del conjunto y de la tonalidad, Moratín no permite que un actor doble el papel de otro, tampoco, para su claridad temática y tonal, necesita los refuerzos orquestales. De los tres criados, el de edad, Simón, traslada la discreción de don Diego al nivel inferior: sólo una vez tiene un cometido cómico (II, 10), y entonces su cazurrería voluntaria no le rebaja. Rita y Calamocha dan la nota de malicia, de desenfado y arrojo, de una manera pulcra y encantadoramente limitada.

No comprendo que esto haya podido achacarse a falta de vitalidad. La admiración por Cervantes y Molière no debe impedirnos gozar del arte genial de Moratín. El error de la crítica ha consistido en comparar un arte con otro. La obra de arte es algo estrictamente singular que no puede comprenderse y sobre todo gozarse nada más que inscrita en su época. Ni falta de vitalidad ni algo fortuito. Moratín trabaja muy conscientemente, gozándose en ese primor de joyero. «Nadie / camina por donde él va; / nadie acierta con aquella / difícil facilidad», dice Moratín de sí mismo, en el romance *A Geroncio*. El principio clásico se ha hecho vida.

Ni se cae en la fanfarronería ni en el descaro, ni la doble intención se hace vulgar. La «vivaz Talía» de nuestro autor, semejante a la de Beaumarchais, no se traduce tanto en una agilidad física como mental. Por eso son los criados los que, llevados de su *natural*, pueden reaccionar más decididamente contra la sociedad y sus prejuicios. En la atmósfera enrarecida de la ignorancia, bajo el peso eclesiástico, en medio de tanta mojigatería y melindre, son los criados una ráfaga de aire fresco, puro y vivificador. Por desgracia, Moratín no quiso que todo lo arrasara un huracán revolucionario. [...]

Moratín rechaza la farsa, su comedia tiene *una aire social*; así se aleja del XVII, y por su tono natural se separa del rococó. El estudio de los caracteres insiste en esa nota social, lo cual le permite dar unos toques cómicos a la discreción y al amor y al espíritu servicial; pero insiste especialmente en lo sociable al estudiar el carácter ridículo. Por último, notemos que *la levedad de la vena cómica* coadyuva al aligeramiento de la lección moral. Es muy instructivo comparar la manera cómo se da esta enseñanza en la picaresca y cómo lo hace Moratín, comparar la densidad de lo cómico en el XVII con la ligereza del XVIII, comparar el tono religioso de la una con el social de la otra.

René Andioc

EL ÉXITO DE *EL SÍ DE LAS NIÑAS*

El sí de las niñas tuvo un éxito absolutamente excepcional. La inusitada regularidad de la curva de los ingresos que produjo queda confirmada por la siguiente frase del periódico contemporáneo *Minerva o el Revisor General*: «en los últimos días en que creí se hubiese ya calmado el entusiasmo, observé no obstante que era igual al que me dixeron hubo en los primeros días».

La obra se mantuvo veintiséis días seguidos —más que cualquier comedia de magia— y atrajo a más de 37.000 espectadores, cifra equivalente a la cuarta parte de la población adulta de Madrid, y pudo durar más aún a no sobrevenir el fin de la temporada. El autor de la *Carta crítica de un vecino de Guadalaxara ...* expresa involuntariamente el asombro de los contemporáneos al referir «el entusiasmo con que se recivió esta pieza en los *treinta* días de su primera representación», y evoca «la generalidad de aplausos que la prodigaron en las librerías y demás concurrencias de la corte». En efecto, según don Leandro, se hicieron cuatro ediciones de la obra en 1806, sin contar la de 1805 que al parecer tampoco fue la única de aquel año.

Examinemos ahora la actitud de los distintos sectores del auditorio para valorar el verdadero alcance de la comedia. Ya observaba un contemporáneo que *El sí* gustó «casi a todo el público»: tal particularidad era lo bastante insólita para imponerse a cualquier observador relativamente entendido. En efecto, la curva de ocupación de las localidades más caras (palcos primeros y lunetas) se mantiene *siempre* —con una sola excepción que por muy poco lo es— encima del 90 por 100 de la cabida total; *las más veces* (tres excepciones escasas) entre el 95 y el 100 por 100; alcanza el *máximo* dieciséis veces y alcanza o supera el 99 por 100 durante cinco días más; éxito, pues, completo y constante, hasta el último día, en el sector ocupado por las capas más acomodadas del concurso y también, en cierta medida, por buena parte de la «gente culta». Prosigamos: la curva de las entradas en los sectores «populares»

René Andioc, *Teatro y sociedad en el Madrid del siglo XVIII*, Castalia, Madrid, 1976, pp. 497-501.

es más irregular; durante las dos primeras semanas oscila entre el 60 y el 100 por 100, pasando por una cumbre (96,1; 100; 87,5; 80,8; 89,5) entre el tercer día y el séptimo; luego sigue aproximadamente la línea del 60 por 100, con un par de caídas debajo del 50 por 100; se puede afirmar por lo tanto que el público de mediana pasada vio también con gusto la comedia moratiniana, mayormente si tenemos en cuenta la cabida mucho más grande de este sector. Pero examinemos más detenidamente la concurrencia al mismo sector y separemos la cazuela de las demás localidades reservadas exclusivamente al sexo fuerte: se advierte entonces que la curva de la participación femenina (con excepción de algunas damas de la alta sociedad que prefieren acomodarse en los aposentos) *coincide casi totalmente con la de las localidades más caras*; en cambio, en el patio y las gradas, donde los hombres asistían al espectáculo de pie o sentados en unos bancos, si bien la ocupación es muy importante durante los ocho primeros días, empieza a disminuir notablemente a partir del noveno, 1 de febrero, y, a pesar de un fuerte aumento el día 3 del mismo, se mantiene prácticamente hasta el final debajo del 50 por 100.

Esta participación excepcional muestra que las «burguesas», según decía el viajero Moldenhawer, es decir, las mujeres de la clase media o popular, sintieron que las concernía más que otra la comedia de *El sí de las niñas*. Si recordamos que el abanico de los precios de entrada en la cazuela era de cuatro a ocho reales en 1806, podremos concluir que la composición del amplio palco de mujeres no era uniforme, y que, por el contrario, compartieron el entusiasmo suscitado por la comedia moratiniana varias categorías de madrileñas. Así, pues, buena parte del bello sexo se identificó con doña Francisca, y la importancia del concurso femenino confirma de modo irrefutable que la comedia del teatro de la Cruz *planteaba un problema de candente actualidad*, un problema con el que se habían enfrentado o se enfrentarían tarde o temprano no pocas de las que iban a simpatizar con la novia de don Carlos, pero que no despertaba tanto interés en los representantes del otro sexo procedentes de las capas menos favorecidas del público.

No por ello tenemos seguridad de que se percibiera uniformemente el sentido de la obra de Moratín. Es de creer, por el contrario, si nos fijamos en varias críticas a que nos hemos referido en las páginas anteriores, que la mayoría debió de elegir entre los distintos aspectos de la tesis defendida por el autor, más o menos inconscientemente, los que más correspondían a sus preocupaciones, en detrimento de otros tan importantes. Por ello la juzgaron subversiva ciertos conservadores, así como consideraban moralmente pésimas las comedias sentimentales, cuyo público tenía un comportamiento idéntico al de las distintas categorías de espectadores de la comedia moratiniana; y desde luego es perfectamente posible que tal interpretación explique en parte el entusiasmo de no pocas mujeres de la cazuela. Un crítico de la época afirmó incluso que la cortesía que le hace doña Francisca a don Diego, acompañándola con un beso a su madre en la escena tercera del acto primero, era una «truhanería o picardigüela», por inferirse que la niña daba a entender al anciano pretendiente que a él no le correspondía el beso. Esta particularidad la puso también de manifiesto otro crítico, añadiendo que «la mosquetería del patio conoció la chuscada de Inarco y con grandes risotadas celebró la burla del viejo», de manera que tal vez la actuación de la actriz que hacía el papel de la niña acentuase indebidamente un ademán o una mímica hasta rayar en el contrasentido. Tampoco debió de ser ajeno el público popular a tal interpretación: el tema del viejo burlado [...] seguía gustando a muchos mosqueteros y a otros que no lo eran. Para el público poco acostumbrado a reflexionar, *El sí de las niñas* contaba la historia de una joven «huérfana, pobre, desvalida» que consigue un matrimonio en que se reúnen los dos requisitos fundamentales y a menudo contradictorios en que muchos dramaturgos fundaban el argumento de sus comedias, con no poco éxito. Por fin, la crítica de la opresión de la joven desembocaba en la consecución de la dicha por la mujer oprimida, y no ya en la renuncia a ella, como ocurre en la primera comedia del autor, por lo demás poco concurrida. [...]

Así, pues, la observancia de las tres unidades que ha venido considerándose incompatible con la popularidad o el éxito de una comedia o tragedia neoclásica no pudo impedir que *El sí de las niñas* fuese la obra más representada de su tiempo, lo cual basta para demostrar que el público permanecía en su mayoría ajeno a la polémica propiamente teórica. Pero no por ello se debe concluir que fuese incapaz de diferenciar las comedias «populares» de las neoclásicas: el poco aplauso que suscitaron las más de éstas deja constancia de lo contrario, y el triunfo de *El sí* muestra simplemente que la observancia de las unidades no era obstáculo para que los espectadores se entusiasmaran por un argumento y una intriga que correspondían a sus aspiraciones. Es que si la polémica se situaba para los doctos, al menos aparentemente, en el plano de la teoría estética, la masa del auditorio, por su parte, reaccionaba sobre todo ante las eventuales *consecuencias* que traía para el conjunto de la representación de la obra la aplicación de los preceptos horacianos o la renuncia a ellos. Desde este punto de vista importa enfocar, para desentrañar su significado profundo, el problema de las «decantadas unidades».

12. MONTENGÓN

La literatura narrativa cuenta en el último cuarto del siglo XVIII con algunas obras apreciables, aunque no sean modélicas. La mayor parte corresponden a Pedro Montengón y Paret (1745-1824), nacido en Alicante, de padre francés y madre española. En 1759 ingresa en la Compañía de Jesús y estudia en Valencia, Tarragona y Gerona. Aunque todavía era novicio, acompañó, voluntariamente o a la fuerza, a sus hermanos de religión al exilio en Italia en 1767. En Ferrara, en 1769, decidió secularizarse, indudablemente por su falta de vocación. En la misma ciudad publicó en 1778 sus *Odas de Filópatro*, en 1786-1788 en Madrid la novela *Eusebio*, y en 1788 *El Antenor*. Casado con una italiana en 1790 o 1791, publica, también en Madrid, en 1793 *Eudoxia, hija de Belisario* y *El Rodrigo*, y en 1795 *El Mirtilo, o los pastores trashumantes*, que es la última novela pastoril española. En 1800 regresa a Madrid, pero al considerársele ex-jesuita tiene que volver a Italia en mayo de 1801, a pesar de sus reclamaciones. Todavía edita en 1820 una traducción-adaptación de las tragedias de Sófocles y dos poemas épicos, *La pérdida de España reparada por el rey Pelayo* y *La conquista de Méjico por Hernán Cortés*, todo ello en Nápoles, ciudad en la que muere en 1824.

Ya Juan Andrés hacía este juicio de las *Odas de Filópatro*: «Montengón, escribiendo odas elegantes y sublimes, ha abierto un nuevo camino a los líricos españoles que podrán correr con laudable suceso». Aparte otros elogios, como el de Laverde Ruiz [1868], se puede citar éste de Fabbri [1972]: Montengón es «el primer verdadero poeta, en orden de tiempo, de la Ilustración española». ¿Son aceptables estos juicios? Viendo las *Odas* en el contexto ilustrado puede ser que sí. La respuesta la ha apuntado Arce [1980] al escribir: «Sin desorbitar los hechos, la poesía de Montengón resulta un documento de gran interés para conocer en su amplitud las posibilidades de la auténtica poesía ilustrada. ... En cuanto a sus características de creación y estilo, resulta, sin paliativos, seco y monótono, cuando no cae en lo pedestre» (p. 161).

Acaso Arce no ha visto que Montengón, aunque de corto estro poético, sigue la tendencia de la poesía prosaísta, lo que, al mismo tiempo, explica su relativo éxito. Hay que decir, desde luego, que tal corriente facilitaba a una serie de gentes el escribir en verso sin tener verdaderas dotes de poeta. Quizá fue éste el caso de Montengón. La primera edición de las *Odas* se hizo en Ferrara en 1778-1779, en tres libros. En 1782, José Mariano de Beristáin, de la Real Sociedad Bascongada, edita en Valencia el primer libro, con notas, para mayor utilidad de los jóvenes del Seminario de Vergara, precedido de un prólogo en el que llena de elogios al autor, que él cree ser José Montengón, el hermano del poeta (el editor es el eclesiástico José Mariano Beristáin, que funda en 1787, en Valladolid, el *Diario Pinciano*, concebido en buena parte como una réplica al famoso artículo *Espagne* de Masson de Morvilliers en la *Nouvelle encyclopédie*). La edición definitiva, con nuevas odas, nueva ordenación y bastantes correcciones, la hizo, en seis libros, Sancha en Madrid en 1794.

La profesora francesa Isaac [1978] relaciona las *Odas* (ed. de Ferrara) con la polémica que se entabla entre los jesuitas italianos Tiraboschi y Bettinelli y los jesuitas españoles, al acusar los primeros a la dominación y a la literatura españolas de haber sido la causa de la degeneración del gusto italiano. Al celebrar a una serie de personajes históricos invita Montengón a los detractores de España a meditar sobre la importancia del pasado hispánico, que no tiene nada que envidiar al de Italia. Pero como a eso contestaban los obstinados censores que el esplendor de ayer no excusa la decadencia de hoy, Montengón tratará de probar que España participa en el concierto de las naciones ilustradas. De ahí sus elogios de Carlos III, del conde de Aranda y de Campomanes (los tres curiosamente responsables de la expulsión de los jesuitas), de Juan Andrés, de Arteaga, de Eximeno, de Llampillas (todos ellos jesuitas expulsos), de Jorge Juan, al mismo tiempo que tratará de la Sociedad Bascongada, de los canales de navegación, de las colonias de Sierra Morena, de la industria, de la educación, del patriotismo, del amor a la paz, del trabajo. Dice Isaac: «Son patriotisme le pousse à porter témoignage de l'essor hispanique, de la nouvelle prospérité, mais ses préférences s'affirment déjà en faveur d'une existence simple et rustique» (p. 61).

También subraya Isaac la importancia de las odas de tema americano, en las que Montengón, que no ofrece una visión simplista, elogia y al mismo tiempo condena la colonización española, protesta de la trata de negros, se deja arrastrar por el paisaje americano, del que los jesuitas de allí procedentes tuvieron que darle amplias referencias, pero no cae en la alabanza del salvaje, ya que éste no posee todavía la plenitud humana.

La edición de Sancha tiene otros dos libros en los que incluye temas

filosófico-morales (Menéndez Pelayo [1877], califica estas odas de hora-
cianas), traducciones de poesías bíblicas y odas amorosas.

La obra más importante de Montengón es sin duda su novela *Eusebio*.
Puesto Montengón de acuerdo con el impresor Antonio de Sancha, éste
acepta imprimirle la novela, cuyos cuatro tomos se publican entre 1786
y 1788, después de las correspondientes favorables censuras. El éxito
editorial fue indudablemente grande. Parece que Sancha hizo varias
reediciones, pero sin cambiar la fecha de la portada, lo que parece un
poco extraño, porque entonces como ahora el número de reediciones son
en sí mismas una propaganda del libro, y además Sancha había pagado
ya al autor 1.000 pesos por la propiedad de la obra y de *El Antenor*,
por lo que no debía rendir cuentas de los ejemplares vendidos. Montengón alegará que Sancha lo hizo así para ocultar las grandes ganancias
obtenidas con *Eusebio*. El argumento no parece que tenga mucho fundamento. En un escrito del procurador del novelista en un pleito al que
en seguida me voy a referir, habla de una venta de 60.000 ejemplares
hasta 1800. La única prueba de semejantes tiradas, la afirmación del
procurador que reclamaba dinero, es poco creíble en principio; pero si
se tiene además en cuenta la edición de Barcelona de 1793, hay que
aceptar que *Eusebio* fue un libro de gran venta, un auténtico *best-seller*,
aunque haya que rebajar bastante de la cantidad antes citada, de la que
Isaac [1978] se admira, pensando que la primera edición del *Emilio*
de Rousseau fue de 4.000 ejemplares, y la primera del *Fray Gerundio* de
1.500.

Y la Inquisición hace acto de presencia. Comienza con el obispo de
Valencia, Melchor Serrano, escolapio, que denuncia y censura *Eusebio*
el 23 de abril de 1790. La Inquisición de Valencia prohíbe la obra el 7
de julio siguiente. Envía el expediente a la Suprema el 5 de febrero de
1791. El censor designado, Bernardo Nadal, demora, casi con seguridad
conscientemente, su respuesta hasta enero de 1796, cuando es ya obispo
de Mallorca. Se trata de una censura favorable. Mientras tanto había
habido otra delación de un prebendado de la catedral de Málaga a la
Inquisición de Granada en julio de 1794, que había provocado la prohibición por parte de ese tribunal un año después, con remisión también
del expediente a la Suprema a los pocos meses. Ésta pide nuevas censuras y al fin, en noviembre de 1798 (aprobación real de 30 de marzo
de 1799) se prohíbe *in totum* el *Eusebio*.

Un estudio detallado de todo este episodio y de las ideas denunciadas y condenadas puede verse en Isaac [1978]. Estas últimas las agrupa,
con el título «Los censores denuncian una novela rousseauniana», bajo
las siguientes rúbricas: irreligión (en relación con el dogma católico, con
la Iglesia católica de su tiempo, con los cuáqueros, con la tolerancia y

con el estoicismo), anarquía (por la crítica de España y del orden social), lascivia y educación extravagante. El 12 de marzo de 1800 Montengón pide permiso a la Suprema para corregir su obra. Lo consigue y el 22 de julio presenta ya el primer tomo del *Eusebio corregido*. En septiembre ya tiene autorización inquisitorial para publicarlo. Poco después dispone también del permiso del Consejo de Castilla. Y surge un nuevo problema: Montengón había ofrecido la nueva edición al editor García, y no a Sancha. Éste reivindica la propiedad de la obra; pero se argumenta en contra que es una obra nueva. El Consejo de Castilla dicta sentencia a favor de Montengón en mayo de 1801. Pero los problemas continúan y el Consejo tiene que recurrir a un experto, Francisco de Sales Andrés, el cual en su censura dice que el *Eusebio corregido* es una obra muy diferente de la primera versión por el estilo y por el fondo. El estilo se ha mejorado, ha ganado en concisión, en claridad y «ha unido algunos párrafos, ha dividido otros, ha cercenado en varias cláusulas algunas redundancias, ha dado más extensión a varios pensamientos o se ha valido de distintos términos y frases para expresarlos y ha antepuesto o pospuesto unas expresiones a otras» (Isaac [1978], p. 294). Andrés analiza también el fondo, reconociendo profundas modificaciones: no presenta a los cuáqueros bajo una luz favorable, Hardyl se conduce como maestro católico que instruye a un discípulo católico, deja de mostrarse tolerante en materia de culto, asegura que la razón no puede triunfar de la concupiscencia sin la ayuda de la gracia. En suma, las variaciones de *Eusebio* han bastado «para cristianizar, por decirlo así, la moral de Epicteto». Los problemas de Montengón continuarán durante varios años, con censuras que le son desfavorables y una larga serie de problemas. Pero, al fin, a finales de 1807, obtiene la licencia de impresión del *Eusebio corregido*. Sin embargo, el cuarto tomo ya no se publicará. Sobre el tema de los dos *Eusebios* véase Marzilla [1974].

En la novela se cuentan las diversas etapas de la educación del protagonista y los resultados de esa educación. Un naufragio arroja a las costas estadounidenses de Maryland al niño Eusebio, cuyos ricos padres han muerto en el accidente. Le recoge una familia de granjeros cuáqueros, que le considerarán como hijo suyo. Pensando en su educación le entregan al cuáquero Hardyl, de oficio cestero, el cual comienza por hacer que el niño domine su orgullo y sus malas inclinaciones, para enseñarle después humanidades y ciencias. La educación se completará con un viaje, digamos de prácticas, por Inglaterra, Francia y España. Cerca ya de su último destino (S..., ¿Sevilla?) una manada de toros se cruza en el camino, vuelca el coche y de sus consecuencias muere Hardyl, que resultará ser tío de Eusebio. Éste, vuelto a Filadelfia, se casa con Leocadia, a la que él enseñará los principios de la virtud. El hijo de ambos comenzará a recibir una educación adecuada desde los primeros meses. Por causa de un pleito que Eusebio tiene en Sevilla por su herencia, vuelve con Leocadia a España. Sufren una serie de desgracias, y al fin retornan a Filadelfia.

Creo que nadie ha analizado por qué Montengón hace que sean cuáqueros los que acogen a Eusebio y le enseñan. No se trata de buscar un elemento exótico, sino que para lo que pretendía exponer el novelista le eran imprescindibles hombres de una secta como la cuáquera. Efectivamente, desde el principio ya los cuáqueros pretendían superar la infalibilidad de la Iglesia y de la Biblia, para reencontrar la primitiva experiencia de Cristo. Su lema era: «Cristo mismo ha de enseñar directamente a su pueblo». Ese pueblo era una comunidad de creyentes, en la que no había ninguna distinción que pudiera romper la unidad e igualdad fraternas, en la que no había organización litúrgica ninguna, ni sacerdocio ministerial. Desde el mismo siglo XVII el cuaquerismo sufrió un gran influjo del quietismo, lo que le proporcionó dos características: abnegación y cierto desprecio de la razón en el campo religioso. Es decir, los cuáqueros mantenían unos principios sociales y religiosos que cuadraban exactamente con lo que Montengón pretendía exponer en su novela. No se trata, naturalmente, como alguno de sus censores insinuó, de defender la secta cuáquera, sino de que, en virtud del principio de verosimilitud literaria, los principios fundamentales de esa secta coincidían con el sistema de educación que él quería exponer.

En *Eusebio* se plantea un sistema pedagógico para la educación del hombre. Lo ha estudiado muy detenidamente Isaac [1978]. En breves palabras, se trata de educar ante todo al hombre en el ejercicio de la virtud, una virtud que consiste en una actitud estoica ante todos los problemas que al hombre se le puedan presentar, en el ejercicio de una bondad natural, en confiar en los otros, sin olvidar que los otros pueden no responder a los principios que sostiene el hombre virtuoso. No es una educación racional, sino sentimental. No se dirige tanto a la inteligencia como a la voluntad. Conduce al ser humano a la aceptación de todas las circunstancias positivas o adversas, a la renuncia de ciertos valores de la sociedad vigente. Lo resume así Montengón al final de su novela: Leocadia y Eusebio «luego que restablecieron sus cuerpos y ánimos de los padecidos reveses y desastres y de la larga navegación, volvieron a emprender con santa e imperturbable tranquilidad el dicho sistema de vida que se propusieron con el ejercicio de la virtud, que llegó a colmarlos de su más pura satisfacción y dulzura en el seno de la abundancia, después que les dio a probar su más precioso consuelo entre las penas y angustias del oprobio y de los agravios de la contraria suerte, para confirmar en ellos que no hay bienes ni tesoros en la tierra que por sí solos puedan hacer felices a los hombres sin la virtud, y que, por el contrario, no hay mal, ignominia ni tormento que ella no endulce y no haga llevadero con la fortaleza de sus máximas y consejos, que forman sólo la verdadera sabiduría en la tierra».

La educación que propone Montengón deja totalmente a un lado las ideas religiosas concretas. Se trata de desarrollar en el discípulo los principios de bondad inherentes a todo ser humano, anulando los principios de maldad. No es que Montengón no crea en el pecado original, pero es indudable que matiza de hecho bastante la doctrina tradicional. Esta educación natural tiene, sin embargo, un contrapunto importante. Cuando cerca de Sevilla Hardyl va a morir, además de revelar a Eusebio que él es su tío y que emigró a América a causa de ciertas desgracias que le ocurrieron en Sevilla, le manifiesta su arrepentimiento por haber creído que bastaban las enseñanzas estoicas, ya que la doctrina de Jesucristo es superior. Hardyl, en el umbral de la muerte, va a confesar, comulgar y recibir la extremaunción. Esto, en mi opinión, no anula todo lo que antes había expuesto Montengón, sino que lo complementa. El hombre que ha vuelto de alguna manera a ser el Adán inocente, se completa con la doctrina del Salvador. Acaso merezca la pena advertir que, al final del tomo III, cuando todo esto ocurre, si hay la presencia de un fraile y del cura de la aldea, es decir, dos miembros de la Iglesia oficial, al mismo tiempo las palabras de Hardyl no hacen ninguna referencia a ella. Puede ser que Montengón lo dé por supuesto; pero podría ser también que este silencio tuviera otras connotaciones.

Desde los escritos de los diversos censores inquisitoriales se viene relacionando a *Eusebio* con Rousseau. Isaac [1978] ha puesto el acento en este aspecto, subrayando, por otra parte, que no es sólo el *Emilio* el que está presente en la novela española, sino aun más *La nueva Eloísa*. Isaac insiste constantemente en el carácter rousseauniano de toda la obra de Montengón, desde las *Odas de Filópatro*. Que nuestro autor conocía, y muy bien, al ginebrino, no puede ponerse en duda. Que muchas ideas y planteamientos de *Eusebio* con él se relacionan, tampoco. Pero tratar de dar como de Rousseau cualquier idea de Montengón que pueda aparecer en aquél acaso es una exageración, porque con frecuencia muchas de las ideas del alicantino que se pretende relacionar con Jean-Jacques están en libros españoles bien conocidos y ampliamente leídos de la primera mitad del siglo XVIII e incluso anteriores. Me parece indudable que es necesario hacer un estudio más amplio y matizado en el que, sin restar ni un ápice al rousseaunianismo de Montengón, se ponga también su ideología en relación con otras fuentes hispánicas y no hispánicas. Las de Cervantes, Locke, Richardson, Feijoo, Isla, el abate Prevost, Fénelon y la *Enciclopedia* las señala Catena [1947], pero acaso habría que añadir la de Vives y otros humanistas del siglo XVI, y muy posiblemente el peso del grupo innovador valenciano, en medio del cual se formó.

Lo que apenas se ha estudiado es la técnica narrativa que Montengón utiliza en *Eusebio*. Apunto algunas ideas en este sentido: la forma de entremezclar las reflexiones del propio autor, directamente o poniéndolas en boca de Hardyl o de Eusebio principalmente; en relación con lo anterior, la forma de sacar consecuencias de los episodios que se narran; la «técnica de viaje», que permite intercalar múltiples episodios; el valor de estos episodios desde la perspectiva de la tesis de la novela y desde la del interés para el lector; la forma de utilizar elementos sentimentales, digamos, casi lacrimosos, para atraer la atención del lector; las descripciones detallistas, que enlazan casi con la novela naturalista, a la que también le une el constante psicologismo; el lenguaje, unas veces directo y hasta vulgar, pero otras veces elevado y artificioso. Todos estos temas, y alguno más, merecerían un estudio pormenorizado, y es de esperar que se hallen indicaciones al respecto en el texto de la obra que tiene en prensa Editora Nacional, al cuidado de Fernando García Lara. Creo que el extraordinario éxito de *Eusebio* hay que relacionarlo con algunos de estos recursos, que en ocasiones tienen todo el típico corte de las narraciones románticas. Mi buena amiga Catena [1947] me permitirá que no esté de acuerdo con ella cuando afirma: «No radica la importancia del *Eusebio* en la forma literaria, ni a ella debe su fama, sino que todo su éxito en el siglo XVIII, prolongado durante toda la primera mitad del XIX, se debe a la curiosidad que despertaban las ideas expuestas en él» (p. 111). Creo más bien todo lo contrario, y el hecho del éxito del *Eusebio* en la primera mitad del XIX me inclina más a ello. Juan Andrés expuso un juicio que merece la pena reproducir: «Sólo diré en general que es recomendable la invención y mucho más el estilo, y sólo que la verosimilitud y naturalidad de los hechos, el modo de referirlos y lo bien expresado de los caracteres con otras buenas prendas de este romance lo hacen leer con gusto, interés y utilidad, y desear que esté purgado de algunos leves defectos que fácilmente se pueden corregir» (*Origen, progreso y estado actual de toda literatura*, Madrid, 1787, IV, p. 525).

En 1788 publica Montengón *El Antenor*. Los elementos del argumento proceden del mundo clásico, pero el tema es fundamentalmente dieciochesco. Antenor, uno de los héroes de la guerra de Troya, recorre diversos países, instado por Minerva, para fundar una nueva ciudad que sea continuadora de la destruida Troya. La Paz le entrega un escudo en el que se representa alegóricamente la ciudad que ha de fundar. Después de una larga serie de aventuras, llega al río Medoaco, en la región de los Vénetos. Funda la ciudad de Patavo y después sobre las aguas comienza la construcción de Venecia. En medio de todo esto se intercalan una serie de historias de la antigüedad, contadas generalmente por algún personaje. Es indudable que Montengón tiene un buen conocimiento de la antigüedad clásica y un poco pedantescamente hace gala de él en esta novela.

Ahora bien, el tema es otro, y muy dieciochesco: un canto a la paz, haciendo aborrecible la guerra. Como dice Catena [1947]: Montengón «nos presenta la figura de Antenor humanitario, filántropo y amigo del progreso que, a semejanza de los utópicos príncipes que los teóricos de la Ilustración forjaron, recorre las tierras de Grecia pacificando los pueblos y colmándoles de beneficios» (p. 127). Uno de los personajes de la obra dice de Antenor: «Paréceme el dios de la Paz, que corre la tierra para hacer felices a los hombres». Para todas las ideas de El Antenor, además del citado trabajo inédito de Catena, véase también Fabbri [1972].

De esta novela, como de todas las de Montengón, faltan estudios serios sobre el estilo. El mismo lenguaje del autor ha merecido ya críticas de los mismos censores de la época. Del de El Antenor, Ángel de Santibáñez, catedrático de Retórica de los Reales Estudios de San Isidro, escribe: «Únicamente hallo que será muy útil y necesario que una mano bien inteligente corrija los muchos defectos de lenguaje, que se hallan esparcidos por todo el discurso de la obra». El editor Sancha nombró un corrector de estilo, Carlos Andrés. En consecuencia, ha de tenerse en cuenta este detalle para juzgar del estilo y del lenguaje de Montengón.

En 1793 vuelve Montengón a la novela pedagógica, con Eudoxia, hija de Belisario. Los datos centrales de la trama son históricos; pero no es una novela histórica, ya que el argumento es un simple pretexto para plantear el tema de la educación femenina, que, como en el caso de Eusebio, consistirá en adquirir estoica resistencia ante la adversidad, es decir, el autor quiere demostrar que las damas de la alta sociedad necesitan el estudio de la filosofía moral para seguir los dictados de la virtud y para hacer frente a las lastimosas situaciones que se les pueden presentar, como se le presentan a Eudoxia.

Montengón da a luz el mismo año Rodrigo, que subtituló «romance épico». Sin embargo, sería preferible llamarla «novela histórica», no sólo por estar escrita en prosa, sino también porque, sobre la base de unas cuantas noticias históricas sobre el último rey godo, monta una serie de episodios que intentan recrear la historia, como harán después los autores de novelas históricas románticas. Sin embargo, la prosa de Rodrigo tiene la pretensión de emular el estilo sublime del poema épico, y en esto se diferencia bastante de la utilizada en Eusebio o en Eudoxia; peca por exceso de adjetivos y por una construcción sintáctica excesivamente afectada.

La novela El Mirtilo, o los pastores trashumantes (1795) es, en mi opinión, una novela extraña, pero que tiene su explicación en el contexto literario de la época. De un lado, Montengón intenta revitalizar la vieja forma de la novela pastoril, hacía siglo y medio abandonada; pero por otro, su novela responde al ambiente pastoril que la literatura rococó había vuelto a poner de moda. Montengón probablemente creyó que ese ambiente le permitía resucitar la antigua novela pastoril, con su mezcla de prosa y verso; pero no debe olvidarse que en Francia Florian también escribía, con éxito, novelas pastoriles como *Galatea* (1783) y *Estela* (1788). Montengón, por otro lado, no olvida los temas ilustrados.

Debo confesar que las últimas producciones de Montengón, es decir, la traducción-adaptación de cuatro tragedias de Sófocles y los dos poemas épicos *La pérdida de España reparada por el rey Pelayo* y *La conquista de Méjico por Hernán Cortés*, no he podido leerlas y de ellas sólo sé lo que dicen Catena [1947] y Fabbri [1972]. Por lo que parece no tienen gran importancia. Sin embargo, hay que subrayar que Montengón, en fecha tan tardía como 1820, se sigue manifestando como un ilustrado.

En 1790 Montengón propone a Sancha la publicación de cuatro comedias: *La Matilde, El impostor arrepentido, Los ociosos* y *El avaro enamorado*. Sancha no aceptó editarlas, por lo que quedaron inéditas. Fabbri ha descubierto un manuscrito, y promete un amplio estudio sobre Montengón autor de comedias. Por el momento nada más puedo decir de su obra dramática.

BIBLIOGRAFÍA

La bibliografía sobre Montengón es escasa. La que me parece más interesante está todavía inédita, como se verá en seguida, aunque es accesible. Para la de las obras del autor puede verse Elena Catena, «Noticia bibliográfica sobre las obras de don Pedro Montengón y Paret», en *Homenaje a la memoria de Rodríguez-Moñino*, Madrid, 1975, pp. 195-204. Para más amplia bibliografía, especialmente para temas colaterales, véase Isaac [1978].

Arce, Joaquín, «La poesía en el siglo XVIII», en J. M.ª Díez Borque, ed., *Historia de la literatura española*, Taurus, Madrid, 1980, III, pp. 161-162.
Catena López, Elena, «Vida y obras de don Pedro Montengón y Parct», tesis doctoral, Madrid, 1947 (ejemplar disponible en la biblioteca del Centro de Estudios del Siglo XVIII, Oviedo).
Fabbri, Maurizio, *Un aspetto dell'Illuminismo spagnolo. L'opera letteraria di Pedro Montengón*, Libreria Goliardica, Pisa, 1972.
García Lara, Fernando, ed., Pedro Montengón, *Eusebio*, Editora Nacional, Madrid (en prensa).
Isaac, Jeanne, «Les vicisitudes, de 1786 à 1851, d'un roman rousseauiste en Espagne: "Eusebio" de Pedro Montengón», tesis de doctorado de tercer ciclo, Universidad de Burdeos III, 1978, inédita (ejemplar disponible en la biblioteca del Centro de Estudios del Siglo XVIII, Oviedo).
Laverde Ruiz, Gumersindo, «Apuntes acerca de la vida y poesías de don Pedro Montengón», en *Ensayos críticos*, Soto Freire, Lugo, 1868.

Marzilla, M. T., «Las dos redacciones del *Eusebio* de Montengón», en *Revista de Archivos, Bibliotecas y Museos*, LXXVII (1974), pp. 335-345.

Menéndez Pelayo, Marcelino, *Horacio en España*, Medina, Madrid, 1877 (en la Editora Nacional incluido en la *Bibliografía hispano-latina clásica*).

Maurizio Fabbri

DE LA NOVELA DIDÁCTICA A LA PASTORIL: *EUSEBIO* Y *EL MIRTILO*

Montengón comprendió la gran utilidad que tenía la novela como vehículo de la ideología, e intuyó las posibilidades propagandísticas que podía ofrecer; por eso recurrió abundantemente a ese género con el propósito de hacer obras útiles e instructivas, como por otra parte correspondía a un admirador de los *philosophes* como era él. El propio Montengón lo dijo de manera expresa en el breve prólogo al *Eusebio*: «*Eusebio* está escrito para que sea útil a todos». Quiso fundarse en los tipos más diversos de novela, pasando de la moderna novela educativa, al estilo de Rousseau, a la filosófica, de la histórica a la pastoril.

Semejante eclecticismo demuestra no sólo su notable capacidad imaginativa y el perfecto conocimiento de las técnicas narrativas más variadas, sino también una constante intención social, y una enorme curiosidad, verdaderamente enciclopédica, que le impulsaba y le conducía a prestar la máxima atención a diferentes aportaciones culturales, que consiguió asimilar y reelaborar en maneras y formas de gran originalidad. La innegable preferencia concedida a la novela, en sus manifestaciones más diversas, revela hasta qué punto Montengón consideraba ese género como más adecuado que el teatro, que la lírica o que la épica, para expresar plenamente el conjunto de las experiencias vividas y de los fines didácticos. El paso del tiempo no

Maurizio Fabbri, *Un aspetto dell'Illuminismo spagnolo: l'opera letteraria di Pedro Montengón*, Editrice Libreria Goliardica, Pisa, 1972, pp. 28-51, 59-69 y 126-128.

hizo menguar su fe en este género literario, y ello subraya la continuidad sustancial de sus propósitos políticos y morales: al seguir escribiendo novelas, reafirmaba con hechos la validez teórico-práctica, además de la virtud moral, de la «razón» ilustrada, y ello precisamente en un momento histórico y cultural en el que se consideraba origen de todos los males, y principalmente de la Revolución francesa. [...]

Para su *Eusebio* imaginó un plano de acción vastísimo, de intriga tan abundante y variada que casi le confiere caracteres épicos: aquí encontramos, junto a las peripecias del joven náufrago cuyo nombre da título a la novela, referencias a la filosofía y a la literatura, al teatro, a la música, a la moral. Se nos habla de las costumbres de las naciones, del matrimonio, de la primogenitura, del honor, de los duelos, de las supersticiones, de prostitución, de medicina, de religión, de teología, de historia, de economía, de pedagogía. Los personajes, numerosísimos, pertenecen a las clases sociales más diversas: junto al cochero encontramos al magistrado; junto a la mujer de mala vida, la esposa virtuosa; al lado del salvaje, el lord. Todos representan los aspectos más variados de la condición humana: el asesino, el perjuro, el uxoricida, el violador, el degollador, el ladrón, el granuja, el impío, el calumniador, aparecen al lado de los justos, los tolerantes, los héroes, los virtuosos, los altruistas, los creyentes, los buenos.

Los caracteres, sobre todo los femeninos, se describen con verosimilitud psicológica y vivacidad imaginativa, concediendo así a los personajes vida y corporeidad. Las situaciones demuestran una gran riqueza inventiva: son extremadamente variadas y permiten incluir los argumentos más diversos y entrar en contacto con las condiciones históricas y sociales de numerosos países. En algunos episodios, una cierta complacencia en formas morbosas de erotismo, nos mueve a considerar superada la lección de la novela negra, a lo Radcliffe, con el anuncio de unos tiempos de angustia que, con el fin del espejismo ilustrado, vio entre sus primeros y más geniales representantes al marqués de Sade.

El estilo se muestra fresco y vivaz; de hecho se trata de una prosa que no busca ningún efecto, que sólo quiere convencer, y por eso mismo aparece carente de énfasis, sencilla, llana, discursiva, regular, abundante en neologismos en la mayoría de las ocasiones procedentes del francés y del italiano, que una vez más suscitaron el desdén de los puristas. Las innovaciones léxicas de Montengón, como por otra parte las que se encuentran en las obras de Jovellanos, Cienfuegos o Meléndez Valdés, responden siempre al propósito de utilizar vocablos y formas expresivas adecuados a las aspiraciones cosmopolitas de los lectores y al nuevo nivel intelectual que tales lectores habían conquistado o al que aspiraban. La voluntad de escribir con orden, precisión, claridad racional, llevaba al escritor a recurrir también a vocablos y modos no castizos que podían expresar mejor los conceptos y las ideas que proponía, contentando por un lado al lector culto y moderno, y por otro estimulando ciertas crecientes aspiraciones de elevación social que se daban en algunos sectores populares y burgueses, y que podían también adquirirse por medio de un cierto tipo de lenguaje.

La vitalidad de la narración, la vivacidad y verosimilitud de la trama, la riqueza de episodios, aun sin excluir momentos prolijos o fatigosos, a menudo debidos al abuso del diálogo y a los frecuentes intercambios epistolares, convierten el *Eusebio* en una verdadera novela muy lograda. [...]

El *Eusebio* representa una vasta y profunda exploración de la sociedad y de la cultura, no sólo española, de la segunda mitad del siglo XVIII, con singulares pasajes de aguda crítica respecto a la incultura y a la corrupción de aquellos tiempos. En la novela no se encuentran esas actitudes, en definitiva provincianas, características de la España de aquel entonces: el escritor, a diferencia de otros que, por ignorancia, mala fe u orgullo nacional, intentaban pasar en silencio el atraso y el aislamiento de España, y se reafirmaban, con una especie de fideísta *credo quia absurdum* (que tenía su origen histórico en la secular perpetuación de arraigadas convicciones relativas a una especie de misión superior, de origen divino, reservada al país ibérico) la excelencia de España en todos los terrenos, quiso manifestar, describiéndolo con toda claridad, no sólo las causas que juzgaba el origen de tal decadencia, sino también los remedios que consideraba más idóneos y útiles. [...]

Los estudiosos de la literatura y los críticos que se han interesado por el *Eusebio* se afanan por reconocer en la estructura éticofilosófica de la novela un intento de «catolicizar» a Rousseau. No es difícil desmentir esta interpretación, tan interesada como errónea, demostrando que, por el contrario, en la obra de Montengón, casi no se advierte ningún rastro de creencias cristianas. Indudablemente, parecen más fundadas las razones del censor que, prohibiendo en 1792 el *Eusebio*, le acusaba de propagar teorías heréticas, pelagianas, y de contener «proposiciones antichristianas».

La fe religiosa de Montengón, que durante su estancia en Italia había sufrido un profundo proceso de revisión crítica, cuya dinámica ignoramos, pero que podemos comprobar en las páginas de la novela, se transformó en una actitud de indiferencia sustancial, tanto en sus relaciones con el catolicismo como respecto a cualquier otro credo. Montengón prefirió poner toda su certidumbre en la virtud y en la razón, considerándolas las únicas fuerzas capaces de ofrecer verdadera ayuda a la humanidad en el curso del difícil camino de la existencia.

El escritor llega así al gran puerto de la religión natural y del deísmo ilustrado, y allí los dogmas cristianos ceden el lugar a la creencia en un ser superior que parece identificarse con el culto de la naturaleza, en una especie de panteísmo epicúreo en el cual el espíritu de tolerancia, de filantropía, de solidaridad humana sustituye a las virtudes cristianas de la caridad, de la humildad y del amor al prójimo. De este modo, en el corazón de Eusebio, templo elegido de la virtud, de la razón y del amor que no admite ninguna imposición, no hay lugar para el Dios católico. Esta concepción religiosa aconfesional se subraya con los apelativos que usa el joven Eusebio para dirigirse a la divinidad, a la que se llama «Mano Omnipotente», «Cielo», «Providencia», «Señor justo y clemente», «Eterno Artífice», «Hacedor Supremo».

El escritor alicantino considera sin embargo necesarias las religiones tradicionales, en la medida en que proporcionan esperanza y consuelo al hombre que se debate entre las cuitas de un duro destino y que se siente impotente ante el misterio de la vida. En esto y sólo en esto estriba su utilidad: desposeídas de su función primaria de vehículo para la salvación del alma, se convierten en fuerzas de apoyo espiritual, contribuyendo a robustecer y a sostener los ánimos. De ahí que para don Pedro todas las creencias religiosas sean iguales, ya que tienen por origen las mismas exigencias humanas. Por tal motivo no duda en hacer criar y educar a Eusebio por unos cuáqueros, y en tratar en varias ocasiones del luteranismo y del calvinismo sin ningún género de aversión ni hostilidad, demostrando comprender las razones históricas y morales que habían conducido al cisma y a la rebelión armada, y condenando imparcialmente el fanatismo calvinista y católico, la superstición papista y las aberraciones jansenistas del tipo de las del abate Paris.

Deliberadamente, Montengón educa a Eusebio en la indiferencia respecto a todas las religiones tradicionales; hasta los veinte años, a semejanza de *Émile*, el joven no sabrá nada de culto, ignorará ritos, ceremonias, plegarias, deberes, no respetará ningún decálogo, excepto el que le dicta su conciencia virtuosa. De ese modo, su espíritu tiene la posibilidad de desarrollarse absolutamente libre de dogmas y esquematizaciones teológicas, huyendo por igual del ateísmo como de cualquier intolerancia religiosa, bastándole reconocer neutonianamente en el universo la presencia y la acción de «Hacedor Supremo» y respetar las leyes de la naturaleza, dejándose guiar por la virtud y por la razón.

[Con la novela pastoril *Mirtilo*, Montengón quiso basarse en un género que seguía gozando, tanto en Italia como en España, de gran éxito, ya fuera a través de las reediciones y las imitaciones de los antiguos, o de las traducciones de obras extranjeras, ya a través de la aportación original de los escritores contemporáneos.] La novela testimonia el intento de renovación que efectúa el escritor: aunque remitiéndose a la tradición renacentista bucólica (a menudo recurriendo a la égloga, mezclando discursos filosóficos y morales con las desventuras amorosas de unos pastores que con frecuencia sólo lo son por la manera de vestir) dio al *Mirtilo* un carácter dramático y un aire teatral. La obra posee un gran movimiento, resulta vivaz por la insólita variedad de los episodios y la constante utilización del diálogo, presente tanto en las partes en prosa como en las numerosas composiciones poéticas.

La misma personalidad de los pastores (que pertenecen a las condiciones sociales más diversas: Mirtilo es poeta y cortesano, como Silvanio; Dalisio «terrateniente» y Montano «mayoral»; Nicio caballero), parecen haber perdido gran parte del habitual patetismo agridulce y se insertan con concreción y verosimilitud en el mundo agreste del *Mirtilo*. Entre los personajes aparece el mismo Montengón, quien bajo el disfraz de Mirtilo cuenta las experiencias de su vida, lamentándose de la lejanía de la patria y de sus familiares, y doliéndose del tiempo que ha perdido siguiendo las «mentirosas promesas y lisonjas embusteras» de la ambición y de la vanagloria. [...]

La novela nos ofrece los mejores frutos de la inspiración poética del autor: de hecho Montengón realiza aquella «mélange de la poésie et de la prose» propugnada por Florian y hace alternar largos fragmentos en prosa con numerosas y variadas composiciones poéticas, églogas, idilios, canciones, décimas, anacreónticas y endechas.

En los idilios y en las anacreónticas el poeta proscrito se muestra versificador dotado de feliz espontaneidad creativa, y atento a captar remotos ecos virgilianos y horacianos, o reminiscencias garcilasistas. Desdeñando apelar a los artificios más abiertamente retóricos y sofisticados, se manifiesta sincero tanto en la descripción de los afectos y de los impulsos del corazón, como en la exaltación de la sencillez de la vida de sus pastores. Las composiciones aludidas, al igual que en las canciones, constituyen pequeñas leyendas bucólico-mitológicas en las que la belleza de la naturaleza y la inocencia de la vida agreste, el mundo de los pastores y de los rebaños, aparecen en un escenario encantador de flores y de florestas, de amores castos y delicados que se suceden con el lento fluir de las estaciones. [...]

Sus enérgicas intenciones ideológicas y la consabida voluntad de hacer una obra útil, se manifiestan sobre todo en las églogas, claramente marcadas por una actitud filosófico-moral en la que se da un énfasis evidente a los motivos estoicos. El *Mirtilo*, que es la última novela de Montengón, parece brotar líricamente de un ánimo desilusionado y amargado, que ante la pérdida de las esperanzas de renovación de la sociedad y exacerbado por las dificultades de la vida, se niega a seguir luchando y se refugia en la irrealidad del mundo de los pastores, en la exaltación del *Beatus ille* y de la Arcadia. Es lícito suponer que esta obra representa el reflejo, en el ánimo del escritor, de la lucha entre lo real y lo irreal, tan violenta en el siglo XVIII, y que revela por tanto un momento de incertidumbre y de pausa.

ELENA CATENA

PEDAGOGÍA, MORAL Y EDUCACIÓN EN EL *EUSEBIO*

Montengón conoce perfectamente a Rousseau y, no obstante, no es suya la influencia mayor: existe, en mayor grado que la del francés, la de Locke. Se declara seguidor de las ideas de Locke al preconizar el uso de la razón en la educación de los niños. Locke, que en muchos aspectos fue el precursor de Rousseau, opinaba que se debía razonar con los niños todo lo posible. Rousseau, en cambio, había trasladado al sentimiento el centro de gravedad de la vida psíquica que durante mucho tiempo se había buscado en la razón.

Coincide con sus dos modelos —Locke y Rousseau— en ensalzar las ventajas de un solo preceptor y así da a Eusebio uno muy sabio en

Elena Catena López, «Vida y obras de don Pedro Montengón y Paret», tesis doctoral inédita leída en la Universidad de Madrid, 1947, pp. 96-101.

la persona de Hardyl. Nada más lejos de la mente de Montengón que el autodidactismo, al que ni aun al principio admite, como sucede con Gracián y Abentofail, que hacen aparecer al maestro cuando la mentalidad del alumno está ya formada.

«Educación antes que instrucción» es el lema de Locke, y este lema es hecho suyo por Hardyl. Primero, saber someter los deseos a las reglas y a las restricciones de la razón, después, muy en segundo término, vendrá el estudio de las ciencias y de las letras. Tal es la tesis pedagógica de Montengón. Todo ello descansa en la práctica de una moral —virtud la llama él— que sustituye a la religión.

El término *virtud* es muy empleado por los hombres del XVIII para significar un nuevo concepto de la moral. Montengón habla incluso de una ciencia que la estudia y enseña y que designa con el nombre de filosofía moral. La filosofía moral, tal como la entiende nuestro novelista, es una ciencia práctica basada en el propio razonamiento sobre los hechos, las cosas y las personas, y en la que se destacan dos influencias: la de su tiempo (Locke, Rousseau, los enciclopedistas, etc.) y la filosofía estoica (Séneca y Epicteto). Conforme con la primera cree que las exigencias del espíritu son: 1) virtud, 2) sabiduría, 3) urbanidad y 4) cultura, orden y términos tomados de Locke. De Locke proviene también la tolerancia de que hace gala Montengón. De los enciclopedistas están tomadas ciertas ideas nuevas y revolucionarias que Montengón expone, ayudándose de episodios novelescos, con el entusiasmo de un convencido devoto; tales son: la aversión a la escolástica, la oposición a la vida monástica, desprecio del vulgo, pedagogismo, humanitarismo, privación absoluta de religión.

[La predilección por Séneca en el XVIII alcanza a Rousseau y Diderot.] El motivo de este entusiasmo dieciochesco por la filosofía estoica hemos de buscarlo en la constitución y principios de esta filosofía. Lo primero que echamos de ver al examinarla es que su única preocupación es la ética, con detrimento de la lógica y de la física, que son las otras partes en que se divide. La ética estoica se resume en la famosa frase: «vivir según la naturaleza». Y la naturaleza del hombre es la razón. La razón, que es nuestra naturaleza, pone de acuerdo al hombre con el universo entero, es decir, con la naturaleza. Lo único que resulta valioso para el estoico es lo que depende del comportamiento racional del hombre. La moral del siglo XVIII, la moral de nuestro novelista Montengón, se fundamenta en estos principios de la filosofía estoica, porque aquello, en cuanto ésta se manifiesta racional, lo prohijó el siglo XVIII, haciéndolo suyo.

Epílogo

ENTRE DOS SIGLOS

Al llegar al final de lo que me he propuesto debo reiterar lo que ya expuse en el prólogo en cuanto a los criterios que me guiaban para hacer mi selección de los escritores que me parecían más significativos, y creo haberlo cumplido. El siglo XVIII, generalmente olvidado o muy poco atendido en la mayoría de las universidades' españolas, exigía una especie de amplia introducción a su estudio, que fuera de verdad útil a los universitarios no iniciados. Si con este libro lo he conseguido, mi tarea queda cumplida. Quien quiera ampliar sus conocimientos dispone de abundante material, empezando por bibliografías ya publicadas o en trance de publicación. Si algún día me dedico a escribir una historia de la literatura española del siglo XVIII, de la que este libro puede ser un anticipo, mis criterios serán otros. En primer lugar, el método expositivo se ajustará de alguna manera al que he utilizado para los dos capítulos de los tomos XXIX y XXXI-I de la *Historia de España* de Menéndez Pidal, que ahora dirige Jover Zamora y que edita Espasa-Calpe. Renuncio al estudio sistemático de los autores y a la agrupación por géneros literarios, para hacer la historia literaria por etapas cronológicas, lo que pone de relieve los cambios y la evolución que se va produciendo lentamente desde finales del siglo XVII. En segundo lugar, allí será necesario hacerse cargo de toda la literatura de algún relieve que se publica en cada etapa.

Sin embargo, no quisiera terminar mi exposición sin hacer una breve referencia a unos años que significan, por un lado, la continuación de tendencias estéticas manifestadas a finales del siglo XVIII, y por otro los verdaderos anuncios de la eclosión romántica.[1]

La guerra de la Independencia tuvo en la historia de la literatura muchas y graves repercusiones. Por lo pronto, los años de la guerra no fueron los más propicios para la serena creación literaria. Quintana, Jovellanos, Cienfuegos, Moratín, Meléndez Valdés y otros autores, con una

---

1. Sobre los principales autores y problemas mencionados en los párrafos siguientes, véase el vol. 5 de *HCLE*; para otros, la Guía bibliográfica complementaria.

obra ya hecha, o enmudecieron o fueron víctimas de las circustancias o se entregaron a una literatura circunstancial de propaganda, en lo que les siguieron otros escritores más jóvenes, que prácticamente se dan a conocer con los avatares de la lucha patriótica y política, como Blanco-White, que tenía 34 años al comenzar la guerra y se irá pronto a Inglaterra, donde escribe, en español o en inglés, toda su obra conocida. Otros muchos autores jóvenes también sabrán lo que es la cárcel o el destierro, unos después de la vuelta de Fernando VII y otros a continuación del trienio constitucional.

De pronto, se produce como un vacío literario. Todo lo que se anunciaba al comienzo del siglo se esfuma. Resulta difícil encontrar entre 1808 y 1830 alguna obra literaria escrita y publicada en España que merezca consideración.

En poesía predominan las formas clasicistas, con ligeros atisbos de algo nuevo. Cabe recordar el poema *Zaragoza* (1809) de Martínez de la Rosa; *La Bética coronando al rey don José Napoleón I* (1810) de Manuel María de Arjona, que después intentó hacer desaparecer los ejemplares; las *Poesías patrióticas* (1810) de Arriza; los *Ensayos poéticos* (1817) de Buenaventura Carlos Aribau, influidos por Quintana, pero lejos de lo que será la oda *A la patria* (1833), escrita en catalán y que abre camino a la *Renaixença*; la oda *A la muerte de doña Isabel de Braganza* (1819), de Juan Nicasio Gallego, que había escrito en 1808 su famoso *Al dos de mayo*, y las *Poesías* (1822) de Alberto Lista, acaso lo más representativo de estos años, poesía de forma depurada más que fruto de la inspiración, fiel al clasicismo, aunque con notas románticas, y en la que pesa mucho la influencia de los poetas sevillanos, especialmente Herrera y Rioja; Lista actuó en cierta forma de puente entre el clasicismo y el romanticismo (Espronceda y Ventura de la Vega fueron discípulos suyos).

Tampoco en literatura dramática hay nada destacable. Martínez de la Rosa estrena en 1812 la comedia *Lo que puede un empleo*, la tragedia *La viuda de Padilla* en 1814, imitación de las tragedias históricas de Alfieri, la tragedia de factura clásica *Moraima* en 1818, y otra comedia, moratiniana como la de 1812, *La niña en casa y la madre en la máscara*, escrita en octosílabos. Todas estas obras están todavía muy lejos de lo que serán *La conjuración de Venecia* o *Aben Humeya*, las dos obras más características del dramaturgo (estrenadas en 1834 y 1836). Lo que cabe destacar de toda la producción dramática de Martínez de la Rosa es su carácter de literatura comprometida políticamente. El Duque de Rivas estrena en 1814, la tragedia *Aliatar*, seguida de *Ataúlfo* (1814), *Doña Blanca* (1817), *El duque de Aquitania* (1817), *Malek Adel* (1818), *Lanuza* (1822) y *Arias Gonzalo* (1827). Son todas tragedias clasicistas, de escaso valor, muy olvidadas de la crítica por ello, y que están muy lejos de lo que será su *Don Álvaro o la fuerza del sino* (1835).

Merece la pena recordar la polémica de Juan Nicolás Böhl de Faber con Alcalá Galiano y con José Joaquín de Mora, iniciada en 1814. El hispanófilo alemán defendía las doctrinas de Schlegel sobre el romancero y el teatro español del Siglo de Oro, mientras sus contradictores eran partidarios de los principios clasicistas. La polémica tuvo cierta trascendencia para el triunfo del romanticismo. El mismo Böhl de Faber publicó en Alemania la *Floresta de rimas antiguas castellanas* (1821-1825), iniciada el mismo año en que Agustín Durán publicaba su *Colección de romances antiguos*.

Entre noviembre de 1823 y abril de 1824 apareció semanalmente en Barcelona la revista *El Europeo*, que contribuyó decisivamente a la introducción del romanticismo. Precisamente con esta palabra titulaba Monteggia un artículo en el número 2. Schiller, Byron, Walter Scott y otros autores empezaron realmente a ser conocidos en España gracias a los redactores de esta revista, entre los cuales destaca Buenaventura Carlos Aribau.

Un autor como Mesonero Romanos se inicia en un género tan característicamente romántico como el costumbrista con los doce artículos de *Mis ratos perdidos* (1822), cuando sólo tiene 19 años, pero es un folleto de escasa importancia. En 1828, también con 19 años, empezará Larra a publicar *El Duende Satírico del Día*, donde aparecieron algunos artículos interesantes, aunque son de los más endebles de su producción.

A todo esto habría que añadir los infinitos folletos y periódicos que se publican durante la guerra, la *Memoria en defensa de la Junta Central* (1811) de Jovellanos, la importante *Teoría de las Cortes* (1813) de Martínez Marina, los *Discursos forenses* (1821) de Meléndez Valdés, que había muerto cuatro años antes en el exilio, y que son interesantes para estudiar la ideología de la Ilustración, y la *Historia crítica de la Inquisición* (1822) de Llorente, libro que tuvo gran resonancia, sobre todo en el extranjero.

En 1830 nos encontramos en las vísperas de la eclosión romántica, que ha sido preparada en estos años y que será impulsada por escritores desterrados que viven en contacto con las novedades literarias de Francia e Inglaterra. De momento, sin embargo, nada permite suponer lo que va a ocurrir unos años más tarde, cuando Larra escriba sus últimos artículos, Espronceda y Zorrilla sean conocidos poetas, Martínez de la Rosa, el Duque de Rivas y García Gutiérrez estrenen sus obras más representativas. El siglo XVIII pasaba a la historia, pero pasaba porque había hecho posible una nueva cultura, una nueva cosmovisión y una nueva literatura.

GUÍA BIBLIOGRÁFICA COMPLEMENTARIA

Aunque en los capítulos anteriores he elegido los autores que me han parecido más significativos, es indudable que la historia de la literatura dieciochesca no termina con ellos. Por tal razón he creído conveniente dar aquí una bibliografía sucinta de diversos escritores no tratados específicamente. Los ordeno alfabética, no cronológicamente. La bibliografía seleccionada pertenece fundamentalmente a los últimos años.

ÁLVAREZ DE TOLEDO, GABRIEL (1662-1714)
Sebold, Russell P., «Un *padrón inmortal* de la grandeza romana: en torno a un soneto de Gabriel Álvarez de Toledo», en *Studia in honorem Rafael Lapesa*, I, Gredos, Madrid, 1972, pp. 525-530.
Simón Díaz, José, «Bibliografía de Gabriel Álvarez de Toledo», en *Bibliografía Hispánica*, V (1947), p. 715.

ARJONA, MANUEL MARÍA DE (1771-1820)
Aguilera Camacho, D., «La personalidad del sabio fundador de la Academia de Ciencias, Bellas Letras y Nobles Artes de Córdoba y orígenes de ésta», en *Boletín de la Academia de Ciencias, Bellas Letras y Nobles Artes*, Córdoba, n.º 56 (1946).
Valverde Madrid, J., «En el segundo centenario del fundador de nuestra Academia», en *Boletín de la Real Academia de Ciencias, Bellas Letras y Nobles Artes*, Córdoba, n.º 91 (1971), pp. 1-4.

ARRIAZA, JUAN BAUTISTA (1770-1837)
Asensio, J., «Un escrito inédito sobre los poetas Quintana y Arriaza. Crítica de sus odas al combate de Trafalgar», en *Revista de Archivos, Bibliotecas y Museos*, LXXVII (1974), pp. 103-148.
Glendinning, Nigel, «Goya and Arriaza's *Profecía del Pirineo*», en *Journal of the Warburg and Courtauld Institutes*, Londres, XXVI (1963), pp. 363-366.

Marcos Álvarez, Fernando, «Algo más sobre Arriaza», en *Revista de Literatura*, XXIV (1963), pp. 145-146.

—, *Don Juan Bautista de Arriaza y Superviela. Marino, poeta y diplomático (1770-1837)*, Instituto de Estudios Madrileños, Madrid, 1977.

ARTEAGA, ESTEBAN DE (1747-1798)

Allorto, R., «Stefano Arteaga e le *Rivoluzioni del teatro musicale italiano*», en *Rivista Musicale Italiana*, Turín, n.° 52 (1950), pp. 124-147.

Batllori, Miguel, «Ideario estético de Esteban de Arteaga», en *Revista de Ideas Estéticas*, I (1943), pp. 87-108.

—, «Filosofía, ciencia y arte según Esteban de Arteaga», en *Revista de Ideas Estéticas*, III (1945), pp. 387-393.

Micó Buchón, José Luis, «Aproximación a la estética de Arteaga», en *Revista de Ideas Estéticas*, XVI (1958), pp. 29-50.

Rudat, Eva Marja, *Las ideas estéticas de Esteban de Arteaga. Orígenes, significado y actualidad*, Gredos, Madrid, 1971.

BLANCO WHITE, JOSÉ MARÍA (1775-1841)

Cano, José Luis, «Blanco White y sus *Cartas de España*», en *Heterodoxos y Prerrománticos*, Júcar, Madrid, 1974, pp. 129-138.

González-Arnao, Mariano, «Blanco White, el tránsfuga de muchos credos», en *Historia y Vida*, n.° 67 (1973), pp. 91-101.

Goytisolo, Juan, prólogo a J. M. Blanco White, *Obra inglesa*, Seix Barral, Barcelona, 1974.

Harrod, G. R., «Blanco White on Spanish literature», en *Bulletin of Hispanic Studies*, XXIV (1947), pp. 269-271.

Lloréns, Vicente, *Liberales y románticos. Una emigración española en Inglaterra (1823-1834)*, Castalia, Madrid, 1968².

—, ed., J. M. Blanco White, *Antología de obras en español*, Labor, Barcelona, 1971.

Zavala, Iris M., «Forner y Blanco. Dos vertientes del siglo XVIII», en *Cuadernos Americanos*, XXV (1966), pp. 128-138.

CAÑIZARES, JOSÉ DE (1676-1750)

Díaz-Regañón, J., «Una parodia española de *Ifigenia en Áulide*», en *Argensola*, Huesca, VIII (1957), pp. 297-305.

Ebersole, Alva V., *José de Cañizares, dramaturgo olvidado del siglo XVIII*, Ínsula, Madrid, 1974.

Trifilo, S. S., «Influencias calderonianas en el drama de Zamora y Cañizares», en *Hispanófila*, IV (1961), pp. 39-46.

CLAVIJO Y FAJARDO, JOSÉ (1730-1806)

Antequera, J. A., «Clavijo: su biografía apresurada», en *La Estafeta Literaria*, n.º 304 (1964), pp. 11-12.

Doreste, Ventura, «Estudio sobre Clavijo y Fajardo», en *Anuario de Estudios Atlánticos*, n.º 12 (1966), pp. 201-209.

Espinosa García, Agustín, *Don José Clavijo y Fajardo*, Cabildo Insular de Gran Canaria, Las Palmas de Gran Canaria, 1970.

Guinard, Paul-J., «Les débuts de la critique théâtrale en Espagne (1762-1763)», en *Dix-huitième Siècle*, XIII (1981), pp. 247-258.

Hernández, Mario, «La polémica de los autos sacramentales en el siglo XVIII: la Ilustración frente al Barroco», en *Revista de Literatura*, XLII (1980), pp. 185-220.

COMELLA, LUCIANO FRANCISCO (1751-1812)

McClelland, Y. L., «Comellan drama and the censor», en *Bulletin of Hispanic Studies*, XXX (1953), pp. 20-31.

Subirá, José, *Un vate filarmónico: Don Luciano Comella*, Academia de Bellas Artes de San Fernando, Madrid, 1953.

Cave, Michael Robert, *La obra dramática de Luciano Francisco Comella* (tesis doctoral inédita), The University of Connecticut, 1972.

FERNÁNDEZ DE ROJAS, JUAN (1750?-1819)

Barabino Maciá, María Rosario, *Fray Juan Fernández de Rojas: su obra y su significación en el siglo XVIII*, Universidad Complutense, Madrid, 1981.

Helman, Edith, «Fray Fernández de Rojas y Goya», en *Jovellanos y Goya*, Taurus, Madrid, 1970, pp. 273-292.

FORNER Y SEGARRA, JUAN PABLO (1756-1797)

Jiménez Salas, María, *Vida y obras de D. Juan Pablo Forner y Segarra*, CSIC, Madrid, 1944.

Lopez, François, *Juan Pablo Forner et la crise de la conscience espagnole au XVIIIe siècle*, Université de Bordeaux III, Burdeos, 1976.

Maravall, José Antonio, «El sentimiento de nación en el siglo XVIII: la obra de Forner», en *La Torre*, n.º 57 (1967), pp. 25-56.

Polt, John H. R., «Estudio preliminar a una edición de *Los gramáticos* de Forner», en *Revista de Estudios Extremeños*, XXV (1969), páginas 247-279.

Sebold, Russell P., «Menéndez Pelayo y el supuesto casticismo de la crítica de Forner en las *Exequias*», en *El rapto de la mente*, Prensa Española, Madrid, 1970, pp. 99-122.

Smith, Gilbert, *Juan Pablo Forner*, Boston Twayne Publishers, 1976.

González, Fray Diego Tadeo (1733-1794)
Monguió, Luis, «Fray Diego Tadeo González and Spanish taste in poetry in the Eighteenth Century», en *Romanic Review*, LII (1961), páginas 241-260.
Ríos, Francisco, *An eighteenth century poetic sensibility: Fray Diego Tadeo González* (tesis doctoral, Universidad de Oklahoma), 1971.
Rodríguez de la Flor, Fernando, «Fray Diego González: poesía neoclásica», en *Archivo Agustiniano*, LXIII (1979), pp. 195-208.
—, «La poesía pastoral de un poeta de la segunda escuela salmantina: Fray Diego Tadeo González», en *Provincia de Salamanca*, n.º 1 (1982), pp. 177-213.

González del Castillo, Juan Ignacio (1763-1800)
Bravo Villasante, Carmen, «Un sainetero del siglo xviii: González del Castillo», en *Cuadernos Hispanoamericanos*, n.º 341 (1978), pp. 383-392.
Hannan, D., *Tradition and originality in the dramatic works of Juan Ignacio González del Castillo*, Universidad de Oregón, 1961.

Iglesias de la Casa, José (1748-1791)
Mazzei, A., «José Iglesias de la Casa», en *Boletín de la Academia Argentina de Letras*, XIX (1950), pp. 237-244.
Sebold, Russell P., «Dieciochismo, estilo místico y contemplación en *La esposa aldeana* de Iglesias de la Casa», en *El rapto de la mente*, Prensa Española, Madrid, pp. 197-220.
Senabre, Ricardo, «El ingrediente paródico en la poesía de Iglesias de la Casa», en *Anuario de Estudios Filológicos*, Universidad de Extremadura, II (1979), pp. 283-292.

Lista y Aragón, Alberto (1775-1848)
Capote, H., «Un posible antecedente de la *Oda a la muerte de Jesús* de Lista», en *Archivo Hispalense*, n.º 14 (1945), pp. 361-366.
Clarke, D. C., «On the versification of Alberto Lista», en *Romanic Review*, XLIII (1952), pp. 109-116.
Jover, José María, «Alberto Lista y el romanticismo español», en *Arbor*, n.º 73 (1952), pp. 127-136.
Juretschke, Hans, *Vida, obra y pensamiento de Alberto Lista*, CSIC, Madrid, 1951.

Lobo, Eugenio Gerardo (1679-1750)
Rubio, J., «Algunas aportaciones a la biografía y obras de Eugenio Gerardo Lobo», *Revista de Filología Española*, XXXI (1947), pp. 19-85.

LÓPEZ DE AYALA, IGNACIO (?-1789)
Pérez Rioja, José Antonio, «La *Numancia destruida* (1775) de Ignacio López de Ayala», en *Celtiberia*, LI (1976), pp. 7-24.

MARCHENA, JOSÉ (1768-1821)
Guazzelli, F., «Un neoclassico spagnolo: José Marchena», en *Miscelanea di Studi Ispanici*, Pisa, n.º 16 (1968), pp. 257-288.
Lopez, François, «Les premiers écrits de José Marchena», en *Mélanges à la Mémoire de Jean Sarrailh*, II, 1966, pp. 55-67.
Marchetti, Giovanni G. G., «Per una nuova biografia intellettuale e politica di José Marchena. Marchena nella Rivoluzione francese», en *Spicilegio Moderno*, n.º 3 (1974), pp. 51-80.

MAYANS Y SISCAR, GREGORIO (1699-1781)
Aguilar Piñal, Francisco, «Mayans y la Ilustración», en *Ínsula*, n.º 270 (1969), p. 11.
Cobo de la Torre, J. M., «Reflexiones sobre los *Orígenes de la lengua castellana*», en *Boletín de la Biblioteca de Menéndez Pelayo*, XXXVII (1961), pp. 319-418.
Mestre, Antonio, *Ilustración y reforma de la Iglesia. Pensamiento político-religioso de Don Gregorio Mayans y Siscar*, Ayuntamiento de Oliva, Valencia, 1968.
—, *Historia, fueros y actitudes políticas. Mayans y la historiografía del siglo XVIII*, Ayuntamiento de Oliva, Valencia, 1970.
—, *El mundo intelectual de Mayans*, Ayuntamiento de Oliva, Valencia, 1978.
Peset, Vicente, «Un ensayo sobre Mayans», en *Primer Congreso de Historia del País Valenciano*, I, Universidad de Valencia, 1973, pp. 119-147.
—, *Gregori Mayans i la cultura de la Il·lustració*, Valencia, 1975.

MONTIANO Y LUYANDO, AGUSTÍN (1697-1764)
Boussagol, G., «Montiano et son *Athaulfo*», en *Mélanges offerts à Marcel Bataillon*, Burdeos, 1962, pp. 336-346.
Laurencín, Marqués de, *Don Agustín Montiano y Luyando, primer Director de la Academia de la Historia*, Madrid, 1926.
Sangroniz, José Antonio de, «Nota biográfica de don Agustín Gabriel de Montiano y Luyando, primer director de la Real Academia de la Historia», en *Boletín de la Real Academia de la Historia*, CLXIX (1972), pp. 17-26.

MOR DE FUENTES, JOSÉ (1762-1848)
Arco, Ricardo del, «Ideario literario y estético de José Mor de Fuentes», en *Revista de Ideas Estéticas*, V (1947), pp. 395-436.

Gil, I. M., «Mor de Fuentes, poeta», en *Universidad*, Zaragoza, XXXIII (1956), pp. 22-76.
—, «Vida de don José Mor de Fuentes», en *Universidad*, Zaragoza, XXXVII (1960), pp. 71-116 y 495-566.
—, «El teatro de Mor de Fuentes», en *Miscelánea ofrecida a J. M. Lacarra*, Zaragoza, 1968, pp. 279-289.

NAVA ÁLVAREZ DE NOROÑA, GASPAR MARÍA DE, conde de Noroña (1760-1815)
Fitzmaurice-Kelly, J., «Noroña's *Poesías asiáticas*», en *Revue Hispanique*, XVIII (1908), pp. 439-467.

NIFO Y CAGICAL, FRANCISCO MARIANO (1719-1803)
Enciso Recio, Luis Miguel, *Nipho y el periodismo español del siglo XVIII*, Universidad de Valladolid, Valladolid, 1956.

OLAVIDE, PABLO DE (1725-1803)
Aguilar Piñal, Francisco, *La Sevilla de Olavide (1767-1778)*, Ayuntamiento de Sevilla, Sevilla, 1966.
Capel Margarito, M., «Escritos inéditos de Pablo Antonio José de Olavide y Jáuregui», en *La Carolina, capital de las Nuevas Poblaciones*, Instituto de Estudios Gienenses, Madrid, 1970, pp. 247-357.
Defourneaux, Marcelin, *Pablo de Olavide ou l'Afrancesado (1725-1803)*, Presses Universitaires de France, París, 1959.

PORCEL Y SALABLANCA, JOSÉ ANTONIO (1715-1794)
Marín y López, Nicolás, «La Academia del Trípode», en *Poesía y poetas del Setecientos*, Granada, 1971, pp. 179-209.
Orozco Díaz, Emilio, *Porcel y el barroquismo literario del siglo XVIII*, Cátedra Feijoo, Oviedo, 1969.

REINOSO, FÉLIX JOSÉ (1772-1841)
Aguilera, Ignacio, «Notas sobre el libro de Reinoso *Delitos de infidelidad a la patria*», en *Boletín de la Biblioteca de Menéndez Pelayo*, 1931, pp. 319-386.
Pardo Canalis, E., «Reinoso», en *Revista de Ideas Estéticas*, XXII (1964), pp. 65-83.

SALAS, FRANCISCO GREGORIO DE (?-1808)
Cossío, José María de, «Una casita y un carácter. Don Francisco Gregorio de Salas», en *Notas y estudios de crítica literaria. Poesía española. Notas de asedio*, Espasa-Calpe, Madrid, 1936, pp. 265-269.

Rozas, Juan Manuel, «Mapa para leer al padre Salas», en *Miscelánea cacereña*, Cáceres, 1980, pp. 129-142.

Urrutia, Jorge, «Una práctica de transposición semiótica: *Copia poética del quadro de la Anunciación*», en *Estudios sobre literatura y arte dedicados al profesor Emilio Orozco Díaz*, III, Universidad de Granada, 1979, pp. 501-513.

TRIGUEROS, CÁNDIDO MARÍA (1736-1798)

Aguilar Piñal, Francisco, «La obra *ilustrada* de don Cándido María Trigueros», en *Revista de Literatura*, XXXIV (1968), pp. 31-55.

—, «La poesía filosófica de Cándido María Trigueros», en *Revista de Literatura*, XLIII (1981), pp. 19-36.

Defourneaux, Marcelin, «Une adaptation inédite du *Tartuffe: El Gazmoño ou Juan de Buen alma*, de Cándido M. Trigueros», en *Bulletin Hispanique*, LXIV (1962), pp. 43-60.

Pabón, C. T., «Cándido María Trigueros y su tragedia inédita *Ciane de Siracusa*», en *Estudios Clásicos*, XVI (1972), pp. 229-245.

Sebold, Russell P., «El incesto, el suicidio y el primer romanticismo español», en *Hispanic Review*, XLI (1973), pp. 669-692; reimp. en *Trayectoria del romanticismo español*, Crítica, Barcelona, 1983, páginas 109-136.

VACA DE GUZMÁN, JOSÉ MARÍA (1744-1803)

Fabbri, Maurizio, «Las naves de Cortés destruidas en la épica española del siglo XVIII», en *Revista de Literatura*, XLII (1980), pp. 53-74.

González Palencia, Ángel, «Don José María Vaca de Guzmán, el primer poeta premiado por la Academia Española», en *Boletín de la Real Academia Española*, XVIII (1931), pp. 293-347.

VARGAS PONCE, JOSÉ (1760-1821)

Guillén y Tato, Julio, *Perfil humano de ... D. José de Vargas y Ponce ... a través de su correspondencia epistolar (1760-1821)*, Instituto de España, Madrid, 1961.

VERDUGO DE CASTILLA, ALONSO (1706-1767)

Marín López, Nicolás, «El conde de Torrepalma, la Academia de la Historia y el *Diario de los Literatos de España*», en *Boletín de la Real Academia Española*, XLII (1962), pp. 91-120.

—, *La obra poética del conde de Torrepalma*, Cátedra Feijoo, Oviedo, 1963.

ÍNDICE ALFABÉTICO

ÍNDICE